ACCESO AL E-BOOK GRATIS

[+] Diríjase a la página web de la editorial www.tirant.com

[+] En *Mi cuenta* vaya a Mis promociones www.tirant.com/mispromociones

[+] Introduzca su mail y contraseña, si todavía no está registrado debe registrarse

[+] Una vez en Mis promociones inserte el código oculto en esta página para activar la promoción

Código Promocional

Rasque para visualizar

La utilización del LIBRO ELECTRÓNICO y la visualización del mismo en NUBE DE LECTURA excluyen los usos bibliotecarios y públicos que puedan poner el archivo electrónico a disposición de una comunidad de lectores. Se permite tan solo un uso individual y privado.

No se admitirá la devolución de este libro si el código promocional ha sido manipulado

MENORES Y REDES SOCIALES

Ciberbullying, *ciberstalking*, *cibergrooming*, pornografía, *sexting*, radicalización y otras formas de violencia en la red

Procedimiento de selección de originales, ver página web:

www.tirant.net/index.php/editorial/procedimiento-de-seleccion-de-originales

MENORES Y REDES SOCIALES

Ciberbullying, ciberstalking, cibergrooming, pornografía, *sexting*, radicalización y otras formas de violencia en la red

Directora
MARÍA LUISA CUERDA ARNAU
Coordinador
ANTONIO FERNÁNDEZ HERNÁNDEZ

tirant lo bllanch
Valencia, 2016

En caso de erratas y actualizaciones, la Editorial Tirant lo Blanch publicará la pertinente corrección en la página web www.tirant.com.

Proyectos de investigación: MEC (ref. DER2013-45862-9) y UJI (ref. P1-1B2013-25)

EDITA: TIRANT LO BLANCH
C/ Artes Gráficas, 14 - 46010 - Valencia
TELFS.: 96/361 00 48 - 50
FAX: 96/369 41 51
Email:tlb@tirant.com
www.tirant.com
Librería virtual: www.tirant.es
DEPÓSITO LEGAL: V-1404-2016
ISBN: 978-84-9119-780-5
IMPRIME: Guada Impresores, S.L.
MAQUETA: Tink Factoría de Color

Índice

Presentación
DEL *CIBERBULLYING* A LA RADICALIZACIÓN A TRAVÉS DE INTERNET. ALGUNAS CUESTIONES PENDIENTES 17
MARÍA LUISA CUERDA ARNAU

Primera Parte
NUEVAS MODALIDADES DE VIOLENCIA ENTRE MENORES Y JÓVENES

VIOLENCIA DE GÉNERO JUVENIL: LA NECESIDAD DE ARMONIZAR LA TUTELA DE LA VÍCTIMA Y EL INTERÉS EDUCATIVO DEL MENOR AGRESOR
VICENTA CERVELLÓ DONDERIS

1. Introducción 24
2. Alcance de la aplicación de la LO 1/2004 de 28 de diciembre de medidas de protección integral contra la violencia de género a los menores de edad 27
   2.1. La edad como elemento diferencial 28
   2.2. El concepto de violencia de género como presupuesto: sujetos, relación sentimental, dominio y ejercicio de violencia 29
      2.2.1. Violencia que se ejerce sobre la mujer por parte de quien sea o haya sido su cónyuge o de quien esté o haya estado ligado a ella por relaciones similares de afectividad, aun sin convivencia 30
      2.2.2. Violencia que se ejerce como manifestación de la discriminación, la situación de desigualdad y las relaciones de poder de los hombres sobre las mujeres 33
      2.2.3. Todo acto de violencia física y psicológica, realizada sobre una mujer, incluidas las agresiones a la libertad sexual, las amenazas, las coacciones o la privación arbitraria de libertad 34
   2.3. Compatibilidad entre la tutela de la víctima de la LO 1/2004 y el interés educativo del menor de la LO 5/2000 35
3. La protección a la víctima de violencia de género menor de edad 38
   3.1. Medidas de protección recogidas en la LORRPM 38
   3.2. Medidas generales de protección recogidas en la LOMPIVG 42
   3.3. Alcance de la orden de protección a las víctimas menores de edad 44
4. Intervención educativa del menor agresor de violencia de género 50
   4.1. Medidas de distanciamiento: contenido y alcance 50
   4.2. Programas formativos específicos 55
5. Violencia de género, minoría de edad y nuevas tecnologías: algunas propuestas ... 56
   5.1. Violencia de género juvenil y TIC's 56
   5.2. La incorporación de las nuevas tecnologías en la protección de la víctima .. 58

5.3. Mediación con compromiso de uso correcto de las nuevas tecnologías 59
5.4. Programas formativos en igualdad y nuevas tecnologías 62
6. Bibliografía 63

LOS DELITOS DE GÉNERO ENTRE MENORES EN LA SOCIEDAD TECNOLÓGICA: RASGOS DIFERENCIALES

Asunción Colás Turégano

1. Observaciones preliminares 67
1.1. El concepto de violencia de género 69
1.2. Especificidad de la violencia de género entre menores: rasgos diferenciales . 74
1.2.1. Mayor conciencia pero inadecuada percepción 76
1.2.2. Igual o incluso mayor gravedad que entre adultos 78
1.2.3. Bidireccionalidad 80
1.2.4. Estereotipos sexistas 81
1.2.5. Uso de las TIC 82
2. Marco normativo: el interés superior del menor como criterio rector 83
3. Delincuencia de género entre menores y medios tecnológicos 86
4. El *sexting* entre menores como instrumento de la violencia de género 91
4.1. Antecedentes y precisiones conceptuales 91
4.2. El difícil encaje del *sexting* en el CP antes de la reforma de 2015. Aspectos jurídicos y criminológicos 95
4.3. La introducción del *sexting* en la reforma de marzo de 2015 98
4.4. Responsabilidad penal del menor en supuestos de *sexting* 100
4.5. La validez del consentimiento del menor ante la ciberdelincuencia 101
4.6. *Sexting* y producción de pornografía infantil. Límites aplicativos 107
5. Recapitulación y conclusiones 111
6. Bibliografía 113
Doctrina 113
Jurisprudencia 116

FACTORES PSICOSOCIALES Y MECANISMOS INTERVINIENTES EN LA VIOLENCIA JUVENIL A TRAVÉS DE LAS NUEVAS TECNOLOGÍAS

Keren Cuervo

1. Marco teórico 120
2. Incidencia y prevalencia de las agresiones y victimizaciones a menores a través de las nuevas tecnologías 124
3. Los roles implicados en el acoso escolar 126
4. Consecuencias psicosociales de la implicación en el acoso escolar 132
5. Medidas inmediatas ante un caso de ciberacoso 135
6. Bibliografía 136

VIOLENCIA DE GÉNERO Y ADOLESCENTES. EL USO DE LA TECNOLOGÍA COMO MEDIO COMISIVO

Paz Lloria García

1. Introducción: la desigualdad como motor de la violencia de género. Algunas precisiones conceptuales 144
2. El incremento de delitos de violencia de género a través del uso de las nuevas tecnologías 147
3. Algunas consideraciones en relación con el ámbito de los sujetos ¿es la ciberrelación una relación de pareja? 154
4. Acciones delictivas constitutivas de maltrato en el ámbito digital. Especial referencia a las actuaciones de jóvenes y adolescentes 160
   4.1. Constante la relación de pareja 160
   4.2. Con el fin de la relación de pareja 161
5. La reforma del Código Penal operada por la LO 1/2015 en relación con la violencia de género en el entorno digital 163
6. Consecuencias 167
7. Bibliografía 168

CIBERACOSO: UN NUEVO FENÓMENO DE VIOLENCIA A LA MUJER EN LA ADOLESCENCIA Y JUVENTUD

Fernando Vicente Pachés

1. Unas breves consideraciones previas sobre el ciberacoso como forma de ejercer la violencia contra la mujer. La "ciberviolencia" de género 172
2. Definición y delimitación del ciberacoso 178
3. Diferentes conceptos y denominaciones que recibe el acoso en red 180
4. Posibles prácticas de ciberacoso. Manifestaciones más frecuentes de ciberacoso como forma de ejercer la violencia de género 184
5. ¿Qué podemos hacer frente el ciberacoso de género? Medidas para la prevención del ciberacoso 187
6. Bibliografía 189
7. Webs de interes 190

Segunda Parte

DELITOS Y TICS

CONCEPTO DE PORNOGRAFÍA INFANTIL Y MODALIDADES TÍPICAS COMISIVAS TRAS LA REFORMA DEL CÓDIGO PENAL OPERADA POR LA LEY ORGÁNICA 1/2015 DE 30 DE MARZO: LA PORNOGRAFÍA INFANTIL Y LA QUE NO LO ES (AUNQUE SE CALIFIQUE COMO TAL)

Javier Gustavo Fernández Teruelo

1. La tipificación de nuevas formas de pornografía infantil como una manifestación más del proceso penal expansivo 194
2. El nuevo concepto legal de pornografía infantil 197

2.1. Planteamiento y contenido ... 197
2.2. Pornografía real ... 199
2.2.1. Sentido que debe darse al tiempo verbal "representar" ("represente", "representación") contenido en la descripción del concepto de pornografía infantil ... 199
2.2.2. Determinación de la suficiencia o insuficiencia de la mera desnudez para conformar el concepto de material pornográfico. En particular, el sentido que debe darse a la expresión: representación de los "órganos sexuales" ... 199
2.3. Pornografía técnica (art. 189.1, apartado c) ... 201
2.4. Pornografía virtual (art. 189.1, apartado d) ... 203
2.5. Pseudopornografía infantil ... 205
2.6. Pornografía infantil sonora y escrita (literaria) ... 206
3. Modalidades típicas ... 207
3.1. Modalidades típicas preexistentes a la reforma operada por LO 1/2015 ... 207
3.2. Nueva modalidad típica: la adquisición de pornografía infantil (art. 189.5) ... 213
3.3. Nueva modalidad típica: el acceso (visualización) a sabiendas a pornografía infantil ... 213
4. Bibliografía ... 214

"*ON-LINE CHILD GROOMING*" DESDE LAS PERSPECTIVAS COMPARADA Y CRIMINOLÓGICA, COMO PREMISAS DE ESTUDIO DEL ART. 183 TER) 1º CP (CONFORME A LA LO 1/2015, 30 DE MARZO)
ELENA M. GÓRRIZ ROYO

1. Introducción ... 218
2. Fundamentos para la incriminación desde la perspectiva criminológica ... 220
2.1. El "*on-line child grooming*" ¿una figura necesitada de incriminación? ... 220
2.2. ¿Qué es el "*on-line child grooming*"? ... 223
2.3. Sujetos del delito desde la perspectiva criminológica: los menores pertenecientes a la "Generación@" y el autor como "sexual predator" ... 229
3. Estudio del delito de "*On-line child grooming*" en los principales sistemas penales de derecho comparado ... 237
3.1. Estados Unidos ... 238
3.2. Gran Bretaña, Irlanda del Norte y Escocia ... 240
3.3. Australia ... 243
3.4. Canadá ... 244
3.5. Regulación internacional y de la UE ... 245
4. El delito de *On-line child grooming* del art. 183 ter) 1º CP: análisis de su principales aspectos ... 248
4.1. El nuevo delito del art. 183 ter) 1º CP en el contexto del Capítulo II bis), Título VIII ... 248
4.2. Bien jurídico y delito de peligro ... 249
4.3. Principales elementos típicos, a partir de las diferencias con el art. 183 bis) CP ... 253
4.3.1. Sujeto pasivo ... 255
4.3.2. Conducta típica ... 256

5. Conclusiones 280
6. Bibliografía 283

INTIMIDAD Y MENORES: CONSECUENCIAS JURÍDICO-PENALES DE LA DIFUSIÓN DEL *SEXTING* SIN CONSENTIMIENTO TRAS LA REFORMA DEL CÓDIGO PENAL OPERADA POR LO 1/2015

Cristina Guisasola Lerma

1. Cuestiones introductorias 288
2. Ámbito y contenido del derecho a la intimidad de los menores de edad en el entorno tecnológico 290
3. La reforma penal de 2015 relativa a los delitos contra la intimidad: el art. 197.7 y otras conductas vinculadas al *sexting* (art. 183 ter) 294
   3.1. Estado de la cuestión previo a la reforma operada por LO 1/ 2015 294
   3.2. La tipificación de la difusión inconsentida del *sexting* ajeno (art. 197.7 CP) 297
   3.3. Breve referencia al apartado 2° del artículo 183 ter: embaucamiento de menores y *sexting* 303
4. Conclusiones 305
5. Bibliografía 306

AGRESIONES A BIENES ALTAMENTE PERSONALES A TRAVÉS DE LAS TICS: TRATAMIENTO PENAL DE FENÓMENOS COMO EL *STALKING*, *SEXTING*, *GROOMING* Y CIBERACOSO EN ALEMANIA

Teresa Manso Porto

1. Introducción 309
2. El acoso, acecho o *stalking* (§ 238 CP alemán) 311
   2.1. Origen legislativo y aspectos criminológicos 311
   2.2. La redacción típica 312
   2.3. La estructura del tipo básico: elementos más destacados y complejos 312
      2.3.1. Persistencia de la conducta 313
      2.3.2. Grave menoscabo de la forma de vida de la víctima 314
      2.3.3. El intento de contactar con la víctima por medios de telecomunicación y otras formas de *ciberstalking* 314
   2.4. Recepción en la jurisprudencia 315
3. El ciber-mobbing: fenómeno y relevancia penal 318
4. El *sexting* y su relevancia penal 319
5. El *child-grooming* y su relevancia penal 320
6. Bibliografía 321

NUEVAS FORMAS DE ACOSO: *STALKING/CYBERSTALKING*-ACOSO/ CIBERACOSO

Ángela Matallín Evangelio

1. Consideraciones previas 324
2. Justificación del delito 332

3. Bien jurídico protegido ... 337
4. Conducta típica ... 342
   4.1. El resultado del delito: la grave alteración del desarrollo de la vida cotidiana ... 343
   4.2. Modalidades de conducta: el acoso típico ... 345
      4.2.1. Determinación del número de actos necesarios para que la conducta merezca el calificativo de acoso ... 346
      4.2.2. Modalidades de conducta constitutivas de acoso ... 349
5. La cláusula legal sin estar legítimamente autorizado ... 359
6. Tipos agravados ... 361
7. Cláusula concursal ... 363
8. Bibliografía ... 365

EL FENÓMENO DEL *CIBERBULLYING* DESDE EL DERECHO PENAL ESPAÑOL. SU DELIMITACIÓN CON OTRAS FORMAS DE CIBERACOSO A MENORES

SILVIA MENDOZA CALDERÓN

1. Introducción: el fenómeno del acoso entre iguales ... 370
2. El *Ciberbullying* ... 375
   2.1. Consideraciones generales ... 375
   2.2. La tutela penal frente a los casos de ciberacoso: la comisión de delitos contra la integridad moral y la intimidad. La suplantación de identidad. La incidencia de la reforma operada por la Ley Orgánica 1/2015, de 30 de marzo ... 379
3. La distinción del *ciberbullying* de otras formas de acoso a menores ... 387
   3.1. Supuestos de acoso a menores con finalidad sexual: delitos de *grooming*, atentados contra la integridad moral, la libertad, prostitución y corrupción de menores ... 387
   3.2. La distinción entre las conductas de *bullying* y *ciberbullying* como delito contra la integridad moral ... 395
4. Conclusiones ... 397
5. Bibliografía ... 401

LA INCRIMINACIÓN DEL ACOSO (PREDATORIO) EN LA REFORMA PENAL DE 2015

CAROLINA VILLACAMPA ESTIARTE
ALEJANDRA PUJOLS PÉREZ

1. Introducción ... 403
2. Fenomenología ... 406
3. El tipo básico ... 411
   3.1. Conducta típica ... 411
   3.2. Modalidades comisivas ... 414
   3.3. El resultado típico ... 417
4. Los tipos cualificados ... 418
5. La cláusula concursal ... 419
6. Perseguibilidad del delito ... 420

7. Conclusión 420
8. Bibliografía 421

Tercera Parte
RADICALIZACIÓN TERRORISTA DE MENORES Y JÓVENES

RIESGOS A LA SEGURIDAD NACIONAL Y USO DE LAS REDES SOCIALES EN LA ADOLESCENCIA: ANÁLISIS DE LOS MECANISMOS Y PROCESOS DE CAPTACIÓN Y RADICALIZACIÓN DE ADOLESCENTES EN REDES SOCIALES

Fernando Cocho Pérez

1. Introducción 428
2. ¿Qué son las redes sociales personales y por qué afectan a la seguridad nacional? 429
   2.1. Características 429
   2.2. ¿Cómo su uso es un riesgo? 430
   2.3. ¿Para qué sirven? 431
      2.3.1. Ventajas 431
      2.3.2. Desventajas 431
3. Errores que se comenten y que afectan a la seguridad por falta de formación 432
   3.1. Dificultades para la seguridad nacional en la creación de redes de comunicación 433
      3.1.1. La influencia de las políticas legales, que fragmentan y atomizan las sociedades 433
      3.1.2. Las relaciones viciadas con las administraciones públicas 433
      3.1.3. Los reinos de Taifas en educación 434
4. Las Inercias Organizativas 434
   4.1. Un estilo de comunicar con excesivas dependencias del texto escrito, del lenguaje racional, de la cultura impresa 435
5. Algunas claves de las tecnologías de la información y de la comunicación 436
   5.1. Descubrir que la lógica de trabajo en red precede al instrumento de la red internet 436
   5.2. Pensar la comunicación 437
   5.3. Incorporación de los lenguajes audiovisuales 437
6. Clasificación de riesgos 437
7. El uso de las tecnologías de información y comunicación como elemento de captación 444
8. Procesos de reclutamiento en la radicalización 446
9. Las redes sociales como mecanismo de captación directa y riesgo a la seguridad nacional 448
10. Estrategias de manipulación mediática en redes sociales. Si Sylvain Timsit tiene razón en sus diez reglas de manipulación mediática y comunicativa, las redes sociales deberían ser también un factor de manipulación. Veamos cómo se puede aplicar, veremos cómo adaptarlas a nuestros requerimientos y veremos que se cumplen ... 452
11. Procesos Psicológicos de manipulación aplicados a las redes sociales 454
12. Modelo cognitivo de los adolescentes en redes sociales: La ruptura tecnológica ... 455
13. Bibliografía 457

LA RADICALIZACIÓN TERRORISTA DE MENORES Y JÓVENES VULNERABLES (UNA APROXIMACIÓN DE URGENCIA)

María Luisa Cuerda Arnau

1. Introducción: el incremento de un problema que tiene en los menores y jóvenes su objetivo prioritario 466
2. Estrategias nacionales y europeas de lucha contra la radicalización 471
  2.1. Plan Estratégico Nacional de Lucha contra la Radicalización Violenta (2015) 472
  2.2. Normativa, directrices y organismos comunitarios específicos 475
    2.2.1. Los documentos marco: la Estrategia de la Unión Europea de lucha contra el terrorismo (2005), la Estrategia de Seguridad Interior de la Unión Europea (2010) y la Agenda Europea de Seguridad (2014-2019) 475
    2.2.2. Resolución del Parlamento Europeo, de 25 de noviembre de 2015, sobre la prevención de la radicalización y el reclutamiento de ciudadanos europeos por organizaciones terroristas (2015/2063(INI) 477
    2.2.3. Organismos europeos de lucha contra la radicalización: la Red para la Sensibilización frente a la Radicalización y la Unidad de Notificación de Contenidos de Internet 482
3. La perspectiva jurídico-penal (sustantiva y procesal). Bases para un ulterior estudio 484
  3.1. Límites constitucionales al castigo de la radicalización: la reforma del Código Penal a examen. Especial referencia a la propaganda, las apologías débiles y otros delitos "de expresión" (remisión) 485
  3.2. Singularidades procesales. Especial referencia a la reforma de la Ley de Enjuiciamiento Criminal: límites constitucionales de la tecnovigilancia 498
  3.3. Prisión y radicalización (Breve apunte) 510
4. Conclusiones 514

CONCEPTO DE RADICALIZACIÓN. CONSECUENCIAS DE SU USO EN EL ÁMBITO JURÍDICO PENAL

Antonio Fernández Hernández

1. El punto de partida: terrorismo, radicalización y TICs 517
2. Algunas consideraciones en torno al concepto de radicalización 524
3. Estado de la cuestión: las últimas reformas penales en materia de terrorismo 528
4. Conclusión 532
5. Bibliografía 533

UNA APROXIMACIÓN SOCIOLÓGICA AL PROCESO DE RADICALIZACIÓN EXTREMISTA EN EL ISLAMISMO: LA NECESIDAD DE INDICADORES

Sergio García Magariño

1. Introducción, metodología y precisiones terminológicas 536
2. Indicadores del proceso de radicalización individual 538
  2.1. El perfil 538

2.2. Las motivaciones 540
3. Indicadores *mesosociológicos*: el contexto cercano 544
3.1. El proceso de socialización 544
3.2. Condiciones estructurales y grupales 548
4. Otros indicadores *macrosociológicos* 550
5. Conclusión 554

Presentación

Del *ciberbullying* a la radicalización a través de Internet. Algunas cuestiones pendientes

María Luisa Cuerda Arnau
Catedrática de derecho penal de la Universitat Jaume I

La revolución de Internet ha supuesto un cambio de escenario criminológico. Eso es tan indudable como lo es que el proceso de expansión legislativa está en buena medida directa o indirectamente vinculado con dos de las características que individualizan al siglo XXI: la globalización y el recurso y difusión de las nuevas tecnologías de la información y la comunicación (TIC'S). Por otra parte, es claro que la masiva utilización de las mismas por parte de la infancia y adolescencia representa una nueva circunstancia en la Sociedad de la Información no desprovista de relevancia social y jurídica, pues al potencial de aprovechamiento que supone para la información, la educación, el entretenimiento y la cultura, hay que sumar los riesgos que se derivan de su inadecuado uso y de su abuso. En esa medida, el ciberespacio es claramente un nuevo ámbito de oportunidad criminal, de cuyas singularidades interesa ahora destacar, de un lado, la ausencia de un guardián capaz o, al menos, tan capaz como el que "vigila" el espacio físico y, de otro, el atractivo que ese espacio tiene en ese segmento de edad, cuya motivación para el crimen se ve así reforzada y se une a una vulnerabilidad máxima, sea por ignorancia en las etapas más tempranas, sea por la distorsión de la realidad y la necesidad de reconocimiento y arraigo consustancial a la adolescencia. Todo ello aconsejaba estudiar la repercusión que lo expuesto puede tener en el desarrollo o el incremento de conductas lesivas o peligrosas para los derechos del menor, desde la intimidad y la integridad moral hasta la indemnidad sexual, así como para bienes de terceros afectados por conductas delictivas de los propios menores o, más recientemente, para el conglomerado de bienes que resultan afectados por las conductas de captación y radicalización terrorista.

A tal efecto, el grupo de investigación de la Universitat Jaume I que tengo el honor de coordinar solicitó dos proyectos complementarios a la propia universidad y al Ministerio de economía y competitividad y ambos organismos apoyaron nuestra propuesta mediante la concesión de sendas ayudas (P1-1B2013-25 y DER2013-45862-P, respectivamente). Esos fondos nos han permitido, entre otras acciones destinadas a desarrollar el referido marco teórico, nutrir nuestra biblioteca y convertirla en un centro de referencia en la especialidad. Por otra parte, el grupo de investigación se ha implicado en actividades de formación de educadores y familias, así como en multitud de actividades de divulgación dirigidas a menores y adolescentes con el objetivo de que hagan un uso responsable de la red, pues esta es, qué duda cabe, la primera de las cuestiones pendientes. Es imprescindible que nuestros jóvenes conozcan los riesgos que ellos mismos corren pero también que sean conscientes de las implicaciones jurídicas que tienen sus propias conductas cuando afectan a terceros. En cuanto a esto, sorprende advertir la ignorancia con que transitan por la red menores, adolescentes y jóvenes adultos que acaban por convertirse en víctimas o verdugos sin ser verdaderamente conscientes ni de lo uno ni de otro. No es preciso pensar en la radicalización como ejemplo paradigmático de lo dicho. Sirva este otro: en una reunión de trabajo que Ana Ferrer, magistrada de la Sala segunda del Tribunal Supremo, mantuvo con universitarias de Castellón, ninguna estimó inadecuado que sus parejas les pidieran *a efectos de protegerlas* instalar en sus teléfonos móviles un dispositivo de geolocalización o que se molestasen por no contestar sus whatsapp con presteza. Esas jóvenes, a la vista está, ignoran —deliberadamente o no— que el intento de control es el primer paso de la violencia de género, que justamente se desencadena cuando el controlado quiere dejar de serlo.

La segunda cuestión que debe abordarse desde una perspectiva global es el papel de los centros educativos en la prevención y detección de todas estas conductas. Tras los atentados de París, hemos sabido que los responsables del instituto de Bruselas donde estudiaba Bilal Hadfi, uno de los suicidas del estadio de Saint Denis, habían informado a las autoridades educativas de las inclinaciones de este jóven y de su actitud tras el ataque perpetrado en enero de 2015 contra el semanario Charlie Hebdo, que, según una profesora suya, llego a justificar como medida para frenar los insultos a la religión y al profeta[1]. Con ello se evidencia, como reconocía la Estrategia de Seguridad Interior de la Unión Europea[2], que "las políticas de seguridad, especialmente las de prevención, deben adoptar un enfoque amplio que incluya no solo las agencias policiales, sino también las instituciones y a los profesionales, tanto a nivel nacional como local. Por lo tanto, debe obtenerse cooperación con otros sectores, como escuelas, universidades y otras instituciones educativas, a fin de prevenir que los jóvenes desarrollen con-

1 http://internacional.elpais.com/internacional/2015/12/26/actualidad/1451131734_798417.html http://www.elmundo.es/internacional/2015/11/18/564c4b4e46163fbc108b45e4.html (ambas direcciones disponibles a 27 de diciembre de 2015).

2 http://www.consilium.europa.eu/uedocs/cms_data/librairie/PDF/QC3010313ESC.pdf disponible a 27 de diciembre de 2015).
Una referencia indispensable que, sin embargo, se echa en falta en la vigente Agenda Europea de Seguridad 2015-2020, http://www.europarl.europa.eu/sides/getDoc.do?pubRef=-//EP//NONSGML+TA+P8-TA-2015-0269+0+DOC+PDF+V0//ES (disponible a 27 de diciembre de 2015).

ductas delictivas". Pero no basta con la declaración institucional. Ignoramos si fue a raíz de lo anterior cuando se iniciaron las investigaciones que condujeron a que el terrorista —que ya en febrero marchó a Siria— estuviese en el foco del Órgano de Coordinación para el Análisis de las Amenazas (OCAM). No me sorprendería, sin embargo, saber que las autoridades académicas y las policiales siguieran caminos paralelos y que, por ende, el centro educativo se hubiese ceñido a seguir protocolos circunscritos a tratar el tema como un asunto interno a ventilar en el propio ámbito. Esto es, sin ir más lejos, lo que ocurre en muchos casos de acoso, ciberacoso o *sexting* entre menores y adolescentes de los que tenemos noticia normalmente porque culminan con un final trágico. Cuando casos de esta naturaleza salen a la luz, lo habitual es cargar las tintas sobre directores o jefes de estudio que carecen de información suficiente y de medios adecuados para afrontar el problema de modo verdaderamente eficaz. Ciertamente, las Comunidades autónomas —y la valenciana en particular— han puesto en marcha programas de actuación contra el acoso y el ciberacoso con protocolos y actuaciones aparentemente bien diseñadas. Con todo, la realidad, a diferencia del papel, no lo resiste todo y muestra que hay algo que no funciona. La disparidad de resultados entre nuestros programas de prevención del acoso y, por ejemplo, los que arrojan los paises en que se ha implementado el programa finlandés KiVa, es muy elocuente. Es difícil conocer las razones de ese estado de cosas, pero buscar las soluciones es tarea de todos. Ahora bien, para ello las instituciones y organismos educativos deben abrir sus puertas a expertos que evaluen el problema desde una perspectiva integral. Sin embargo, los recelos son tan grandes que ese no pasa de ser un anhelo con poco futuro. Al menos en nuestro caso ha resultado imposible llevar a cabo una actuación coordinada entre la Universidad Jaume I y la Conselleria de Educación, pues el proyecto de intervención para el análisis del acoso escolar en la provincia de Castellón presentado ante la Dirección Territorial de Educación el 19 de febrero de 2015 todavía está pendiente de respuesta. Aún así, merced a diversas actividades de formación, ha sido posible mantener contactos y realizar entrevistas a educadores que, entre otras cosas, revelan cierta desorientación entre los responsables de los colegios e institutos en los que se producen muchas de estas conductas, ya que, en el mejor de los casos, la única directriz clara es ponerlas en conocimiento de los padres y de la inspección educativa, sin que, mientras estas instancias actúan (o no) sepan bien a qué atenerse. Por lo demás, se ignora la suerte que corren esos protocolos una vez que desde el centro se les ha dado curso, por lo que nos ha resultado imposible realizar una evaluación relativa a su eficacia para prevenir, detectar o atajar este tipo de conductas. Pese a ello, no hay que perder la esperanza, pues conocer las barreras es el primer paso para saltarlas. También a esto ha contribuido modestamente nuestro proyecto.

La tercera cuestión pendiente es evaluar la eficacia del modelo de justicia penal en relación con ese tipo de conductas y confrontar las ventajas y desventajas inherentes a la tutela penal con las que en determinados casos podrían derivarse de otras estrategias de protección. Y, por descontado, allí donde es evidente la oportunidad de intervenir penalmente resulta urgente proponer alternativas que subsanen las evidentes deficiencias que en determinados casos se advierten, ya sea en el ámbito sustantivo, ya sea en el ámbito procesal, tanto a nivel de investigación como de enjuiciamiento o de cooperación internacional. La reciente modificación de la Ley de Enjuiciamiento Criminal por LO 13/2015 viene, en parte, a solventar algunos problemas pero crea otros, lo que obliga a no dar el tema por cerrado. De igual modo, es urgente poner de manifiesto hasta dónde puede llegar constitucionalmente el instrumento penal. En cuanto a esto último, los atentados de París del 13 de noviembre de 2015 reavivaron el debate acerca de los límites que la libertad de expresión impone al castigo del discurso extremo y, de momento, es la libertad la que sale perdiendo. Alguien debe, pues, en beneficio de todos, tratar de defenderla. Pero, al mismo tiempo, urge proponer un modelo aceptable de protección de la seguridad global, en el que la justicia de menores no puede quedar al margen, toda vez que son precisamente estas personas los objetivos más fáciles para las redes de captación, lo que explica que, según datos de la Memoria de la Fiscalía General del Estado de 2015, en ese periodo hayan debido incoarse catorce expedientes de reforma relacionados con delitos de terrorimo[3].

Los resultados parciales que hoy presentamos son fruto del esfuerzo de todo un conjunto de personas que, con ilusión y entusiasmo, han dedicado tiempo al estudio y a la reflexión sobre cuestiones que constituyen nuevos retos de la política criminal contemporánea. Con ese título como marco hemos celebrado diferentes seminarios de trabajo en los que se han debatido los aspectos más polémicos y se ha enjuiciado la solidez o endeblez de las conclusiones provisionales con carácter previo a la publicación de los resultados. A todos los que han participado quiero agradecerles sus valiosas contribuciones a esta iniciativa, que no hubiera podido llevarse a buen puerto sin el generoso apoyo de la Universitat Jaume I y el Ministerio de Economía y Competitividad. Gracias a todos.

En Castellón a 8 de enero de 2016

---

3 https://www.fiscal.es/memorias/memoria2015/Inicio.html (disponible a 2 de enero de 2016).

PRIMERA PARTE

NUEVAS MODALIDADES DE VIOLENCIA ENTRE MENORES Y JÓVENES

Violencia de género juvenil: la necesidad de armonizar la tutela de la víctima y el interés educativo del menor agresor

Vicenta Cervelló Donderis
Profesora Titular (Acretitada a Catedrática) de Derecho Penal
Universitat de València

SUMARIO: 1. Introducción. 2. Alcance de la aplicación de la LO 1/2004 de 28 de diciembre de medidas de protección integral contra la violencia de género a los menores de edad. 2.1. La edad como elemento diferencial. 2.2. El concepto de violencia de género como presupuesto: sujetos, relación sentimental, dominio y ejercicio de violencia. 2.2.1. Violencia que se ejerce sobre la mujer por parte de quien sea o haya sido su cónyuge o de quien esté o haya estado ligado a ella por relaciones similares de afectividad, aun sin convivencia. 2.2.2. Violencia que se ejerce como manifestación de la discriminación, la situación de desigualdad y las relaciones de poder de los hombres sobre las mujeres. 2.2.3. Todo acto de violencia física y psicológica, realizada sobre una mujer, incluidas las agresiones a la libertad sexual, las amenazas, las coacciones o la privación arbitraria de libertad. 2.3. Compatibilidad entre la tutela la víctima de la LO 1/2004 y el interés educativo del menor de la LO 5/2000. 3. La protección a la víctima de violencia de género menor de edad. 3.1. Medidas de protección recogidas en la LORRPM. 3.2. Medidas generales de protección recogidas en la LOMPIVG. 3.3. Alcance de la orden de protección a las víctimas menores de edad. 4. Intervención educativa del menor agresor de violencia de género. 4.1. Medidas de distanciamiento: contenido y alcance. 4.2. Programas formativos específicos. 5. Violencia de género, minoría de edad y nuevas tecnologías: algunas propuestas. 5.1. Violencia de género juvenil y TIC's. 5.2. La incorporación de las nuevas tecnologías en la protección de la víctima. 5.3. Mediación con compromiso de uso correcto de las nuevas tecnologías. 5.4. Programas formativos en igualdad y nuevas tecnologías. 6. Bibliografía.

RESUMEN: La violencia de género entre menores de edad enfrenta los derechos de la víctima tutelados por la LOMPIVG y los intereses educativos del menor infractor recogidos en la LORRPM. En este estudio se propone conciliar ambos derechos garantizando que en violencia de género las menores de edad reciban la misma protección que las mayores de edad, incluso cuando el agresor sea menor y el enjuiciamiento se remita a la LORRPM, en la que es prioritario el interés del menor. En esta línea, se plantea un campo de actuación específico sobre el uso de las TIC's, por ser un medio de comunicación que puede facilitar las conductas de dominio.

PALABRAS CLAVE: violencia de género juvenil, víctima menor, menor infractor

ABSTRACT: Gender youth violence counterpose the rights of victims protected by the LOMPIVG and the educational interests of the offenders included in the LORRPM. The main purpose in this study is to reconcile both rights by ensuring the same protection that adults receive to minors, even when the offender is a minor and the criminal procedure is abided by the LORRPM with its principle of priority interest of the child. Along these lines, a specific field of action on the use of ICT is proposed, as the means of communication that can facilitate behavior domain.

KEYWORDS: gender violence, young victim, young offender.

1. INTRODUCCIÓN

Una de las consecuencias que se desprenden de la utilización de las nuevas tecnologías de la información y comunicación (TIC's) entre los menores de edad es la de su uso para la permanente comunicación con la pareja sentimental, siendo frecuente que lo que comienza dentro de la relación afectiva mutuamente aceptada, derive hacia verdaderas conductas de acoso, control y hostigamiento, propios de la violencia de género, con el problema adicional de no ser siempre identificado como tal por sus protagonistas, ni recibir la atención que merece por la sociedad en general, y las instituciones en particular. Esta falta de reacción de los más jóvenes, y la insuficiente atención por parte de las instituciones, choca con el incremento de las actitudes machistas en las relaciones sentimentales juveniles y la reducción de la edad de víctimas y agresores de violencia de género, lo que confirma la evidencia de un fenómeno que crece a un ritmo imparable desde la adolescencia[1] sin conseguir salir del ostracismo, ni siquiera en instituciones de control formal tan vinculadas a la minoría de edad como son los centros educativos y la propia Jurisdicción de menores.

En los centros educativos de educación secundaria, el acoso escolar[2] y el *bullying* enmascaran en ocasiones[3] verdaderas situaciones de violencia de género, ya que las agresiones, el hostigamiento y el acoso ocultan muchas veces fracasos sentimentales o relaciones afectivas conflictivas. La Ley 1/2004, de 28 de diciembre, de medidas de protección integral contra la violencia de género (LOMPIVG), en su vocación de priorizar el aspecto preventivo y educativo, señala en su art. 7

---

1 Las estadísticas de los Juzgados de Menores, de la Fiscalía General de Estado y diversas encuestas e informes realizados entre adolescentes señalan las situaciones de dominio como algo habitual en las relaciones sentimentales entre adolescentes. GARCÍA GONZÁLEZ, J. 2012. La violencia en el noviazgo: el delito de violencia de género entre adolescentes. En *La violencia de género en la adolescencia*. Dtor J. García González, p. 53, Navarra.

2 Los puntos de encuentro entre la violencia de género y el acoso escolar (demostración de poder sobre víctima indefensa, que se mueve entre la impunidad y la minimización) sitúa a los acosadores en condición de riesgo de acabar siendo agresores de violencia de género. DÍAZ AGUADO, M. J. 2006. Sexismo, violencia de género y acoso escolar. Propuestas para una prevención integral de la violencia. En *Revista de estudios de juventud* nº 73, 2006, p. 47.

3 CAURÍN ALONSO, C./ RAMÍREZ CUENCA, A. 2012. Violencia en el noviazgo en el ámbito escolar. En *La violencia de género en la adolescencia*, Dtor. J. Garcia González, cit. p. 276.

la necesidad de que el profesorado reciba una formación específica para poder prevenir la violencia de género, lo que implica promocionar la educación en la igualdad para evitar manifestaciones de violencia de género y concienciar de la necesidad de rechazar comportamientos que agresores y víctimas no siempre asumen como ilícitos.

En todo fenómeno delictivo la primera dificultad es la averiguación y comprobación del delito y la segunda es la concreción de su ilicitud y la imposición de la sanción más adecuada, por ello para un correcto tratamiento de la violencia de género entre los menores de edad, una adecuada formación del profesorado puede ayudar a detectar sucesos de violencia de género en las aulas y debe contribuir a diseñar estrategias de prevención e intervención adecuadas[4], ya que se percibe una actuación muy irregular en los centros educativos, que unas veces ocultan o minimizan los hechos, otras optan por la solución dialogada con medios alternativos de conflicto, y solo de forma residual recurren al modelo más disciplinario bien por vía interna o de remisión a los órganos judiciales[5].

Por su parte, en el ámbito de la Jurisdicción de menores, la violencia de género entre jóvenes también pasa desapercibida por dos fenómenos que en la actualidad concentran un gran interés, como son por un lado el espectacular aumento de la violencia filoparental y su cuestionamiento con ciertos modelos educativos, y por otro, el protagonismo del menor como víctima directa del maltrato sufrido por la madre. En el primer caso el evidente aumento de agresiones de hijos a padres no puede servir para desatender la violencia de los menores de edad a sus parejas, de hecho la agresión a la madre, no deja de ser una violencia contra la mujer, aunque no entre en la categoría de violencia de género por la restricción del concepto recogido en la legislación española. En el segundo, la especial atención a los efectos que el maltrato sufrido por la madre deja en los menores de edad, tampoco debe descuidar su posición de víctima realmente directa de la violencia de género; prueba de ello es la Ley 26/2015, de 28 de julio, de modificación del sistema de protección a la infancia y adolescencia donde se reconoce a los menores de edad

---

4 El trabajo docente dirigido a prevenir la violencia de género ha aumentado en horas lectivas y ha mejorado en su tratamiento, ya que ha pasado de ser una actividad aislada o complementaria a incardinarse en el currículo habitual de una asignatura evaluable. DÍAZ AGUADO, M. J./ MARTÍNEZ ARIAS, R./ MARTÍNEZ BABARRO, J. 2013. *La evolución de la adolescencia española sobre la igualdad y la prevención de la violencia de género,* Delegación del Gobierno para la violencia de género, pp. 175-177.

5 MARTIN, N. TELLADO, I. 2012. Violencia de género y resolución comunitaria de conflictos en los centros educativos. En *Géneros Mutidisciplinary Journal of Gender* Studies Vol I nº 3, octubre, p. 304.

como víctimas directas de la violencia de genero sufrida por sus madres[6], pero no se menciona a las menores de edad como destinatarias directas de violencia de género de sus propias parejas.

La visibilidad de la violencia de género juvenil en la Jurisdicción de menores también encuentra un gran obstáculo en las dificultades para separarla de la violencia doméstica o familiar, ya que hasta el año 2011 los casos de violencia de género se registraban conjuntamente con los de violencia doméstica, y sólo desde entonces se registran de manera separada; como además los programas informáticos no siempre permiten su contabilización separada, la obligación de hacerlo de manera manual da lugar a unas cifras de violencia sobre la mujer en los Juzgados de menores todavía muy moderadas. De esta manera según la Memoria de la Fiscalía General del Estado de 2015[7] constan 473 asuntos en el año 2011, 632 asuntos en el año 2012, 327 en el año 2013 y 409 en el año 2014, cifras todavía muy lejanas de la incidencia real de la violencia de género juvenil, ya que son muy numerosos los hechos que no se denuncian[8] bien por temor, dependencia emocional y sentimiento de vergüenza de la víctima, bien porque los mecanismos de control social informal despliegan sus efectos evitando su judicialización

Por todo ello, y partiendo del fenómeno real de la violencia de género entre menores de edad, en el presente trabajo se van a contrastar los aspectos relacionados con la intervención sobre el agresor, lo que es objeto de la Ley orgánica reguladora de responsabilidad penal del menor de edad (LORRPM) desde la perspectiva del prioritario interés educativo del menor infractor, con la protección y tutela específica de la víctima del maltrato que debe recibir desde la LOMPIVG, pero con la peculiaridad de ser además menor de edad. Da la impresión que hasta la fecha ambas normas se han ignorado mutuamente, una se dedica a la intervención educativa de los menores agresores y otra a la tutela de las víctimas de violencia de género, olvidando que en ocasiones los intereses de ambas pueden confluir, y que de no actuar correctamente, se puede provocar un grave perjuicio en la erradicación de la violencia de género, ya que ni se está tratando la especificidad de esta tipología delictiva y su adecuada intervención en la minoría de edad, ni se está dando una adecuada atención a la víctima de violencia de género, precisamente porque es menor de edad.

---

6 Sobre esta novedad, RUIZ RUIZ, R. 2014. Menores de edad víctimas de violencia de género en la ley de protección a la infancia. *Revista UNED* nº 15.

7 MEMORIA FISCALÍA GENERAL DEL ESTADO 2015, p. 493.

8 GARCÍA INGELMO, F. M. 2011. Violencia de género en parejas adolescentes. Respuestas desde la jurisdicción de menores. II Congreso para el estudio de la violencia contra las mujeres. Sevilla, p. 7.

La propuesta que se quiere formular es que un eventual conflicto entre el interés educativo del agresor y la tutela de la víctima de violencia de género, cuando ambos son menores de edad, no puede solventarse en la tradicional antinomia de los términos agresor/víctima, sino en términos de prioritario interés educativo de todos los menores de edad y especial atención a la tutela de toda víctima de violencia de género, con independencia de su minoría de edad. Para ello a continuación se va a proceder al análisis de los problemas de aplicación que la LOMPIVG puede generar en la violencia de género entre adolescentes, y su correspondiente proyección sobre el Derecho Penal juvenil

2. ALCANCE DE LA APLICACIÓN DE LA LO 1/2004 DE 28 DE DICIEMBRE DE MEDIDAS DE PROTECCIÓN INTEGRAL CONTRA LA VIOLENCIA DE GÉNERO A LOS MENORES DE EDAD

La Ley 1/2004, de 28 de diciembre, de medidas de protección integral contra la violencia de género (LOMPIVG) es una ley integral y multidisciplinar que pretende aglutinar todos los aspectos relacionados con la violencia de género para abordar mejor su prevención y erradicación. Para ello plantea una serie de medidas que van desde las de naturaleza preventiva, como la educación, hasta las previstas para la persecución y sanción de toda conducta que suponga un ataque a la mujer por el mero hecho de serlo, es decir, como expresión de dominio y subordinación, derivada de la desigualdad social entre hombres y mujeres.

Entre todas ellas, la tutela penal de la violencia de género se centra en describir aquellas conductas delictivas caracterizadas por el elemento discriminatorio y en asignarles consecuencias jurídicas que siendo sancionadoras, no descuiden su carácter preventivo de futuros hechos delictivos. Este papel claramente punitivo de la tutela penal no puede desatender las situaciones de peligro que sufren las víctimas, por ello, gran parte de la ley se ocupa de una serie de medidas de protección dirigidas a neutralizar los posibles riesgos, teniendo en cuenta la gran vulnerabilidad de las víctimas de violencia de género.

La aplicación de la LOMPIVG a la violencia de género juvenil presenta una peculiaridad específica y es que todas las medidas de protección destinadas a la víctima deben compatibilizarse con el interés prioritario de toda medida impuesta a los agresores cuando son menores de edad, por ello desde el interés social preferente de la educación y formación de todo menor de edad, se debe diseñar un espacio integrador de ambos intereses en posible conflicto. Dado el carácter integral de la LOMPIVG son muchas y variadas las medidas que se recogen en su seno, por eso sólo se va a hacer referencia a aquellas que permiten una correlación entre agresor y víctima desde una perspectiva sancionadora educativa, tanto desde las primeras situaciones de riesgo sufridas por la víctima, como de los daños efectivamente realizados por el agresor.

Presupuesto previo para ello es determinar si las medidas recogidas en la LOMPIVG son aplicables sin excepción a los menores de edad, para lo cual hay que confirmar primero que la violencia de género a la que se refiere la LOMPIVG se puede producir en el ámbito de la minoría de edad, y a continuación, si las previsiones dirigidas a víctima y agresor, recogidas en esta norma, se pueden extender también a los menores de edad, teniendo en cuenta el carácter de Jurisdicción especial de los Juzgados de Menores y las limitaciones derivadas de la minoría de edad de la víctima. Como consecuencia de ello a continuación se analiza la violencia de género juvenil y su cabida en la LOMPIVG y las consecuencias que conlleva extenderle su ámbito de aplicación.

2.1. *La edad como elemento diferencial*

Cuando se habla de violencia de género entre menores de edad o entre adolescentes, se puede tomar como referencia la franja de edad que marca el ámbito de aplicación de la Jurisdicción de Menores que se sitúa entre los 14 y los 18 años. Estas edades nos sirven para delimitar la responsabilidad penal del agresor, ya que si el menor no alcanza los 14 años de edad quedará bajo la esfera de los organismos de protección administrativa, y en caso de haber cumplido los 18 años pasará a la jurisdicción de adultos, por lo tanto se le aplicará el Código Penal y todas sus previsiones legales. De esta manera si el menor agresor tiene entre 14 y 18 años en el momento de los hechos, estará sometido a la LORRPM, caracterizada por recoger unas previsiones adaptadas a la edad y circunstancias del menor infractor, siempre que cometa alguna de las conductas delictivas recogidas en el Código Penal y leyes penales especiales.

Por su parte, para la víctima de violencia de género, no hay límites de edad por el ámbito universal de la LOMPIVG, de hecho su art. 17 garantiza todos los derechos reconocidos en la misma a todas la mujeres con independencia de su origen religión o cualquier otra condición o circunstancia personal o social, entre las que evidentemente entra la edad. A pesar de ello, en términos generales, el propio concepto de violencia de género puede aconsejar exigir una mínima capacidad intelectiva y volitiva en la víctima para comprender el sentido de las relaciones sentimentales[9], y de lo contrario, admitir que se trata de actos violentos genéricos no relacionados con el factor del género, sino con la salud y la integridad física y

---

9 ESTEVE MALLENT, L. 2012. La violencia de género entre adolescentes. En *La violencia de género en la adolescencia*. Dtor. J. García González, cit. p. 99.

psíquica, a salvo de que se refiera a los efectos colaterales de la violencia de género sufrida por la madre, que en la actualidad considera víctimas directas a todos los menores, tanto de sexo femenino como masculino.

De esta manera las previsiones de la LOMPIVG se dirigen en general a todas las mujeres víctimas de violencia de género, con independencia de su edad, y sólo a los agresores mayores de edad, por la especificidad de la Jurisdicción de Menores, pese a lo cual, el tratamiento integral de la violencia de género puede aconsejar extender alguna de sus previsiones a los menores agresores, siempre que se respete su compatibilidad con la finalidad educativa de la LORRPM. En ese caso es necesario delimitar si la violencia de género entre menores de edad es la misma de la que habla la LOMPIVG, y de ser así, identificar qué tipo de medidas son las que se pueden aplicar tanto a agresores como a víctimas menores de edad.

2.2. *El concepto de violencia de género como presupuesto: sujetos, relación sentimental, dominio y ejercicio de violencia*

Precisamente porque la LOMPIVG es una ley integral, en la Exposición de Motivos, y en su art. 1, se recoge un concepto muy amplio de violencia de género, que luego ha sido adaptado a la naturaleza de los distintos contenidos que en ella se regulan, por ello en la materia penal, no sin pocas críticas, este concepto se estrecha al limitarlo a la relación conyugal o de similar afectividad y a una serie reducida de comportamientos centrados en la violencia física o psíquica. Esto significa que sin renunciar al concepto amplio de violencia de género recogido en la LOMPIVG derivado de la IV Conferencia Mundial sobre la mujer de la ONU de 1995, y en cumplimiento del carácter fragmentario y de última ratio, el legislador penal ha decidido seleccionar las conductas delictivas en las que la relación de género forma parte del tipo de injusto, y en el resto, hasta hace muy poco tiempo sólo se podía, en su caso, apreciar la agravante de parentesco. Esto ha cambiado desde la reforma del Código Penal por LO 1/2015 de 30 de marzo al ampliar la circunstancia agravante discriminatoria recogida en el art. 22.4 con una referencia a las razones de género, lo que va a permitir agravar la pena de cualquier delito si el sujeto activo varón comete el delito motivado por el propósito de discriminar o de hacer patente la situación de desigualdad o la relación de poder sobre el sujeto pasivo mujer, siendo para ello necesario que haya sido o sea su cónyuge, o que esté o haya estado ligada a él por relación similar de afectividad, aún sin convivencia[10].

---

[10] BORJA JIMÉNEZ, E. 2015. *Comentarios a la reforma del Código penal de 2015,* 2ª Ed. Dtor. J. L. González Cussac, Valencia, p. 122.

De esta manera, donde la relación de género tiene consecuencias punitivas directas es en los arts. 148.4 (lesiones graves), 153.1 (maltrato ocasional), 171.4 (amenazas leves) y 172.2 (coacciones leves), por haberse creado unos tipos específicos, caracterizados por tres notas esenciales: sujeto activo hombre y sujeto pasivo mujer, relación sentimental entre ambos actual o pasada, y dominio o subordinación como objetivo de la violencia. En otros casos, sin embargo, la relación puede ser conyugal, pero no necesariamente de hombre a mujer, como el art. 197.7.2 (*sexting*) y en otros alcanza también a otros familiares como el art. 153.2 (violencia doméstica) o el art. 173 ter 2 (*stalking*). Esto amplia considerablemente las conductas que pueden quedar dentro del contexto del dominio o subordinación propios de la violencia de género como manifestación delictiva, pero exige distinguir las consecuencias penales y procesales recogidas tanto en el Código Penal en su aspecto estrictamente punitivo, como en la LOMPIVG en su vertiente de tutela y protección a las víctimas.

Para determinar si las previsiones de la LOMPIVG se pueden extender a los menores de edad en supuestos de violencia de género, a continuación se van a analizar sus elementos definitorios recogidos en el art. 1, para comprobar si los mismos se reproducen en las relaciones afectivas de los menores, pero como marco de referencia de su aplicación en cuanto a protección de la víctima e intervención en el agresor, no en relación al análisis de las distintas figuras delictivas, ya tratado en otros trabajos de esta misma obra.

2.2.1. *Violencia que se ejerce sobre la mujer por parte de quien sea o haya sido su cónyuge o de quien esté o haya estado ligado a ella por relaciones similares de afectividad, aun sin convivencia*

En este primer elemento dos son las características esenciales, el sexo de los sujetos y la relación entre ambos.

En relación al sexo las previsiones de la LOMPIVG van dirigidas al sujeto activo varón y sujeto pasivo mujer, pero no por razones biológicas, sino de roles sociales, bajo la idea de que el género no es equivalente al sexo, sino a la posición de los roles que históricamente han correspondido a hombre y mujer en la sociedad. Por ello, sólo en el caso de que el agresor sea un varón y la víctima una mujer, se extenderán las medidas previstas en la LOMPIVG. Esta limitación deja fuera de esta especial protección a las relaciones homosexuales, lo que el Código Penal corrige con una figura agravatoria donde se ha de acreditar la vulnerabilidad de la víctima, pero que quedaría fuera de las previsiones de la LOMPIVG. Por todo ello en el caso de los menores de edad bastará con la presencia de un agresor varón y una víctima mujer.

Un supuesto específico es el que se puede plantear con el cambio de sexo en menores, que desde hace unos años reciben un tratamiento específico por las unidades de trastorno de género de algunos centros hospitalarios. Las operaciones quirúrgicas de cambio de sexo en menores de edad requieren autorización judicial y un informe médico que recoja las razones que avalen la intervención, muchas veces ligadas a la disforia de género o trastornos de identidad sexual, lo que en su mayoría evoluciona manteniendo la identidad de nacimiento, y sólo minoritariamente se dirige hacia el transexualismo con adquisición de los caracteres sexuales del sexo opuesto. Inicialmente, en la Circular FGE 4/2005, de 18 de julio, relativa a los criterios de aplicación de la LOMPIVG se exigía que la transexualidad estuviera reconocida legalmente para poder considerarlo violencia de género, siempre que el agresor fuera varón y la víctima mujer, pero más adelante, en la Circular FGE 6/2011, de 2 de noviembre, sobre criterios para la unidad de actuación especializada del Ministerio Fiscal en relación a la violencia sobre la mujer, ya se resolvió que tal requisito formal no era necesario si los informes médicos y psicológicos acreditan la condición de mujer por su identificación permanente con el sexo femenino, algo especialmente importante para los menores de edad por las mayores dificultades que encuentran en los cambios registrales.

Acreditada la condición de sujeto activo hombre y sujeto pasivo mujer, la siguiente comprobación es la relación existente entre los menores por ser determinante para la consideración de violencia de género, ya que la necesidad de que se trate de una "relación conyugal o análoga relación de afectividad" exige valorar la capacidad para decidir sus relaciones sentimentales, y con ello, que puedan situarse bajo la esfera de la tutela que se otorga a víctimas y agresores en la LOMPIVG.

Para identificar los signos de violencia que aparecen en las primeras relaciones sentimentales de los menores de edad, muchas veces se trata a la violencia de género entre adolescentes como la violencia en el noviazgo[11], sin embargo esta expresión debe ser matizada porque entre adultos también hay relaciones de noviazgo, y entre los adolescentes se pueden dar situaciones muy diversas, desde el propio noviazgo, hasta el matrimonio, o incluso relaciones sentimentales que huyen del término noviazgo por considerarlo demasiado formal. Por ello lo importante no es el término, sino la relación entre los menores, lo que exige determinar a partir de qué edad pueden los menores contraer matrimonio y cuándo pueden ser capaces de entablar una relación afectiva similar.

El Código Civil reconoce cierto margen de autonomía a los menores de edad en una serie de ámbitos en los que pueden dar su consentimiento y que sea válido,

---

11 Así aparece en el Informe sobre la violencia contra la mujer de la OMS de septiembre de 2011. GARCÍA GONZÁLEZ, J. 2012. La violencia en el noviazgo... cit. p. 53.

entre los que se encuentra la capacidad de contraer matrimonio. Desde la Ley 15/2015, de 2 de julio, de Jurisdicción voluntaria, que modifica en su disposición final primera varios artículos del Código Civil, se ha señalado la edad mínima de dieciséis años para contraer matrimonio, al eliminar la posibilidad de dispensa judicial a los catorce años que antes recogía el art. 48.2 CC. Por lo tanto si se trata de menores que han contraído matrimonio, entra de lleno en el ámbito de la violencia de género, aunque en el momento de los hechos ya haya sido disuelto o se encuentre en proceso de separación o divorcio.

Por lo que respecta a las relaciones análogas de afectividad, se plantea la capacidad de los menores de edad para desarrollar relaciones sentimentales, es decir, si las relaciones afectivas que mantienen entre sí, son similares a las de los adultos, o por el contrario, si participan de unas características propias que les alejan del significado dado por los adultos por falta de madurez o inconsistencia del compromiso de pareja asumido. En el caso de los adultos, por ejemplo, se pide una mínima estabilidad de la relación en la que la convivencia no es necesaria, pero sí lo puede ser la duración o algún signo externo de la misma, para discernir las relaciones esporádicas, de aquellas otras con un mínimo compromiso de permanencia.

La no necesidad de convivencia ha dado un amplio margen de aplicación a las relaciones de noviazgo caracterizadas por la ausencia de signos formales de acreditación del vínculo. Como ejemplo de ello la Circular FGE 6/2011, de 2 de noviembre, sobre criterios para la unidad de actuación especializada del Ministerio Fiscal en relación a la violencia sobre la mujer admite que el noviazgo es una relación afectiva socialmente abierta y relativa que no exige fidelidad, ni necesidad de convivencia, ni de futuro matrimonio, y que admite muchas variables con o sin enamoramiento, pero con estabilidad y cierta vocación de futuro para diferenciarse de las relaciones ocasionales, de simple amistad o de componente exclusivamente sexual que no implican relación de pareja. En este sentido se pronuncia también la STS 510/2009, de 12 de mayo, advirtiendo de la diversidad de modelos de convivencia existentes, no siempre dentro del marco más convencional, para admitir que el hecho de no convivir o tener relaciones con otras mujeres no excluye la relación de pareja.

Con esta amplitud, no hay problema en admitir la relación sentimental entre menores de edad[12], pese a las dificultades que puedan generar dudas sobre la solidez de la misma cuando no hay convivencia, ni regularidad en los encuentros, ni fidelidad. Por eso, pese a la inmadurez inherente a la edad y la confusión de sentimientos que ello les pueda producir, los menores pueden tener sin ninguna duda

---

12 GARCÍA GONZÁLEZ, J. 2012. La violencia en el noviazgo... cit. p. 70.

relaciones afectivas que se sitúan emocionalmente en el marco relacional que se abre más allá de la amistad o compañerismo, que además suelen reproducir los roles de pareja de los adultos.

La propia Circular FGE 6/2011, de 2 de noviembre, sobre criterios para la unidad de actuación especializada del Ministerio Fiscal en relación a la violencia sobre la mujer reconoce que las menores de edad pueden ser víctimas de violencia de género porque tienen capacidad suficiente para decidir el inicio de relaciones sentimentales y porque en ellas se reproduce el rol de dominación/sumisión en las conductas violentas, que como a continuación se analiza, concurre también como elemento caracterizador de este tipo de violencia, por ello concluye admitiendo que quedan bajo la esfera de tutela penal que se otorga a las mujeres víctimas de violencia de género. De esta manera pasa a ser irrelevante que las menores adolescentes no tengan proyecto de vida en común con su pareja, que convivan o dependan económicamente de los padres o que se haya producido una ruptura transitoria, ya que la propia norma indica que la violencia de género alcanza también a las relaciones sentimentales ya rotas o interrumpidas.

2.2.2. *Violencia que se ejerce como manifestación de la discriminación, la situación de desigualdad y las relaciones de poder de los hombres sobre las mujeres*

Siempre ha sido discutible este elemento porque exigir que la violencia sea manifestación del dominio o subordinación puede entenderse como una finalidad específica en la actuación del hombre, o como un dato exclusivamente objetivo. Este último significado es el que adoptó la Circular FGE 4/2005, de 18 de julio, relativa a los criterios de aplicación de la LOMPIVG argumentado que en el Proyecto de ley se señalaba que la violencia fuera un instrumento para la discriminación, desigualdad y relaciones de poder de los hombres sobre las mujeres, lo que finalmente se suprimió del texto aprobado para evitar elementos finalísticos de difícil acreditación. La consecuencia de ello es una variada opinión doctrinal acompañada también de una desigual jurisprudencia que varía entre entender que el elemento está implícito en toda agresión de hombre a mujer dentro de la relación de pareja, siendo por tanto una presunción *iuris et de iure*, exigir como presunción *iuris tantum* la prueba de dominación, o acreditar a *sensu contrario* una finalidad diferente. Aunque parece que la posición dominante es la interpretación objetiva en virtud de la cual los actos de violencia que ejerce el hombre sobre la mujer con ocasión de una relación afectiva de pareja constituyen actos de poder y superioridad frente a ella, con independencia de la motivación o la intencionalidad del agresor, una valoración de este elemento de forma global e integrada en el resto de la LOMPIVG parece acompañar la idea de que lo que distingue estos delitos es precisamente el elemento de dominio, ya que de lo contrario no se entendería que en otros delitos como el homicidio el legislador no haya establecido diferencias punitivas. Por este motivo como elemento característico debería ser constatado por el Juez[13], excluyendo los casos que de forma notoria no constituyen violencia de género por ser ajenos o estar desvinculados a la relación sentimental[14].

A pesar de ello es diferente considerar su relevancia para la atribución a los Juzgados de Violencia sobre la mujer, que para la consideración de la figura delictiva, por ello y teniendo en cuenta que en el caso de menores de edad la competencia siempre la va a tener el Juzgado de Menores, en relación a la delimitación típica de la violencia de género es preferible optar por una interpretación restrictiva que exija acreditar la finalidad de dominio o subordinación reflejada en los actos externos realizados, no en la intención, por más que no tenga consecuencias punitivas diferentes, ya que la ventaja que se deriva de ello es la verdadera identificación de la violencia de género necesaria para marcar distancias con otros fenómenos violentos y recibir una adecuada intervención específica.

2.2.3. *Todo acto de violencia física y psicológica, realizada sobre una mujer, incluidas las agresiones a la libertad sexual, las amenazas, las coacciones o la privación arbitraria de libertad*

Las anteriores conductas se consideran por la LOMPIVG violencia de género, pero como antes se ha señalado, si bien sólo las conductas de lesiones, maltrato, amenazas y coacciones reciben una diferencia penológica en el Código Penal, la atribución a los Juzgados de Violencia sobre la mujer del art. 44, y el alcance de las medidas de protección, es mucho más extenso. Esto significa que el ámbito de la violencia de género es muy amplio, aunque sólo en algunas conductas delictivas el Código Penal haya recogido diferencias penológicas, lo que en menores de edad pierde relevancia al disponer los Jueces de Menores de criterios legales propios de elección de las medidas a imponer.

En todas estas figuras delictivas no habrá diferencias relevantes entre su comisión por adultos o por menores de edad, pero sí que habrá de tenerse en cuenta que la condición de menor de edad tanto del agresor como de la víctima no debe afectar al umbral de lo punible ya que son los tipos penales los que marcan la

---

13 ROIG TORRES, M. 2012. La delimitación de la violencia de género: un concepto espinoso. *Estudios Penales y Criminológicos* vol. XXII, p. 277.

14 GONZÁLEZ CUSSAC, J. L. 2007. La intervención penal contra la violencia de género desde la perspectiva del principio de proporcionalidad. En *Tutela procesal frente a hechos de violencia de género* Coord. J. L. Gómez Colomer. Castellón, p. 427.

medida de la ilicitud y no la percepción de los sujetos[15], sin que la edad del agresor pueda diferenciar lo socialmente permitido, ni la edad de la víctima pueda desplegar efectos del consentimiento inexistentes en este tipo de conductas.

Como conclusión a todo ello, pese a que la Circular FGE 1/2010, de 23 de julio, sobre el tratamiento desde el sistema de justicia juvenil de los malos tratos de los menores contra sus ascendientes no trataba la violencia de género en la jurisdicción de menores por su escasa incidencia, posteriormente la Circular FGE 6/2011, de 2 de noviembre, sobre criterios para la unidad de actuación especializada del Ministerio Fiscal en relación a la violencia sobre la mujer ya reconoce que a través de las denuncias que llegan a las Fiscalías de sala de violencia y a las secciones de violencia contra la mujer de las Fiscalías Provinciales se constata que se reproducen los roles de dominio/sumisión a través de conductas en ocasiones violentas de menores de edad. Por ello en las relaciones entre adolescentes o jóvenes se dan verdaderas situaciones de control, asedio, vigilancia, agresividad física o verbal y diversas formas de humillación que encajan perfectamente en los tipos penales antes señalados; por tanto se trata de la misma violencia de género a la que se refiere la LOMPIVG, debiendo proceder a continuación al análisis de la trascendencia que puede tener la aplicación de su contenido a los menores.

2.3. Compatibilidad entre la tutela de la víctima de la LO 1/2004 y el interés educativo del menor de la LO 5/2000

La violencia de género ejercida entre menores de edad plantea un conflicto entre dos leyes de carácter especial, de un lado la LO 1/2004 que recoge una protección integral y multidisciplinar a todas las víctimas de violencia de género y de otro la LO 5/2000 que recoge un procedimiento penal específico para los delitos cometidos por menores de edad. El conflicto requiere decidir la prioridad de la tutela específica de la víctima de violencia de género o de la intervención específica del agresor menor de edad, lo que condiciona el órgano judicial competente, el procedimiento a seguir, las medidas de protección y las consecuencias jurídicas del delito.

La LORRPM se aplica para exigir responsabilidad penal a los menores entre 14 y 18 años que cometan conductas delictivas recogidas en el Código Penal y leyes penales especiales a través de un procedimiento "formalmente penal pero materialmente sancionador-educativo", lo que significa considerar al menor responsable penal de sus actos, pero dándole a su castigo un enfoque educativo

---

15 GARCÍA GONZÁLEZ, J. 2012. La violencia de género... *cit*. p. 74, señala que a veces víctimas y agresores adolescentes no identifican como tal los episodios de violencia de género, precisamente por su inmadurez.

como consecuencia de proclamar el carácter prioritario del “interés del menor”. A través de este prioritario principio, el menor responsable de cualquier delito o falta gozará de todos los derechos y garantías procesales al igual que los adultos, pero recibirá una respuesta sancionadora guiada por su finalidad educativa, más allá de intereses retributivos que puedan satisfacer a víctimas o sociedad en general, lo que se traduce en una elección judicial individualizada de la medida sancionadora más apropiada para cada menor, al margen de la gravedad de los hechos delictivos. Este inicial planteamiento de la LORRPM se vio sustancialmente modificado con las reformas de 2006, que no sólo endurecieron la respuesta punitiva hacia un mayor retribucionismo, disminuyendo el arbitrio judicial en la elección de la medida juvenil, sino que incorporaron la intervención de la víctima a través de la acusación particular, algo ya de partida incompatible con el espíritu inicial de la ley.

En lo que afecta al ámbito penal y procesal, la LOMPIVG se apoya sobre tres elementos fundamentales: a) regulación de unos tipos penales específicos de violencia de género caracterizados por la relación sentimental entre el agresor y la víctima, b) creación de los Juzgados de Violencia sobre la mujer, y c) atribución de la competencia judicial para dictar medidas de protección a la víctima, en especial la orden de protección.

En relación al primer aspecto, la minoría de edad actúa a veces con efecto pantalla porque oculta hechos que en otro contexto no habría duda en considerar delictivos, pero que en el entorno de la adolescencia pueden pasar desapercibidos por la menor formalidad de las relaciones afectivas. Esta diferente manifestación de las relaciones afectivas no puede servir para rechazar la existencia de violencia de género entre menores de edad, ya que, si bien con alguna particularidad específica, sus manifestaciones son muy similares a las de adultos, y por ello cualquiera de los distintos tipos penales se puede aplicar sin dificultad. Entre ellos se consideran los ya citados delitos de maltrato ocasional, maltrato habitual, amenazas, acoso o lesiones que son algunos de los tipos penales más frecuentes en los asuntos que llegan a la Jurisdicción de Menores, y que en adultos dan lugar a sanciones diferentes respecto a los mismos delitos cometidos sin la perspectiva de género, lo que no ocurre en menores, donde la selección de la medida a imponer goza de mayor flexibilidad.

De esta manera, aunque los delitos son los mismos para adultos y para menores de edad, no lo son las sanciones correspondientes, ya que para estos últimos son las medidas previstas en la LORRPM y que no solo plantean diferencias con las del Código Penal, sino con las previsiones sancionadoras de la LOMPIVG. Por ello puede resultar de interés analizar los contenidos de algunas medidas, como la de alejamiento, así como ciertos aspectos de su cumplimiento como las formas de control previstas para su supervisión o la obligación de cumplir programas formativos específicos para comprobar las diferencias entre mayores y menores de edad.

El segundo aspecto de interés es el competencial, a pesar de que pierde relevancia por cuanto todo tipo de delitos realizados por menores de edad sigue el mismo procedimiento, es decir, instruye el Fiscal de Menores y enjuicia el Juez de Menores, lo que supone no admitir excepción alguna al prioritario interés del menor, incluso por encima de la especificidad de la LOMPIVG. Hay que recordar en este sentido que la particularidad de la violencia de género no solo ha dado lugar a la creación de unos Juzgados específicos de Violencia sobre la Mujer que llevan a cabo la instrucción de estos delitos, sino que la categorización como violencia de género de las conductas es lo determinante para su asignación a estos Juzgados específicos.

En el caso de los menores, la competencia específica de la Justicia juvenil no admite excepción funcional, y por tanto cualquier delito cometido por un menor de edad quedará bajo la competencia de estos Tribunales, por ello dada la no remisión de estos hechos a los Juzgados específicos creados por la LOMPIVG, es necesaria la formación específica en violencia de género para que los Jueces de Menores puedan prestar especial atención a la detección de estas conductas cuando vienen enmascaradas en el seno de otras actuaciones juveniles más visibles.

Como aspectos específicos más relevantes del enjuiciamiento de cualquier delito cometido por un menor de edad, el Fiscal podrá desistir por falta de gravedad o incluso remitir los hechos a mediación[16], y el Juez de Menores podrá elegir la sanción más adecuada a las características personales del menor, defendiendo siempre de manera prioritaria su interés educativo, lo que implica un contenido sancionador-educativo y una prohibición de no resultar más sancionado de lo que hubiera sido un adulto. De esta forma ante la comisión de un delito de violencia de género por un menor de edad caben distintas posibilidades que oscilan entre el archivo, la remisión a mediación o la imposición de diversas medidas tanto privativas de libertad, como en medio abierto, que además durante su ejecución pueden ser suspendidas o sustituidas.

Finalmente, el tercer aspecto específico de la instrucción y enjuiciamiento de los delitos de violencia de género recogidos en la LOMPIVG es la imposición de medidas dirigidas a evitar riesgos en la víctima a través de la orden de protección, lo que da lugar a la discusión sobre su alcance a los menores de edad o bien su exclusión por ser suficientes las medidas previstas en la LORRPM en su art 7. En este caso se trata de valorar si los Jueces de Menores pueden imponer órdenes de protección, con qué contenidos y, en su caso, qué procedimiento de control

---

16 Es importante recordar la prohibición del art. 44.5 LOMIPVG que impide expresamente la mediación en violencia de género.

se debe llevar a cabo para su seguimiento, o por el contrario, si bastan las previsiones recogidas en la LORRPM siempre que no aminoren la protección que la LOMIPVG otorga a las víctimas.

Hay que tener en cuenta que la extensión de los contenidos de la LOMPIVG a los menores de edad, cuando los hechos delictivos cometidos se correspondan con la concepción de violencia de género recogida en esta ley, exigiría adoptar todas sus previsiones relativas a agresores y víctimas, siempre que fueran compatibles con la minoría de edad y con los derechos que como tales tienen reconocidos, es decir, como responsables penales y como víctimas de conductas delictivas.

Esta extensión de la LOMPIVG a la violencia de género juvenil puede plantear conflictos entre los intereses del agresor y los de la víctima, porque la prioridad del interés del menor, inspirador de todo el texto de la LORRPM, no puede aminorar la tutela de los derechos de la víctima reconocidos por la LOMPIVG, pero tampoco la especial tutela de la víctima recogida en la LOMPIVG puede anular el interés educativo del menor agresor; por ello a continuación se va a tratar de dotar a ambos intereses un contenido y alcance compatible a través de tres actuaciones concretas: la extensión a la víctima menor de edad de las mismas medidas de protección que a las víctimas adultas, la imposición de medidas de intervención con contenidos educativos específicos a los menores agresores y la utilización de medios alternativos de resolución de conflictos, como la mediación, por su carácter educativo y pacificador de las relaciones sociales. Si como se ha señalado anteriormente se prioriza el interés de todos los menores de edad, de haber obstáculos formales para extender los contenidos de la LOMPIVG a la minoría de edad, no los debe de haber para que desde la propia LORRPM se hagan efectivos al menos los aspectos materiales, con el fin de no permitir un trato discriminatorio de este fenómeno dentro de la minoría de edad.

3. LA PROTECCIÓN A LA VÍCTIMA DE VIOLENCIA DE GÉNERO MENOR DE EDAD

3.1. *Medidas de protección recogidas en la LORRPM*

Desde la aprobación de la LOMPIVG las víctimas de violencia de género han recibido una protección integral que abarca no sólo ayudas económicas y sociales para recuperar el espacio en la sociedad que la violencia sufrida les haya podido sustraer, sino también una protección jurídica que tutela sus derechos vulnerados y les facilita asesoramiento y asistencia letrada desde el momento de la denuncia y a lo largo de todo el proceso.

Por tratarse la LORRPM de una ley dirigida a regular la responsabilidad penal del menor de edad que remite a los tipos penales del Código Penal, no hay previsiones específicas sobre la violencia de género, como ocurre en el caso de los adultos, lo que impide que se contemplen medidas dirigidas a dar una mayor protección a la víctima, sin excepción alguna a la regla general de imposición de medidas siguiendo el criterio de superior interés del menor.

Precisamente porque la finalidad última de la LORRPM es defender el superior interés del menor infractor, tanto el Ministerio Fiscal como el Juez deben llevar a cabo todas sus actuaciones bajo la presidencia de este principio básico, lo que explica que en sus inicios la víctima tuviera en general un papel muy restringido y limitado, sin que se planteara siquiera su participación en un proceso. Esto explica que en su redacción original la LORRPM limitara el monopolio de la acción penal al Ministerio Fiscal, sin admitir la posibilidad del ejercicio de la acción penal por particulares, si bien más adelante, la Ley 15/2003, de 25 de noviembre, modificó el texto admitiendo la personación como acusación particular de las personas directamente ofendidas por el delito, sus padres, sus herederos o representantes legales si fueran menores de edad o incapaces. De esta forma, desde entonces se permite la personación de los ofendidos o sus representantes de cualquier delito constituyéndose en acusación particular mediante denuncia[17], algo muy discutido ya que de la inicial prohibición se ha pasado a una autorización general, al margen de la edad del agresor o la gravedad de los hechos realizados.

Entre las facultades que se derivan de la personación de la víctima en el procedimiento de menores se puede destacar el derecho a nombrar abogado, la posibilidad de instar a la práctica de diligencias y tener conocimiento de lo actuado. Con ello se da entrada a que la víctima pueda sostener un planteamiento diferente al del Ministerio Fiscal, en el que tienen cabida sus intereses particulares, posiblemente alejados del interés social de educar al menor infractor, pero sin recoger previsión alguna relativa a la violencia de género. Además, un derecho que afecta a todas las víctimas, con independencia de que se hayan personado como acusación particular, es el de ser informadas de todas las resoluciones que afecten a sus intereses, del desistimiento de la incoación del expediente por el Ministerio Fiscal y de la sentencia que se haya dictado, lo que supone un derecho a recibir información de todo lo que afecta a su tutela jurídica, protección y seguridad.

Este mayor interés que ha despertado la protección a las víctimas en los últimos años, también en el proceso de menores, se refleja en el art. 4 LORRPM donde se señala expresamente que el Ministerio Fiscal y el Juez de Menores velarán en todo momento por la protección de los derechos de las víctimas y perjudicados

---

17 Posición doctrinal mayoritaria, según indica COLÁS TURÉGANO, A. 2011. *Derecho penal de menores*. Valencia, p. 321.

por las infracciones cometidas por menores, instruyéndoles de las medidas de asistencia a las víctimas previstas por la legislación vigente. Entre dichas normas de protección y asistencia a víctimas se puede considerar a las más generales como la Ley 1/1996, de 10 de enero, de justicia gratuita o la Ley 35/1995, de 11 de diciembre, de ayuda y asistencia a víctimas de delitos violentos y contra la libertad sexual[18], pero también a las específicas como la LOMPIVG, ya que lamentablemente sus disposiciones no llegan siempre a las víctimas menores de edad cuando el agresor también lo es. Prueba de ello es el alcance del nombramiento de abogado de oficio, ya que de ser la víctima también menor de edad el abogado de oficio será del turno de menores, mientras que de ser la víctima mayor de edad se suele garantizar que además sea especialista en violencia de género.

Entre las figuras dirigidas a prestar protección a la víctima destacan las medidas cautelares penales, y entre ellas especialmente aquellas que recogen esta finalidad expresamente entre sus requisitos, teniendo su contenido una especial relación con la víctima, como sucede con el alejamiento. Como medida cautelar dirigida de manera singular a la protección de la víctima, hasta la Ley 8/2006, de 4 de diciembre, no se contemplaba el alejamiento, por ello antes de esa fecha se planteaba el problema de su aplicación ante el silencio legal. La Consulta FGE 3/2004, de 26 de noviembre, sobre la posibilidad de adoptar la medida cautelar de alejamiento en el proceso de menores, resolvió que no se podía imponer el alejamiento al no estar expresamente recogido en el catalogo cerrado del art. 28 LORRPM, y que por tanto sólo era posible imponerlo como regla de conducta de la libertad vigilada, bien dentro de la regla de prohibición de acudir a determinados lugares, como de la cláusula general de cualquier obligación que se estimara conveniente para la reinserción social, siempre que no atentara contra la dignidad del menor.

A partir de dicha fecha, sin embargo, ya se recoge la prohibición de aproximarse o comunicar con la víctima en el art. 28 como medida cautelar y también en el art. 7.1 apartado i como medida sancionadora. Este tipo de medidas supone una mayor protección a las víctimas ya que su finalidad es evitar las situaciones de riesgo que puedan derivar en nuevas agresiones o en situaciones intimidatorias para la víctima por la presencia o proximidad del agresor, pero en el caso de los menores presentan varias particularidades como son los criterios judiciales de imposición, más centrados en el menor agresor que en la víctima, o su contenido, adaptado a las actividades de los menores que al alcanzar a los centros docentes,

18 ORNOSA FERNÁNDEZ, R. 2007. *Derecho Penal de menores. Comentarios a la LORRPM*. Barcelona, p. 182. POZUELO PÉREZ, L. 2008. En *Comentarios a la LORRPM* Dtor. J. Díaz Maroto y Villarejo. Navarra, p. 79.

tienen la obligación de conciliar la seguridad de la víctima con la no interferencia en el desarrollo educativo de ambos.

El art. 28 LORRPM distingue entre medidas cautelares para la custodia y defensa del menor expedientado[19] y medidas para la *debida protección a la víctima*, señalando como posibles medidas cautelares el internamiento, la libertad vigilada, la prohibición de aproximarse o comunicar con la víctima, familiares u otras personas determinadas por el Juez y la convivencia con otro persona, familia o grupo educativo.

Entre los requisitos para que el Ministerio Fiscal proponga al Juez la imposición de las medidas cautelares, junto a los básicos de que haya indicios racionales de la comisión de un delito y el riesgo de que el menor eluda u obstruya la acción de la justicia, también se señala el *riesgo de atentar contra los bienes jurídicos de la víctima*, pero siempre valorando especialmente en su imposición el *interés del menor*, ya que tanto el alejamiento familiar como el del centro educativo pueden causar un grave perjuicio en la vida del menor[20].

Esta regla general, tiene en el internamiento una excepción ya que en el art. 28.2 LORRPM omite esta referencia a la víctima[21], lo que da lugar a que en la imposición de todas ellas, menos en el internamiento, se puede valorar la protección a la víctima.

Entre las distintas medidas cautelares previstas por la LORRPM tiene una especial importancia la prohibición de aproximarse o comunicar con la víctima, familiares u otras personas determinadas por el Juez, por la relación que genera entre agresor y víctima, teniendo en cuenta que además de medida autónoma puede ser impuesta como regla de conducta de la liberad vigilada. En ella se refleja perfectamente que se puede conciliar la defensa de la protección de la víctima con el interés del menor infractor, al ser criterio de preferente consideración, cuestión diferente es el contenido educativo que pueda tener el alejamiento que más adelante será objeto de atención.

---

19 El carácter educativo de la LORRPM no justifica, en opinión de varios autores, esta finalidad de protección del menor en las medidas cautelares, ya que además de que para ello hay otras figuras, la naturaleza de las medidas cautelares no es proteger al menor, sino su aseguramiento. DE LA ROSA, J. M. Medidas cautelares en protección de la víctima y proceso penal de menores. *Diario La ley* nº 6927 p. 2 y p. 14 nota 6.

20 ORNOSA FERNÁNDEZ, R. *op. cit.* p. 365.

21 Sólo para el internamiento cautelar se añaden más criterios a valorar por el Juez, sin mencionar el riesgo de atentar contra la víctima, por más que la Circular 1/2007, de 23 de noviembre, sobre criterios de interpretación tras la reforma de la legislación penal de menores de 2006 haga extensible este criterio para su adopción, algo rechazable desde una perspectiva educativa y restrictiva.

Si el agresor es menor de edad, y por tanto conoce la Jurisdicción de menores, la instrucción la ostenta el Ministerio Fiscal, pero el Juez de Menores actúa en esta fase como Juez de garantías, por tanto será el competente para imponer cualquier medida que recaiga sobre derechos fundamentales, es decir, las mismas atribuciones que en el caso de adultos procede determinar a los Juzgados de violencia sobre la mujer como instructores para tutelar los derechos de la víctima y proponer medidas cautelares al agresor. De esta manera ante la inexistencia de Juzgados específicos de violencia sobre la mujer en la Jurisdicción de menores, las competencias relacionadas con la protección a la víctima, que en adultos tendría el Juez de Violencia sobre la Mujer, recaen sobre el Juez de Menores.

Los criterios de imposición de toda medida cautelar en la LORRPM son que haya indicios racionales de haber cometido un delito, que haya riesgo de eludir u obstruir la acción de la justicia o de *atentar contra los bienes jurídicos de la víctima*, y que se tome en especial consideración el *interés del menor*. Más allá de estos criterios comunes no hay criterios más específicos para adoptar el alejamiento, por más que la finalidad de dar a la víctima una debida protección puede justificar más claramente su adopción y no las del resto de medidas. De esta manera la clave puede estar en la valoración del riesgo de la víctima y su necesidad de protección, lo que presenta algunos matices entre el criterio utilizado en la LOMPIVG referente a la "situación objetiva de riesgo para la víctima" que se apoya en la posibilidad de que la víctima sufra nuevos daños y el recogido en la LORRPM "riesgo de atentar contra los bienes jurídicos de la víctima" que prioriza el riesgo de reiteración del agresor.

Como se puede apreciar, más allá de la posibilidad de la imposición del alejamiento como medida cautelar, la LORRPM no contempla en su contenido otras medidas específicas de protección a la víctima porque su cometido es regular la responsabilidad penal del menor, cuestión discutible es si el alejamiento es más adecuado como medida independiente o como regla de libertad vigilada, y si es posible recogerlo en el seno de una orden de protección, para lo cual es necesario analizar su compatibilidad con los posibles derechos que se derivan de la LOMPIVG, ya que el objetivo siempre debe ser evitar la confrontación con el interés educativo del menor infractor.

3.2. *Medidas generales de protección recogidas en la LOMPIVG*

A diferencia del límite de edad establecido para agresores menores de edad, no hay una edad mínima para considerar a una mujer víctima de violencia de género, ya que el art. 17 LOMPIVG establece que "*todas las mujeres víctimas de violencia de género con independencia de su origen, religión o cualquier otra condición o circunstancia personal o social, tienen garantizados los derechos re-*

conocidos en esta ley", por tanto es la propia definición de la violencia de género la que marca el ámbito de aplicación, y siempre que se trate de una mujer con relación afectiva actual o pasada con el agresor, se le podrá considerar víctima de violencia de género con independencia de su edad. En el mismo sentido el Convenio del Consejo de Europa sobre prevención y lucha contra la violencia contra la mujer y la violencia doméstica hecho en Estambul el 11 de mayo de 2011 y ratificado por España el 11 de abril de 2014, después de definir la violencia contra la mujer por razones de género establece en su art. 3 f) que el término mujer incluye a las niñas menores de 18 años, y en su art. 26 que se tomarán medidas legislativas para que los servicios de protección y apoyo a las víctimas tengan en cuenta las necesidades específicas de los menores de edad. Esta mención específica a las menores de edad tiene una especial importancia al tratarse del primer instrumento de carácter vinculante en el ámbito europeo en materia de violencia contra la mujer y violencia doméstica, y por tanto, el tratado internacional de mayor alcance en esta materia.

Dada la correlación entre la protección específica de la violencia de género en el Código Penal con la existencia de una relación sentimental actual o pasada, y el alcance general de la LOMPIVG que no contempla límite de edad, no se exige una edad determinada a la víctima de la violencia de género juvenil, pero sí que la menor tenga la suficiente capacidad de entender el significado de la relación sentimental, y de lo contrario, aplicar las normas generales del Código Penal[22].

Con este alcance general de la protección de la LOMPIVG a todas las menores de edad víctimas de violencia de género, las limitaciones en su caso, surgirán cuando el agresor sea menor de edad y se remita el asunto a la LORRPM, pero no por la minoría de edad de la víctima.

Partiendo de esta regla general hay algunos aspectos de especial interés para las menores de edad víctimas de violencia de género, precisamente por la limitación de su capacidad, que empiezan por la identificación de la violencia de género como tal. Para ello es muy importante su detección en la primera declaración ya que muchos comportamientos son percibidos como signos de amor o como conductas socialmente aceptadas en el ámbito de las relaciones amorosas, cuando en realidad son expresiones de dominio y subordinación. Es significativo que la violencia psicológica de control afecte a un número muy elevado de adolescentes y que las chicas acepten con normalidad que su novio les controle, les vigile o les supervise su indumentaria, por la percepción que tienen de las actitudes celosas como muestras de amor.

---

22 ESTEVE MALLENT, L. 2012. La violencia de género entre adolescentes... cit. p. 99.

Con todo ello donde más se refleja la protección que la LOMPIVG da a las víctimas de violencia de género, es en la orden de protección donde se acumulan una serie de medidas civiles y penales que tratan de actuar de manera inmediata para evitar riesgos a la víctima y tomar las primeras decisiones de aspectos relacionados con el maltrato, algo que en el caso de víctimas menores de edad no plantea problemas, por el alcance general de la ley, salvo cuando el agresor también lo es, en cuyo caso la preferencia de la LORRPM conduce a unas particularidades que se analizan en el siguiente epígrafe.

3.3. Alcance de la orden de protección a las víctimas menores de edad

La Ley 27/2003, de 31 de julio, reguló la orden de protección de las víctimas de violencia doméstica y la incorporó en el art. 544 ter LECR creando un estatuto integral de protección compuesto por una serie de medidas dirigidas a las víctimas en las que hubiera una *situación objetiva de riesgo,* es decir, un pronóstico de riesgo concreto de que el agresor pudiera atentar contra bienes jurídicos de la víctima en el futuro. A través de la misma se trata de coordinar las medidas cautelares penales dirigidas a impedir que el agresor cometa nuevos actos violentos sobre la víctima, con las medidas de protección civil previstas para solventar las necesidades inmediatas del derecho de familia, pero además, también sirve para activar el funcionamiento de las medidas de asistencia y protección social establecidos por la Administración dirigidas a evitar su desamparo y protegerla por su mayor vulnerabilidad; por esa razón, la naturaleza de la orden de protección no se puede encuadrar entre las medidas cautelares penales de carácter técnico, sino entre las medidas de protección, ya que no dependen de la moratoria del proceso, sino de la existencia de riesgo de reiteración delictiva sobre la víctima[23].

Estas medidas de protección específicas recogidas en el art. 544 ter LECR aglutinan todos los derechos que amparan a las víctimas de violencia doméstica, por ello para llevar a cabo una adecuada coordinación, cuando haya indicios de delito y una situación objetiva de riesgo para la víctima, el Juez con la orden de protección dictará las medidas penales y civiles necesarias para protegerlas, lo que además servirá para acreditar a la víctima como solicitante de las medidas asistenciales legalmente previstas, confiriendo a la víctima un estatuto integral de

---

23 ARROM LOSCOS, R. 2012 La protección a las víctimas de violencia de género y de violencia doméstica ex art. 544 ter de la LECrim. Especialidades en el caso de víctimas menores de edad. *Revista de Derecho y proceso penal* nº 28, pp. 10 y 29. BONILLA CORREA, J. A. 2005. La orden de protección de las víctimas de la violencia doméstica y de género". *Boletín Ministerio de Justicia* núm 2002, diciembre, p. 9.

protección que obliga a una información permanente con ella con el fin de llevar el seguimiento de su correcto cumplimiento.

Del contenido de la orden de protección podría resultar especialmente relevante en relación a la violencia de género juvenil como medidas cautelares penales la prohibición del derecho de residencia, de acudir a ciertos lugares y de aproximación y comunicación con la víctima; como medidas de carácter civil las referentes a los hijos menores de edad o incapaces (uso y disfrute de la vivienda, custodia, alimentos...); y como exponente de la protección integral, la remisión a un punto de coordinación para gestionar las ayudas asistenciales y sociales, la obligación de información permanente a la víctima sobre la situación del agresor y la vigencia de las medidas cautelares, y la inscripción en el Registro Central para la protección de las víctimas de la violencia doméstica y de género. Todas estas medidas son concretadas en la LOMPIVG para los casos específicos de violencia de género, donde también en el art. 64 se permite que el Juez acuerde el control telemático para verificar el cumplimiento de la prohibición de acercarse a la víctima.

La orden de protección la pueden pedir la víctima o los familiares ante el Juez, Fiscal, FFCCS, oficinas de atención a las víctimas, servicios sociales y servicios de orientación jurídica de los colegios de abogados. Su concesión, además de permitir la imposición de las medidas cautelares penales y adopción de las medidas civiles citadas anteriormente, activa los mecanismos de protección y asistencia social, por ello es necesario que se notifique a la víctima, partes, Ministerio Fiscal, FFCCS, Registro Central para la protección de víctimas de violencia doméstica y de género y punto de coordinación administrativa correspondiente encargado de la asistencia y protección de las víctimas, ya que de lo contrario, se puede llegar a medidas incompatibles o descoordinadas.

Si la víctima es menor de edad y el agresor es mayor de edad, el órgano competente para dictar la orden de protección es el Juez de Violencia sobre la mujer, de la misma forma que si se tratara de una mujer adulta, es decir, valorando los indicios delictivos y la situación objetiva de riesgo; en estos casos lo específico es la menor edad de la víctima, lo que muestra una mayor vulnerabilidad de quien sufre la violencia por su falta de madurez, y con ello la importancia de contar con la colaboración de los padres en la detección y denuncia de los hechos[24], y requiere una especial implicación de las instituciones para reforzar su seguimiento y evitar su invisibilidad.

---

24 En el "Informe violencia de género 2014 teléfono ANAR. Fundación ANAR de ayuda a niños y adolescentes en riesgo" p. 19, se señala que el 70% de las llamadas en casos de violencia de género juvenil las hace la madre de la víctima menor de edad.

Por su parte, en la violencia de género entre adolescentes, la situación se complica porque a las dificultades anteriores de la menor edad de la víctima, se añaden las derivadas de la minoría de edad del agresor, ya que en ese caso como el asunto le corresponde a la Jurisdicción de menores, habrá que estar a la LORRPM para determinar si se pueden también conceder ordenes de protección, o en su defecto, garantizar la misma protección a la víctima que la recogida en la LOMPIVG, es decir, la imposición de medidas cautelares al agresor, medidas de protección a la víctima, seguimiento de su cumplimiento y comunicación a las entidades colaboradoras.

Mayoritariamente se entiende que en el proceso de menores no cabe la orden de protección[25] por su incompatibilidad con la LORRPM y porque en ninguna de sus reformas posteriores a 2003 se ha incluido, bastando la posibilidad de la imposición de medidas cautelares del art. 28 y 29 LORRPM. La FGE tuvo la ocasión de pronunciarse sobre ello en la Consulta FGE 3/2004, de 26 de noviembre, sobre posibilidad de adoptar la medida cautelar de alejamiento en el proceso de menores, donde rechazó la posibilidad de aplicar los arts. 544 bis y ter de la LECR por entender que la remisión al CP y a la LECrim sólo debe ser en lo no previsto por la LORRPM y siempre que no resulte incompatible con sus principios informadores, lo que llevó a admitir el alejamiento, en ese momento todavía no recogido en la LORRPM como medida cautelar autónoma, sólo dentro de la libertad vigilada como una regla de conducta, por ser más acorde con los principios de la Justicia juvenil[26].

Algunos autores, sin embargo, si se mostraron partidarios de la posibilidad de conceder la orden de protección en el proceso penal de menores por la aplicación supletoria de la LECrim y no haber ninguna disposición en la LORRPM que lo impidiera[27], de esta forma algunas sentencias así lo hicieron, adoptando órdenes de protección como se recoge en las reiteradamente citadas sentencias SAP Murcia 23.4.2004 y SAP Gerona 22.6.2004[28].

---

25 DE LA ROSA, J. M. 2008. Medidas cautelares... cit. p. 12.

26 La ventaja señalada es que las medidas de la Jurisdicción de menores otorgan un valor reforzado con la intervención socioeducativa que conllevan, si se incluyen dentro de la libertad vigilada, y que su control por el técnico de libertad vigilada permite una información periódica sobre su cumplimiento, MILLÁN DE LAS HERAS, Mª J. 2009. La jurisdicción de menores ante la violencia de género. *Revista de estudios de juventud* nº 86 (ejemplar dedicado a Juventud y violencia de género) p. 146.

27 TINOCO PASTRANA, A. 2005. Consideraciones sobre la tutela de la víctima en la justicia de menores, *La Ley* nº 6202 marzo, p. 187.

28 En la primera de ellas se entiende que cuando el agresor de violencia de género es menor de edad es evidente que la competencia corresponde al Juez de menores y en la segunda justifica que la orden de protección del art. 544 ter LECrim es de aplicación en el procedimiento de

La Consulta 3/2004 FGE, de 26 de noviembre, antes citada resolvió el problema de la aplicación del alejamiento cuando no estaba recogido en la LORRPM, y por eso rechazó la aplicación del art. 544 bis y ter LECrim, pero el problema que se plantea ahora es otro, y es si el alejamiento ya previsto en la LORRPM como medida cautelar, sólo puede imponerse como medida autónoma o puede ir recogido en el seno de una orden de protección que extienda a las víctimas de violencia de género de menores infractores los derechos que le otorga la LOMPIVG, siempre que sean compatibles con los principios de la LORRPM.

Es evidente que tanto la LOMPIVG como las últimas reformas de la LORRPM no contemplan expresamente la posibilidad de extender la aplicación de la orden de protección a la jurisdicción de menores, pero la cuestión no es tanto el requisito formal, sino si en lo material las víctimas de violencia de género de agresores menores de edad, deben recibir la misma protección desde la LORRPM que desde la LOMPIVG, a sabiendas de que la protección que dispensa ésta última a las víctimas es universal.

El contenido de la orden de protección es muy amplio porque comprende medidas penales, civiles y asistenciales, y aunque la regulación actual autónoma de la prohibición de comunicación y aproximación en la LORRPM resuelve el problema, no alcanza a dotar a la víctima de un verdadero estatuto integral de protección, lo que da lugar a un correcto tratamiento respecto al menor infractor, pero insuficiente respecto a la protección específica que la LOMPIVG reconoce a todas las víctimas de violencia de género sin distinción, por ello la solución pasa por conciliar el contenido educativo de la LORRPM con la protección a la víctima, especialmente cuando es menor de edad[29].

De esta manera, la protección a la víctima en la violencia de género juvenil, para que sea equiparable a la otorgada por la orden de protección, pero compatible con la LORRPM, exige un procedimiento que concilie el superior interés del menor y la protección de la víctima de la manera siguiente:

Una vez se produce la denuncia, la víctima debe ser informada de sus derechos, especialmente de los que le otorga la LOMPIVG, para ello es imprescindible que se le informe de la posibilidad de asistencia letrada especializada, tanto en menores como en violencia de género, y del resto de derechos que le amparan como víctima de violencia de género. Tras ello se ha de realizar un informe de valoración del riesgo de la víctima para remitir al Juez y al Ministerio Fiscal que permita tomar las medidas de protección adecuadas, entre ellas, según se recoge

---

menores en virtud de la Disposición Final Primera, sin que se vulnere el principio de legalidad siempre que las medidas impuestas estén recogidas en el art. 28 LORRPM.

29 En sentido similar ARROM LOSCOS, R. 2012 *op. cit.* p. 36 y sugiriendo la necesidad de una previsión normativa al respecto.

en el protocolo de valoración policial del riesgo[30], si se trata de riesgo bajo es obligatorio facilitar a la víctima teléfonos de contacto permanente con las FFCCS, comunicar con ella de manera esporádica e informarle sobre los servicios de tele asistencia móvil.

Como medida especialmente dirigida a proteger a la víctima destaca el alejamiento, siempre que sea compatible con el interés superior del menor, para ello además de un fundamento asegurativo, es conveniente dotarle de un enfoque educativo que sea coherente con el resto de la LORRPM; en el resto de medidas cautelares, como la convivencia en familia o grupo o la libertad vigilada[31], debe primar el superior interés del menor, y en el internamiento ni siquiera se menciona a la víctima en sus criterios de adopción[32]

La prohibición de aproximación o comunicación, ha de ser adoptada por el Juez de Menores a propuesta del Fiscal, bien de oficio o a instancia de la acusación particular, para ello ha de oírse al menor, a su letrado, al equipo técnico y a la entidad pública de protección o reforma, con los criterios previstos en el art. 28 LORRPM ya citado. En este caso, aunque no es obligada, se aconseja la comparecencia[33] para acoplar la medida al interés del menor, ya que la complejidad del alejamiento exige valorar las circunstancias concurrentes en el caso y adaptarlas a la intervención educativa. Esta medida puede durar hasta que recaiga sentencia firme, si bien puede ser modificada en cualquier momento, sin olvidar que los principios generales del art. 544 ter LECrim relativos a la protección de la víctima como son: aplicación general, urgencia, accesibilidad, integralidad y utilidad procesal, deben dejar paso a los de superior interés del menor, finalidad sancionadora educativa de la medida y flexibilidad judicial característicos de la LORRPM[34].

En relación a las medidas civiles (uso y disfrute de la vivienda, régimen de visitas, custodia y prestación de alimentos de hijos menores de edad...), aunque es cierto que la LORRPM no menciona nada al respecto y que el Juez de Menores

---

30 Instrucción 10/2007 de la Secretaría de Estado de seguridad, modificada por Instrucción nº 5/2008.

31 Estas dos medidas tienen un claro contenido educativo del menor ajeno por tanto a la protección de la víctima, si bien hay que tener en cuenta que una de las reglas de conducta de la libertad vigilada puede ser la prohibición de acudir a determinados lugares lo que unido a la regla general de cualquier obligación impuesta por el Juez, permite incluir el alejamiento como uno de sus contenidos.

32 Los criterios señalados por la LORRPM para imponer el internamiento como medida cautelar no mencionan a la víctima, ya que se centran en la gravedad de los hechos, circunstancias personales y sociales del menor, existencia de peligro cierto de fuga y comisión anterior de hechos de hechos graves similares, y todo ello dentro de la más absoluta excepcionalidad.

33 DE LA ROSA, J. M. 2008. Medidas cautelares... cit. p. 8.

34 ESTEVE MALLENT, L. *op. cit.* p. 151

no ostenta competencias de protección, sino sólo de reforma del menor infractor, se puede acudir al art. 158 CC donde se permite que todas las medidas dirigidas a apartar al menor de un peligro o de evitarle perjuicios podrán ser adoptadas dentro de cualquier proceso penal o civil o de jurisdicción voluntaria, lo que legitima al Juez de Menores a tomar decisiones sobre fijación de pensiones o régimen de guarda o custodia o visitas de los hijos. En esta solución hay que tener en cuenta que se trata de medidas de protección para los hijos de la pareja o incluso para la propia víctima, no del menor agresor, lo que no queda tan claro en las soluciones que optan porque sea el Ministerio Fiscal quien inste a la Entidad pública de protección del menor[35], que parecen estar pensando en las necesidades de protección del menor infractor o de sus descendientes, pero no de la víctima, que incluso puede ser mayor de edad.

El carácter integral de la protección a las víctimas de violencia de género exige también, según dispone el art. 19 LOMPIVG, facilitarle medidas asistenciales de atención psicológica, apoyo social, seguimiento de las reclamaciones de los derechos de la mujer, apoyo educativo, ayuda para la formación e inserción laboral y formación preventiva en valores de igualdad, todo ello para darle herramientas que fomenten el desarrollo personal y la adquisición de habilidades en la resolución no violenta de conflictos.

Para alcanzar estos objetivos, en la Jurisdicción de menores se debe garantizar el cumplimiento de la obligación de informar a la víctima de todos sus derechos, de comunicar las medidas adoptadas al Registro Central para la protección de las víctimas de la violencia doméstica y de género, y de proceder al seguimiento y control de las medidas cautelares adoptadas con sus efectos sobre la conducta del menor y la protección de víctima.

Es fundamental en la protección de la víctima prestar una adecuada información y un asesoramiento sobre sus derechos, por ello las oficinas de atención a las víctimas del delito deben actuar de forma proactiva, llevando la iniciativa para contactar con la víctima y ofrecerle sus servicios, ya que en el caso de las menores esperar a que sean ellas las que contacten puede dejarlas fuera del marco tutelar.

Las necesarias limitaciones de la LORRPM y su indiscutible naturaleza educativa no pueden descuidar la protección integral a la víctima, por ello con una lectura flexible e integradora del problema, se ha de velar porque las víctimas de violencia de género cuyos agresores sean menores de edad tengan los mismos derechos que aquellas cuyo agresor sea mayor de edad, especialmente los de protección, información y asesoramiento.

---

35 MILLÁN DE LAS HERAS, M. J. 2009. La jurisdicción de menores... cit. p. 148.

La práctica diaria, sin embargo, desvela fallos en el sistema de protección, por ello es necesario que la defensa jurídica de las víctimas sea especializada en violencia de género juvenil, que las medidas de alejamiento de menores se notifiquen a los puntos de coordinación administrativa para su correspondiente control y seguimiento, que se preste permanente información a las víctimas y que se faciliten mecanismos eficaces de protección. El problema de ello radica en que lo más frecuente es que cuando el agresor es menor de edad, la víctima también lo sea, y ello produce una cierta desformalización de la respuesta dentro de la especificidad de los menores de edad, pero habría que preguntarse si es sostenible esta diferencia de trato entre víctimas de violencia de género de distinta edad. La razón de ser de ello es la necesidad de compatibilizar la máxima protección a la víctima que le otorga la LOMPIVG con el interés del menor de la LORRPM, ya que no se trata de darle a la víctima un papel protagonista en la determinación de la responsabilidad penal del agresor menor de edad, sino de respetar sus derechos de tutela y protección.

4. INTERVENCIÓN EDUCATIVA DEL MENOR AGRESOR DE VIOLENCIA DE GÉNERO

4.1. *Medidas de distanciamiento: contenido y alcance*

El menor de edad responsable de un delito de violencia de género puede ser sancionado con diversas medidas, ya que la LORRPM no contempla una correlación predeterminada entre delito y sanción, sino que el Juez de Menores puede escoger la medida más adecuada al superior interés del menor, al no regir estrictamente en la Justicia juvenil el principio de proporcionalidad. Esto significa que ante un delito de violencia de género del art. 153.2 CP el Juez de Menores podrá imponer desde una amonestación hasta un internamiento, normalmente semiabierto por su carácter de última ratio, aunque lo más común sea la libertad vigilada, el alejamiento o las tareas socioeducativas[36]. Además de ello, en cumplimiento del carácter educativo de la intervención, las medidas podrán ser suspendidas, sustituidas o modificadas por el Juez a lo largo del proceso de ejecución, sin más límites que los recogidos legamente para los delitos de mayor gravedad.

---

36 CERVELLÓ, V./ COLÁS, A. 2015. Violencia de género juvenil: claves para su examen diferenciado". Actas II simposio de investigación criminológica. Albacete, junio, p. 44. La Memoria FGE de 2014 manifestaba en violencia de género juvenil su preferencia por el alejamiento y la libertad vigilada en aplicación del Dictamen 7/2012 de la unidad especializada sobre criterios de actuación en supuestos de violencia de género, p. 443.

Entre las diversas medidas a imponer al menor responsable de un delito de violencia de género recogidas en el art. 7 LORRPM, cobran un especial interés en el tratamiento bilateral de la violencia de género juvenil, todas aquellas que puedan proteger directamente a la víctima o que contemplen un contenido educativo específico dirigido a educar en la igualdad y a prevenir las actuaciones de dominio sobre la mujer, entre ellas se ha querido destacar como modelo del primer objetivo las medidas de alejamiento y como paradigma del segundo los programas de tratamiento específicos de violencia de género que pueden ofrecerse en el seno de diversas medidas.

Como ya se ha señalado, aunque en su redacción inicial la LORRPM no recogía medidas de distanciamiento de la víctima en el catálogo de medidas, la Ley 8/2006 las introdujo en el art. 7 1. i) con el siguiente contenido:

> *La prohibición de aproximarse o comunicarse con la víctima o con aquellos de sus familiares u otras personas que determine el Juez. Esta medida impedirá al menor acercarse a ellos, en cualquier lugar donde se encuentren, así como a su domicilio, a su centro docente, a sus lugares de trabajo y a cualquier otro que sea frecuentado por ellos. La prohibición de comunicarse con la víctima, o con aquellos de sus familiares u otras personas que determine el Juez o Tribunal, impedirá al menor establecer con ellas, por cualquier medio de comunicación o medio informático o telemático, contacto escrito, verbal o visual. Si esta medida implicase la imposibilidad del menor de continuar viviendo con sus padres, tutores o guardadores, el Ministerio Fiscal deberá remitir testimonio de los particulares a la entidad pública de protección del menor, y dicha entidad deberá promover las medidas de protección adecuadas a las circunstancias de aquél, conforme a lo dispuesto en la Ley Orgánica 1/1996.*

Esta medida tiene un claro referente en los arts. 57 y 48 del CP que recogen respectivamente una pena accesoria general para una serie de delitos y una pena privativa de derechos que en ocasiones el Juez puede o debe imponer bien como pena principal o como pena accesoria, si bien en menores prevalece el carácter de protección a la víctima sobre el de medida propiamente cautelar. Su carácter más discutido en adultos es su imposición obligatoria en violencia de género, al no permitir la valoración de las circunstancias personales del agresor, lo que es especialmente preocupante en los hechos de menor gravedad, mientras que en menores lo más discutido es su falta de contenido educativo por su naturaleza preferentemente accesoria a otras penas.

Aunque en general es una sanción muy similar a la recogida en el art. 48.2 y 3 del CP, se pueden apreciar importantes diferencias:

Su imposición no es obligatoria, sino facultativa, y además no se recoge ninguna especificidad respecto a la violencia de género, por lo tanto el Juez de Menores dispone en estos casos de total libertad para imponerla o no. Como regla general común a todas las medidas sancionadoras de la LORRPM, al imponer el alejamiento no se debe valorar la perspectiva de la víctima o su necesidad de protección, ni siquiera la peligrosidad del menor, sino estrictamente el superior interés del menor, por eso y especialmente cuando sea incompatible con los intereses de la víctima[37], es el interés el menor agresor el que debe prevalecer en la aplicación de la legislación específica juvenil. Este planteamiento no debe permitir que se ignore la necesidad de proteger a la víctima, por eso desde un enfoque conciliador se trata de evitar la imposición del alejamiento por razones estrictamente asegurativas, y optar por darle un enfoque educativo de aprendizaje de comportamientos en la relación sentimental. Las dudas sobre este carácter educativo, sin embargo, están llevando de momento a una imposición muy selectiva por parte de los Jueces de menores que no confían en que sea idónea para cumplir con la finalidad educativa de la LORRPM[38], lo que les lleva a preferir su imposición como regla de libertad vigilada.

En los menores de edad, es especialmente relevante que el contenido de las prohibiciones pueda afectar al alejamiento del centro docente y al uso de medios tecnológicos tan dominantes en la comunicación actual de los jóvenes, mientras que de su cumplimiento destaca la preocupación por la separación a la que puede llevar del domicilio familiar y la posibilidad de incorporación del control telemático para su seguimiento.

En referencia al alejamiento de centros docentes, se ha incorporado un espacio que podía quedar implícito en la alusión a cualquier otro lugar, pero que ahora queda expresamente mencionado. Se trata de impedir al menor que se acerque al domicilio, al *centro docente*, lugar de trabajo o cualquier otro que sea frecuentado por las personas respecto a las cuales se ha dictado el alejamiento, que pueden ser la víctima o sus familiares u otras personas que determine el Juez. En este caso en particular, por tanto, se trata de impedir que el menor se acerque al centro educativo, sea docente, escolar o de formación profesional, al que acude la víctima, lo que persigue evitar riesgos, pero sin ignorar el interés del menor infractor, por ello si el menor cursa sus estudios en el mismo centro se informará a los servicios educativos correspondientes para que se arbitren medidas que permitan escolarizar al menor en otro centro, es decir, que la imposibilidad de acudir al mismo centro que la víctima, no provoque el absentismo escolar. Pese a ello es evidente que el cambio de centro escolar puede tener consecuencias muy nega-

---

37 GARCÍA GONZÁLEZ, J. 2012. La penalidad prevista en delitos de violencia contra la mujer. Régimen de suspensión y sustitución de las penas privativas de libertad para condenados por violencia de género. Especial mención a los adolescentes. En *La violencia de género en la adolescencia*... cit. Dtor. García González, J. p. 334.

38 HURTADO MULLOR, Mª J. 2011. Quebrantamiento de pena y/o medida de seguridad realizada por un adolescente. En *La violencia de género*... cit. Dtor. García González, J. p. 371. VILÁN LORENZO, P. 2008. La medida de alejamiento en la violencia doméstica protagonizada por menores". *Revista xurídica galega*, p. 68.

tivas sobre la vida del menor, por ello es aconsejable imponerla con prudencia y valorando estrictamente todos los intereses en conflicto, para evitar que resulte desproporcionada o especialmente aflictiva para el menor agresor[39].

Todos estos inconvenientes aconsejan que sea imprescindible dotar de un contenido educativo al alejamiento para que no quede en una mera medida de distanciamiento o de expulsión del centro donde curse sus estudios el menor agresor, lo que se facilita cuando se acompaña de otras medidas como las tareas socioeducativas o la libertad vigilada, ya que aunque la Circular FGE 1/2007, de 23 de noviembre, sobre criterios interpretativos tras la reforma de la legislación penal de menores de 2006 señale que el alejamiento por si mismo carece de sustrato educativo, nada impide que se le pueda aportar expresamente.

El doble contenido prohibitivo de no comunicar y no aproximarse presenta respectivamente diferentes problemas en los menores de edad. En relación a la prohibición de comunicación puede dar mucho juego en los delitos de violencia de género en los que se hayan utilizado dispositivos electrónicos como teléfonos móviles o espacios virtuales, siempre que vayan acompañadas de un refuerzo formativo y educativo en el uso responsable de los mismos. Esto es debido a los tipos de comunicación a los que se refiere abarcan el amplio abanico de medios que los jóvenes utilizan para comunicarse como puede ser cualquier medio de comunicación o medio informático o telemático, contacto escrito, verbal o visual, ahora bien, sin un contenido educativo específico que forme en el uso racional de dichos medios de comunicación, la medida quedara en una mera interrupción transitoria, muy lejos de su finalidad educativa.

Por su parte, en su contenido de prohibir la aproximación con la víctima o familiares, habrá ocasiones en que la aplicación de esta medida afecte a la relación del menor infractor con su propia familia impidiéndole seguir conviviendo con sus padres, tutores o guardadores, lo que puede ocurrir porque el alejamiento sea de sus propios padres en la violencia intrafamiliar, o porque el alejamiento de la víctima pueda exigir abandonar el domicilio familiar. La trascendencia del alejamiento sobre la vida del menor infractor probablemente ha aconsejado la no previsión de la privación del derecho de residencia que en menores no es posible, pese a lo cual la medida de alejamiento puede suponer la necesidad de alejarse del lugar de residencia de los padres.

En dichos casos el Ministerio Fiscal deberá dirigirse a la entidad pública de protección del menor para que promueva cualquiera de las medidas de protección recogidas en la Ley Orgánica 1/1996, lo que habrá que hacer extensible a los hijos del menor agresor si la aplicación de esta medida entorpece o impide la

---

39 ORNOSA FERNÁNDEZ, R. 2007. *Derecho Penal...* cit. p. 213. FEIJOO SÁNCHEZ, F. 2008. *Comentarios a la LORRPM* Dtor. J. Díaz Maroto y Villarejo, p. 159.

relación del menor con sus hijos, ya que a diferencia de la pena de adultos donde si se menciona, en la de menores no se hace referencia alguna al régimen de visitas o comunicación con los hijos del menor agresor[40].

Como se ha señalado anteriormente, las medidas de protección las puede adoptar el Juez de Menores, de esta manera la Consulta FGE 3/2004, 26 de noviembre, sobre la posibilidad de adoptar la medida cautelar de alejamiento en el proceso de menores apostaba por comunicarlo a la Entidad Pública de Protección de Menores para que adoptara las medidas de protección procedentes, o bien instar una medida de protección ante el propio Juez de Menores, conforme a lo previsto en el art. 158 CC.

La reproducción del contenido de la medida de alejamiento, casi literal a la pena del art. 48 del CP, ha dejado fuera la posibilidad que el Juez de Menores acuerde el control de la medida mediante dispositivos electrónicos, lo que puede dar lugar a su rechazo, a la admisión de su imposición por la aplicación de forma subsidiaria del CP por su carácter supletorio[41], o bien a limitarlo sólo a los casos en los que el menor consienta. La Circular FGE 1/2007, de 23 de noviembre, sobre criterios interpretativos tras la reforma de la legislación penal de menores de 2006, indica que la falta de previsión legal solo permite utilizarlas cuando el sometido a las mismas acceda voluntariamente y apoyándose en su falta de contenido educativo, remite su supervisión a los CCFFS, lo que resulta totalmente inapropiado, ya que toda medida de menores debe ir dirigida a esta finalidad y debe ser controlada por la Entidad Pública de menores y supervisada por el Juez de Menores, por ello resulta preferible que sin atentar a la dignidad del menor y con su consentimiento, se pueda proceder al control telemático, y en los casos en los que el menor lo rechace, optar por potenciar su carácter educativo ligando esta medida a la libertad vigilada[42].

En todo caso es importante velar por su cumplimiento ya que en virtud del art. 50 LORRPM, su quebrantamiento puede llevar al Ministerio Fiscal a solicitar su sustitución por otra medida diferente, que incluso excepcionalmente puede ser de internamiento en centro semiabierto.

La necesidad de dotar a toda medida, incluido el alejamiento, de contenido educativo se debe a que las particularidades específicas de la violencia de género entre adolescentes justifican el especial interés por la prevención primaria y la necesidad de intervención con víctimas y agresores; en el primer sentido es necesario intervenir siempre porque unos primeros gestos de control y dominio pueden ser

---

40 COLÁS TURÉGANO, A. 2011. *op. cit.* p. 230.

41 COLÁS TURÉGANO, A. 2011. *op. cit.* p. 230.

42 Así lo entiende la Circular FGE 1/2007, de 23 de noviembre, sobre criterios interpretativos tras la reforma de la legislación penal de menores de 2006.

factor de predicción de agresiones futuras mucho más graves y en el segundo porque la violencia de género juvenil presenta en muchas ocasiones un carácter bidireccional entre agresor y víctima que requiere una intervención recíproca[43].

4.2. *Programas formativos específicos*

La violencia de género tiene un marcado contenido cultural y social y por ello es inadecuado e ineficaz imponer al menor de edad medidas que están huérfanas de un contenido educativo específico en materia de tratamiento de la igualdad, ya que sin ellas es muy posible que los comportamientos se repitan y acaben consolidándose cuando los menores alcancen la mayoría de edad.

La LOMPIVG en el Título IV dedicado a la tutela penal, además de recoger las conductas delictivas de género, recoge una serie de indicaciones en relación al tratamiento penológico y penitenciario de los agresores. Entre ellas destaca especialmente la obligación de imponer en la suspensión de la ejecución de las penas de los delitos relacionados con la violencia de género obligatoriamente las reglas 1, 2 y 5 del art. 83 CP relativas a las medidas de alejamiento y los programas formativos; la revocación por incumplimiento de dichas reglas; la sustitución por trabajos en beneficio de la comunidad excluyendo la multa; y la obligación de que la Administración penitenciaria realice programas específicos de tratamiento para los internos condenados por violencia de género, pudiendo ser su seguimiento y aprovechamiento valorado en la concesión de permisos, progresión de grado y libertad condicional.

Muchas de estas previsiones han sido modificadas por la LO 1/2015, de 30 de marzo, de modificación del Código Penal, siendo especialmente significativo el cambio de la mención de delitos relacionados con la violencia de género por delitos cometidos sobre la mujer (art. 83); la limitación, pero no exclusión, de la sustitución por pena de multa (art. 64); y la tipificación de la manipulación de dispositivos electrónicos como nueva modalidad de quebrantamiento de condena (art. 468.3).

La obligatoriedad de realizar programas de tratamiento específicos como condición para suspender la ejecución de penas de prisión de menos de dos años de duración en los delitos cometidos sobre la mujer, ha dado un contenido rehabilitador a una alternativa a la prisión que de no ser así no contemplaría contenido educativo alguno, por ello llama la atención que en la violencia de género juvenil no se encuentre nada similar para la intervención y el tratamiento de los menores

---

43 RUBIO-GARAY, F./ LÓPEZ GONZÁLEZ, M. A./ ÁNGEL, L./SÁNCHEZ-ELVIRA, A. 2012. Direccionalidad y expresión de la violencia en las relaciones de noviazgo entre los jóvenes. *Acción psicológica,* junio, p. 62.

agresores de esta tipología delictiva. De esta manera en las medidas impuestas por los Jueces de Menores por delitos de violencia de género, con independencia de que se imponga internamiento, libertad vigilada, tareas socioeducativas o cualquier otra, raramente se imponen programas educativos específicos de formación en igualdad y prevención de la violencia de género.

Ello es debido a la gran libertad de que dispone el Juez de Menores para decidir qué medidas impone, sus contenidos y cuándo y cómo las puede sustituir, pese a que en todo ello sea preceptivo el informe del equipo técnico. Por ello sería conveniente, tomando como referencia el carácter supletorio del Código Penal, que los Jueces de Menores en todos los delitos de violencia de género impusieran la obligación de seguir un tratamiento específico en violencia de género, ya que por el carácter educativo de las medidas, cabe con mayor o menor intensidad prácticamente en todas ellas.

Estos programas tendrían en los internamientos un carácter más similar a los ofrecidos en los centros escolares[44], si bien con la intensidad y orientación adecuada a las características del menor agresor, mientras que en las medidas en medio abierto su formato será más similar a la intervención propia de la libertad vigilada con la posibilidad de acudir a talleres o cursos en centros socioeducativos, si bien con el contenido específico de prevención y tratamiento de la violencia de género.

5. VIOLENCIA DE GÉNERO, MINORÍA DE EDAD Y NUEVAS TECNOLOGÍAS: ALGUNAS PROPUESTAS

5.1. *Violencia de género juvenil y TIC's*

La violencia de género es un fenómeno dinámico y por tanto permeable a cualquier cambio social, por ello la sociedad de la información y el uso de nuevas tecnologías que facilitan la comunicación a través de instrumentos telefónicos, telemáticos o informáticos, han dado lugar a nuevas modalidades delictivas que no sólo facilitan la comisión de comportamientos que antes requerían de cierta presencia física de agresor y víctima, sino que además encuentran en el anonimato y en la distancia un aliado para la impunidad. En este sentido, el ciberacoso, *ciberbullying*, *grooming*, *sexting* o *stalking*, son manifestaciones delictivas con-

44 Ejemplo de ello es el programa "La máscara del amor" donde además de desarrollar la igualdad y el respeto entre sexos se incide en la gestión de emociones como elemento indispensable para prevenir la violencia en la población escolar general. CASAS TELLO, M. 2012. *La prevención de la violencia en la pareja entre adolescentes a través del taller la máscara del amor*. Tesis doctoral. Universidad de Valencia, p. 323.

sistentes en hostigamiento, amenazas o ataques a la intimidad que utilizan como medio comisivo el correo electrónico, la mensajería instantánea o de texto, las llamadas telefónicas, los blogs o las páginas webs, y en definitiva, cualquier medio electrónico de comunicación, y que a su vez, pueden ser conductas de violencia de género si se dan en el contexto de las relaciones de pareja[45].

El uso de las nuevas tecnologías como prioritario medio de comunicación social ha cambiado las actividades cotidianas de los adolescentes en general, y en particular sus relaciones de pareja, lo que presenta muchas ventajas por el avance social y tecnológico que supone, pero conlleva el gran inconveniente de que no facilita las rupturas sentimentales, aumenta las posibilidades de control y agrava los actos de acoso[46]. Estas manifestaciones son claros exponentes de violencia de género, y por ello ante la preocupación de su imparable expansión, y la falta de percepción por sus protagonistas considerados nativos digitales, en los últimos años en las encuestas de prevención y erradicación de la violencia de género ya se incluye un apartado sobre el uso y frecuencia de las tecnologías, situaciones de riesgo, y medidas de protección, con el fin de obtener resultados para poder dar pautas de uso responsable, identificación de conductas de riesgo y adopción de medidas de protección.

Los resultados de estos estudios arrojan datos muy preocupantes como que el 32,1% de los chicos adolescentes corren riesgo de convertirse en maltratadores, el 4,9% de las adolescentes ya ha sido víctima de algún tipo de violencia física o psicológica por parte del sexo opuesto, y un 18,9% (una de cada cinco) podría ser maltratada en el futuro porque justifica el sexismo y agresión como forma de enfrentarse a los conflictos[47]. Además en relación al uso de las TIC's se constata que es el medio por excelencia para comunicarse ya que el 90% de adolescentes de 12 a 17 años acude a la red para comunicarse con los amigos de su entorno, lo que explica su mayor uso en las relaciones sentimentales ya que al no haber siempre convivencia, la comunicación se hace de forma no presencial en la mayor parte del tiempo[48].

Por ello no se puede desaprovechar la oportunidad de utilizar estos mismos medios comisivos que dominan gran parte de las relaciones personales de los

---

45 En el INFORME VIOLENCIA DE GÉNERO TELÉFONO ANAR 2014 cit. p. 29 se señala que en el 65% de las llamadas recibidas por menores de edad la violencia se había dado a través de las nuevas tecnologías.

46 DÍAZ AGUADO, Mª J./ MARTÍNEZ ARIAS, R./ MARTÍNEZ BABARRO, J. 2013. *La evolución de la adolescencia española...* cit. p. 10.

47 DÍAZ AGUADO, Mª J./ CARVAJAL GÓMEZ, M. I. 2010. *Igualdad y prevención de la violencia de género en la adolescencia*. Universidad Complutense de Madrid y Ministerio de igualdad, p. 236.

48 INFORME VIOLENCIA DE GÉNERO TELÉFONO ANAR 2014 cit. p. 29.

adolescentes, y que derivan en ocasiones en comportamientos delictivos, para actuar en orden a la prevención y erradicación de la violencia de género juvenil.

Siguiendo la limitación marcada en este trabajo, dedicado al tratamiento bilateral de la violencia de género con una lectura compatible de los intereses de infractor y víctima cuando ambos son menores de edad, a continuación se va a analizar el papel de las nuevas tecnologías para tutelar los derechos de las víctimas y dotar de contenido educativo a las sanciones de los infractores.

5.2. La incorporación de las nuevas tecnologías en la protección de la víctima

Uno de los ámbitos donde las nuevas tecnologías están adquiriendo un gran desarrollo es en su utilización para el seguimiento y control de la medida de prohibición de acercamiento, tanto desde la perspectiva de protección de la víctima, como del aseguramiento de su cumplimiento por parte del agresor. En el primer aspecto las victimas deben ser atendidas por las oficinas de asistencia, teniendo las menores de edad el mismo derecho de acceso a la teleasistencia que las adultas, si bien de manera excepcional, ejemplo de ello es el servicio de atención y protección a las víctimas de violencia de género (ATENPRO) que ofrece a las víctimas una atención inmediata durante las 24 horas del día a través de la utilización de una terminal de telefonía móvil de telelocalización. Las entidades colaboradoras, de esta manera, ante situaciones de emergencia pueden prestar una respuesta adecuada en función de la gravedad y necesidad de cada supuesto.

En relación al uso de pulsera electrónica para el aseguramiento del cumplimiento de la medida por parte del menor agresor, como antes se ha señalado, la falta de previsión legal en la LORRPM solo permite su utilización cuando el menor acceda voluntariamente, sin atentar a su dignidad y apostando por un contenido educativo, no sólo asegurativo, por ello su supervisión no debe ser encomendada a los CCFFS, sino como el resto de medidas, debe ser controlada por la Entidad Pública de menores y supervisada por el Juez de Menores.

Un aspecto novedoso del cumplimiento de la medida con medios electrónicos es que la reforma del Código Penal por LO 1/2015, de 30 de marzo de 2015, ha creado en el art. 468.3 una nueva conducta del quebrantamiento de condena consistente en su inutilización o manipulación, lo que amplía la intervención penal en el ámbito de la violencia de género.

Finalmente, la prohibición de no comunicar por ningún medio con la víctima no puede quedar en una mera prohibición, ya que teniendo en cuenta que es el pilar básico de la comunicación actual entre los menores de edad, para que tenga un carácter educativo y preventivo debe conllevar la formación en igualdad y en el uso responsable de tecnologías de la información y comunicación, lo que conlleva instruir sobre el uso racional de equipos informáticos, teléfonos móviles teléfono, y aplicaciones como *whatsapp, tuenti, facebook*... por la trascendencia que tiene sobre el derecho a la intimidad y el respeto a la dignidad humana.

5.3. *Mediación con compromiso de uso correcto de las nuevas tecnologías*

Como uno de los medios de resolución alternativa de conflictos más desarrollados, la mediación se presenta como un instrumento capaz de aportar protagonismo y empoderamiento a la víctima y diálogo y reconocimiento de los hechos al agresor, lo que en el caso de la violencia de género entre menores de edad es especialmente adecuado no sólo para evitar el proceso judicial adversarial guiado por el Juez de Menores, sino para que con la ayuda del mediador, se postule un acuerdo de contenido educativo mucho más eficaz y preventivo de futuras conductas.

La mediación es un proceso de comunicación interactiva que facilita que las partes del conflicto ayudadas por un mediador neutral sean capaces de encontrar un acuerdo que les permita valorar las ventajas del diálogo, aceptar diversas versiones de la realidad, fomentar la toma responsable de decisiones y reconocer los hechos y su trascendencia[49].

A la víctima la mediación le va a permitir participar en la resolución del conflicto reduciendo el riesgo de victimización secundaria y al agresor le va a facilitar tomar conciencia de los hechos sin la rigidez del proceso penal y participar en un programa que desarrolle las habilidades de comunicación y de resolución de problemas[50]. De resultas de ello con la mediación se pueden cumplir simultáneamente los objetivos de la LOMPIVG y de la LORRPM ya que al pacificar la comunicación entre ambos, se facilita la protección y tutela de la víctima y se promueve la responsabilidad del infractor.

El art. 44.5 LOMPIVG prohíbe la mediación en todos los procedimientos que quedan bajo la jurisdicción de los Juzgados de violencia sobre la mujer. Esto se limita a los supuestos de violencia de género ya descritos, pero no incluye la violencia doméstica, y es discutible si se refiere a la mediación penal o también a la civil, ya que la exposición de motivos no aclara nada al respecto. A pesar de ello se suele excluir todo tipo de mediación en violencia de género lo que ha recibido muchas críticas no sólo porque ignora el avance de la mediación en los últimos años como medio pacífico de resolución de conflictos, sino porque en este tipo de conflictos es especialmente recomendable la solución pactada, la asunción de

---

49 CAURÍN, C./ RAMÍREZ, A. 2012. Violencia en el noviazgo... cit. p. 269.

50 POZUELO PÉREZ, L. en *Comentarios a la LORRPM*. Dtor. J. Díaz Maroto y Villarejo, p. 275.

los hechos y el compromiso de reparación. Por todo ello, dejando al margen los hechos violentos más graves, la violencia habitual y los ataques a la vida, se suele entender que los hechos menos graves o el maltrato ocasional pueden ser aptos para la mediación por las numerosas ventajas que puede reportar[51].

En el caso de la violencia de género juvenil nos encontramos con que la reparación y conciliación es una forma de sobreseer el expediente en función de la gravedad y circunstancias de los hechos y del menor, especialmente la falta de violencia o intimidación graves, lo que permite no continuar con el expediente si el menor se concilia con la víctima o se compromete a reparar el daño producido.

A diferencia del Código Penal de adultos donde hasta la reforma de 2015 nada se decía de la mediación, el art. 19 de la LORRPM ya la recogía como un medio de desistimiento del expediente de reforma de la siguiente manera:

> *"También podrá el Ministerio Fiscal desistir de la continuación del expediente, atendiendo a la gravedad y circunstancias de los hechos y del menor, de modo particular a la falta de violencia o intimidación graves en la comisión de los hechos, y a la circunstancia de que además el menor se haya conciliado con la víctima o haya asumido el compromiso de reparar el daño causado a la víctima o al perjudicado por el delito, o se haya comprometido a cumplir la actividad educativa propuesta por el equipo técnico en su informe. El desistimiento en la continuación del expediente sólo será posible cuando el hecho imputado al menor constituya delito menos grave o falta. A efectos de lo dispuesto en el apartado anterior, se entenderá producida la conciliación cuando el menor reconozca el daño causado y se disculpe ante la víctima, y ésta acepte sus disculpas, y se entenderá por reparación el compromiso asumido por el menor con la víctima o perjudicado de realizar determinadas acciones en beneficio de aquéllos o de la comunidad, seguido de su realización efectiva. Todo ello sin perjuicio del acuerdo al que hayan llegado las partes en relación con la responsabilidad civil."*

Para conseguir la reparación y conciliación, el equipo técnico lleva a cabo las funciones de mediación entre el menor y la víctima e informa al Ministerio Fiscal de la posibilidad de acuerdo, los compromisos a los que se ha llegado y el cumplimiento de los mismos. De esta manera al estar regulada la reparación y conciliación a través de la mediación como una forma de evitar el procedimiento formal, reparando el daño causado a la víctima y potenciando el carácter educativo de la asunción de los hechos, no tiene mucho sentido impedir que los supuestos de violencia de género sean enviados por el Ministerio Fiscal a mediación, especialmente teniendo en cuenta que la prohibición de la LOMPIVG se refiere a los Juzgados de delitos sobre la mujer, lo que no incluye a los Juzgados de Menores.

---

51 GÓMEZ VILLORA, J. M. (coord.)2009. *Protocolos sobre violencia de género*. Valencia, p. 90.

Esta excepción planteada de la previsión de la LOMPIVG viene justificada por tratarse de algo beneficioso para los menores de edad, tanto agresor como víctima, ya que al carácter esencialmente educativo de la mediación se le une la función reparadora para la víctima, siempre que se cumplan los principios rectores de la mediación, es decir, voluntariedad de participar, equilibrio de las partes y neutralidad del mediador.

A pesar de ello hay opiniones que rechazan de lleno la mediación en violencia de género juvenil, bajo el principio de tolerancia cero y con la idea de que la mediación empuja a una reconciliación indeseable para la víctima y antipedagógica para el agresor[52], algo totalmente opuesto al verdadero objetivo de la mediación, cuya pretensión no es salvar la relación afectiva, sino ayudar a superar el conflicto y educar para la convivencia pacífica como medio absolutamente necesario para prevenir y evitar la violencia de género.

Muchas conductas delictivas actuales en el ámbito de la violencia de género se caracterizan por la utilización de nuevas tecnologías que no solo suponen un nuevo instrumento comisivo, sino que han dado lugar a formas delictivas específicas que bajo la denominación de ciberacoso reúnen delitos como el control o vigilancia a través del uso del teléfono móvil, la violencia verbal a través del uso de redes sociales, el acceso ilegal a las redes para humillar, la difusión no consentida de imágenes... todo ello puede ser objeto de un acuerdo mediador en el que el agresor reconozca el daño producido y se comprometa a hacer un uso legítimo de los mismos y la víctima, además de aceptar las disculpas del agresor, también asuma un uso responsable de las nuevas tecnologías.

Con este objetivo, el mediador puede ayudar a los menores a alcanzar una ruptura o interrupción pactada de la relación sentimental, y a respetar la libertad e intimidad de las dos partes con un uso racional y respetuoso de las TIC's. Para que dicho proceder sea válido y sus acuerdos resulten eficaces es indispensable que se cumplan rigurosamente los principios de equidad y equilibrio entre las partes con el fin de garantizar que en ningún caso donde la víctima se encuentre sometida al agresor sea posible la mediación, y que en todo caso el agresor debe estar dispuesto a reconocer los hechos y ser receptivo a los cambios de conducta[53].

---

52 MADRIGAL MARTÍNEZ-PEREDA, C. La violencia familiar y de género ejercida por menores *III Congreso del Observatorio contra la violencia doméstica y de género*, p. 15.

53 CERVELLÓ DONDERIS, V./ COLÁS TURÉGANO, A. 2014. Mediación y violencia de género: un enfoque educativo. (Paper) presentado en VI Conferencia internacional OIJJ. La privación de libertad de los niños como último recurso: hacia políticas de alternativas basadas en evidencia. Bruselas, diciembre.

5.4. *Programas formativos en igualdad y nuevas tecnologías*

Es difícil tratar las relaciones sociales de los jóvenes sin hacer mención de la telefonía móvil, del entorno de internet y de todas las plataformas que se derivan del espacio virtual y de las redes sociales, ya que todos ellos se han instalado de manera permanente en su forma de relacionarse[54], por ello para la erradicación, tratamiento y prevención de la violencia de género entre los jóvenes es necesario tener en cuenta el amplio espectro de medios tecnológicos[55]. La actuación sobre las TIC's debe partir de la base de que por muchos riesgos que presenten, no sólo son necesarias en el sistema social de comunicaciones, sino que despiertan grandes ventajas en la educación y desarrollo de los jóvenes por su alcance y versatilidad, por ello la intervención no puede limitarse a la prohibición de su uso[56], sino que debe dirigirse a la formación en la prevención y control de riesgos.

De esta manera la intervención en menores agresores de violencia de género en los casos en los que haya habido uso indebido de TIC's debe integrar la formación en igualdad y no discriminación en un programa más amplio de uso responsable de las nuevas tecnologías, tutela de la intimidad y ámbito de aplicación de las conductas delictivas, ya que la relación de hechos comúnmente aceptados entre los jóvenes como control de llamadas, de conexión, de los contactos en las redes sociales... deben ser percibidos como conductas ilícitas, y no como patrón habitual de convivencia.

La ventaja es que los programas formativos con estos contenidos son muy versátiles porque caben dentro de medidas muy diversas, como puedan ser el internamiento, la libertad vigilada o las tareas socioeducativas, siendo la característica común de todos ellos que persiguen crear un marco de igualdad y respeto hacia todas las personas, en el que sólo tenga cabida el uso de las tecnologías como medio de comunicación con unos límites muy precisos de tutela de los derechos fundamentales. Por todo ello, y teniendo en cuenta que la violencia de género es la consecuencia de actitudes y comportamientos sexistas que algunos adolescentes comienzan a desarrollar en sus primeras relaciones sentimentales, los programas de intervención han de intervenir por los hechos cometidos, y es-

---

54 La expresiva referencia a "comunicador digital permanente" encaja perfectamente en numerosos jóvenes que como rutina están siempre conectados a las redes sociales. *El ciberacoso como forma de ejercer la violencia de género en la juventud: un riesgo en la sociedad de la información y el conocimiento.* TORRES ALBERO, C. (Director). Delegación del Gobierno para la violencia de género, p. 12.

55 GARCÍA GONZÁLEZ, J. 2012. La violencia de género..." cit. p. 83.

56 LLORIA GARCÍA, P. 2015. Menores, redes sociales e intimidad: consentimiento y tutela. Algunas consideraciones, en *Nuevos conflictos sociales. El papel de la privacidad.* Coord. Por E. Anarte, F. Moreno y C. R. García. Madrid, p. 263.

pecialmente para evitar que se repitan. Para ello es especialmente importante un enfoque bidireccional susceptible de integrar la tutela a la víctima con la intervención sobre el agresor, por ser el medio más adecuado para ayudar a crear un espacio de diálogo y convivencia pacífica en las relaciones sentimentales de los menores.

6. BIBLIOGRAFÍA

ARROM LOSCOS, R. (2012), "La protección de las víctimas de violencia de género y violencia doméstica «ex» art. 544 ter de la LECR: Especialidades en el caso de menores de edad". *Revista de Derecho y proceso penal* nº 28.

BONILLA CORREA, J. A. (2005), "La orden de protección de las víctimas de la violencia doméstica y de género". *Boletín Ministerio de Justicia* núm 2002, diciembre.

BORJA JIMÉNEZ, E. (2015), *Comentarios a la reforma del Código penal de 2015*, 2ª Ed. Dtor J. L. González Cussac, Valencia.

CASAS TELLO, M. (2012), *La prevención de la violencia en la pareja entre adolescentes a través del taller la máscara del amor*. Tesis doctoral. Universidad de Valencia.

CAURÍN ALONSO, C./ RAMÍREZ CUENCA, A. (2012), "Violencia en el noviazgo en el ámbito escolar". En *La violencia de género en la adolescencia* Dtor. J. Garcia González.

CERVELLÓ DONDERIS, V./ COLÁS TURÉGANO, A. (2014), Mediación y violencia de género: un enfoque educativo. Paper presentado en VI Conferencia internacional OIJJ. La privación de libertad de los niños como último recurso: hacia políticas de alternativas basadas en evidencia. Bruselas, diciembre.

CERVELLÓ DONDERIS, V./ COLÁS TURÉGANO, A. (2015), "Violencia de género juvenil: claves para su examen diferenciado". Actas II simposio de investigación criminológica. Albacete, junio.

CIRCULAR FGE 4/2005 de 18 de Julio relativa a los criterios de aplicación de la LOMPIVG.

CIRCULAR FGE 1/2007 de 23 de Noviembre sobre criterios interpretativos tras la reforma de la legislación penal de menores de 2006.

CIRCULAR FGE 6/2011 de 26 de Noviembre sobre actuación especializada del Ministerio Fiscal en violencia sobre la mujer.

COLÁS TURÉGANO, A. (2011), *Derecho penal de menores*. Valencia.

COMISIÓN DE SEGUIMIENTO DE LA IMPLANTACIÓN DE LA ORDEN DE PROTECCIÓN DE LAS VÍCTIMAS DE VIOLENCIA DOMÉSTICA. *Protocolo para la implantación de la orden de protección de las víctimas de violencia doméstica*. http://www.violenciagenero.msssi.gob.es/profesionalesInvestigacion/seguridad/protocolos/pdf/Protocolo_implantacion_orden_proteccion.pdf.

DE LA ROSA CORTINA, J. M. (2008), "Medidas cautelares en protección de la víctima y proceso penal de menores". *Diario La Ley* nº 6297, abril 2008.

DÍAZ AGUADO, M. J. (2006), "Sexismo, violencia de género y acoso escolar. Propuestas para una prevención integral de la violencia". *Revista de estudios de juventud* nº 73.

DÍAZ AGUADO, M. J./ MARTÍNEZ ARIAS, R./ MARTÍNEZ BABARRO, J. (2013), *La evolución de la adolescencia española sobre la igualdad y la prevención de la violencia de género*. Delegación del Gobierno para la violencia de género.

DÍAZ AGUADO, Mª J./ CARVAJAL GÓMEZ, M. I. (Dirs.) (2010), *Igualdad y prevención de la violencia de género en la adolescencia*. Universidad Complutense de Madrid y Ministerio de igualdad.

DÍAZ-MAROTO y VILLAREJO, J. (Dir.) (2008), *Comentarios a la LORRPM*. Navarra.

ESTEVE MALLENT, L. (2011), "La violencia de género entre adolescentes". En *La Violencia de género en la adolescencia*. García González, J. (Dtor) Pamplona.

GARCÍA GONZÁLEZ, J. (2011), La violencia en el noviazgo: el delito de violencia de género entre adolescentes. En *La Violencia de género en la adolescencia*. García González, J. (Dtor) Pamplona.

GARCÍA GONZÁLEZ, J. (2011), La penalidad prevista en delitos de violencia contra la mujer. Régimen de suspensión y sustitución de las penas privativas de libertad para condenados por violencia de género. Especial mención a los adolescentes. En *La Violencia de género en la adolescencia*. García González, J. (Dtor) Pamplona.

GARCÍA INGELMO, F. M. (2011), "Violencia de género en parejas adolescentes. Respuestas desde la jurisdicción de menores". II Congreso para el estudio de la violencia contra las mujeres. Sevilla.

GÓMEZ VILLORA, J. M. (coord.) (2009), *Protocolos sobre violencia de género*. Valencia.

GONZÁLEZ CUSSAC, J. L. (2007), "La intervención penal contra la violencia de género desde la perspectiva del principio de proporcionalidad". En *Tutela procesal frente a hechos de violencia de género* Coord. J. L. Gómez Colomer Castellón.

HURTADO MULLOR, Mª J. (2011), "Quebrantamiento de pena y/o medida de seguridad realizada por un adolescente". En *La Violencia de género en la adolescencia*. García González, J. (Dtor) Pamplona.

INFORME VIOLENCIA DE GÉNERO (2014), Teléfono ANAR. Fundación ANAR de ayuda a niños y adolescentes en riesgo.

LLORIA GARCÍA, P. (2015), "Menores, redes sociales e intimidad: consentimiento y tutela. Algunas consideraciones". En *Nuevos conflictos sociales. El papel de la privacidad*. Coord. Por E. Anarte, F. Moreno y C. R. García. Madrid.

MADRIGAL MARTÍNEZ-PEREDA, C. "La violencia familiar y de género ejercida por menores" en III Congreso del Observatorio contra la violencia doméstica y de género. http://www.poderjudicial.es/cgpj/es/Temas/Violencia-domestica-y-degenero/Actividad-del-Observatorio/PremiosCongresos/relacionados/.

MARTIN, N. TELLADO, I. (2012), "Violencia de género y resolución comunitaria de conflictos en los centros educativos". *Géneros Mutidisciplinary Journal of Gender* Studies Vol I nº 3, octubre.

MILLÁN DE LAS HERAS, Mª J. (2009), "La jurisdicción de menores ante la violencia de género". *Revista de Estudios de Juventud* nº 86 (Ejemplar dedicado a: Juventud y violencia de género).

MINGO BASAIL, Mª L. (2004), "Posición de las víctimas en el proceso penal de menores". *Diario La Ley*, nº 6099, octubre.

MINISTERIO DE SANIDAD, SERVICIOS SOCIALES E IGUALDAD (2013), *VII Informe anual del Observatorio estatal de violencia sobre la mujer 2013*. Colección contra la violencia de Género. Documentos nº 21.

ORNOSA FERNÁNDEZ, R. (2007), *Derecho Penal de menores. Comentarios a la LO-RRPM*. Barcelona.

ROIG TORRES, M. (2012), "La delimitación de la violencia de género: un concepto espinoso". *Estudios Penales y Criminológicos* vol XXII.

RUBIO-GARAY, F./ LÓPEZ GONZÁLEZ, M. A./ ÁNGEL, L./SÁNCHEZ-ELVIRA, A. (2012), "Direccionalidad y expresión de la violencia en las relaciones de noviazgo entre los jóvenes". *Acción psicológica,* junio.

RUÍZ RUÍZ, R. (2014), "Menores de edad víctimas de violencia de género en la Ley de protección a la infancia". *Revista UNED* nº 15.

TINOCO PASTRANA, A. (2005), "La víctima en el proceso penal de menores". *Diario La Ley* nº 6202 marzo.

TORRES ALBERO, C. (Dir.). *El ciberacoso como forma de ejercer la violencia de género en la juventud: un riesgo en la sociedad de la información y el conocimiento*. Delegación del Gobierno para la violencia de género. http://www.publicacionesoficiales.boe.es.

VARGAS GALLEGO, A. I. (2009), "Los jóvenes maltratadores ante la justicia. El papel de la Fiscalía". *Revista de Estudios de Juventud* nº 86 (Ejemplar dedicado a: Juventud y violencia de género).

VILÁN LORENZO, P. (2008), "La medida de alejamiento en la violencia doméstica protagonizada por menores". *Revista xurídica galega.*

Los delitos de género entre menores en la sociedad tecnológica: rasgos diferenciales

Asunción Colás Turégano
Profesora Titular de Derecho Penal
Universitat de València

SUMARIO: 1. Observaciones preliminares. 1.1. El concepto de violencia de género. 1.2. Especificidad de la violencia de género entre menores: rasgos diferenciales. 1.2.1. Mayor conciencia pero inadecuada percepción. 1.2.2. Igual o incluso mayor gravedad que entre adultos. 1.2.3. Bidireccionalidad. 1.2.4. Estereotipos sexistas. 1.2.5. Uso de las TIC. 2. Marco normativo: el interés superior del menor como criterio rector. 3. Delincuencia de género entre menores y medios tecnológicos. 4. El *sexting* entre menores como instrumento de la violencia de género. 4.1. Antecedentes y precisiones conceptuales. 4.2. El difícil encaje del *sexting* en el CP antes de la reforma de 2015. Aspectos jurídicos y criminológicos. 4.3. La introducción del *sexting* en la reforma de marzo de 2015. 4.4. Responsabilidad penal del menor en supuestos de *sexting*. 4.5. La validez del consentimiento del menor ante la ciberdelincuencia. 4.6. *Sexting* y producción de pornografía infantil. Límites aplicativos. 5. Recapitulación y conclusiones. 6. Bibliografía.

RESUMEN: En el estudio se realiza un análisis de la problemática de la violencia de género entre menores de edad. Se examinan las particularidades de tal tipo de violencia cuando tiene lugar entre menores, destacándose la utilización de medios tecnológicos como vehículo de la misma. El uso de tales medios ha dado lugar a la aparición de nuevas formas delictivas, por ello en el trabajo se aborda la problemática específica del *sexting*, las particularidades de la responsabilidad penal del menor y, también, el valor de su consentimiento para la divulgación de las imágenes. Finalmente se fijan criterios de delimitación con las conductas de pornografía infantil.

PALABRAS CLAVE: violencia de género, delincuencia juvenil, ciberdelincuencia, *sexting*, pornografía infantil

1. OBSERVACIONES PRELIMINARES

Han transcurrido más de diez años desde que en nuestro país se aprobó la Ley Orgánica 1/2004, de *medidas de protección integral contra la violencia de género*. Con la misma el legislador pretendía hacer frente al problema de la violencia ejercida contra la mujer por el mero hecho de serlo y de manera adecuada se abordó el problema con un enfoque global, en la convicción de que la forma de hacer frente a dicha lacra no podía ser unidireccional sino integradora de diferentes estrategias. Uno de los instrumentos más significativos e importantes para hacer frente a la violencia de género es la educación. De acuerdo con dicha premisa en la propia ley se acoge la necesidad de contemplar en los planes de estudios de los diversos niveles educativos contenidos específicos para la prevención de conductas machistas[1].

Pues bien, pese a los años transcurridos, pese a la conciencia del problema, pese a las reiteradas campañas de prevención, los casos de violencia de género entre la población adolescente no solo no han disminuido sino que —como puso de manifiesto la última estadística publicada por el INE en mayo de 2015[2]—, han aumentado de manera sensible en la franja de las mujeres víctimas menores de 18 años, aun cuando en términos generales se ha producido un descenso generalizado de casos.

Por tanto, si bien la ley ofrece un marco adecuado para potenciar los instrumentos educativos en igualdad, lo cierto es que en la práctica estos comportamientos se siguen dando entre nuestros adolescentes. Es por ello que resulta necesario seguir dedicando recursos públicos para conseguir que los menores interioricen como valor el respeto a la igualdad, desterrando comportamientos sexistas.

En el mundo contemporáneo el problema adquiere un nuevo cariz al utilizar nuestros jóvenes como vehículo para sus relaciones, una pluralidad de medios y redes tecnológicas que han venido a intensificar y a multiplicar los problemas en este ámbito. Desde la perspectiva penal esto ha supuesto un cambio en dos sentidos, en primer lugar porque las tipologías delictivas tradicionales pueden ser cometidas mediante las nuevas tecnologías lo que les da una dimensión diferente y, en segundo lugar, por la aparición de nuevas figuras delictivas marcadas por la utilización de estas nuevas tecnologías. Buen ejemplo de ello lo ofrecen las nuevas tipologías delictivas incorporadas al CP en la reciente reforma de marzo de 2015: el *sexting* y el *ciberstalking*. Constituyendo ambos casos un buen exponente de conductas mediante las que se puede ejercer la violencia machista, especialmente entre adolescentes por su condición de nativos digitales.

Nos encontramos pues ante un importante reto, a la dificultad propia de la violencia de género se une el empleo de dichas tecnologías en las que los adolescentes se manejan con facilidad pero que resultan, si no extrañas sí, al menos, complejas para los adultos que han de intervenir en la prevención y tratamiento del problema. Los adolescentes y jóvenes han incorporado tales nuevas tecnologías como vehículo habitual de comunicación, también en el ámbito de la sexualidad o para llevar a cabo conductas tradicionales de acoso, que adquieren una

1 GRAÑERAS PASTRANA, M., VAÍLLO RODRÍGUEZ, M., GONZÁLEZ PERRINO J. M. *Educación, la mejor receta contra la violencia machista*. Crítica, nº 960, marzo-abril 2009.

2 http://www.ine.es/prensa/np906.pdf. Consultado 10 de septiembre de 2015.

nueva dimensión cuando son llevadas a cabo con dichos medios. Por ello resulta de especial interés abordar el cambio de perspectiva con relación a los comportamientos sexistas llevados a cabo por adolescentes en la sociedad tecnológica.

1.1. *El concepto de violencia de género*

Para poder analizar la problemática de la violencia de género entre adolescentes y determinar cuáles son sus características específicas es necesario delimitar, en primer lugar, el concepto de violencia de género y sus diferencias respecto a otros conceptos cercanos como el de violencia doméstica.

Con carácter general el concepto de violencia de género se utiliza para identificar un tipo de violencia que tiene como destinataria exclusiva a la mujer, que es víctima de la misma como producto de la discriminación estructural propia de la sociedad patriarcal. No son pues razones biológicas las que provocan esta discriminación, sino razones culturales vinculadas al sexismo que atribuye una serie de roles al hombre y a la mujer, colocando al primero en una posición de dominación y a la segunda en una posición de subordinación y sumisión. Cuando se acude a la violencia para mantener dicho esquema de dominación y sometimiento hablamos de violencia de género.

La violencia de género, la violencia contra la mujer, puede adoptar muy diversas formas. Siguiendo a García González[3] es posible distinguir diferentes ámbitos en que ésta se puede proyectar. Así, podemos hablar de violencia física, la más presente en el discurso de los medios de comunicación, pero no es la única modalidad que en el día a día de la violencia de género podemos hallar. También encontraremos manifestaciones de violencia psicológica, violencia económica, violencia social, violencia sexual. Si analizamos la recepción que se ha hecho del concepto de violencia de género en el Código Penal, comprobaremos que éste limita a unos pocos tipos penales lo que se ha venido en denominar "Derecho penal de género"[4]. Entre ellos, por ejemplo, no se encuentran los ataques a la libertad sexual, por más que tales conductas tienen un claro contenido sexista.

---

3 GARCÍA GONZÁLEZ, J. 2012. "La violencia en el noviazgo: el delito de violencia de género entre adolescentes", en GARCÍA GONZÁLEZ, J. (coord.) *La violencia de género en la adolescencia*, Aranzadi, Cizur Menor, pp. 56 y ss.

4 La relación de figuras penales que entrarían dentro del concepto de Derecho penal de género son: Lesiones agravadas, art. 148. 4°, Maltrato ocasional, art. 153.1, Amenazas y coacciones de género, arts. 171,4 y 172.2, Delito de maltrato habitual, art. 173.2. Dicha situación ha cambiado recientemente al incorporar el CP tras la reforma de marzo de 2015 una nueva causa de agravación, aplicable cuando el delito se cometa por razones de género lo que va a provocar una ampliación de las conductas incluible en el llamado "Derecho penal de género", art. 22.4°.

La concepción de la violencia de género, como violencia de sumisión de la mujer se ha plasmado en distintos textos internacionales. Así en la Declaración de las Naciones Unidas sobre la eliminación de la violencia contra la mujer, Resolución de la Asamblea General de Naciones Unidas 48/104, de 20 de diciembre de 1993, cuando reconoce que ésta "*constituye una manifestación de relaciones de poder históricamente desiguales entre el hombre y la mujer que han conducido a la dominación de la mujer y a la discriminación en su contra por parte del hombre e impedido el adelanto pleno de la mujer, y que la violencia contra la mujer es uno de los mecanismos sociales fundamentales por los que se fuerza a la mujer a una situación de subordinación respecto del hombre*". O la Resolución del Parlamento Europeo sobre tolerancia cero ante la violencia contra las mujeres de 16 de septiembre de 1997, (Resolución A4-250/1997), que la vincula "*al desequilibrio en las relaciones de poder entre los sexos en los ámbitos social, económico, religioso o político...*".

Tal concepción se recoge asimismo en la Ley española de medidas de protección integral contra la violencia de género, LO 1/2004, si bien la definición en ella plasmada restringe el ámbito de la misma a la violencia que ejerce sobre la mujer el varón con una previa o pasada relación sentimental, aun sin convivencia. Como establece el art. 1.1, la ley tiene por objeto actuar *contra la violencia que, como manifestación de la discriminación, la situación de desigualdad y las relaciones de poder de los hombres sobre las mujeres, se ejerce sobre éstas por parte de quienes sean o hayan sido sus cónyuges o de quienes estén o hayan estado ligados a ellas por relaciones similares de afectividad, aun sin convivencia.* Acotando el ap. 3° del mismo art. 1, los supuestos a que va referida la violencia de género en la ley a *todo acto de violencia física y psicológica, incluidas las agresiones a la libertad sexual, las amenazas, las coacciones o la privación arbitraria de libertad.*

Por tanto, la nota definitoria de la violencia de género es que se ejerce sobre la mujer por el mero hecho de serlo, se agrede, se violenta a la mujer para mantener la situación de discriminación que históricamente ha padecido, y de acuerdo con la definición legal tiene que haber existido una previa relación de pareja. La agresión del hombre a la mujer sin dicha relación previa no puede ser calificada como violencia de género por el Derecho penal. Antes de la reforma de marzo de 2015 se consideró la posibilidad de aplicar en estos casos, agresión de hombre a mujer sin vínculo previo, la agravante de discriminación por sexo[5]. Al haber incluido la reforma como agravante específica la de actuar por razones de género, se amplía el concepto penal de violencia de género en dos direcciones, desde una perspectiva objetiva al poderse aplicar a cualquier figura delictiva llevada a cabo

---

5 GARCÍA GONZÁLEZ. *La violencia en el noviazgo: el delito de violencia de género entre adolescentes*, cit., p. 63.

con dicha finalidad y desde una perspectiva subjetiva pues autor del hecho ya no será, exclusivamente, el que tiene o ha tenido una relación sentimental con la mujer, sino cualquier hombre.

Aclarado el concepto de violencia de género a la luz de nuestra regulación legal, es importante deslindarlo del concepto de violencia doméstica, con el que a veces se confunde. Este último va referido a cualquier manifestación de violencia de entre las descritas, desarrollada en el seno familiar, por quienes pertenezcan o hayan pertenecido al mismo sobre alguno de los miembros que integran el núcleo familiar en sentido amplio[6].

Ciertamente la ley integral ha supuesto un avance significativo en la individualización del concepto, pues, como ha señalado Laurenzo Copello[7], uno de los problemas más importantes para un adecuado enfrentamiento del problema ha sido su tradicional confusión con la violencia doméstica. Hasta el año 2003 se producía una inadecuada mezcolanza de todas las agresiones que se producían en el seno de la familia, parificando situaciones que eran claramente diferentes. Como subraya la citada autora, no es comparable la situación de aquellos miembros de la familia vulnerables por sí mismos: ancianos, niños, incapaces, con la situación de la mujer. A la mujer la hace vulnerable el agresor por el uso de la fuerza, la vulnerabilidad de ésta "es el resultado de una estrategia de dominación ejercida por el varón —al amparo de las pautas culturales dominantes— para mantenerla bajo su control absoluto". La posición subordinada de la mujer respecto del varón no proviene de las características de las relaciones familiares sino de la propia estructura social fundada todavía sobre las bases del dominio patriarcal "El camino indiferenciado... apuntando a la familia como causa y a la vez víctima del fenómeno, pone al descubierto la pertinaz resistencia de muchos sectores sociales a reconocer que la violencia de género existe como fenómeno social, es decir, como un tipo específico de violencia vinculado de modo directo al sexo de la víctima —al hecho de ser mujer— y cuya explicación se encuentra en el reparto inequitativo de roles sociales, en pautas culturales muy asentadas que favorecen las relaciones de posesión y dominio del varón hacia la mujer".

Manteniendo una postura similar situando la causa de la violencia de género en la discriminación intemporal que tiene su origen en una estructura social de naturaleza patriarcal, aclara Maqueda[8] que la violencia de género apunta a la mujer, en tanto la violencia doméstica apunta a la familia.

---

6 GARCÍA GONZÁLEZ. *La violencia en el noviazgo...* cit., pp. 58 y 59.

7 LAURENZO COPELO, P. *La violencia de género en la ley integral. Valoración político criminal.* Revista electrónica de ciencia penal y criminología. RECPC 07-08, 2005, pp. 3-4.

8 MAQUEDA ABREU, M. L. *La violencia de género entre el concepto jurídico y la realidad social.* Revista Electrónica de Ciencia Penal y Criminología. RECPC 08-02, 2006, pp. 2-4.

Distinción que no queda claramente delimitada en la ley, pues como critica Maqueda[9] "la protección penal que la ley integral otorga a las víctimas de malos tratos dista mucho de ser sexuada en tanto que incluye a menores, incapacitados o ancianos independientemente de su condición sexual. Una vez más, la violencia de género se presenta enmascarada bajo una referencia más amplia que la acaba asimilando a la violencia doméstica".

A pesar de los defectos que podemos encontrar en la regulación de la Ley integral, lo cierto es que la misma implicó un avance en la individualización de los supuestos a incluir dentro de la violencia de género. Límites que se deducen de lo determinado en el art. 1. Para que hablemos en nuestro ordenamiento de violencia de género tendrán que darse las siguientes condiciones:

- El hombre ha de ejercer violencia contra su esposa, ex esposa o mujer con la que tiene o ha tenido una relación de afectividad análoga a la del matrimonio aun sin convivencia
- El hombre ha de ejercer sobre la mujer violencia física y psicológica, incluidas las agresiones a la libertad sexual, las amenazas, las coacciones o la privación arbitraria de libertad.
- Dicha violencia ha de ser manifestación de la discriminación, la situación de desigualdad y las relaciones de poder de los hombres sobre las mujeres[10].

Lo primero que llama la atención de la definición es que reduce el ámbito de la violencia de género a la ejercida por el hombre que tiene o ha tenido una relación sentimental con la mujer, formalizada o no; siendo que la violencia de género está presente en todos los ámbitos de la vida social dado su carácter estructural y puede ser ejercida por cualquier hombre y no, únicamente, por el vinculado sentimentalmente a la mujer.

Por otro lado, a pesar de que la ley certeramente enumera una serie de ámbitos en los que la violencia aparece como expresión de dominación sexista: vio-

---

9 MAQUEDA ABREU. *La violencia de género entre el concepto jurídico y la realidad social*, cit., p. 11.

10 En la aplicación práctica que se ha hecho de los tipos de violencia de género se ha discutido la necesidad de probar en cada caso la concurrencia de dicho momento subjetivo, encontrándose la doctrina y jurisprudencia dividida al respecto. Señala María Acale que en el anteproyecto se vinculaba la violencia de género a la concurrencia de un elemento subjetivo, solo comprendía aquella violencia utilizada para mantener la situación de discriminación. Sin embargo, el texto definitivo se define de forma objetiva. Según esta autora no sería necesario probar que el hombre actúa movido por la finalidad de perpetuar la situación de discriminación. ACALE SÁNCHEZ, M. 2007. "El artículo primero de la Ley Orgánica 1/2004, de 28 de diciembre, de protección integral contra la violencia de género: el concepto de violencia de género", en P. FARALDO CABANA (dir.), *Política criminal y reformas penales*, Tirant lo Blanch, Valencia, pp. 35-36.

lencia física y psicológica, agresiones a la libertad sexual, amenazas, coacciones o privación de libertad. Cuando se regula penalmente, no se contemplan todos esos ámbitos, en concreto se obvia el componente sexista de las agresiones sexuales o de las detenciones ilegales. Llama también la atención el hecho que sí exista supuesto de agravación ante el maltrato ocasional (art. 153.1) o para el tipo básico de lesiones (arts. 147-148) y sin embargo no para los actos violentos más graves (asesinato, homicidio, lesiones agravadas). Incongruencia que se ha tratado de mitigar con la última reforma del CP de marzo de 2015 en la que, como ya se ha señalado, se recoge una nueva circunstancia agravante por razones de género (art. 22.4 CP). Lo que da lugar a que tenga diferente alcance el concepto de violencia de género en el CP y en la Ley integral.

Una vez precisado el concepto de violencia de género, queda por determinar en qué medida los y las adolescentes pueden ser, respectivamente, autores y víctimas de la misma. La mayor dificultad está vinculada a las notas características de las relaciones entre ellos. ¿Tienen, estas relaciones, la suficiente estabilidad y seriedad como para considerar que nos encontramos ante una relación de afectividad análoga a la del matrimonio? Es cierto que para hablar de violencia de género la ley no exige la convivencia, que normalmente no se va a dar en las relaciones entre adolescentes. Pero deberíamos cuestionarnos si las relaciones de noviazgo que se dan a estas edades, caracterizadas por su poca duración y la falta de estabilidad, cumplen con los requisitos que derivan de la ley integral.

La cuestión ha sido abordada por la Fiscalía General del Estado[11], que en su Circular 6/2011, plantea de manera específica el problema de las relaciones de noviazgo y las relaciones de afectividad en mujeres menores de edad, concluyendo que tanto unas como otras son aptas para integrar supuestos de violencia de género. Respecto a las relaciones de noviazgo se consideran incluidas pues, aunque no generan las obligaciones y derechos de la relación matrimonial sí crean "un vínculo de complicidad estable, duradero y con cierta vocación de futuro" diferente también "de las relaciones ocasionales o esporádicas, de simple amistad o basadas en un componente puramente sexual, o que no impliquen una relación de pareja."

"Respecto a las relaciones de afectividad en mujeres menores de edad, aunque la mayoría de edad se fija en nuestro ordenamiento a los 18 años, a las adolescentes se les reconoce capacidad para consentir entre otros actos, la posibilidad de contraer matrimonio".

Así también se ha manifestado el TS cuando ha tenido que analizar qué tipo de relaciones daría lugar a la aplicación de los tipos cualificados de género. En

11 Circular FGE 6/2011 sobre criterios para la unidad de actuación especializada del Ministerio Fiscal en relación a la violencia sobre la mujer.

concreto la STS de 12 de mayo de 2009 (RJ 2009,4861)[12] alude a la dificultad a la hora de delimitar las relaciones incluibles y, en concreto se apunta que:

> No resulta fácil, desde luego, dar respuesta a todos y cada uno de los supuestos que la práctica puede ofrecer respecto de modelos de convivencia o proyectos de vida en común susceptibles de ser tomados en consideración para la aplicación de aquellos preceptos. La determinación de qué se entiende por convivencia o la definición de cuándo puede darse por existente una relación de afectividad, desaconseja la fijación de pautas generales excesivamente abstractas. No faltarán casos en los que esa relación de afectividad sea percibida con distinto alcance por cada uno de los integrantes de la pareja, o supuestos en los que el proyecto de vida en común no sea ni siquiera compartido por ambos protagonistas. En principio, la convivencia —ya sea existente en el momento de los hechos o anterior a éstos—, forma parte del contenido jurídico del matrimonio. No se olvide que conforme al art. 69 del Código Civil (LEG 1889, 27), la convivencia se presume y que el art. 68 del mismo texto señala entre las obligaciones de los cónyuges vivir juntos. La convivencia es también elemento esencial de las parejas de hecho, incluso en sus implicaciones jurídico-administrativas.
>
> Sin embargo, no pueden quedar al margen de los tipos previstos en los arts. 153 y 173 del CP situaciones afectivas en las que la nota de la convivencia no se dé en su estricta significación gramatical —vivir en compañía de otro u otros—. De lo contrario, excluiríamos del tipo supuestos perfectamente imaginables en los que, pese a la existencia de un proyecto de vida en común, los miembros de la pareja deciden de forma voluntaria, ya sea por razones personales, profesionales o familiares, vivir en distintos domicilios. Lo decisivo para que la equiparación se produzca es que exista un cierto grado de compromiso o estabilidad, aun cuando no haya fidelidad ni se compartan expectativas de futuro. Quedarían, eso sí, excluidas relaciones puramente esporádicas y de simple amistad, en las que el componente afectivo todavía no ha tenido ni siquiera la oportunidad de desarrollarse y llegar a condicionar lo móviles del agresor. En definitiva, la protección penal reforzada que dispensan aquellos preceptos no puede excluir a parejas que, pese a su formato no convencional, viven una relación caracterizada por su intensidad emocional, sobre todo, cuando esa intensidad, aun entendida de forma patológica, está en el origen de las agresiones.

De acuerdo con dicha postura no parece que exista problema en admitir que se cumpliría con el presupuesto de la relación de afectividad, haya o no convivencia, cuando la relación se dé entre dos menores de edad.

1.2. *Especificidad de la violencia de género entre menores: rasgos diferenciales*

Afirmada la posibilidad de que las agresiones entre adolescentes puedan quedar dentro del concepto de violencia de género, cabe plantearse por un lado su

---

12 *Vid.* también STS de 14 diciembre de 2011, RJ 2012\3357 y en la jurisprudencia de las Audiencias: SAP Alicante de 18 de enero de 2010, JUR 2010\106303.

realidad e importancia y, por otro, si en su caso presenta tal fenómeno alguna característica diferencial.

Una de las primeras cuestiones que se ha planteado la doctrina que ha analizado la particularidad de la violencia de género entre menores es si efectivamente pueden los menores ser agresores y/o víctimas de la violencia de género. Desde un punto de vista estrictamente jurídico[13], al ser los menores de catorce años inimputables por expreso mandato legal, hasta esa edad no habrá responsabilidad penal del menor autor de agresiones de género, desde los catorce a los dieciocho sí, aplicándose el régimen específico de responsabilidad contemplado en la LORRPM. Respecto a la posibilidad de ser víctima de tal tipo de agresiones, ninguna limitación se establece en función de la edad de la chica agredida, por lo que, con independencia de su edad le serán de aplicación las previsiones específicas contempladas en la LO 1/2004 de medidas de protección integral contra la violencia de género, pues como establece el art. 17 de la misma: *Todas las mujeres víctimas de violencia de género, con independencia de su origen, religión o cualquier otra condición o circunstancia personal o social, tienen garantizados los derechos reconocidos en esta Ley.*

Como se ha apuntado en el anterior apartado una de las cuestiones más controvertidas en la admisión de casos de violencia de género entre menores es la relativa a la propia relación entre ellos, si tiene la suficiente entidad para considerar que nos hallamos ante la relación sentimental exigida como base para las agresiones de género en la ley integral. Las relaciones entre menores suelen ser poco estables y duraderas, no obstante como se vio, la FGE en su circular de 2011, como también la jurisprudencia cuando se ha ocupado del tema exige una mínima relación de afectividad, por lo que desde dicho punto de vista no habría inconveniente en considerar que sí se cumplen los requisitos para considerar la hipotética existencia de agresiones de género entre menores de edad.

Al estudiar el fenómeno de la violencia de género en la adolescencia y a la vista de los estudios empíricos que sobre la materia se han realizado, los expertos coinciden en afirmar la mayor conciencia de las nuevas generaciones frente a la violencia de género. No obstante, paradójicamente, se siguen dando situaciones de control sexista entre menores, lo que puede ser debido a que pese a su mayor conciencia, presentan una errónea percepción del fenómeno. Consideran los adolescentes que la violencia de género no les concierne al estimarla propia de parejas mayores, limitando su parcial percepción de los atentados de género a los casos de violencia física grave. Desde dicha sesgada percepción, los menores dejan fuera de su propia y particular concepción los casos de violencia sexual leve o los de

---

13 GARCÍA GONZÁLEZ. *La violencia en el noviazgo...* cit., p. 65

violencia y control psíquico, que son precisamente, las situaciones que con mayor frecuencia se suelen dar entre ellos.

Los datos estadísticos y el análisis fenomenológico desvirtúan la incorrecta percepción adolescente, pues no es infrecuente encontrar supuestos de agresiones con connotaciones machistas entre menores, agresiones que pueden alcanzar la misma o similar gravedad que las de los adultos y que, por su trascendencia, incluso pueden resultar de mayor riesgo ante la amenaza de que cronifiquen y sean el germen de agresores adultos o de mujeres víctimas de violencia de género.

El aspecto positivo del problema radica en que, al encontrarnos en el periodo inicial de la vida de la persona, en que esta se halla en fase de formación, son de mejor pronóstico la aplicación de programas preventivos. Puede resultan más sencillo corregir comportamientos machistas en un adolescente que en un adulto, de ahí la importancia de la prevención de tales conductas tanto en el ámbito escolar[14], antes de manifestarse este tipo de conductas mediante programas de prevención primaria y secundaria, como una vez manifestado el problema, mediante programas de prevención terciaria dirigidos al menor infractor. Importante resulta también el atender a las menores víctimas de la violencia de género con el fin de ayudarlas a superar dicha situación y evitar que la victimización se estabilice.

Pues bien, del análisis de la especificidad de la violencia de género cuando se da entre sujetos menores de edad, podemos extraer las siguientes características particulares.

1.2.1. Mayor conciencia pero inadecuada percepción

Es cierto que las nuevas generaciones se han educado con el concepto de violencia de género, saben de qué se está hablando cuando se utiliza el término. En dicho sentido se puede afirmar que sí hay una toma de conciencia sobre la cuestión. Las campañas mediáticas han tenido efecto puesto que se aprecia una cierta sensibilización. El problema de la violencia de género se percibe por las nuevas generaciones, son conscientes de su existencia, sin embargo tienen una inadecuada percepción del mismo.

Esta inadecuada percepción provoca que los adolescentes consideren que estamos ante un problema que no les concierne. Consideran que no les atañe, fundamentalmente por dos motivos, en primer lugar porque consideran que solo

14 Un buen ejemplo es el programa "La máscara del amor" aplicado en Institutos de Secundaria. *Vid.* http://violenciadegenero.carm.es/lineas_actuacion/prevencion/actuaciones/la_mascara Consultado 7 de octubre de 2015. *Vid.* también: GARRIDO GENOVÉS, V./ CASAS TELLO, M. *La prevención de la violencia en la relación amorosa a través del taller "La máscara del amor"*. Revista de Educación, 349, mayo-agosto 2009, pp. 335-360.

afecta a personas mayores y, en segundo lugar porque solo incluyen dentro de dicho concepto los comportamientos de mayor violencia, aquellos que suelen aparecer en los medios de comunicación: asesinatos u homicidio de género. Para ellos sólo dichas manifestaciones máximas de la violencia de género entrarían dentro del concepto, y no muchas de las conductas que practican a diario y que también son manifestación de la violencia de género.

Ello pone de manifiesto que los menores siguen educados en el sexismo y que cuando establecen relaciones afectivas éstas, con frecuencia, se adecuan a patrones sexistas reproduciéndose prácticas machistas como la idea de pertenencia, el control, los celos. Comportamientos que son percibidos por los adolescentes como algo propio de la relación de noviazgo[15]. Por ello, no consideran la concurrencia de violencia de género en conductas de hostigamiento, control, intimidación, violencia sexual leve, las que son más frecuentes en dichas edades y relaciones[16]. Se considera como algo normal dentro de la relación de noviazgo el empleo de violencia física leve y, por supuesto de violencia psíquica, sin que lleguen a vislumbrar la gravedad que encierra el establecer las relaciones bajo dichos parámetros de control; el fundamental el ser el germen de posteriores actuaciones más graves[17].

---

15 BASCÓN DÍAZ, M. J. *Conflictividad y violencia de género en adolescentes. Un estudio discursivo del ajuste psicológico en escenarios socioculturales. Conflicto, género y ajuste psicosocial en adolescentes.* Prismasocial - nº 11, diciembre 2013. En su estudio Bascón señala que "muchos casos de violencia parecen encuadrarse en el marco de las relaciones de noviazgo, sobre todo por cuestiones sobre sexualidad, enamoramientos, emociones y afectos", p. 264

16 Así lo ha afirmado SÁNCHEZ GONZÁLEZ, I. *Violencia de género y adolescencia.* Critica, 960, marzo-abril, 2009."Nuestros adolescentes identifican claramente la violencia de género física". "Sin embargo, la parte más desgarrada y siniestra del machismo, el que no es obvio, el sutil, el que va conquistando terreno sin ser visto, no se identifica tan claramente entre la adolescencia como peligroso, llegando incluso a confundirse con amor", pp. 68-69. También: GONZÁLEZ LOZANO, M. P., MUÑOZ RIVAS, M. J., GRAÑA GÓMEZ, J. L. *Violencia en las relaciones de pareja en adolescentes y jóvenes: una revisión.* Psicopatología clínica legal y forense, vol 3, nº 3, 2003, pp. 25-26. "La violencia en el noviazgo se produce con una frecuencia considerable tanto en varones como mujeres la violencia física se considera una práctica normal dentro de la pareja" "las agresiones físicas más frecuentes entre adolescentes son formas de violencia leve "formas de violencia severa muy infrecuentes" la violencia psicológica es considerada por los adolescentes y jóvenes como prácticas normalizadas "agresiones verbales, acciones celosas y las tácticas de control ocurren con más frecuencia" pueden considerarse más normativas que las agresiones físicas.

17 GONZÁLEZ LOZANO, MUÑOZ RIVAS, GRAÑA GÓMEZ. *Violencia en las relaciones de pareja en adolescentes y jóvenes: una revisión*, cit. p. 26. Según el estudio de estos autores el empleo de violencia psíquica en la adolescencia es un predictor de violencias físicas posteriores. En concreto afirman que: "(...) todas las formas de violencia están interrelacionadas"datos longitudinales" la agresión psicológica predice los primeros episodios de violencia física en parejas

1.2.2. Igual o incluso mayor gravedad que entre adultos

A pesar de esa falta de percepción del comportamiento machista tanto por el adolescente que lo ejerce, como por la adolescente que lo sufre, lo cierto es que son comportamientos muy graves a los que hay que prestar una atención adecuada para corregirlos en un momento en que puede resultar más sencillo reconducir el comportamiento. De no actuar con dicha visión preventiva la conducta machista permanecerá y también la sumisión y el rol de víctima se instalará en la chica, sujeto pasivo de tales comportamientos. Por otro lado, además de dicho riesgo de persistencia, hay que tener en cuenta que por la edad de ambos, son sujetos especialmente vulnerables, lo que es particularmente grave en el caso de la niña víctima de este tipo de violencia, al carecer de los recursos, en primer lugar, para identificarla como tal y, en segundo lugar, de percibir que está siendo objeto de conductas machistas, de tener la suficiente capacidad de reacción para denunciar los hechos. Por dichos motivos podemos afirmar que estamos ante supuestos que pueden ser de mayor gravedad que comportamientos similares entre adultos. Dicha mayor gravedad se puede concretar en unas características propias de la relación y de los protagonistas y en un riesgo cierto de reproducción de patrones sexistas violentos.

1. *Riesgo futuro*. Uno de los rasgos de dicha especial gravedad es el peligro de persistencia y que las conductas violentas vayan intensificándose con el paso del tiempo. Así se afirma por parte de los expertos. De no actuar es probable que dichos tempranos comportamientos sean un indicador de violencias futuras[18]. Por ello es importante insistir en la importancia de los programas preventivos.

2. *Relaciones muy intensas*[19] *y poco duraderas*. La propia inmadurez de los protagonistas lleva a que habitualmente nos encontremos ante relaciones de corta

---

recién casadas"de forma que el maltrato físico estaría íntimamente relacionado con el maltrato emocional para controlar y dominar a la pareja".

18 En este sentido, ARENAS GARCÍA, L. *Sexismo en adolescentes y su implicación en la violencia de género*. Boletín Criminológico. Art. 4/2013, mayo-junio (n. 144). Versión electrónica disponible http//www.boletincriminologico.uma.es/boletines/144.pdf (consultado el 7 de julio de 2015) p. 1. "Las primeras manifestaciones de violencia de género en edades tempranas se configuran como un claro indicador de lo que será una violencia de género adulta y señalan la existencia de esquemas de género que favorecen la reproducción y perpetuación de modelos conductuales patológicos". También subrayan estos comportamientos adolescentes como germen de violencia de género adulta: RUBIO-GARAY, F., LÓPEZ-GONZÁLEZ, M. A., SAÚL, L. A. y SÁNCHEZ-ELVIRA-PANIAGUA, A. *Direccionalidad y expresión de la violencia en las relaciones de noviazgo de los jóvenes [Directionality and violence expression in dating relationships of young people]*. Acción Psicológica, 9(1), 2012, p. 68.

19 SÁNCHEZ GONZÁLEZ. *Violencia de género y adolescencia*, cit. p. 70: "La adolescencia es un momento de nuevas experiencias y los sentimientos se viven de una manera intensa y pasional",

duración. Frente a la estabilidad de las relaciones entre adultos, las relaciones entre adolescentes suelen ser menos estables y duraderas[20]. Si a ello añadimos que en muchos casos nos encontraremos ante una primera relación sentimental, puede comprenderse la intensidad con la que la misma se percibirá por el adolescente. Si dicha relación está marcada por la violencia, aunque los protagonistas no sean conscientes de ello, puede influir en la adquisición de un patrón de comportamiento en relaciones futuras. "Los sentimientos son extremos e intensos, se quiere apasionadamente, se confía ilimitadamente en las buenas intenciones de los demás" no siendo la adolescente consciente de la gravedad de las conductas por su inmadurez, inmadurez que, por otra parte la hace especialmente vulnerable[21].

3. *Protagonistas vulnerables.* Por su corta edad e inmadurez, los protagonistas de la relación son sujetos especialmente vulnerables, especialmente la adolescente víctima, por ello resulta de especial importancia, además de la implementación de programas de prevención específica, programas de protección para los casos en los que el comportamiento violento ya se ha manifestado. En este sentido le son de aplicación las previsiones de la LO 1/2004, pues la misma no establece ninguna distinción respecto a la edad de la víctima por lo que de acuerdo con lo dispuesto en el art. 17, le serían de aplicación todas las disposiciones protectoras previstas en ella[22].

Precisamente una de las consecuencias de dicha inmadurez es la falta de percepción de determinadas conductas como manifestaciones de sexismo[23], conside-

---

20 PÉREZ MARTÍNEZ, A., AMADO PALLARES, L. 2012. "Una aproximación a la violencia en el noviazgo" en GARCÍA GONZÁLEZ, J. (coord.) *La violencia de género en la adolescencia*, Aranzadi, Cizur Menor, p. 20.

21 PÉREZ MARTÍNEZ, AMADO PALLARES. *Una aproximación a la violencia en el noviazgo*, cit., p. 18.

22 ESTEVE MALLENT, L. 2012. "La violencia de género entre adolescentes". En GARCÍA GONZÁLEZ, J. (coord.) *La violencia de género en la adolescencia*, Cizur Menor, Aranzadi, p. 101. Respecto a la postura de la chica víctima de violencia de género. Esta ha de tener los mismos derechos que la mayor de edad pero ha de ser objeto de una mayor protección al no haber alcanzado la mayoría de edad por lo que deberá estar asistida por sus progenitores o representantes.

23 Como afirma ESTEVE MALLENT, *La violencia de género entre adolescentes*, cit., pp. 101-102. El principal problema es que la víctima no reconoce serlo dado que a menudo la adolescente asume la violencia ejercida por su pareja como una fase más del noviazgo, por otra parte como sigue indicando Esteve Mallent, a estas edades no hay agresiones violentas, pero hay que tener en cuenta que la violencia de género no surge espontáneamente y con hechos graves, suele ser resultado de una progresiva evolución. Los comportamientos más usuales a estas edades se centran en el control del móvil y de los movimientos, comprobar relaciones y amistades, controlar los lugares donde acude, tiene que informar al novio de donde va a estar, le controla el vestido. Toda esta serie de conductas son el germen de la violencia de género. En parecidos términos,

rándolas la adolescente como elemento más del noviazgo y no como germen de comportamientos violentos.

1.2.3. Bidireccionalidad[24]

Aunque la bidireccionalidad en las agresiones dentro de la pareja también se da en la edad adulta[25], en los estudios que se han llevado a cabo se constata que cuanto menor es la edad de los sujetos más acentuada es esta, por ello se ha considerado que es una característica diferencial de la violencia en las parejas adolescentes[26]. Se ha señalado que tal patrón de conducta podría estar relacionado con los comportamientos de riesgo propios de la adolescencia, *a falta de otros recursos, los comportamientos agresivos se convierten en una "herramienta" para resolver los conflictos*[27].

Dicha bidireccionalidad es especialmente frecuente por lo que se refiere al uso de violencia psíquica y violencia física leve, lo que puede ser debido a patrones de conducta asumidos por parejas para las que es habitual el empleo de violencia[28].

GONZÁLEZ LOZANO, MUÑOZ RIVAS, GRAÑA GÓMEZ. *Violencia en las relaciones de pareja en adolescentes y jóvenes: una revisión*, cit., p. 28. Apuntan que es frecuente que la adolescente minimice los episodios violentos, además consideran que la adolescente no posee competencias para poder afrontarlos. A ello se une que se suele tener una visión romántica del amor lo que puede convertirse en un grave problema manteniendo la idea de que el "*amor lo puede todo" y que "con el tiempo todo mejorará"* lo que va a favorecer mantener en el tiempo este tipo de relaciones.

24 GONZÁLEZ LOZANO, MUÑOZ RIVAS, GRAÑA GÓMEZ. *Violencia en las relaciones de pareja en adolescentes y jóvenes: una revisión*, cit., pp. 28-29. Pérez Martínez, Amado Pallares. *Una aproximación a la violencia en el noviazgo*, cit. p. 20. RUBIO-GARAY, LÓPEZ-GONZÁLEZ, SAÚL, SÁNCHEZ-ELVIRA-PANIAGUA. *Direccionalidad y expresión de la violencia en las relaciones de noviazgo de los jóvenes* cit., pp. 61-70.

25 Según un reciente estudio la prevalencia de las agresiones mutuas en el seno de la pareja es más frecuente de lo que reflejan las estadísticas oficiales, sin restar importancia a la gravedad de la violencia de género, también se constata en un número no desdeñable de casos que hay parejas que utilizan la violencia como medio de interacción entre ellos. HERNÁNDEZ HIDALGO, P. *Análisis de la violencia de pareja bidireccional desde un punto de vista victimodogmático.* Revista electrónica de Ciencia Penal y Criminología, 17-05 (2015).

26 MUÑOZ RIVAS, M., FERNÁNDEZ GONZÁLEZ, L., GRAÑA GÓMEZ, J. L., FERNÁNDEZ, S. 2014. "Naturaleza de la violencia bidireccional en las relaciones de noviazgo. Factores asociados a la perpetración y victimización" en TAMARIT, J. M., PEREDA, N.: *La respuesta de la victimología ante las nuevas formas de victimización,* ed. B de F, Montevideo, Buenos Aires, p. 11.

27 MUÑOZ RIVAS, FERNÁNDEZ GONZÁLEZ, GRAÑA GÓMEZ, FERNÁNDEZ. "Naturaleza de la violencia bidireccional en las relaciones de noviazgo. Factores asociados a la perpetración y victimización" cit., pp. 13-14.

28 RUBIO-GARAY, LÓPEZ-GONZÁLEZ, SAÚL, SÁNCHEZ-ELVIRA-PANIAGUA. *Direccionalidad y expresión de la violencia en las relaciones de noviazgo de los jóvenes.* cit., p. 67.

Sin embargo en los estudios consultados se pone de manifiesto, por un lado que, a medida que aumenta la intensidad de la violencia decrece la bidireccionalidad[29]y que la finalidad con la que se emplea la violencia en el ámbito de la relación es diferente, empleándola la mujer, cuando hablamos de violencia física grave, como medio de autodefensa, en tanto el hombre como medio de intimidación o instrumento de sumisión[30].

Por otro lado se ha afirmado que, con independencia de las tasas de perpetración, si tenemos en cuenta las consecuencias o daños asociados, las mujeres suelen ser las principales víctimas[31]

1.2.4. Estereotipos sexistas

En diversos estudios realizados con adolescentes se comprueba que todavía se siguen reproduciendo entre ellos los estereotipos sexistas y de justificación de la violencia, asignado roles en función del sexo siguiendo las ideas sociales más tradicionales[32]. La vinculación entre los estereotipos sexistas y el empleo de la violencia como medio de sumisión a la mujer es una realidad que no es ajena en nuestros jóvenes, es necesario desarrollar estrategias de enseñanza y la puesta en práctica de programas preventivos para ir cambiando tales patrones relacionales.

---

29 RUBIO-GARAY, LÓPEZ-GONZÁLEZ, SAÚL, SÁNCHEZ-ELVIRA-PANIAGUA. *Direccionalidad y expresión de la violencia en las relaciones de noviazgo de los jóvenes*. cit., p. 61.

30 GONZÁLEZ LOZANO, MUÑOZ RIVAS, GRAÑA GÓMEZ. *Violencia en las relaciones de pareja en adolescentes y jóvenes: una revisión,* cit., p. 29.

31 MUÑOZ RIVAS, FERNÁNDEZ GONZÁLEZ, GRAÑA GÓMEZ, FERNÁNDEZ. "Naturaleza de la violencia bidireccional en las relaciones de noviazgo. Factores asociados a la perpetración y victimización" cit., pp. 11-12.

32 DIEZ AGUADO, Mª J. *Adolescencia, sexismo y violencia de género*. Papeles del psicólogo, nº 84, 2003. p. 38 "En los estudios realizados"aunque en los últimos años se ha producido un avance considerable en la superación del sexismo dicha superación dista todavía mucho de ser total, especialmente entre los hombres". DE LA OSA ESCUDERO, Z. ANDRÉS GÓMEZ, S. PASCUAL GÓMEZ, I. *Creencias adolescentes sobre la violencia de género. Sexismo en las relaciones entre adolescentes*. European Journal of Investigation in Health, Psychology and Education, 2013, Vol. 3, nº 3, pp. 272-273. En un reciente estudio realizado con estudiantes de institutos de Málaga se llega a la conclusión: "Los estudiantes de institutos de secundaria de Málaga presentan actitudes y conductas sexistas"grupo reducido de chicas"sufre discriminación por razón de género"la mujer"por su condición es victimizada a edades tempranas. Este hecho nos permite situar la etiología de la violencia de género en un sistema de socialización sexista que genera y perpetua esquemas mentales patológicos." ARENAS GARCÍA. *Sexismo en adolescentes y su implicación en la violencia de género*. cit. p. 4 (consultado el 7 de julio de 2015). En similar dirección RUIZ PINTO, E. GARCÍA PÉREZ, R. REBOLLO, Mª A. *Relaciones de género en adolescentes en contextos educativos. Análisis de redes sociales con perspectiva de género*. Profesorado. Revista de currículum y formación del profesorado. Vol. 17, nº 1 (enero- abril 2013), p. 138.

1.2.5. Uso de las TIC

Finalmente, una nueva característica irrumpe en el complicado ámbito de las relaciones entre los adolescentes y es que estos, como nativos digitales, utilizan para relacionarse los medios tecnológicos. Esto ha propiciado una auténtica revolución en las relaciones interpersonales que ha dado lugar a un cambio cualitativo en las agresiones de género con nuevas tipologías de agresión marcadas por el uso exclusivo en su comisión de las nuevas tecnologías así como el cambio que, precisamente por la utilización de estos novedosos medios, pueden experimentar las tipologías tradicionales. Ello ha venido a incrementar de manera exponencial los riesgos en este ámbito, fundamentalmente por la dificultad de controlar los contenidos que se difunden a través de las redes[33].

Así los expertos denuncian como las tácticas de control de la pareja ahora se ejercen mediante las nuevas tecnologías[34] lo que se manifiesta, por ejemplo, en el control por parte del novio del teléfono móvil de la chica para averiguar las llamadas que ésta ha hecho o ha recibido, o la presión para que elimine determinados contactos, o el control de la propia chica para averiguar donde se encuentra por cualquier medio de mensajería instantánea, tipo WhatsApp. Las nuevas tecnologías ponen en manos de los agresores una importante herramienta para controlar cómo y con quien se relaciona la víctima, con una intensidad desconocida en los mecanismos de relación tradicionales.

En esta dirección son muy significativas las conclusiones a que llega el Informe del Observatorio Vasco de la Juventud[35]publicado en 2013, en el que se destaca la frecuencia y la normalidad con la que las chicas reciben por estos medios solicitudes de amistad unidas a un comportamiento de acoso sexual, lo que propicia una banalización de mensajes claramente violentos. Si bien la reacción de la chica es borrar el mensaje o no aceptarlo, no es consciente de que estamos ante una nueva forma de expresión de la desigualdad mediante el uso de las nuevas tecnologías. De esta forma la violencia virtual amplía su espacio en las redes

---

33 Como destaca: GARCÍA GONZÁLEZ. *La violencia en el noviazgo...*, cit. Así también BRINGUÉ, X., SÁDABA, C. *Menores y redes sociales*. Colección Generaciones interactivas. Fundación Telefónica, Madrid, 2011, p. 9. "La tecnología es uno de los elementos más influyentes «transformaciones siglo XXI» redefinición relaciones sociales «menores a la vanguardia de su uso»".

34 CASADO CABALLERO, V.: *Violencia de género y nuevas tecnologías*. 3° Congreso para el estudio de la violencia contra las mujeres, 26-27 de noviembre de 2012. Granada, p. 10 http://www.violenciageneroasistenciavictimas.es/images/congresovg/congreso3/ponencias/Vanessa-Casado.pdf. Consultado 14 de septiembre 2015.

35 Informe del Observatorio Vasco de la Juventud. *La desigualdad de género y el sexismo en las redes sociales. Una aproximación cualitativa al uso que hacen de las redes sociales las y los jóvenes de la CAPV*, Victoria Gasteiz, 2013.

sociales invadiendo la intimidad de la víctima, pudiendo ocurrir que la exposición constante a esta violencia virtual amplíe la tolerancia de la violencia real[36].

Por otra parte, se recuerda también en el informe, la trascendencia e importancia que nuestros niños y adolescentes estén conformando su identidad vinculada a las redes sociales, ello puede propiciar el riesgo de normalización del sexismo y la violencia de género ligada a aquel. La violencia virtual presenta un nivel de intensidad mayor que la violencia real, pues es especialmente invasiva de la intimidad de la víctima, por la facilidad de enviar mensajes que pueden alcanzar a la víctima a todas horas y en cualquier lugar[37].

2. MARCO NORMATIVO: EL INTERÉS SUPERIOR DEL MENOR COMO CRITERIO RECTOR

Ante la realidad de la posible comisión por un menor de edad de un "delito de género" y que al propio tiempo haya una menor víctima de tal violencia, es necesario reflejar siquiera sea de manera sucinta las particularidades del régimen penal de los menores. El régimen de responsabilidad penal de los menores[38] alcanza a quienes hayan cometido el hecho entre los catorce y los dieciocho años. Por debajo de dicha edad no hay responsabilidad penal y ante un hecho de estas características habrán de aplicarse medidas de naturaleza administrativa (art. 3 LORRPM) y, a partir de los dieciocho, habrá que estar a las disposiciones generales del CP.

Quizás una de las notas más singulares del régimen penal de los menores es la importancia secundaria que en la determinación de las consecuencias tiene el hecho delictivo cometido por el menor. Lo que realmente se valora para concretar la medida adecuada son las circunstancias que han llevado al menor a delinquir sobresaliendo, entre todas ellas, su superior interés. Habrá que adoptar pues, aquella medida que ayude al menor a superar las circunstancias que le han llevado a cometer el delito. Esto tiene una importancia capital en el ámbito de la violencia de género, puesto que como hemos podido comprobar todavía se constata en nuestros adolescentes un importante grado de sexismo intensificado

---

36 Informe del Observatorio Vasco de la Juventud. *La desigualdad de género y el sexismo en las redes sociales. Una aproximación cualitativa al uso que hacen de las redes sociales las y los jóvenes de la CAPV*, cit., pp. 96-97.

37 Informe del Observatorio Vasco de la Juventud. *La desigualdad de género y el sexismo en las redes sociales. Una aproximación cualitativa al uso que hacen de las redes sociales las y los jóvenes de la CAPV*, cit., p. 104.

38 Sobre el régimen de la responsabilidad penal de los menores *vid.* mi anterior trabajo: COLÁS TURÉGANO, A. 2011. *Derecho penal de menores*, Tirant lo Blanch, Valencia.

mediante la utilización de las nuevas tecnologías, por ello si todas las medidas previstas en el Derecho penal de menores son esencialmente educativas, en el caso del menor condenado por violencia de género esa orientación educativa debe ir especialmente dirigida a superar el sexismo.

Si nos atenemos a la realidad de los juzgados de menores, si bien es cierto que de acuerdo con los datos publicados por el observatorio de violencia de género del CGPJ, se constata la existencia de condenas por estas tipologías delictivas[39], lo cierto es que quizás dichos datos no reflejen la importancia de la real trascendencia del fenómeno, lo que puede ser debido a que la problemática queda enmascarada en el más amplio fenómeno del *bulling*, también en la especial atención que se presta a los menores como víctimas de la violencia de género del progenitor[40], así como por el importante problema del maltrato hacia los progenitores, especialmente hacia la madre.

Por otro lado, en la jurisprudencia derivada de los juzgados de menores se presta menos atención que en la jurisprudencia ordinaria al análisis de las tipologías delictivas, lo que deriva de la menor importancia que para la determinación de la medida tiene el hecho cometido por el menor. Las sentencias de los juzgados y tribunales ordinarios están fuertemente vinculadas por la observancia del principio de legalidad, lo que lleva a los jueces y tribunales a justificar la concurrencia de la correspondiente figura delictiva analizando y comprobando todos y cada uno de sus elementos típicos. Lo que en el ámbito que nos compete lleva a fijar claramente cuál de las figuras, dentro del elenco de los denominados "delitos de género", concurre.

Por el contrario, en el ámbito del Derecho penal de menores, la importancia secundaria del hecho da lugar a un parco análisis de las tipologías delictivas, lo que dificulta en muchas ocasiones una adecuada calificación de la conducta como

---

39 http://www.poderjudicial.es/cgpj/es/Temas/Violencia-domestica-y-de-genero/Actividad-del Observatorio/Datos-estadisticos?filtroAnio=2015. Consultado 23 de octubre 2015.

40 En este sentido es importante señalar como en la reciente reforma del sistema de protección a la infancia y a la adolescencia mediante la LO 8/2015, de 23 de julio se modifica el art. 1 de la LO1/2004 de *medidas de protección integral contra la violencia de género*, para incluir como víctimas de tal tipo de violencia a los hijos de las mujeres víctimas. También se reforma por Ley 26/2015 de 28 de julio, el art. 11 de la ley orgánica de protección jurídica del menor, estableciendo como principio rector de la actuación administrativa la tutela específica para los menores víctimas de la violencia de género, así como también a los que los son por el uso de las nuevas tecnologías. Art. 11.2.i. *La protección contra toda forma de violencia, incluido el maltrato físico o psicológico, los castigos físicos humillantes y denigrantes, el descuido o trato negligente, la explotación, la realizada a* ***través de las nuevas tecnologías****, los abusos sexuales, la corrupción,* ***la violencia de género*** *o en el ámbito familiar, sanitario, social o educativo, incluyendo el acoso escolar, así como la trata y el tráfico de seres humanos, la mutilación genital femenina y cualquier otra forma de abuso* (negrita propia).

de género o no. Esta circunstancia es especialmente grave, pues como apuntábamos si con la imposición de la medida se debe atender al interés superior del menor, en una agresión de género, dicho interés debe ir dirigido a aplicar una medida educativa en dicha dirección. La falta de identificación de la figura delictiva, el no concretar que estamos ante una agresión de género puede traducirse en una minimización del problema y en que no se adopten las medidas adecuadas para que el menor pueda superarlo.

El problema no solo afecta al agresor, también la víctima, a la que la ley presta una especial atención (art. 4 LORRPM). Además a las menores víctimas de agresiones de género, le serán también de aplicación las disposiciones de la ley integral contra la violencia de género LO 1/2004. Por ello resulta de especial interés que las fiscalías y juzgados de menores se involucren en la correcta identificación de los casos que puedan ser manifestación de violencia de género para un adecuado tratamiento, tanto del infractor como de la víctima.

Por todo ello resulta necesaria una intervención en diferentes niveles:

En primer lugar en el ámbito de la prevención primaria y secundaria, se ha de incorporar en las programaciones escolares contenidos y programas de educación en igualdad, dirigidos a superar los estereotipos sexistas y preventivos de la violencia de género[41]. No es aceptable que transcurridos tantos años desde la aprobación de la ley integral, tengamos un marco teórico que no se ha implementado correctamente como demuestra el hecho del incremento de casos de violencia de género entre adolescentes.

En un segundo nivel, en los supuestos en que la agresión haya dado lugar a la apertura de un expediente de reforma contra el menor, por ser éste mayor de catorce años, es importante que la fiscalía tras la investigación de los hechos, plasme en el correspondiente escrito de alegaciones una adecuada calificación jurídica de los hechos, expresando el delito concreto de género, en el que, en su caso, haya incurrido el menor. Al propio tiempo ha de instar para que el juez adopte las medidas cautelares oportunas, el art. 28 de la LORRPM expresamente prevé la

---

41 DEL REY, R. CASAS J. A., ORTEGA R. *El programa ConRed, una práctica basada en la evidencia.* Comunicar, nº 39, v. XX. 2012, Revista científica de educomunicación, pp. 133-136 El programa ConRed descrito en el artículo se planteó como objetivos, entre otros: A) Importancia del conocimiento mecanismos de seguridad en la red. B) Aprender a hacer un uso seguro y saludable de la red. C) Conocer la prevalencia del ciberacoso. D) Prevenir la implicación como víctimas y agresores, en definitiva prevenir el abuso de las TIC. Tras su aplicación se constatan resultados positivos en sus objetivos, en concreto se constató la reducción del ciberbullyng en el grupo al que se aplicó el programa, frente al grupo de control. Por ello se destaca la importancia de incluir estos resultados preventivos en el currículo, así como en la necesidad de involucrar, en la aplicación de tales programas preventivos, a todos los agentes implicados: menores, profesorado, padres.

posibilidad de dictar la medida cautelar de prohibición de aproximarse o comunicarse con la víctima, asimismo habrá de instar para que se dicte la oportuna orden de protección a la menor víctima así como que sea derivada a programas específicos de ayuda.

En tercer lugar, respecto a las medidas que pueden ser aplicables al menor, hay que plantearse en los supuestos de violencia de género entre menores de edad la posibilidad de acudir a una solución restaurativa. En adultos esta posibilidad está vetada pues la LO 1/2004 recoge la prohibición de acudir a la mediación en su art. 44.5 sin embargo tal restricción tan solo es de aplicación en el ámbito competencial de los juzgados de violencia sobre la mujer, no en los supuestos competencia de los juzgados de menores. Ello propicia que en aquellos casos en que se den las condiciones oportunas pueda plantearse como solución menos lesiva, más resocializadora y educativa el recurso a la mediación[42]. De no ser ello posible cabrá aplicar al menor aquella medida que se considere más adecuada a su interés y siempre con una finalidad educativa de superación del componente sexista de su comportamiento. De la misma forma que hay programas específicos de tratamiento para los agresores de género adultos[43], deben arbitrarse programas específicos para el menor que cometa dichas conductas.

No conviene pues minimizar la importancia del problema, dado que como se ha señalado nos encontramos ante personas, ambos, infractor y víctima en fase de formación, con una inmadurez evidente, siendo los dos especialmente vulnerables. Por otro lado por el riesgo evidente que de no tratar de forma adecuada el problema, el modelo de pareja bajo el primado del estereotipo sexista se reproduzca y dé lugar a más agresiones de género.

3. DELINCUENCIA DE GÉNERO ENTRE MENORES Y MEDIOS TECNOLÓGICOS

Otra de las particularidades de la ley orgánica reguladora de la responsabilidad penal de los menores es la de partir de un concepto estricto de delito[44], es

---

42 Como así planteábamos en un anterior trabajo: CERVELLÓ DONDERIS, V., COLÁS TURÉGANO, A. "Mediación y violencia de género en menores de edad: un enfoque educativo" Comunicación en la VI Conferencia Internacional OIJJ: La privación de libertad de los niños como último recurso: Hacia políticas alternativas basadas en la evidencia, Bruselas, diciembre 2014. Puede consultarse: http://www.oijj.org/sites/default/files/oijjconf2014_cervello_colas.pdf

43 Un buen ejemplo el programa Contexto del Departamento de psicología social de la Universitat de València. http://www.uv.es/contexto/ (consultado 23 de octubre de 2015).

44 Así el art. 1. 1 de la LORRPM, siguiendo las directrices marcadas en convenios internacionales y, más concretamente las Directrices de Riad de 1990 que establecen en su art. 56 la exigencia

decir que los menores pueden tener responsabilidad penal por la comisión de las mismas infracciones penales que los adultos. Es por ello que en un análisis de las particularidades de la violencia de género entre menores en el marco de la sociedad tecnológica, resulta necesario repasar las infracciones del código penal que pueden ser cometidas utilizando medios tecnológicos como vehículo de la violencia de género, puesto que las mismas también van a poder ser atribuidas a un menor de edad. En el estudio de cada una de las infracciones cabrá destacar los rasgos diferenciales que puedan derivarse de la menor edad del sujeto responsable así como de la menor edad de la víctima en la mayor parte de los casos.

El acoso, la agresión a través de los nuevos medios tecnológicos supone una intensificación de los daños que se pueden ocasionar a las víctimas, pues en él concurren una serie de notas características que lo definen y diferencian de las formas tradicionales de acoso[45]. En primer lugar, nos vamos a poder encontrar ante un agresor anónimo[46] lo que incrementa la sensación de vulnerabilidad en las víctimas al desconocer al responsable del acoso. En segundo lugar, si las amenazas, acoso, persecución, la divulgación de imágenes o informaciones sobre o de la víctima se lleva a cabo a través de las redes la audiencia testigo del acoso se incrementa de manera exponencial, con lo que se amplía sin límite el daño que con tal divulgación se ocasiona a la víctima. Finalmente, la tercera nota que vendría a definir las situaciones de ciberacoso es la de la permanencia, la presión se ejerce sobre la victima a toda hora y en cualquier lugar, colocando a ésta ante una difícil tesitura: o se evade de las posibilidades que las nuevas tecnologías ofrecen, para evitar al acosador o está constantemente expuesta a sus amenazas y ataques.

Aunque por la novedad de la materia no abundan los estudios sobre la trascendencia y gravedad de la violencia que se ejerce a través de las redes sociales, particularmente de la violencia de género, sí encontramos algún estudio reciente en el que se alcanzan una serie de conclusiones sobre la incidencia y consecuencias del fenómeno. Así en el reciente informe de la Delegación del Gobierno para

---

de un concepto estricto de delito al disponer que *ningún acto que no sea considerado delito ni sea sancionado cuando lo comete un adulto, se considere delito, ni sea objeto de sanción cuando es cometido por un joven.*

45 DEL REY, CASAS, ORTEGA. *El programa ConRed, una práctica basada en la evidencia*, cit. pp. 130-131.

46 Es cierto que el anonimato es relativo, pues al operar en la red queda registrada la dirección IP, existiendo mecanismos para localizar el ordenador desde el que se ha dirigido el ataque, no obstante, como subraya CUERDA ARNAU en los últimos tiempos *no es infrecuente el recurso a técnicas de ocultación de la IP, lo que plantea nuevos retos al jurista, especialmente en sede de presunción de inocencia.* "Menores y redes sociales: protección penal de los menores en el entorno digital" en *Cuadernos de Política criminal*, núm. 112, I, Época II, mayo 2014, pp. 16-17.

la violencia de género[47] encontramos interesantes apuntes sobre esta nueva forma de criminalidad. Con el mismo se ha pretendido[48] "evaluar el efecto que el desarrollo de la sociedad de la información y del conocimiento y la generalización en el uso de las nuevas tecnologías ha tenido en la violencia de género"en la población joven". Y se alcanzan las siguientes conclusiones[49]:

- Se constata que el ciberacoso es una nueva forma de ejercer la violencia de género. Con su utilización se pretende limitar la libertad de la víctima para generar dominación y una relación desigual. Se somete a la víctima empleando estrategias humillantes que afectan a su privacidad e intimidad dañando su imagen pública.
- El ciberacoso tiene un efecto acumulativo, pues, pese a no haber coincidencia física entre agresor y víctima hay envío de mensajes y peticiones recurrentes. Como ya se ha señalado una de sus notas características es la permanencia, se ejerce en todo momento y en cualquier lugar.
- Los jóvenes nativos digitales tienen una baja apreciación de los perniciosos efectos de determinadas prácticas de riesgo, así, en su ambiente, intercambiar información o determinadas imágenes no es percibido como práctica de riesgo. Esa baja conciencia del riesgo los hace especialmente vulnerables. Ello también provoca que no se tenga una constancia del número real de casos de ciberacoso, pues un importante número no es apreciado o denunciado, por lo que presumiblemente habrá una elevada cifra negra.
- Los nativos tecnológicos tienen dificultad para cerrar o disminuir la intensidad de la relación de pareja a la que someten a una presión y control social excesivos.
- Las mujeres jóvenes son todavía más vulnerables, siguen existiendo los estereotipos tradicionales en las relaciones sociales entre hombres y mujeres, dichos valores sexistas se siguen proyectando, también en internet y redes sociales.
- Por otra parte, internet facilita el acceso a la mujer víctima de violencia de género. Además, tras la ruptura de la relación el ciberacosador utiliza

---

47 TORRES ALBERO, C. (Director) ROBLES, J. M., DE MARCO, S. *El ciberacoso como forma de ejercer la violencia de género en la juventud: Un riesgo en la sociedad de la información y del conocimiento*. Delegación del Gobierno para la Violencia de Género. Publicaciones del BOE, nº 18, 2014.

48 TORRES ALBERO, C. (Director) ROBLES, J. M., DE MARCO, S. *El ciberacoso como forma de ejercer la violencia de género en la juventud: Un riesgo en la sociedad de la información y del conocimiento*, cit., p. 3.

49 TORRES ALBERO, C. (Director) ROBLES, J. M., DE MARCO, S. *El ciberacoso como forma de ejercer la violencia de género en la juventud*", cit. pp. 4-6.

internet para alcanzar a la víctima mediante el chantaje, los insultos, las amenazas.

- Dicha situación provoca un intenso miedo en las víctimas con prácticas que se asemejan al acoso físico.
- A ello cabe añadir las posibilidades ilimitadas que da internet para distribuir información, lo que supone una gran amenaza para las víctimas.

Se recogen asimismo en el informe que comentamos las formas que puede adoptar el ciberacoso a la víctima de violencia de género, si bien las posibilidades son inmensas, paralelas al desarrollo de la tecnología:

- Distribuir en internet una imagen (*sexting*) o datos comprometidos de contenido sexual (reales o falsos).
- Dar de alta en sitio web para estigmatizar o ridiculizar.
- Crear un perfil falso, chantaje *on line... grooming*.
- Usurpar la identidad.
- Divulgar videos en los que se intimida, agrede, persigue.
- Dar alta e-mail para hacer blanco de spam.
- Acceder a su ordenador para, por ejemplo, controlar sus comunicaciones con terceros.
- Hacer circular rumores sobre la persona.
- Perseguir e incomodar en los lugares de internet que visita.

La mayoría de nuestros adolescentes viven hoy en un estado de conectividad permanente propiciado por la aparición de dispositivos mediante los que se tiene acceso directo a las diferentes redes sociales (Whatsapp, Facebook, Twitter") Ello hace particularmente invasivo e intenso el acoso llevado a cabo a través de las redes sociales.

Son muchas las modalidades que puede adoptar el ciberacoso de género, por su novedad al haber sido introducidas en la última reforma del CP en marzo de 2015, destacan el *ciberstalking* y el *sexting*[50]. Sin embargo, cabe tener en cuenta que no son modalidades exclusivas del denominado derecho penal de género. En el caso del *sexting* a cuya problemática vamos a dedicar este estudio, sí se incluye un supuesto cualificado para el caso en que el agresor haya sido el cónyuge o per-

50 La doctrina se ha empezado a cuestionar la utilidad de estas nuevas figuras, planteando su carácter de mero recurso simbólico, así MIRÓ LLINARES, F. considera que ""con la tipificación se logran los efectos deseados por el legislador: si la conducta no está recogida de forma íntegra en la regulación actual, se comunica a la sociedad el mensaje de que ahora lo está y, en el caso de que sí lo estuviera(")se refuerza la idea de que el hecho se castiga(") Estado interviene de forma eficaz" ello, como advierte el autor plantea "múltiples problemas técnico-jurídicos que conlleva la creación *ex novo* de un precepto para la incriminación de conductas que ya podían sancionarse por otros". *Derecho penal, cyberbulling y otras formas de acoso (no sexual) en el ciberespacio*. Revista de internet, derecho y política, nº 16 (junio 2013), p. 62.

sona unida por análoga relación de afectividad, si bien la víctima puede ser tanto hombre como mujer. En tanto que en los supuestos de *stalking* la aplicación del tipo cualificado se extiende a todo el ámbito de relaciones familiares recogidas en el delito de maltrato habitual del art. 173.2. A la vista de los tipos cualificados y de la realidad a la que pretende atender la introducción de dichas figuras, muchas de las conductas entrarán dentro del llamado derecho penal de género por existir o haber existido entre el agresor varón y la mujer víctima un vínculo sentimental, si bien no de manera exclusiva, ni siquiera integran, como decíamos, lo que se ha venido a denominar derecho penal de género por no limitar exclusivamente la agresión a los casos en los que el agresor es varón y la víctima mujer.

Pero no solo las nuevas tecnologías han supuesto la introducción de nuevas figuras como las mencionadas, también cabría cuestionarse de qué forma el abuso de los medios tecnológicos puede dar lugar a la comisión de las tradicionales tipologías de los delitos de género, pensemos en una situación de acoso reiterado a través de las redes sociales sancionable como *stalking* (art. 172 ter.1.2ºCP) que al propio tiempo provoque en la víctima un menoscabo psíquico subsumible en el delito de maltrato ocasional recogido en el art. 153.1 CP, o que por dicha vía se viertan amenazas incluibles en las específicas de género tipificadas en el art. 171.4 del CP.

Son todas cuestiones de un interés indudable mas, por los límites de la presente investigación vamos a ceñirnos a examinar los problemas particulares de la figura conocida como *sexting,* arquetipo de nueva tipología delictiva cuya conducta es llevada a cabo por los adolescentes como paradigma del sexismo en la sociedad tecnológica. En el momento actual es habitual que el sometimiento y presión que sufre la víctima de violencia de género se lleve a cabo mediante las nuevas tecnologías, más en el caso de los menores por lo habituados que están a utilizarlas[51].

---

[51] Se puede comprobar en los relatos de hechos probados de las sentencias por violencia de género de los juzgados de menores, la frecuente utilización como medio de presión del control del WhatsApp o de la cuenta de Facebook. Así por ej. SJM nº Lleida de 16 de abril de 2014, JUR\2014\274414 en cuyos hechos se describe la violencia ejercida por un menor de 14 años a su novia de 12 indicándose que "En el curso de dicha relación sentimental y desde finales del año 2012, el menor Balbino sometía a la referida menor a sus decisiones bajo la amenaza de que de no obedecerlas le pegaría, habiéndole llegado a insultar y a agredir en más de una ocasión por dicho motivo. Así, le prohibía llevar determinado tipo de ropa, razón por la que le pegó en día no determinado de diciembre de 2012, le obligaba a darle su bocadillo cuando estaban en el centro escolar y le *controlaba su cuenta en Facebook*". También la SJM Pamplona de 16 de enero de 2015 JUR\2015\54687 en la que se expone que: "El menor acusado GCR, nacido el 22 de junio de 1996, mantuvo una relación sentimental durante dos años y medio con la también menor RMRC nacida el 28 de diciembre de 1998, que finalizó el día 12 de junio de 2014, siendo frecuentes las discusiones entre ellos motivadas por los celos del menor sobre todo

4. EL *SEXTING* ENTRE MENORES COMO INSTRUMENTO DE LA VIOLENCIA DE GÉNERO

4.1. *Antecedentes y precisiones conceptuales*

El término *sexting* hace alusión a la conducta que consiste en enviar, mediante un mensaje de texto, imágenes de contenido erótico o sexual. El origen de tal conducta es totalmente voluntario, pues es una de sus notas definitorias, las imágenes son tomadas personalmente por el o la protagonista o con su consentimiento expreso. La aparición de dispositivos tecnológicos y aplicaciones de telefonía que permiten captar imágenes o vídeos y remitirlas de manera instantánea, ha propiciado la generalización de esta práctica, particularmente entre las generaciones más jóvenes[52],

---

en el último año, momentos en los que G le insultaba a gritos con expresiones tales como «puta, zorra, furcia, puta inmigrante de mierda, regalada, asquerosa, basura, no vales para nada, puta negra, eres la mierda del país» y le amenazaba diciendo «que le iba a romper los frenos del coche a su madre, que si se iba con otro estaba muerta, que le rompería la cabeza y los dientes, lo vas a pagar, te voy a agarrar el cuello hasta que no puedas más», y en ocasiones le agredía pegándole puñetazos en los brazos y en el estómago, pellizcándole, agarrándole fuertemente del cuello, tirándole del pelo o apretándole la boca para silenciarla".

Durante toda su relación, el menor ejerció un fuerte control sobre R, diciéndole con quien podía o no podía ir, la ropa que debía ponerse, *el uso de redes sociales* y teléfono. También lanzaba objetos contra ella como libros, zapatos, el móvil o el mando de la televisión" (cursiva propia).

52 Como exponen MARTÍNEZ OTERO Y BOO GORDILLO la palabra *sexting* resulta de la fusión de dos términos tomados del inglés: *sex* (sexo) y *texting* (envío de mensajes de texto). El término se emplea para referirse a la producción y envío de mensajes de contenido sugerente e insinuante, con la finalidad de despertar en el receptor atracción o deseo sexual. Son cuatro las características que lo definen: la voluntariedad, no es producto del error, intimidación o coacción"como mucho de la inconsciencia. El uso de dispositivos tecnológicos, el más frecuente el móvil con cámara. Carácter sexual o erótico de los contenidos y, finalmente la edad, normalmente el hecho es llevado a cabo por adolescentes, si bien no de forma exclusiva. 2012. "El fenómeno del *sexting* en la adolescencia: descripción, riesgos que comporta y repuestas jurídicas" en GARCÍA GONZÁLEZ, J. (coord.) *La violencia de género en la adolescencia*, Cizur Menor, Aranzadi, pp. 298-299. *Vid*. también: MENDOZA CALDERÓN, S. 2013. *El derecho penal frente a las formas de acoso a menores. Bullyng, ciberbullying, grooming y sexting*, Tirant lo Blanch, Valencia, p. 170. Definición similar a la recogida por el Observatorio de la Seguridad de la Información para el que el *sexting* "consiste en la difusión o publicación de contenidos (principalmente fotografías y vídeos) de tipo sexual, producidos por el propio remitente, utilizando para ello el teléfono móvil u otro dispositivo tecnológico". El principal riesgo de tal práctica radica en la facilidad de su difusión con los perjuicios que ello puede provocar, en INTECO. *Guía sobre adolescencia y sexting: qué es y cómo prevenirlo*, 2011, p. 4. Disponible en línea. https://www.incibe.es/CERT/guias_estudios/guias//Guia_*sexting* Consultado 22 de septiembre de 2015.

sin ser estos, en la mayoría de los casos, conscientes del alcance y el riesgo de tal comportamiento[53].

Las primeras noticias sobre esta práctica nos llegan desde EEUU y aparecen estrechamente ligadas con las posibilidades que dan las nuevas tecnologías. Precisamente los primeros casos documentados son protagonizados por adolescentes que, como manifestación de su sexualidad, se hacen fotos íntimas con un mayor o menor contenido erótico. Desde un punto de vista sociológico, la conducta de *sexting* se dice que es propia de los nativos tecnológicos, como forma de expresión de su sexualidad. Pensemos que estamos ante adolescentes que han nacido en la sociedad tecnológica, son expertos en el uso de las nuevas herramientas y que, al propio tiempo, están viviendo la etapa de su despertar sexual. Utilizan las posibilidades de los nuevos medios tecnológicos para desarrollar y expresar sus necesidades sexuales. En principio la cuestión no tendría mayor trascendencia. El problema surge por ese salto cualitativo que han provocado las nuevas tecnologías en todo el ámbito de las relaciones humanas.

El despertar sexual propio de la adolescencia, algo totalmente natural y que, en el pasado, era una conducta absolutamente privada del o los protagonistas, que, como mucho, podía trascender a su círculo más íntimo, en el momento presente puede llegar a perder tal privacidad por el abuso de las posibilidades que ofrecen las nuevas tecnologías. Nuestros adolescentes utilizan estas herramientas para desarrollarse en el campo de la sexualidad[54], el problema es que no tienen conciencia del riesgo que puede entrañar que dichas imágenes —tomadas o enviadas de manera totalmente voluntaria— lleguen a ser difundidas por las redes sociales a través de internet. Y los padres pueden aportar poco de su experiencia con las nuevas tecnologías al ser, en general, menos hábiles que sus hijos en este contexto.

Como se apuntaba, los primeros casos que tuvieron trascendencia legal se producen en EEUU, precisamente entre adolescentes. Ante la falta de regulación específica de lo que hoy denominamos *sexting*, los hechos fueron reconducidos al ámbito de la pornografía infantil. Algunos de aquéllos adolescentes fueron

---

53 Como señala MENJIVAR OCHOA, los profesionales de la salud psíquica apuntan como peligros generados por estas prácticas la pérdida de intimidad, la humillación y arrepentimiento de los protagonistas. *El sexting y l@s nativ@s neo-tecnológic@s: apuntes para una contextualización al inicio del siglo XXI*. Actualidades investigativas en educación, vol. 10, nº 2, p. 4.

54 MENJIVAR OCHOA. *El sexting y l@s nativ@s neo-tecnológic@s: apuntes para una contextualización al inicio del siglo XXI*, cit., p. 20. "«la sexualidad, y su exploración, es una práctica consustancial a los seres humanos que resulta necesario historizar. En el tiempo presente, el *sexting* nos habla de una manifestación histórica específica de la sexualidad» mediaciones técnicas de nuestra era»". MENDOZA CALDERÓN, S. *El derecho penal frente a las formas de acoso a menores. Bullyng, ciberbullying, grooming y sexting*, cit., p. 171.

condenados por la producción de pornografía infantil[55]. Situación que en algún caso también se dio en nuestro país[56].

La especificidad del *sexting* llevado a cabo por y entre adolescentes[57], merece un estudio detenido pues, como se ha destacado, esta conducta es vista como algo absolutamente natural por las actuales generaciones. De hecho, como ya se ha significado, hoy en día los adolescentes utilizan este método como forma de expresión y desarrollo de su sexualidad. Por otro lado, el desarrollo de las nuevas tecnologías y especialmente la proliferación de redes sociales ha influido en el nuevo concepto que los menores tienen de la privacidad pues, frente las anteriores generaciones, un creciente número de adolescentes tienen la tendencia a exhibirse en las redes sociales, por lo que una parte relevante de su intimidad deja de ser privativa pasando a ser compartida, no solo con su entorno más cercano sino,

---

55 MENDOZA CALDERÓN. *El derecho penal frente a las formas de acoso a menores,* cit., p. 175, MENJIVAR OCHOA. *El sexting y l@s nativ@s neo-tecnológic@s:...*, cit., p. 4. MARTÍNEZ OTERO, BOO GORDILLO. "El fenómeno del *sexting* en la adolescencia: descripción, riesgos que comporta y repuestas jurídicas", cit., p. 299. AGUSTINA, J. R. *¿Menores infractores o víctimas de pornografía infantil? Respuestas legales e hipótesis criminológicas ante el Sexting?* Revista electrónica de Ciencia Penal y Criminología. RECPC 12-11(2010), pp. 11:12 a 11: 16. Como relata Agustina, uno de los primeros casos documentados de *sexting* en EEUU tuvo lugar Florida, donde una pareja de novios se hace fotos íntimas que no trascienden pues eran para su exclusivo uso privado. Al ser descubiertos, los menores son acusados por el fiscal de Florida por producción de pornografía infantil, siendo condenados. En el fallo de la sentencia se afirma que: "los menores tienen restringida su libertad de autodeterminación, de acuerdo con las leyes de cada país, en atención al proceso de maduración en que se hallan inmersos" (...) considera el Tribunal de Florida que su libertad sexual y su derecho a la privacidad se hallan en relación de conflicto debiendo prevalecer el de mayor valor, considerando que debe prevalecer la privacidad por las consecuencias para la futura evolución de los menores de hacerse públicas las fotografías, se les protege, por tanto frente a su propia inmadurez.

56 En la doctrina se documenta el caso juzgado en la SJM Tarragona de 30 de diciembre de 2008, en la que se valoran los siguientes hechos: Tras unos días de relación *on line*, un menor consigue que una chica le envíe fotos desnuda y masturbándose delante de la cámara web del ordenador"posteriormente le exige que pose con alguna amiga"amenazándola que, de no conseguirlo, publicaría en internet todas las fotos. Se condena al menor por delito de amenazas condicionales y posesión de material pornográfico. He tomado la referencia de MARTÍNEZ OTERO, BOO GORDILLO. "El fenómeno del *sexting* en la adolescencia... cit., p. 305.

57 MARTÍNEZ OTERO, BOO GORDILLO, *op. cit.*, pp. 305 y ss. Destacan estos autores los factores que pueden influir en la realización por parte del menor de este tipo de conductas y en concreto: Los menores, como nativos digitales no perciben los riesgos para su privacidad de la ulterior difusión de las imágenes. Están en una etapa vital en la que están afirmando su propia identidad lo que puede favorecer conductas de exhibicionismo. Atraviesan también una etapa de despertar sexual por lo que también tendrán una tendencia a la sobre exposición. A todo ello hay que añadir la inmediatez de las comunicaciones, los menores por su inmadurez son menos propensos a controlar sus impulsos y a todo esto se enfrentan casi solos pues los padres son menos expertos que ellos en el uso de las tecnologías, por lo que no les pueden orientar sobre el uso y abuso de las nuevas tecnologías.

con el universo de la red. Los adolescentes, bien gustan de exponer su intimidad, bien son vulnerables ante las peticiones para exhibir su imagen, probablemente porque no son conscientes de los riesgos que ello puede suponer a su intimidad o integridad moral, incluso a su vida. Es muy conocido el caso de la menor canadiense Amanda Todd. Un desconocido consiguió un video en el que aparecía la imagen de la chica parcialmente desnuda, video que fue posteriormente utilizado para amenazarla y humillarla. Tres años soportando burlas y vejaciones —pues el vídeo circuló por la red— llevaron a esta niña a suicidarse con quince años[58].

Como se ha señalado al analizar la problemática de los delitos cometidos mediante las nuevas tecnologías, particularmente cuando son realizados por menores de edad, estos adolecen de una gran experiencia y al propio tiempo ligereza y vulnerabilidad en el uso de las mismas los que les lleva a desarrollar comportamientos de riesgo tanto en su papel de agresores como de víctimas, no siendo en ambos casos conscientes del riesgo y trascendencia de su conducta. Quizás uno de los mayores peligros tiene que ver con su carácter invasivo, la humillación que puede suponer la circulación de la imagen del menor por la red, más allá de los destinatarios por él pretendidos, le va a acompañar durante mucho tiempo por la dificultad para hacer desaparecer los contenidos de la red.

Se impone por ello llevar a cabo políticas preventivas para alertar a los menores de los riesgos que pueden acarrear dichas prácticas. En este sentido es reseñable dentro de las actuaciones del Ministerio del Interior, el Plan director para la convivencia y mejora de la seguridad en los centros educativos y sus entornos, desarrollado mediante el "Acuerdo Marco de colaboración en educación para la mejora de la seguridad, suscrito por los Ministerios de Educación y Ciencia y del Interior en diciembre de 2006"[59]. Y la Instrucción nº 7/2013 de la Secretaría de Estado de Seguridad, sobre el "*Plan Director para la convivencia y mejora de la seguridad en los centros educativos y sus entornos*"[60]. Entre las medidas preventivas que se contemplan en el citado plan, tal como se describe en la Instrucción que lo desarrolla, se alude a la realización de conferencias con la finalidad de prevenir los riesgos de seguridad asociados a las nuevas tecnologías y al uso de las redes sociales. Especialmente a los relacionados con su utilización para la realiza-

---

58 El suceso aparece referido en: RUEDA MARTÍN, Mª A. *La relevancia penal del consentimiento del menor en relación con los delitos contra la intimidad y la propia imagen (Especial consideración a la disponibilidad de la propia imagen del menor de edad en el ciberespacio)*. Indret, 4/2013, p. 5.

59 http://www.interior.gob.es/documents/642012/1568685/Acuerdo_Marco_Colaboracion_Educacion.pdf/3f875c24-da17-46de-809d-95c74c39a4a3 (consultado 29 de octubre 2015).

60 http://www.interior.gob.es/documents/642012/1568685/Instruccion_7_2013.pdf/cef1a61c-8fe4-458d-ae0d-ca1f3d336ace (consultado 29 de octubre 2015).

ción de conductas de acoso escolar, acoso sexual... o la difusión de contenidos de naturaleza sexual por medio de teléfonos móviles conocido como *sexting*.

Sería bueno que tales previsiones se concretaran y hubiera una política preventiva, eficaz y eficiente, dirigida a la mitigación del riesgo en el uso de la informática y los nuevos dispositivos tecnológicos, sobre todo habida cuenta que los mismos se están convirtiendo en un nuevo instrumento para la materialización de la violencia sexista.

4.2. *El difícil encaje del* sexting *en el CP antes de la reforma de 2015. Aspectos jurídicos y criminológicos*

Ciertamente el CP de 1995 en su redacción original tutelaba el derecho a la propia imagen en el marco de la protección de la intimidad a través del art. 197.1, en él se tipifica como delito la obtención de imágenes sin consentimiento del titular, que pueda dañar la intimidad de éste. Al amparo de dicha previsión encontramos supuestos en que se castigó la obtención subrepticia de tales imágenes[61]. La particularidad del *sexting* radica, como se ha señalado, en la existencia de consentimiento del titular del bien jurídico. En muchas ocasiones, es la propia víctima quien voluntariamente —incluso sin la previa petición del destinatario— envía las imágenes de contenido erótico o sexual.

Bajo dicha regulación los casos de *sexting* eran considerados atípicos por concurrir el consentimiento del sujeto pasivo[62]. Si nos atenemos a la fenomenología de la conducta, su nota distintiva reside en que las imágenes han sido obtenidas en un contexto de intimidad compartida y para utilización exclusiva en dicho ámbito privado. Si quien ha obtenido la imagen con dichas condiciones decide posteriormente divulgarla, está quebrantando la confianza propia del contexto cerrado e íntimo en que se tomaron o enviaron las imágenes. Dicho matiz

---

61 En la SAP de Granada de 16 enero 2007. JUR 2007, 178248. Se condena por descubrimiento y revelación de secretos a la persona que, sin consentimiento, graba las relaciones sexuales que mantiene con su amante para posteriormente amenazar con divulgarlas para que ésta abandone a su marido. Como la víctima no accede al chantaje, difunde las imágenes.

62 CARRASCO ANDRINO, Mª M. en: ÁLVAREZ GARCÍA, F. (Dir.) MANJÓN-CABEZA OLMEDA, A. VENTURA PÜSCHEL, A. (coordinadores). 2010. *Derecho Penal Español. Parte Especial*, Tirant lo Blanch, Valencia, p. 569. GONZÁLEZ RUS, J. J. en COBO DEL ROSAL (coord.). 2005. *Derecho Penal Español. Parte Especial*, 2ª ed. Dykinson, Madrid, p. 350. RUEDA MARTÍN, Mª Á. 2004. *Protección penal de la intimidad personal e informática (Los delitos de descubrimiento y revelación de secretos de los artículos 197 y 198 del Código Penal)* Atelier, Barcelona, p. 49. OLMO FERNÁNDEZ DELGADO, L. 2009. *El descubrimiento y revelación de secretos documentales y de las telecomunicaciones. Estudio del art. 197.1 del CP*, Dykinson, Madrid, p. 90. Sin embargo considera que estamos ante una causa de justificación: MUÑOZ CONDE, FCO. 2010. *Derecho Penal. Parte Especial*, 18 ed., Tirant lo Blanch, Valencia, p. 275.

diferencial provocó que se cuestionara su intrascendencia penal. De hecho en la jurisprudencia las soluciones fueron diversas, en algunos casos directamente se absolvió por considerar que estábamos ante un claro caso de atipicidad así en la SAP de Huelva de 15 de febrero de 2002, JUR 2002\ 115257, en tanto en otros supuestos se consideró la relevancia típica del hecho, no por el ataque a la intimidad pues ésta se había cedido voluntariamente, pero sí se valorando la afectación a la dignidad de la persona ofendida considerando la existencia de un delito de injurias, así en la SAP de Lleida de 25 de febrero de 2004 (*Tol 361094*)[63].

En el marco de la jurisdicción de menores cabe citar la SAP de Granada de 5 de junio de 2014 JUR 2014\ 258699, que se pronuncia sobre un caso específico de *sexting*. En ella se juzgan los siguientes hechos: una menor de quince años envía al chico con el que está saliendo una foto desnuda. A las dos semanas, estando él con unos amigos antes de salir a jugar un partido de futbol, alardea ante ellos de tener en su posesión dicha imagen y les envía la foto "a través de "WhatsApp" para que se motivaran" antes del partido. La foto se difunde y es el director del instituto el que lo pone en conocimiento de los padres de la niña. Como consecuencia de los hechos la menor sufrió un trastorno de estrés postraumático y bulimia purgativa. En este caso, si bien el juzgado de menores sí considera la existencia de un delito de descubrimiento y revelación de secretos del art. 197 CP, no concretándose el párrafo concreto en que había incurrido el menor[64] y de una falta de lesiones del art. 617.1, la Audiencia admite el recurso interpuesto por el menor y considera que el hecho es atípico puesto que el menor no se había apoderado de la imagen de la niña, dado que fue ella la que voluntariamente la envió. Se plantea la validez del consentimiento y concluye que dado que el CP considera válido el consentimiento de los mayores de 13 años para mantener una relación sexual, con mayor motivo en este supuesto. En todo caso apela a la posible res-

---

63 Se ha discutido la relevancia de las conductas de *sexting* para distintos derecho fundamentales, siendo una de las cuestiones más controvertidas la relativa a la afectación al derecho al honor de la víctima. Sobre la cuestión *vid*. MARTÍNEZ OTERO, J. M. *La difusión de sexting sin consentimiento del protagonista: un análisis jurídico*, Derecom, nº 12, Nueva época, diciembre-febrero 2013, pp. 4 y ss.

64 Como se ha expuesto al explicar las particularidades de la justicia de menores, es ciertamente frecuente al analizar la jurisprudencia surgida de los juzgados de menores la falta de precisión a la hora de subsumir en la norma penal el hecho atribuido al menor. Tiene dicha laxitud mucho que ver con la flexibilidad a la hora de decidir la medida adecuada. No obstante, los juzgados de menores están vinculados al principio de legalidad que también rige para los menores, no cabe olvidar, como ya dijimos en su momento que es preciso fijar el concreto hecho atribuido al menor y su subsunción en el concreto precepto del CP, pues este marca el límite que no se puede traspasar, en virtud del principio de que no se puede tratar más gravemente al menor que al adulto por la comisión de unos mismos hechos.

ponsabilidad civil en aplicación de las disposiciones de la LO 1/82 de protección del derecho al honor, la intimidad y la propia imagen.

Sin embargo, unos meses antes y, ante unos hechos similares, la SAP de Ourense de 26 de marzo de 2014, JUR 2014\ 215036, confirma la sentencia del Juzgado de Menores que condena por la comisión de un delito de descubrimiento y revelación de secretos, en concreto del descrito en el párrafo 2° del art. 197[65]. Los hechos que en este caso se juzgan son similares, nos encontramos ante una joven que envía al que había sido su novio unas fotos en las que aparece desnuda. Éste, a su vez, remite la foto a un amigo quien se pone en contacto con la chica y la presiona para que le envíe nuevas fotos con la amenaza de divulgar las que posee, la chica accede y envía a este segundo menor más fotos y un vídeo. En la sentencia de la AP que rechaza el recurso de apelación, se considera la subsunción de los hechos en el art. 197.2 al afirmarse en el FJ 2° que "si bien es cierto que no hubo apoderamiento indebido de las fotos discutidas, al encontrarse las mismas lícitamente en poder del acusado exnovio de la denunciante, también lo es que el artículo 197.2, en su último inciso, impone la misma pena a "quien, sin estar autorizado, utilice dichos datos de carácter personal o familiar en perjuicio de su titular"[66].

La doctrina también manifestó sus dudas respecto a la relevancia del supuesto dado que se afirmaba la necesidad de *establecer una distinción entre consentir la realización de una grabación para uso privado de dos personas y consentir su realización para difundirla, puesto que es manifiesto que hay un aspecto importante de la intimidad para el que no hay consentimiento*[67]. Y hubo autores que

---

65 Art. 197.2 *Las mismas penas se impondrán al que, sin estar autorizado, se apodere, utilice o modifique, en perjuicio de tercero, datos reservados de carácter personal o familiar de otro que se hallen registrados en ficheros o soportes informáticos, electrónico o telemáticos, o en cualquier otro tipo de archivo o registro público o privado. Iguales penas se impondrán a quien, sin estar autorizado, acceda por cualquier medio a los mismos y a quien los altere o utilice en perjuicio del titular de los datos o un tercero.*

66 Es llamativa la argumentación empleada en la sentencia, pues la mayor parte de los supuestos en que ha habido una cesión voluntaria de la imagen se ha considerado la irrelevancia de la conducta para el derecho a la intimidad, puesto que siempre se ha intentado incluir en el ap. 1 del art. 197, al exigir este la falta de consentimiento del titular y darse este en los supuestos de *sexting* se concluía la atipicidad de la conducta. La novedad en esta sentencia radica en subsumir la conducta en el ap. 2 en el que se tutela el *habeas data* o intimidad informática, referida a los datos personales recogidos en ficheros o registros. Lo que plantea la duda de si entrarían en dicho concepto, en si podemos considerar que es un fichero o registro las imágenes o videos guardados en un teléfono móvil. La cuestión es interesante pero supera los límites de este trabajo. SAP de Ourense de 26 de marzo de 2014 JUR\2014\215036.

67 JUANATEY DORADO, C. DOVAL PAIS, A. 2010. *Limites de la protección penal de la intimidad frente a la grabación de conversaciones o imágenes* en BOIX REIG, J. (Dir.), JAREÑO LEAL, A. (Coord.) "La protección jurídica de la intimidad", Iustel, Madrid, p. 163.

plantearon la tipicidad de la conducta al reinterpretar el valor del consentimiento otorgado en un contexto no analógico sino digital, el consentimiento otorgado por el *partenaire* de una relación íntima en su grabación se otorga para un uso exclusivamente privado, salvo que se autorice el uso público, en caso contrario el consentimiento otorgado en dicho contexto sería no extensivo y de ahí su tipicidad[68].

La facilidad de divulgación de las noticias, en este caso de las imágenes, en la sociedad de la información es tal que podemos afirmar el cambio en las necesidades de tutela del bien jurídico intimidad. En las sociedades tradicionales el descuido del titular tenía unas consecuencias ciertamente limitadas. La irrupción de internet y las redes sociales provoca que un desliz o un comportamiento negligente tengan consecuencias desmesuradas, puesto que la imagen puede llegar a través de la red a cualquier lugar y en cualquier momento, sin límite. Ello provoca la necesidad de redimensionar las necesidades de tutela de la propia imagen y la intimidad en la nueva sociedad de la información y comunicación. Asistimos un cambio cuantitativo y cualitativo que es imposible desconocer.

4.3. *La introducción del sexting en la reforma de marzo de 2015*

Ante las dudas doctrinales y jurisprudenciales que la falta de tipificación expresa había provocado y, como tantas otras veces, precipitado por un mediático suceso[69], se incorpora en el proyecto de reforma del Código penal el castigo específico del llamado *sexting* que ha dado lugar a la inclusión de un nuevo párrafo en el art. 197, dentro de los delitos contra la intimidad.

Establece el nuevo art. 197.7: "*Será castigado con una pena de prisión de tres meses a un año o multa de seis a doce meses el que, sin autorización de la persona afectada, difunda, revele o ceda a terceros imágenes o grabaciones audiovisuales de aquélla que hubiera obtenido con su anuencia en un domicilio o en cualquier*

---

68 LLORIA GARCÍA, P. *Delitos y redes sociales: Los nuevos atentados a la intimidad, el honor y la integridad moral. Especial referencia al sexting.* La Ley Penal, nº 105, Sección Estudios, Editorial LA LEY, p. 7/12.

69 Los hechos en cuestión fueron sobreseídos por el Auto del Juzgado de 1ª instancia e instrucción nº 1 de Orgaz de 15 de marzo de 2013. Problemática que se ha abordado en dos trabajos previos: COLÁS TURÉGANO, Mª A. *La importancia del consentimiento del sujeto pasivo en la protección del derecho a la propia imagen. A propósito de la propuesta de modificación del art. 197 CP en el anteproyecto de octubre de 2012.* Revista Boliviana de Derecho, nº 15, 2013. COLÁS TURÉGANO, Mª A. 2015. "Nuevas conductas delictivas contra la intimidad (art. 197, 197 bis, art. 197 ter)", *Comentarios a la Reforma del Código Penal de 2015*, 2ª ed. Tirant lo Blanch, Valencia.

otro lugar fuera del alcance de la mirada de terceros, cuando la divulgación menoscabe gravemente la intimidad personal de esa persona.

La pena se impondrá en su mitad superior cuando los hechos hubieran sido cometidos por el cónyuge o por persona que esté o haya estado unida a él por análoga relación de afectividad, aun sin convivencia, la víctima fuera menor de edad o una persona con discapacidad necesitada de especial protección, o los hechos se hubieran cometido por una finalidad lucrativa".

Se da de esta manera respuesta al problema planteado, si bien la tipificación expresa abre nuevos interrogantes como dónde situar los límites de la intimidad tutelada, qué ámbito concreto de la intimidad se ha propuesto proteger el legislador, cómo mesurar la necesidad de un menoscabo grave a la intimidad, qué responsabilidad pueden llegar a tener quienes sin intervenir en la captación o grabación de la imagen, contribuyen a su difusión. Son cuestiones a las que tendrá que ir respondiendo doctrina y jurisprudencia.

Por otro lado, la nueva figura contempla como supuesto cualificado específico, aplicándose la pena en su mitad superior, cuando la conducta afecte a menores o discapacitados especialmente vulnerables o los hechos hayan sido realizados por *el cónyuge o por persona que esté o haya estado ligada a él por análoga relación de afectividad.*

La introducción del tipo cualificado fue sugerencia recogida en el informe que hizo al proyecto el Consejo General del Poder Judicial. En su informe se proponía una agravación en los supuestos en los que el hecho hubiera sido cometido por el cónyuge o ex cónyuge o persona ligada por análoga relación de afectividad, recogiendo la realidad social de estas conductas que, en la práctica provocará la mayor aplicación del supuesto cualificado que el básico, difícilmente la captación de estas imágenes de manera voluntaria se dará entre personas sin una relación afectiva. Es verdad que en estos casos puede haber un quebranto de la confianza depositada en quien ha tomado dichas imágenes, mas probablemente dicho mayor desvalor hubiera podido quedar cubierto con la aplicación de la agravante de parentesco o de la nueva agravante de género.

Cuando la víctima sea menor de dieciséis años, además de la aplicación del tipo cualificado, nos encontraremos ante un concurso de delitos con el nuevo delito incluido en el art. 183 ter:

1. *"El que a través de internet, del teléfono o de cualquier otra tecnología de la información y la comunicación contacte con un menor de dieciséis años y realice actos dirigidos a embaucarle para que le facilite material pornográfico o le muestre imágenes pornográficas en las que se represente o aparezca un menor, será castigado con una pena de prisión de seis meses a dos años."*

Siempre, por supuesto, que la imagen que el menor facilite sea la suya propia. El legislador está contemplando la irrelevancia del consentimiento del menor de edad a efectos de permitir la captación de su imagen de contenido sexual como posteriormente analizaremos.

4.4. *Responsabilidad penal del menor en supuestos de sexting*

Ya hemos apuntado que los menores pueden tener responsabilidad penal por las mismas conductas que los adultos, siempre que sean mayores de catorce años[70]. Por tanto si un menor obtiene o consigue de otra persona, sea ésta mayor o menor de edad, una imagen propia de contenido sexual o erótico y, sin consentimiento la divulga, afectando gravemente a la intimidad de la primera, le va a ser de aplicación el régimen de responsabilidad penal contemplado en la LORRPM. Ya se ha indicado que la particularidad del mismo radica en perseguir en las decisiones que se adopten en todas las fases del procedimiento el superior interés del menor, lo que al final se traducirá en la imposición de la medida que se considere más conveniente para la educación de ese menor, pudiendo incluso decidirse la no necesidad de imposición de medida.

Si bien las conductas de *sexting* no son especificas del llamado derecho penal de género pues no aparecen relacionadas en el art. 1 de la LOPIVG, y la agravación que se recoge afecta a ambos cónyuges con independencia de su género, la realidad de la casuística jurisprudencial[71] pone de manifiesto que nos encontramos ante conductas en las que nuevamente la victima suele ser mujer la que, en el marco de una relación sentimental, envía fotos o grabaciones o consiente en

---

70 Si no han cumplido 14 años, de acuerdo con lo dispuesto en el art. 3 de la LORRPM, no tienen responsabilidad penal y se les aplicarán las normas de protección previstas en la LO 1/96 de Protección jurídica del menor. Al ser la materia de protección competencia de las CCAA, serán estas administraciones las que tengan que adoptar las decisiones oportunas. En estos casos, cuando el hecho llegue a conocimiento del fiscal de menores dará traslado a la correspondiente administración autonómica.

71 Los escasos supuestos recogidos en los repertorios jurisprudenciales evidencian, como afirmamos en el texto que las víctimas suelen ser niñas. Así, aunque en puridad no es un supuesto de violencia de género ni un supuesto de *sexting*, tenemos el hecho recogido en la SAP de Córdoba de 3 de marzo de 2010 JUR\2010\351103, los hechos son los siguientes, un menor pide prestado el móvil a una compañera quien se lo deja voluntariamente, accede a la carpeta de videos y se descarga en su móvil por bluetooh un video en el que aparece la menor junto a una amiga, también menor, bailando en ropa interior. Devuelve el móvil sin contar a la chica que se ha apoderado del vídeo. Video que posteriormente muestra y divulga a unos amigos, uno de los cuales lo vuelve a difundir. Finalmente el video alcanza una gran difusión. Tanto el juzgado de menores como la audiencia consideraron la existencia de un delito contra la intimidad al no constar el consentimiento de la menor para el apoderamiento de la grabación, cualificado por la divulgación posterior. Los menores fueron condenados, el primero a una medida de amonestación, en tanto el segundo que divulga a sabiendas del origen ilícito, a una medida de 80 horas de prestaciones en beneficio de la comunidad.

ser fotografiada o grabada; fotografías o vídeos que son posteriormente difundidos con el fin de humillarla. Por tanto aunque en puridad no podemos hablar de derecho penal de género sí que encontraremos en muchos supuestos un cierto contenido sexista, por lo que cabría cuestionarse la posible aplicación de la nueva agravante de género además del tipo cualificado aplicable al cónyuge.

Por otro lado, al ser el hecho realizado entre menores, pese a ser sus relaciones en la mayoría de los casos de escasa duración e inestable, ya vimos que cumpliría los requisitos para integrar la relación sentimental análoga a la del matrimonio, cabría plantear además la aplicación del supuesto de cualificación por ser la víctima menor de edad. No obstante esto último sería discutible al tratarse de una conducta entre menores, siendo que la razón del tipo cualificado estriba en la mayor vulnerabilidad de la víctima por su minoría, no dándose tal presupuesto en este caso por la edad de ambos, agresor y víctima.

Finalmente, a la hora de decidir qué medida sería la adecuada para el menor que ha realizado *sexting* lo relevante no va a ser de manera prioritaria el hecho, pues como establece el art. 7 de la LORRPM, a la hora de decidir la medida lo que se va a tener especialmente en cuenta son la edad, las circunstancias personales, familiares y sociales y el interés del menor. Pero en cualquier caso el hecho cometido por el menor ha de ser tenido en cuenta como garantía de que este no va a ser castigado más gravemente por el hecho que si un adulto se tratara, así pues será necesario concretar con exactitud el delito que se atribuye al menor, lo que operará como garantía para éste. Dentro de ese marco de garantía cabrá adoptar aquella medida que por su contenido educativo le permita superar el sexismo y falta de empatía con la victima que ha guiado su comportamiento.

4.5. *La validez del consentimiento del menor ante la ciberdelincuencia*

El consentimiento tiene una relevancia especial en el ámbito de los delitos contra la intimidad derivada del valor que tal derecho tiene en la conformación de las relaciones sociales. Al establecer relaciones sociales se cede parte de nuestra intimidad, cumple pues una importante función social por lo que el ordenamiento da un especial valor al consentimiento que en este ámbito opera como causa de atipicidad[72].

Las conductas de *sexting* parten del presupuesto de la voluntariedad de la víctima, pues es ésta, la que en la mayoría de la ocasiones facilita la fotografía o

72 RUEDA MARTÍN. *La relevancia penal del consentimiento del menor de edad en relación con los delitos contra la intimidad y la propia imagen (Especial consideración a la disponibilidad de la propia imagen del menor de edad en el ciberespacio)*, cit., pp. 20-21.

video o consiente ser fotografiada o grabada. En el caso que la víctima sea menor de edad, es necesario plantear la validez de su consentimiento, ya que ello nos puede hacer dudar sobre la aplicabilidad del tipo específico de *sexting* o bien, de no ser aquel válido, analizar la subsunción del hecho en otro supuesto típico. En la escasa jurisprudencia en que se ha planteado la cuestión se ha estimado la validez del consentimiento de la víctima —que en el momento de los hechos tenía quince años— al exigir el CP en aquellos momentos, trece para consentir una relación sexual, por tanto también se considera válido su consentimiento para ceder la intimidad, lo que dio lugar a la absolución.

La cuestión resulta de especial interés, si tenemos en cuenta que la reforma ha elevado la edad necesaria para consentir una relación sexual a los dieciséis años[73]. Significará ello que si el menor no es apto para consentir dicha relación tampoco lo será para ceder su intimidad y, por lo tanto, en lugar de aplicar este apartado del art. 197, cabría que nos planteáramos la aplicación del ap. 1, tipo básico del delito de descubrimiento y revelación de secretos. La cuestión no es sencilla por varios motivos, en primer lugar porque se tendría que analizar la adecuación típica de las conductas de *sexting* a las previsiones del art. 197.1 y porque, además, el legislador parece contemplar la posibilidad de que las víctimas de *sexting* sean menores al recoger una agravación específica para este supuesto.

A ello hay que añadir que el legislador en la reforma de 2015 y precisamente por los problemas a que había dado lugar la sucesiva elevación de la edad para prestar consentimiento en el ámbito de las relaciones sexuales, importante a efectos de determinar la ilicitud de las relaciones entre menores de edad, ha incorporado una causa específica de exclusión de la responsabilidad penal en el art. 183 quáter en el que se establece: *El consentimiento libre del menor de dieciséis años excluirá la responsabilidad penal por los delitos previstos en este capítulo, cuando el autor sea una persona próxima al menor por edad y grado de desarrollo y madurez.*

Resulta por todo ello de interés realizar un análisis respecto al valor que se otorga al consentimiento del menor en nuestro ordenamiento jurídico pues, como veremos, es un concepto variable que se vincula al valor o interés respecto al que se ha de consentir. En el supuesto que aquí se analiza importa la relevancia de la voluntad respecto a su capacidad para disponer de la imagen.

La doctrina civilista[74] distingue en la protección de los derechos al honor, intimidad y propia imagen de los menores, entre intromisiones consentidas por

---

73 T. VIII. *De los delitos contra la libertad e indemnidad sexuales*. Cap. II bis. *De los abusos y agresiones sexuales a los menores de dieciséis años.*

74 DE VERDA Y BEAMONTE, J. R., SORIANO MARTÍNEZ, E. 2011 "La protección del derecho a la imagen de menores e incapaces" DE VERDA Y BEAMONTE, J. R. (coord.) *El derecho*

el titular o intromisiones autorizadas por la existencia de un interés general a la formación de la opinión pública libre. Respecto a las primeras se potencia la autonomía del menor a ejercitar actos relativos a sus derechos a la personalidad, de acuerdo con su madurez, en tanto respecto a los segundos se refuerza la tutela de los derechos del menor frente a la libertad de información y expresión[75].

Por tanto, si bien nuestra legislación permite a los menores, de acuerdo con sus condiciones de madurez, disponer de su imagen, pues así lo dispone el art. 3.1 de la LO 1/82 de 5 de mayo de Protección Civil del Derecho al Honor, a la Intimidad Personal y Familiar y a la Propia Imagen, en la que se establece que han de ser los propios menores los que presten consentimiento en aquello que les afecte si sus condiciones de madurez lo permiten, dicho amplio criterio fue matizado en la LO 1/96 de protección jurídica del menor, cuyo art. 4 respecto a la utilización de la imagen de los menores por los medios de comunicación, dispone:

2. La difusión de información o la utilización de imágenes o nombre de los menores en los medios de comunicación que puedan implicar una intromisión ilegítima en su intimidad, honra o reputación, o que sea contraria a sus intereses, determinará la intervención del Ministerio Fiscal, que instará de inmediato las medidas cautelares y de protección previstas en la Ley y solicitará las indemnizaciones que correspondan por los perjuicios causados.

3. Se considera intromisión ilegítima en el derecho al honor, a la intimidad personal y familiar y a la propia imagen del menor, cualquier utilización de su imagen o su nombre en los medios de comunicación que pueda implicar menoscabo de su honra o reputación, o que sea contraria a sus intereses incluso si consta el consentimiento del menor o de sus representantes legales.

Como se concreta en la Instrucción de la FGE 2/2006, de 15 de marzo sobre: "El fiscal y la protección del derecho al honor, la intimidad y la propia imagen de los menores", los derechos a la intimidad, honor y propia imagen de los menores se encuentran especialmente protegidos en nuestro ordenamiento jurídico. Régimen que se justifica por el mayor contenido de antijuridicidad que se puede derivar de los ataques a estos derechos cuando el sujeto pasivo es un menor, pues además de la lesión a los derechos al honor, intimidad e imagen del menor, se afecta a su adecuado desarrollo físico, psíquico y moral, limitando su derecho al libre desarrollo de la personalidad y su futura estima social.

---

a la imagen desde todos los puntos de vista, monografía asociada a *Revista Aranzadi Derecho y nuevas tecnologías*, nº 9. Aranzadi, Cizur Menor, p. 121.

75 Como recuerda el TC en su sentencia 158/2009 de 29 de junio, RTC\2009\158, de acuerdo con lo dispuesto en el art. 20.4 de la CE: "las libertades de expresión e información tienen su límite en el respeto a los derechos reconocidos en el título I, en las Leyes que lo desarrollan «y, especialmente, en el derecho al honor, a la intimidad, a la propia imagen y a la protección de la juventud y de la infancia»"(FD 4º).

Protección que se intensifica cuando se utiliza la imagen de un menor en un medio de comunicación, máxime por medio de internet. Así la STS (Sala Civil, sección 1ª) de 27 de enero de 2014, (RJ 2014\682). "Esta intensificación en los niveles de protección se justifica teniendo en cuenta que la naturaleza del daño se multiplica exponencialmente cuando el ataque a los derechos del menor se realiza a través de los medios de comunicación" (FD 4°). Especial protección basada en el superior interés del menor que viene a limitar los derechos a la libertad de información y expresión como recuerda la STC 158/2009, de 29 de junio (RTC 2009, 158) en la que se afirma: "ni existe un interés público en la captación o difusión de la fotografía que pueda considerarse constitucionalmente prevalente al interés superior de preservar la captación o difusión de las imágenes de los menores en los medios de comunicación, ni la veracidad de la información puede justificar esa intromisión ilegítima en el derecho a la propia imagen de los menores, pues este derecho fundamental del menor «viene a erigirse, por mor de lo dispuesto en el art. 20.4 CE, en límite infranqueable al ejercicio del derecho a comunicar libremente información veraz»" (FD 6°).

Si, por tanto hay una especial protección de la imagen del menor que no compromete aspectos de su intimidad, la tutela debe ser reforzada cuando ésta sí se vea amenazada, máxime cuando nos referimos a riesgos para el núcleo duro de la intimidad como son los que afectan a la sexualidad del individuo. En este sentido se ha afirmado que[76]: "Si esta restricción a la capacidad del menor maduro para consentir se aplica genéricamente a cualquier actuación que pueda serle genéricamente perjudicial, con mucha mayor razón deberá operar cuando la lesividad sea tan intensa como lo es la de consentir la producción de material pornográfico sacrificando de una forma radical sus derechos fundamentales".

Admitiendo pues, con carácter general, la capacidad del menor maduro para disponer de su intimidad y, por tanto para hacer partícipes a terceros de aspectos de la misma a través de la cesión de su imagen. Dicha capacidad general ha de ser matizada, como ha señalado Rueda Martín[77] en función de una serie de aspectos. Especialmente se habrá de tener en cuenta la naturaleza del bien jurídico protegido, valorando las consecuencias que su disponibilidad puede acarrear al menor en el futuro, por tanto, las exigencias para considerar válido el consentimiento del menor serán más elevadas cuanto más graves sean aquellas para el desarrollo futuro del menor. En todo caso deberá analizarse cada supuesto particular por separado para decidir si el menor tiene la capacidad natural de juicio para com-

---

76 DE LA ROSA CORTINA, J. M. 2011. *Los delitos de pornografía infantil. Aspectos penales, procesales y criminológicos,* Tirant lo Blanch, Valencia, p 169.

77 *La relevancia penal del consentimiento del menor en relación con los delitos contra la intimidad y la propia imagen*..., cit., pp. 20-21.

prender el significado y valor que para él tiene el bien jurídico y las consecuencias de su disponibilidad. Finalmente se ha de invocar al principio del superior interés del menor.

Por tanto y en lo que a las conductas de *sexting* se refiere, el consentimiento del menor maduro será válido a efectos de permitir ser fotografiado o grabado, al poder ser considerada tal conducta expresión de su derecho a desarrollarse en el ámbito sexual, especialmente cuando dicha práctica se lleva a cabo entre personas menores o de edades similares y con frecuencia en el contexto de una relación sentimental. Sin embargo, no será válido el consentimiento del menor o el de sus representantes legales para difundir dicha imagen en internet u otro medio de comunicación, por la afectación que dicha difusión pueda implicar para el honor e intimidad de dicho menor y por el perjuicio que se puede ocasionar en su proceso de desarrollo, físico, psíquico y moral. Por tanto, la autorización para la difusión de las imágenes, que en adultos sí sería relevante determinando la atipicidad de la conducta no es válida en el caso de los menores, dando lugar a responsabilidad penal para quien habiendo obtenido con consentimiento la imagen, la difunde por tales medios, sin autorización. La irrelevancia del consentimiento del menor de 18 años para la difusión de su imagen, se refuerza al haber introducido el legislador una agravación específica cuando el sujeto pasivo de la conducta sea menor de edad.

Estrechamente relacionado con esta cuestión, se ha debatido en la doctrina sobre el valor del consentimiento del menor en los delitos relativos a la pornografía infantil. En los que, frente a la validez del consentimiento de aquel para mantener una relación sexual a partir de los dieciséis años (trece hasta la última reforma del CP de marzo de 2015), se considera irrelevante su consentimiento para la elaboración de material pornográfico. Es por lo que en la doctrina se ha cuestionada esa paradójica disparidad que permite al menor de dieciséis consentir mantener una relación sexual y sin embargo no le permite participar en espectáculos exhibicionistas o pornográficos, ni en la elaboración de material de ese tipo[78].

No obstante tal disparidad de criterio puede encontrar explicación si tenemos en cuenta la diferencia entre ambas situaciones. Habitualmente mantener una relación sexual de manera libre forma parte del natural desarrollo sexual de la persona, que precisamente se inicia con la pubertad, la adolescencia es la etapa vital en la que se descubre y se quiere experimentar el sexo. Es una actividad que suele llevar a cabo en un ámbito privado, por lo que, en condiciones normales, si

---

78 Sobre la discusión *vid.* RAMÓN RIBAS, E. 2013, *Minoría de edad, sexo y Derecho Penal*, Monografía asociada a Revista Aranzadi de Derecho y Proceso Penal, Aranzadi, Cizur Menor, pp. 181-183.

no ha habido presión ni coacción y es una decisión libre de los participantes de la relación no perjudica, sino que contribuye al adecuado desarrollo de la persona. Por el contrario, participar en un espectáculo exhibicionista o pornográfico o aparecer la imagen del menor en material pornográfico dada la vocación pública de dichos espectáculos y materiales sí puede comprometer seriamente bienes jurídicos tan relevantes como su dignidad u honor. Por ello quedaría justificada la diferencia de trato.

Tanto la jurisprudencia del TS, como la FGE avalan dicha disparidad en los efectos del consentimiento del menor en distintos pronunciamientos. Así la jurisprudencia del TS ha considerado la irrelevancia del consentimiento del menor de 18 años que decide voluntariamente participar en la elaboración de material pornográfico, consentimiento que sí será válido —el de los mayores de 16 años— para mantener relaciones sexuales. Así, como se afirma en la STS de 30 de septiembre de 2010, RJ 2010\7650:

> Por ello las conductas descritas en el art. 189 tienen en común que el sujeto pasivo es un menor de 18 años (o incapaz) y que su consentimiento es no válido al existir una presunción legal en el sentido de que no concurren condiciones de libertad para el ejercicio de la sexualidad por parte de estos, cuando dicho ejercicio implica su utilización por terceras personas con fines pornográficos o exhibicionistas, lo que implica que un sector doctrinal considera, en cuanto al cual sea el bien jurídico protegido, que no es tanto la indemnidad sexual de la personalidad del menor, como su dignidad como menor o su derecho a la propia imagen, lo que justifica esa irrelevancia del consentimiento de los menores de 18 años que deciden intervenir en la elaboración del material pornográfico, incluso sin mediar abuso de superioridad o engaño, cuando ese consentimiento, por el contrario, si sería válido para la práctica de relaciones sexuales cuando no mediasen tales circunstancias.

Posición que se mantiene también en la SSTS de 22 de julio de 2010, RJ 2010\3724 y de 3 de abril de 2012, RJ 2012\5596.

> (...) esta figura delictiva trata de preservar y proteger a los menores que al encontrarse en un período transcendental en su personalidad puede verse ésta afectada por actuaciones que puedan condicionar de un modo negativo la vida de futuro de aquéllos y de alguna manera, limitada su propia dignidad, por lo que es irrelevante el consentimiento de la menor en este tipo de grabaciones. En este sentido cabe señalar que la orientación de la vida sexual tiene singulares consecuencias sociales y el legislador puede proteger penalmente a quienes no tienen la madurez necesaria para decidir sobre ella, con el fin de posibilitar una decisión autorresponsable al respecto.

Por su parte la FGE en la consulta 3/2006, de 29 de noviembre sobre *determinadas cuestiones respecto de los delitos relacionados con la pornografía infantil*, se considera que:

> Conforme a nuestro Derecho, los menores de dieciocho años siempre están protegidos frente a su utilización por terceras personas con fines pornográficos, por lo

que se parte de la irrelevancia del consentimiento de los menores para intervenir en la producción de este material, aun cuando tal consentimiento pudiera haberse reputado válido para la práctica, en su caso, de las relaciones sexuales subyacentes.

Este especial régimen protector del menor respecto a su intimidad se acentúa cuando determinados aspectos de la intimidad del menor pueden acabar en el ciberespacio, ámbito en el que se intensifica la ya natural vulnerabilidad de estos. Ello, como ha apuntado Rueda Martín[79], es fruto de tres motivos: por su inmadurez tienen problemas para comprender la trascendencia de su consentimiento a que se incorporen al ciberespacio determinadas esferas de su personalidad. La vulnerabilidad se incrementa por la imposibilidad de controlar la publicidad de dichos datos. La falta de control restringe la posibilidad de una respuesta defensiva.

4.6. *Sexting y producción de pornografía infantil. Límites aplicativos*

Como ya se ha señalado, una de las cuestiones más controvertidas alrededor de la fenomenología del *sexting* es la relativa a su relación con los delitos de pornografía infantil. Se ha visto que cuando el fenómeno se empieza a conocer, con los primeros casos descritos en EEUU, algunos de los adolescentes implicados fueron condenados por conductas relacionadas con la pornografía infantil[80]. También en España encontramos alguna resolución judicial en dicho sentido. Por ello resulta de especial interés analizar la relación entre ambas figuras a efectos de determinar el ámbito de aplicabilidad de cada una de ellas.

Ciertamente la cuestión es difusa pues muchas de las imágenes y grabaciones tomadas y enviadas desde el móvil de un adolescente encajarían dentro del concepto que se maneja de material pornográfico y de pornografía infantil. Hasta

---

79 *La relevancia penal del consentimiento del menor en relación con los delitos contra la intimidad y la propia* imagen..., cit., p. 27.

80 MENJIVAR OCHOA. *El sexting y l@s nativ@s neo-tecnológic@s...*, cit., p. 4. La doctrina española refiere un supuesto en que también se condenó por posesión de material pornográfico, supuesto juzgado en la SJM Tarragona de 30 de diciembre de 2008, se valoran los siguientes hechos: Tras unos días de relación *on line*, un menor consigue que una chica le envíe fotos desnuda y masturbándose delante cámara web"posteriormente le exige que posara con alguna amiga"amenazándola que de no conseguirlo publicaría en internet todas las fotos. Se condena al menor por delito de amenazas condicionales y posesión de material pornográfico. He tomado la referencia de MARTÍNEZ OTERO, BOO GORDILLO. "El fenómeno del *sexting* en la adolescencia", cit., p. 305. También se cita en: AGUSTINA. *¿Menores infractores o víctimas de pornografía infantil? Respuestas legales e hipótesis criminológicas ante el Sexting?* cit. p. 11:10.

la reforma del CP en marzo de 2015, la ley no definía tal concepto[81], sí encontrábamos definiciones en textos internacionales. Así en la jurisprudencia del TS, la sentencia de 3 de noviembre de 2009, RJ 2006\7828 —siguiendo el concepto recogido en el apartado c) del art. 2 del Protocolo Facultativo de la Convención sobre los Derechos del Niño, hecho en Nueva York el 25 de mayo de 2000 y ratificado por España según texto del BOE de 31 de enero de 2002 (RCL 2002, 300)— se considera material pornográfico: "Toda representación por cualquier medio de un menor de edad dedicado a actividades sexuales explícitas, reales o simuladas, o toda representación de sus partes genitales con fines primordialmente sexuales"(FD 3º)[82]. El reformado art. 189. 1, ap b) del CP establece una definición auténtica, bastante confusa y amplia, en la que se pueden incluir tanto supuestos de imágenes reales de menores, como casos de pornografía virtual[83]. El solapamiento que nos podemos encontrar con los supuestos incluibles en las conductas de *sexting* es evidente al considerar pornografía infantil tanto los supuestos en los que el menor aparece participando en una conducta sexualmente explícita, real o simulada, como también, toda representación de los órganos sexuales de un menor con fines principalmente sexuales. Imágenes que no es difícil encontrar en el teléfono móvil de un adolescente.

La doctrina española que ha analizado la cuestión ha considerado que las leyes que regulan los delitos relativos a la pornografía infantil tienen como finali-

---

81 GARCÍA HERNÁNDEZ, G. 2011. "Pornografía infantil" en DE VERDA Y BEAMONTE, J. R. (coord.) *El derecho a la imagen desde todos los puntos de vista,* monografía asociada a *Revista Aranzadi Derecho y nuevas tecnologías,* nº 9, Aranzadi, Cizur Menor, p. 320.

82 Definición que viene a coincidir con la recogida en el ap. 2 del art. 20 del Convenio del Consejo de Europa para la protección de los niños contra la explotación y el abuso sexual, Lanzarote, 25 de octubre de 2007, BOE» núm. 274, de 12 de noviembre de 2010

83 El art. 189.1b) establece que se considera pornografía infantil:
a) Todo material que represente de manera visual a un menor o una persona con discapacidad necesitada de especial protección participando en una conducta sexualmente explícita real o simulada.
b) Toda representación de los órganos sexuales de un menor o persona con discapacidad necesitada de especial protección con fines principalmente sexuales
c) Todo material que represente de forma visual a una persona que parezca ser un menor participando en una conducta sexualmente explícita, real o simulada, o cualquier representación de los órganos sexuales de una persona que parezca ser un menor, con fines principalmente sexuales, salvo que la persona que parezca ser un menor resulte tener en realidad dieciocho años o más en el momento de obtenerse las imágenes.
d) Imágenes realistas de un menor participando en una conducta sexualmente explícita o imágenes realistas de los órganos sexuales de un menor, con fines principalmente sexuales.
Como ha señalado ORTS BERENGUER, la elasticidad con la que han sido descritas las conductas típicas puede hacer peligrar el respeto por el principio de legalidad. 2015. "Determinación a la prostitución (Arts. 187, 188, 189 y 192 CP)", en *Comentarios a la Reforma del Código Penal de 2015,* 2ª ed., Tirant lo Blanch, Valencia, p. 650.

dad específica proteger a los menores víctimas de dicha práctica, por lo que carece de sentido utilizar dicha figura para castigar por un delito sexual al menor que ha obrado de manera "impulsiva e irreflexiva" como es propio de los casos de *sexting*[84]. Es por ello que resulta necesario señalar las diferencias entre ambas conductas, la pornografía infantil remite a supuestos en los que las imágenes de los menores son explotadas con fines sexuales, donde el menor aparece claramente como víctima de dicha explotación sexual, en tanto los supuestos de *sexting* parten de situaciones de auto explotación o auto producción, dado que es el propio menor el que obtiene dichas imágenes[85]. En nuestro país los autores[86] que se han ocupado de la cuestión han considerado la necesidad de deslindar los supuestos en los que el menor claramente es víctima de un abuso o de un engaño para conseguir captar las imágenes que luego se van a utilizar como pornografía infantil de los supuestos en los que el menor, de manera voluntaria y como manifestación de su sexualidad envía fotos de *sexting*. Este último supuesto quedaría fuera del ámbito de protección de los delitos de pornografía infantil, sin perjuicio que, de circular dichas imágenes en la red pudieran acabar en páginas de pornografía infantil. Es uno más de los riesgos que acompañan al *sexting*, la falta de control para el titular de la imagen respecto a la distribución de la misma. Posición similar se ha mantenido en EEUU, allí Wastler[87] quien se ha ocupado específicamente de la cuestión, ha puntualizado que el menor que se fotografía desnudo o graba sus relaciones sexuales de manera voluntaria, no sufre el daño psicológico, físico y emocional que padece el niño víctima de abuso sexual.

Si nos centramos en la comparación de las conductas tipificadas en el art. 197. 7 (*sexting*) y 189 (Pornografía infantil). En el primero las conductas consisten en divulgar o ceder imágenes o grabaciones obtenidas con consentimiento pero sin estar autorizado para la divulgación, ahí radica el elemento diferencial y novedoso del nuevo delito y que impedía incluir las conductas de distribución no consentida en el tipo básico de los delitos de descubrimiento y revelación de secretos, en tanto éste requiere siempre que la captación o grabación de la imagen se realicen sin consentimiento. En el caso de la pornografía infantil encontramos conductas similares puesto que se recoge de manera explícita en el art. 189.1.b)

---

84 AGUSTINA *¿Menores infractores o víctimas de pornografía infantil?*, cit. p. 11:25.

85 AGUSTINA, *op. cit.*, p. 11:33.

86 MACÍAS CASTRILLO, A. *El consentimiento del menor y los actos de disposición sobre su derecho a la propia imagen*, Diario la ley, nº 6913, sección doctrina, 28 marzo 2008. La ley 15472/2008, p. 215.

87 WASTLER, S. 2010. *The harm in "sexting"?Analyzing the constitucionality of child pornography statutes that prohibit the voluntary production, possession, and dissemination of sexually explicit by teenagers.* 33 Harv. JL&Gender, p. 698.

la distribución y la difusión que se podrían aplicar al que habiendo recibido la imagen, sin consentimiento de la víctima la difunde.

Sin embargo un análisis más detenido de ambas figuras nos lleva a no admitir, en principio, los habituales casos de *sexting* entre adolescentes en el ámbito de la divulgación o difusión de pornografía infantil. La principal razón en apoyo de dicha conclusión se encontraría en el componente de explotación y abuso que acompaña a las conductas de pornografía infantil, elemento que no encontramos en los supuestos de *sexting*. Si nos atenemos al bien jurídico protegido en los delitos de pornografía infantil, con ellos se tutela la indemnidad sexual de los menores, protegiéndolos de prácticas que puedan entorpecer un adecuado proceso de formalización y socialización[88]. Por contra la conducta incluida en los supuestos de *sexting* va dirigida a tutelar la intimidad del sujeto que si bien cedió voluntariamente su imagen para una utilización privada, normalmente en el marco de una relación sentimental, ve vulnerado su derecho a la intimidad cuando la misma —con frecuencia, tras la ruptura de la relación— es difundida sin su consentimiento. Es verdad que no se agotan ahí las posibilidades del *sexting* entre adolescentes, muchas veces la conducta tiene que ver con el descubrimiento del sexo en esta etapa o con la inmadurez propia de la edad.

Parece pues que son diferentes los intereses tutelados en cada una de las figuras, el interés en el adecuado proceso de desarrollo sexual de los menores, su indemnidad sexual, en el caso de los delitos relativos a la pornografía y la intimidad en los supuestos de *sexting*. Precisamente con relación a la práctica del *sexting* y como ya se ha expuesto, la misma no limitaría el correcto desarrollo sexual del menor, por el contrario, los expertos consideran que la práctica aparece en la actual coyuntura como forma de expresión de los jóvenes actuales, nativos tecnológicos, de su sexualidad. Aunque, por otra parte, la difusión de tales imágenes puede causar graves problemas al menor y afectar a su derecho a la intimidad, pero en principio no parece que afecte a su adecuado desarrollo sexual.

Ratificando dicha postura diversos instrumentos internacionales han venido excluyendo del ámbito de la pornografía infantil, los supuestos de autoproducción. Así el art. 3.2 b) de la Decisión Marco 2004/68/JAI del Consejo de 22 de diciembre de 2003 relativa a la lucha contra la explotación sexual de los niños y la pornografía infantil dispone que: "cuando en los supuestos de producción y posesión, se produzcan y posean imágenes de niños que hayan alcanzado la edad del consentimiento sexual, con el consentimiento de los mismos y exclusivamente para su uso privado".

---

88 ORTS BERENGUER, E. 2015. *Derecho penal. Parte especial.* 4ª ed. Tirant lo Blanch, Valencia, p. 239.

Y más recientemente la Circular de la FGE 2/2015, sobre *los delitos de pornografía infantil tras la reforma operada por LO 1/2015* al analizar la subsunción típica de determinados supuestos en el ámbito de la elaboración de pornografía infantil ha considerado, en aplicación de la Directiva 2011/93/UE la atipicidad de "la comunicación personal directa entre iguales que dan su consentimiento, así como los menores que hayan alcanzado la edad de consentimiento sexual y sus parejas". Criterio también aplicable "a los supuestos en los que el material se hubiera elaborado respecto de menores mayores de 16 años, con pleno consentimiento de éstos y en condiciones que excluyan totalmente el riesgo de difusión a terceros" pese a que se considera que la conducta es formalmente antijurídica, se concluye que no se colmarían las exigencias de antijuridicidad material, no produciéndose lesión al bien jurídico protegido.

5. RECAPITULACIÓN Y CONCLUSIONES

Con el presente trabajo se ha pretendido poner de manifiesto la importancia y el volumen de la violencia de género. Pese a que en España se ha legislado y se han habilitado medidas para mitigar tal problema, la realidad sigue poniendo de manifiesto y sigue arrojando cifras importantes de actos violentos. Situaciones que se dan no solo entre personas de cierta edad, sino también entre nuestros adolescentes, pues, paradójicamente se constata un incremento significativo del machismo en los menores de edad.

Los datos evidencian que pese a los cambios legislativos es poco lo que se ha avanzado en este terreno, dado que las nuevas generaciones siguen presentando elevados niveles de sexismo en sus relaciones interpersonales, lo que en el ámbito de las relaciones afectivas da lugar a situaciones de posesión, celos y control como manifestación de la violencia de género. Porque también nos podemos encontrar con violencia de género entre los adolescentes, a pesar de la errónea percepción de estos respecto al problema, dado que no son conscientes de que les concierne. La realidad es que el sexismo sigue estando presente en las relaciones sentimentales entre los adolescentes, agravándose el problema por la masiva utilización de internet y las redes sociales, lo que propicia que la violencia de género se ejerza por dichos medios.

El uso de las TIC como vehículo de la violencia machista viene a intensificar el problema pues el agresor puede ser anónimo y la agresión es permanente persigue a la víctima a cualquier lugar y en todo momento. En el ámbito penal ello supone la necesidad de plantearse las posibles nuevas modalidades de afectación al bien jurídico.

De esta forma el cambio cualitativo a que ha dado lugar la introducción de la informática en nuestra vida ha propiciado una modulación de las tipologías delictivas tradicionales y la aparición de otras nuevas como el *sexting*, potenciado este último por la aparición de aplicaciones informáticas que permiten la inmediata difusión de las imágenes y/o videos de contenido sexual a un número indeterminado de destinatarios, siendo utilizado dicho mecanismo, en muchos casos como instrumento de venganza sexual contra la expareja. La falta de adecuación típica de dicha conducta en el ámbito de los delitos contra la intimidad ha propiciado la reforma del CP para introducir la conducta de quien habiendo recibido lícitamente una imagen íntima de tercero, la difunde sin consentimiento.

Es por otra parte una conducta propia de adolescentes, nativos tecnológicos que aprovechan las posibilidades de las TIC para desarrollar todos los aspectos de su personalidad, también para su desarrollo sexual. El problema es que su condición de nativos digitales les hace especialmente vulnerables al no tener conciencia clara de los riesgos de tal conducta. Esa inmadurez y la vulnerabilidad asociada a la misma exigen que ante la comisión por un menor de un delito de esta naturaleza se adopten las medidas que faciliten su reeducación y la superación del sexismo que las mismas manifiestan, así como la articulación de medidas de protección para la menor, víctima de las mismas.

La atipicidad a que daría lugar el consentimiento, no solo para captar la imagen, sino también para su divulgación, debe ser matizada cuando de la conducta es víctima un menor puesto que en dichos casos si bien el consentimiento es válido para ceder la imagen o para permitir tomarla, no lo sería para su divulgación, habida cuenta la afectación que la misma representaría a derechos tan relevantes del menor como su dignidad comprometiendo su futuro desarrollo, es por ello que el superior interés del menor limita el valor de su consentimiento, que sería oportuno para mantener una relación sexual si es mayor de dieciséis años o incluso menor si la relación es entre menores, pero que no lo sería para divulgar su imagen íntima. De la misma manera que tampoco sería válido el consentimiento del menor para la elaboración de pornografía infantil.

Finalmente cabe deslindar las conductas propias del *sexting* de la distribución de pornografía infantil. En los orígenes se planteó el castigo de adolescentes por la producción y distribución de pornografía, no obstante parece más adecuado considerar que las conductas incluibles en el ámbito del *sexting* como atentado a la intimidad dejan fuera el elemento de explotación y abuso presente en la producción y en su caso distribución de pornografía infantil.

6. BIBLIOGRAFÍA

Doctrina

ACALE SÁNCHEZ, M. (2007), "El artículo primero de la Ley Orgánica 1/2004, de 28 de diciembre, de protección integral contra la violencia de género: el concepto de violencia de género", en P. Faraldo Cabana (dir.), *Política criminal y reformas penales*, Tirant lo Blanch, Valencia.

AGUSTINA, J. R. (2010), *¿Menores infractores o víctimas de pornografía infantil? Respuestas legales e hipótesis criminológicas ante el Sexting?* Revista electrónica de Ciencia Penal y Criminología. RECPC 12-11.

ARENAS GARCÍA, L., *Sexismo en adolescentes y su implicación en la violencia de género.* Boletín Criminológico. Art. 4/2013, mayo-junio (n. 144). Versión electrónica disponible http//www.boletincriminologico.uma.es/boletines/144.pdf.

BASCÓN DÍAZ, M. J., *Conflictividad y violencia de género en adolescentes. Un estudio discursivo del ajuste psicológico en escenarios socioculturales. Conflicto, género y ajuste psicosocial en adolescentes.* Prismasocial - nº 11, diciembre 2013.

BRINGUÉ, X./ SÁDABA, C., *Menores y redes sociales.* Colección Generaciones interactivas. Fundación telefónica, Madrid, 2011

CASADO CABALLERO, V., *Violencia de género y nuevas tecnologías.* 3º Congreso para el estudio de la violencia contra las mujeres, 26-27 de noviembre de 2012. Granada, p. 10 http://www.violenciageneroasistenciavictimas.es/images/congresovg/congreso3/ponencias/Vanessa-Casado.pdf.

CARRASCO ANDRINO, Mª M., en: ÁLVAREZ GARCÍA, F. (Dir.) MANJÓN-CABEZA OLMEDA, A. VENTURA PÜSCHEL, A. (coords.) (2010), *Derecho Penal Español. Parte Especial*, Tirant lo Blanch, Valencia.

CERVELLÓ DONDERIS, V., COLÁS TURÉGANO, Mª A., "Mediación y violencia de género en menores de edad: un enfoque educativo" Comunicación en la VI Conferencia Internacional OIJJ: *La privación de libertad de los niños como último recurso: Hacia políticas alternativas basadas en la evidencia*, Bruselas, diciembre, 2014.

COLÁS TURÉGANO, Mª A. (2011), *Derecho penal de menores*, Tirant lo Blanch, Valencia.

COLÁS TURÉGANO, Mª A. (2013), *La importancia del consentimiento del sujeto pasivo en la protección del derecho a la propia imagen. A propósito de la propuesta de modificación del art. 197 CP en el anteproyecto de octubre de 2012.* Revista Boliviana de Derecho, nº 15.

COLÁS TURÉGANO, Mª A. (2015), *"Nuevas conductas delictivas contra la intimidad (art. 197, 197 bis, art. 197 ter)", Comentarios a la Reforma del Código Penal de 2015*, 2ª ed., Tirant lo Blanch, Valencia.

CUERDA ARNAU, Mª L. (2014), "Menores y redes sociales: protección penal de los menores en el entorno digital" en *Cuadernos de Política Criminal*, núm. 112, I, Época II, mayo 2014.

DEL REY, R./ CASAS J. A./ ORTEGA R., *El programa ConRed, una práctica basada en la evidencia.* Comunicar, nº 39, v. XX, 2012, Revista científica de educomunicación.

DE LA OSA ESCUDERO/ Z. ANDRÉS GÓMEZ/ S. PASCUAL GÓMEZ, I., *Creencias adolescentes sobre la violencia de género. Sexismo en las relaciones entre adolescentes.* European Journal of Investigation in Health, Psychology and Education 2013, Vol. 3, nº 3.

DE LA ROSA CORTINA, J. M. (2011), *Los delitos de pornografía infantil. Aspectos penales, procesales y criminológicos.* Tirant lo Blanch, Valencia.

DE VERDA Y BEAMONTE, J. R./ SORIANO MARTÍNEZ, E. (2011), "La protección del derecho a la imagen de menores e incapaces" De Verda y Beamonte, J. R. (coord.) *El derecho a la imagen desde todos los puntos de vista,* monografía asociada a *Revista Aranzadi Derecho y nuevas tecnologías*, nº 9, Aranzadi, Cizur Menor.

DÍEZ AGUADO, Mª J., *Adolescencia, sexismo y violencia de género.* Papeles del psicólogo, 2003, nº 84.

ESTEVE MALLENT, L. (2012), "La violencia de género entre adolescentes", en García González, J. (coord.) *La violencia de género en la adolescencia*, Aranzadi, Cizur Menor.

GARCÍA GONZÁLEZ, J. (2012), "La violencia en el noviazgo: el delito de violencia de género entre adolescentes", en García González, J. (coord.) *La violencia de género en la adolescencia*, Aranzadi, Cizur Menor.

GARCÍA HERNÁNDEZ, G. (2011), "Pornografía infantil" en De Verda y Beamonte, J. R. (coord.) *El derecho a la imagen desde todos los puntos de vista,* monografía asociada a *Revista Aranzadi Derecho y nuevas tecnologías*, nº 9. Aranzadi, Cizur Menor.

GARRIDO GENOVÉS, V./ CASAS TELLO, M., *La prevención de la violencia en la relación amorosa a través del taller "La máscara del amor".* Revista de Educación, 349, mayo-agosto 2009.

GONZÁLEZ LOZANO, M. P./ MUÑOZ RIVAS, M. J./ GRAÑA GÓMEZ, J. L. (2003), *Violencia en las relaciones de pareja en adolescentes y jóvenes: una revisión.* Psicopatología clínica legal y forense, vol. 3, nº 3.

GONZÁLEZ RUS, J. J. en COBO DEL ROSAL, M. (coord.) (2005), *Derecho Penal Español. Parte Especial*, 2ª ed. Dykinson, Madrid.

GRAÑERAS PASTRANA, M./ VAÍLLO RODRÍGUEZ, M./ GONZÁLEZ PERRINO J. M., *Educación, la mejor receta contra la violencia machista,* Crítica, nº 960, marzo-abril 2009.

HERNÁNDEZ HIDALGO, P. (2015), *Análisis de la violencia de pareja bidireccional desde un punto de vista victimodogmático.* Revista electrónica de Ciencia Penal y Criminología, 17-05.

JUANATEY DORADO, C./ DOVAL PAIS, A. (2010), *Límites de la protección penal de la intimidad frente a la grabación de conversaciones o imágenes* en Boix Reig, J. (Dir.)/ Jareño Leal, A. (Coord.) "La protección jurídica de la intimidad", Iustel, Madrid.

LAURENZO COPELO, P. (2005), *La violencia de género en la ley integral. Valoración político criminal.* Revista electrónica de ciencia penal y criminología. RECPC 07-08.

LLORIA GARCÍA, P., *Delitos y redes sociales: Los nuevos atentados a la intimidad, el honor y la integridad moral. Especial referencia al sexting.* La Ley Penal, nº 105, Sección Estudios, Editorial LA LEY.

MACÍAS CASTRILLO, A., *El consentimiento del menor y los actos de disposición sobre su derecho a la propia imagen*, Diario la ley, nº 6913, sección doctrina, 28 marzo 2008. La ley 15472/2008.

MAQUEDA ABREU, M. L. (2006), *La violencia de género entre el concepto jurídico y la realidad social*. Revista Electrónica de Ciencia Penal y Criminología. RECPC 08-02.

MARTÍNEZ OTERO, J. M./ BOO GORDILLO, A. (2012), "El fenómeno del *sexting* en la adolescencia: descripción, riesgos que comporta y repuestas jurídicas" en García González, J. (coord.) *La violencia de género en la adolescencia*, Aranzadi, Cizur Menor.

MARTÍNEZ OTERO, J. M. (2013), *La difusión de sexting sin consentimiento del protagonista: un análisis jurídico*, Derecom, nº 12, Nueva época, diciembre-febrero.

MENDOZA CALDERÓN, S. (2013), *El derecho penal frente a las formas de acoso a menores. Bullyng, ciberbullying, grooming y sexting*. Tirant lo Blanch, Valencia.

MENJIVAR OCHOA, M., *El sexting y l@s nativ@s neo-tecnológic@s: apuntes para una contextualización al inicio del siglo XXI*. Actualidades investigativas en educación, vol. 10, nº 2.

MIRÓ LLINARES, F. (2013), *Derecho penal, cyberbulling y otras formas de acoso (no sexual) en el ciberespacio*. Revista de internet, derecho y política, nº 16 (junio).

MUÑOZ CONDE, F. (2010), *Derecho Penal. Parte Especial*, 18 ed., Tirant lo Blanch, Valencia.

MUÑOZ RIVAS, M./ FERNÁNDEZ GONZÁLEZ, L./ GRAÑA GÓMEZ, J. L./ FERNÁNDEZ, S. (2014), "Naturaleza de la violencia bidireccional en las relaciones de noviazgo. Factores asociados a la perpetración y victimización" en Tamarit, J. M., Pereda, N.: *La respuesta de la victimología ante las nuevas formas de victimización*, ed. B de F Montevideo, Buenos aires.

OLMO FERNÁNDEZ DELGADO, L. (2009), *El descubrimiento y revelación de secretos documentales y de las telecomunicaciones. Estudio del art. 197.1 del CP*, Dykinson, Madrid.

ORTS BERENGUER, E. (2015), "Determinación a la prostitución (Arts. 187, 188, 189 y 192 CP)", en *Comentarios a la Reforma del Código Penal de 2015*, 2ª ed., Tirant lo Blanch, Valencia.

PÉREZ MARTÍNEZ, A./ AMADO PALLARES, L. (2012), "Una aproximación a la violencia en el noviazgo" en García González, J. (coord.) *La violencia de género en la adolescencia*, Aranzadi, Cizur Menor.

RAMÓN RIBAS, E. (2013), *Minoría de edad, sexo y Derecho Penal*. Monografía asociada a Revista Aranzadi de Derecho y Proceso Penal. Aranzadi, Cizur Menor.

RUBIO-GARAY, F./ LÓPEZ-GONZÁLEZ, M. A./ SAÚL, L. A./ SÁNCHEZ-ELVIRA-PANIAGUA, A. (2012), Direccionalidad y expresión de la violencia en las relaciones de noviazgo de los jóvenes [Directionality and violence expression in dating relationships of young people]. *Acción Psicológica, 9*(1).

RUEDA MARTÍN, Mª Á. (2004), *Protección penal de la intimidad personal e informática (Los delitos de descubrimiento y revelación de secretos de los artículos 197 y198 del Código Penal)*, Atelier, Barcelona.

RUEDA MARTÍN, Mª Á., *La relevancia penal del consentimiento del menor en relación con los delitos contra la intimidad y la propia imagen (Especial consideración a la disponibilidad de la propia imagen del menor de edad en el ciberespacio)*. Indret, 4/2013.

RUIZ PINTO, E./ GARCÍA PÉREZ, R./ REBOLLO, Mª A. (2013), *Relaciones de género en adolescentes en contextos educativos. Análisis de redes sociales con perspectiva de género*. Profesorado. Revista de currículum y formación del profesorado. Vol. 17, nº 1 (enero- abril).

SÁNCHEZ GONZÁLEZ, I. (2009), *Violencia de género y adolescencia.* Critica, 960, marzo-abril.

TORRES ALBERO, C. (Dir.) ROBLES, J. M./ DE MARCO, S. (2014), *El ciberacoso como forma de ejercer la violencia de género en la juventud: Un riesgo en la sociedad de la información y del conocimiento.* Delegación del Gobierno para la Violencia de Género. Publicaciones del BOE, nº 18.

WASTLER, S. (2010), *The harm in "sexting"? Analyzing the constitucionality of child pornography statutes that prohibit the voluntary production, possession, and dissemination of sexually explicit by teenagers.* 33 Harv. JL&Gender.

Jurisprudencia

TC
STC 158/2009 de 29 de junio, RTC\2009\158
TS
Sala penal
STS de 3 de noviembre de 2009, RJ 2006\7828
STS de 12 de mayo de 2009, RJ 2009\4861
STS de 22 de julio de 2010, RJ 2010\3724
STS de 30 de septiembre de 2010, RJ 2010\7650
STS de 14 diciembre de 2011, RJ 2012\3357
STS de 3 de abril de 2012, RJ 2012\5596
Sala civil
STS de 27 de enero de 2014, RJ 2014\682.
AUDIENCIAS
SAP de Huelva de 15 de febrero de 2002 JUR 2002, 115257
SAP de Lleida de 25 de febrero de 2004 (*Tol 361094*)
SAP de Granada de 16 enero 2007, JUR 2007\178248
SAP Alicante de 18 de enero de 2010, JUR 2010\106303
SAP de Córdoba de 3 de marzo de 2010 JUR\2010\351103
SAP de Ourense de 26 de marzo de 2014 JUR\215036
SAP de Granada de 5 de junio de 2014 JUR 2014\ 258699
SAP de Ourense de 26 de marzo de 2014, JUR 2014\ 215036
JUZGADOS DE MENORES
SJM Lleida de 16 de abril de 2014, JUR\2014\274414
SJM Pamplona de 16 de enero de 2015 JUR\2015\54687
JUZGADOS DE INSTRUCCIÓN
Auto del Juzgado de 1ª instancia e instrucción nº 1 de Orgaz de 15 de marzo de 2013
CONSULTAS, INSTRUCCIONES, CIRCULARES FGE

Instrucción FGE 2/2006, de 15 de marzo sobre *El fiscal y la protección del derecho al honor, la intimidad y la propia imagen de los menores.*

Consulta FGE 3/2006, de 29 de noviembre sobre *determinadas cuestiones respecto de los delitos relacionados con la pornografía infantil*

Circular FGE 6/2011 sobre *criterios para la unidad de actuación especializada del Ministerio Fiscal en relación a la violencia sobre la mujer.*

INFORMES

Informe del Observatorio Vasco de la Juventud. *La desigualdad de género y el sexismo en las redes sociales. Una aproximación cualitativa al uso que hacen de las redes sociales las y los jóvenes de la CAPV*, Victoria Gasteiz, 2013.

RECURSOS INFORMÁTICOS

http://www.ine.es/prensa/np906.pdf.

http://violenciadegenero.carm.es/lineas_actuacion/prevencion/actuaciones/la_mascara.

INTECO. *Guía sobre adolescencia y sexting: qué es y cómo prevenirlo*, 2011, p. 4. Disponible en línea. https://www.incibe.es/CERT/guias_estudios/guias//Guia_*sexting*.

Factores psicosociales y mecanismos intervinientes en la violencia juvenil a través de las nuevas tecnologías

Keren Cuervo
Ayundante Doctora Tipo II de Psicología Evolutiva y de la Educación
Universidad Jaume I de Castellón

SUMARIO: 1. Marco teórico. 2. Incidencia y prevalencia de las agresiones y victimizaciones a menores a través de las nuevas tecnologías. 3. Los roles implicados en el acoso escolar. 4. Consecuencias psicosociales de la implicación en el acoso escolar. 5. Medidas inmediatas ante un caso de ciberacoso. 6. Bibliografía.

RESUMEN: Existen numerosas formas de llevar a cabo el acoso en el medio virtual y por tanto, repercusiones específicas para este tipo de acoso a diferencia del acoso tradicional. Este estudio revisa las investigaciones de esta nueva modalidad y sintetiza los factores y mecanismos en la victimización del *cyberbullying*. Diferentes factores demuestran que el acoso virtual produce un mayor daño psicológico que el acoso tradicional (Katzer et al., 2009). El perfil de la víctima, se caracteriza en general por una baja popularidad entre los compañeros, suele tener sentimientos de soledad, marginación y rechazo. Las emociones principales que suelen estar presentes son: rabia, tristeza, depresión, debilidad e indefensión, llegando en los casos extremos al suicidio (Kowalski y Limber, 2007). El perfil del acosador, en cambio suele ser más popular aunque a veces puede tener poco respaldo social por sus actitudes antisociales. Los menores suelen mostrar sentimientos de hostilidad, ira, baja tolerancia a la frustración, bajo sentimiento de culpa y baja asunción de la responsabilidad (Garaigordobil y Oñederra, 2010; Díaz-Aguado, 2004; Olweus, 1993). También en el ámbito académico mostraban un bajo rendimiento (Díaz-Aguado, 2004). Se comentan otros roles implicados en el acoso como la audiencia pasiva, el defensor de la víctima y el seguidor del agresor. Estos últimos roles secundarios son menos estudiados pero claves en la prevención y en la disminución del acoso (Smith, 2012). En relación a esto, existe un programa de intervención específico para esta problemática, el programa *KiVa* (Salmivalli, Kärnä y Poskiparta, 2010).
Asimismo, debido al aumento alarmante de este fenómeno de violencia es evidente que aún queda mucho por hacer en el ámbito de la educación y prevención, por lo que es tarea de la sociedad y los organismos poner los medios necesarios para el control y la intervención efectiva en esta materia a través de investigaciones que ayuden a comprender las diferentes formas de violencia tecnológica y sus consecuencias.

PALABRAS CLAVE: *cyberbullying*, violencia, victimización, adolescencia, intervención, programa *antibullying*.

ABSTRACT: There are many ways of experiencing bullying through new technologies and therefore, exist specific consequences for this type of bullying in contrast to traditional bullying. This paper reviews the studies of this new form of peer harassment and synthesizes the factors and mechanisms from research on cyberbullying victimization. Different findings show that cyberbullying produce bigger psychologic damage than traditional bullying (Katzer et al., 2009). The victim profile, in general is characterized by low popularity among classmates, often suffer from loneliness feelings, discrimination and rejection. The main emotions that usually the youth show are: anger, sadness, depression, weakness and helplessness, which in extreme cases can lead to suicide (Kowalski and Limber, 2007). The bully profile is often popular, although sometimes can have little social support due to his anti-social attitudes. The minors usually present hostility feelings, anger, low frustration tolerance, low guilt feelings and low assumption of responsibility (Garaigordobil and Oñederra, 2010; Díaz-Aguado, 2004; Olweus, 1993). Furthermore, in academic field the bully shows low school performance (Díaz-Aguado, 2004). In the study are also mentioned others implicated roles in bullying, like bystanders, upstanders and supporters. These last secondary roles are less studied but essential in prevention and bullying decrease (Smith, 2012). Related to this, exist a specific intervention program for this problem, the *KiVa* program (Salmivalli, Kärnä and Poskiparta, 2010).
Due to the alarming increase of this violence phenomenon, is evident that much work is yet to be done in this educational field and in prevention. Society and organisms need to provide the necessary means in order to control and intervent effectively in this topic through investigations which help to understand the different types of technological violence and its consequences.

KEYWORDS: cyberbullying, violence, victimization, adolescence, intervención, anti-bullying program.

1. MARCO TEÓRICO

La Violencia entre iguales es un fenómeno ampliamente extendido en todo el mundo y en todas las clases sociales. Se han evidenciado porcentajes techo superiores de victimización en Estados Unidos y Asia superiores a Sudamérica, Canadá Oceanía o Europa pero a pesar de las diferencias culturales en relación a la frecuencia y gravedad, no hay grandes diferencias entre culturas. Desafortunadamente, esta es una realidad que comparten diferentes países sin importar el contexto geográfico, cultural, educativo o nivel socioeconómico (Garaigordobil, 2011; Garaigordobil, Martínez-Valderrey y Páez, 2015). Finkelhore (1997) clasifica la agresión entre iguales como un tipo de victimización pandémica, es decir, común en diferentes sociedades y culturas, reflejando en sus obras cierta indignación por el hecho de que se conciba como algo normalizado debido al grado de familiaridad que tenemos con el fenómeno. Compara las diferencias en la repercusión social de una pelea entre compañeros de trabajo con una pelea entre niños. Ya que a pesar de que los menores sean más vulnerables, con menos recursos y estrategias de afrontamiento ante estos problemas, parecen recibir menos atención al respecto. Esto es corroborado con los datos de incidencias en acoso escolar, llegando en algunos casos a porcentajes entre el 40 y el 55% en los que los alumnos se encuentran implicados en el acoso de algún modo (Garaigordobil, 2011).

Gran parte de la investigación sugiere que el *bullying* es resultado de diferentes factores y no de uno solo (Swearer y Doll, 2001). Esta problemática no es únicamente el resultado de características individuales del estudiante, pobres condiciones del hogar, ambiente familiar inadecuado, presión por los iguales, exposición a la violencia en los medios de comunicación, etc.; sino que refleja un complejo aglomerado de la combinación de los mismos. Los enfoques teóricos que explican el acoso escolar han oscilado desde planteamientos individuales hasta planteamientos más sociales o culturales (Górriz, Villanueva, Cuervo y Adrián, 2010):

1. Corriente teórica que se centra en la intimidación como diferencia individual. El acoso ocurre como resultado del poder de cada niño en las interacciones, en las que el niño más poderoso estaría más capacitado para oprimir al menos poderoso. En el entorno escolar suelen darse desequilibrios de poder entre los niños debido a las diferencias físicas, psicológicas, sociales, etc. El hecho de tener poder y motivación para dominar a otros podría ser la razón principal para que se dé la intimidación. En esta corriente, se incluyen los estudios sobre competencias mentalistas maquiavelismo o falta de implicación moral (Sutton y Keogh, 2001; Sutton, Smith y Swettenham; 2001).
2. El acoso es concebido como un proceso en desarrollo mediante la búsqueda evolutiva del dominio social. Esto puede conseguirse atacando o intimidando a otros niños menos poderosos, aunque estas muestras de dominio social irían disminuyendo a medida que pasa el tiempo mostrando formas de acoso más indirectas.
3. El acoso se entiende como un fenómeno sociocultural que surge de los diferentes niveles de poder que tienen los grupos basándose en la historia, cultura, género, raza y clase social (Schuster, 1999; Mahdavi y Smith, 2007).
4. El acoso sería producto de la presión de los iguales en la escuela. No estaría regulado por las interacciones con el entorno sociocultural sino mediante las conductas y actitudes de los miembros de la comunidad escolar, que a la vez estarían silenciados por su grupo de iguales más cercano. La dinámica de estos grupos se vería influenciada por los intereses y objetivos comunes, y la proporción de apoyo entre sus miembros. Las agresiones suelen venir provocadas para mantener una conexión con el grupo, es decir, la presión del igual o la lealtad al grupo, más que por motivos in-

dividuales. Esta lealtad puede llevar a atacar a otro igual por una causa imaginaria, real o simplemente por un deseo de divertirse intimidando a otra persona. Por lo que todos los miembros del grupo asumen un papel para mantener o detener el acoso.

5. Desde una perspectiva ecológica, Swearer y Doll (2001), realizan un esfuerzo en entender como los factores individuales, familiares, culturales y comunitarios, contribuyen en la aparición del *bullying* (Hymel, Rocke-Henderson y Bonano, 2005). Creen en la importancia del grupo de iguales y el clima en la escuela (actitudes y creencias sobre el *bullying* en el colegio).

Aun teniendo presente el marco teórico, parecen no quedar claras las causas concretas del hecho de acosarnos los unos a los otros. En este sentido encontramos los factores individuales como el sexo, maquiavelismo, tendencia a la agresividad... hasta factores sociales como la cultura en la que crece el individuo o la educación recibida. Ciertamente tampoco debería obviarse la recompensa obtenida al realizar este tipo de comportamientos, sean más o menos evidentes al llevar a cabo la acción.

Por otra parte, los autores también atribuyen diferente peso a cada uno de los factores relacionados con el acoso escolar. Sin embargo existe acuerdo en los rasgos característicos que lo definen y que lo diferencian de otro tipo de agresiones. Éstos serían la intencionalidad, la repetición en el tiempo y el desequilibrio de poder del tipo que sea, entre el agresor y la víctima (Olweus, 1993; Garaigordobil y Oñederra, 2010). En el caso del ciberacoso o *cyberbullying* se podría utilizar la siguiente definición: conducta agresiva e intencional que se repite de forma frecuente en el tiempo sobre una víctima que no puede defenderse fácilmente, mediante algún tipo de dispositivo electrónico (Smith, Mahdavi, Carvalho, Fisher, Russell y Tippett, 2008). Este acoso puede darse de forma individual o grupal y con la finalidad de dañar a una persona. Todo esto recordando que agresores y víctimas son menores. La participación de cada uno de los implicados en el acoso, se ha importado de los roles del *bullying* tradicional, ya que coinciden en las características principales, por lo tanto se clasifican en ciberagresor, cibervíctima y ciberespectador principalmente, aunque pueden existir roles diversos.

Existen numerosas formas de llevar a cabo el acoso en el medio virtual, como son el uso vejatorio de las TICs en general mediante redes sociales, emails, mensajes de móvil, blogs, etc.: envío y difusión de mensajes ofensivos o vulgares, envío de mensajes amenazantes, persecución de la víctima por diferentes redes sociales, difusión de rumores sobre la víctima, violación de la intimidad mediante la difusión de secretos o imágenes de la víctima, exclusión deliberada de la víctima de grupos en la red, colgar textos o imágenes perjudiciales para la víctima e incluso votar a las personas más feas, menos inteligente etc.., facilitar el email de la víctima para que sea objeto de spam o de emails de desconocidos, etc. Otras conductas relacionadas con la suplantación de la identidad serían: crear un perfil falso con el nombre de la víctima y utilizarlo para dañarla, cambiar su contraseña de email, etc. (Willard, 2006, 2007; Willard, 2005). También se encuentra como forma de ciberacoso la Paliza feliz o *happy slapping*, donde se realiza una agresión que se graba y se cuelga en la red.

Por lo tanto, ante tanta variedad de conductas agresoras, cuanto más tiempo se dedica a navegar por internet, existe un mayor riesgo de ser víctima de *cyberbullying* (Hinduja y Patchin, 2008; Smith et al., 2008). A su vez, existen repercusiones específicas de este tipo de acoso mediante el uso de algún dispositivo electrónico. Las consecuencias a través de la red se podrían percibir como algo menores que las del acoso tradicional debido a que el acoso se lleva a cabo de forma indirecta. Sin embargo, el desconocimiento del agresor produce más sentimientos de impotencia y de temor que cuando se conoce a la persona que acosa (Hoff y Mitchell, 2009; Smith et al., 2008). En el acoso virtual no es necesaria la identificación o presencia del agresor para realizarlo, ya que se puede perpetrar mediante una identidad falsa. Esto provoca en la víctima un aumento del daño recibido, al no identificar a su agresor y ante la mayor sensación de pérdida de control, llegando incluso a crear indefensión en la víctima (Monks, Smith, Naylor, Barter, Ireland y Coyne 2009; Smith 2006).

Por otra parte, el mayor tamaño de la audiencia tiene una mayor repercusión que el acoso tradicional, que se llevaría a cabo en un determinado espacio físico. La imposibilidad de detener las repercusiones del mismo, debido a su rápida difusión, la imposibilidad de conocer la ubicación del agresor y de localizarlo en la red, provocaría mayores consecuencias para la víctima debido a la mayor humillación recibida (Bickman y Rich 2009). La disponibilidad de la humillación hacia un gran público y la dificultad de eliminar el material publicado y disponible en cualquier momento, conlleva un mayor daño en el menor ante el acoso virtual. Muy importante también es el hecho de que el agresor no vea la reacción de la víctima, por lo que la empatía por ella es menor pudiendo provocar una desconexión moral.

Todo esto provoca en la víctima un sentimiento de inseguridad en su vida diaria que le acompaña a todas partes, en suma a la posibilidad de volver a ser victimizada en cualquier momento mediante red social, vía telefónica, email, etc. Ante esta situación, no podría sentirse segura en ningún momento ni lugar, lo que provocaría en ella una mayor indefensión que el acoso directo (Kowalski y Limber, 2007; Katzer, Fetchenhauer y Belschak, 2009).

2. INCIDENCIA Y PREVALENCIA DE LAS AGRESIONES Y VICTIMIZACIONES A MENORES A TRAVÉS DE LAS NUEVAS TECNOLOGÍAS

La Fiscalía General del Estado (Memoria, 2013) constata un aumento de denuncias por amenazas, vejaciones, coacciones... utilizando las redes sociales y WhatsApp, que atribuye a "la devaluación de los valores de la intimidad y la privacidad, consecuencia del culto narcisista de la propia imagen que caracteriza la sociedad actual, así como la nula conciencia sobre las consecuencias de tales comportamientos".

A la hora de establecer la incidencia de este tipo de agresiones en menores de edad, se puede afirmar que existe una gran heterogeneidad debido a la diferencia en las muestras, variables, métodos utilizados y el tipo de conducta investigada. En relación a la incidencia de este tipo de conductas en la sociedad española destacan varios estudios a nivel nacional que se presentan en la siguiente tabla. Se encuentra porcentajes entre el 35.4 y el 75% de alumnos que han observado algún tipo de conductas intimidatorias a través de las TICs (Álvarez-García, Núñez, Álvarez, Dobarro, Rodríguez y González-Castro, 2011; Serrano e Iborra, 2005). Sin embargo, los porcentajes de victimización recogidos en los estudios son menores, entre el 2.5% y el 8% (Observatorio Estatal de Convivencia Escolar, 2008; Defensor del Pueblo y Unicef, 2007; Del Río, Sádaba y Bringué, 2010).

La incidencia de la agresión tiene una alta variabilidad oscilando entre el 2.5 al 44%, dependiendo de la metodología utilizada. En un estudio realizado a nivel de toda España, con 23.100 adolescentes de entre 12 y 18 años se encontraron porcentajes más bajos, entre un 2.5% y un 3.5% declararon haber sido agresores (Observatorio Estatal de Convivencia Escolar, 2008). Otro estudio realizado con 8.373 adolescentes encuentra porcentajes similares, entre el 5% utilizando internet y el 11.9% utilizando el móvil como medio de la agresión. Otro de los estudios destacables es el realizado por Del Barrio, Espinosa, Martín, Ochaíta, Montero, Barrios, De Dios y Gutiérrez (2007), con 3.000 participantes, de los que el 5.4% declararon haber sido agresores. Desafortunadamente esta es una realidad que comparten diferentes países sin importar el contexto geográfico, cultural o educativo (Garaigordobil, 2011).

Tabla 1
Incidencia de agresión y victimización

Autores	Localización	N	Edad	Agresor	Víctima
Garaigordobil, Martínez-Valderey y Páez (2015)	País Vasco	1381	12-18	M(DT)=0.46(2.23)	M(DT)=0.84 (2.07)
Estévez, Villardón, Calvete, Padilla y Orue (2010)	Vizcaya	1431	12-17	44.1% alguna vez	30.1%
Buelga, Cava y Musitu (2010)	Comunidad Valenciana	2101	11-17		29% (Internet) 24.6% (Móvil)
Del Río, Sádaba y Bringué (2010)	España (excepto Ceuta y Melilla)	8373	10-18	5% (Internet) 11.9% (Móvil)	8% (Internet) 7% (Móvil)
Avilés (2009)	Castilla-León y Galicia	730	12-18	5.8% (Internet) 4.2% (Móvil)	7.6% (Internet) 5% (Móvil)
Ortega, Calmaestra y Mora-Merchán (2008)	Córdoba	830	12-18	26.6%	Indistintamente
Observatorio Estatal de Convivencia Escolar (2008)	España (excepto Cataluña y Ceuta)	23100	12-18	Entre 2.5% y un 3.5%	Entre 2.5% y un 7%
Del Barrio et al. (2007)	España	3000	12-18	5.4%	5.5%
Orte (2006)	Islas Baleares	770	11-19		20%

En relación al sexo, las chicas suelen ser víctimas en mayor medida que los chicos, que suelen ser más agresores (Calvete et al, 2010; Félix-Mateo, Soriano-Ferrer, Godoy-Mesas y Sancho-Vicente, 2010; Orteaga, Calmaestray y Mora-Merchan 2008; Smith et al., 2008). Estos resultados pueden coincidir con los de otros países (Burguess-Proctor, Patchin y Hinduja, 2009). Sin embargo esta cuestión es compleja dependiendo del tipo de victimización y agresión, por lo que no se encuentran resultados concluyentes (Tokunaga 2010). Sí que parece constatarse que los chicos realizan más agresiones verbales y físicas directas, mientras que las chicas realizan y son víctimas en mayor medida de agresiones indirectas de forma verbal o social, como hablar mal de otro o excluirle (Garaigordobil y Martínez-valderrey, 2014).

En cuanto a la edad, aparece una mayor prevalencia entre los 11 y los 14 años. Mientras que en la evolución, a medida que crecen los adolescentes se encuentran resultados contradictorios. Por un lado que las agresiones van disminuyendo a medida que se van acercando a la edad adulta y por otro que la media de conductas de perpetración aumenta significativamente con la edad (Garaigordobil, 2015; Mishna Khoury-Kassabri, Gadalla y Daciuk, 2012). En los primeros cursos de la ESO parece que los agresores utilizan más internet, mientras que en cuarto parece que hay una tendencia hacia el uso del teléfono móvil (Calmaestra, Ortega y Mora-Merchán, 2008).

3. LOS ROLES IMPLICADOS EN EL ACOSO ESCOLAR

Los roles implicados en la perpetración suelen clasificarse en: víctima, agresor y espectadores principalmente. A continuación se presentaran una serie de características, rasgos y conductas asociados a cada uno de ellos. El perfil de la víctima, se caracteriza en general, por una baja popularidad entre los compañeros, no tiene buenas relaciones y es lo suficientemente rechazada como para no ser ayudada por éstos. No pide ayuda debido a su sentimiento de culpa por el abuso sufrido, suele tener sentimientos de soledad, marginación y rechazo. Puede haber tenido una infancia infeliz, con miedos, angustias, ansiedad, falta de asertividad, timidez, baja autoestimas, rasgos depresivos, somatizaciones, dependencia emocional y suelen ser niños sobreprotegidos (Garaigordobil y Oñederra, 2010). Estos rasgos serían los más típicos aunque cualquier tipo de alumno podría ser víctima del acoso escolar. Las emociones principales que suelen estar presentes son: rabia, tristeza, depresión, debilidad e indefensión (Kowalski y Limber, 2007). La desesperanza también es una sensación común, parece ser que es producida en parte por las amenazas recibidas y suele ser mayor en las chicas (Viñas y González, 2010).

El niño, al entrar en el círculo de la victimización entra en una dinámica de reacciones al hostigamiento que hace que pueda ser percibido como el causante de las conductas recibidas. Parece ser que incluso padres, profesores, educadores y psicólogos pueden contribuir al efecto denominado "error básico de atribución", por el que se encontraría en la víctima una base objetiva para las conductas de hostigamiento (Piñuel y Oñate, 2006). El rendimiento académico y la salud de la propia víctima van a estar alterados de forma negativa por el acoso y esto les daría la retroalimentación a su entorno. De ahí los sentimientos de culpa en el propio niño, baja autoestima y su autoconcepto deteriorado, creados en una etapa crucial para el desarrollo madurativo. Estas percepciones puede que marquen sus relaciones adultas aumentando la probabilidad de ser víctima de otros abusos a nivel social, laboral etc. (Garaigordobil y Oñederra, 2010; Piñuel y Oñate, 2006). Por otra parte, estos deterioros en el desarrollo conllevan en ocasiones diagnósticos erróneos o parcialmente correctos que reestigmatizan a la víctima teniendo lugar una victimización secundaria, haciéndole sentir responsable de los problemas. Los diagnósticos incorrectos más habituales suelen ser fobia escolar, estrés escolar, síndrome de retorno al colegio, depresión, problemas de adaptación al centro, trastorno maniaco-depresivo o ciclotimia, trastornos de personalidad, trastornos de ansiedad generalizada, ataques de pánico, baja autoestima y déficits en habilidades sociales.

Figura 1
Perfil de la víctima de acoso

RELACIONES SOCIALES
Baja popularidad
Rechazo social
Malas relaciones con los iguales

RASGOS DE PERSONALIDAD
Debilidad - Timidez
Falta de asertividad
Baja autoestima
Dependencia
Sobreprotección

VÍCTIMA

EMOCIONES Y SENTIMIENTOS
Rabia -Tristeza
Rechazo - Depresión
Miedo - Indefensión
Angustia - Desesperanza
Ansiedad
Culpa - Soledad
Somatizaciones

ÁMBITO ACADÉMICO
Error básico de atribución
Bajo rendimiento académico

El perfil del acosador, en cambio suele ser más popular aunque a veces puede tener poco respaldo social por sus actitudes antisociales. Suele tener actitudes positivas hacia el comportamiento agresivo y la violencia, en algunos casos, viendo como única alternativa posible la agresión como solución a los conflictos (Slaby y Guerra, 1988; Bosworth, Espelage y Simon, 1999). En relación a otros rasgos de personalidad, los menores suelen mostrar sentimientos de hostilidad, ira, baja tolerancia a la frustración, poco sentimiento de culpa o baja asunción de la responsabilidad (Garaigordobil y Oñederra, 2010; Díaz-Aguado, 2004; Olweus, 1993). También suelen manifestar altos rasgos de impulsividad, falta de empatía, problemas de conducta y suelen carecer de sentido de la norma, habilidades sociales y de control emocional (Piñuel y Oñate, 2006). Algunos de estos rasgos pueden ser debidos a que muchos de los acosadores pertenecen a hogares conflictivos. Los menores que agreden a otros tendrían más sentimientos de insatisfacción, descontento y suelen ser más problemáticos (O'Moore, 1997, Esteve, Merino y Cantos 2001; Díaz-Aguado, 2004). También en el ámbito académico mostraban un bajo rendimiento, mayor absentismo escolar, y mostraban una menor motivación (Díaz-Aguado, 2004).

En cuanto a la autoestima se encuentran resultados contradictorios, algunos autores confirman la existencia de una baja autoestima o bajo autoconcepto

(O'Moore 1997, Esteve, Merino y Cantos, 2001; Díaz-Aguado, 2004) mientras que otros describen a los acosadores con una alta autoestima (Batsche y Knoff, 1994). También se encuentran trabajos en los que se ha asociado aspectos morales como el sentido de responsabilidad sobre la propia conducta e incluso el maquiavelismo, con la agresión escolar. En algunos casos pueden basar las relaciones sociales en la dualidad poder-sumisión en las que controlan a la víctima y pueden ser considerados como líderes por ello. Algunos autores consideran que los acosadores persiguen mantener el control de la víctima y manejarla a su antojo. Disfrutan del poder que obtienen de sus víctimas (Ross, 1996) e incluso justifican su agresión debido los atributos de la víctima, incluso llegando a considerar que merecía ser agredida (Garaigordobil y Oñederra, 2010).

También estos menores son relacionados con el maquiavelismo, definido por la carencia de fe en la naturaleza humana, falta de confianza y deshonestidad, y más específicamente, entendido en este contexto como la habilidad para manipular y ejercer el maltrato sobre otros de forma encubierta (Sutton y Keogh, 2000). Otra variable relacionada al maquiavelismo que se ha relacionado con este tipo de acoso es la evitación de la responsabilidad. Esta variable estaría compuesta por la justificación de la agresión a la víctima, culpa a otros y ausencia de remordimientos. Parece ser que los acosadores estaban guiados por razonamientos egocéntricos sintiéndose indiferentes ante los sufrimientos de las víctimas, no empatizaban, no se sentían responsables del daño causado y no experimentaban vergüenza o culpa en situaciones morales (Sutton, Reeves y Keogh, 2000; Menesini y Camodeca, 2008). Estos hechos podrían estar relacionados con el "moral disengagement", según la teoría cognitiva social "moral agency" de Bandura (2002), que describe la desconexión moral como un proceso socio-cognitivo a través del cual una persona normal es capaz de cometer actos horribles en contra de otros.

La comisión de tales actos puede ser debida a diferentes mecanismos como la minimización del propio rol causando el daño (disminuyendo la propia responsabilidad en función de una mayor autoridad o haciendo responsable al grupo), distorsionar el impacto del daño producido (envuelve estrategias que ayudan a distanciar, enfatizando resultados positivos más que los negativos asociados a la conducta agresiva) y culpar y deshumanizar a la víctima (viendo a la víctima como merecedora de estas conductas o responsable del maltrato) (Menesisni, Sanchez, Founzi, Ortega, Costabile y Lo Feudo, 2003). Por lo tanto, estas reestructuraciones cognitivas hacen referencia a argumentos que sirven para realizar la conducta como una justificación moral mediante el uso de un lenguaje que hace parecer menos negativa la agresión, "etiqueta eufemística" o la comparación ventajosa, que sería comparar el acto negativo con otro mucho más grave.

Mediante el uso de estas distorsiones y otras conductas (mentir, engañar...) se evita aceptar la culpa de las agresiones causadas (Powell, Rosen y Huff, 1997) y se inhibe la empatía al no ver el sufrimiento en el otro, sobre todo en los casos de *cyberbullying* (Kowalski y Limber 2007). La baja empatía, por tanto, es un factor principal para llevar a cabo el acoso y está presente en numerosos estudios sobre las características de los acosadores (Loewenstein, 1994; Olweus, 1993; Sanmartín, 2005). También el factor egocentrismo es importante en conjunto con la baja empatía. Explicaría la indiferencia ante el sufrimiento de las víctimas, que no experimentarían vergüenza o culpa en situaciones en las que moralmente deberían sentirlas; mostrando una desconexión moral centrándose en los beneficios que obtienen ellos mismos (Menesisni y Camodeca, 2008; Hymel, Rocke-Henderson y Bonano, 2005).

Incluso en algunos casos, los menores llegan a expresar sentimientos como venganza, agresividad, satisfacción e incluso felicidad tras realizar la agresión y expresan que pensaban que su conducta no afectaba a las víctimas (Kowalski y Limber, 2007; Kowalski y Witte, 2006; Ortega, Sanchez y Menesini, 2002). Hay estudios donde los bullies manifiestan no sentir remordimientos y se mostrarían incluso orgullosos haciendo referencia a las ventajas de acosar en una situación concreta, expresando cierto regocijo al contar una situación de intimidación (Menesisni, Sanchez, Founzi, Ortega, Costabile y Lo Feudo, 2003; Bollmer, Harris y Milich, 2006), donde la obtención de poder social humillando a otros, sería uno de los motivos para agredir (Piñuel y Oñate, 2006).

Figura 2
Perfil del agresor de acoso

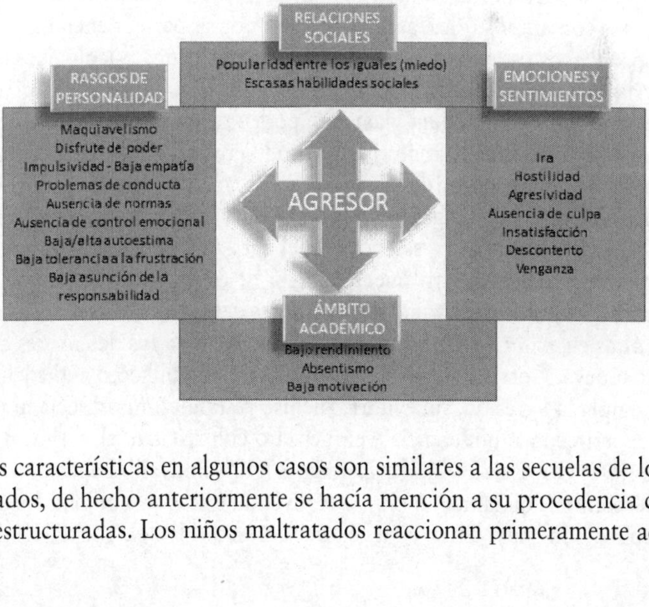

Estas características en algunos casos son similares a las secuelas de los niños maltratados, de hecho anteriormente se hacía mención a su procedencia de familias desestructuradas. Los niños maltratados reaccionan primeramente adoptando patrones similares de conducta a los de sus padres, de agresión instrumental destinada a obtener algo (es decir agredo para conseguir lo que quiero) (Cantón y Cortés, 1998). Podría ser que estas características estuvieran relacionadas con la expresión de la ira que muestran los acosadores. Asimismo, tienen en común con los acosadores que suelen mostrar escasas habilidades sociales, incapacidad para resolver problemas de interacción social, reaccionando inadecuadamente a situaciones de estrés, incluso desconexión ante el dolor y baja empatía, en algunos casos explicada por la evasión ante el dolor sufrido. Podría ser que la acumulación de estrés e ira producida por el maltrato produjera esta satisfacción en la agresión a otros como una forma de descarga emocional y como forma de integrar su propio maltrato. Algunos autores llegan incluso a acuñar el término de "agresor feliz" (Hymel, Rocke-Henderson y Bonanno, 2005), de hecho las víctimas que experimentaban mayores sentimientos de ira, tendían a convertirse en agresores. Mientras que, cuando la victimización provoca impotencia, depresión y temor es más habitual que las víctima se aísle progresivamente (Li, 2006; Hoff y Mitchell, 2009).

Por lo tanto, como en muchas circunstancias de la vida, es muy importante la forma en la que se afronte la situación y se integre la experiencia vivida. Por otra parte, cuando el agresor ha sido víctima o lo es a su vez, es más consciente y reconoce los efectos de la agresión ya que el mismo los padece o ha padecido (Ortega, Elipe y Calmaestra, 2009). En general, los menores involucrados en el rol de agresor presentan trastornos de conducta externalizada e hiperactividad, mientras que la víctima tendería a manifestar comportamientos internalizantes. Los menores con ambos roles, agresor-víctima por su parte, tienen más riesgo de padecer problemas psiquiátricos y de sufrir más trastornos psicológicos (Kumpulainen, Rasanen y Henttonen, 1999).

Aparte del rol de la víctima y agresor, podemos encontrar otros tipos de roles que ayudarían o dificultarían que se produjera la agresión. Encontramos la audiencia pasiva, el defensor de la víctima y el seguidor del agresor (ayudantes y reforzadores) (Salmivalli, Lagerspetz, Björkqvist, Österman y KAukiainen, 1996; Olthof y Goosens, 2008). Los seguidores del agresor serían aquellos que animan al agresor y se posicionan activamente a favor de éste, incluso sujetando a la víctima durante la agresión. El grupo de seguidores del agresor presentan puntuaciones más altas en evitación de la responsabilidad frente a los defensores de la víctima (Villanueva, Gorriz, Adrian y Cuervo, 2009). El público o audiencia pasiva, que contempla la agresión, sin evitarlo incluso restando importancia al maltrato pueden experimentar indiferencia, vergüenza o culpa (Caurcel y Almeida, 2008; Olweus, 1998; Goossens, Olthof y Dekker, 2006; Salmivalli, Lagerspetz, Björkqvist, Österman y Kaukiainen, 1996). Los niveles de responsabilidad encontrados en el público son muy cercanos a los del agresor (Hymel, rocke-Henderson y

Bonanno, 2005). Por último, los defensores de la víctima intervienen para parar la situación, manifiestan su rechazo por la agresión y muestran empatía por la víctima (Górriz, Villanueva, Cuervo y Adrián, 2010).

Se ha demostrado que los diferentes roles conllevan a diferencias en las variables psicológicas. Por ejemplo, en relación al maquiavelismo, se encontraron niveles distintos entre los diferentes roles. En concreto, en relación a la variable evitación de la responsabilidad, se encontraron diferencias significativas entre el grupo de seguidores del agresor y el grupo de los defensores de la víctima. Ésta era más alta, como se puede esperar, en el grupo de los seguidores del agresor. Menos esperable resultó la escasa evitación de responsabilidad que presentaban los agresores. Esto podría ser debido a la normalización de la agresividad, la indiferencia ante la misma o el orgullo e incluso regocijo que llegan a sentir en algunos casos (Górriz, Villanueva, Cuervo y Adrián, 2010).

Cuando unos estudiantes se agrupan para acosar a otro, actúan mecanismos grupales sociopsicológicos como el contagio social, debilitación del control y de las inhibiciones contra tendencias agresivas, división de la responsabilidad y cambios graduales cognitivos en la percepción del acoso y de la víctima como se ha hecho referencia anteriormente (Garadeau y Cillessen, 2006). Para poder "desactivar" este tipo de efectos sería importante intervenir en estos roles secundarios. Estos últimos roles secundarios son menos estudiados pero claves en la prevención y en la disminución del acoso. Los nuevos enfoques relacionados con la intervención focalizan la atención en el público o audiencia pasiva, el defensor de la víctima, el seguidor del agresor, etc., para detener este tipo de conductas intentando incrementar el número de defensores de las víctimas (Hymel, Rocke-Henderson y Bonanno, 2005; Menesini et al., 2003; Olthof y Goosens, 2008).

Centrarse en los espectadores ha sido una estrategia preventiva común a lo largo de los años (Smith, 2012). Teniendo en cuenta estas consideraciones, existe un programa de intervención específico para esta problemática. El programa *KiVa* está basado en la evidencia de que los cambios comportamentales positivos entre los iguales reducen las recompensas obtenidas por los acosadores y consecuentemente su motivación para agredir a los demás (Salmivalli, Kärnä y Poskiparta, 2010). Este programa se centra en reforzar o aumentar la empatía, autoeficacia y actitudes *antibullying* en los espectadores, que no son ni acosadores ni víctimas, aumentando la defensa y el apoyo a las víctimas (Pöyhönen, Juvonen y Salmivalli, 2010). Partiendo de que no todos los niños de un grupo de amigos pertenecen a una misma clase escolar, las intervenciones que se caractericen por el cambio en el comportamiento dentro de una clase, pueden ser generalizadas a los contextos de fuera de la clase. El programa consiste en general, en incrementar la conciencia que tiene la clase en el mantenimiento del *bullying* y promover las estrategias para el apoyo de las víctimas y por lo tanto su autoeficacia.

El programa incluye, por ejemplo, actividades relacionadas con el acoso a través de las TICs, discutir las actividades apropiadas de afrontamiento al acoso, comentar actitudes de respeto ante los compañeros y proporcionar formas específicas de responder al *cyberbullying*. Entre clases, los estudiantes pueden jugar a juegos de ordenador que refuerzan las actividades de clase y permiten practicar nuevas habilidades de defensa en un entorno virtual. Estas actividades se centran en incidentes específicos del *bullying* y *cyberbullying* a través de la intervención de los adultos y el apoyo entre iguales al alumno victimizado. Los miembros del programa KiVa (2 o 3 profesores del centro) llevan a cabo sesiones individuales y grupales con los bullies y las víctimas, mientras el profesor en la clase identifica varias de las víctimas y las ayuda a afrontar situaciones (Salmivalli y Poskiparta, 2012). Este programa tiene en cuenta las diferencias entre *bullying* y *ciberbullying* e incluye una guía para los padres con consejos acerca de qué hacer o cómo prevenir y reducir el problema.

4. CONSECUENCIAS PSICOSOCIALES DE LA IMPLICACIÓN EN EL ACOSO ESCOLAR

Si no se interviene de ninguna forma, las consecuencias según la participación en cada uno de los roles son diversas. La víctima sufre secuelas y efectos psicológicos relativamente directos, sin embargo el agresor y los testigos tendrían otro tipo de consecuencias a largo plazo, en relación a aprendizajes y hábitos negativos que influenciarán su futuro a nivel comportacional. No obstante, las heridas emocionales y el impacto de la violencia afecta a todos sus participantes (Ortega, 2005). Los menores expuestos a estos comportamientos tienen mayores probabilidades de sufrir desajustes psicosociales y trastornos psicopatológicos que los menores no expuestos a este tipo de agresiones tanto en la adolescencia como en la edad adulta. En definitiva, el ciberacoso como la cibervictimizacion están asociados con problemas psiquiátricos y psicosomáticos (Sourander, Brunstein-Klomek, Ikonen, Lindroos, Luntamo, Koskelainen, Ristkari, Helenius, 2010).

Al estudiar las consecuencias de estos tipos de acoso a largo plazo, se encuentra que los agresores presentan conductas violentas, de amenaza, uso de la agresividad como técnica de solución de conflictos, presentan conductas delictivas, aislamiento social, dependencia de las tecnologías, consumo de drogas y baja estabilidad emocional. Además de tener más problemas en el acatamiento de las normas y un mayor comportamiento agresivo (Garaigordobil, 2013; Hernández Prados, 2006; Ybarra y Mitchell, 2007). Presentan problemas de conducta con bajo comportamiento prosocial, abuso constante de alcohol y tabaco y dolores de cabeza (Sourander et al., 2010). Estudios a largo plazo encontraron que estos menores presentaron algún tipo de relación con la justicia, cometieron algún hecho delictivo, contaban con más detenciones que los no acosadores y solían llevar más armas (Andrews, 2000; Avilés 2002; Piñuel y Oñate, 2006; Ybarra, Dienerwest y Leaf, 2007).

Las principales consecuencias del acoso a nivel general en la víctima serían la depresión, ansiedad, baja autoestima y fracaso escolar (Garaigordobil y Oñederra, 2010; Estévez, Villardon, Calvete, Padilla y Orue, 2010; Dehue, Bolman y Vollink, 2008). El acoso provoca temor y miedo permanente que se puede manifestar de diferentes formas (Fernández y Martín, 2005). Provoca sentimientos frecuentes de enfado, tristeza, indefensión, ira, sensaciones de inseguridad, ansiedad e infelicidad (Orteaga, Calmaestray y Mora-Merchan, 2008; Patchin e Hinduja, 2006). La ansiedad y todas estas alteraciones provocan dificultad para dormir y cambios en el estado de ánimo.

Como síntomas fisiológicos se encuentra: enuresis, trastornos de la alimentación y somatizaciones-dolor de cabeza, pecho, estomago, extremidades, vómitos, problemas visuales, hiperventilación, amnesia temporal, fatiga crónica y úlceras. Como secuelas: sintomatología de estrés postraumático en el 53.7% de los casos, depresión en el 54.8%, flashbacks en el 29.9% y somatizaciones en el 55% (Piñuel y Oñate 2006).

Las víctimas, a posteriori manifiestan que no podían dejar de pensar en el incidente, sintiéndose nerviosos e irritables, con pérdida de interés en las cosas, reacciones de ensimismamiento o reacciones agresivas (Carozzo, 2010; Wolak, Mitchell y Finkelhor, 2006). Todos estos síntomas influencian gravemente las relaciones con los otros estudiantes y con los docentes, lo que influye directamente en la baja concentración, notas bajas y absentismo escolar (Carozzo, 2010; Beran y Li, 2007). Como consecuencia manifiestan conductas de tipo evitativo como renuncia o pánico de asistir al centro educativo, problemas de conducta, abandono escolar o dificultades escolares (Loredo, Perea- López, 2008).

En relación a la interiorización de estas agresiones, las victimizacines físicas suelen desarrollar atribuciones externalizadas, mientras que las verbales son más dañinas, ya que pueden provocar la internalización de los aspectos negativos por parte del niño (Collel y Escude, 2006). La victimización relacional por otra parte, también es muy peligrosa al transmitir a la víctima el rechazo de sus compañeros, al igual que la falta de apoyo social o negarle como persona (Collel y Escude, 2006).

Toda esta problemática contribuye al aislamiento social y a tener un menor número de amigos, lo que provoca sentimientos de soledad e infelicidad, autodesprecio, disminución de la autoestima y autoimagen negativa en el menor (Carozzo, 2010; Piñuel y Oñate 2006). En general, el deterioro de la autoestima y confianza en sí mismos les lleva a un desajuste psicosocial general (Manke, 2005).

Todos estos síntomas mantenidos a lo largo del tiempo van empeorando la situación hasta legar a casos extremos. Como ejemplo de lo anterior, a continuación se muestra un extracto de la nota de suicidio de Carlos Vigil, el joven que se quitó la vida en México en 2013.

> *"Pido perdón a aquellos a quienes he ofendido a lo largo de los años. Estoy ciego si no veo que, como ser humano, doy asco. Soy un individuo que está cometiendo una injusticia al mundo y es hora de que me vaya. Supongo que es mejor así, porque ahora me voy y no hago daño a nadie. Los chicos en el instituto tienen razón, soy un perdedor, un freak y un maricón, y de ninguna manera esto es aceptable para la gente. Siento no ser una persona de la que alguien pueda estar orgulloso. Ahora soy libre. Besos".*

Los adolescentes no suelen hablar de lo que les está sucediendo debido a diferentes motivos, como la atribución de la culpa a ellos mismos, miedo a posibles represalias por parte los compañeros o por parte de los padres, o en los peores casos debido al trauma emocional. De hecho, la cuarta parte de las víctimas no buscaría ningún tipo de ayuda contribuyendo al empeoramiento de la situación (Price y Dalweist, 2010). En los casos en los que sí lo cuentan, reciben ayuda de amigos o familiares, sin embargo esta ayuda suele ser ineficaz en muchas ocasiones. A medida que son más mayores informan menos a los adultos, especialmente los chicos, por el miedo a ser considerado un chivato, este efecto es conocido como "la ley del silencio" que contribuye a la cronificación del abuso (Garaigordobil, 2011).

La duración del maltrato es una variable principal a la hora de valorar el ajuste psicosocial. En este sentido, si la "ley del silencio" perdura y estos síntomas no son tratados o expresados de la manera adecuada, pueden llevar a episodios más dramáticos. Tales casos provocan graves amenazas contra la integridad de la víctima y pueden llegar en algunos casos al suicidio cuando ésta no tiene mayor capacidad para aguantar el sufrimiento. Algunos menores llegan a expresar sobre ellos mismos que dan asco y que no merecen vivir, explicándolo en sus notas suicidas.

Parece ser que son ya siete menores en nuestro país los que han llegado a estos extremos (Jokin Cebreiro, Cristina C. G, Mónica Jaramillo, Carla Díaz y Arancha, más dos casos este mismo año, Alan y Diego González). Aunque la cifra es mucho mayor en algunos países extranjeros como Inglaterra o Estados Unidos. Entre estos casos se puede encontrar alguno con consecuencias jurídicas para los acusados (Cuerda, 2006).

Hinduja y Patchin (2010) encontraron que ser víctima de *cyberbullying* estaba significativamente relacionado con pensamientos suicidas, de la misma forma que con el *bullying* tradicional. Las víctimas tenían el doble de probabilidad de tener intentos suicidas comparados con los jóvenes que no lo habían sufrido, llegando a cifras alarmantes como al 20% de ideación suicida (Hinduja y Patchin,

2010; Carozzo, 2010). Sin embargo, en un estudio con 4 años de seguimiento se encuentra que los menores relacionados con conductas de acoso, tanto víctimas como acosadores, no mostraban rasgos de futura depresión, ideación suicida o intentos de suicidio si no habían tenido otros factores de riesgo asociados (Klomek, Kleinman, Altschuler, Marrocco, Amakawa y Gould, 2011). Otro de los escasos estudios al respecto, con seguimiento longitudinal demuestra que las conductas relacionadas con el *bullying* en niños, sí predicen depresión futura, pero no necesariamente ideación suicida. Por lo tanto es necesario analizar cuidadosamente los factores psicológicos y sociales que rodean al menor para entender las causas de la conducta suicida (Kelly, Newton, Stapinski, Slade, Barrett, Conrod y Teesson, 2015; Klomek, Sourander, Niemelä, Kumpulainen, Piha, Tamminen, Almqvist y Gould, 2009).

5. MEDIDAS INMEDIATAS ANTE UN CASO DE CIBERACOSO

Para evitar llegar a estos acontecimientos tan dramáticos, la Guía clínica del ciberacoso para profesionales de la salud (2015), destaca que el objetivo es detener el acoso lo antes posible y poner en marcha los mecanismos posibles para proteger a la víctima, y recomienda las siguientes actuaciones como medidas iniciales:

- Impedir el contacto con la víctima según el medio utilizado para acosar (bloquear o eliminar al acosador).
- Ponerse en contacto con él y con sus padres, si se conoce su identidad. En caso contrario, denunciar los hechos a la plataforma digital y eliminar los comentarios ofensivos.
- Ponerse en contacto con el centro escolar por si hubiera otros menores implicados y se pongan en marcha los protocolos de actuación y prevención en el centro escolar.
- Recoger y almacenar las pruebas del acoso por si fueran necesarias para una denuncia. Esta información deberá ser recogida en forma de captura de pantalla o "pantallazo" del dispositivo utilizado.
- Se pueden utilizar líneas de ayuda para asesorar a la víctima.
- La denuncia debe reservarse para última instancia o situaciones especialmente graves, ya que en la mayoría de los casos es difícil que haya repercusión legal de los hechos. A la larga, la vía judicial podría ser perjudicial para la víctima.

Asimismo, se debería actuar con cuidado en el tratamiento jurídicopenal de las conductas de acoso escolar debido a su carácter ambiguo, tanto en el ámbito psicológico como jurídico, por lo que la tipicidad deberá depender del modo en que se materialicen los hechos. De la misma forma, los principales delitos aplicables a estos casos serían: Delito contra la integridad moral, child *grooming*, delitos contra la intimidad y amenazas e injurias. Incluso desde el sistema de justicia juvenil, desde la Fiscalía General del Estado, se hace hincapié en la necesidad de la intervención de otros sistemas, como el educativo y familiar, en el tratamiento de este tipo de conductas. Dónde se enfatiza que se deben anteponer estos sistemas a la consecuencia penal, que por definición actuaría en las consecuencias sin posibilidad de intervenir en la modificación de los factores causantes de la problemática (Cuerda, 2014).

Por todo lo anterior, a la hora de intervenir en este tipo de violencia, se debería tener presente las consecuencias para los menores, tanto víctimas como testigos e incluso para los agresores, ya que a nivel objetivo esto repercute en el futuro funcionamiento de la sociedad. El hecho de estar involucrado de cualquier forma en este tipo de violencia puede llegar a afectar en la vida adulta, como se comprueba en diferentes estudios retrospectivos, causando a largo plazo la depresión, consumo de drogas, delincuencia, etc. (Mora-Merchán, 2006; Mitchell, Ybarra y Finkelhore, 2007). Asimismo, debido al aumento alarmante de este fenómeno de violencia es evidente que aún queda mucho por hacer en el ámbito de la educación y prevención, por lo que es tarea de la sociedad y los organismos poner los medios necesarios para el control y la intervención efectiva en esta materia a través de investigaciones que ayuden a comprender las diferentes formas de violencia tecnológica y sus consecuencias.

6. BIBLIOGRAFÍA

ÁLVAREZ-GARCÍA, D., NÚÑEZ, J. C., ÁLVAREZ, L., DOBARRO, A., RODRÍGUEZ, C., y GONZÁLEZ-CASTRO, P. (2011), "Violencia a través de las Tecnologías de la Información y la Comunicación en estudiantes de secundaria". *Anales de Psicología*, 27(1), 221-230.

ANDREWS, C. (2000), *Juvenile Justice Journal-VII*. Washington, DC: U.S. Department of Justice, Office of Justice Programs, Office of Juvenile Justice and Delinquency Prevention.

AVILÉS, J. M. (2002), *Bullying. Intimidación y maltrato entre el alumnado*. Bilbao: STEE.

BANDURA, A. (2002), "Selective Moral disengagement in the exercise of moral agency". *Journal of Moral Education*, 31, 101-119.

BATSCHE, G. M. y KNOFF, H. M. (1994), "Bullies and their Victims: Understanding a Pervasive Problem in the Schools". *School Psychology Review*, 23(2), 165-174.

BERAN, T. y Li, Q. (2007), *The relationship between* cyberbullying and school bullying. *Journal of Student Wellbeing*, 1, 15-33.

BICKHAM, D. S., y RICH, M. (2009), "Global assessment of online threats and intervention opportunities for adolescents". *Journal of Adolescent Health*, 44(2), 1, 18-19.

BOLLMER, J. M., HARRIS, M. J. y MILICH, R. (2006), "Reactions to bullying and peer victimization: Narratives, physiological arousal and personality". *Journal of Research in Personality*, 40 (5), 803-828.

BOSWORTH, K., ESPELAGE, D. L. y SIMON, T. (1999), "Factors associated with bullying behaviour in middle school students". *Journal of Early Adolescence*, 19, 341-362.

BUELGA, S., CAVA, M. J. y MUSITU, G. (2010), "Cyberbullying: victimización entre adolescentes a través del teléfono móvil y de internet". *Psicothema*, 22(4), 784-789.

BURGUESS-PROCTOR, A., PATCHIN, J. W. y HINDUJA, S. (2009), *Cyberbullying and online harassment: Reconceptualising the victimization of adolescent girls*. En García, V. y Clifford, J. (Eds.) *Female crime victims: Reality reconsidered,* 153-175. Upper Saddle River, NJ: Prentice Hall.

CALMAESTRA, J., ORTEGA, R. y MORA-MERCHÁN, J. A. (2008), "Las TIC y la convivencia. Un estudio sobre formas de acoso en el ciberespacio". *Investigación en la Escuela, 64*, 93-103.

CANTÓN, J. y CORTÉS, M. R. (1998), *Malos tratos y abuso sexual infantil.* Madrid: Siglo XXI de España.

CAROZZO, J. C. (2010), "El *bullying* en la escuela". *Revista Psicología,* 12, 329-346.

CAURCEL, M. y ALMEIDA, A. (2008), "La perspectiva moral de las relaciones de victimización entre iguales: un análisis exploratorio de las atribuciones de adolescentes españoles y portugueses". *European Journal of Education and Psychology*, 1(1), 51-68.

COLLELL, J., y ESCUDÉ, C. (2006), "El acoso escolar: un enfoque psicopatológico". *Anuario de Psicología Clínica y de la Salud,* 2, 9-14.

CUERDA, M. L. (2006), A"coso escolar y derecho penal de menores". En J. L. González Cussac y M. L Cuerda (Coords.), *Estudios sobre la responsabilidad penal del menor,* (pp. 175-200). Castellón: Servei de publicacions Universitat Jaume I.

CUERDA, M. L. (2014), "Menores y redes sociales: protección penal de los menores en el entorno digital". *Cuadernos de política criminal, 112*, 5-46.

DEHUE, F., BOLMAN, C., y VOLLINK, T. (2008), "Cyberbullying: Youngsters' experiences and parental perception". *CyberPsychology & Behavior,* 11, 217-223.

DEL BARRIO, C., ESPINOSA, M. A., MARTÍN, E., OCHAÍTA, E., MONTERO, I., BARRIOS, A., DE DIOS, M. J., y GUTIÉRREZ, H. (2007), *Violencia Escolar: El Maltrato entre Iguales en la Educación Secundaria Obligatoria 1999-2006*. Nuevo estudio y actualización del Informe 2000 Elaborado por Madrid: Publicaciones de la Oficina del Defensor del Pueblo.

DEL-RÍO, J., SÁBADA, C. H., y BRINGUÉ, X. (2010), "Menores y redes ¿sociales?: de la amistad al *cyberbullying*". *Revista de estudios de juventud*, 88, 115-129.

DÍAZ-AGUADO, M. J. (2004), "La violencia en la escuela". En: Sanmartín, J. (Coord.) *El laberinto de la violencia. Causas, tipos y efectos.* Barcelona: Ariel.

ESTEVE, J. M., MERINO, D., y CANTOS, B. (2001), *La escolarización de los niños inmigrantes en el Campo de Gibraltar.* Proyecto de Investigación financiado con fondos FEDER. Trabajo de investigación no publicado. Universidad de Málaga.

ESTÉVEZ, A., VILLARDÓN, L., CALVETE, E., PADILLA, P., y ORUE, I. (2010), "Adolescentes víctimas de *cyberbullying*: prevalencia y características". *Psicología Conductual*, 18(1), 73-89.

FÉLIX-MATEO, V., SORIANO-FERRER, M., GODOY-MESAS, C., y SANCHO-VICENTE, S. (2010), "El ciberacoso en la enseñanza obligatoria". *Aula abierta,* 38, 47-58.

FERNÁNDEZ, I., y MARTÍN, E. (2005), *Escuela sin violencia.* Méjico: Alfaomega.

FINKELHOR, D. (1997), "The victimization of children and youth: Developmental victimology". En Davis, R. C., Lurigio, A. J., y Skogan, W. G. (Eds.). *Victims of crime,* 86-107. Thousand Oaks, CA: Sage.

GARAIGORDOBIL, M. (2011), "Prevalencia y consecuencias del *cyberbullying*: una revisión". *International Journal of Psychology and Psychological Therapy,* 11(2), 233-254.

GARAIGORDOBIL, M. (2013), *Cyberbullying: Screening de Acoso entre Iugales.* Madrid: TEA.

GARAIGORDOBIL, M. (2015), "*Ciberbullying* en adolescentes y jóvenes del País Vasco: Cambios con la edad". *Anales de psicología,* 31, 1069-1076.

GARAIGORDOBIL, M., y MARTÍNEZ-VALDEREY, V. (2014), *Programa de intervención para prevenir y reducir el cyberbullying.* Madrid: Piramide.

GARAIGORDOBIL, M., y OÑEDERRA, J. A. (2010), *La violencia entre iguales: Revisión teórica y estrategias de intervención.* Madrid: Pirámide. ISBN: 978-84-368-2348-6.

GARAIGORDOBIL, M., MARTÍNEZ-VALDERREY, V., y PÁEZ, D. (2015), "*Bullying* y *cyberbulling*: diferencias entre colegios públicos-privados y religiosos-laicos". *Pensamiento Psicológico, 13,* 1, 39-52.

GARANDEAU, C., y CILLESSEN, A. (2006), "From indirect aggression to invisible aggression: A conceptual view on bullying and peer group manipulation". *Aggression and Violent Behavior*, 11, 641-654.

GOOSSENS, F. A., OLTHOF, T., y DEKKER, M. C. (2006), "The new participant role scales: A comparison between various criteria for assigning roles and indications for their validity". *Aggressive Behavior*, 32, 343-357.

GÓRRIZ, A. B., VILLANUEVA, L., CUERVO, K., y ADRIÁN, J. E. (2010), "Un enfoque sociogrupal del acoso escolar: roles participantes y estatus sociometrico". *Revista de Psicología, International Journal of Developmental and Educational Psychology,* 1(3), 195-202. ISSN: 0214-9877.

GRUPO DE TRABAJO DE LA GUÍA CLÍNICA DE CIBERACOSO PARA PROFESIONALES DE LA SALUD (2015), *Guía clínica de ciberacoso para profesionales de la salud 2015.* Plan de confianza del ámbito digital del Ministerio de Industria, Energía y Turismo. Hospital Universitario La Paz, Sociedad Española de Medicina del Adolescente. Madrid.

HERNÁNDEZ-PRADOS, M. A. (2006), *Cyberbullying: Una auténtica realidad.* Memorias III Congreso Online Observatorio para la sociedad. Celebrado de 20 de noviembre al 3 de diciembre de 2006, www.cibersociedad.net.

HINDUJA, S., y PATCHIN, J. W. (2008), "Cyberbullying: an exploratory analysis of factors related to offending and victimization". *Deviant Behavior,* 29, 129-156.

HINDUJA, S., y PATCHIN, J. W. (2010), "Bullying, Cyberbullying, and Suicide". *Archives of Suicide Research,* 14(3), 206-221.

HOFF, D. L., y MITCHELL, S. N. (2009), "Cyberbullying: Causes, effects, and remedies". *Journal of Educational Administration,* 47, 652-655.

HYMEL, S., ROCKE-HENDERSON, N. y BONANNO, R. A. (2005), "Moral Disengagement: A Framework for Understanding Bullying Among Adolescents". *Journal of Social Sciences*, 8, 1-11.

KATZER, C., FETCHENHAUER, D., y BELSCHAK, F. (2009), "Cyberbullying: Who are the victims? A comparison of victimization in Internet chatrooms and victimization in school". *Journal of Media Psychology*, 21(1), 25-36.

KELLY, E., NEWTON, N., STAPINSKI, L., SLADE, T., BARRETT, E., CONROD, P. y TEESSON, M. (2015), "Suicidality, internalizing problems and externalizing problems among adolescent bullies, victims and bully-victims". *Preventive Medicine*, 73 100-105.

KLOMEK, B. A., KLEINMAN, M., AlTSCHULER, E., MARROCCO, F., AMAKAWA, L. y GOULD, M. S. (2011), "High school bullying as a risk for later Bullying and Suicide: Cautionary Notes 4 depression and suicidality". *Suicide and Life Threatening Behavior*, 41, 501-516.

KLOMEK, A. B., SOURANDER A., NIEMELÄ, S., KUMPULAINEN, K., PIHA, J., TAMMINEN, T., ALMQVIST, F. y GOULD, M. S. (2009), "Childhood bullying behaviors as a risk for suicide attempts and completed suicides: a population-based birth cohort study". *Journal of the American Academy of Child and Adolescent Psychiatry*, 48(3), 254-61.

KOWALSKI, R. M. y LIMBER, S. P. (2007), "Electronic bullying among middle school students". *Journal of Adolescent Health*, 41(6, Supplement 1), 22-30.

KOWALSKI, R. y WITTE, J. (2006), *Youth Internet survey*. Recuperado el 19 de noviembre de 2010 de http://www.camss.clemson.edu/KowalskiSurvey/servelet/Page1.

KUMPULAINEN, K., RÄSÄNENE y HENTTONEN, E. (1999), "Children involved in bullying: psychological disturbance and persistence of the involvement". *Child Abuse & Neglect*, 23, 1253-1262.

LI, Q. (2006), "Cyberbullying in schools: A research of gender differences". *Schools Psychology International*, 27, 157-170.

LOEWENSTEIN, G. (1994), "The psychology of curiosity: A review and reinterpretation". *Psychological Bulletin*, 116, 75-98.

LOREDO-ABDALÁ, A., PEREA-MARTÍNEZ, A., y LÓPEZ-NAVARRETE, G. E. (2008), "«Bullying»: acoso escolar. La violencia entre iguales. Problemática real en adolescentes". *Acta Pediátrica de México*, 29(4), 210-214.

MAHDAVI, J. y SMITH, P. K. (2007), "Individual risk factors or group dynamics? An investigation of the scapegoat hypothesis of victimisation in school classes". *European Journal of Developmental Psychology*, 4, 353-341.

MANKE, B. (2005), *The impact of cyberbullying*. Recuperado el 1 de agosto de 2006 de http://www.mindoh.com/docs/BM_Cyberbullying.pdf.

MENESINI, E. y CAMODECA, M. (2008), "Shame and guilt as behaviour regulators: relationships with bullying, victimization and prosocial behaviour". *British Journal of Developmental Psychology*, 26, 183-196.

MENESINI, E., SÁNCHEZ, V., FONZI, A., ORTEGA, R., COSTABILE, A. y LO FEUDO, G. (2003), "Moral emotions and bullying: A cross-national comparison of differences between bullies, victims and outsiders". *Aggressive Behavior*, 29(6), 515-530. DOI: 10.1002/ab.10060.

MISHNA, F., KHOURY-KASSABRI, M., GADALLA, T. y DACIUK, J. (2012), “Risk factors for involvement in cyber bullying: Victims, bullies and bullyvictims”. *Children and Youth Services Review*, 34(1), 63-70.

MITCHELL, K., YBARRA, M. y FINKELHOR, D. (2007), “The relative importance of online victimization in understanding depression, delinquency, & substance use”. *Child Maltreatment*, 12(4), 314-324.

MONKS, C. P., SMITH, P. K., NAYLOR, P., BARTER, C., IRELAND, J. L.,y COYNE, I. (2009), “Bullying in different contexts: Commonalities, differences and the role of theory”. *Aggression and Violent Behavior,* 14(2), 1359-1789.

MORA-MERCHÁN, J. A. (2006), “Coping Strategies: Mediators of Long-Term Effects in Victims of Bullying?” *Annuary of Clinical and Health Psychology*, 2, 15-25.

O’MOORE, A. M. (1997), *Self-concept and Bullying Behaviour among School children and adolescent. Abstract, 5th*. European Congress of Psychology. Dublin.

OBSERVATORIO ESTATAL DE CONVIVENCIA ESCOLAR (2008), *Estudio estatal sobre la convivencia escolar en la Educación Secundaria Obligatoria*. Madrid.

OLTHOF, T. y GOOSSENS, F. (2008), “Bullying and the need to belong: Early adolescents’ bullying-related behavior and the acceptance they desire and receive from particular classmates”. *Social Development*, 17, 24-46.

OLWEUS, D. (1993), *Victimization by peers: antecedents and long-term outcomes*. En Rubin, K. H. y Asendorf, J. B. (Eds.). *Social withdrawal, inhibition, and shyness in childhood*, 315-341. Hillsdale, N.J.: Lawrence Erlbaum.

OLWEUS, D. (1998), *Conductas de acoso y amenaza entre escolares*. Madrid: Morata.

ORTE, C. (2006), “Nuevas perspectivas sobre la violencia y el *bullying* escolar”. *Panorama Social,* 3, 27-41.

ORTEGA, R. (2005), “Violencia escolar en Nicaragua. Un estudio descriptivo en escuelas de primaria”. *Revista Mexicana de Investigación Educativa,* 10(26), 787-804.

ORTEGA, R., CALMAESTRA, J. y MORA-MERCHÁN, J. A. (2008), “Estrategias de afrontamiento y sentimientos ante el *cyberbullying*”. *International Journal of Developmental and Educational Psychology,* 1, 123-132.

ORTEGA, R., ELIPE, P. y CALMAESTRA, J. (2009), “Emociones de agresores y víctimas de *cyberbullying*: un estudio preliminar en estudiantes de secundaria”. *Ansiedad y Estrés,* 15, 151-165.

ORTEGA, R., SÁNCHEZ, V. y MENESINI, E. (2002), “Violencia entre iguales y desconexión moral: un análisis transcultural”. *Psicothema*, 14, 37-49.

PATCHIN, J. W. y HINDUJA, S. (2006), “Bullies Move beyond the Schoolyard: A Preliminary Look at Cyberbullying”. *Youth Violence and Juvenile Justice*, 4(2), 148-169.

PIÑUEL, I., y OÑATE, A. (2006), *Estudio Cisneros IX. Riesgos Psicosociales en profesores de enseñanza a de la Comunidad de Madrid*. Instituto de Innovación Educativa y Desarrollo Directivo (IIEDD).

POWELL, K., ROSEN, L. y HUFF, M. (1997), “Disruptive behaviour disorders and the avoidance of responsibility”. *Personality and Individual Differences*, 23, 549-557.

PÖYHÖNEN, V., JUVONEN, J. y SALMIVALLI, C. (2010), “What does it take to stand up for the victim of bullying? The interplay between personal and social factors”. *Merrill-Palmer Quarterly*, 56, 143-163. doi: 10.1353/mpq.0.0046.

PRICE, M., y DALGLEISH, J. (2010), "Cyberbullying. Experiences, impacts and coping strategies as described by Australian young people". *Youth Studies Australia,* 29(2), 51-59.

ROSS, D. (1996), "Review of literature, variety of strategies for guidance counsellors and others". *Childhood Bullying and Teasing*, 5(10), 11, 13-20.

SALMIVALLI, C. LAGERSPETZ, K., BJÖRKQVIST, K., ÖSTERMAN, K. y KAUKIAINEN, A. (1996), "Bullying as a group process: Participant roles and their relations to social status within the group". *Aggressive Behavior,* 22, 1-15. doi: 10.1177/0165025411407457.

SANMARTÍN, J. (2005), *Informe de resultados del estudio sobre el acoso escolar entre compañeros en la ESO*. IX Encuentro Internacional sobre Biología y Sociología de la Violencia: Violencia y Escuela. Centro Reina Sofía para el Estudio de la Violencia. Valencia.

SCHUSTER, B. (1999), "Outsiders at school: The prevalence of bullying and its relation with social status". *Group Processes & Intergroup Relations*, 2, 175-190.

SERRANO, A. e IBORRA, I. (2005), *Violencia entre compañeros en la escuela.* Valencia: Centro Reina Sofía, Serie Documentos, nº 9.

SLABY, R. G., y GUERRA, N. (1988), "Cognitive mediators of aggression in adolescent Offenders: Assessment". *Developmental Psychology*, 24, 580-588.

SMITH, P. K. (2006), *Ciberacoso: naturaleza y extensión de un nuevo tipo de acoso dentro y fuera de la escuela.* Paper presentado al Congreso Educación Palma de Mallorca.

SMITH, P. K. (2012), *Cyberbullying and cyber aggression.* En Jimerson, S. R., Nickerson, A. B., Mayer, M. J., y Furlong, M. J. (Eds.), *Handbook of school violence and school safety: International research and practice*, 93-104. New York: Routledge.

SMITH, P. K., MAHDAVI, J., CARVALHO, C., FISHER, S., RUSSELL, S. y TIPPETT, N. (2008), "Cyberbullying: Its nature and impact in secondary school pupils". *Journal of Child Psychology and Psychiatry*, 49, 376-385.

SOURANDER, A., BRUNSTEIN-KLOMEK, A., IKONEN, M., LINDROOS, J., LUNTAMO, T., KOSKELAINEN, M., RISTKARI, T. y HELENIUS, H. (2010), "Psychosocial risk factors associated with cyberbullying among adolescents: a population-based study". *Arch Gen Psychiatry,* 67, 720-728.

SUTTON, J., y KEOGH, E. (2000), "Social competition in school: Relationships with bullying, Machiavellianism and personality". *British Journal of Educational Psychology,* 70(3), 443-456.

SUTTON, J. y KEOGH, E. (2001), "Components of Machiavellian beliefs in children: Relationships with personality". *Personality and Individual Differences,* 30, 137-148.

SUTTON, J., REEVES, M. y KEOGH, E. (2000), "Disruptive behavior, avoidance of responsibility and theory of mind". *British Journal of Developmental Psychology*, 18, 1-11.

SUTTON, J., SMITH, P. K. y SWETTENHAM, J. (2001), "It's Easy, It Works, and It Makes Me Feel Good. A Response to Arsenio and Lemerise". *British Psychological Society*, 10(1), 74-78.

SWEARER, S. M. y DOLL, B. (2001), "Bullying in schools: An Ecological Framework". *Journal of Emotional Abuse*, 2, 7-23.

TOKUNAGA, R. S. (2010), "Following you home from school: A critical review and synthesis of research on cyberbullying victimization". *Computers in Human Behavior*, 26(3), 277-287. doi: 10.1016/j.chb.2009.11.014.

VIÑAS, F. y GONZÁLEZ, M. (2010), "Amenazas a través de la telefonía móvil e internet: perfil psicológico y consecuencias emocionales". *Acción Psicológica,* 7(1), 31-40.

WILLARD, N. (2005), "Educator's Guide to Cyberbullying and Cyberthreats". Recuperado el 20 de agosto de 2007 de http://new.csriu.org/cyberbully/docs/cbcteducator.pdf.

WILLARD, N. E. (2006), *Cyberbullying and Cyberthreats: Responding to the challenge of online social cruelty, threats and distress.* Eugene, Oregon: Center for Safe and Responsible Internet Use.

Willard, N. E. (2007), "The authority and responsibility of school officials in responding to cyberbullying" *Journal of Adolescent Health,* 41(6, Supplement1), 64-65.

WOLAK, J., MITCHELL, K. J. y FINKELHOR, D. (2006), "Online Victimization of Youth: Five Years Later". *National Center for Missing & Exploited Children Bulletin.*

YBARRA, M. L., DIENER-WEST, M. y LEAF, P. J. (2007), "Examining the overlap in Internet harassment and school bullying: Implications for school intervention". *Journal of Adolescent Health,* 41, 42-50.

YBARRA, M. y Mitchell, K. (2007), "Prevalence & frequency of Internet harassment instigation: Implications for adolescent health". *Journal of Adolescent Health*, 41(2), 189-195.

Violencia de género y adolescentes. El uso de la tecnología como medio comisivo

Paz Lloria García
Profesora Titular de Derecho penal
Universitat de València

SUMARIO: 1. Introducción: la desigualdad como motor de la violencia de género. Algunas precisiones conceptuales. 2. El incremento de delitos de violencia de género a través del uso de las nuevas tecnologías. 3. Algunas consideraciones en relación con el ámbito de los sujetos ¿es la ciberrelación una relación de pareja?. 4. Acciones delictivas constitutivas de maltrato en el ámbito digital. Especial referencia a las actuaciones de jóvenes y adolescentes. 4.1. Constante la relación de pareja. 4.2. Con el fin de la relación de pareja. 5. La reforma del Código penal operada por la lo 1/2015 en relación con la violencia de género en el entorno digital. 6. Consecuencias. 7. Bibliografía.

RESUMEN: La violencia de género es una de las cuestiones que más preocupa en estos momentos a la sociedad lo que resulta razonable si se toma en consideración el número de mujeres que la sufren. La preocupación se incrementa con la aparición del entorno tecnológico y el renacer del denominado "amor romántico", que ha generado un repunte en la comisión de algunos delitos, fundamentalmente entre los más jóvenes. Los ilícitos que suponen acciones de control junto a la democratización de internet hace que sean estas acciones las más habituales, y que debamos ocuparnos también del nuevo concepto de pareja que surge al hilo de la aparición del las TIC.

PALABRAS CLAVE: desigualdad, violencia de género, adolescentes, concepto de pareja, cibercrimen.

ABSTRACT: Gender violence is one of the issues of greatest concern in today's society which is reasonable taking into account the number of women who suffer from it. The concern increases with the onset of the technological environment and the revival of the so-called romantic love, which has generated a recovery in the commission of certain crimes, primarily among the youngest people. Illegal actions involving control along with the democratization of the Internet, makes them the most common actions, and makes us also deal with the new concept of couple which comes in line with the emergence of ICT.

KEYWORDS: inequality, violence against women, adolescents, concept couple, cybercrime.

1. INTRODUCCIÓN: LA DESIGUALDAD COMO MOTOR DE LA VIOLENCIA DE GÉNERO. ALGUNAS PRECISIONES CONCEPTUALES

La violencia de género o violencia machista constituye un problema de Derechos humanos de los más graves que padece nuestra sociedad. Ciertamente se trata de una cuestión multicausal y de difícil solución como demuestran las cifras de los atentados que sufren las mujeres en el marco de la violencia de pareja[1] y en otros ámbitos, siendo el que mayor impacto el que se produce entre hombres y mujeres que mantienen relaciones familiares o emocionales[2], y que está sufriendo un repunte importante en relación con las parejas jóvenes, como ponen de manifiesto los datos publicados por el Instituto Nacional de Estadística[3].

De las causas que se aducen para su mantenimiento, la más relevante es la posición de desigualdad que las mujeres hemos mantenido en relación con el poder masculino. La perspectiva de género construida socialmente aparece pues como el elemento esencial de la situación de desigualdad históricamente constatable. Este desequilibrio ha tenido una manifestación especialmente importante en el ámbito de la familia y ha sido sustentada por religiones, filosofías, culturas y leyes[4].

Si se realiza una somera reflexión es fácil comprobar como la violencia sobre la mujer se ha ejercido tradicionalmente en el ámbito de las familias en las que el hombre representaba el poder de ordenar las relaciones familiares: el *pater fami-*

---

1 Si atendemos a los datos recogidos por la Memoria de la Fiscalía General del Estado del año 2015, y solo en relación con los delitos más graves, se contabilizan 58 mujeres muertas por esta clase de violencia en el año 2014, teniendo en cuenta que ese mismo año se dictaron 70 Sentencias en relación con delitos contra la vida en el ámbito de la violencia de género, de las cuales 59 fueron condenatorias (84,29%) y 11 absolutorias (15,71%). De las condenatorias, 33 (55,93%) lo han sido por asesinato consumado; 7 (11,86%) por asesinato intentado; 7 (11,86%) por homicidio consumado; 9 (15,25%) por homicidio intentado y 3 (5,1%) por delito de homicidio imprudente. (*Vid*, Memoria de la FGE, disponible en https://www.fiscal.es/memorias/memoria2015/FISCALIA_SITE/recursos/pdf/MEMFIS15.pdf, pp. 345 y ss.).

2 Es también necesario reconocer la existencia de otros tipos de violencia sobre la mujer, como la social, institucional o incluso estatal, que escapa al objeto de este trabajo.

3 Según los datos recopilados para el año 2014 se dictaron 576 órdenes de protección o medidas cautelares para víctimas menores de 18 años, 911 para víctimas entre 18 y 19 años y 3.025 en la franja de 20 a 24 años, todas ellas como consecuencia de actos producidos entre cónyuges, parejas de hecho o relaciones de noviazgo constantes o terminadas. Los datos están disponibles en http://www.ine.es/jaxi/tabla.do.

4 La literatura sobre patriarcado y paternalismo es ingente, por lo que, simplemente a título de ejemplo y como lectura ilustrativa se puede ver HAMILTON, R.: *La liberación de la mujer: patriarcado y paternalismo*, Barcelona, 1980 y especialmente en relación con la materia penal MAQUEDA ABREU, M. L.: "La violencia de género. Entre el concepto jurídico y la realidad social", en *RECPC*, núm. 8, 2006, disponible en http://criminet.ugr.es/recpc/08/recpc08-02.pdf *passim*.

lias ejercía su potestad sobre hijas e hijos, esposa, e incluso madre y hermanas si no tenían varones que "cuidaran de ellas".

Esto suponía la obligación de obediencia de la mujer al hombre, que si no cumplía, podía ejercer *el ius corrigendi* sobre ella.

Desde un punto de vista estrictamente jurídico es común advertir como en los textos legales de una época no muy lejana, reflejo de la sociedad en la que se producen, se trataba a las mujeres como incapaces o menores: lo que se reflejaba en hechos tales como la prohibición de viajar al extranjero sin autorización, la necesidad de solicitar permiso para abrir una cuenta corriente o para solicitar un préstamo, por ejemplo. Para el desarrollo de la vida jurídica ordinaria la mujer precisaba del consentimiento del padre o del esposo en una clara manifestación de desigualdad. Desigualdad que también tenía un sentido y un reflejo en los textos penales que seguían manteniendo esa posición de sometimiento de la mujer al hombre[5], convirtiéndose el problema de la violencia sobre la mujer en una cuestión de Derechos humanos como se ha reconocido en el ámbito internacional.

La comunidad internacional así se ha manifestado en múltiples ocasiones, siendo interesante, por lo reciente de su incorporación a nuestro ordenamiento jurídico, hacer referencia al Convenio de Estambul[6] que nuestro país ratificó el 6 de junio de 2014[7].

El convenio tiene por objeto establecer medidas de prevención para evitar la violencia sobre la mujer y la violencia familiar, dando por supuesto que en todo caso se trata de *lesiones de derechos humanos y tomando como punto de partida la mayor incidencia de la violencia de género por razones de desigualdad.*

En este sentido, también es la primera vez que nos encontramos con una definición de ambas manifestaciones de la violencia, que pueden ser interesantes a todos los efectos, teniendo en cuenta la tradicional discusión que en la materia se ha producido y las críticas a aquellos que identifican la violencia doméstica o fa-

---

5 *Cfr.*, entre otros, ALCALÉ SÁNCHEZ, M.: *La discriminación hacia la mujer por razón de género en el Código penal,* Madrid, 2006; ARROYO ZAPATERO, L.: "La violencia de género en la pareja en el Derecho penal español", disponible en file:///C:/Users/Paz/Downloads/VIODEGENERO.PDF y FARALDO CABANA, P.: "Razones para la introducción de la perspectiva de género en Derecho penal a través de la Ley orgánica 1/2004, de 28 de diciembre sobre medidas de protección integral contra la violencia de género, en *Revista Penal,* núm. 17, 2006, disponible en http://www.uhu.es/revistapenal/index.php/penal/article/viewFile/268/258, p. 73.

6 Convenio del Consejo de Europa sobre prevención y lucha contra la violencia contra las mujeres y la violencia doméstica. *Hecho en Estambul el 11 de mayo de 2011,* disponible en (http://www.boe.es/boe/dias/2014/06/06/pdfs/BOE-A-2014-5947.pdf.

7 BOE de 6 de junio de 2014, núm. 137 disponible en https://www.boe.es/boe/dias/2014/06/06/pdfs/BOE-A-2014-5947.pdf.

miliar con la de género[8]. Por lo demás, el Convenio adopta un concepto de género en función de la construcción social y no biológica que puede ayudar a entender algunas modificaciones incluidas en el Código penal tras la reforma de 2015, y que se adaptan al análisis del origen de la violencia que sufren las mujeres.

El artículo 3 dispone que *por violencia contra la mujer* se debe entender "una violación de los derechos humanos y una forma de discriminación contra las mujeres, y se designarán todos los actos de violencia basados en el género que implican o pueden implicar para las mujeres daños o sufrimientos de naturaleza física, sexual, psicológica o económica, incluidas las amenazas de realizar dichos actos, la coacción o la privación arbitraria de libertad, en la vida pública o privada".

Esto es, se consolida la idea de que la violencia contra la mujer es algo más que el maltrato físico, y se reconocen todas las clases de violencia que tradicionalmente se han señalado: *la violencia psicológica, la sexual y la económica.* Además, se afirma que su base se encuentra en *razones de discriminación, por lo que se vulneran derechos fundamentales.* Esto resulta importante, pues la mayoría de la sociedad, y por tanto, las mujeres no reconocen como actos de violencia aquellos que no impliquen un maltrato físico, sobre todo las más jóvenes que llegan a normalizar situaciones de control o de aislamiento y a identificarlas con manifestaciones de amor y no de maltrato.

Por otra parte, la *violencia doméstica* se define como "todos los actos de violencia física, sexual, psicológica o económica que se producen en la familia o en el hogar o entre cónyuges o parejas de hecho antiguos o actuales, independientemente de que el autor del delito comparta o haya compartido el mismo domicilio que la víctima". Parece que el texto concibe la violencia de género como una clase de violencia doméstica, y que no la deslinda de la violencia machista. Sin embargo, si se accede al siguiente apartado donde se define *qué se entiende por género*, ("los papeles, comportamientos, actividades y atribuciones socialmente construidos que una sociedad concreta considera propios de mujeres o de hombres"), y a la *conceptuación de la violencia contra la mujer por razones de género* ("toda violencia contra una mujer porque es una mujer o que afecte a las mujeres de manera desproporcionada), se puede compartir sin demasiadas dudas la concepción que se transmite con la norma.

---

8 En función de la regulación penal de la materia, históricamente se han hablado de la protección de la mujer a través del castigo de una u otra clase de violencia: doméstica, familiar, de género o machista, conceptuándose, en estos momentos, y por primera vez en un texto penal, de violencia sobre la mujer (art. 84 del CP tras la reforma de 2015). En todo caso, y para un momento anterior se puede ver LLORIA GARCÍA, P.: "La influencia de los medios en la regulación y aplicación de los delitos de violencia sobre la mujer", en MARTÍNEZ GARCÍA, E. (Dir.): *La Prevención y Erradicación de la Violencia de Género. Un estudio multidisciplinar y forense,* Aranzadi, 2014, pp. 179 a 183.

En una primera reflexión, se establece una clara diferenciación entre la violencia que sufren las mujeres por razón de su condición dentro o fuera de la familia, y la violencia que, además, pueden sufrir otros miembros de la unidad familiar, sea por el mismo sujeto activo sea por otros. Esto es, la violencia de género y la violencia familiar.

Con ello se clarifica que la violencia de género es la que *deriva de las situaciones de desigualdad construidas socialmente.*

El problema de la violencia de género es entonces, básicamente, un problema de desigualdad, de educación en la falta de paridad, en la creencia de que el hombre está por encima de la mujer y por ello, ésta debe someterse y esto enfrenta con el problema real: mientras exista desigualdad en la sociedad existirá maltrato.

Por ello, es esencial buscar soluciones que vayan más allá de la mera retribución y que permitan reconocer los hechos de discriminación que son el caldo de cultivo de una violencia futura, lo que ayudará al establecimiento de barreras de control por parte de la propia mujer, sobre todo si se trata de una mujer joven o adolescente, y de medidas educativas y de prevención para evitar la reproducción de modelos de conducta de control aprendidas, que en un llamativo salto atrás, están sufriendo un aumento considerable en los últimos años. Esto ha venido propiciado por dos elementos esenciales: por un lado, la aparición del entorno tecnológico y, por otro, el renacer del amor romántico, lo que da lugar a una nueva manera de relacionarse hombres y mujeres: el llamado "amor 2.0".

2. EL INCREMENTO DE DELITOS DE VIOLENCIA DE GÉNERO A TRAVÉS DEL USO DE LAS NUEVAS TECNOLOGÍAS

La generalización del uso de las nuevas tecnologías de la información y la comunicación (en adelante, TIC) ha supuesto una auténtica revolución en todos los ámbitos y también en el mundo de la realización delictiva. La mayoría de los ciudadanos manejan en su vida cotidiana instrumentos tecnológicos que, además, desde hace pocos años, quedan integrados en la telefonía móvil, lo que facilita la utilización de la misma en cualquier momento y lugar y expande lo que ya se puede denominar democratización del instrumento digital.

Este nuevo entorno, junto a todas las ventajas que plantea[9], se presenta como un medio ideal para la comisión de delitos. No solo los denominados delitos in-

9 No se trata de demonizar la herramienta informática ni las nuevas tecnologías, todo lo contrario. La posibilidad de que la mayoría de los ciudadanos usen de las mismas en el día a día constituye un avance en todos los sentidos.

formáticos en sentido estricto[10] sino también los delitos "clásicos" cobran vida en el entorno tecnológico, como ya pusiera de manifiesto ORTS BERENGUER en una de las primeras obras sobre la materia[11]. Ciertamente, las mismas conductas que tradicionalmente se producen en el denominado "entorno analógico" pueden ser llevadas a cabo en el "espacio digital", incluso, como se explica posteriormente, con mayor facilidad que en el medio común no tecnificado[12], lo que no es más que una consecuencia lógica del espejo social en qué consisten las actuaciones delictivas que, sin embargo, todavía no han encontrado un reflejo suficientemente claro en el texto punitivo[13], ni siquiera en el recientemente modificado[14].

Por lo demás, las nuevas tecnologías tienen dos finalidades fundamentales: la información y la comunicación. Es esta última la que más se utiliza, y ello favorece que en el ámbito de las relaciones personales, y más concretamente en las relaciones de pareja, donde la afectación emocional es mayor se haya incrementado el número de delitos[15] en el caso concreto de los conductas que se pretenden analizar en este trabajo, y en relación con unos bienes jurídicos muy definidos: el

---

10 Existe toda una discusión en torno a cómo denominar la delincuencia que se produce en el ámbito digital y se habla delincuencia informática, ciberdelincuencia, etc., sin ponerse de acuerdo sobre cuál es el contenido que se debe otorgar al concepto. Esto es, si todos los delitos en los que de alguna manera está presente el medio informático o solo aquellos cuyo bien jurídico consiste en lo que se viene a denominar "seguridad informática". *Vid,* sobre esta cuestión, entre otros, ANARTE BORRALLO, E.: "Incidencias de las nuevas tecnologías en el sistema penal. Aproximación al derecho penal en la sociedad de la información", en *Derecho y conocimiento, vol. 1,* pp. 198 a 217 y HERNÁNDEZ DÍAZ, L. "Aproximación a un concepto de derecho penal informático", en DE LA CUESTA ARZAMENDI y DE LA MATA BARRANCO, N. J.: *Derecho penal informático,* Navarra, pp. 31 y 32 y 35 a 44.

11 ORTS BERENGUER, E. y ROIG TORRES, M.: *Delitos informáticos y delitos cometidos a través de la informática,* Valencia, 2001, pp. 13 y 14.

12 Es ya común advertir que hasta un delito de asesinato puede ser cometido a través del uso de las nuevas tecnologías. Basta con introducirse en la base de datos de un hospital y cambiar el historial o los medicamentos a un paciente para conseguir el efecto contrario a su curación (*Vid.,* DE LA MATA BARRANCO, N. J.: "Ilícitos vinculados al ámbito informático: la respuesta penal", en DE LA CUESTA ARZAMENDI y DE LA MATA BARRANCO, N. J.: *Derecho penal..., cit.,* p. 18).

13 También resulta innecesario ahondar en la idea de que el Código penal ha de ser un reflejo del momento histórico en que se muestra, afirmación comúnmente aceptada. *Vid,* por todos BORJA JIMÉNEZ, E.: *Curso de política criminal,* Valencia, 2011, pp. 33 y ss.

14 Sigue sin existir una referencia expresa a los que voy a denominar delitos tecnológicos, incluyendo entre ellos a todos aquellos que se realicen tomando como instrumento algún elemento digital relevante, aunque como se verá en el epígrafe correspondiente, sí que se aborda la regulación de algunas conductas en concreto que no necesariamente son las más necesitadas de cambio.

15 *Vid., Memoria de la Fiscalía General del Estado, 2015,* pp. 588 a 619, disponible en https://www.fiscal.es/memorias/memoria2015/FISCALIA_SITE/recursos/pdf/MEMFIS15.pdf.

honor, la intimidad y la integridad moral fundamentalmente[16], que conjugarían el conjunto de delitos que engloban el fenómeno de la denominada *violencia psicológica*, conformada a su vez, por la violencia *simbólica y el acoso moral*[17] que tal y como explican ALCÁZAR Y GÓMEZ-JARABO "(S)e trata de algo más serio que un insulto. Incluye la humillación intensa y continuada, las amenazas de violencia, el control y la vigilancia constante de las acciones del otro, los cambios de humor sin lógica, la desaprobación, etc."[18], y que se define por los mismos autores, siguiendo el Informe del Defensor del pueblo de 1998 como "*cualquier acto o conducta intencionada que produce desvalorizaciones, sufrimiento o agresión psicológica a la mujer. Puede ser a través de insultos, vejaciones, crueldad mental, gritos, desprecio, intolerancia, humillación en público, castigo, dar muestra de desafecto, amenaza de abandono, subestimar...*"[19], violencia que se ve favorecida por el entorno tecnológico y que ayuda a fomentar y fortalecer la situación de sometimiento y control de la mujer, y que ha sufrido un aumento notable en el caso de las adolescentes.

El incremento de denuncias por la comisión de hechos delictivos en el ámbito de la pareja a través de instrumentos digitales se ha puesto de manifiesto en la Memoria de la Fiscalía general del Estado de 2015. La sala de Criminalidad informática[20] analiza el número de denuncias que se han presentado en relación con conductas de acoso, amenazas y coacciones, y se advierte que se ha detectado un incremento de los ataques que "inciden en la intimidad, la libertad, la integri-

---

16 En relación con las conductas de acoso, y su aumento en la adolescencia, se acaba de publicar un estudio por el Ministerio de Sanidad, Servicios sociales e Igualdad, titulado "El ciberacoso como forma de ejercer la violencia de género en la juventud: un riesgo en la sociedad de la información y el conocimiento", disponible en http://www.msssi.gob.es/ssi/violenciaGenero/laDelegacionInforma/pdfs/Ciberacoso_Adolescencia.pdf.

17 *Vid.*, LÓPEZ PRECIOSO, M.: "Protección integral contra la violencia de género. Reflexiones desde el trabajo social", en BOIX REIG, J. y MARTÍNEZ GARCÍA, E.: *La nueva ley contra la violencia de género (LO 1/2004, de 28 de diciembre)*, Madrid 2005, pp. 211 a 213.

18 ALCÁZAR, M. A. y GÓMEZ-JARABO, G.: "Aspectos psicológicos de la violencia de género. Una propuesta de intervención", en *Psicopatología Clinica, Legal y Forense*, Vol. 1, nº 2, 2001, p. 34.

19 ALCÁZAR, M. A. y GÓMEZ-JARABO, G.: "Aspectos...", *cit.*, p. 35. *Vid.*, también, sobre este aspecto, PERELA LARROSA, M.: "Violencia de género: violencia psicológica", en *Foro, Nueva época*, núm. 11-12/2010, pp. 358 a 360.

20 Esta Sala fue creada en 2011, ante la necesidad de que los delitos tecnológicos fueran derivados a personal con formación específica dadas las dificultades específicas que se plantean en el estudio y persecución de este nuevo instrumento de comisión delictiva. *Vid.*, *Memoria Fiscalía General del Estado 2012*, p. 1103, disponible en http://www.fiscal.es/Documentos/Memorias-de-la-Fiscal%C3%ADa-General-del-Estado.html?pagename=PFiscal%2FPage%2FFGE_memorias&cid=1242052134611&_charset_=UTF-8&selAnio=2012&txtPalClave=&btnBuscar2=Buscar.

dad moral o el honor de las personas, y en ocasiones también en el prestigio de las instituciones, y que cada vez con mayor frecuencia se planifican y ejecutan a través de estas tecnologías de la información y la comunicación. En el año 2014 hemos constatado como en ocasiones determinadas y por razones de índole muy diversa se han producido una pluralidad de comentarios ofensivos, humillantes o insultantes vertidos de forma indiscriminada en las redes sociales o en Twitter que han puesto en riesgo bienes jurídicos de carácter individual o colectivo. (...). Pero además, también estamos detectando, y a ello se refieren expresamente muchas Memorias provinciales, la utilización creciente de estas herramientas contra personas perfectamente determinadas a las que a través de estos medios se pretende humillar, acosar, amenazar, ofender o incluso desprestigiar públicamente causándoles un grave daño moral. *Llaman la atención los Delegados sobre el uso frecuente de estas vías de comunicación en el ámbito de la violencia contra la mujer y también, y muy especialmente, en las relaciones entre personas menores de edad,* dado que los agresores pueden utilizarlas de forma ágil, sencilla y eficaz para lograr su ilícitos propósitos y amplificar, al tiempo, los efectos perniciosos sobre sus víctimas"[21].

Las razones de este aumento son variadas y responden a diferentes parámetros.

En primer lugar, resulta obvio que el uso generalizado del medio lo convierte en el instrumento cotidiano de relación, lo que genera que sea el lugar ordinario también para hacer nacer el control de la víctima (a través de diferentes técnicas, siendo la más habitual el denominado *craking*[22]). Se trata de conseguir saber en todo momento dónde está la persona, o con quién habla o se relaciona, conociendo todos sus movimientos, lo que resulta extremadamente sencillo sobre todo si se trata de una "comunicadora social permanente"[23]. En este caso, es fácil tener el control de esa persona y llegar así a la siguiente fase del maltrato (el aislamiento de amigos, seres queridos, etc.). El problema no es que el medio sea más peligroso, sino que ahora es el más utilizado y por ello más frecuente que se cometan delitos a través de él, y además, es cierto que genera una "especial adicción" lo que facilita la comisión de diferentes conductas, lo que está relacionado con el segundo motivo.

---

21 *Vid., Memoria de la Fiscalía (2015)..., cit.*, pp. 597 y 598. La cursiva es mía.

22 El término "*craking*" hace referencia en general a "romper" y va referido a quebrar las barreras de protección. En el texto se utiliza como el control de los teléfonos móviles por parte de las parejas para saber con quién hablan, con quién se "mensajean" y con quién establecen contacto a través de redes sociales.

23 Aquel que de manera rutinaria se encuentra conectado a redes sociales o plataformas de comunicación, perfil bastante habitual en determinados segmentos de edad.

El medio digital, en la medida en que favorece la conocida como desinhibición *on line* y el fenómeno de la intimidad acelerada, genera a su vez, dos riesgos:

- Por un lado, la intimidad acelerada[24] propicia que el sujeto posea muchos datos de la víctima, lo que facilita la comisión de determinados delitos (intimidad, honor, integridad moral y libertad —amenazas y coacciones—) y situaciones de acoso.
- Por su parte, la desinhibición *on line*, facilita las conductas de acoso y amenazas y coacciones puesto que es mucho más sencillo para el maltratador poner por escrito todo aquello que puede ser vejatorio y humillante. Por lo demás, también ayuda a que la conducta se reitere, lo que ha llevado a afirmar que las redes sociales aumentan los trastornos obsesivos compulsivos.

Junto a los dos primeros motivos, encontramos un tercero que reside en la sensación de anonimato que acompaña el uso de las nuevas tecnologías. En determinadas actuaciones llevadas a cabo a través de redes sociales o incluso de plataformas de mensajería, el autor puede usar de perfiles ocultos que dificulten la prueba y por lo tanto, que le generen una mayor sensación de seguridad al cometer el delito, utilizando por el contrario signos o gestos que permitan ser identificado por la víctima pero no por el resto de ciudadanos. Así, por ejemplo, se puede usar de un perfil falso en una red social para amenazar a la mujer y de este modo ocultar la verdadera identidad, utilizando los mismos ritos y mensajes que son solo conocidos por la pareja, y que incluso pueden resultar inocuos para terceros pero sí generan inseguridad y miedo en la mujer que los recibe, que los reconoce como parte del ritual maltratador[25].

Por último, se puede hacer referencia a la adecuación social como razón que lleva al incremento de esta clase de atentados. Con carácter general, existe una percepción en el colectivo social de que no existen riesgos con la práctica de algunas acciones que se llevan a cabo en el seno de la pareja. Se considera que es normal, y hasta sano, controlar las horas de conexión de la pareja, pedirle el móvil para comprobar con quién ha "guasapeado" o la contraseña de las redes

---

24 La intimidad acelerada se produce en el caso de uso de redes sociales. Supone que el sujeto que se inicia en la red se ve abocado a generar información sobre su intimidad, pues es esto lo que le permite, por un lado, relacionarse con los otros sujetos que frecuentan la red (si no hay información que se comparte no se genera interacción) y, por otro, la propia red incita a esa emisión de datos con preguntas continuas sobre el estado de ánimo del dueño del perfil, o el lugar dónde se encuentra, o qué está haciendo, etc. El sujeto cada vez emite más y más información en una especie de compulsión exhibicionista que es lo que caracteriza a este fenómeno.

25 Piénsese, por ejemplo, en el caso de un hombre que siempre, tras maltratar a su pareja la obligara a bañarse. Una frase como "prepara la bañera", aparentemente inocua, puede resultar amenazante para ella.

sociales o del correo electrónico para analizar quiénes son sus amigos y con quién entabla contactos. Esa idea instalada sobre todo en las/los adolescentes de que el control y los celos son una prueba de amor, y que no pasa nada por verificar cada movimiento que hace el otro si no tiene nada que ocultar, favorecen conductas que derivan en violencia[26].

En este sentido, resultan interesantes las conclusiones alcanzadas en el informe realizado por la Delegación del Gobierno para la violencia de género en relación con la prevención de la violencia de género en adolescentes[27]. En el estudio se concluye que con carácter general no se percibe riesgo al llevar a cabo algunas conductas a través del móvil. Igualmente, se entiende que el intercambio de contenidos personales o de imágenes íntimas constituyen una "prueba de amor". Reciben el mensaje de que los celos son una expresión de amor por parte de un adulto el 35.8% de las chicas y el 36.8% de los chicos y también aumenta el número de adolescentes que reconocen haber sufrido control abusivo como forma de violencia (el 28.8%), siendo novedoso que el 25.1% confirma que dicho control se ha producido con el uso del móvil[28].

El renacer del denominado amor romántico aparece como una de las causas del aumento de la violencia de género entre jóvenes. Dicho amor, unido a la utilización del medio informático como lugar común para comunicarse y relacionarse, ha hecho aparecer un nuevo concepto, el de "Amor 2.0"[29], que resulta interesante a los efectos de valorar, posteriormente, la necesidad de incluir o no el concepto de ciberrelación en el ámbito de protección de los delitos de violencia de género.

---

26 En este sentido, ALCÁZAR y GÓMEZ-JARABO ponen de manifiesto que determinados comportamientos de maltrato psicológico son aceptados socialmente como pautas de comportamiento normal. ALCÁZAR, M. A y GÓMEZ-JARABO, G.: "Aspectos...", p. 35. Igualmente, LORENTE ACOSTA advierte que el fin último de la violencia de género es el control sobre la mujer y no el agredirla. La agresión constituye el castigo por no someterse al control del hombre. *Vid.*, LORENTE ACOSTA, M.: *Mi marido me pega lo normal,* Barcelona, 2001, *passim.* Similar, LÓPEZ PRECIOSO, M.: "Protección integral contra la violencia de género...", *cit.*, p. 217.

27 *La evolución de la adolescencia española en la igualdad y la prevención de la violencia de género,* Ministerio de Sanidad, Servicios Sociales e igualdad, 2013, disponible en http://www.violenciagenero.msssi.gob.es/violenciaEnCifras/estudios/colecciones/pdf/Libro_19_Evoluc_Adolescencia_Igualdad.pdf.

28 *La evolución de la adolescencia..., cit.*, pp.. 8 a 10. Resultan especialmente interesantes los datos en relación con la violencia de género y las nuevas tecnologías recogidas en la p. 21.

29 Con su contrapartida "Celos 2.0". En este sentido resulta ilustrativo el artículo publicado por El Mundo, y firmado por GÓMEZ PORTALATÍN, B.:" Celos 2.0 ¿Hasta donde controlas a tu pareja? Cómo vivir bien conectados" disponible en http://www.elmundo.es/salud/2014/02/14/52fd2044e2704e3e2e8b457a.html.

Siendo que el nuevo entorno de relación entre las personas, y particularmente los adolescentes es el digital, no resulta extraño que se generen relaciones sentimentales que nacen o que persisten exclusivamente en éste ámbito. El problema que subyace es que el medio favorece, por los factores señalados de desinhibición *on line*, anonimato e intimidad acelerada, que se sobredimensionen los sentimientos, lo que unido al resurgir de la cultura del "amor romántico"[30] hace que estemos sufriendo ese repunte en la violencia de género, esencialmente de control en las jóvenes[31].

Tanto es así que son muchas las páginas que se dedican a intentar explicar a las jóvenes en qué consiste una relación de pareja sana, y qué es lo que les debe hacer pensar que están entrado en una esfera de control que puede derivar en violencia de género. A título de ejemplo resulta recomendable la guía que publica la página vida sin violencia, donde entre otras cosas se propone a las jóvenes un denominado "test del amor" para que averigüen hasta qué punto están manteniendo una relación sana o una relación de dependencia que las puede conducir a una situación de violencia más grave[32].

---

30 Que nada tiene que ver con la existencia de un amor de compañeros detallista y con atenciones, sino con la construcción de relaciones tóxicas de control y celos. Este resurgir tiene mucho que ver con el modelo de pareja y de amor que se vende a los jóvenes a través de determinados medios de comunicación y que tiene mucho que ver con la sociedad exhibicionista que ha fomentado la aparición de determinados programas de televisión donde un grupo de personas se encierran en una casa para ser observados por el público, o con el buscar pareja entre un nutrido grupo de "pretendientas" que beben los vientos por un sujeto que aparece como un hombre fuerte, protector y controlador, con un cuasi derecho de pernada que le permite elegir de entre todas las presentes a la que él considera más digna de su amor. Sobre esta cuestión se puede ver "Mitos del amor romántico y prevención de la violencia de género" en *Coeducación y mitos del amor romántico,* fundación mujeres, disponible en http://www.fundacionmujeres.es/files/attachments/Documento/46001/image/_BOLETIN%20FM%2093.pdf; también se puede consultar el blog "Mi novio me controla lo normal", donde se explica con un lenguaje sencillo y claro qué constituye y qué no una relación sana alejada de los mitos del amor romántico y de su identificación con el maltrato. http://minoviomecontrola.blogspot.com.es/.

31 El informe de la fundación ANAR sobre violencia de género en 2014, explica que 278 llamadas se correspondían con petición de ayuda y orientación en materia de violencia de género padecida por adolescentes, y de ellas, 182, esto es el 65,5% estaban relacionadas con la implicación de las nuevas tecnologías. *Vid., Informe violencia de género 2014. Teléfono ANAR,* p. 29. Disponible en http://www.anar.org/wp-content/uploads/2015/05/Informe-Tel%C3%A9fono-ANAR-Violencia-G%C3%A9nero-2014.pdf.

32 La página está disponible en http://www.guiaviolenciadegenero.com/jovenes.php También se puede consultar la *Guía no sexista para chicas. No te líes con chicos malos*, disponible en http://www.aulaviolenciadegeneroenlocal.es/consejosescolares/archivos/No_te_lies_con_chicos_malos.pdf.

3. ALGUNAS CONSIDERACIONES EN RELACIÓN CON EL ÁMBITO DE LOS SUJETOS ¿ES LA CIBERRELACIÓN UNA RELACIÓN DE PAREJA?

Una cuestión novedosa y que puede hacer cambiar el ámbito de aplicación típica de los delitos de violencia de género, es la relativa a si la ciberrelación entra o no en el concepto de pareja al que se alude en los delitos de maltrato. De todos es sabido que se exige que el delito se cometa en el ámbito de una relación de pareja entre hombre y mujer o entre los que fueron pareja, y siempre que se produzca una situación de dominación del hombre sobre la mujer[33]. Esto es, no resulta suficiente que el sujeto activo sea un hombre y el pasivo una mujer, sino que es necesario que les una o haya unido una relación sentimental[34], tanto para el caso de lo que se pueden denominar delitos comunes "de género" (esto es el homicidio, las lesiones graves, atentados contra el honor, la intimidad, etc. En

---

33 Existen discrepancias, en las que no es momento de entrar, sobre si siempre que se produce una situación de agresión entre un hombre y una mujer que son o fueron pareja hay violencia de género o si hay que exigir, además de esa relación una situación de dominación del hombre sobre la mujer, tal y como pide el art. 1 de la Ley integral, cuando establece, en su núm. 1 que "La presente Ley tiene por objeto actuar contra la violencia que, *como manifestación de la discriminación, la situación de desigualdad y las relaciones de poder de los hombres sobre las mujeres, se ejerce sobre éstas* por parte de quienes sean o hayan sido sus cónyuges o de quienes estén o hayan estado ligados a ellas por relaciones similares de afectividad, aun sin convivencia" (la cursiva es mía).

De no aceptarse esta última interpretación, se dice que se vulnerarían, entre otros principios básicos informadores del Derecho penal, los principios de igualdad y de culpabilidad. Sobre esta cuestión se puede ver RUEDA MARTÍN, M. A.: *La violencia sobre la mujer en su relación de pareja con un hombre. Análisis doctrinal y jurisprudencial,* Madrid, 2012, *passim;* También, ALCALÉ SÁNCHEZ, M.: "Análisis del Código penal en materia de violencia de género contra las mujeres desde una perspectiva transversal" en *REDUR,* núm. 7, diciembre de 2009, pp. 37 a 73. En contra, SÁNCHEZ YLLERA, I.: "Maltrato y dominación. (Paradojas judiciales de una cultura incívica), en *Diario La Ley, núm 8158,* 27 de septiembre de 2013, pp. 1 a 24. También resulta muy interesante el análisis de la jurisprudencia constitucional realizado por LASCURAÍN SÁNCHEZ, J. A.: "¿Son discriminatorios los tipos penales de violencia de género? *Comentario* a las SSTC 59/2008, 45/2009, 127/2009 y 41/2010" en *REDC,* núm. 99, septiembre-diciembre 2013, pp. 329 a 370.

La jurisprudencia también se ha pronunciado sobre esta cuestión. Resultan especialmente interesantes las siguientes sentencias: Tribunal Supremo 58/2008, de 25 de enero y Audiencia Provincial de Sevilla 573/2011, de 7 de noviembre.

34 También es de todos sabido que se ha producido una evolución en torno a la idea de si ha de tratarse de una relación con convivencia (primera manifestación normativa que exigía matrimonio o relación de convivencia análoga al matrimonio) o si basta que exista una relación similar sin convivencia, lo que ha venido a incluir las relaciones que tradicionalmente se conocen como de noviazgo. Sobre la evolución de este punto en concreto, se puede consultar, entre otros, RUEDA MARTÍN, M. A.: *La violencia..., cit.,* pp. 37 a 42.

definitiva, todos aquellos que no forman parte del elenco modificado por la LO 1/2004[35]) a los que resultaría de aplicación la agravante genérica de parentesco prevista en el art. 23 del Código penal, como, los previstos en los arts. 153 y 173 y los que con ellos se relacionan en atención a los sujetos[36]. Igualmente, en el caso de la dispensa de declarar[37], se exige normativamente en el ámbito de la Ley de Enjuiciamiento Criminal que exista una relación de pareja con convivencia, excluyendo de dicha dispensa a aquellas jóvenes que no acrediten matrimonio o relación análoga con convivencia[38], cuestión que, en todo caso, no ha quedado resuelta desde el punto de vista interpretativo al existir discrepancia jurisprudencial sobre si la dispensa de no declarar alcanza también a las parejas en las que no existe convivencia cuando ésta se ha roto[39], y tampoco se amplía al caso de las relaciones de noviazgo.

En este sentido y por lo que hace a las previsiones normativas anteriormente señaladas, la jurisprudencia ha incluido, sin lugar a dudas, las relaciones matrimoniales y las análogas al matrimonio por la convivencia. El problema se planteaba en relación con las relaciones sin convivencia que, por lo demás,

---

35 A saber, maltrato, violencia habitual, lesiones del art. 148, amenazas, coaccioness *sexting* del art. 197.7 y acoso predatorio.

36 *Vid.*, nota anterior.

37 Sobre esta cuestión se puede ver, entre otros, MARTÍNEZ MORA, G.: "La difícil protección judicial de la víctima de violencia de género. La dispensa del deber de prestar declaración del Artículo 416 Ley de Enjuiciamiento Criminal", *Boletín del Ministerio de Justicia*, núm. 2176, marzo de 2015, pp. 5 y ss.

38 Dice el art. 416.1 de la LECrim:
"*Están dispensados de la obligación de declarar:*
1. Los parientes del procesado en líneas directa ascendente y descendente, su cónyuge o persona unida por relación de hecho análoga a la matrimonial, sus hermanos consanguíneos o uterinos y los colaterales consanguíneos hasta el segundo grado civil, así como los parientes a que se refiere el número 3 del artículo 261.
El Juez instructor advertirá al testigo que se halle comprendido en el párrafo anterior que no tiene obligación de declarar en contra del procesado; pero que puede hacer las manifestaciones que considere oportunas, y el Secretario judicial consignará la contestación que diere a esta advertencia.
Por su parte, el art. 261 del mismo texto, exime de la obligación de presentar denuncia al cónyuge o conviviente de hecho, pero no a la pareja sin convivencia. Dice así:
"*Tampoco estarán obligados a denunciar:*
1º El cónyuge del delincuente no separado legalmente o de hecho o la persona que conviva con él en análoga relación de afectividad.
2º Los ascendientes y descendientes del delincuente y sus parientes colaterales hasta el segundo grado inclusive".

39 Se pueden consultar, en relación con las parejas que han roto su convivencia a título de ejemplo, el Auto del TC Auto 187/2006, de 6 de junio, la STS 134/2007, de 22 de febrero. En contra, STS La Sentencia de la Audiencia Provincial de Madrid, sec. 27ª, de 19 de febrero de 2009, nº 117/2009.

serán las más habituales en el caso de las adolescentes. Esto es, las relaciones de noviazgo.

La introducción tras la reforma de 2015 en la agravante genérica de discriminación del art. 22.4 por razón de género[40] en el Código penal, va a facilitar el castigo de los denominados delitos comunes de género en el caso de las parejas que no han tenido convivencia, pues aunque el artículo 23 siga sin contemplar en la agravante de parentesco el hecho del noviazgo, ahora se podrán subsumir en el número 4 del artículo 22, lo que hasta ahora no ocurría, pero aun así, para los denominados delitos de género específicos (arts. 153, 173.2, 170. 3 y 4 y 172 3 y 4) se va a seguir exigiendo la existencia de esa relación de pareja[41].

Por ello, resulta imprescindible clarifiar cuando se considera que existe la relación y cuando no. Hay un sector doctrinal, representado por CAMPOS CRISTOBAL y una línea jurisprudencial en la que se apoya que afirma la necesidad de que la convivencia haya existido para hablar de pareja a los efectos de la violencia de género. Exige esta autora la convivencia físico-afectiva como fundamento y límite para la aplicación del delito de violencia habitual del art. 173.2, tomando como punto de partida que esta clase de convivencia la que genera la situación de indefensión de la víctima[42].

Exigencia que no es posible, y así también lo afirma CAMPOS CRISTOBAL, en los supuestos expresamente contemplados, haciendo equivaler las relaciones afectivas sin convivencia a las de convivencia por lo que se incluyen las relaciones de noviazgo[43].

La cuestión es establecer con nitidez qué requisitos se exigen para comprender que existe una relación de noviazgo, que sí quedaría amparada por la norma. Es importante porque en el entorno digital la problemática que se puede plantear

---

40 Dice este precepto, que son circunstancias agravantes:
"4ª Cometer el delito por motivos racistas, antisemitas u otra clase de discriminación referente a la ideología, religión o creencias de la víctima, la etnia, raza o nación a la que pertenezca, su sexo, orientación o identidad sexual, razones de género, la enfermedad que padezca o su discapacidad."

41 En todo caso, hay que reflexionar con calma sobre los supuestos en los que se podrá aplicar o no esta agravación y su compatibilidad o no, con la agravante de parentesco del art. 23.

42 *Vid.*, CAMPOS CRISTÓBAL, R.: "La violencia de género: análisis de figuras delictivas y reflexión crítica de su aplicación a la luz de la Ley orgánica de medidas de protección integral contra la violencia de género", en MARTÍNEZ GARCÍA, E. y VEGAS AGUILAR, J. C.: *La prevención y erradicación de la violencia de género. Un estudio interdisciplinar y forense,* Navarra, 2012, pp. 287 a 289. También entre otras muchas, SAP de Barcelona de 6 de febrero de 2008; SAP de Málaga de 10 de julio de 2008 y STS de 14 de diciembre de 2011.

43 CAMPOS CRISTÓBAL, R.: "La violencia...", *cit.*, pp. 290 y 291.

es si cabe incluir dentro de las relaciones de noviazgo aquellas que se limitan al ámbito cibernético, sin ningún tipo de contacto físico[44].

La nueva sociedad plantea la posibilidad de que las personas se conozcan a través de la red, siendo muchas las páginas que propician el contacto para encontrar pareja[45]. Los primeros contactos suelen ser electrónicos y hasta que no se produce cierta confianza no se llega al encuentro personal. En ocasiones, la relación de pareja se establece a distancia, por la razón que sea, y se produce lo que se conoce como ciberrelación o amor 2.0. Algo mucho más frecuente de lo que parece puesto que resulta difícil que se haga un reconocimiento público de las mismas. Ciertamente, en estos casos, la situación de dominación es más difícil que se produzca, si la pareja virtual sigue manteniendo la virtualidad o se ampara en el anonimato. Pero si esto no es así, es decir, si más allá del contacto a través de chat, o *web-cam* o cualquier otro medio de comunicación internauta, los sujetos se identifican y mantienen una relación de pareja con cibersexo incluido ¿podremos hablar de violencia de género aun cuando nunca hayan estado juntos físicamente?

La cuestión no es sencilla de resolver, si atendemos a criterios de injusto en delitos clásicos de violencia (maltrato habitual o no, lesiones, homicidio[46]etc.). Pero no es descartable que se produzcan situaciones de amenazas, coacciones, atentados contra la libertad o indemnidad sexual, intimidad, honor, acoso, etc., que se produzcan en estas parejas y que el bien jurídico se vea también afectado.

Desde mi punto de vista, y teniendo gran cuidado en delimitar qué se entiende por pareja o expareja, no tendría por qué haber ningún problema en incluir este tipo de relaciones en el ámbito de protección de los delitos de violencia de género, siempre que se dieran las notas que doctrina y jurisprudencia vienen exigiendo para calificar que existe una pareja en el entorno analógico en los casos en los que no existe convivencia.

---

44 Es obvio que cuando las personas se conocen a través de la tecnología digital pero después traban contacto físico y mantienen una relación personal ordinaria, no se plantea un problema más allá del de la comprobación de la existencia de la relación.

45 Desde las famosas Meetic o eDarling, se encuentran otras no tan populares como Badoo, Pof, Two, Zoosk, Be2, Match.com, OkCupid, etc.

46 Aun así, es cierto que se puede llegar a la comisión de una inducción para cometer delito. Piénsese en el caso de, por ejemplo, una mujer residente en España, que inicia una ciberrelación con un ciudadano residente en Inglaterra. Nunca se encuentran físicamente pero mantienen una relación de contacto cotidiana, con enamoramiento, e incluso (aunque no sería imprescindible) con cibersexo. En determinado momento, la mujer quiere romper la relación o no quiere someterse a determinada situación y el hombre, en la distancia, la amenaza con enviarle a un tercero para que la lesiones o la mate, cosa que, efectivamente hace, y la mujer resulta muerta o lesionada a manos del tercero inducido por su pareja virtual.

Es común advertir que se incluyen las denominadas relaciones de noviazgo quedando excluidas las relaciones de amistad, aunque sean estables y con convivencia[47], pues se trata de incluir solo relaciones de afectividad similares a la conyugal[48] caracterizándose estas relaciones en que sean serias[49]conocidas por terceros[50] y sin que haya necesidad de un compromiso de vida en común de futuro, tengan vocación de permanencia y estabilidad[51] y adornadas de gran intensidad emocional[52]. Se incluyen las relaciones de noviazgo entendidas como aquellas en la que existe un proyecto de vida en común[53]y también aquellas en las que sin planificar una vida en común o un compromiso de futuro matrimonio o convivencia, sí se han desarrollado sobre la base de una afectividad de carácter amoroso o sentimental[54], excluyéndose las relaciones de amistad o los encuentros de contenido sexual eventuales o casuales[55], aunque se observa una tendencia a incluir también estos encuentros puramente sexuales sin vocación de continuidad en el ámbito de protección de la norma[56].

La cuestión es sí en las relaciones virtuales se puede producir o no esa base de afectividad o amor y de naturaleza sexual. Desde luego no hay problema en admitir la base afectiva aun cuando la relación se produzca solo en el ámbito de la web.2, y siendo que tampoco la existencia de relaciones sexuales es requisito *sine qua non*, también tendría cabida aunque estas no se produjeran, cosa que sí puede ocurrir a través de la práctica del cibersexo.

---

47 *Vid.,* entre otros, RUEDA MARTÍN, M. A.: *La violencia..., cit.,* p. 42. También, MUÑOZ SÁNCHEZ, J.: "El delito de violencia habitual. Artículo 173.2 del Código penal", en BOLDOVA PASAMAR, M. A. y RUEDA MARTÍN, M. A.: *La reforma penal en torno a la violencia doméstica y de género,* Barcelona, 2006, pp. 80 a 82.

48 SAP de Vizcaya, número 31/2007, de 22 de enero, con cita de la SAP de Ávila, número 202/2005, de 20 de diciembre.

49 SAP de Girona de 11 de febrero de 2005 y SAP de Barcelona de 25 de agosto de 2008.

50 La publicidad de la relación la dota del carácter de proyecto de vida en común, así, SAP de Tarragona de 17 de marzo de 2008.

51 STS de 12 de mayo de 2009; SAP de Tarragona de 17 de marzo de 2008.

52 SAP de Valencia de 16 de junio de 2011.

53 SAP de Madrid, de 16 de enero de 2008 y 28 de junio de 2010.

54 SAP de Barcelona, de 10 de enero de 2007; SAP de Alicante de 5 de octubre de 2009; SAP de Madrid de 28 de junio de 2010 y TS de 14 de diciembre de 2011.

55 SAP de Barcelona de 7 de julio de 2004 y 25 de agosto de 2008; SAP de Asturias de 23 de enero de 2006; SAP de Alicante 101/2007, de 2 de febrero; SAP de Asturias, número 108/2007, de 15 de mayo; SAP de Granada, número 175/2007, de 9 de marzo y SAP de Madrid de 24 de enero de 2013.

56 En este sentido, y por lo que hace a las relaciones extraconyugales que evidentemente no suelen ser públicas, SAP de Madrid de 10 de noviembre de 2008, SAP de La Rioja de 27 de noviembre de 2007, Sevilla, de 15 de enero de 2009, y Votos particulares de la STS de 14 de diciembre de 2011 y SS de AP de Madrid, de 16 de enero de 2008 y 28 de junio de 2010.

Lo realmente importante es que exista la relación con base sentimental, que sea conocida y pública y aquí sí cabrá exigir cierta nota de estabilidad o continuidad.

Desde ese punto de vista, ningún problema hay en contemplar dentro del ámbito de los delitos de maltrato en el seno de la pareja, los que se produzcan en el caso de relaciones puramente virtuales.

Aún así, ésta es una cuestión especialmente compleja en el supuesto de las parejas jóvenes y de adolescentes, pues aunque en algunas se llegue a la relación de convivencia[57], lo habitual es que simplemente se esté hablando de relaciones de noviazgo o de relaciones incipientes, lo que desvirtuaría la protección que se dispensa si se realiza una interpretación muy rígida de las características señaladas anteriormente por la jurisprudencia.

A mi modo de ver, es necesario flexibilizar las exigencias para entender que existe una relación de pareja a los efectos de los delitos de violencia de género entre adolescentes, pues, de otro modo, quedarán fuera del ámbito de protección situaciones que derivan claramente de posicionamientos de poder machista, por no cumplir las expectativas que no son exigibles en el momento de la adolescencia o la juventud (expectativas de futuro, conocimiento público de la relación, prolongación en el tiempo más allá de un plazo razonable, etc.).

Del mismo modo, considero que justamente a las edades de la adolescencia y la juventud son en las que con mayor facilidad se pueden detectar situaciones de control a través de la existencia de relaciones puramente virtuales, por lo que creo, también en este ámbito, y siempre que exista prueba cierta de que la relación existe, hay que flexibilizar los requisitos.

En todo caso, es cierto que con la aparición de la referencia al género en la agravante del art. 22.4 del CP como ya he dicho anteriormente, se pueden solucionar algunos vacíos de tutela que se pudieran derivar de un concepto excesivamente rigido de la pareja, siempre que se pueda afirmar que los ataques se producen por el hecho de mantener una relación de superioridad machista, tal y como establece el art. 1 de la LO 1/2004.

---

57 Las cifras proporcionadas por el INE para el año 2014 indican que en el caso de victimas menores de 18 años solo 9 estaban casadas, 4 divorciadas o separadas, 59 mantenían una relación de convivencia análoga a la matrimonial y 69 habían roto dicha relación, siendo el porcentaje mayor de víctimas las que habían sufrido violencia en el seno de una relación de noviazgo persistente o truncada (153 y 281 respectivamente).

4. ACCIONES DELICTIVAS CONSTITUTIVAS DE MALTRATO EN EL ÁMBITO DIGITAL. ESPECIAL REFERENCIA A LAS ACTUACIONES DE JÓVENES Y ADOLESCENTES

Aunque como he adelantado es posible que en el entorno digital se produzcan los mismos hechos delictivos que en el entorno analógico, lo cierto es que resulta más habitual la comisión de aquellos que constituyen delitos de expresión o delitos contra la libertad (hechos de control) que los que implican resultado de lesión o atentados contra la vida.

También en relación con las menores o jóvenes son más habituales delitos que afectan a la intimidad, el honor, la libertad o la dignidad que pueden producir lesiones psíquicas[58], siendo especialmente característica la conducta de acoso a través de redes sociales.

En todo caso, en el ámbito de la violencia de género resulta conveniente diferenciar las actuaciones que se producen mientras está viva la relación y las que se llevan a cabo una vez que esta ha finalizado, o está en proceso de finalizar[59].

En el caso de las parejas entre adolescentes, también se observa esta distinción, pues los ataques son más intensos cuando se está terminando con la relación, pues es una de las fases de mayor riesgo.

4.1. *Constante la relación de pareja*

Mientras permanece la relación y como una clara manifestación de la situación de control que el maltratador ejerce sobre la mujer, son frecuentes conductas que atentan a la intimidad, como las de espiar el móvil y/o el ordenador de la pareja para averiguar con quién habla o se relaciona, el contenido de correos o conversaciones, fotografías, perfiles en redes sociales, etc. Estas acciones se reali-

---

58 Los datos que refleja el INE indican que en los casos de menores de 18 a 24 años para el año 2014 hay 1 homicidio, 4 detenciones ilegales o secuestros, 508 amenazas, 101 coacciones, 416 atentados contra la integridad moral y 3103 lesiones.

59 Es tradicional establecer una serie de ciclos o etapas en el fenómeno de la violencia. Hay un primer momento de negociación de las diferencias entre hombre y mujer. Ese momento se desarrolla hasta llegar al punto álgido denominado de descarga, donde comienzan los gritos, insultos, control y coacciones. Tras esta primera fase, comienza una segunda más intensa con amenazas, y agresiones. Después, se llega al fin de la disputa, al arrepentimiento del autor que suele conseguir el perdón de la víctima y entrada en la denominada "luna de miel", hasta que comienza de nuevo el ciclo. Se genera así, el denominado ciclo interno de violencia. *Vid.*, sobre esta cuestión, y el denominado Ciclo de Walker, entre otros, ALCÁZAR, M. A. y GÓMEZ-JARABO, G.: "Aspectos...", p. 43 y LÓPEZ PRECIOSO, M.: "Protección integral contra la violencia de género...", *cit.*, pp. 213 y 214.

zan bien para conocer la intimidad de la mujer[60], bien para poder evitar contactos con familia y/o amigos y conseguir así el aislamiento[61]. En este sentido, resulta muy ejemplificadora la SAP de Tarragona de 25 de octubre de 2011, en la que el sujeto había colocado un GPS en el vehículo de la mujer para controlar sus movimientos. Son especialmente frecuentes en el caso de las jóvenes las conductas de control relacionadas con la vulneración de la intimidad, exigiendo la entrega de las contraseñas o el propio móvil para conocer con quién habla, con quién se relaciona, promocionando conductas de vigilancia y acoso. Esto se explica de nuevo por ser este el medio de relación habitual, por lo que es más sencillo ejercer el control si se toma conocimiento de las relaciones que se producen a través de redes sociales o telefonía móvil. Generalmente se tratará de conductas de amenaza de difundir o revelar datos íntimos de la joven; coacciones (exigir las contraseñas) e incluso injurias y atentados contra el honor.

4.2. *Con el fin de la relación de pareja*

Una vez que ha terminado la relación de pareja, y como pone de manifiesto el estudio referido anteriormente del Ministerio de Sanidad, Servicios Sociales e Igualdad, es muy difícil que la ruptura sea definitiva. Las nuevas tecnologías favorecen que se siga manteniendo el contacto aunque sea de manera indirecta y ello entorpece la ruptura total de lazos. De esta manera resulta común la producción de la conducta de quebrantamiento de condena o de medida cautelar de alejamiento o puesta en comunicación, como consecuencia de los contactos que se producen a través de las plataformas de mensajería que habitualmente se usan a través del móvil, o de las redes sociales, constituyendo en muchas ocasiones este tipo de comportamientos situaciones de acoso que se castigaba, hasta la entrada en vigor de la última reforma del CP mediante la LO 1/2015, a través de los delitos de coacciones o amenazas.

Así, por ejemplo, la SAP de A Coruña de 9 de noviembre de 2012 trata de un caso en el que se produjeron multitud de mensajes y comentarios a través de redes sociales humillantes, vejatorios, amenazantes, etc. durante más de un año[62]. En la SAP de Barcelona de 12 de marzo de 2013 se condena por amenazas por un solo comentario en una red social en la que se amenaza con producir actos de *sexting* (publicar fotos que fueron tomadas en la intimidad mientras duraba la relación

---

60 Entre otras, se pueden consultar las SSAP de Madrid de 30 de junio de 2009 y 30 de septiembre de 2011 y STS de 16 de abril de 2010.

61 STS de 23 de octubre de 2012 y SAP de Tarragona de 25 de octubre de 2011.

62 De manera similar, en la SAP de Orense de 4 de abril de 2013, se producen comentarios en redes sociales que son condenados como violencia de género.

de pareja)[63]. La SAP de Burgos de 6 de junio de 2013 analiza un caso en el que el joven publicó una foto apuntando con un arma junto a un comentario en el que decía "esto es para ti" (junto a otras acciones lesivas)[64]. La SAP de Málaga de 18 de septiembre de 2013 contempla un caso en el que el sujeto

"*...con la finalidad de reforzar el control que ejercía sobre Berta, sin consentimiento de ella ni de su empleada de hogar, Josefina, ordenó la instalación en su vivienda del EDIFICIO000 de aparatos de captación del sonido y de la imagen que le permitieron tomar conocimiento de las conversaciones telefónicas y de detalles íntimos de la vida privada de ambas. Josefina se sintió gravemente afectada y dejó de prestar sus servicios para el acusado por esta causa*".

Finalmente, resulta particularmente significativo el caso relatado en la Sentencia de la Audiencia Provincial de Barcelona de 10 de abril de 2014, en la que se condena por el asesinato de los padres y sobrina de la mujer maltratada, que sufrio una situación de acoso continuada que es relatada del siguiente modo en los hechos probados:

"*Desde junio de 2011 y hasta enero de 2012, el acusado Lázaro, que no aceptaba el cese de la relación sentimental con Adriana, sometió a la misma, de forma habitual, a seguimientos, revisándole sus facturas telefónicas a través de las cuales contactaba con personas que en esa época se relacionaban con ella, instalando dispositivos de seguimiento en su vehículo para seguir sus movimientos y mandándole mensajes de tono amenazante, todo ello con el fin de que su ex-compañera volviera con él*".

También nos podemos encontrar con atentados contra el honor y la integridad moral, cuando, finalmente, se cumplen las amenazas de realizar difusión de imágenes o videos íntimos[65], o en los casos bastantes frecuentes en los que la acción consiste en publicar el número de teléfono de la mujer en páginas de contactos ofreciendo sexo (gratis o a cambio de precio)[66].

Y esto es solo una muestra de los casos que se pueden producir, pues como he dicho ya en la introducción de este trabajo, a través de uso de la herramienta informática se puede cometer cualquier hecho delictivo.

Es fácil observar que, la mayoría de estas situaciones eran castigadas antes de la Ref. de 2015 a través de las figuras específicas de violencia de género en

---

63 Similar, la SAP de Navarra de 24 de septiembre de 2014.

64 También en esta línea se pueden ver las SS de la AP de Madrid de 8 de noviembre de 2012 (amenazas emitidas por teléfono o por correo) y de 21 de junio de 2011. En esta última el sujeto había realizado más de 150 llamadas en unas horas.

65 STS de 23 de mayo de 2011, donde finalmente la mujer fue asesinada.

66 SAP de Jaén de 27 de febrero de 2013.

relación con los delitos de amenazas, coacciones, injurias o atentados contra la integridad moral.

Ello suponía en ocasiones que determinadas conductas, que resultaban de suyo suficientemente intimidatorias, no pudieran ser penadas en algunos casos por no cumplir los requisitos típicos previstos por injustos diseñados para un entorno analógico. Es lo que ocurría con la conducta de difusión inconsentida de imágenes íntimas también conocida como *sexting* y la conducta de acoso o *stalking*.

5. LA REFORMA DEL CÓDIGO PENAL OPERADA POR LA LO 1/2015 EN RELACIÓN CON LA VIOLENCIA DE GÉNERO EN EL ENTORNO DIGITAL

La reforma que recientemente ha entrado en vigor ha producido algunos cambios tanto en la parte general como en la parte especial que es necesario comentar someramente dada la naturaleza de este trabajo.

En primer lugar, y como he ido adelantando, se ha introducido en la agravante genérica de discriminación prevista en el artículo 22.4 una referencia específica a la discriminación por razón de género. A pesar de algunas voces que se han alzado en contra de la necesidad de incluir esta previsión, dado que el precepto ya hablaba de la discriminación por razón de sexo, es necesario afirmar su adecuación.

Como ya he adelantado, en el Código junto a los delitos de maltrato propiamente dichos, se encuentran otros delitos que constituyen atentados de género por ejemplo las agresiones sexuales o las detenciones ilegales, o los propios homicidios que solo podían reflejar ese sesgo de desigualdad aplicando la agravante de parentesco del art. 23 que alude a las relaciones, actuales o pasadas, que se han producido con convivencia[67].

Para evitar la idea de que los delitos que no son de maltrato no constituyen infracciones de género, la doctrina reclamaba la aparición de una agravante genérica, que permitiera reconocer los supuestos en los que una mujer resultaba atacada por su condición. De este modo, no solo se visualiza la violencia más allá de la del maltrato, sino que se introducen elementos de proporcionalidad en relación con las penas, en la medida en que si dicha agravante existe, del mismo modo que se incrementa la sanción en el maltrato, por el incremento de reproche, se podría incrementar en el homicidio, cosa que en el texto anterior no sucedía.

---

67 Esta realidad no ha cambiado, pues la figura del art. 23 sigue haciendo referencia exclusivamente a las relaciones matrimoniales o asimiladas, lo cual tiene su sentido si atendemos a su fundamentación que no radica, precisamente, en la idea del género, sino en la de relación familiar.

Al incluir la reforma en el art. 22.4 la discriminación referente al género junto a la de sexo, se manifiesta una clara toma de posición por las tesis que diferencian entre la distinción biológica y la desigualdad social, asumiendo la naturaleza estructural de la violencia de género, y concediendo la importancia que merece al problema de la desigualdad.

Además, esto permite calificar como violencia de género hechos que se produzcan como consecuencia de reacciones machistas aun cuando no se practiquen en el seno de la pareja o no se pueda probar la existencia de pareja, según los criterios exigidos por los tribunales, lo que resulta especialmente importante en conductas de acoso frente a chicas adolescentes por hombres o chicos que no son su pareja pero que sí realizan atentados contra la mujer por el hecho de serlo.

En esta línea, y entrando en la parte especial, resulta especialmente interesante el castigo de los denominados delitos de odio, incluyendo entre ellos también los que se producen tomando como base la discriminación por género (artículo 510 del Código penal).

El incremento de delitos de odio ha generado la creación de una Delegación especial denominada de *Tutela penal de la Igualdad y contra la discriminación* vinculada a la Sala de Criminalidad Informática, cuyos resultados se pueden consultar en la Memoria de la Fiscalía General del Estado. La vinculación obedece a la incidencia de las nuevas tecnologías en los delitos que atentan contra la igualdad, y especialmente el discurso del odio, que encuentra un medio inmejorable para su difusión en las redes sociales[68]. Ciertamente hasta el 1 de julio de 2015 no había referencia a la discriminación por razón de género en el artículo 510, pero sí que se puede tomar como referencia otro tipo de discriminaciones para valorar las conclusiones alcanzadas por esta Delegación[69] y deberá tenerse presente

---

68 En este sentido se dice en la Memoria de la fiscalía que "el alcance de internet a cualquier punto geográfico del mundo y las facilidades de acceso que ha traído consigo la movilidad de los dispositivos (ordenadores portátiles, tabletas, Ipads) y los avances en telefonía móvil con la puesta en servicio de los Smartphones, ha potenciado hasta extremos hace años absolutamente inimaginables, la transmisión de noticias e informaciones y el contacto entre los ciudadanos cualquiera que sea el lugar en que se encuentren.

Sin negar las innumerables ventajas que este fenómeno genera en el conocimiento mutuo, en la planificación y desarrollo de tareas colectivas o en la difusión de la información y la cultura e incluso en la lucha a favor de los valores y principios democráticos, no debe en ningún caso olvidarse que esa misma potencialidad puede suponer una contribución negativa cuando lo que se transmite a través de estas tecnologías son ideologías o mensajes criminales en sí mismos o que potencian, incitan o facilitan la comisión de actividades ilícitas, como de hecho está ocurriendo en referencia a los crímenes de odio y más concretamente al discurso del odio". (*Memoria..., cit.*, pp. 624 y 625, disponible en www.fiscal.es/memorias/memoria2015/FISCALIA_SITE/recursos/pdf/MEMFIS15.pdf).

69 Se considera que constituyen delitos que afectan a la igualdad y a la dignidad, y por tanto objeto de esta delegación los siguientes:

como una actuación mas de violencia de género a través de las TIC si bien fuera del ámbito de la relación de pareja, por lo que escapa al objeto de este trabajo[70].

Por cuanto a los delitos de violencia sobre las mujeres las lesiones psíquicas podrían realizarse perfectamente utilizando las TIC. En este sentido, el art. 153, como consecuencia de la desaparición del libro de las faltas, se ve obligado a realizar una remisión al apartado 3 del artículo 147, que alude a las lesiones que constituyan maltrato de obra sin lesión, quedando fuera del ámbito de aplicación de la figura del maltrato los supuestos previstos en la falta del art. 617 vigente, relativo a las vejaciones injustas, reduciéndose de este modo, los casos que pueden ser perseguibles penalmente, y en los que podríamos incluir algunos casos, por ejemplo, de difusión de rumores, o insultos, o la publicación del número de teléfono en páginas de prostitución, etc., que habrá que valorar si son susceptibles o no de incardinarse en las figuras de *stalking*.

En el ámbito de las amenazas y las coacciones que también han sufrido un incremento en su comisión a través de los medios tecnológicos, se establecen como específicamente delitos leves de género las que en el texto anterior constituían falta, por lo que no ha variado mucho la redacción; simplemente recordar que junto a estas figuras se ha establecido en el art. 172 bis el delito de matrimonio forzoso, y en el art. 172 ter la figura de acoso o acecho[71], que recoge una agravación específica para el caso de que los actos previstos se realicen sobre los sujetos que se

---

- *Delitos de amenazas a grupos determinados de personas (art. 170.1 CP).*
- *Delitos de tortura por razones de discriminación (arts. 174 1 y 2 CP).*
- *Delitos de discriminación en el empleo público o privado (art. 314 CP).*
- *Delitos de provocación a la discriminación, el odio o la violencia respecto de grupos o asociaciones (art. 510.1 CP).*
- *Delitos de difusión de informaciones injuriosas sobre grupos o asociaciones (art. 510.2 CP).*
- *Delitos de denegación de prestaciones públicas y/o privadas (arts. 511 y 512 CP).*
- *Delitos de asociación ilícita para promover el odio, la violencia o la discriminación (art. 515-5º CP).*
- *Delitos contra los sentimientos religiosos (arts. 522 a 525 CP).*
- *Delitos de justificación/difusión del genocidio (art. 607.2 CP).*
- *Delitos de cualquier naturaleza en los que se aprecie la agravante del artículo 22.4 del CP.*
- *Delitos contra la integridad moral motivados por razones de carácter racista xenófobo o discriminatorio (art. 173.1 CP).*

70 En todo caso recordar por ejemplo la existencia de cuentas en redes sociales como Twitter o Facebook que se dedican a la comisión de delitos de odio contra las mujeres por el hecho de serlo. Así, por ejemplo, la cuenta @muerenpocas de Twitter, que fue cerrada tras denuncia, en la que se podía leer en su biografía "Ninguna mujer es maltratada sin motivo, algo haría", en clara apología de la violencia machista. Otro caso es la cuenta de Facebook, "Feminazis, Feminazis everywhere" que sigue activa y con mas de 56.000 seguidores.

71 Un exhaustivo análisis de esta figura se encuentra en Alonso de ESCAMILLA, A.: "El delito de *stalking* como nueva forma de acoso. *Cyberstalking* y nuevas realidades", en *La Ley penal. Monográfico sobre ciberdelincuencia,* núm. 105, noviembre-diciembre de 2013, pp. 5 y ss.

mencionan en el art. 173.2, esto es, el delito de violencia habitual sobre la mujer u otros familiares o convivientes, lo que implica una elevación del límite inferior de la pena (de tres meses se eleva a un año el mínimo manteniéndose el máximo en dos años), eximiendo en este caso del requisito de perseguibilidad, aunque equiparando la violencia familiar a la de género, sin que exista, a diferencia de lo que sucede en las coacciones básicas o en las amenazas, una pena para cuando implique sesgo de género y otra para cuando se trate de hechos que se producen sobre otros miembros del grupo familiar.

Por lo que hace a las conductas quedarán incluidos todos los actos de vigilancia (física o tecnológica), merodeo, persecución, cercanía física, contacto por cualquier medio (incluidos los tecnológicos) o a través de terceros, utilización indebida de datos personales para adquirir productos o mercancías o contratar servicios, o hacer que terceros se pongan en contacto con ella (publicando su número de teléfono en páginas que ofrecen servicios de prostitución por ejemplo) o atentando contra su libertad o su patrimonio o el de terceros especialmente vinculados a la víctima.

Son muchas las actuaciones que pueden incluirse en este delito que forman parte de actos de violencia de género (150 llamadas en menos de tres horas, persecuciones físicas y a través de medios tecnológicos, compra masiva de productos a nombre de la víctima, presencia constante y perturbadora, etc.), sobre todo en la fase post-ruptura, y que en ocasiones quedaban fuera del ámbito de protección antes de la aparición del precepto, que, por cierto, ha mejorado sensiblemente desde la redacción que tenía en el proyecto hasta la que finalmente se ha aprobado[72].

Por último, tras algún caso que mediáticamente ha resultado especialmente escandaloso, el legislador ha incluido un nuevo núm. 7 en el art. 197 en virtud del cual se castiga la difusión inconsentida de imágenes intimas cuando estas se han obtenido con consentimiento: el caso del denominado *sexting*.

Como ya he tenido ocasión de pronunciarme, las conductas descritas no eran susceptibles de castigo como un delito contra la intimidad según la mayoría de la jurisprudencia, que reconducían estos supuestos a casos de delitos contra el honor[73], en el caso de que las imágenes pertenecieran a una mujer adulta, e incluso de pornografía infantil si la que aparecia en las mismas era una menor, lo que,

---

72 Ha desaparecido la referencia a la pena de libertad vigilada que no parecía muy adecuada en este ámbito y se ha incluido una excepción en el requisito de perseguibilidad cuando los hechos se cometan en el ámbito de los sujetos sometidos a violencia familiar.

73 *Vid.*, sobre esta cuestión, COMES RAGA, I.: "La protección penal de la intimidad a través de la difusión inconsentida de *sexting* ajeno", en *La Ley penal. Monográfico sobre ciberdelincuencia*, núm. 105, noviembre-diciembre de 2013, pp. 14 y ss. También, LLORIA GARCÍA, P.: "Delitos y redes sociales: los nuevos atentados a la intimidad, el honor y la integridad moral especial

desde mi punto de vista no resultaba ni justificado, ni razonable en todo caso. La aparición de la nueva figura facilita la persecución de actos de porno-venganza, más allá de los delitos de injurias e incluso de pornografía infantil.

Se incluye una segundo párrafo en el número 7 que describe un tipo agravado, en este caso si, cuando el hecho victimice a la que es o ha sido esposa, conviviente de hecho o novia, sin recogerse previsión similar para la violencia familiar, en una clara descoordinación con los auténticos delitos de género (153, 170 y 172) y con el propio delito de acecho (172 ter), poniendo de manifiesto la asistematicidad que preside un Código parcheado con prisas y sin reflexión. Junto a ello, y siendo necesario un estudio con mayor profundidad, la conducta básica a mi entender presenta deficiencias que deberían ser mejoradas, como por ejemplo, la tortuosa redacción de la conducta, la referencia al domicilio u otro lugar fuera del alcance de la mirada de terceros, la no inclusión de textos y grabaciones de voz, y algunas otras cuestiones que merecen de reflexión y un espacio que no corresponde en este momento.

6. CONSECUENCIAS

De todo lo dicho se puede deducir, sin demasiada complejidad, que el número de atentados a la intimidad, el honor y la integridad moral crece, entre otras razones, por conductas de imitación que encuentran acomodo en una sociedad que parece que retrocede en consideraciones de igualdad: entender que resulta correcto y hasta romántico un control por celos, que eso supone demostrar amor, es algo que, desde luego, el Derecho penal no va a solucionar, por lo que otras han de ser las vías que ayuden a evitar dichos posicionamientos sobre todo en relación con las chicas y los chicos más jóvenes.

Tampoco ayuda a la minoración de estos comportamientos la idea de que el autor de los hechos cuando usa de las nuevas tecnologías queda amparado por una suerte de anonimato (real o propiciado por el propio instrumento), que dificulta enormemente la persecución del delito[74].

Por lo demás, recuérdese que cuando se utiliza el entorno digital se genera un incremento sustancial en la afectación del bien jurídico de que se trate, por

---

referencia al «*sexting*»", en *La Ley penal. Monográfico sobre ciberdelincuencia,* núm. 105, noviembre-diciembre de 2013, pp. 24 y ss.

74 Determinar de qué máquina procede la acción a través, por ejemplo, del número IP, en nada garantiza la posibilidad de imputación de la autoría, puesto que esa máquina puede haber sido utilizada en ese momento concreto por cualquier persona que la tuviera a su alcance, o porque puede haberse utilizado una *wifi* pública, o porque esa misma señal *wifi* puede haber sido sustraída, y así, muchos más ejemplos.

las características de viralidad y permanencia que acompañan a los actos que se llevan a cabo en la red.

No hay que olvidar que la violencia sobre la mujer en este ámbito encuentra de nuevos sujetos activos. Ciertamente ya no hablaremos de violencia de género, en el sentido del art. 1 de la LO 1/2004, pues se trata del surgimiento del fenómeno del acoso de la mujer por las nuevas parejas de sus exparejas, o por las "parejas oficiales" frente a las mujeres que se relacionan con el infiel, como ponen de manifiesto algunas sentencias ya señaladas.

Y por último, la aparición de una nueva clase de relación de pareja, la ciberrelación, que nos plantea un reto que habrá de ser analizado con mayor profundidad de lo que este trabajo permite.

7. BIBLIOGRAFÍA

AAVV (2013), *La evolución de la adolescencia española en la igualdad y la prevención de la violencia de género,* Ministerio de Sanidad, Servicios Sociales e igualdad, disponible en http://www.violenciagenero.msssi.gob.es/violenciaEnCifras/estudios/colecciones/pdf/Libro_19_Evoluc_Adolescencia_Igualdad.pdf.

AAVV (2014), *Informe violencia de género 2014. Teléfono ANAR*. Disponible en http://www.anar.org/wp-content/uploads/2015/05/Informe-Tel%C3%A9fono-ANAR-Violencia-G%C3%A9nero-2014.pdf.

AAVV s/f, "El ciberacoso como forma de ejercer la violencia de género en la juventud: un riesgo en la sociedad de la información y el conocimiento", disponible en http://www.msssi.gob.es/ssi/violenciaGenero/laDelegacionInforma/pdfs/Ciberacoso_Adolescencia.pdf.

ALCALÉ SÁNCHEZ, M. (2004), *La discriminación hacia la mujer por razón de género en el Código penal,* Madrid.

ALCALÉ SÁNCHEZ, M. (2009), "Análisis del Código penal en materia de violencia de género contra las mujeres desde una perspectiva transversal" en *REDUR,* núm. 7, diciembre de 2009.

ALCÁZAR, M. A. y GÓMEZ-JARABO, G. (2001), "Aspectos psicológicos de la violencia de género. Una propuesta de intervención", en *Psicopatología Clinica, Legal y Forense,* Vol. 1, nº 2.

ALONSO DE ESCAMILLA, A. (2013), "El delito de *stalking* como nueva forma de acoso. *Cyberstalking* y nuevas realidades", en *La Ley penal. Monográfico sobre ciberdelincuencia*, núm. 105, noviembre-diciembre de 2013.

ANARTE BORRALLO, E., "Incidencias de las nuevas tecnologías en el sistema penal. Aproximación al derecho penal en la sociedad de la información", en *Derecho y conocimiento, vol. 1.*

ARROYO ZAPATERO, L. s/f ,"La violencia de género en la pareja en el Derecho penal español", disponible en file:///C:/Users/Paz/Downloads/VIODEGENERO.PDF.

BORJA JIMÉNEZ, E. (2011), *Curso de política criminal,* Valencia.

CAMPOS CRISTÓBAL, R. (2012), "La violencia de género: análisis de figuras delictivas y reflexión crítica de su aplicación a la luz de la Ley orgánica de medidas de protección integral contra la violencia de género", en Martínez García, E. y Vegas Aguilar, J. C.: *La prevención y erradicación de la violencia de género. Un estudio interdisciplinar y forense*, Navarra.

COMES RAGA, I. (2013), "La protección penal de la intimidad a través de la difusión inconsentida de *sexting* ajeno", en *La Ley penal. Monográfico sobre ciberdelincuencia*, núm. 105, noviembre-diciembre de 2013.

DE LA MATA BARRANCO, N. J. (2010), "Ilícitos vinculados al ámbito informático: la respuesta penal", De la Cuesta Arzamendi y De la Mata Barranco, N.J.: *Derecho penal informático*, Navarra.

FARALDO CABANA, P. (2006), "Razones para la introducción de la perspectiva de género en Derecho penal a través de la Ley orgánica 1/2004, de 28 de diciembre sobre medidas de protección integral contra la violencia de género, en *Revista Penal*, núm. 17, disponible en http://www.uhu.es/revistapenal/index.php/penal/article/viewFile/268/258.

HERNÁNDEZ DÍAZ, L. "Aproximación a un concepto de derecho penal informático", en De la Cuesta Arzamendi y De la Mata Barranco, N.J.: *Derecho penal informático*, Navarra.

LASCURAÍN SÁNCHEZ, J. A. (2013), "¿Son discriminatorios los tipos penales de violencia de género? *Comentario* a las SSTC 59/2008, 45/2009, 127/2009 y 41/2010" en *REDC*, núm. 99, septiembre-diciembre 2013.

LLORIA GARCÍA, P. (2014), "La influencia de los medios en la regulación y aplicación de los delitos de violencia sobre la mujer", en Martínez García, E. (Dir.*): La Prevención y Erradicación de la Violencia de Género. Un estudio multidisciplinar y forense*, Pamplona.

LLORIA GARCÍA, P. (2013), "Delitos y redes sociales: los nuevos atentados a la intimidad, el honor y la integridad moral especial referencia al «*sexting*»", en *La Ley penal. Monográfico sobre ciberdelincuencia*, núm. 105, noviembre-diciembre de 2013

LÓPEZ PRECIOSO, M. (2005), "Protección integral contra la violencia de género. Reflexiones desde el trabajo social", en Boix Reig, J. y Martínez García, E.: *La nueva ley contra la violencia de género (LO 1/2004, de 28 de diciembre)*, Madrid.

LORENTE ACOSTA, M. (2001), *Mi marido me pega lo normal*, Barcelona.

MARTÍNEZ MORA, G. 2015. "La difícil protección judicial de la víctima de violencia de género. La dispensa del deber de prestar declaración del Artículo 416 Ley de Enjuiciamiento Criminal", *Boletín del Ministerio de Justicia*, núm. 2176, marzo de 2015

ORTS BERENGUER, E. y ROIG TORRES, M. (2001), *Delitos informáticos y delitos cometidos a través de la informática*. Valencia.

RUEDA MARTIN, M. A. (2012), *La violencia sobre la mujer en su relación de pareja con un hombre. Análisis doctrinal y jurisprudencial*, Madrid.

SÁNCHEZ YLLERA, I. (2013), "Maltrato y dominación. (Paradojas judiciales de una cultura incívica), *Diario La Ley, núm 8158*, 27 de septiembre de 2013.

Ciberacoso: un nuevo fenómeno de violencia a la mujer en la adolescencia y juventud

Fernando Vicente Pachés
Profesor Titular de Derecho del Trabajo y de la Seguridad Social
Universitat Jaume I de Castellón

SUMARIO: 1. Unas breves consideraciones previas sobre el ciberacoso como forma de ejercer la violencia contra la mujer. La "ciberviolencia" de género. 2. Definición y delimitación del ciberacoso. 3. Diferentes conceptos y denominaciones que recibe el acoso en red. 4. Posibles prácticas de ciberacoso. Manifestaciones más frecuentes de ciberacoso como forma de ejercer la violencia de género. 5. ¿Qué podemos hacer frente el ciberacoso de género? Medidas para la prevención del ciberacoso. 6. Bibliografía. 7. Webs de interes.

RESUMEN: La violencia a la mujer en la adolescencia y juventud es un problema que ha encontrado en Internet, en las redes sociales y en la telefonía móvil un nuevo contexto y nuevas formas para su extensión y desarrollo. La persistencia en los ataques por parte de los acosadores, el anonimato de estos dispositivos de comunicación, la mayor facilidad de ocultación de las conductas delictivas hacen que el fenómeno del ciberacoso sea un problema en considerable aumento y en constante evolución.

Las formas de violencia de género en las relaciones de pareja se han proyectado o trasladado a las redes sociales, y muy especialmente en los adolescentes y jóvenes, dado que —por su condición de nativos digitales— son el grupo social que mayoritariamente mantiene un vínculo más directo y permanente con estos dispositivos y redes.

La prevención tiene que ser el mecanismo o instrumento necesario para combatir la violencia contra las mujeres y para conseguir erradicar los supuestos de ciberacoso existentes. Es urgente visibilizar este problema y generar una mayor concienciación y sensibilización de toda la sociedad frente a este fenómeno, considerando sumamente necesario proteger a los menores, adolescentes y jóvenes en cuanto colectivos socialmente más vulnerables.

PALABRAS CLAVE: internet, redes sociales, telefonía móvil, ciberacoso, ciberviolencia de género, *ciberstalking*, *ciberbullying*, *sexting*, hacking, sextorsion, *grooming*, child *grooming*, networkmobbing, ciber sexual harassment...

ABSTRACT: Violence women in adolescence and youth is a problem that has found in Internet, social networks and mobile telephony a new context and new ways for its expansion and development. The persistent attacks by stalkers, the anonymity of these communication devices, greater ease of concealment of criminal behavior make the phenomenon of *cyberstalking* an issue considerable growing and evolving.

Forms of gender violence in relationships have been designed or transferred to social networks, and especially in adolescents and young people, given that —by its condition of

native digital— do the social group that mostly maintains a link more direct and permanent with these devices and networks.
Prevention must be the mechanism or instrument necessary to combat violence against women and to eradicate the existing cases of *cyberstalking*. It is urgent to visualize this problem and generate greater sensitization of all society against this phenomenon, considering highly necessary to protect children, adolescents and youth as groups socially vulnerable.

KEYWORDS: internet, social networks, mobile phone, *cyberstalking*, cyber violence against women, cyberbullying, *sexting*, hacking, sextorsion, *grooming*, child *grooming*, networkmobbing, cyber sexual harassment...

1. UNAS BREVES CONSIDERACIONES PREVIAS SOBRE EL CIBERACOSO COMO FORMA DE EJERCER LA VIOLENCIA CONTRA LA MUJER. LA "CIBERVIOLENCIA" DE GÉNERO

Primero que nada, quería presentar el objetivo de este estudio, que no es otro que exponer algunas ideas y reflexiones en relación al fenómeno del ciberacoso y como se ha convertido éste en una forma de ejercer la violencia contra la mujer, sean estas mujeres menores, adolescentes o jóvenes.

Asimismo, también es pretensión de este trabajo constatar cómo el fenómeno del ciberacoso está incrementándose de forma significativa de un tiempo a esta parte, y prueba de ello, es la tremenda repercusión mediática de este fenómeno con continuas noticias aparecidas en los medios de comunicación: prensa, radio, televisión...[1] Y la lacra social que supone esta forma de violencia de género en red para menores, adolescentes y jóvenes, tratándose de los colectivos más vulnerables.

Para ello, debemos partir apuntando unas ideas iniciales y datos que considero de sumo interés para entender el fenómeno del ciberacoso.

---

1 El acoso callejero en Estados Unidos, donde una mujer se grabó durante diez horas paseándose por las calles de la ciudad de Nueva York registrando a través de una cámara de video el acoso y asedio al que como mujer tuvo que verse sometida mientras caminaba por la ciudad. O la amenaza "hacker" a la artista Enma Watson por su discurso feminista emitido en Naciones Unidas, así como la publicación de imágenes íntimas robadas a mujeres famosas, caso de cantantes y estrellas de cine. Las continuas noticias aparecidas recientemente en la prensa en relación con el acoso sexual a mujeres en el ámbito laboral: el caso del exdirector de la extinta Radio Televisión Valenciana, el acoso de un comandante a una marinera, siendo el más sonado el acoso en directo por un compañero en la televisión mexicana de una presentadora del canal de TV "Televisa" en un espacio local en Ciudad Juárez, imágenes que han dado la vuelta al mundo y han causado gran escándalo... son ejemplos de la realidad del acoso en sus múltiples formas...

Ya afirmaba Nelson Mandela que el siglo XX se recordará como un "siglo marcado por la violencia" y es que, lamentablemente, los comportamientos violentos y agresivos alcanzan a todos los ámbitos sociales tradicionales —escuela, trabajo, familia, política, religión...— y, obviamente, también a la sociedad virtual —como ámbito emergente— promovido por las nuevas tecnologías de la información y de la comunicación (TICs).

La realidad es que el acoso, en sus múltiples formas, ha existido desde siempre —el maltrato, el hacer la vida imposible a alguien no es nada nuevo o reciente— pero ahora con la aparición y el uso masivo de las tecnologías de la información y comunicación (fundamentalmente internet, las redes sociales y la telefonía móvil) el acoso parece que se introduce en una nueva dimensión, en un nuevo contexto... en un espacio virtual donde da la impresión que no existen límites. Se ha producido como una mutación o evolución del acoso a otro espacio, que no es otro que el espacio virtual con el que en la actualidad convivimos.

Lo rápido y lo ilimitado en cuanto a la difusión de una información o de unas imágenes —inmediata e instantánea—, la persistencia en los ataques por los acosadores, el anonimato de estos dispositivos de comunicación, la mayor facilidad de ocultación de las conductas delictivas... hacen que el fenómeno del acoso virtual, la verdad, sea un problema que está aumentando vertiginosamente y en constante evolución.

En la actualidad, ya no podemos decir que sólo existen dos mundos: el mundo interior y el mundo exterior. Ahora, hay un tercer mundo que ha absorbido prácticamente a los otros dos: el mundo virtual. Por lo tanto, podemos afirmar que vivimos en un mundo más ágil, diverso, más intercomunicado... pero con mayores riesgos que necesariamente hay que prevenir y afrontar.

En una primera aproximación, el ciberacoso es un fenómeno contemporáneo sin legislación apropiada y específica en este momento, en el cual un individuo emplea una serie de conductas para atacar, humillar, difamar, chantajear a otro, utilizando las tecnologías de la información y comunicación, principalmente internet y las redes sociales, pero con una progresiva incidencia a través de los teléfonos móviles.

Y cuando hablamos de las denominadas nuevas tecnologías de la información y comunicación, de las popularmente conocidas como TICs, realmente ¿a qué nos estamos refiriendo? Bueno, pues nos estamos refiriendo en mayor medida a Internet y lo que este fenómeno representa, que a pesar de sus indudables ventajas está ocasionando un cambio brusco en el modo de vida, las costumbres y la forma de interrelacionarse de los seres humanos[2].

---

2 Los "teléfonos inteligentes" suponen la completa integración de Internet y la telefonía móvil. España está a la cabeza de países por penetración de los smartphones en el parque de la tele-

Pero lo realmente estratégico es la aparición de las llamadas convencionalmente como redes sociales (facebook, Myspace, twiter, tuenti, messanger, likendin...). Las redes sociales han supuesto importantes cambios en las relaciones sociales y en la vida cotidiana de las personas provocando un importante cambio en un amplio abanico de hábitos, actitudes y comportamientos de los ciudadanos. Facebook cuenta con ya con más de 1.300 millones de usuarios...[3]Pero no podemos olvidar los más habituales en nuestras vidas como el WhatsApp, el GPS, el correo electrónico, los sms —mensajería instantánea— las webs, las tabletas, los blogs...[4]

Pues, efectivamente, es a través de todos estos medios tecnológicos o digitales la mujer adolescente o en su etapa de juventud puede ser acosada y podría sufrir diversas conductas de violencia, llegándose a utilizar la expresión —todavía inexistente en el diccionario actual de la Real Academia Española de la Lengua (RAE)— de lo que ha venido a denominarse "ciberviolencia de género".

El ciberacoso, en ocasiones, tiene lugar entre personas que tienen o han tenido alguna relación y se produce por motivos directa o indirectamente vinculados a la esfera afectiva, puede tratarse de un amigo, un compañero, un novio, un marido, un amante. De esta forma, en alguna medida, el ciberacoso tiene un importante componente emotivo como los celos, la envidia, el odio, la venganza, la incapacidad de aceptar un rechazo. Y en otras ocasiones no hay ni tan siquiera relación afectiva de ningún tipo, y se acosa por el mero hecho de acosar por parte del acosador, por el mero placer de aterrorizar a la víctima, de atacar, humillar, difamar, amenazar... por la única satisfacción del proceso de elaboración del acto violento y porque quien acosa está en el convencimiento o creencia que tiene una justa causa para acosar.

---

fonía móvil (35%). Nos supera solo Singapur (54%), y estamos empatados con países como Hong Kong, Suecia y Estados Unidos. Ya se venden más smartphones que ordenadores. Así, mientras que las ventas de ordenadores personales crece solo un 2,3% y los smartphones al 74%, las tabletas lo hacen al 296% (Informe Telefónica, 2012).

3 En Facebook se han producido situaciones curiosas, como el caso del norteamericano que fue descubierto por su esposa al encontrar en esta red social fotos de su nueva boda, o la sorpresa de una mujer de Misuri que, tras colgar en Facebook un retrato de familia como postal de navidad descubrió al poco tiempo que en la República Checa su fotografía familiar era utilizada para la publicidad de una tienda en este país.

4 Estas nuevas tecnologías también suponen un importante aumento de los problemas que interfieren y dificultan la vida diaria de las parejas debidos, de un lado, a la presencia de terceras personas en dicho ámbito relacional, con las consecuentes disputas por las medias verdades o pequeñas mentiras entre la pareja y la aparición de los celos y, de otro, por el aumento de la polisemia y equívocos del lenguaje dada la economía de signos que predomina en las redes sociales y la falta de una conducta no verbal que denote y acote el sentido e intención de las palabras.

Por consiguiente, la importancia del elemento emocional y afectivo en la definición del ciberacoso permite establecer un vínculo entre la violencia de género y este tipo de prácticas o actos violentos de ciberacoso que, por otra parte, suponen el intento de dominación y sumisión de la mujer por parte del acosador.

En este escenario, en este nuevo contexto, las formas de violencia de género en las relaciones de pareja se han proyectado o trasladado a las redes sociales, y muy especialmente en los adolescentes y jóvenes, dado que —por su condición de nativos digitales— son el grupo social que mayoritariamente mantiene un vínculo más directo y permanente con estos dispositivos y redes. Pues no hay que olvidar que los jóvenes, la juventud, "siente, se comunica y vive sus relaciones en las redes sociales".

En definitiva, el ciberacoso ha sido considerado como una forma de ejercer la violencia de género, pues la utilización de las TICs, tienen como objetivo: la dominación, la discriminación y, en definitiva, el abuso de la posición de poder donde el hombre acosador tiene o ha tenido alguna relación afectiva o de pareja con la mujer acosada. Es, por tanto, una forma de generar dominación y relaciones desiguales entre personas que tienen o han tenido una relación afectiva. Se trata, en consecuencia, de una relación de poder.

Por ello, podemos afirmar que el ciberacoso encajaría perfectamente con el ámbito que trata de proteger la Ley Orgánica 1/2004, de 28 de diciembre, de Medidas de Protección Integral contra la Violencia de Género, tanto en el tipo de prácticas como en la naturaleza de la acción, puesto que se trata de una manifestación de discriminación, de abuso de poder.

Esto nos lleva a preguntarnos ¿por qué la mujer —menor, adolescente, adulta e incluso en edad madura— son las principales víctimas de ciberacoso? ¿Por qué las mujeres adolescentes y niñas sufren ciberacoso en mayor medida y frecuencia? ¿Es la edad y el sexo un condicionante para convertirse en víctima de acoso a través de estos dispositivos tecnológicos?

El ciberacoso es ejercido en significativa mayor medida por hombres, y aún siendo las víctimas en buena medida personas de ambos sexos, mayoritariamente son las mujeres quienes más lo sufren. Tampoco podemos obviar la existencia de menores y adolescentes mujeres acosadoras, particularmente en los supuestos de ciberacoso entre menores. Mientras que los varones principalmente son insultados o sufren coacciones o amenazas, las mujeres padecen agresiones de naturaleza sexual. Pero vayamos a unos datos de interés para entender el fenómeno del ciberacoso.

Según la Agencia de Derechos Fundamentales de la Unión Europea, en 2014, el 20% de las jóvenes habían sufrido ciberacoso.

Según el reciente informe del Instituto de la Mujer y el Instituto de la Juventud de Andalucía, los casos de maltrato entre jóvenes han aumentado un 33%, sobre todo mediante amenazas en las redes sociales o vejaciones. Y es que es preciso advertir que, lamentablemente, el machismo y los estereotipos de género van a más entre los adolescentes. En opinión de expertos: "La mujer se ve como un elemento de posesión del hombre y el poder de controlar que dan las nuevas tecnologías es utilizado cada vez más".

Un estudio del Ministerio de Sanidad sobre la evolución de conductas violentas y patrones sexistas entre menores concluía que el porcentaje de chicas que reconocía haber sufrido insultos subió del 14% al 23% entre 2010 y 2013. Un informe sobre violencia en los adolescentes señala que: "La agresión de género se está empezando a poner de moda en determinados ambientes". Y que "ser un joven «guay» cada vez está más vinculado a ser agresivo con ellas".

Más del 12% de los adolescentes no considera maltrato amenazar —o recibir amenazas— en caso de que su pareja quiera romper la relación. El sexismo y los estereotipos de género perviven entre los adolescentes españoles y tal y cómo viven sus relaciones muestra que, además, no son conscientes de ello. En realidad, conocen el discurso y la información existente sobre todo lo concerniente a la violencia de género, pero, en la práctica, no la trasladan a su vida.

Y es que el 25% de las chicas asegura que su novio o exnovio la vigila a través del móvil —con quien hablan, con quién ván o salen, cómo visten— e incluso, el 23% confiesa que su pareja la ha tratado de aislar de sus amistades. Y de todo esto, lo que es más grave, como "ellas los justifican", como tratan de asumir este tipo de roles y actitudes de sus compañeros o amigos varones. Algo más preocupante aún si se analiza es cuando los adolescentes no consideran como maltrato conductas de este tipo descritas —o con quien puede hablar, dónde ir o qué hacer— o que no identifican estas formas de control como violencia de género hasta que llegan a una "situación extrema". Todo ello origina que se puedan generar situaciones de control y sometimiento que pueden llegar a normalizarse y aceptarse y "parecer normal lo que es anormal"[5] tal y como afirma Miguel Llorente.

Las jóvenes cuentan por ejemplo que sus novios les leían todos los mensajes del móvil o el correo para saber con quién hablaba o que vigilaban su cuenta de redes sociales. Algunos llegan hasta un punto tal que le piden a su pareja que les hagan una videollamada para ver dónde están o les envíen un localizador (gps) de donde se encuentran. La posibilidad de comprobar la última conexión al móvil, dar la contraseña de facebook o la misma exigencia de contestar rápido al whatsapp. Es lo que los propios menores llaman "pruebas de amor". Dar al

---

5 LLORENTE ACOSTA, M. (2001): *Mi marido me pega lo normal*, Barcelona (Crítica).

otro la llave de la vida y la intimidad[6], de manera que "muchas parejas terminan encerrando su amor en la cárcel de la dependencia emocional"[7].

De ahí, insistimos, la tremenda importancia de la educación emocional y relacional de los adolescentes y jóvenes...¿estamos ocupándonos de ello? ¿éstamos realmente abordando con eficacia esta tarea que debemos considerar tan esencial? Pues, en definitiva, "conocer el perfil de un perverso debería formar parte de una buena educación afectiva"[8].

El ciberacoso es un fenómeno que genera gran alarma social y que ha atraído la atención de expertos. Sin embargo, no se cuenta en la actualidad con un estudio en profundidad que permita cuantificar en qué medida y hasta qué punto afecta el ciberacoso a la ciudadanía de adolescentes y jóvenes españoles y, mucho menos, en qué medida se está ante un fenómeno digital que amplía las formas de ejercer la violencia de género.

Se ha estudiado en profundidad o en mayor medida el ciberacoso a menores, pero el ciberacoso de jóvenes y adultos, y especialmente, en las relaciones de pareja, es un mundo todavía oculto, invisibilizado, además de poco investigado y con ausencia de datos y de información precisa al respecto[9].

Además, sabemos que los jóvenes presentan una percepción más baja de los posibles efectos perniciosos del acoso recibido a través de Internet. Así, muchos interpretan el acoso como algo irrelevante o inocuo y no viven con temor las agresiones de las que son objeto.

Esto supone una importante barrera para medir la verdadera dimensión del ciberacoso. Muchos de los casos que, en términos formales y legales, podrían ser definidos como ciberacoso, no son denunciados o advertidos por las víctimas al no percibir claramente la amenaza que suponen para sus vidas, quedando —en consecuencia— ocultos.

Es decir, únicamente cuando el ciberacoso se transforma en una amenaza muy clara para su bienestar personal es percibido como un problema. Muchos casos

---

6 Según educadores y psicólogos, esa forma de vivir el noviazgo, unida a que los estereotipos que dibujan al hombre dominante y agresivo como alguien con atractivo y a la mujer como sumisa, puede derivar en un incremento de las situaciones de control y, con el tiempo, de violencia.

7 BORJA VILASECA (2011): *El sinsentido común*, Madrid (Planeta).

8 "Es fácil y seguro manipular a quien te ama o a quien depende de ti: apagar la chispa de vida en otro, romper su voluntad, quebrantar su espíritu crítico para que no te pueda juzgar. Conocer el perfil de un perverso debería formar parte de una buena educación afectiva", ELSA PUNSET (2011): *Inocencia radical*, Madrid (Santillana Ediciones).

9 TORRES ALBERTO, C. (Dir.), ROBLES, J. MANUEL y STEFANO DE MARCO (2013): *El ciberacoso como forma de ejercer la violencia de género en la juventud: un riesgo en la sociedad de la información y del conocimiento*, Madrid (Ministerio de Sanidad, Servicios Sociales e Igualdad-Delegación del Gobierno para la Violencia de Género).

de ciberacoso en jóvenes son interpretados como una "molestia", pero pocas veces con suficiente temor como para denunciar el caso.

2. DEFINICIÓN Y DELIMITACIÓN DEL CIBERACOSO

Royakkers (2000), en otra de las definiciones más referidas, mantiene que el ciberacoso es "una intromisión en la vida íntima de la mujer utilizando los medios digitales, fundamentalmente las posibilidades que ofrece Internet, las redes sociales y la telefonía móvil"[10].

Esta intromisión tiene una naturaleza repetitiva, disruptiva, prolongada en el tiempo o durante un cierto tiempo, en contra de la voluntad de la mujer víctima de esta violencia y que incluye amenazas constantes de diferente naturaleza.

Por lo tanto, en esta definición se introducen varios elementos —o notas definitorias que caracterizan al ciberacoso— que deben ser tenidas en cuenta y debidamente aclarados para comprender nítidamente este fenómeno.

1°.– El ciberacoso implica un uso de tecnologías como Internet para acechar de forma repetida a una o varias personas. Un hostigamiento que se hace de forma sistemática y continua. Por lo tanto, un caso aislado y puntual de intrusión en la vida íntima de una persona utilizando como medio Internet o las redes no puede ser considerado como una caso de ciberacoso.

Se trata de comportamientos repetitivos de manera sistemática. La frecuencia de los comportamientos lesivos es la nota definitoria considerada fundamental, esto es, la frecuencia de los ataques, en su repetición, la persistencia en el acto de acoso...

2°.– Se está ante una conducta que, que además de reiterarse con frecuencia, tiene que mantenerse durante un cierto tiempo. Que el acoso persista en el tiempo. La duración, la persistencia en el tiempo, y la frecuencia evidencian que se está ante un comportamiento unificado, planeado y programado que persigue un único objetivo: vejar, humillar, acechar, chantajear... sin importar la destrucción de la víctima.

La duración de los ataques, la prolongación en el tiempo, lo que viene a denominarse como "efecto acumulativo". La sensación de inseguridad, de indefensión y de temor aumenta en la víctima en la medida en que el acoso persiste en el tiempo. Dado que el ciberacoso se produce, generalmente, sin que haya coincidencia física de acosador/a y acosado/a, la reiteración en el tiempo se transforma en la herramienta de invasión de la intimidad más utilizada por los acosadores.

---

10 ROYAKKERS, L. (2000): "The Dutch Approach to *Stalking* Laws", California Criminal Law Rewiew, 3,12-23.

3º.– Se trata de una intromisión disruptiva, en el sentido de inapropiada y abrupta. Es decir, el acosador ejerce su poder sobre elementos que la víctima considera privados y personales (unas fotos, una información, su vida privada...). Esta irrupción, abrupta en la mayoría de casos (interrupción súbita, abrupta...), trata de poner en evidencia aspectos de su vida personal que la víctima desearía mantener en el ámbito de lo privado. El riesgo de que aspectos de la vida íntima como fotos, vídeos o datos privados sean distribuidos entre un número indeterminado de usuarios de Internet es una poderosa herramienta de dominación.

Sin embargo, la intimidad no solo se ve amenazada por la distribución de vídeos o fotos o de cualquier otra información que pertenece al ámbito privado o íntimo de la persona. El daño sobre la imagen pública de la víctima presenta otras formas igual de dañina como es el caso de la suplantación de la identidad, que es una formula común de ciberacoso. Mediante esta estrategia el ciberacosador difunde afirmaciones o comportamientos que ponen en cuestión, frente a amigos y conocidos, la identidad de la víctima. Entre los jóvenes los atributos que definen la identidad personal, que en muchos casos está todavía en construcción, son elementos especialmente sensibles.

4º.– Otro elemento clave del ciberacoso es que se produce tras la negativa de la víctima, en contra de la voluntad de la víctima, esto es sin su consentimiento. El acosador persiste, así, en su comportamiento a pesar de que la persona acosada haya explicitado su negativa a continuar recibiendo mensajes, llamadas, comentarios o información procedentes del acosador.

Sin embargo, y a diferencia de la versión del acoso offline, en muchos casos la víctima no conoce quién es el ciberacosador, si bien, como suele ser común, sea en ocasiones una persona de su ámbito cercano en un sentido amplio. Las posibilidades que ofrece Internet para la ocultación de la identidad, así como la distancia física entre acosador/a y acosado/a implica la imposibilidad de manifestar dicha negativa. En muchos casos los sms, los correos, whatsapps enviados por el acosador se realizan desde un número oculto, los comentarios en las redes sociales del o la acosado/a se realizan desde una cuenta con identidad falsa o no explícita, etc. Esto no sólo implica que la víctima no puede mostrar su rechazo, sino que no sabe a quién mostrarlo. Esta indefensión es una fuente de incertidumbre con efectos muy negativos sobre el equilibrio psicológico de la víctima.

Finalmente, podemos indicar, que los factores de riesgo que propician la existencia de ciberacoso son múltiples, pues los hay de todo tipo y las causas suelen ser diversas. Si nos detenemos y reparamos en el factor *social o socio-cultural* que propicia la existencia de ciberacoso tenemos necesariamente que incluir a los estereotipos sexistas y xenófobos instalados en la sociedad, la justificación social de la violencia como medio para conseguir un objetivo, el tratamiento sensacionalista de las noticias de contenido violento, la aceptación social de prácticas como la grabación y difusión de contenido violento o degradante en internet, caso de peleas, comportamientos ilícitos de todo tipo...[11]

3. DIFERENTES CONCEPTOS Y DENOMINACIONES QUE RECIBE EL ACOSO EN RED

Como consecuencia de la relativa reciente aparición del fenómeno del ciberacoso, existe una importante variedad de conceptos y denominaciones para referirse a diferentes conductas de acoso utilizando Internet.

En este sentido, cabe destacar:

El *ciberbullying* (acoso entre menores) que se refiere al uso que realizan los menores de edad de los medios tecnológicos —correo electrónico, las redes sociales, sitios web o blogs— para acosar a compañeros de escuela, colegio, instituto u otros menores con la intención de causar humillación, vejar injustamente o atormentar.

El *ciberbullying* es más frecuente entre los menores de quince y dieciséis años y son las niñas quienes los sufren más frecuentemente. Las principales vías del ciberacoso son las redes sociales y la mensajería instantánea.

El *grooming*, child *grooming*, *cibergrooming* (acoso sexual a un menor por parte de un adulto) Es la conducta de ciertos adultos que, a través de las nuevas tecnologías —correo electrónico y las redes sociales— intentan contactar con menores de edad, con la finalidad de mantener encuentros sexuales con ellos. Antes de llegar a producirse el encuentro hay todo un proceso durante el que el adulto se gana la confianza del menor de diversas formas, el menor habrá enviado fotos o vídeos con contenido sexual y después aparece el chantaje...[12] Dos de cada tres

---

11 Se han definido, asimismo, otros tipo de factores de riesgo que propician el ciberacoso: a) *individuales,* ausencia de empatía, pobre asertividad, alta necesidad de aprobación social, baja autoestima, impulsividad, egocentrismo, trastornos psicopatológicos, trastornos de conducta...; b) *familiares,* prácticas de crianza inadecuadas por autoritarias o muy permisivas, maltrato intrafamiliar, ausencia de tiempo compartido en familia, falta de conocimiento de padres en las nuevas tecnologías; c*) escolares* políticas educativas que no sancionan adecuadamente las conductas violentas, el ambiente escolar —códigos de disciplina, valores implícitos, las pautas de conducta—, el estilo educativo inapropiado —rigidez individualismo y competitividad— transmisión de estereotipos sexistas en las prácticas educativas, falta de atención a la diversidad cultural, problemática concreta del profesorado por vulnerabilidad psicológica, carencia de una metodología adecuada para el control de la clase..., *vid.* PÉREZ MARTÍNEZ, A. y ORTIGOSA BLANCH, R. (2010) "Una aproximación al ciberbullyng", en AAVV (Coord. García González, Javier): *Ciberacoso: la tutela penal de la intimidad, la integridad y la libertad sexual en Internet*, Valencia (Tirant lo Blanch), pp 24-28.

12 Se trata de acciones deliberadas por parte de un adulto de cara a establecer lazos de amistad con un niño o niña en Internet, con el objetivo de obtener una satisfacción sexual mediante

menores tienen un perfil en las redes sociales y casi un tercio de sus contactos son personas a las que no conocen.

Un caso de ciberacoso —*grooming*— que conmocionó al mundo y, particularmente, a la sociedad canadiense fue el caso de Amanda Todd. Un mes antes de suicidarse, Amanda Todd colgó un vídeo en YouTube clamando ayuda. "No tengo a nadie. Necesito a alguien. Me llamo Amanda Todd". A través de pequeñas cartulinas, sin decir ni una sola palabra, la joven de 15 años fue relatando su historia. Una trágica historia que comenzó cuando a los 12 años, un extraño con el que contactó en Internet le pidió que le mostrara los pechos. Pasó un año de aquello y el desconocido comenzó a acosarla a través de Facebook. Con un mensaje le pidió que se desnudara frente a la cámara para él si no quería que sus fotos, desnuda, acabaran publicadas en la web. Su acosador cumplió su amenaza y una noche la policía confirmó que las imágenes de Todd estaban ya en los ordenadores de sus profesores, amigos y familiares. De nada valió que Todd cambiara de ciudad y a la vez de colegio. El ciberacoso volvía a surgir. Su verdugo acababa sabiendo de sus nuevos amigos, colegio, profesores y volvía a humillar a la joven.

Otros casos de suicidio por ciberacoso en menores conocidos fueron el de Ryan Halligan (acoso escolar por homosexualidad) Megan Meier (en este supuesto, curiosamente, el acoso sufrido por la menor había sido llevado a cabo por la madre de una examiga) y el de Tyler Clement (por una grabación en vídeo besándose con un amigo y su posterior divulgación por internet).

Esta forma de ciberacoso como forma violencia de género es especialmente significativa y dañina puesto que, dada la forma viral de transmisión de la información en el mundo digital, en un breve lapso de tiempo se expande la información vertiginosamente y la audiencia de lo sucedido supera el finito ámbito de amigos y conocidos, alcanzando el infinito universo de Internet y las distintas redes sociales[13].

---

imágenes eróticas o pornográficas del menor o incluso como preparación para un encuentro sexual. El abusador adopta una falsa personalidad de edad algo mayor a la de sus víctimas, o suele hacerse pasar por un chico adolescente y utilizando un alias y un lenguaje juvenil le permite ganarse primero el interés y después la confianza de las víctimas. Una vez consolidada la relación, el acosador suele pedir una foto de la chica desnuda. Otros han llegado a manipular fotos normales hasta convertirlas en imágenes sexuales. A partir de ese momento, el lenguaje se vuelve imperativo y comienza el chantaje.

13 Cabe recordar, que nuestro actual código penal reconoce esta conducta como delito y que la última reforma de 2015, ha aumentado la edad de los menores de trece a dieciséis años. El art 183 ter CP establece que: *1. El que a través de internet, del teléfono o de cualquier otra tecnología de la información y la comunicación contacte con un menor de dieciséis años y proponga concertar un encuentro con el mismo a fin de cometer cualquiera de los delitos descritos en los artículos 183 y 189, siempre que tal propuesta se acompañe de actos materiales encaminados al acercamiento, será castigado con la pena de uno a tres años de prisión o multa de doce a*

También podemos englobar en este terreno el *sexting*. Se trata del envío de material privado por parte de personas, normalmente jóvenes, a través del teléfono móvil o de Internet en el que se muestran fotografías o videos de contenido sexual.

El *sexting* (contracción de sex y texting) es una anglicismo que consiste en el envío de fotografías o/y vídeos de contenido sexual producidos generalmente por quien los remite, a otras personas por medio de teléfonos móviles u otros dispositivos tecnológicos[14].

Dado que es una práctica más habitual entre los adolescentes y jóvenes, uno de los riesgos asociados a esta actividad es el chantaje, presión o ridiculización de la joven que aparece en las imágenes. Esto puede provocar importantes daños psicológicos que, en algunos casos, llega incluso a consecuencias fatales como el suicidio.

Por ello también podemos hablar de sextorsión. Y hablamos de sextorsión cuando las fotografías o vídeos de contenido sexual en manos de la persona inadecuada pueden constituir un elemento para extorsionar o chantajear a la persona protagonista de esas imágenes. El chantaje consiste en la utilización de tales imágenes para obtener algo de la víctima amenazando con su publicación.

Otra figura o conducta bastante conocida y común de acoso en internet o a través de las redes es el denominado hacking, que consiste en prácticas de usurpación de contraseñas para acceder a la información personal, esto es, entrar o asaltar el correo electrónico de la víctima accediendo a todos sus mensajes o, incluso, impidiendo que el verdadero destinatario los pueda leer. Acceder a los

---

veinticuatro meses, sin perjuicio de las penas correspondientes a los delitos en su caso cometidos. Las penas se impondrán en su mitad superior cuando el acercamiento se obtenga mediante coacción, intimidación o engaño. 2. El que a través de internet, del teléfono o de cualquier otra tecnología de la información y la comunicación contacte con un menor de dieciséis años y realice actos dirigidos a embaucarle para que le facilite material pornográfico o le muestre imágenes pornográficas en las que se represente o aparezca un menor, será castigado con una pena de prisión de seis meses a dos años.

14 El *sexting* se ha tipificado como delito en nuestro actual código penal tras la reforma de 2015, concretamente, en su art. 197.7 CP se dispone que "*Será castigado con una pena de prisión de tres meses a un año o multa de seis a doce meses el que, sin autorización de la persona afectada, difunda, revele o ceda a terceros imágenes o grabaciones audiovisuales de aquélla que hubiera obtenido con su anuencia en un domicilio o en cualquier otro lugar fuera del alcance de la mirada de terceros, cuando la divulgación menoscabe gravemente la intimidad personal de esa persona.*

La tipificación del *sexting* como delito en los términos del art. 197.7 CP planteará serias dudas para saber cuáles serán los parámetros que habrá que tener en cuenta al objeto de determinar que la divulgación de imágenes o grabaciones menoscaben "gravemente" la intimidad personal de la persona afectada. Asimismo, conviene también matizar —como curiosidad— que este precepto penal —aunque lo identificamos con conductas de *sexting* propiamente dichas— no exige en ningún caso que el contenido o contexto de la difusión de imágenes o grabaciones tengan que ser necesariamente de naturaleza sexual."

archivos de la víctima y colgar o subir en la red documentos y fotos privadas, como ha ocurrido en diversas ocasiones en casos de artistas famosas del mundo del espectáculo, artistas de cine o cantantes.

Otra forma de acoso en red es el que se conoce —utilizando una expresión inglesa— como el networkmobbing, o acoso en el trabajo en red, esto es, el acoso que se produce en el ámbito de las relaciones laborales o de trabajo a través de los diferentes dispositivos tecnológicos. Se trata del ciberacoso laboral, de un acoso laboral —moral, sexual, por razón de sexo— a través de la red, de las TICs. Se trata de un fenómeno emergente que afecta a los trabajadores y trabajadoras digitales. En ocasiones, los acosadores vierten a través de la red informaciones falsas con la intención de dañar la imagen profesional de la víctima y, de esta forma, afectar negativamente a su desarrollo profesional. Esta modalidad de acoso puede provenir de compañeros o jefes pero también de clientes o de terceras personas ajenas a las organizaciones productivas, dándose en mayor medida en profesiones como —entre otras— periodistas, profesores o educadores, médicos en prácticas, enfermeros...

En el caso *Teggart vs Teletech*, un trabajador de un "call center" fue despedido después de hacer comentarios ofensivos sobre una compañera en Facebook. Los comentarios sugerían que la empleada había sido sexualmente promiscua con otros compañeros. Tras una investigación formal por parte de la compañía, Teggart fue despedido por mala conducta por perjudicar la reputación de la compañía y por haber acosado a su compañera de trabajo.

El acoso sexual en el ámbito laboral —tanto el de chantaje como el acoso sexual ambiental— también puede realizarse a través de medios electrónicos, al crear a través de éstos, un entorno intimidatorio, hostil, degradante u ofensivo. Estaríamos frente a lo que podríamos denominar ciberacoso sexual en las relaciones de trabajo (ciber sexual harassment). E incluso, de ciberacoso por razón de sexo o género[15].

Si tuviéramos que escoger una expresión anglosajona para referirnos a lo que denominamos como ciberacoso, el anglicismo que más se ajusta con el fenómeno que abordamos es el *cyberstalking*. Este concepto es una combinación de las palabras inglesas "cyber" y "*stalking*" que podría ser traducida al castellano como "ciber-acecho" o "ciber-persecución" o, la opción más común, "ciber-acoso"[16].

---

15 En la relación de trabajo, los trabajadores tiene derecho "al respeto de su intimidad y a la consideración debida a su dignidad, comprendida la protección frente al acoso por razón de origen racial o étnico, religión o convicciones, discapacidad, edad u orientación sexual, y frente al acoso sexual y al acoso por razón de sexo [art. 4.2 e) del Estatuto de los Trabajadores].

16 El actual Código Penal español, como es sabido, contempla —tras la reforma de 2015— un nuevo delito de acoso u hostigamiento, el denominado delito de "*stalking*", en el art. 172 ter CP, recogiendo como una forma de acoso el realizado a través de los medios de comunicación (ciberacoso). Acoso, acecho u hostigamiento de una persona de forma continua, insistente y

Este tipo de actividad retrata el uso de Internet para acechar o acosar a una persona o a un grupo de personas. Este acoso incluiría numerosas conductas de topo tipo, como falsas acusaciones, vigilancia, amenazas, robo de identidad, daños al equipo de la víctima o a la información que en él contiene, uso de la información robada para acosar a la víctima, mensajes acusatorios o vejatorios, etc.

En esta expresión quedarían comprendidas o encuadradas las acciones más comunes de ciberacoso, como un "conjunto de comportamientos mediante los cuales una persona o varias, o incluso una organización usan las TICs para hostigar a una o más personas". Dichos comportamientos incluyen, aunque no de forma excluyente, amenazas y falsas acusaciones, suplantación de la identidad, usurpación de datos personales, daños al ordenador de la víctima, vigilancia de las actividades de la víctima, uso de información privada para chantajear a la víctima, etc[17].

La tipificación como delito del *stalking* en el Código penal español supone un avance para intentar de dar respuesta a todas esas conductas habituales de violencia machista que atentan claramente contra la libertad y seguridad de las víctimas. Se tipifican una serie de conductas que constituyen acoso cuando se hayan llevado a cabo de forma "insistente" y "reiterada" y además, estas conductas de acoso "alteren gravemente" el desarrollo de la vida cotidiana. Los problemas vendrán en la práctica cuando se trate de determinar qué cabe entender por conducta "insistente" y "reiterada" y qué podemos entender e interpretar a efectos de prueba cuando estamos ante la existencia de una "alteración grave" de la vida cotidiana.

4. POSIBLES PRÁCTICAS DE CIBERACOSO. MANIFESTACIONES MÁS FRECUENTES DE CIBERACOSO COMO FORMA DE EJERCER LA VIOLENCIA DE GÉNERO

Ana Pérez Martínez y Reyes Ortigosa Blanch[18] han propuesto una lista que, sin el objetivo de ser exhaustiva, supone una excelente representación de este tipo de prácticas. El listado de las prácticas más frecuentes y comunes de ciberacoso a la mujer es el siguiente:

---

reiterada por cualquier medio de comunicación que altere gravemente el desarrollo de la vida cotidiana de la persona.

17 Además de las conductas descritas, están también los denominados "fraudes informáticos" —en los que no vamos a entrar a tratar en este espacio— que son delitos de estafa cometidos mediante técnicas de engaño a través de la manipulación de datos o programas para la obtención de un lucro ilícito (*fishing* o *phishing, phishing car, el skimming* o *carding, el scam, el pharming*)

18 PÉREZ MARTÍNEZ, A. y ORTIGOSA BLANCH, R. (2010) "Una aproximación al ciberbullyng", en AAVV (Coord. García González, Javier): Ciberacoso: la tutela penal de la intimidad, la integridad y la libertad sexual en Internet, Valencia (Tirant lo Blanch).

1°. Distribuir o colgar en Internet una imagen comprometida de contenido sexual —real o trucada— o datos susceptibles de perjudicar a la mujer víctima. Estaríamos ante el ejemplo más claro de lo que terminamos de exponer como auténticas prácticas de *sexting*.

2°. Dar de alta a la víctima en un sitio o espacio Web donde puede estigmatizarse y ridiculizarla a la víctima como persona. Por ejemplo, una web donde se escoge a la persona más tonta, más fea, más gorda, etc... presentando la posibilidad de cargarla del máximo número de votos por parte de los que visiten ese espacio. También recibe el nombre de web apaleador, esto es, web creada para realizar ciberacoso sobre la víctima, metiéndose con la persona víctima de manera pública y ridiculizándola. De esta forma se anima a los testigos a que hostiguen a la víctima.

3°. Crear un perfil o espacio falso en nombre de la víctima en el que ésta comparte intimidades, realiza demandas y ofertas sexuales explícitas, etc. Serviría como ejemplo el hecho de crear una página falsa de contactos. En ocasiones el mecanismo consiste en crear un perfil en cualquier red social (Facebook, Badoo, Metroflog, Tuenti) o poner anuncios en páginas web de contacto con fotografías y datos personales de la víctima (mundo anuncio, milanuncios...) Otro ejemplo podría consistir en publicar el teléfono fijo o móvil en una página de contactos eróticos. El gran perjuicio es la gran difusión que obtienen las injurias o las calumnias al ser publicadas a través de internet y las redes sociales.

4°. Usurpar la identidad de la víctima y, en su nombre y desde el anonimato, hacer comentarios ofensivos o participaciones inoportunas en chats, de tal modo que despierte reacciones adversas hacia quién en verdad es la víctima. La identidad de la mujer en estos casos queda en entredicho. El acosador emite opiniones o hace comentarios en nombre de ella.

5°. Dar de alta en determinados sitios la dirección de correo electrónico de la persona acosada para convertirla en blanco de spam, contactos con desconocidos, bloquear su ordenador, introducir programas espía, envío de virus (*malware*) etc.

6°. Entrar o asaltar el correo electrónico de la víctima accediendo a todos sus mensajes o, incluso, impidiendo que el verdadero destinatario los pueda leer. Acceder a sus archivos y colgar en la red sus documentos y fotos privadas. Esta sería la figura más cercana a lo que hemos descrito anteriormente como "hacking"[19].

---

19 Se trate de supuestos de monitorización constante de los actos de la víctima a través de programas como Spyware o SpyBubble. En primer lugar, cabe señalar que el programa Spyware se utiliza fundamentalmente para robar datos y rastrear movimientos por la red. Este programa,

7º. Hacer correr falsos rumores sobre un comportamiento reprochable atribuido a la víctima, de tal modo que quienes lo lean reacciones y tomen represalias en contra de la misma.

8º. Enviar mensajes ofensivos y hostigadores a través de e-mail, sms, whatsapps, o redes sociales. Chistes, comentarios, bromas, correos electrónicos con fotografías y videos de contenido erótico o pornográfico... Este tipo de conductas también es bastante común entre compañeros en el ámbito laboral y han constituido causa justificada de despido del trabajador que lleva a cabo este tipo de acciones.

9º. Acosar a través de llamadas telefónicas silenciosas, o con amenazas, insultos, con expresiones de alto contenido sexual, colgando repetidamente la comunicación cuando contestan, llamar en horas inoportunas o intempestivas, etc...

10º. Acciones de presión permanente para actuar conforme a las solicitudes de la pareja. Sirva como ejemplo el hecho de "enviar más de 50 whatsapp" pidiendo volver en una relación o presiones para realizar actos de naturaleza sexual.

11º. Una de las más comunes y dañinas: las críticas continuadas y la revelación de intimidades de la pareja tras extinguirse la relación a modo de revancha como consecuencia de la ruptura de la pareja.

Cabe advertir —con independencia de no ser el colectivo de mujeres objeto de estudio en este trabajo— que este tipo de conductas de ciberacoso no se producen sólo contra las adolescentes y jóvenes, sino que cada vez son más las mujeres de edad adulta o mayores, las que se ven controladas, acosadas, humilladas, amenazadas y sometidas mediante el uso de las TICs por parte de quienes en algún momento mantuvieron o siguen manteniendo una relación de noviazgo, amistad o afectividad del tipo que sea. El acoso a estas mujeres que podríamos calificar como "adultas" o "maduras" también está lo suficientemente invisibilizado u oculto, dado que la denuncia de los casos de acoso no es nada frecuente o inexistente.

En todo caso es muy difícil realizar una lista cerrada y definitiva de las diversas formas o manifestaciones en las que puede expresarse el ciberacoso. Además, el propio desarrollo de las TICs conlleva que cada poco tiempo los acosadores

---

puede instalarse en los equipos informáticos, físicamente, o a través de un correo electrónico infectado. No se trata de un virus, ya que no daña el sistema operativo, es un programa espía cuyo objetivo es conocer todos los movimientos que se realizan.

El Spybubble, es un programa espía para móviles inteligentes, que según las empresas que lo comercializan es legal. Frecuentemente es utilizado por empresas para vigilar qué tipo de llamadas y actividades realizan los trabajadores, aunque cabe destacar que en una de las páginas de descarga, el Spybubble se promociona de la siguiente manera "Localizar teléfono móvil: Entérate dónde está tu mujer por medio de su celular".

encuentren nuevas formas de acoso a través de Internet, las redes sociales o la propia telefonía móvil. Por esta razón, los especialistas en ciberacoso se muestran prudentes a la hora de listar los elementos que constituyen comportamientos de acoso en Internet.

El acoso cibernético o ciberacoso —como ilícito pluriofensivo— es susceptible de lesionar o vulnerar diversidad de derechos y libertades fundamentales de la persona y particularmente de la mujer menor o adolescente en cuanto víctima de esta modalidad de acoso. En este sentido, las acciones que podemos encuadrar como ciberacoso son capaces de lesionar —entre otros derechos—: el derecho a la dignidad de la persona, el derecho a la intimidad, el derecho a la propia imagen, el derecho al honor, el derecho al secreto de las comunicaciones, el derecho a la salud, el derecho a la igualdad, el derecho a la libertad, el derecho a la integridad física y moral...

Por consiguiente, no solo estamos ante un cambio tecnológico sino ante un cambio cultural de múltiples consecuencias en materia de vulneración de derechos humanos.

Sin embargo, realmente no existe todavía ley alguna que de forma expresa regule el fenómeno del ciberacoso. El motivo de ello es simple ya que el abanico de figuras infractoras o delictivas que en potencia se podrían cometer a través del ciberacoso ya están reguladas por separado en las diferentes leyes —civiles, penales, administrativas, laborales...— habiéndose de acudir a cada una de ellas según el caso y el ámbito jurídico de que se trate.

En este sentido, cabe advertir, que la mayor parte de los delitos cometidos a través de las tecnologías de la información y comunicación están tipificados o podrían encontrar perfecto acomodo en las diversas y numerosas figuras delictivas contempladas en nuestro actual código penal.

5. ¿QUÉ PODEMOS HACER FRENTE EL CIBERACOSO DE GÉNERO? MEDIDAS PARA LA PREVENCIÓN DEL CIBERACOSO

Nuestra propuesta es que la prevención tiene que ser el mecanismo o instrumento necesario para combatir la violencia contra las mujeres y para conseguir erradicar o reducir los innumerables supuestos de ciberacoso actualmente existentes. Por lo tanto, educación, formación, información directamente a todos los sujetos implicados: menores, adolescentes, padres, madres, educadores, profesores. Formación y especialización que debe llegar a todas aquellas personas y profesionales que trabajan para combatir el ciberacoso —operadores jurídicos, fuerzas y cuerpos de seguridad del Estado, trabajadores sociales...— Y, fundamentalmente, tolerancia cero contra la “ciberviolencia” de género.

La enorme incidencia y utilización de las tecnologías debe llevarnos a plantearnos una profunda reflexión sobre las nuevas formas de relacionarnos. Debemos involucrarnos toda la sociedad frente a este fenómeno, considerando sumamente necesario proteger la intimidad de la ciudadanía, y en especial de los menores, adolescentes y jóvenes en cuanto colectivos socialmente más vulnerables.

Por otra parte, consideramos y constatamos la ausencia o falta de una auténtica cultura preventiva sobre los riesgos en la red. En ocasiones, la educación va dirigida únicamente a los adolescentes y jóvenes pero ¿qué ocurre con los educadores y padres que deben velar por la seguridad de sus hijos? Pocas veces hemos visto un decálogo que vaya dirigido a educadores y padres que contenga las normas básicas que toda persona debe conocer para estar al día y estar debidamente informado en lo que debe ser una verdadera cultura preventiva sobre los riesgos de la Red.

Debemos reflexionar sobre la necesidad de proteger la intimidad de la ciudadanía, y en especial de los menores. Estamos haciendo una cesión incontrolada e inconsciente de nuestra esfera íntima personal. Lo público y lo privado se entremezclan. Como adultos hemos reducido el valor que le damos a nuestra esfera privada e íntima personal y eso, de alguna forma, los menores y adolescentes lo están percibiendo de quienes deberían ser su principal referente.

Es necesario también una mayor concienciación y sensibilización por parte de la sociedad ante esta problemática —sirva como ejemplo anuncio actual en televisión en relación con *bullying* sin embargo— ¿qué ocurre con las otras formas de acoso o ciberacoso existentes? ¿qué acaso son menos relevantes o dañinas para los adolescentes y jóvenes? No nos queda otra que involucrarnos toda la sociedad para combatir este fenómeno y no únicamente unos pocos. Todavía creemos que no somos conscientes del todo de lo que puede llegar a generar el ciberacoso en menores y jóvenes como colectivo más vulnerable y necesitado de una mayor educación en igualdad. En consecuencia, se debe visibilizar el problema que genera este fenómeno y actuar de forma inmediata.

Se precisa de un estudio o investigación en profundidad que permita cuantificar en qué medida y hasta qué punto afecta el ciberacoso a la ciudadanía de jóvenes e incluso de personas adultas en nuestro país. Se ha estudiado en profundidad o en mayor medida, el ciberacoso a menores, pero el ciberacoso de jóvenes y adultos, y especialmente, en las relaciones de pareja, es un mundo todavía oculto, poco investigado y con ausencia de datos y de información precisa al respecto, posiblemente por su escasa denuncia, como apuntábamos anteriormente.

Esto supone un importante obstáculo para medir la verdadera dimensión del problema del ciberacoso. Muchos de los casos que, en términos formales y legales, podrían ser definidos como ciberacoso, no son denunciados o advertidos por las víctimas al no percibir claramente la amenaza que suponen para sus vidas quedando, por lo tanto, invisibles. Los datos con los que contamos para evaluar la penetración del ciberacoso entre la población no son indicativos de su verdadera dimensión.

También hay que apuntar que, afortunadamente, existen ya numerosas actuaciones y protocolos de las instituciones competentes con el fin de combatir el problema lo mejor posible. Medidas preventivas desde el sistema educativo, en los centros escolares, la página web "orientados", "pantallas amigas"... y otras muchas más que, afortunadamente, asesoran e informan a padres, madres, alumnos y profesorado[20].

Y es mi deseo finalizar con una última reflexión: que no debemos tener miedo de las tecnologías de la información y comunicación, son valiosísimas y mucho menos prohibirlas. Que hay que tener presente que los adolescentes y jóvenes utilizan Internet prácticamente para todo. No solo para buscar información, sino para hacer deberes, jugar, ver películas, divertirse, hablar, comunicarse en sus múltiples formas... Lo hacen absolutamente todo en la red... tal y como decíamos hace un momento: la juventud se manifiesta en ese asombroso mundo virtual, en definitiva, la juventud "siente, se comunica y vive sus relaciones en las redes sociales". Por consiguiente, no podemos ni debemos poner puertas al campo; necesariamente, lo que tenemos que hacer es enseñarles a estar dentro del campo.

6. BIBLIOGRAFÍA

BOCIJ, P. (2010), "Victims of *cyberstalking*: An exploratory study of harassment perpetrated via the Internet", *First Monday*, 8, 12-28.

CAMPOS, Francisco (2008), "Las redes sociales trastocan los modelos de los medios de comunicación tradicionales". *Revista Latina de Comunicación Social*, 63, 1-8.

CASADO CABALLERO, V. (2012), *Violencia de género y nuevas tecnologías* (Junta Andalucía)

CASTELLS, Manuel (2005), *La era de la información*, Madrid, (Alianza Editorial).

---

20 Asimismo, contamos con un amplio conjunto de organizaciones que han expresado su interés por combatir este fenómeno. Entre estas destacan la Oficina de Seguridad del Internauta, la ONG Protégeles, la iniciativa Pantallas Amigas, la Fundación Alia2, la Agencia de Calidad de Internet (IQUA), la iniciativa "Actúa Contra el ciberacoso", INCIBE, la Asociación de Internautas, la Asociación de Usuarios de Internet, la Agencia Española de Protección de Datos y la Asociación Española de Madres y Padres Internautas (AEMPI). Igualmente, algunas Comunidades Autónomas como Castilla y León, Castilla-La Mancha o la Comunidad Canaria han generado documentos que muestran su notable interés por este problema.

FELIZ MATEO, V., SORIANO FERRER, M., GODOY MESAS, C. y SANCHO VICENTE, S. (2010), "El Ciberacoso en la enseñanza obligatoria". *Aula Abierta*, 38, 47-58.

GARCÍA DEL CASTILLO, J. A. (*et alt*) (2008), "Uso y abuso de Internet en jóvenes universitarios", *Revista Adicciones*, vol. ed. 20, nº 2, 131-142.

GARCÍA GONZÁLEZ, J. (2010), *Ciberacoso: la tutela penal de la intimidad, la integridad y la libertad sexual de Internet,* Valencia, (Tirant lo Blanch).

GOLDSBOROUGH, R. (2004), "Fighting back against *cyberstalking*". *Lawyers Journal*, 21, 37-4.

HARGITTAI, E. (2010), "Digital Na(t)ives? Variation in Internet Skills and Uses among Members of the Net Generation". *Sociological Inquiry*, 80, 92-113.

INTECO (2011), "Guía sobre adolescencia y *sexting*: qué es y cómo prevenirlo" www.incibe.es/CERT/guias_estudios/guias/Guia_*sexting*.

INTECO (2010), "Guía para padres y madres sobre el uso de videojuegos por menores", www.incibe.es/CERT/guias_estudios/guias/guia_menores_videojuegos

INTECO (2009), "Guía sobre *ciberbullying* y *grooming*", www.incibe.es/CERT/guias_estudios/guias/guiaManual_groming_*ciberbullying*.

INTECO (2008), "Guía legal sobre la protección del derecho al honor, a la intimidad y a la propia imagen en Internet", www.incibe.es/CERT/guias_estudios/guias/guiaManual_honor_internet.

INTECO (2008), "Guía legal sobre las redes sociales, menores de edad y privacidad en la Red", www.incibe.es/CERT/guias_estudios/guias/guiaManual_redes_menores.

INTECO (2007), "Guía para la protección legal de los menores en el uso de Internet", www.incibe.es/CERT/guias_estudios/guias/guiaManual_proteccion_legal_de_los_menores.

ROYAKKERS, L. (2000), "The Dutch Approach to *Stalking* Laws", *California Criminal Law Review,* 3, 12-23.

TORRES ALBERTO, C. (Dir.), ROBLES, J. MANUEL y STEFANO DE MARCO (2013), *El ciberacoso como forma de ejercer la violencia de género en la juventud: un riesgo en la sociedad de la información y del conocimiento* (Ministerio de Sanidad, Servicios Sociales e igualdad-Delegación del gobierno para la Violencia de Género).

INFORME TELEFÓNICA (2012), *La sociedad de la información en España 2011*, Barcelona, (Ariel, Colección Fundación Telefónica).

7. WEBS DE INTERES

www.*sexting*.es
www.sextorsión.es
www.e-legales.net
www.pantallasamigas.net
www.incibe.es
www.violenciasexualdigital.info
www.internet-*grooming*.net
www.protecciononlinne.com

SEGUNDA PARTE

DELITOS Y TICS

Concepto de pornografía infantil y modalidades típicas comisivas tras la reforma del Código Penal operada por la Ley Orgánica 1/2015 de 30 de marzo: la pornografía infantil y la que no lo es (aunque se califique como tal)

Javier Gustavo Fernández Teruelo
Profesor Titular (Acreditado a Catedrático) de Derecho Penal
Universidad de Oviedo

SUMARIO: 1. La tipificación de nuevas formas de pornografía infantil como una manifestación más del proceso penal expansivo. 2. El nuevo concepto legal de pornografía infantil. 2.1. Planteamiento y contenido. 2.2. Pornografía real. 2.2.1. Sentido que debe darse al tiempo verbal "representar" ("represente", "representación") contenido en la descripción del concepto de pornografía infantil. 2.2.2. Determinación de la suficiencia o insuficiencia de la mera desnudez para conformar el concepto de material pornográfico. En particular, el sentido que debe darse a la expresión: representación de los "órganos sexuales". 2.3. Pornografía técnica (art. 189.1, apartado c). 2.4. Pornografía virtual (art. 189.1, apartado d). 2.5. Pseudopornografía infantil. 2.6. Pornografía infantil sonora y escrita (literaria). 3. Modalidades típicas. 3.1. Modalidades típicas preexistentes a la reforma operada por LO 1/2015. 3.2. Nueva modalidad típica: la adquisición de pornografía infantil (art. 189.5). 3.3. Nueva modalidad típica: el acceso (visualización) a sabiendas a pornografía infantil. 4. Bibliografía.

RESUMEN: En el texto se analizan algunas de las principales novedades introducidas en el Código penal por la LO 1/2015 de 30 de marzo en materia de pornografía infantil. En particular, se analiza el nuevo concepto de pornografía infantil que incluye la llamada pornografía técnica y la pornografía virtual. Además son objeto de estudio otras novedades como los nuevos comportamientos consistentes en acceder o adquirir este tipo de materiales.

PALABRAS CLAVE: Pornografía infantil, pornografía virtual, pornografía técnica, Derecho penal

ABSTRACT: The text discusses some of the main innovations introduced in the Spanish Criminal Code by the LO 1/2015 of March 30th on child pornography. Specially, the new concept of child pornography is analized, including the so called technique pornography and virtual pornography. Besides, other new issues are being studied, such as new practices consisting of accessing or either acquiring such materials.

KEYWORDS: Child pornography, virtual pornography, technical pornography, Criminal law

1. LA TIPIFICACIÓN DE NUEVAS FORMAS DE PORNOGRAFÍA INFANTIL COMO UNA MANIFESTACIÓN MÁS DEL PROCESO PENAL EXPANSIVO

Los tipos penales, que castigan actos que el legislador vincula con la pornografía infantil, recogidos en el art. 189 CP, se han visto significativamente afectados por la LO 1/2015 de reforma del Código penal. Y no sólo eso, nos encontramos ante una de las modalidades típicas que más se ha ensanchado en los últimos quince años. Ha pasado de no estar si quiera recogido como delito en la primigenia redacción del Código penal de 1995, a verse afectado de forma incisiva por las principales reformas del Código penal (en particular, por las Leyes Orgánicas 11/1999, de 30 de abril, 15/2003, de 25 de noviembre, 5/2010, de 22 de junio y 1/2015, de 30 de marzo).

El legislador, como suele ser cada vez más habitual (recordemos por ejemplo la introducción de la responsabilidad penal de las personas jurídicas en el año 2010), evita dar demasiadas explicaciones sobre las razones político criminales que motivan la reforma de los delitos de pornografía infantil. Es suficiente el viento favorable a criminalizar todo lo que huela a sexualidad relacionada con menores y el evidente rédito político que con ello se puede obtener. Formalmente, apoya su decisión legislativa sólo en la existencia de un mandato europeo, que determina la necesaria adaptación del Código Penal. Así, en concreto, se afirma en la Exposición de Motivos de la reforma, que la nueva regulación "tiene por objeto llevar a cabo la transposición de la Directiva 2011/92/UE, relativa a la lucha contra los abusos sexuales y la explotación sexual de los menores y la pornografía infantil".

En ese escenario, lo más relevante de la reforma es que supone otra *vuelta de tuerca* al prever nuevas formas comisivas (el "acceso a" y la "adquisición de" pornografía infantil) y profundizar en el castigo de conductas en las que no tiene por qué verse implicado ningún menor (pornografía técnica y pornografía virtual). La cuarta gran intervención penal frente a toda conducta relacionada con la pornografía infantil (aunque no se proyecte sobre menores reales) parece reiterar, en algunos casos, el deseo de intervenir frente al mero deseo de obtener satisfacción sexual con la idealización de menores, aunque no exista menor alguno que se haya visto afectado por el comportamiento típico, lo que, en definitiva, parece ser más bien una cuestión de moral sexual. En esta línea, ya desde la reforma de 1999, varias de las conductas descritas en los tipos (aquellas que nada tienen que ver con menores reales) se castigan, como apunta algún autor, por tratarse de prácticas que se apartan de las "sexualmente mayoritarias"[1].

---

1 DÍEZ RIPOLLÉS, J. L., "El objeto de protección del nuevo Derecho penal sexual", en Delitos contra la libertad sexual, núm. 21, Escuela Judicial, CGPJ, Madrid, 1999, p. 229.

Nos parece, en tal sentido, discutible la opinión formulada en la Circular 2/2015, relativa a los delitos de pornografía infantil tras la reforma operada por LO 1/2015 (en adelante CFGE) según la cual se puede considerar que en esos casos se protege "la dignidad e indemnidad sexual de la infancia en general", que "la circulación de estas modalidades pornográficas puede poner en peligro". La ausencia de un menor real sometido a cualquier tipo de conducta sexual o pornográfica o siquiera a peligro de sufrirla (como puede ocurrir en las conductas típicas referidas a la pornografía técnica y virtual) convierte en más que discutible la decisión de incorporar estas conductas a un tipo, que aparece ubicado en un Título referido a la libertad y/o indemnidad sexuales, bienes respecto a los cuales la conducta típica se halla extremadamente alejada. En la pornografía virtual no participan (y en la técnica pueden no participar) menores reales en actividad sexual o pornográfica alguna; no hay ser humano (menor de edad) que se vea afectado por tales conductas. El (lógico) rechazo social a todo lo relativo a la sexualidad referida a menores no justifica por sí solo la intervención del Derecho penal, cuando no hay interés concreto afectado. Recuérdese, además, que la eventual lesión a otros bienes jurídicos —dignidad o intimidad— puede realizarse en el marco de las figuras típicas que se encargan de la protección de dichos bienes[2].

Afortunadamente, los encargados de investigar y perseguir policial y judicialmente estos delitos (de modo especial el Grupo de Delitos Telemáticos (Guardia Civil), la Brigada de Investigación Tecnológica (Policía Nacional) y la Fiscalía) han racionalizado la aplicación práctica de las previsiones de las sucesivas reformas, centrando su actuación en las modalidades que realmente poseen capacidad lesiva respecto al bien jurídico (la producción y difusión de pornografía infantil); del mismo modo, es lógico prever que tampoco desviarán el objeto de atención desde tales conductas a las nuevas modalidades de acción y los nuevas formas de pornografía introducidas en el año 2015.

---

2 Ya desde la primera reforma, la crítica en esta materia ha sido tan generalizada en el ámbito doctrinal, como irrelevante a ojos y oídos del legislador penal español; en los trabajos más recientes tras el último proceso de reforma, *vid.* ORTS BERENGUER, E., "Nuevas conductas delictivas contra la intimidad (arts. 197, 197 bis y 197 ter)", en *Comentarios a la Reforma del Código Penal de 2015*, Tirant lo Blanch, 2ª Edición 2015, pp. 646 y ss.; GARCÍA ALBERO R., "Pornografía infantil y reforma penal: consideraciones sobre el objeto material del delito", en *Delitos contra la libertad e indemnidad sexual de los menores* (Carolina Villacampa Estiarte, coordinadora), Thomson Reuters, pp. 281 y ss.; DE LA ROSA CORTINA J. M., "Concepto de material pornográfico infantil. Los tipos básicos de pornografía infantil y el impacto del proyecto de 2013", en *Delitos contra la libertad e indemnidad sexual de los menores* (Carolina Villacampa Estiarte, coordinadora), Thomson Reuters, pp. 303 y ss.

Como cuestión general, la reforma sustituye el término “incapaz” por el de “persona con discapacidad necesitada de especial protección”, en consonancia con la nueva terminología del art. 25 CP, según el cual se entiende por discapacidad aquella situación en que se encuentra una persona con deficiencias físicas, mentales, intelectuales o sensoriales de carácter permanente que, al interactuar con diversas barreras, puedan limitar o impedir su participación plena y efectiva en la sociedad, en igualdad de condiciones con las demás. Si bien en determinados delitos sexuales la referida previsión, en abstracto, resultaría acertada desde el momento en que se trata de personas que, aun habiendo adquirido la mayoría de edad, carecen de capacidad suficiente para comprender el acto de naturaleza sexual en el que participan, en los delitos relativos a la elaboración y difusión de pornografía esta previsión carece de sentido y en la práctica resulta inoperante. No existe en la actualidad un mercado de producción, distribución y consumo de “pornografía de personas adultas con discapacidad necesitada de especial protección” y, además, las posibilidades de probar que el dolo del autor abarca tal elemento son muy escasas. El precepto español parece haberla incluido más por inercia legislativa, ya que aparece también en el artículo 188 —prostitución— y en todos los supuestos del artículo 189 CP[3].

Entre las novedades de la reforma del contenido del art. 189, que no son objeto de estudio en este trabajo, se encuentra el castigo de la *asistencia a sabiendas* a espectáculos exhibicionistas o pornográficos en los que participen menores de edad o personas discapacitadas. En definitiva, se castiga también al cliente que acude a uno de esos espectáculos, sabiendo que los que participan en el mismo son menores o discapacitados[4]. En lo que respecta a los tipos agravados las novedades son varias destacando entre ellas las siguientes: la actualización al criterio general de la reforma del tipo contenido en el apartado a) “cuando se utilice a menores de dieciséis años” (en lugar de los trece años, previstos en la redacción anterior); la previsión de un nuevo supuesto en el apartado d) para aquellos casos en que el culpable hubiere puesto en peligro, de forma dolosa o por imprudencia grave, la vida o salud de la víctima.

---

3 Del mismo modo, también se ha apuntado acertadamente que no existe un mercado de pornografía de menores de edad”, que es lo que realmente castiga el legislador español, sino un mercado de “pornografía infantil”, en el que la atracción se centra en niños de 13 y menos años, *vid.* DE LA ROSA CORTINA J. M., “Concepto de material pornográfico infantil”, cit., p. 325.

4 Art. 189.4 CP: “El que asistiere a sabiendas a espectáculos exhibicionistas o pornográficos en los que participen menores de edad o personas con discapacidad necesitadas de especial protección, será castigado con la pena de seis meses a dos años de prisión”.

2. EL NUEVO CONCEPTO LEGAL DE PORNOGRAFÍA INFANTIL

2.1. *Planteamiento y contenido*

La Exposición de Motivos de la reforma nos anuncia que se ha optado por introducir una definición legal de pornografía infantil, "con el objeto de *acabar con determinadas dudas* respecto a la subsunción de ciertos comportamientos y de *simplificar a la vez la redacción* del art 189 CP". Sin embargo, ni parece que sea esa la razón, pues el propio legislador afirma a la vez que se trata de una imposición comunitaria, ni parece haberlo conseguido, pues el nuevo concepto, como a continuación veremos, introduce determinadas descripciones que resultan confusas en su significado. El objeto real expansivo deja pocas dudas, no sólo por la adopción de determinadas medidas, a las que ya hemos aludido y que se estudiarán a continuación, sino por la elección de las alternativas más duras de entre las posibles, cuestión a la que también nos referiremos.

Como apunté, el legislador advierte que la definición legal de pornografía infantil ha sido tomada de la Directiva 2011/92/UE del Parlamento Europeo y del Consejo de 13 de diciembre de 2011 relativa a la lucha contra los abusos sexuales y la explotación sexual de los menores y la pornografía infantil, por la que se sustituye la Decisión marco 2004/68/JAI del Consejo que, a su vez, parece haberse inspirado en el Convenio sobre cibercriminalidad de Budapest (23-11-2001). Según este último, debe entenderse por "pornografía infantil" cualquier material pornográfico que represente de manera visual: a. un menor adoptando un comportamiento sexualmente explícito; b. una persona que aparece como un menor adoptando un comportamiento sexualmente explícito; c. unas imágenes realistas que representen un menor adoptando un comportamiento sexualmente explícito.

Por su parte, en la Directiva 2011/92/UE del Parlamento Europeo y del Consejo de 13 de diciembre de 2011, se afirma que la pornografía infantil a menudo incluye imágenes que recogen los abusos sexuales a menores perpetrados por adultos. También puede incluir imágenes de menores que participan en una conducta sexualmente explícita, o de sus órganos sexuales, producidas o utilizadas con fines claramente sexuales y explotadas con o sin el conocimiento del menor. Añade a continuación, sin explicar las razones de tal afirmación que, además, el concepto de pornografía infantil también abarca las imágenes realistas de menores en las cuales el menor participa, o se le representa participando, en una conducta sexualmente explícita, con fines principalmente sexuales.

En la siguiente tabla podemos ver las diferencias entre el concepto de la Directiva 2011/92/UE y el finalmente incorporado por la LO 1/2015, de 30 de marzo al art. 189 del Código penal.

DIRECTIVA 2011/92/UE	LO 1/2015
c) "pornografía infantil": (...): i) todo material que represente de manera visual a un menor participando en una conducta sexualmente explícita real o simulada, ii) toda representación de los órganos sexuales de un menor con fines principalmente sexuales, iii) todo material que represente de forma visual a una persona que parezca ser un menor participando en una conducta sexualmente explícita real o simulada o cualquier representación de los órganos sexuales de una persona que parezca ser un menor, con fines principalmente sexuales, o iv) imágenes realistas de un menor participando en una conducta sexualmente explícita o imágenes realistas de los órganos sexuales de un menor, con fines principalmente sexuales;	A los efectos de este título se considera pornografía infantil o en cuya elaboración hayan sido utilizadas personas con discapacidad necesitadas de especial protección: a) Todo material que represente de manera visual a un menor **o una persona con discapacidad necesitada de especial protección** participando en una conducta sexualmente explícita, real o simulada. b) Toda representación de los órganos sexuales de un menor **o persona con discapacidad necesitada de especial protección** con fines principalmente sexuales. c) Todo material que represente de forma visual a una persona que parezca ser un menor participando en una conducta sexualmente explícita, real o simulada, o cualquier representación de los órganos sexuales de una persona que parezca ser un menor, con fines principalmente sexuales, **salvo que la persona que parezca ser un menor resulte tener en realidad dieciocho años o más en el momento de obtenerse las imágenes.** d) Imágenes realistas de un menor participando en una conducta sexualmente explícita o imágenes realistas de los órganos sexuales de un menor, con fines principalmente sexuales.

Como puede verse el art. 189 del Código penal realiza una transcripción casi literal del texto de la Directiva con dos excepciones (que aparecen resaltadas en la tabla). La primera es la inclusión, junto al término "menor", de "persona con discapacidad necesitada de especial protección", que como hemos dicho sustituye al término "incapaz". En segundo lugar, en el apartado c, referido a la pornografía técnica, el legislador añade (ensambla), de un modo poco ortodoxo, a la definición contenida en el número iii) lo dispuesto en el art. 5.7 de la Directiva[5], dando lugar a una redacción confusa y de difícil interpretación, como más adelante analizaremos.

---

5 Art. 5.7. "Quedará a la discreción de los Estados miembros decidir si el presente artículo será aplicable a los casos relacionados con la pornografía infantil a que se refiere el artículo 2, letra c), inciso iii), cuando la persona que parezca ser un menor resulte tener en realidad 18 años o más en el momento de obtenerse las imágenes".

2.2. *Pornografía real*

2.2.1. Sentido que debe darse al tiempo verbal "representar" ("represente", "representación") contenido en la descripción del concepto de pornografía infantil

En los tres primeros (de los cuatro) apartados que definen el concepto de pornografía infantil, el legislador utiliza la modalidad verbal "representar" ["represente" —apartados a) y c)— y "representación" —apartado b)—]. Se ha discutido si bajo el amparo de la referida expresión podrían incluirse en el ámbito típico, además de la captación, a través de métodos fotográficos o videográficos, de menores (o personas con discapacidad), también aquellos dibujos o diseños de menores (o de sus órganos sexuales o de discapacitados) realizados por medios tradicionales o virtuales[6]. En mi opinión esa posibilidad no es viable, en la medida en que el propio apartado d) se refiere expresamente a "imágenes realistas" de un menor (pornografía virtual); esto es, creación artificial pero realista, elaborada por ordenador u otro medio. La interpretación más razonable será entonces entender que los otros apartados vienen referidos a personas (menores en los apartados a y b) (y menores o adultos que parecen menores en el apartado c) *de "carne y hueso"*. En consecuencia, puede concluirse que la referencia verbal aludida tiene un valor secundario, siendo el resto de elementos los que determinan si el sujeto (o sus órganos sexuales) representado es menor o puede ser mayor y si es real o simulado.

2.2.2. Determinación de la suficiencia o insuficiencia de la mera desnudez para conformar el concepto de material pornográfico. En particular, el sentido que debe darse a la expresión: representación de los "órganos sexuales"

Hasta la reforma del año 2015 hemos contado con una línea jurisprudencial consolidada según la cual *la mera desnudez no es pornografía*. Según la misma, la "pornografía" requeriría la presencia de actos sexuales explícitos o cuando menos gestos o representaciones de claro contenido sexual. En ese sentido ya se había pronunciado el Tribunal supremo, a partir de su sentencia de 8 de marzo de 2006 (*RJ* 2006\1827): "El artículo 189.1, en versión dada por LO 11/1999 castiga la utilización de menores de edad o incapaces con fines o en espectáculos

---

6 Posibilidad admitida por ORTS BERENGUER, E., "Nuevas conductas delictivas contra la intimidad", cit., p. 648, advirtiendo —en sentido crítico— que en tales supuestos no se lesiona bien jurídico alguno.

exhibicionistas pornográficos (...)". Ahora bien, tiene razón el recurrente cuando argumenta que la imagen de un desnudo "no puede ser considerada objetivamente material pornográfico (...)" "lo que no puede predicarse sin más de un desnudo, luego en la medida (sic) que en el hecho probado no se especifica dicho contenido de obscenidad o impudicia resulta insuficiente para subsumir los hechos en el delito por el que han sido calificados". La posterior STS nº 1342/2003, de 20 de octubre, considera que la imagen de un desnudo —sea menor o adulto, varón o mujer— no puede ser considerada objetivamente material pornográfico, con independencia del uso que de las fotografías pueda posteriormente hacerse (en la misma línea la STS de 2 de noviembre de 2006 (*RJ* 2006\8165) y la STS nº 105/2009, de 30 de enero); o la STS nº 803/2010, de 30 de septiembre que afirma que por "elaboración de cualquier clase de material pornográfico podemos entender tanto fotografías como videos, como cualquier soporte magnético que incorpore a un menor en una conducta sexual explícita, entendiendo por ésta el acceso carnal en todas sus modalidades, la masturbación, zoofilia, o las prácticas sadomasoquistas, pero no los simples desnudos". Más reciente es la STS nº 271/2012, de 26 de marzo, que ha definido la pornografía infantil como cualquier material audiovisual que utiliza niños en un contexto sexual[7]. Resoluciones posteriores matizaron algo esta idea, en el sentido de que, si bien se mantiene el criterio según el cual el "mero desnudo" no puede integrar el delito de pornografía infantil, sí lo puede y debe hacer el "desnudo con connotaciones sexuales"; así, para el ATS nº 521/2013, de 21 de febrero "las fotos realizadas por el acusado a la menor pueden considerarse como pornográficas ya que muestran la zona púbica de la niña, su imagen desnuda y del busto en *actitud sugerente*".

Sin embargo, lo que ya era una solución pacífica, podría complicarse desde el momento en que, tras la reforma, el legislador (en el apartado b) califica como pornografía la representación de "órganos sexuales" *(toda representación de los órganos sexuales de un menor o persona con discapacidad necesitada de especial protección con fines principalmente sexuales)*, suscitando la duda acerca de si la mera representación de esos órganos, sin más, debe ser considerada pornografía a efectos típicos. En mi opinión la respuesta debe ser negativa Estimo que sigue siendo necesario que tales órganos sexuales aparezcan representados en un "contexto sexual" (por ejemplo, una erección en el caso de los órganos sexuales

---

7 Sobre la cuestión, *vid*., también, TAMARIT SUMALLÁ, J., *La Protección Penal del Menor Frente al Abuso y Explotación Sexual. Análisis de las Reformas Penales de 1999 en materia de Abusos Sexuales, Prostitución y Pornografía de Menores*, Aranzadi, Pamplona, 2002, pp. 121-122, quien ya apuntaba que un desnudo de un niño *no puede ser legítimamente castigado como delito sexual por el mero hecho de que determinadas personas puedan excitarse sexualmente con ello.*

masculinos o posiciones y actitudes que inviten a la sexualidad, tanto en los masculinos como femeninos).

Los argumentos que apoyarían este criterio interpretativo serían los siguientes: en primer lugar, admitir lo contrario iría en contra de la esencia del fenómeno que se quiere castigar: "la *pornografía* infantil"; en segundo lugar, la inclusión del mero desnudo como forma de pornografía contradice la exigencia expresa de ejercicio de sexualidad que aparece varias veces en la definición legal: "conducta sexualmente explícita" [aparece en los apartados a), c) y d)]; "con fines principalmente sexuales" [apartado c)]; en tercer lugar, como antes apuntamos, esa es la línea seguida de forma pacífica por la jurisprudencia anterior a la reforma (reflejada en el citado ATS nº 521/2013, de 21 de febrero); en cuarto lugar, es también el criterio contenido en la CFGE, que entiende que el carácter pornográfico de las imágenes de niños desnudos sólo procederá cuando las mismas se enmarquen en un contexto lascivo (posados con contenido sexual e imágenes enfatizando los genitales). A tales efectos habrá de entenderse que los "fines principalmente sexuales" que permiten calificar la representación de los órganos sexuales de un menor como pornografía, deberán tener reflejo en el propio material, no siendo suficiente con la mera intencionalidad de quien lo posee o difunde.

Sin embargo, la citada Circular, siguiendo la línea interpretativa sugerida doctrinalmente[8], establece un matiz o distinción relevante, al considerar que en el caso de quien elabora el material, el *animus* de dicho sujeto, cuando entra en contacto directo con el menor y que obtiene del mismo, fotografías o videos de sus órganos sexuales, puede ser determinante para calificar el resultado como pornográfico. Así será típico el supuesto de quien con una motivación sexual, convence a un/a niño/a para que se desnude a fin de elaborar materiales pornográficos (video o imagen), aún estando ausente en el/la menor la citada actitud que sugiera el ejercicio de la sexualidad.

2.3. *Pornografía técnica (art. 189.1, apartado c)*

Una de las novedades de la reforma es la introducción, dentro del nuevo concepto de pornografía infantil, de la llamada *pornografía técnica*, recogida en el apartado c) del art. 189 con el siguiente contenido: "*cualquier representación de los órganos sexuales de una persona que parezca ser un menor, con fines principalmente sexuales, salvo que la persona que parezca ser un menor resulte tener en realidad dieciocho años o más en el momento de obtenerse las imágenes*".

---

8 DE LA ROSA CORTINA J. M., "Concepto de material pornográfico infantil", cit., p. 315.

La redacción resulta extremadamente confusa, lo que se explica, como antes se apuntó, por la decisión del legislador español de fusionar (sin coordinar gramaticalmente) la definición contenida en el número iii) de la Directiva 2011/93/UE con lo dispuesto en el art. 5.7 de la misma (*salvo que la persona que parezca ser un menor resulte tener en realidad dieciocho años o más en el momento de obtenerse las imágenes.*), dando lugar a un texto de difícil interpretación.

Dentro de las posibles interpretaciones la solución más razonable pasa por entender que lo que lo que determina dicha redacción es una (criticable) inversión de la carga de la prueba[9]; según dicha interpretación existirá el delito cuando la conducta recaiga sobre una persona que parezca ser un menor (aunque no lo sea), debiendo ser el presunto autor del hecho el que acredite que dicha persona que aparece como tal representada en realidad ha superado la mayoría de edad. La sanción de este tipo de conductas parece ir dirigida fundamentalmente contra los titulares de determinado tipo de webs de carácter pornográfico que ofertan un modelo basado en las relaciones con personas que aparentan no haber alcanzado todavía la mayoría de edad (caracterizando a quienes en ellas aparecen como menores, aunque muchas veces no lo sean y "jugando" visualmente con situaciones límite). En esos supuestos (si las webs están radicadas en España) aún será posible requerir a los titulares de las mismas para que acrediten la mayoría de edad de las personas que en ellas aparecen representadas; sin embargo, esta acción se antoja imposible en aquellos casos —la mayoría— en que se difunden materiales que se han obtenido en la Red y que representan a personas (mayores o menores), respecto a los cuales no existe ninguna posibilidad de determinar quiénes son y por ello tampoco es viable demostrar su mayoría de edad, circunstancia que generalmente el propio difusor desconoce.

Son ciertamente muchas las dudas constitucionales que plantea una construcción de este tipo, pudiendo llegar a ser en un nuevo delito de sospecha que se viene a unir al previsto en el art. 166 CP (no dar razón del paradero de la víctima de secuestro o detención ilegal). Al sujeto se le castiga o bien porque se sospecha que en las imágenes puede haber un menor o porque en las mismas un mayor de edad aparece caracterizado como un menor y no se puede demostrar que no lo sea. Pese a ello, este criterio interpretativo parece ser también el seguido por la CFGE, cuando afirma que esta disposición se interpretará en el sentido de que tendrá trascendencia penal el material pornográfico que presente a una persona como menor, atendido su aspecto externo y el contexto en el que se le coloca (vestimenta, etc.), incluyendo el texto escrito o el audio que lo acompañe. Será pues penalmente relevante el material que presente a personas como menores en

---

9 GARCÍA ALBERO R., "Pornografía infantil y reforma penal", cit., p. 286.

un contexto sexual. Se trata de supuestos en los que las personas que aparecen en el material pornográfico aparentan ser menores, bien porque son seleccionados por sus rasgos especialmente aniñados y convenientemente maquillados —simulación analógica o real— o retocadas sus imágenes o fotogramas digitalmente, mediante el borrado de sus signos de madurez sexual (senos, vello púbico, etc.). Si las investigaciones pueden determinar la minoría de edad de *la persona representada en la fecha en que se produjo el material*, la calificación habrá de referirse al material pornográfico infantil común. La comprobación a posteriori de que el protagonista de la escena pornográfica tenía en realidad 18 años o más en el momento de producirse el material, excluiría la punibilidad de la conducta. *Si no puede determinarse la mayoría o minoría de edad de la persona representada y el material la "presenta" como menor de edad, deberá ser considerado como pornografía infantil.*

Sin embargo, la referida Circular matiza restrictivamente este criterio, considerando excluido el delito en aquellos casos en que el material que incorpore una escena sexual protagonizada por una persona no identificada de la que no está claro si es mayor o menor, cuando el autor del hecho *no haga mención a su minoría de edad ni la relacione con iconografía propia de menores (rasgos aniñados, vestido, peinado, etc.)*. La necesaria restricción interpretativa habrá de requerir no sólo que aparenten ser ser menores, sino que sean presentados como tales[10].

La situación se agrava desde el momento en que la redacción definitiva de la reforma suprimió la previsión contenida en el apartado sexto del art. 189 que aparecía en el Proyecto de 2013, según el cual, la producción y posesión de pornografía infantil no serían punibles cuando se tratase de pornografía técnica, siempre que el material esté en posesión de su productor únicamente para su uso privado, y en su producción no se haya utilizado el material pornográfico a que se refieren las letras a) y b) del mismo. En todo caso, la CFGE prevé la ponderación en estos supuestos de la posibilidad de interesar el sobreseimiento de las actuaciones.

2.4. *Pornografía virtual (art. 189.1, apartado d)*

Otra de las novedades de la reforma es la introducción en el nuevo concepto, y por lo tanto en el ámbito típico, de la denominada pornografía virtual: "*Imágenes realistas de un menor participando en una conducta sexualmente explícita o imágenes realistas de los órganos sexuales de un menor, con fines principalmente sexuales*". También denominada "pornografía infantil artificial", consiste en la

---

10 DE LA ROSA CORTINA J. M., "Concepto de material pornográfico infantil", cit., p. 323.

creación de la imagen de un menor, sin partir de menores reales; por ejemplo, un dibujo animado o una creación a través de aplicaciones o programas de dibujo o diseño. Se trata de la creación de imágenes no reales de menores involucrados en actos sexuales, con la particularidad de que ni existen las personas ni las situaciones reproducidas. La CFGE la define como aquella en la que la imagen del menor es una creación artificial pero realista, elaborada por ordenador u otro medio.

El Código penal asume literalmente la definición contenida en la Directiva y la razón de ser de la inclusión en el concepto típico de este tipo de imágenes (o videos) se encontraría en el alto grado de perfección alcanzado por determinado software capaz de desarrollar y animar imágenes y videos en un entorno sintético 3D, susceptible de inducir a error sobre la autenticidad de lo que en el mismo aparece reflejado, resultando difícil juzgar si la persona representada es real o sintética.

La aparición en el Proyecto de reforma de la pornografía virtual suscitó las quejas de determinados colectivos, al considerar que pasarían a estar catalogados como pornografía infantil series de televisión, videojuegos, mangas y comics y cualquier película en la que se de ese tipo de situaciones. Sin embargo, es de esperar que esto no sea así, en la medida en que, a fin de evitar indebidas extensiones del concepto de pornografía infantil, debe interpretarse restrictivamente la expresión "imágenes realistas", que serán imágenes "cercanas a la realidad", a la que tratan de imitar[11]. Dicho de otro modo, serían imágenes que no son reales pero lo parecen. Por tanto, *solo* serán "imágenes realistas" potencialmente subsumibles en el concepto de pornografía infantil aquéllas que se aproximan en alto grado a la representación gráfica de un auténtico menor, o de sus órganos sexuales. En esa misma línea, la Fiscalía General del Estado a través de su circular (y recordemos que en estos supuestos al no tratarse de menores reales no habrá acusación particular), concluye que no deben entenderse incluidos dibujos animados, cómics o representaciones similares, pues no serían propiamente "imágenes realistas", en tanto no perseguirían ese acercamiento a la realidad.

Nótese que el legislador de 2015 finalmente no incorporó a la redacción definitiva del texto la previsión contenida en el artículo 5.8 de la Directiva según la cual quedará a la discreción de los Estados miembros decidir si los apartados 2 y 6 del presente artículo serán aplicables a los casos en que se determine que el material pornográfico definido en el artículo 2, letra c), inciso iv), ha sido producido y está en posesión de su productor estrictamente para su uso privado, siempre que para su producción no se haya empleado material pornográfico al que se refiere el artículo 2, letra c), incisos i), ii) e iii), y que el acto no implique riesgo

---

11 GARCÍA ALBERO R., "Pornografía infantil y reforma penal", cit., p. 290.

de difusión del material. El legislador español, finalmente[12], no ha adoptado la referida excepción (el apartado 5 que regula la posesión para uso propio no establece limitaciones) por lo que la producción de imágenes realistas realizadas por el propio sujeto para su propio uso es una conducta típica.

Una vez más, tal y como antes se apuntó, la ausencia de un menor real sometido a cualquier tipo de conducta sexual o pornográfica o siquiera a peligro de sufrirla, convierte en más que discutible la decisión de incorporar esta conducta a un tipo que aparece ubicado en un Título referido a la libertad y/o indemnidad sexuales, bienes respecto a los cuales la conducta típica se halla extremadamente alejada. No participan menores reales en actividad sexual o pornográfica alguna; no hay ser humano (menor de edad) que se vea afectado por tales conductas. El (lógico) rechazo social a todo lo relativo a la sexualidad referida a menores no justifica por sí solo la intervención del Derecho penal, cuando no hay interés concreto afectado, al menos de forma potencial[13].

2.5. *Pseudopornografía infantil*

Hasta la reforma penal del año 2015, el apartado séptimo del art. 189 CP castigaba con penas de prisión de tres meses a un año o multa de seis meses a dos años al que *"produjere, vendiere, distribuyere, exhibiere o facilitare por cualquier medio material pornográfico en el que no habiendo sido utilizados directamente menores o incapaces, se emplee su voz o imagen alterada o modificada"*. Con un criterio expansivo difícilmente justificable en términos de ofensividad, el legislador de 2003, a partir de lo dispuesto en la Directiva 2011/92/UE, amplió los límites del precepto, incluyendo entre las conductas punibles (art. 189.7 CP) la llamada pseudopornografía infantil o simulada *(morfing)*, que consiste, precisamente, en realizar fotomontajes con imágenes (o la voz) de menores que no intervienen realmente en la conducta sexual (v. gr. colocar la imagen de la cara de un menor sobre la imagen corporal de un adulto en actitud sexual).

---

12 Pues sí aparecía previsto en el Proyecto de 2013, en concreto en el apartado sexto del art. 189, según el cual la producción y posesión de pornografía infantil no serán punibles cuando se trate del material pornográfico a que se refiere la letra c) del párrafo segundo del apartado 1 de este artículo, siempre que el material esté en posesión de su productor únicamente para su uso privado, y en su producción no se haya utilizado el material pornográfico a que se refieren las letras a) y b) del mismo.

13 Llama la atención R. GARCÍA ALBERO ("Pornografía infantil y reforma penal", cit., p. 291) sobre la contradicción que supone castigar las imágenes realistas creadas por ordenador y a la vez dejar sin sanción aquellas en las que un mayor de edad parece ser menor (una pornografía infantil "aparentemente más realista").

Tras la reforma penal se excluye la pseudopornografía del nuevo concepto de pornografía infantil. Ahora bien, como bien ha apuntado el Informe del Consejo Fiscal de 8 de enero de 2013 (en relación al Proyecto de reforma de ese mismo año), ello no tiene por qué implicar la atipicidad de estas conductas, pues según como se ejecuten podrían llegar a castigarse como pornografía infantil virtual o técnica. De hecho, el referido informe se pronunciaba en el sentido de entender que "su supresión obedece a que tal material pornográfico debe reconducirse ahora a los supuestos de pornografía virtual que el Anteproyecto considera material pornográfico infantil relevante penalmente". Advierte, en todo caso, la CFGE que, en coherencia con lo acordado respecto a la pornografía virtual, la tipicidad de este tipo de pornografía requiere que la misma sea realista, en el sentido antes indicado; esto es que se aproxime al máximo a la realidad en su configuración.

2.6. *Pornografía infantil sonora y escrita (literaria)*

A la vista del nuevo concepto, la pornografía infantil necesariamente debe integrarse por representaciones visuales, no siendo suficiente el material de audio ni los textos escritos. La pornografía infantil literaria consiste, según definición del Tribunal Supremo (STS de 2 de marzo de 1983), "en las descripciones escritas de actividades sexuales que, careciendo de valores literarios, artísticos, científicos o pedagógicos, tengan por finalidad exclusiva excitar sexualmente a quienes las lean". Hasta la reciente supresión de la modalidad de pseudopornografía, estuvo prevista en nuestra regulación una forma de pesudopornografía sonora, si bien ignorada por los operadores encargados de la aplicación de la norma; en concreto, como vimos, el apartado séptimo del art. 189 CP castigaba con pena de prisión de tres meses a un año o multa de seis meses a dos años al que "produjere, vendiere, distribuyere, exhibiere o facilitare por cualquier medio material pornográfico en el que no habiendo sido utilizados directamente menores o incapaces, se emplee su voz o imagen alterada o modificada". La deriva que ha adquirido el proceso legislativo en la materia no hace descartable que en un futuro no muy lejano se incluyan también en el ámbito típico estas dos conductas. De hecho, ya la Petición del Defensor del Pueblo Q0311860 del año 2004, dirigida al Ministro de Industria, Turismo y Comercio solicitaba el castigo de este tipo de conductas.

3. MODALIDADES TÍPICAS

3.1. Modalidades típicas preexistentes a la reforma operada por LO 1/2015

Los espacios virtuales donde se desarrolla la difusión de pornografía infantil dentro del ámbito Internet se encuentran en permanente evolución; así, por razones de "seguridad" de quienes intercambian este tipo de materiales, la distribución a través de webs personales ha ido perdiendo peso en beneficio de las comunidades, foros, programas de intercambio, correo electrónico, FTP, BBS, IRC, redes P2P, etc[14]. Las comunidades de intercambio, que se configuran en alguno de los modelos indicados, son sitios en los que el administrador suele restringir la entrada a determinados usuarios, lo que también restringe las posibilidades de localización de los contenidos ilegales. En concreto para poder formar parte de estas zonas, normalmente se exige tomar parte activa, compartiendo pornografía infantil con otros miembros, lo que —a la vez— permite renovar e incrementar la base de archivos comunes. Los usuarios que no compartan material en el tiempo que establezca el administrador son normalmente expulsados. Esta situación provoca que el consumidor de pornografía infantil se convierta, al mismo tiempo, en distribuidor de este tipo de material y que se genere un sistema de producción geométrica de materiales. Por su parte, las redes de distribución *P2P (peer to peer)*, tienen principal peculiaridad es que los programas de soporte no necesitan un servidor central ya que usan una estructura descentralizada. Como es sabido, gracias a este sistema, los interesados pueden acceder al material (en este caso pornográfico infantil) que el resto tiene en determinada carpeta de su disco duro, conformando una enorme base de datos. Según el programa utilizado, el que lo descarga y ejecuta establece qué archivos propios quiere compartir con el resto de los usuarios del programa, los cuales inmediatamente pasarán a formar parte de una base de datos global, accesible a todos los que en ese momento estén conectados.

Veamos las posibilidades de subsunción de ese tipo de conductas en la primera parte del apartado b) del artículo 189, el cual describe la acción típica con las expresiones "*produjere, vendiere, distribuyere, exhibiere, ofreciere o facilitare*" (tales conductas). La distinción entre "*producir*", contenida en este apartado b) y "*elaborar*" (pornografía infantil), conducta descrita en el apartado a) debemos

---

14 Sobre las diligencias policiales de investigación y prueba respecto a la posesión y distribución de los materiales pedófilos resulta interesante el contenido de la STS de 2 de noviembre de 2006 (RJ 2006\8165).

encontrarla en que las conductas del apartado a) y, entre ellas, "elaborar", a diferencia de las segundas (producir) recaen sobre menores concretos[15].

De todas las conductas descritas en el apartado b), la que mejor se adapta al supuesto en que la acción se desarrolla a través de Internet es la expresión verbal "*distribuyere*", en la medida en que ésta significa "repartir entre varios". Cuando media precio, la conducta es subsumible en la modalidad típica "*vendiere*". El concepto "*exhibiere*" es útil a efectos de aquellos supuestos en que se permite la visualización del material, sin que tenga lugar su envío (o descarga). Finalmente, la tremenda laxitud de la última modalidad de la acción típica "*facilitare la producción, venta, difusión o exhibición por cualquier medio*" la convierte en una cláusula de recogida que permite sancionar la práctica totalidad de las conductas posibles de favorecimiento de la difusión. Facilitar es, de acuerdo con su significado gramatical, "hacer fácil o posible la ejecución de algo o la consecución de algo" y, también, simplemente "proporcionar o entregar". La jurisprudencia ha consolidado la doctrina de la Consulta 3/2006 que, en relación con el art. 189. 1 b), estableció que *se ha de apreciar un único delito* aun cuando los archivos pornográficos distribuidos sean múltiples y/o afecten a una pluralidad de menores (SSTS nº 782/2007 de 3 de octubre; 785/2008 de 25 de noviembre y 829/2008 de 5 de diciembre).

La reforma 5/2010, en transposición de la Decisión Marco 2004/68/JAI del Consejo, de 22 de diciembre de 2003, relativa a la lucha contra la explotación sexual de los niños y la pornografía infantil, añadió a las conductas típicas originales una nueva, consistente en ofrecer ("*ofreciere*") pornografía infantil; se anticipa, de este modo, la intervención penal a la mera oferta del material, sin que tenga que haberse producido ningún tipo de intercambio, entrega o envío a sus destinatarios. Tiene que tratarse de una oferta que no vaya acompañada de su exhibición parcial o total, ya que en tal supuesto dicho comportamiento ya estaría subsumido en la modalidad típica "exhibiere". Puede ser en cierta medida una

---

15 Según la CFGE, la diferencia esencial de los tipos del art. 189.1 b) frente a los de la letra a) radica en que "hay que entender se refiere a las conductas del sujeto activo relativas al tráfico o difusión de imágenes pornográficas sin que el mismo haya participado previamente en la elaboración o filmación de las mismas, siendo indiferente la concurrencia o no de ánimo de lucro" (STS nº 795/2009, de 28 de mayo). Como establece la Consulta 3/2006 "dentro del 189.1 a), han de ubicarse todas las conductas en las que se opera sobre menores concretos, afectándose a los mismos, directa (captando a los menores, convenciéndoles para que se presten a la elaboración del material, filmando etc.) o indirectamente (financiando la grabación, proporcionando local, etc.). Por contra, tanto en el tipo de 189.1 b)... el sujeto activo actúa sobre un material ya elaborado, en cuyo proceso de confección no ha participado, no habiendo por tanto con su acción incidido sobre la conducta sexual del menor. Siempre que exista una conducta que tenga repercusión sobre un menor (no sobre las imágenes obtenidas) habrá de reconducirse la acción a la letra a)".

previsión superflua si tenemos en cuenta que ya se castiga la posesión finalística (posesión para exhibir, para distribuir, etc.). De este modo, considero que el ofrecimiento no sería más que la constatación de la posesión finalística. Únicamente podría resolver el castigo de aquellos supuestos en que se ofrece el material que, sin embargo, no se posee (aunque se espera llegar a poseer porque se sabe dónde y cómo obtenerlo); la modalidad típica no deja de ser, en cualquier caso, una manifestación —más— del carácter extraordinariamente expansivo de la regulación y su conflicto con la intervención mínima, especialmente en su vertiente de ofensividad, así como con el principio de proporcionalidad en sentido estricto.

La presencia de la modalidad típica antes reseñada ["facilitare (...)"] va a permitir considerar típicas peculiares modalidades comisivas. Se trata, en primer lugar, de aquellos supuestos en los que el intercambio se produce entre sujetos determinados (no es, por tanto, una puesta a disposición de cualquiera que acceda al canal). En principio, el concepto de "distribución" —onerosa o lucrativa— parece requerir que se ponga la información al alcance de un número más o menos amplio e indeterminado de personas. En efecto, "distribuir" significa repartir una cosa entre varios, en el sentido que le ha dado la jurisprudencia en relación con el delito de tenencia y tráfico de drogas o reparto entre potenciales clientes [STS de 23 de septiembre de 1998 (RJ 1998\6463)][16]. Sin embargo, la tipicidad de tal supuesto no ofrece dudas; primero, porque ya se castiga lo menos (la mera posesión) y, en segundo lugar, como apuntamos, porque en todo caso quedará comprendido en la expresión "facilitaren (...)".

En segundo lugar, la referida modalidad *(facilitare)*, también permite hacer frente a los supuestos que denomino de distribución pasiva; esto es, aquellos en los que los materiales se ofrecen en las redes de distribución P2P, a las que antes aludimos. El supuesto plantearía dudas de subsunción en la expresión "distribuyeren" por su evidente connotación activa; sin embargo, al igual que en el caso anterior, no habría problemas para incardinar tal conducta en la acción típica "facilitare la difusión"[17], al margen del aspecto subjetivo al cual más adelante nos referiremos. En todo caso, se ha apuntado que la conducta consistente en

---

16 Para la jurisprudencia italiana (por ejemplo Corte di Casazione. Secc. III, 27 septiembre 2000, núm. 2842, en Rivista Penale, núm. 1, 2001, p. 58) no basta la cesión de este material a sujetos individuales, sino que es necesario que venga propagado entre un número indeterminado de destinatarios.

17 Pese a la presencia de una conducta típica de tan amplio contenido, D. L. MORILLAS FERNÁNDEZ (*Análisis dogmático y criminológico de los delitos de pornografía infantil. Especial consideración de las modalidades comisivas relacionadas con Internet*, Dykinson, Madrid, 2005, p. 472) considera precisa la inclusión de otras modalidades típicas: "vendiere, distribuyere, difundiere, cediere, exhibiere, publicitare o facilitare por cualquier medio la producción, venta, difusión, cesión, intercambio, anunciación o exhibición de material (...)".

compartir archivos mediante la utilización en Internet de un programa de los denominados P2P puede ser constitutiva de difusión. En este sentido se ha pronunciado el Tribunal Supremo. También la Consulta 3/2006 de la Fiscalía General del Estado declara que estos supuestos de intercambio de archivos de pornografía infantil son claramente subsumibles en el concepto de *distribución,* pues si bien el sujeto no envía material pornográfico a los destinatarios, permite que otros accedan al mismo, poniéndolo por tanto a disposición de terceros. Advierte pese a todo la Circular de la Fiscalía que en este ámbito el Tribunal Supremo ha considerado preciso utilizar un criterio restrictivo, no debiendo aplicarse el tipo de distribución por el mero hecho de utilizarse un programa P2P, siendo preciso examinar las circunstancias concurrentes para apreciar o no el dolo de difundir. En efecto, la jurisprudencia se ha decantado, en general, por el castigo de esos supuestos con la excepción de aquellos casos en que no existan indicios relevantes para afirmar que el sujeto usuario de la Red conocía que estaba compartiendo sus materiales ilícitos con otros. En cuanto a los indicios sobre los que basar una eventual prueba de la existencia de distribución (facilitación de la descarga) los tribunales suelen aludir al dato meramente cuantitativo (número de archivos poseídos), elemento por sí solo insuficiente, y a otros como el relativo a si tales archivos se encuentran o no en las carpetas compartidas y, por lo tanto, pueden ser descargados por otros usuarios de la Red.

Sin embargo, desde mi punto de vista, en tales supuestos se suscitan dudas en el plano de la causalidad y/o imputación objetiva por las siguientes razones: Primero, porque los archivos compartidos, cuyo contenido presenta cierto interés para determinado grupo de usuarios, de inmediato pasan a estar en poder de múltiples de ellos; de ese modo, la descarga del archivo ilícito por parte de nuevos usuarios ya no va a depender de la presencia o ausencia de uno o varios de quienes lo comparten. De hecho, cuando alguno de ellos desconecta su ordenador la descarga por parte de terceros prosigue sin apenas alteración. De este modo, desde el punto de vista de la equivalencia de condiciones, que un usuario comparta o no comparta el archivo pasa a resultar irrelevante, ya que las descargas prosiguen utilizando otras fuentes. Es cierto que la conducta típica de la modalidad ahora analizada se conforma con la "facilitación" y, en tal sentido, podría sostenerse que a mayor número de fuentes origen (poseedores que comparten el archivo) mayor velocidad de descarga; sin embargo, y ya en el plano de la imputación objetiva, cuando este archivo es compartido (como suele ser habitual) por un número importante de usuarios, la presencia o ausencia de uno de ellos se convierte en un factor prácticamente irrelevante.

En el segundo inciso del artículo 189.1.b) se sanciona también a quien *posea dicho material para la realización de cualquiera de esos fines* (la venta, distribución, etc.). Se castigan, por lo tanto, conductas preparatorias del hecho principal, en concreto la tenencia del material pornográfico en cuya elaboración se hayan utilizado menores, siempre que se trate de una posesión finalística dirigida a la venta, distribución ofrecimiento o exhibición del material[18]. Nos encontramos ante una previsión paralela a la posesión de drogas para traficar con ellas, castigada en el artículo 368 CP y, al igual que en tal supuesto, la mayor dificultad se encuentra en probar ese elemento subjetivo, concretado en el ánimo de vender, distribuir o exhibir el material pornográfico. Sin embargo, el paralelismo entre ambas figuras delictivas aquí se termina[19]. Las posibilidades de entender probado este elemento subjetivo acudiendo a indicios objetivos, de un modo similar y con matices, a como ha hecho la jurisprudencia con el delito del artículo 368 (cantidad de droga incautada, condición de drogodependiente del sujeto, etc.) aquí son mucho menores. Pensemos que el sujeto realiza las conductas desde su propio domicilio, que es también el lugar en donde normalmente se encontrarán (en el propio PC o en cualquier soporte magnético o digital) los materiales; debe tenerse también en cuenta que, a diferencia de lo que ocurre con las drogas, el mero consumidor de pornografía infantil suele acumular grandes cantidades, por lo que el criterio cuantitativo con frecuencia no será útil[20]. Se trata, además, de una conducta con escasas manifestaciones hacia el exterior. La ausencia de prueba respecto a la posesión finalística determinará, en todo caso, la aplicación subsidiaria del tipo referido a la posesión para autoconsumo.

Tal y como ya ha sido apuntado, la reforma 15/2003 introdujo entre los supuestos punibles la *posesión de material pornográfico de menores para autoconsumo*[21] (apartado 5, tras la reforma 1/2015: “El que para su propio uso adquiera o posea pornografía infantil o en cuya elaboración se hubieran utilizado personas con discapacidad necesitadas de especial protección, será castigado con la pena de tres meses a un año de prisión o con multa de seis meses a dos años”). Una vez más, se trata de una decisión de política legislativa cuando menos discutible

---

18 F. MORALES PRATS-R. GARCÍA ALBERO (“Delitos contra la libertad e indemnidad sexuales” en Quintero Olivares G., *Comentarios al Nuevo Código Penal*, Aranzadi, Navarra, 2004, p. 374) califican esta modalidad delictiva como “delito mutilado en dos actos”.

19 En sentido similar, *vid.* MORALES PRATS, F., “La intervención penal en la Red. La represión penal del tráfico de pornografía infantil: Estudio particular”, en *Derecho, sociedad y nuevas tecnologías*, Colex, 2001, p. 129.

20 Sobre esta cuestión, *vid.* MORILLAS FERNÁNDEZ, D. L., *Análisis dogmático y criminológico de los delitos de pornografía infantil, op. cit.*, p. 291.

21 Sin embargo E. GIMBERNAT ORDEIG (Código penal, 9ª ed., Tecnos, pp. 18-19) rechaza la comparación de la posesión de drogas para autoconsumo, pues en el caso del poseedor de droga nos encontramos precisamente ante la víctima del delito, cosa que obviamente no sucede en el caso de la posesión finalística de pornografía infantil.

por las razones descritas, al intentar localizar cuál puede ser el interés afectado por tal conducta[22].

Hasta la reforma de 2015, la exigencia de posesión excluiría, como antes apuntamos, la tipicidad de la mera *visualización* de pornografía infantil (*vid.* apartado 3.3), por lo que, en realidad, no se sancionaba penalmente el consumo, sino la acumulación de estos materiales, siendo necesario que el sujeto realizase algo más que la mera visualización (normalmente la descarga) que le permita poder visualizar los materiales cuando lo desee sin volver a conectarse a la Red[23].

El inciso comentado exige, también, que el material sea poseído por el sujeto activo "para su propio uso". Se trata de otro elemento confuso que habrá de discriminar, aún más, los supuestos típicos. En tal sentido no será suficiente la mera posesión sino que ésta tiene que estar destinada al uso de los materiales que, en atención al objetivo declarado del tipo, sólo puede ser un ánimo de satisfacción sexual. De este modo, teóricamente podrían quedar excluidos otros supuestos como la acumulación de material por mera curiosidad.

En los supuestos en los que al imputado se le ha intervenido material del que solo se ha acreditado posesión y material respecto del que se ha acreditado la difusión operaría el principio de absorción previsto en el art. 8.3 CP y solamente se castigaría la difusión. En este sentido se pronuncia la STS nº 1377/2011, de 19 de diciembre, en la que se afirma que la posesión guarda una relación de subsidiariedad de las conductas descritas en el apartado 1-b.

---

22 En sentido crítico con el castigo de esta modalidad, *vid.*, entre otros, TAMARIT SUMALLÁ, J., La Protección Penal del Menor, cit., p. 111; ORTS BERENGUER, E./ ROIG TORRES, M., "Las recientes reformas de los delitos contra la libertad e indemnidad sexuales", en *CPC*, 2004, núm. 83, p. 129. MORALES PRATS, F., "Los ilícitos en la red (II): pornografía infantil y ciberterrorismo", en *El cibercrimen: nuevos retos jurídico-penales, nuevas respuestas político-criminales*, C. M. Romeo Casabona (coord.), Comares, Granada, 2006, p. 292. Ampliamente, ESQUINAS VALVERDE, P., "El tipo de mera posesión de pornografía infantil en el Código Penal español (art. 189.2): Razones para su destipificación", en *RDPCr*, núm. 18, 2006, pp. 186 y ss.

23 Puede plantearse un supuesto límite relacionado con la denominada carpeta "cache" o "temporary Internet files" (archivos temporales), que se genera automáticamente y proporciona acceso rápido a la información visualizada en la Red, pues en ella se encuentran todas las páginas e imágenes que se han visualizado durante la navegación. Puede verse un supuesto de este tipo en la STS de 9 de octubre de 2009 (RJ 2009\5597). De este modo, el usuario, sin haber realizado ningún acto de descarga o download, puede, sin embargo, acceder a los materiales ilícitos previamente visualizados. ¿Puede calificarse tal situación como posesión de material pornográfico? Parece que la respuesta debe ser positiva sólo si el sujeto conoce esa circunstancia y, además, hace uso del contenido de dicha carpeta, aspectos que deben estar constatados.

3.2. *Nueva modalidad típica: la adquisición de pornografía infantil (art. 189.5)*

El art. 189.2 CP (actual apartado 5), en su redacción anterior a la reforma 1/2015, tipificaba la conducta del que para su propio uso posea material pornográfico en cuya elaboración se hubieran utilizado menores de edad o incapaces. Tras la reforma se castiga en el referido apartado al que "para su propio uso *adquiera* o posea pornografía infantil o en cuya elaboración se hubieran utilizado personas con discapacidad necesitadas de especial protección" (con la pena de tres meses a un año de prisión o con multa de seis meses a dos años). En principio da la impresión de que si se castiga la posesión no es necesario castigar la adquisición, pues si se posee es porque, de algún modo, se ha adquirido, salvo que se haya "producido", conducta también típica. Sí podría tener sentido en aquellos casos en que policialmente se acredita la adquisición (a través de la investigación de las transacciones en webs o espacios donde se intercambia) y sin embargo se comprueba, tras el examen de los dispositivos electrónicos, que el sujeto en cuestión ya no posee dichos materiales (por ejemplo porque los ha borrado, eliminando todo rastro de haberlos poseído).

3.3. *Nueva modalidad típica: el acceso (visualización) a sabiendas a pornografía infantil*

El segundo inciso del apartado 5 del art. 189 dispone que "la misma pena se impondrá a *quien acceda a sabiendas* a pornografía infantil o en cuya elaboración se hubieran utilizado personas con discapacidad necesitadas de especial protección, por medio de las tecnologías de la información y la comunicación". Se añade por lo tanto a la posesión que ya se castigaba antes de la reforma, y a la adquisición de pornografía (introducida como decimos en la misma reforma de 2015) el mero acceso, en definitiva, la mera visualización de la pornografía, no siendo por ello necesaria, y a diferencia de lo que ocurre con la posesión, la descarga de los materiales pornográficos. Se ha llamado la atención, con razón, sobre el poco sentido que tiene hoy la distinción entre poseer y visualizar, entendiendo que "quien puede acceder a un contenido cuando quiera y como quiera ya lo posee sin necesidad del almacenarlo"[24], a lo que debe añadirse las implicaciones del concepto de *nube*, que permite la acumulación de los materiales en espacios virtuales, como tales distintos a los del propio ordenador.

---

24 GARCÍA ALBERO R., Pornografía infantil y reforma penal, *op. cit.*, p. 297.

El legislador advierte que la conducta habrá de producirse "a sabiendas", que tiene por objeto expulsar del tipo aquellos accesos a espacios con pornografía infantil cuando no se revele una clara voluntariedad de llegar a ese tipo de pornografía; en consecuencia el dolo tiene que quedar suficientemente acreditado, quedando automáticamente excluidas aquellas conductas en las que no existen garantías de que el acceso se ha producido buscando este tipo de materiales y lo mismo puede decirse respecto a las descargas de archivos de este tipo en las redes P2P. La referida voluntariedad no siempre será fácil de acreditar, siendo necesarios indicios muy relevantes, como los apuntados en la CFGE y que son el hecho de que el acceso sea recurrente o que se cometa mediante un servicio sujeto a pago. En el caso de las redes P2P, además de la reiteración, debe valorarse el nombre de los archivos buscados y obtenidos.

4. BIBLIOGRAFÍA

DE LA ROSA CORTINA J. M., "Concepto de material pornográfico infantil. Los tipos básicos de pornografía infantil y el impacto del proyecto de 2013", en *Delitos contra la libertad e indemnidad sexual de los menores* (Carolina Villacampa Estiarte, coordinadora), Thomson Reuters, pp. 303 y ss.

DÍEZ RIPOLLÉS, J. L., "El objeto de protección del nuevo Derecho penal sexual", en *Delitos contra la libertad sexual*, núm. 21, Escuela Judicial, CGPJ, Madrid, 1999, pp. 229 y ss.

ESQUINAS VALVERDE, P., "El tipo de mera posesión de pornografía infantil en el Código Penal español (art. 189.2): Razones para su destipificación", en *RDPCr*, núm. 18, 2006, pp. 186 y ss.

GARCÍA ALBERO R., "Pornografía infantil y reforma penal: consideraciones sobre el objeto material del delito", en *Delitos contra la libertad e indemnidad sexual de los menores* (Carolina Villacampa Estiarte, coordinadora), Thomson Reuters, pp. 281 y ss.

MORALES PRATS F./ GARCÍA ALBERO R., "Delitos contra la libertad e indemnidad sexuales" en Quintero Olivares G., *Comentarios al Nuevo Código Penal*, Aranzadi, Navarra, 2004, pp. 374 y ss.

MORALES PRATS, F., "La intervención penal en la Red. La represión penal del tráfico de pornografía infantil: Estudio particular", en *Derecho, sociedad y nuevas tecnologías*, Colex, 2001, p. 129.

MORALES PRATS, F., "Los ilícitos en la red (II): pornografía infantil y ciberterrorismo", en *El cibercrimen: nuevos retos jurídico-penales, nuevas respuestas político-criminales*, C. M. Romeo Casabona (coord.), Comares, Granada, 2006, pp. 292 y ss.

MORILLAS FERNÁNDEZ D. L., *Análisis dogmático y criminológico de los delitos de pornografía infantil. Especial consideración de las modalidades comisivas relacionadas con Internet*, Dykinson, Madrid, 2005.

ORTS BERENGUER, E., "Nuevas conductas delictivas contra la intimidad (arts. 197, 197 bis y 197 ter)", en *Comentarios a la Reforma del Código Penal de 2015*, Tirant lo Blanch, 2ª Edición 2015, pp. 646 y ss.

ORTS BERENGUER, E./ ROIG TORRES, M., "Las recientes reformas de los delitos contra la libertad e indemnidad sexuales", en *CPC*, 2004, núm. 83, pp. 129 y ss.

TAMARIT SUMALLÁ, J., *La Protección Penal del Menor Frente al Abuso y Explotación Sexual. Análisis de las Reformas Penales de 1999 en materia de Abusos Sexuales, Prostitución y Pornografía de Menores*, Aranzadi, Pamplona, 2002.

"*On-line child grooming*" desde las perspectivas comparada y criminológica, como premisas de estudio del art. 183 ter) 1º CP (conforme a la LO 1/2015, 30 de marzo)*

Elena M. Górriz Royo
Profesora titular de Derecho penal
Universitat de València

SUMARIO: 1. Introducción. 2. Fundamentos para la incriminación desde la perspectiva criminológica. 2.1. El "*on-line child grooming*" ¿una figura necesitada de incriminación? 2.2. ¿Qué es el "*on-line child grooming*"? 2.3. Sujetos del delito desde la perspectiva criminológica: los menores pertenecientes a la "Generación@" y el autor como "sexual predator". 3. Estudio del delito de "*on-line child grooming*" en los principales sistemas penales de derecho comparado. 3.1. Estados Unidos. 3.2. Gran Bretaña, Irlanda del Norte y Escocia. 3.3. Australia. 3.4. Canadá. 3.5. Regulación internacional y de la UE. 4. El delito de *on-line child grooming* del art. 183 ter) 1º CP: analisis de su principales aspectos. 4.1. El nuevo delito del art. 183 ter) 1º CP en el contexto del Capítulo II bis), Título VIII. 4.2. Bien jurídico y delito de peligro. 4.3. Principales elementos típicos, a partir de las diferencias con el art. 183 bis) CP. 4.3.1. Sujeto pasivo. 4.3.2. Conducta típica. 5. Conclusiones. 6. Bibliografía.

RESUMEN: El delito de "*on-line child grooming*" ha constituido, desde su previsión por el legislador penal en 2010, una figura controvertida no solo por las fricciones que suscita con diversos principios penales sino por las dificultades para su interpretación y aplicación judicial. Aún sin dar por resuelta las principales cuestiones a este respecto, el legislador penal modificó este delito a través de la reforma de LO 1/2015 de 30 de marzo, que ahora se prevé en el art. 183 ter) 1º CP. Este estudio aborda el análisis de las razones que, desde el ámbito criminológico y de Derecho comparado, suelen esgrimirse para justificar la introducción de este delito en nuestro Código penal, para sopesar si, en efecto, su previsión se adecúa a los principios penales básicos. Además se analizan recientes propuestas doctrinales acerca de las clases de "*grooming*" acuñadas en la doctrina anglosajona, así como la legislación penal de Derecho comparado que, principalmente, influyó en la configuración de este delito en nuestro país. Todo ello a fin de mejor acometer la interpretación del actual art. 183 ter) 1º CP y el análisis de las principales resoluciones judiciales que, recientemente, se han propuesto aplicar este precepto. Como consecuencia de lo anterior, se ofrecen además, determinadas propuestas, *de lege ferenda*, para sugerir mejoras en la redacción de tan controvertido delito.

---

* Este trabajo se enmarca en el contexto del Proyecto de referencia: DER2013-45862-P.

PALABRAS CLAVE: *on-line child grooming*, *sexual child grooming*, menores, indemnidad sexual, internet, redes sociales, *predatory stranger*, generación@, *off-line grooming*, *child groomer*.

ABSTRACT: The "*on-line child grooming*" crime was considered a controversial offence, since it came into force in 2010, not only because it breached some penal principles but also because it caused problems of interpretation and aplication before Spanish courts. Despite of these problems, the Spanish lawmaker has reformed this crime by OL 1/2015, March 30th., so that currently it is defined in art. 183 ter) 1° PC. This paper analyses the reasons why, from the perspective of Criminology and Comparative Law, this crime was introduced in Spanish Penal Code in order to know if it respects the essential penal principles. Additionally, it is analysed recent classifications of child *grooming* in the "Common law" system and the legislative responses in Criminal law of the countries that had more influence in the definition of the Spanish crime. The previous analysis is necessary in order to focus the interpretation of crime of art. 183 ter) 1° PC and to analyse the main sentences recently passed, regarding this crime. This work is also targeted to provide with considerations *de lege ferenda* which would improve the definition of this controversial crime.

KEYWORDS: *on-line child grooming*, sexual child *grooming*, minors, sexual indemnity, internet, social networking sites, predatory stranger, generation@, off-line *grooming*, child groomer.

1. INTRODUCCIÓN

Las últimas reformas penales y, en especial, la llevada a cabo por LO 1/2015, 30 de marzo, confirman el interés de nuestro legislador penal por el fenómeno que, de forma un tanto insólita, él mismo acuñó con el término "*child grooming*". El delito previsto para conminarlo se residencia ahora en el art. 183 ter) 1° CP, si bien no es nuevo, pues se introdujo *recientemente* por LO 5/2010, de 22 de junio. Para justificar su previsión, el propio legislador penal de 2010 se remitió a la *esfera internacional* como contexto del que procedía, este delito. La perspectiva comparada resulta, por tanto, ineludible a la hora de interpretar el delito del actual art. 183 ter) 1° CP. Esta será la que, ante todo, primará en el estudio que a continuación se desarrolla, sin obviar que ha de resultar necesariamente compaginada con la interpretación objetiva del art. 183 ter) 1° CP en el marco de nuestro sistema penal. A este respecto, no puede pasarse por alto las recientes resoluciones judiciales recaídas en la materia, puesto que desde la primera sentencia del TS de 24 de febrero de 2015 (*Tol 4776958*), MP: Berdugo Gómez de la Torre, hasta las más recientes STS de 22 de septiembre de 2015 (*Tol 5512986*) (MP: Martínez Arrieta), STS 10 diciembre 2015 [MP: A. del Moral García (*Tol 5645263*)] se está asentando una tendencia judicial en la interpretación de aquel delito que conviene analizar desde la perspectiva del respeto a los principios penales básicos.

Junto a ello hay que advertir de que si algo ha pesado en la configuración típica del delito de "*on-line child grooming*" son determinados de estereotipos procedentes de la criminología —como en particular el del llamado "stranger danger"— y de otros ámbitos —como la figura de los "nativos digitales" o de la *V-Generation*— que habrán de ser analizados críticamente, para dilucidar si pueden admitirse como criterios interpretativos del art. 183 ter) 1° CP, compatibles con aquellas garantías penales.

Pero, ante todo, el *objeto principal* de este trabajo será estudiar las figuras de Derecho comparado que pudieron influir en la *reforma e incriminación de tan controvertido delito en nuestro ordenamiento jurídico*. La *aproximación al art. 183 ter) 1° CP desde la perspectiva de aquellos sistemas penales comparados* se realizará atendiendo a los que tienen una tradición jurídica y doctrinal más dilatada en su estudio, reparando, en especial, en las clasificaciones que se han propuesto del "*grooming*" en la doctrina penal del sistema del "common law". El anterior análisis permitirá acometer la interpretación objetiva que precisa el delito del actual art. 183 ter) CP. Como es sabido, en nuestro país, tiene como precedente más directo el art. 183 bis) CP introducido por LO 5/2010, de 22 de junio, si bien el nuevo delito no supone una modificación sustancial del anterior. De modo que el legislador apenas se haya hecho eco de las propuestas de mejora y críticas planteadas en la doctrina penal, a raíz de que, como es obvio, comporta un adelantamiento de la intervención penal que es tan evidente, que pone en entredicho el respeto, entre otros, a los principios de ofensividad, proporcionalidad o presunción de inocencia. Sin embargo, pese a que desde la perspectiva del recorte de garantías este delito sigue suscitando preocupación en la doctrina penal reciente, por otra parte, el llamado "*on-line child grooming*" despierta un creciente interés desde *perspectiva criminológica* y ante todo mediática (v.gr. en medios periodísticos o informativos en general[1]), pese a que, como veremos, los estudios especializados en la materia desmienten muchos de los mitos que han contribuido a aumentar la alarma social respecto de este fenómeno. Por consiguiente, más allá de realizar un breve análisis dogmático de la figura ahora prevista en el art. 183 ter) 1° CP, este trabajo versará sobre el *estudio de las razones últimas de su incriminación en nuestro ordenamiento jurídico-penal*, siendo

---

1 Al respecto, llama la atención la proliferación, en algunos medios, de reportajes de toda índole (documentales, etc.), programas con entrevistas a presuntos testigos o incluso "TV shows", (v.gr. en nuestro país, el reportaje "Caza al pederasta"), en ocasiones, dirigidos a identificar al autor de presuntos casos de *on-line child grooming*. Al respecto, considérese además el documental "*Paedophile Hunter*" (UK, 2014) cuyo director fue premiado con el BAFTA 2015.

preciso para ello, acometer un análisis en tres ámbitos: a) desde la *perspectiva* criminológica, evaluando si la realidad subyacente a este fenómeno se corresponde con la importancia legislativa que se le está otorgando; b) desde la *perspectiva de derecho comparado*, estudiando los principales ordenamientos jurídicos de nuestro entorno, que más han podido influir en la tipificación del delito de "*on-line child groomning*" en nuestro CP; c) desde la *perspectiva jurídica*, interpretando el delito del art. 183 ter) 1° CP y, en su caso, proponiendo *de lege ferenda* posibles propuestas de mejora. Y todo ello con el *objetivo último* de ofrecer una valoración sobre la compatibilidad de delito allí previsto con los principios penales que, necesariamente, han de informar nuestro ordenamiento penal.

2. FUNDAMENTOS PARA LA INCRIMINACIÓN DESDE LA PERSPECTIVA CRIMINOLÓGICA

2.1. *El "on-line child grooming"* ***¿una figura necesitada de incriminación?***

Antes de la introducción del delito que nos ocupa, en el CP apenas se realizaron específicos estudios empíricos para conocer si existió una necesidad real para su castigo. Recientemente, dada la vasta información estadística publicada con respecto al fenómeno del "child *grooming*", tan solo será posible prestar atención a alguno de los trabajos más relevantes. Al respecto resulta muy esclarecedor un estudio de *Save the Children* realizado en 2010, que parte de constatar el intensivo uso de internet que realizan los jóvenes españoles, hasta el punto que un 50% de los y las adolescentes entre 14 y 19 años accedieron todos los días en 2007, yendo estas cifras en aumento[2]. Con respecto, en concreto, al *uso de redes sociales*, según el informe "Jóvenes y comunicación" del *Centro Reina Sofía* (2014), en 2011, el 78% de los jóvenes de edades entre 15 a 24 años, las emplearon con una frecuencia diaria, siendo los comprendidos en esta franja de edad los jóvenes que más las utilizaron[3]. Por su parte, en el ámbito europeo, diversos estudios arrojan que el 50% de los adolescentes europeos ha dado información personal *on-line* y que un 10% ha tenido cita con alguien que solo ha conocido *on-line*[4]. En el contexto de EEUU, aquella investigación refleja que el 15% de los y las

---

2 *Vid. La tecnología en la preadolescencia y la adolescencia: usos, riesgos y propuestas de los y las protagonistas*, CABELLO CÁDIZ/ FERNÁNDEZ VILLANUEVA, (coord. ORJUELA LÓPEZ, L.), septiembre 2010, p. 9.

3 *Vid.* MEGIAS QUIRÓS, I./ RODRÍGUEZ SAN JUAN, E., *Jóvenes y comunicación. La impronta de lo virtual.* Centro Reina Sofía sobre adolescencia y juventud, Madrid, 2014, p. 49.

4 *Vid. La tecnología en la preadolescencia y la adolescencia... op. cit.*, p. 20.

adolescentes entre 12 y 17 años que tienen teléfonos móviles, han recibido imágenes de desnudos o semidesnudos sugerentes de alguien a quien conocen[5]. Otro relevante informe es el denominado *EU Kids On-line*, 2009, en donde el "*grooming*" aparece en el quinto puesto de incidencia de riesgos *on-line* que afectan a menores (después, entre otras conductas, de visualizar pornografía o contenidos violentos o del acoso a menores)[6]. Además este estudio sitúa España en un nivel de *uso medio* de internet por parte de menores y en un *estadio de riesgo medio* (lo que se cifra en un porcentaje de entre un 65% a un 85%) por el empleo de esta tecnología de la comunicación. Entre los países con *alto riesgo* en el uso de TIC's por parte de menores, se sitúa Gran Bretaña (con un 85%); de hecho en este país, según reflejan investigaciones del año 2013, los delincuentes tienen mayor acceso *on-line* a los menores, puesto que el 91% vive en domicilios con acceso a internet. Al respecto, se estima que cerca de un 5% de menores en este país han sufrido alguna clase de abuso sexual a partir de un contacto por este medio[7]. Y es que, en estos últimos estudios, se pone el acento, para caracterizar al "*grooming*" en el momento del llamado *"contacto"* como preludio de toda clase de abusos sexuales en la red. Sin embargo, en los últimos años se aprecia una tendencia a que los menores conozcan menos gente nueva *on-line*, toda vez que prefieren encontrarse *off-line*, con contactos hechos *on-line* (UE *Kids On-line* 2014[8]). Volviendo a nuestro país, desde 2009 el *Defensor del pueblo* identificó como uno de los posibles riesgos con los que se enfrentan los menores en el uso de las TIC's, el *grooming*[9]. De hecho, tres años más tarde, en 2013, el informe anual de la fundación ANAR, manifestó su preocupación porque el 44,2% de las llamadas atendidas a través del teléfono del adulto y la familia, fueron por situaciones de violencia, entre las

---

5 Además, el informe *Save the Children* arroja, en atención a otros estudios (v.gr. de un grupo de investigadores de la London School of Economics) que el 40% de los adolescentes europeos ha visto pornografía on-line y que el 20% ha sido objeto de bullyng. *Vid.* "La tecnología en la preadolescencia...", op. y loc. ult. cit.

6 *Vid. www.eukidsonline.net*, donde se puede consultar el citado informe, junto con otros de sucesivos años. Se trata de una iniciativa cofinanciada por la *Unión Europea*, aunque la coordinación se ha realizado por la *London School of Economics*.

7 *Vid.*"Threat Assessment of Child Sexual Exploitation and Abuse. June 2013", p. 6. Este informe fue realizado por el *Child Exploitation and On-line Protection (CEOP) Centre*, con el fin de examinar las amenazas actuales contra menores en UK, referidas a la explotación y el abuso sexual. Según dicho informe, alrededor de 190.000 menores, serán víctimas de algún abuso sexual por contacto de un extraño o adulto conocido (incluso puede ser pariente o de algún modo, garante suyo) antes de cumplir 18 años. Ello representa —según dicho estudio— un porcentaje de 10.000 nuevas víctimas en UK cada año.

8 *Vid. LSE* "Children's on-line risks and opportunities: Comparative findings from EU Kids Online and Net Children Go Mobile", 2014, p. 25.

9 *Vid.* DEFENSOR DEL PUEBLO, "Programación y contenidos de la televisión e internet: la opinión de los menores sobre la protección de sus derechos" Madrid, 2010, p. 69.

que se incluye, con un porcentaje del 2% de aquellas llamadas, el *ciberacoso o grooming*, por detrás de la violencia de género. Este mismo informe arroja, como otro de sus resultados, que en el 10° lugar, entre los motivos de las llamadas de menores a este servicio (en un ranking de 29 puestos), se sitúan los casos de "ciberacoso: acoso de un/a menor a través de medios telemáticos (móviles, messenger, chat, Webcam..)"[10].

Aún cuando los anteriores datos y evidencias muestran una progresiva toma de conciencia sobre la problemática del "*child grooming*" en nuestro país, no parecen avalar un supuesto aumento exponencial de la victimización[11]. Por su parte, los estudios realizados en el extranjero —en especial en EEUU y, aunque menos, en Europa—, muestran un descenso, en la prevalencia de las victimizaciones procedentes de solicitudes sexuales *on-line* a menores[12]. En nuestro país, el primer estudio dirigido a determinar la prevalencia de victimización de menores por *on-line child grooming es el realizado* por VILLACAMPA ESTIARTE, C./ GÓMEZ ADILLÓN y entre otros muchos datos, revela, que la tasa de victimización anual de menores se sitúa en torno al 10%, cifra baja, a pesar de manejar un concepto de *grooming* amplio que incluye cualquier tentativa del adulto de contactar *on-line* con un menor, no necesariamente con fines sexuales. Este dato contradice las afirmaciones relativas a que las solicitudes sexuales a menores pueden estar creciendo exponencialmente con el empleo de tecnologías de la información y la comunicación[13]. Otros estudios desarrollados en 2014 y 2015, muestran que, de todas las formas de victimización sexual on-line, el *on-line child grooming* es la más preocupante, si bien advierten de que se trata, en muchos casos, de *intentos* de seducción por parte de adultos o de contactos por parte de otros menores que se hacen pasar por adultos[14].

10 *Vid. Informe anual 2013. Teléfono ANAR* (Ayuda a Niños y Adolescentes en Riesgo), pp.. 14 y 16.

11 *Vid.* VILLACAMPA ESTIARTE, C./ GÓMEZ ADILLÓN, M. J., "Nuevas tecnologías y victimización sexual de menores por on-line *grooming*", en *RECPC*, 18-02-2016, p. 3.

12 Como exponen VILLACAMPA ESTIARTE/GÓMEZ ADILLÓN, en EEUU, uno de los estudios de victimización a gran escala, más reputados, conocidos como *Youth Internet Safety Survey* (YISS-3), efectuada en 2010, confirma el citado descenso, cayendo de una prevalencia de victimización procedente de solicitudes sexuales on-line a menores, del 19% en 2000 a una del 13% en 2006 hasta el 9% en 2014. *Vid.* "Nuevas tecnologías..." *op. cit.*, p. 4.

13 *Vid.* VILLACAMPA ESTIARTE, C./ GÓMEZ ADILLÓN, M. J., "Nuevas tecnologías..." *op. cit.* pp. 9 y 10.

14 En dicho estudio se diferencia entre técnicas persuasivas, coercitivas y de *grooming*, prevaleciendo estas últimas con una tasa del 17,2%, siendo el autor un adulto. En MONTIEL, I./ CARBONELL, E./ PEREDA., "Multiple On-line Victimization of Spanish adolescents: Results from a Community Sample", *Child Abuse & Neglect* (2015), p. 9 (también en: http://dx.doi.org/10.1016/j.chiabu.2015.12.005).

Este estado de cosas arroja más sombras que luces a la hora de aclarar las razones de la incriminación ex novo de este delito en nuestro país. De modo que si, como parece, las evidencias empíricas no revelan un aumento destacable en esta clase de criminalidad en los últimos años, se hace más complejo advertir la *necesidad* de su castigo desde la perspectiva político-criminal. No obstante, antes de dar por válida esta reflexión, cabe constatar que lo que, en realidad, ha ido en aumento es la *preocupación de la sociedad* hacia este fenómeno. Por todo lo cual conviene delimitar desde la perspectiva conceptual el denominado "child *grooming*", partiendo para ello de un breve *análisis gramatical* del término, para después abordar un estudio de las legislaciones de Derecho comparado donde, según el propio legislador penal, radican las razones para su incriminación en nuestro país.

2.2. *¿Qué es el "on-line child grooming"?*

Antes de abordar el análisis de la nueva regulación del art. 183 ter) CP conviene tratar de delimitar con precisión el fenómeno que la doctrina y también el legislador penal, han acuñado con el anglicismo *"child grooming"*. Y ello no ya por un interés terminológico sino, ante todo, porque es preciso delimitar el significado de este delito en el contexto de nuestro ordenamiento jurídico, para ofrecer seguridad jurídica en la imposición de la pena de cárcel o multa prevista en aquel precepto. A este respecto pueden plantearse varios problemas que trascienden del ámbito puramente semántico: de un lado, habrá que comprobar si, efectivamente, la denominación de "*child grooming*" se corresponde con el contenido de injusto previsto en el art. 183 ter) 1° CP o si es una calificación impropia. De otro lado, interesa conocer cuál es el contenido característico de este fenómeno que, ante todo, en el entorno de los países anglosajones se denomina así; y si el ilícito previsto en el precepto español es la única manifestación de este fenómeno o, desde la perspectiva criminológica, se han detectado otras expresiones del mismo y cuáles sean. Para empezar a analizar estos aspectos, ha de destacarse que la denominación de "*child grooming*" fue introducida en nuestro ordenamiento penal, por el propio legislador al prever por primera vez en nuestro ordenamiento, el delito del art. 183 bis) CP por reforma LO 5/2010, de 22 de junio. Con esta denominación el legislador penal calificó el delito del citado precepto, según consta en el Punto XIII de la Exposición de Motivos de esta ley de reforma, aludiendo a que era un término asentada en el ámbito *internacional*. Esta primera calificación legislativa remite pues a dicho ámbito para encontrar respuestas acerca del significado del que, inicialmente, haya que partir en la definición de *"child grooming"*. Al respecto, ha de aludirse, en primer término, a que la sensibilidad de la comunidad internacional hacia este fenómeno se intensificó, en primer lugar, en los países de la órbita del *common law*, sobre todo a partir de principios de este siglo, como ponen de manifiesto destacados estudios de derecho comparado a los que seguidamente se aludirá.

Por todo lo anterior, conviene definir el *"grooming"* tomando como punto de partida la ***interpretación gramatical*** del término, en concreto, procedente del verbo "to groom" y entendida, en lenguaje común, como *"preparar o entrenar a alguien para un trabajo importante o cargo"*[15]. La doctrina penal anglosajona también coincide en apuntar este significado como punto de partida para delimitar el sentido de "*grooming*", de modo que se destaca la idea de "preparar para un futuro rol o función". Lo que se deriva de estas definiciones del verbo es, ante todo, el sentido que "to groom" comporta de *"preparar" a alguien* —podría decirse— *inexperto en algún quehacer que requiera adquirir un cierto bagaje* o experiencia[16]. Sin embargo, en la actualidad, también se admite un significado jurídico-penal específico, de la acción "*to groom*", cuando procede de un adulto atraído sexualmente hacia niños. Entonces "to groom" se define como *"preparar a un niño para un encuentro, especialmente cuando se usa una conversación por un canal de Internet con la intención de llevar a cabo un acto sexual ilegal"*[17]. Es importante constatar que en este sentido, gramaticalmente, la acción del verbo "to groom" recaería, como objetos indirectos, sobre un/os niño/s ("child/children") pudiendo tener, entonces, un propósito sexual ("*grooming a child for sexual offences*"). En este sentido el "*grooming*" se trataría de una acción sinónima al llamado "*enticement of children for sexual acts*" o al acto de "*luring a child*". De modo que, en efecto, la idea de *preparación, embaucamiento o seducción de*

---

15 *Vid.* la primera acepción del verbo "to groom" (somebody): "to prepare or train somebody for an important job or position". En *Oxford Advanced Learner's Dictionary*, Oxford University Press, Oxford, 9th. Ed., 2015 (también en www.oxfordlearnersdictionaries.com). Otras acepciones de este verbo, aluden a "to clean" or "brush (an animal) porque en lenguaje común también se emplea para significar "aderezar" o "asear" a alguien o a un animal.

16 En principio, el término inglés no comporta, en lenguaje común, una connotación negativa pudiendo incluso dársele un significado positivo (v.gr. "well-groomed students"). Este matiz introduce un punto de partida semántico distinto, respecto de otras acciones como sucede con el término "harassment" (hostigamiento) y del llamado "*stalking*" (acecho). A efectos jurídicos, cabe apuntar que, mientras estas últimas conductas se comenten *sin el consentimiento* del sujeto pasivo, el "child *grooming*" puede llevarse a cabo con *la anuencia* de éste. En general, para trazar diferencias precisas, entre el "child *grooming*" y otras ofensas contra menores por medios telemáticos (v.gr. *cyberbullyng, cyberstalking*, etc.) *vid.* CUERDA ARNAU, M. L., "Menores y redes sociales: protección penal de menores en el entorno digital" en *Cuadernos de Política Criminal*, núm. 112, I, época II, mayo 2014, pp. 19 a 23.

17 *Vid.* la cuarta acepción del término, referida a "*to groom somebody (of a person who is sexually attracted to children) to prepare a child for a meeting, especially using an Internet chat room, with the intention of performing an illegal sexual act*". *Vid.* www.oxfordlearnersdictionaries.com (última fecha de consulta: 15 febrero 2016).

niños para cometer actos sexuales, sería bastante aproximada al sentido que se le otorga al "*grooming*" en este contexto lingüístico del inglés jurídico. A la luz de esta última acepción gramatical, cabe apreciar que, en inglés *jurídico*, se puede identificar lo que ha trascendido a nuestro idioma como "child *grooming*" con la referencia más estricta a "*sexual grooming of children*"[18], enfatizando así que se trata de una preparación en el *ámbito de la sexualidad*.

Además de esta interpretación gramatical, es preciso tener en cuenta que en el concepto de "*grooming*" han podido influir las definiciones procedentes de la *doctrina penal* de países del *common law*. Desde este ámbito se destaca que el "*grooming*" no es un concepto nuevo, pues durante algún tiempo fue empleado en *psicología* para analizar los patrones de algunas conductas sexuales desviadas[19]. Ahora bien, como pone de manifiesto RAYMOND CHOO, en la propia doctrina anglosajona relativa a la explotación de niños *on-line*, hay una falta de consistencia en la terminología usada para definir este fenómeno[20]. Este problema deriva de la propia ausencia de concreción en el concepto de *"grooming"*, pues a pesar de que ha sido objeto de muchas definiciones ninguna de ellas ha adquirido validez general[21]. Así, entre otros, McALINDEN, sostiene que no puede afirmarse que en el contexto de los delitos sexuales contra niños el término "*grooming*" haya sido definido adecuadamente[22]. En consecuencia, cabe apreciar una *falta de unanimidad acerca de un concepto técnico-jurídico acabado para definirlo*. Y ello redunda, en efecto, en la falta de claridad sobre la denominación del fenómeno[23]. De hecho, como enseguida veremos, a pesar de los distintos intentos de proporcionar una definición de "*child grooming*", lo cierto es que las distintas propuestas resultan más bien de utilidad para apuntalar una serie de notas comunes de dicho fenómeno. Entre ellas se suele destacar, como primera nota, que se trata de

---

18 *Vid.* JOWERS, R., *Léxico temático de terminología jurídica español-inglés (Thematic lexicón of Spanish-English Legal Terminology)*, Valencia, 2015, p. 265.

19 En este sentido, McALINDEN quien parte de la clásica definición ofrecida por "Oxford Illustrated Dictionary" (1975) según la cual implicaría "to prepare for a future role or function". También se apoya en la definición que se encuentra en el "web Dictionary". *Vid* McALINDEN, A. M., "Setting'Em Up": Personal, Familiar and institutional *Grooming* in the sexual abuse of Children", vol. 15 (3) *Social & Legal Studies*, London, 2006, p. 341.

20 *Vid.* RAYMON CHOO, K. K., *On-line child grooming: a literature review on the misuse of social networking sites for grooming children for sexual offences*, Australian institute of Criminology, 2009, p. 2.

21 *Vid.* McALINDEN, A. M., "«*Grooming*» and the Sexual Abuse of Children: Implications for Sex Offender Assessment, Treatment and Management", *Sexual Offender Treatment*, Volume 8, Issue 1, 2013, p. 2.

22 *Vid.* McALINDEN, A. M., "Sett ing'Em Up"..., *op. cit.*, p. 341.

23 *Vid.* VILLACAMPA ESTIARTE, C., "Propuesta sexual temática a menores u *on-line child grooming*: configuración presente del delito y perspectivas de modificación" en *EPyC*, vol. XXXIV, 2014, p. 640.

un *"proceso"* y, en segundo lugar, se señalan una serie de *rasgos constantes* del mismo: ante todo, la existencia de un contacto (*contact*) que favorece un "acercamiento" (*approach*) en el que se desarrolla una relación de confianza capciosa (*deceptive trust development*) que, finalmente, conduce a un encuentro físico entre el menor y el adulto (meeting). Cabe apreciar alguno de estos rasgos desde las definiciones más tradicionales, que definían el *grooming* como un conjunto de fases llevadas a cabo por un *pedófilo*[24], hasta otras posteriores que apuntan al proceso implementado por un acosador de niños[25] o un depredador sexual a fin de crear un vínculo de confianza con el menor[26].

A pesar de que, conceptualmente, puedan emplearse estas u otras nociones para definir el concepto, lo cierto es que ninguna de ellas puede aprehender en una fórmula cerrada, todos los contornos del complejo fenómeno del "*child grooming*" que, a su vez, puede ser cometido por una pluralidad de medios y llevarse a cabo en una disparidad de lugares, de modo que no se deja reducir a una construcción teorética. Se trata de un fenómeno surgido en el seno de la realidad social voluble y, como luego veremos, muy vinculado a una particular figura de autor, esto es, al llamado "*sexual predator*". A la vista de todo ello, no parece tan verosímil manejar un concepto general que satisfaga las distintas perspectivas de análisis, cuanto delimitar el "child *grooming*" por sus rasgos primordiales, a fin comprenderlo mejor. Es decir, por referencia a un *proceso gradual* y por la idea de que éste se dirige a *ganarse la confianza* de un menor, para así *prepararle* para un *encuentro* de carácter sexual, esto es, para preordenarle al abuso. Por otra parte

---

24 Así HOWITT definió el "*child grooming*" como "los pasos adoptados por los pedófilos para "atrapar" a sus víctimas y que, en algunas formas, son análogos al cortejo entre adultos. *Vid.* HOWITT, D., *Paedophiles and Sexual Offences Against Children.* Oxford (John Wiley and Sons) 1995, p. 176.

25 Según KIM se trataría de un "...proceso por el que acosadores de niños construyen una confianza con éste para pasar de una relación no sexual a una relación sexual, de forma que parezca natural y exenta de amenazas." Se trataría por tanto de un *proceso gradual*, en el que *el acosador emplearía sus habilidades* para *entablar una relación de confianza, amor y amistad antes de intensificar la relación hacia otra de índole sexual.* En última instancia esta pretendida relación inocua seria solo una farsa para tener ventaja sexual sobre un menor vulnerable. *Vid.* KIM "From Fantasy to Reality: the link From Fantasy to Reality: the link between viewing child pornography and molesting children" en *Child Sexual Explotaition Program Update* (*American Prosecutors Reseach Institute*), April, volumen I, number 3, 2004, p. 1 y nota al pie nº 13.

26 RAYMON CHOO define el *grooming* en términos de "conducta premeditada con la que se intenta asegurar la confianza y la cooperación de los niños con carácter previo a comprometerlos en una conducta de carácter sexual ", tratándose de un *proceso* en el que el depredador sexual elige como objetivo un lugar o área que pueda ser atractivo para los niños. El inicio de este proceso se caracterizaría por el interés que el agresor manifiesta hacia un niño/a, haciéndole sentir especial, con a fin de crear un vínculo para ganarse su confianza. *Vid.* RAYMON CHOO, *On-line child grooming* p. 7.

existen determinadas creencias comunes o mitos respecto al proceso de *grooming*, que convendría ir desterrando: de un lado, dicho proceso es menos efectivo en caso de propuestas o solicitudes agresivas por parte del llamado "groomer", pues éstas no suelen tener buena aceptación entre menores y adolescentes; la efectividad del "*grooming*" radicaría, en muchas ocasiones, en conseguir la seducción o incluso el enamoramiento de las víctimas[27]. De otro lado, el abusador no siempre responde a la idea de un adulto extraño al menor sino que, en tiempos recientes, suelen serlo también otros menores, o mujeres, que forman parte del círculo personal o familiar del menor[28].

En la línea de destacar los principales rasgos de este fenómeno, conviene referirse a la propuesta de McALINDEN (2013), quien, trata de ofrecer una nueva definición de "*grooming*", que albergue toda la complejidad del proceso y sus múltiples manifestaciones, delimitándolo en torno a los siguientes rasgos: "(1) el uso de una variedad de técnicas de manipulación y control; (2) respecto de un sujeto vulnerable (3) en diversos entornos sociales e inter-personales (4) a fin de forjar una confianza o normalizar un comportamiento sexual dañino (5) con el propósito general de facilitar una explotación y/o una exposición prohibida[29].

Como se observa, se trata de una definición muy amplia por cuanto no solo distinguiría el denominado "*on-line grooming*", sino que existirían otras formas de "*grooming*" en contextos *off-line*, de modo que otorga a esta conducta un ámbito de manifestación más amplio que el propio de las redes sociales o el espacio virtual. En un intento de colmar el vacío de estudios sobre distintas clases de child *grooming*, se propone una tipología que comprende tres principales modalidades interrelacionadas. Las mismas atienden a determinados criterios y permiten, asimismo, diferenciar concretas clases de "*grooming*." Así pues, atendiendo al *contexto* donde puede ocurrir, se distingue entre "*intra-familiar*" y "*extra-familiar grooming*"; según el *sujeto* que puede ser manipulado, cabe orientar el *grooming* hacia niños, familias, comunidades o instituciones; según la *manera* de cometer el *grooming* o el *medio empleado para el acercamiento*, cabe diferenciar entre el llamado "*grooming*" en contextos "cara a cara" ("*face-to-face contexts*"), *on-line grooming*, "*street grooming*" (o "*grooming*" local) y "*grooming*" entre compañeros u horizontal ("*peer-to-peer grooming*"). Por otra parte,

---

27 *Vid* el citado informe de *Save the Children*: ·"La tecnología en la preadolescencia..." *op. cit.*, p. 23.

28 *Vid.* VILLACAMPA ESTIARTE, C./ GÓMEZ ADILLÓN, M. J., "Nuevas tecnologías...", *op. cit.* pp. 10 y ss.

29 *Vid.* McALINDEN, A. M., "«*Grooming*» and the Sexual Abuse of Children:..." (2013), p. 3. Como la propia autora recuerda, esta definición amplia procede de un trabajo suyo anterior, que data de 2012.

McALINDEN advierte de la existencia de una conducta muy particular a la que denomina *"self-grooming"*. Se trataría de un término usado "...para describir las técnicas de neutralización o de elusión, empleadas por el autor para evitarse una autoevaluación negativa anterior, simultánea o posterior a la comisión del delito."[30] De este modo el *groomer*, emplearía una suerte de "autoengaño" para evitar tener una concepción negativa de sí mismo, encontrando justificaciones a su conducta como forma de superar sus propias inhibiciones. Al margen de esta figura, es interesante reparar en que, alguna de las anteriores, pueden verificarse de manera conjunta. Así, con respecto al *"grooming" de niños* en el marco *extra-familiar,* puede tener lugar bien en contextos *on-line*, bien "cara a cara", además de que puede cometerse a través de organizaciones o, incluso, en espacios abiertos (v.gr. calles) por desconocidos. Es importante destacar que el llamado "*grooming intra-familiar*", pertenece al contexto de los *abusos dentro de la familia*, de modo que se considera que esta clase de abusos, cometidos por conocidos o parientes, es la forma abrumadoramente mayoritaria[31].

Centrándonos en los casos de *"grooming" de niños,* y atendiendo al método empleado para su comisión, consiste en un proceso gradual que comienza con la fase de hacerse amigo del menor y establecer una relación exclusiva, en la que irá incrementando el contacto físico y la intimidad y culminará en un contacto sexual. Asimismo, desde la perspectiva del sujeto pasivo de este ilícito, destaca la idea de que también pueden manipularse *adultos* en tanto desempeñen una función de guardianes (*"gatekeeper to access"*), es decir, en cuanto protegen a niños en el ámbito familiar, en la comunidad o en organizaciones de tutela. Concretamente, la modalidad de "*on-line grooming*" se refiere al *"grooming" de niños y adolescentes*, de modo que, según la citada autora, incluye, situaciones de "*grooming*" empleando *internet* (usando redes sociales, *chatrooms* o *instant messaging*) pero también *teléfonos móviles*[32].

---

30 El "self-*grooming*" puede solaparse con otras formas de "*grooming*" en el logro de embaucar al niño o a su familia. *Vid.* McALINDEN, A. M., en "«*Grooming*» and the Sexual Abuse of Children: ..." p. ult. cit.

31 En relación con los abusos intra-familiares es muy común la modalidad de "face-to-face *grooming*"; también suele darse en contextos de abusos quasi-intra-familiares, es decir, cuando el autor pretende establecer una relación con un niño, su familia o la comunidad que le acoge. *Vid.* McALINDEN, A. M., op. y loc. ult. cit.

32 Cabe destacar, por su gravedad, el llamado "street *grooming*" en el que se produce un acercamiento a menores en espacios públicos y abiertos —paradigmáticamente las calles—, como preludio de un delito sexual. Aquella gravedad deriva —en su opinión— del carácter, por lo general, organizado de esta clase de ilícito, si bien sería la forma de "*grooming*" estadísticamente menos importante. *Vid.* McALINDEN, A. M., en "«*Grooming*»..." pp. 3 y 4.

Sentada una de las clasificaciones de las formas de "*grooming*" más completas que, recientemente, se han propuesto en la doctrina anglosajona[33], cabe concluir que, a la luz de la misma, el delito del art. 183 ter) CP habría de enmarcarse en el llamado *"on-line child grooming"*, estando por tanto, estrechamente relacionado con el fenómeno más amplio de la llamada *explotación sexual de niños a través de internet* (*sexual exploitation of children over internet*). Esta denominación no encubre un concepto teórico cerrado, sino que la referencia al término "on-line" ha de entenderse *en sentido amplio*. De modo que no es excluyente del uso del teléfono, del móvil o de otras tecnologías de la comunicación. Y ello por cuanto se trata de un término que se refiere a la forma más paradigmática de cometer "*grooming*", esto es, aquella realizada utilizando internet, como instrumento más emblemático en el contexto de las actuales tecnologías de la comunicación. En segundo lugar, esta clasificación vendría caracterizada por un "acercamiento" entre el menor y el adulto, favorecido previamente por un contacto a través de vías telemáticas (principalmente internet y redes sociales), así como, en tercer lugar, por labrarse una relación de confianza para, por último, "hacer un contacto físico". Nótese que al tratarse de un proceso gradual, las distintas fases señaladas *han de darse en el orden anteriormente descrito*, de modo que solo así la conducta denominada "*grooming*" resultaría perfeccionada o cometida por completo. Pero si algún elemento resulta característico de esta modalidad de *grooming* es, como a continuación analizaremos, el empleo por parte del autor y de su víctima de algún *medio on-line* para establecer aquel "acercamiento".

Delimitado, conceptualmente, el llamado "*on-line child grooming*", conviene reparar en uno de los aspectos al que aparece indisolublemente ligado, desde la perspectiva criminológica, y que, como se ha adelantado, sería la figura del autor de estos ilícitos. Y ello sin descartar el relevante papel que puede tener el perfil subyacente al sujeto pasivo en este delito.

2.3. *Sujetos del delito desde la perspectiva criminológica: los menores pertenecientes a la "Generación@" y el autor como "sexual predator"*

La tipificación en muchos ordenamientos de otros países de la figura del "*on-line child grooming*" frente a la incriminación de otras posibles modalidades de "*grooming*" conocidas en la doctrina penal, ha venido condicionada por el enorme cambio social que, ante todo en materia de comunicaciones, ha comportado

33 *Vid.* además la descripción que se hace desde la organización "National Center for Victims of Crime" del "*Grooming* Dynamic", en cuya website se destacan muchos de los pasos característicos de este proceso, ya indicados.

en tiempos recientes, el empleo de nuevas tecnologías (TIC's/ICT's)[34]. En especial, el uso de Internet y sus muchas posibilidades de *tejer* redes para la comunicación, como así facultan, entre otros cauces, las llamadas "*social networking-sites*". Y ello en un doble sentido: no solo porque, desde la perspectiva de la víctima, esto es, de los menores, el acceso a internet y el empleo de dichas redes sociales es uno de los medios más populares para entablar comunicación en el marco de la generación a la que pertenecen, sino además porque, desde la perspectiva del agresor, dichas redes ofrecen mayor impunidad al favorecer el anonimato o dificultar la identificación y localización e incluso al incentivar una mayor desinhibición entre las personas que contactan.

De este modo, no puede pasarse por alto el fundamental papel en la delimitación de este delito que cumple el ***sujeto pasivo***; esto es, los menores titulares del bien jurídico, indemnidad sexual. Su análisis desde la óptica criminológica se revela indispensable porque la estrecha relación que, actualmente, los menores mantienen con las nuevas tecnologías aporta un dato básico para identificar el cauce habitual por el que se comunican y relacionan en su entorno social y que, por tanto, deviene el *medio comisivo* tenido en cuenta, en la mayoría de legislaciones, para configurar conductas de "*on-line child grooming*". En este sentido, hay que partir de que aquella estrecha relación es algo consustancial a la *forma de vida* de dichos menores, pues han nacido y crecido tras el advenimiento de las TIC's, dato que permite apuntar la extendida adscripción de estos sujetos a la llamada *o "Gen-V"* (Generación Virtual)[35] o "Generación@"[36]. No puede desconocerse que el *mundo virtual* que, por lo general, dichas tecnologías fomentan, ocupa un lugar central en el proceso de formación de estos menores. Tanto es así que, en ocasiones, están muy condicionados por aquella realidad virtual, hasta el punto de que se les ha podido denominar con el exitoso y polémico término de *"nativos digitales" (Prensk*y, 2001)[37]. No se trata, con lo anterior, de indicar que los menores tienen una suerte de "aptitudes naturales" para usar las tecnologías

---

34 *Vid.*, incidiendo en la revolución que comportó el uso de las nuevas tecnologías, para la comunicación y relaciones sociales/laborales, NÚÑEZ FERNÁNDEZ, J., "Presente y futuro del mal llamado delito de ciberacoso a menores: análisis del artículo 183 bis) CP y de las versiones del Anteproyecto de Reforma de Código penal de 2012 y 2013", en *ADPCP*, VOL. LXV, 2012, pp. 180 y 181.

35 *Vid.* RAYMOND CHOO, K. K., *On-line child grooming... op. cit.*, p. 8.

36 *Vid.* RUBIO GIL, A., en, *Adolescentes y jóvenes en la red: factores de* oportunidad, INJUVE, 2009, pp. 5 y 6

37 *Vid.* GIL ANTÓN, A. M., "El fenómeno de las redes sociales y los cambios en la vigencia de los derechos fundamentales" *Revista de Derecho UNED. Universidad Nacional de Educación a Distancia.* Nº 10, 2012, p. 211.

de las que carecen los adultos[38], sino de destacar que en su inmensa mayoría, los menores emplean actualmente, las tecnologías digitales que pre-existían a su nacimiento (y que por tanto difícilmente con respecto a dichos menores pueden calificarse de "nuevas") como forma de aproximarse al mundo circundante (obtener información, aprender, comunicarse, etc.) y de entablar relaciones personales. Y ello es, en efecto, una forma muy distinta de integrarse en el mundo que les rodea, a como lo hacían las generaciones precedentes. Cabría hablar incluso de que, en este sentido, el empleo de las TIC's marca un cambio generacional con respecto a los menores que les han precedido en el tiempo. Ante todo porque su empleo influye en la manera de percibir la realidad circundante que ya no solo incluiría la perspectiva, por así decirlo "material" o "física" sino, también la *virtual*. Hasta tal punto es así que, según un estudio de 2009 (Del Río *et. altri*, 2009[39]) entre menores de 10 a 18 años, en nuestro país, puede hablarse de determinados *rasgos* que caracterizan a la primera generación interactiva en España, expuesta a agresiones digitales: en primer lugar, se trata de una *generación equipada*, dado que en la mayoría de los hogares donde viven, cuentan con PC (97%) y conexión a internet (82%); es una *generación móvil* puesto que el 83% de adolescentes tienen un dispositivo móvil propio, que emplean con preferencia a los video juegos y televisión; en tercer lugar, es una *generación precoz* en el empleo de las tecnologías digitales, pudiendo apreciarse que incluso antes de los 10 años ya se dispone de móvil y de conexión a internet (71%); es una *generación multimedia* pues son capaces de prestar atención a varios dispositivos digitales a la vez (v.gr. estudiar y mantener el móvil encendido); en quinto lugar, el *género* —chicos o chicas— determina el uso y preferencia de las herramientas tecnológicas (chicos-acción *vs.* chicas-relación)[40]; por último es una *generación emancipada* lo que se apoya en dos datos: el predominio de la llamada "cultura del dormitorio" y el acceso en solitario a las pantallas, como forma más normal de uso y aprendizaje.

En resumen, dada la omnipresencia en esta era del mundo *on-line*, los menores han adquirido un profundo dominio de este ámbito, mereciendo además,

---

38 *Vid.* críticos con esta idea asociada al mito del "nativo digital" MEGIAS QUIRÓS, I./ RODRÍGUEZ SAN JUAN, E., para quienes este entendimiento "...tiene como efecto invisibilizar los elementos comunes entre las prácticas juveniles y las de los adultos, el que "estemos todos en esto", en el aprendizaje y desarrollo de las mediaciones digitales de nuestras interacciones y vidas cotidianas", en *Jóvenes y comunicación... op. cit.*, p. 52.

39 *Vid.* DEL RIO, J./ SADABA, C./ BRINGUÉ, X., "Menores y redes ¿sociales?: de la amistad al cyberbylling" en Juventud y nuevos medios de comunicación, nº 88, INJUVE, Madrid, marzo 2010, pp. 120 y ss.

40 Según el estudio de DEL RIO, J./ SADABA, C./ BRINGUÉ, X., entre los chicos predomina un uso de las pantallas (de móviles, PC, etc.) como medio donde desarrollar actividades como juegos, etc., mientras que las chicas, tienen preferencia por darles un uso relacional (chatear, gestionar entornos sociales, etc.) en "Menores...", *op. cit.*, p. 121.

entre otros, el calificativo de *generación digital*, de suerte que su forma de entablar relaciones sociales está estrechamente asociada al uso de este entorno. Ante todo para *comunicarse,* mediante Internet, *por redes sociales* (en nuestro país, principalmente "Facebook", "Twenti" y"Twiter"[41]) *y otros medios* (v.gr. *e-mails, blogs, chat rooms, messenger, whatsup*, etc.) que acrecientan su "presencia virtual": no solo contactando con amigos y conocidos sino con amigos de éstos o incluso con desconocidos. Es ésta una forma usual de ampliar su red de contactos a través de internet toda vez que, por lo general, suelen identificar esta red de redes con un contexto seguro, lo que pudiera favorecer la relajación de la tutela de los intereses o derechos que les asisten. Entre ellos —y como luego se matizará— puede aludirse, a la *intimidad* o a la *propia imagen*, pero también incluso a la *libertad sexual*, pudiendo apreciarse una mayor desinhibición en el ejercicio de estos derechos, fomentada, probablemente por la motivación de contactar con otras personas, así como la confianza de la herramienta empleada (v.gr. un PC), el lugar desde donde se entabla la comunicación (v.gr. la propia vivienda de la víctima) o el aparente anonimato con el que la víctima percibe dicha comunicación. Al respecto son clarificadores los datos extraídos de recientes sentencias en que, a pesar de no aplicarse el delito del art. 183 bis) CP —por inapelable vigencia de la prohibición de retroactividad de las normas penales—, es evidente que se verifica una conducta de "*on-line child grooming*" como paso previo a la comisión de delitos de corrupción de menores, pornografía infantil o abusos y agresiones sexuales. En todas ellas, el acceso de los menores a internet o a tecnologías de la comunicación, resulta ser un elemento esencial para llevar a cabo el "*grooming*" y la seducción de un menor que maneja dicho entorno [*vid.* por ejemplo la *STS de 10 de junio de 2014* (*Tol 4525399*)[42]]. Pues bien, si como resulta evidente, el

---

41 Según el estudio "*Jóvenes y comunicación*", durante 2011, en la franja de edad de jóvenes entre 15 a 29 años, se advirtió que predominaba el empleo de la red social "Facebook" (60%), seguida de "Tuenti" (40%) y muy por detrás "Twitter" (5%) y otras (Google buzz, badoo, Myspace, etc.), en MEGIAS QUIRÓS, I./ RODRÍGUEZ SAN JUAN, E., *Jóvenes y comunicación... op. cit.*, p. 52.

42 Los siguientes hechos probados de dicha sentencia evidencian la relevancia del empleo de medios tecnológicos en el proceso de "child *grooming*": "(...) en el mes de septiembre de 2007, el acusado a través de un chat de Terra se puso en contacto con la menor C., que entonces tenía 12 años de edad (nacida el día... de 1994), con quien tras mantener varias conversaciones intercambiaron los correos electrónicos para hablar por el Messenger; siendo el de él (...) —cuyo avatar era el de un chico atractivo cuya edad se correspondía con los 17 mencionados en su nik—, y el correo electrónico de ella (...). *Iniciando el acusado con C. una relación de amistad que aprovechó para conocer la forma de ser de la menor, su edad y vulnerabilidad por necesidad de afecto, para haciéndola ver que se había enamorado de ella, y derivarla a las finalidades perseguidas por el mismo*; lograr que ella le mandara una grabación ante la Webcam masturbándose y se exhibiera otras veces sexualmente ante la misma —imágenes éstas que el acusado sin su conocimiento grabó—, (...)" (Antecedentes de Hecho; cursiva añadida).

empleo de internet y las nuevas tecnologías es inherente a la forma de vida de los menores pertenecientes a la llamada "generación virtual", habrá de tenerse muy en cuenta este dato para delimitar con mayor precisión al *sujeto pasivo del actual art. 183 ter) 1 CP* —menores de 16 años—, toda vez que para mejor enfocar el estudio de los elementos típicos allí previstos, en especial la referencia a "Internet, teléfono o cualquier otra tecnología de la información y la comunicación". Sobre todo a fin de dilucidar si el empleo de estos medios telemáticos incorpora alguna diferencia cualitativa en aquel ilícito o más bien es relevante a efectos de delimitar la tipicidad del delito allí previsto.

El otro aspecto que, procedente del ámbito criminológico, ha hecho mella en muchas de las legislaciones que regulan delitos de "*grooming*" y que, por tanto habrá de analizarse con carácter previo, es el *perfil subyacente a la* ***figura del autor*** *en estos delitos*. La pretensión de delimitar semejante figura no solo ha podido impulsarse por determinadas tendencias político-criminales surgidas en el entorno estadounidense respecto de los delitos contra la libertad sexual, sino en especial en la regulación de los delitos de "*grooming*"[43]. Y ello a pesar de que en la mayoría de figuras delictivas de este delito no se exigen especiales cualidades en el concreto sujeto activo. Sin embargo subyace la idea —por mor de aquellas tendencias— de que el autor respondería al perfil del llamado "*sexual predator*". Esta figura nació impulsada ante todo al socaire de las corrientes legislativas en el marco del ordenamiento estadounidense, donde el "*grooming*" es un fenómeno asociado, por lo general, a los delitos sexuales (*sexual offences*) cometidos por el denomin*ado "sexual predator" o el "stranger danger"*[44]. Es decir, por lo general, este fenómeno se asocia al individuo caracterizado —según luego veremos— como "depredador" cuyo rasgo principal es el de que constituye un *peligro* en tanto es un *extraño* en el entorno de la víctima. Como era de esperar, esta figura suscita numerosos recelos desde la perspectiva doctrinal y criminológica ante todo porque el "modus operandi" en la comisión de cualquier proceso de "*grooming*" contradice abiertamente esta concepción del autor como "*predatory stranger*". A pesar de ello el perfil del depredador sexual está muy enraizado en la tradición legislativa de EEUU[45], hasta tal punto que una de las principales normas que regulan éste y otros ilícitos similares es la llamada *Protection of Children from Sexual Predators Act* de *1998*. Se trata, como es sabido, de una figura que, en aquel país, ha venido recibiendo una constante atención mediática y doctrinal desde los años

---

43 *Vid.* VILLACAMPA ESTIARTE, C., El delito de *on-line child grooming* o propuesta sexual telemática a menores, Valencia, 2015, pp.. 80 a 84.

44 *Vid.* McALINDEN, A. M., "Setting'Em Up": personal, familiar and institutional *grooming*..." p. 340.

45 *Vid.* VILLACAMPA ESTIARTE, C., El delito de *On-line child grooming*... *op. cit.* pp. 85 a 93.

ochenta, si bien aquí solo tangencialmente nos interesa ahora traer a colación. En concreto, para comentar ciertas peculiaridades que cabe señalar respecto a lo que, desde la perspectiva de nuestro sistema penal, se denomina ***sujeto activo*** del delito y, por ende, condiciona la concreta delimitación del círculo de ***autores*** en los casos de "*on-line child grooming*", siendo preciso analizar si, como parece, esta construcción del "*sexual predator*" ha podido incluso influenciar en la configuración legislativa de este delito en nuestro país.

De entrada, ha de advertirse una cierta evolución con respecto al perfil criminológico del autor de estos delitos pues, en la doctrina, las iniciales definiciones de *grooming*, aludían al *pervertido* o, con preferencia, al "*pedófilo*"[46], término que sí cuenta con un anclaje teórico y clínico evidente[47]. Por su parte, la figura del *depredador sexual* responde en la actualidad —y merced toda la sobreexposición pública y mediática que se ha hecho del término—, a un perfil criminológico determinado, si bien no se trata de una categoría de contornos teóricos sino que viene configurada a raíz de estudios por completo empíricos de determinados delitos sexuales. Con respecto a esta figura, su aparición se remonta, como apuntan los principales estudios desarrollados en nuestro país[48], a las últimas décadas del

---

46 *Vid.* así RAYMON CHOO, K. K., quien analiza las definiciones doctrinales clásicas que solían conceptuar el "*grooming*" por referencia a la conducta llevada a cabo por un sospecho de pedofilia (v.gr. O'CONELL), en *On-line child grooming... op. cit.*, p. 2.

47 La figura del pedófilo es, como es sabido, estudiada desde la perspectiva de la psicología de modo que cabe diferenciarla respecto a la del "depredador sexual". En sentido técnico, desde la perspectiva de la psicología, ante todo, la "pedofilia" se incluye entre los *trastornos parafílicos* y se define por referencia a la persona que reúne todos o alguno de los siguientes rasgos: "A) Durante un período de al menos seis meses, excitación sexual intensa y recurrente derivada de fantasías, deseos sexuales irrefrenables o comportamientos que implican la actividad sexual con uno o más niños prepúberes (generalmente menores de 13 años). B) El individuo ha cumplido estos deseos sexuales irrefrenables, o los deseos irrefrenables o fantasías sexuales causan malestar importante o problemas interpersonales. C) El individuo tiene como mínimo 16 años y es al menos cinco años mayor que el niño/niños del Criterio A." *Vid. Guía de Consulta de los diagnósticos DSM-5*™. American Psychiatric Association, (traduc. Burg Translations., Inc., Chicago) 2014, Washington/London, p. 377. A pesar de la referencia que, en ocasiones se hace a los pedófilos en relación con el "*grooming*" lo cierto es que, como se ha indicado, resulta un lugar común en la doctrina de otros países aludir al perfil criminológico de los autores de estos delitos por referencia a la teórica categoría del "depredador sexual". Ha de distinguirse, no obstante, entre aquellas figuras. Entre otras razones porque no es evidente ni contrastado que el autor de conductas de "*grooming*" en todo caso manifieste un interés patológico ni temor por relacionarse con adultos propio del pederasta, toda vez que se puede cometer "*grooming*" por muy diversos fines, distintos a los del pedófilo, que suele, además, considerarse que padece el citado "trastorno."

48 *Vid.* RAMOS VÁZQUEZ, J. A., "Depredadores, monstruos, niños y otros fantasmas de impureza (algunas lecciones de Derecho comparado sobre delitos sexuales y menores)" en *Revista de Derecho penal y Criminología*, 3ª Época, nº 8 (julio 2012), p. 211. VILLACAMPA ESTIARTE,

s. XX, en el seno de una sociedad en crisis, respecto a la que seguiría siendo válido el clásico patrón según el cual, para conjurar una amenaza de posible desintegración de la sociedad, la violencia de todos se focalizaría en la violencia contra una suerte de "chivo expiatorio."[49] Si a lo anterior unimos el carácter marcadamente iconoclasta de una sociedad como la estadounidense, resultan más que evidentes aquellas críticas que se han dirigido a la figura del "sexual predator" como fetiche sobre el que se proyecta, en el imaginario social, las ideas de monstruo y, eventualmente, chivo expiatorio; de modo que, en efecto, sirve para cohesionar socialmente al grupo (o al "nosotros") frente al "*stranger*", al "otro". Ahora bien, creo que, en concreto, respecto a la delincuencia sexual cabría tener en cuenta que el llamado "sexual predator" serviría al objeto de aquellos propósitos, no solo en ilícitos contra menores sino también respecto contra adultos[50].

Si algún rasgo específico puede criticarse en el depredador sexual en relación con delitos sexuales contra menores seria la instrumentalización que se ha hecho de éste, pues incluso serviría como figura de distracción encubierta. Es decir, estaría desviando la atención respecto de la falta de medios —y quizás de interés— por abordar en su integridad la cuestión del normal proceso de socialización de la *sexualidad del menor*. Es esta una cuestión que no está desprovista de cierto carácter de tabú y, en todo caso, no parece que se hayan destinado suficientes recursos a su estudio de modo que, empíricamente, no se ha demostrado que, en dicho proceso, el sistema educativo o los medios ordinarios de atención social, hayan fracasado. Pese a ello, para prevenir teóricas desviaciones en el "normal" desarrollo de dicha sexualidad, los legisladores de diversos países han atajado por la vía más corta, acudiendo al recurso penal. Como luego veremos, en legislaciones penales como la española, aquella cuestión se relaciona con el interés tutelado de los menores que aún no tienen la edad de consentimiento para mantener relaciones sexuales, actualmente fijada en 16 años.

Varias son las objeciones que cabe hacer al anterior planteamiento: la primera de ellas es que para prevenir ataques al normal desarrollo del menor en el ámbito sexual, resulta fundamental aclarar lo que se trata de proteger mediante delitos

---

C., *El delito de on-line child grooming o propuesta sexual telemática a menores*, Valencia, 2015, pp. 84 a 93.

49 *Según* RAMOS VÁZQUEZ, desde posiciones conservadores, aquella figura habría servido para justificar la obsesiva atención de los legisladores penales de diversos países —incluido el nuestro— respecto al fenómeno de la delincuencia sexual hacia los menores, J. A., "Depredadores, monstruos, niños...", *op. cit.*, pp. 212 a 217.

50 Y ello porque el depredador sexual no está exclusivamente vinculado a figuras de "*grooming*", sino a otros delitos sexuales contra mayores (v.gr. rape/violación, etc.), de los que, por cierto, toma prestados algunos de los rasgos de otros iconos de perfiles criminológicos, como son el llamado "*mass murderer*" y, ante todo, del "*serial killer*".

como el que nos ocupa, es decir, cuál es el *bien juridico tutelado* en el delito de "*on-line child grooming*", como luego veremos. En segundo lugar, en relación con los posibles autores de estos delitos, habrá que delimitar muy nítidamente un ámbito de exclusión respecto de adultos que, a pesar de realizar las conductas típicas del delito analizado, no persigan aquella finalidad de cometer delitos contra la libertad sexual. Y respecto de los que sí la persigan, habrá que tener en cuenta que pueden proceder de cualquiera de los ámbitos antes citados: no solo pueden ser "extraños" que se aproximan al menor empleando el entorno virtual o redes sociales, sino también —y muy principalmente—, pueden pertenecer al contexto familiar, institucional o al grupo de amistades de la víctima.

En consecuencia con este razonamiento, cabría diferenciar ilícitos como el del llamado "*on-line child grooming*", como una de las posibles manifestaciones de una figura más amplia de "*grooming*" que podría verificarse en alguno de aquellos otros dos ámbitos (familiar y de amistades). Así entendido, habría que aclarar si, aquella modalidad de "*on-line child grooming*" es compatible con otras clases de "off-line *grooming*", como así parece a la luz de los datos que constatan la frecuencia con que el "*grooming*" se comete en la esfera familiar o por parte de personas cercanas que, antes de usar Internet, conocen a sus víctimas en la vida real[51].

Para enfocar estas cuestiones, hemos de volver a la figura de autoría prevista para el delito de "*on-line child grooming*" en nuestro país, para constatar que la misma se desdibuja con respecto al estereotipo clásico del *pedófilo* o del depredador sexual: ya no solo cabe representarla con el cómodo expediente del "otro" o extraño que sea ajeno al círculo familiares o amigos, sino que, en la práctica y como demuestran los realizados en nuestro país, la abrumadora mayoría de casos de "*grooming*" (más de un 95%) se lleva a cabo por personas muy próximas a las víctimas[52]. De ignorar estos datos, no solo se estaría despreciando los ilícitos más frecuentes y probablemente más graves, sino también se estaría orientando la incriminación hacia específicos tipos de autoría[53]. Con otras palabras, se configuraría una nueva parcela de *Derecho penal de autor* por referencia a concretos

---

51 *Vid.* RAYMOND CHOO, *On-line child grooming...*, *op. cit.*, p. 40.

52 Según el estudio de VILLACAMPA ESTIARTE, C./ GÓMEZ ADILLÓN, M. J., más de un 95% de los casos tanto de "*grooming*" entre iguales (otros menores) como de "*grooming*" procedente de adultos, afectan a víctimas que preferentemente hablan por internet con personas que conocer personalmente. Además "Únicamente consta que el 10% de las víctimas de *grooming* procedente de adultos cuando se intenta que hablen con el groomer sobre ellos hablan preferentemente con desconocidos en la red." *Vid.* "Nuevas tecnologías y victimización sexual de menores por on-line *grooming*", *op. cit.*, p. 13.

53 Así RAMOZ VÁZQUEZ, habla de "paradojas de desprotección" en "Depredadores..." *op. cit.*, p. 222.

"extraños" —esto es, individuos ajenos a la esfera familiar o círculo de amistades—, que propicien el contacto respecto de menores cuando éste se produzca por vía *on-line* o redes sociales. Sin embargo, al crear este esterotipo de autor en los delitos de "*grooming*" lo que, efectivamente, se lograría es lo contrario de lo teóricamente pretendido, pues se podría dejar más expuesto al menor que, por ende, será más vulnerable frente a agresiones de otros sujetos que no "encajan" en el cliché del depredador sexual en tanto éste sea entendido exclusivamente como el "otro" o un "extraño"[54].

Habrá que analizar cómo han configurado los distintos legisladores penales las concretas figuras de delito, pero cabe adelantar que por lo general, respecto al sujeto activo o *"groomer"* —denominación que destaca la peculiaridad de esta figura, en la línea del término empleado en el ámbito internacional—, se regula de manera indiscriminada, viniendo delimitado en atención a la caracterización del autor conforme al esterotipo del "*sexual predator*" que acaba de describirse, básicamente, en términos de un "extraño". Si esto es así, habrá que rechazar esta caracterización del autor en cuanto sea excluyente de sujetos del propio ámbito familiar o personal de la víctima. De modo que el elemento típico sobre el que debiera pivotar la interpretación objetiva de este ilícito es, cabalmente, la conducta, para poder así centrar la atención en la entidad o gravedad de la ofensa cometida y no así en la figura del autor. Esto sentado, pasamos a analizar brevemente las principales conductas tipificadas en los ordenamientos de Derecho comparado.

3. ESTUDIO DEL DELITO DE "*ON-LINE CHILD GROOMING*" EN LOS PRINCIPALES SISTEMAS PENALES DE DERECHO COMPARADO

Diversos legisladores penales han sido receptivos en los últimos tiempos a los conflictos que, relacionados con diferentes ilícitos contra la libertad sexual, puedan estar produciéndose a través de las nuevas tecnologías; en especial por cuanto el uso de internet favorece la comunicación no "filtrada" a través de las redes sociales y "*social networking sites*" (v.gr. myspace.com, facebook.com, instagram, etc.) que se han generalizado entre los más jóvenes. Por lo que toca a este estudio y ahondando en lo dicho, interesa delimitar qué conductas pueden denominarse "*grooming*" cuando se cometan *on-line* o mediante dichos medios, redes y lugares virtuales. Para ello parece conveniente acometer un *breve repaso de la configuración típica realizada de la figura de "on-line child grooming" en el*

---

54 *Vid.* McALINDEN, A. M., "*Grooming* and the sexual abuse...", *op. cit.*, p. 4.

derecho comparado, puesto que la legislación penal española es, en cierto modo, tributaria de lo legislado respecto a este fenómeno, previamente en otros países. En especial, en el marco de la Unión Europea, como ya el propio legislador penal de 2010 indicó en la reforma de LO 5/2010; pero también resulta de interés traer a colación lo legislado en referencia al *on-line child grooming* en ordenamientos de otros países, como USA, Inglaterra, Canadá o Australia. Y ello porque, como sucede con respecto a la delimitación conceptual del "*grooming*", también en su regulación los ordenamientos jurídico-penales del *Common law* encabezan las tendencias legislativas referidas a su tipificación, ofreciendo importantes elementos de juicio al respecto. Sin embargo, no se trata aquí de estudiar con carácter exhaustivo la regulación de todos estos ordenamientos, sino de constatar si los requisitos que, conceptualmente, se han delimitado por la doctrina penal española respecto al llamado *"on-line child grooming"* están en consonancia con lo legislado en la mayoría de ellos o si se ha acogido un entendimiento distinto de este ilícito en nuestro ordenamiento y cuál sea éste. A partir de ello cabrá evaluar, posteriormente, la regulación penal española, siendo esperable extraer de esta comparación, algunos criterios comunes para su interpretación e incluso propuestas para su mejora.

3.1. Estados Unidos

Empezando por los ordenamientos de tradición jurídica más alejada a la nuestra, el primero de los países que introdujo el fenómeno del *grooming* en su ordenamiento jurídico, fue ***Estados Unidos*** a través de una regulación que está en vigor desde 1998, a nivel federal, cuando se previó en la citada "*Protection of Children from Sexual Predators Act*"[55]. Al tratarse de una legislación federal, se aplica en casos en que el *grooming* tenga eficacia interestatal o comporte el desplazamiento de menores por dos o más estados. Para conductas de *grooming* cometidas dentro de la jurisdicción de un solo Estado, es aplicable la regulación de cada uno de ellos, donde se prevén figuras de *grooming* si bien, como nota común de todas ellas, cabe destacar que están castigadas con penas más leves que las previstas para similares ilícitos a nivel federal[56]. Con todo, no puede desatenderse al

---

55 Respecto a los precedentes de este delito *vid.* VILLACAMPA ESTIARTE, C., en *El delito de on-line child grooming o propuesta sexual telemática a menores*, *op. cit.* pp. 144 y ss.

56 De hecho, pueden llegar a estar castigadas, según el Estado, como una *misdemeanor* (*latu sensu*, como una falta). Al respecto, *vid.*, JACOBS, E. T., quien apunta que la gravedad de la pena en cada Estado se hace depender del dato de que el autor haya cometido *grooming* mediante un contacto presencial o en el mundo físico con el menor o se lleve a cabo mediante proposiciones a través de tecnología *on-line*, en "On-line sexual solicitation of minors: an analysis of the average predator, his victims, what is being done and can be done to decrease occurrences of

dato de que ya desde finales de los años 90 del siglo pasado, se vienen enjuiciando conductas de "*grooming*", conforme al título 1° de aquella ley federal (*Protección de menores frente a depredadores sexuales*). En la actualidad, la mayoría de tipos penales relevantes a estos efectos se encuentran el US Code (en adelante USC), Título 18, parte 1°, Capitulo 117, pudiendo destacar, ante todo, las siguientes.

a) El ilícito más específicamente relacionado con la figura del *on-line child grooming*, es el previsto en el §2422 (sección b), del citado Capitulo 117. Dicho precepto, introducido en 1996 y reformado en 1998, se rubrica actualmente "*coercion and enticement*". A su tenor, quien "...empleando el correo o cualquier mecanismo o medio de comercio interestatal o extranjero, o dentro de la jurisdicción marítima especial o territorial de los Estados Unidos, a sabiendas, persuada, induzca, seduzca o coaccione a algún individuo que no haya cumplido la edad de 18 años, para involucrarle en la prostitución o en alguna actividad sexual por la que cualquier persona seria acusada de un ilícito penal o tentativa del mismo, será multado conforme a este título y puesto en presión por no menor de 10 años o por cadena perpetua."
b) Además, en la Sección 101, del mismo título se ubica el §2425, se castiga el empleo de "instalaciones interestatales" para trasmitir información que identifique a un menor, con propósito de cometer un crimen sexual. La aplicación de esta regulación se condiciona a que la conducta transcienda a la jurisdicción de un concreto estado; y así, el delito se titula "*Use of interstate facilities to transmit information about a minor*". Cabe advertir alguna semejanza genérica entre conductas de "*sexual grooming*" y el ilícito del §2425 dirigido a *cualquiera* "...que empleando el correo u otra instalación o medio de comercio interestatal o extranjero, o dentro de la jurisdicción marítima especial o territorial de los Estados Unidos, a sabiendas, inicie la trasmisión del nombre, dirección, número de teléfono, número de la seguridad social, o dirección de correo electrónico de otro individuo, sabiendo que dicho individuo no ha cumplido los 16 años, con la intención de convencer, animar, ofrecer o inducir a cualquier persona para que se involucre en alguna actividad sexual por la que una persona pueda ser acusada de delito, o tentativa del mismo, será multada, conforme a este título, o castigada con una pena de prisión de hasta 5 años, o ambas."
c) Por último, el § 1470 USC, del Título 18, castiga el uso del correo u otro mecanismo o medio de comercio interestatal o extranjero, para transferir,

victimization" en *Cardozo Public Law, Policy & Ethics Journal*, volume 10, 2010-2011, pp. 526 y 527.

a sabiendas, material obsceno a otro individuo que no haya cumplido la edad de 16 años, con conocimiento de que ese otro individuo no ha cumplido la edad de 16 años, o intenta hacerlo. Las penas pueden ser multa, prisión hasta 10 años o ambas.

Como se observa, el primero de los preceptos está más directamente referido a conductas de "*grooming*" que pueden cometerse *on-line* mientras que el segundo y el tercero, prevén delitos que pertenece a la constelación de conductas que, normalmente, circundan el "*grooming*". Es interesante destacar que esta legislación se dirige, en cuanto a *sujetos pasivos*, en unos casos, a los menores de 16 años y en el delito de *on-line grooming* a *menores de 18 años*. De una visión de conjunto, cabe advertir que se tipifican conductas construidas sobre la base de actos preparatorios (*preparatory offences*) de otros delitos sexuales (de un lado, iniciar una transmisión de datos; de otro, persuadir, incitar, etc.), a lo que se añade la prueba de la *intención* de llevar a cabo actos sexuales delictivos o a sabiendas de los mismos (*mens rea*). Como nota destacable ha de señalarse la desproporcionalidad de las penas previstas para el delito más parecido al *on-line child grooming*, por cuanto pueden oscilar entre multa, prisión o incluso cadena perpetua. En todo caso, con posterioridad a esta legislación y a partir de 2000, han habido reformas que han actualizado la legislación federal ante específicos casos de "*grooming*" por internet. A tal efecto se ha extendido la jurisdicción federal a estos supuestos, aumentando, a partir de aquel año, las causas penales por estos ilícitos ante los tribunales federales[57]. En especial, es importante destacar la reforma de 2006[58], respecto del § 2252, del citado Titulo 18 *USC*, donde se castiga con penas muy graves (pudiendo llegar a 40 años de prisión) la conducta de *proporcionar pornografía a un menor* para así embaucarlo vía *on-line*. Con ello cabe confirmar la tendencia general a la expansión del sistema federal de delitos en materia de *grooming*, que abarcaría así conductas colindantes con otros ilícitos, toda vez que se constata un endurecimiento muy pronunciado de las penas establecidas en este ámbito.

3.2. Gran Bretaña, Irlanda del Norte y Escocia

Mucho más precisa en las descripciones típicas de conductas de "*grooming*" es la legislación vigente en Gran Bretaña desde 2003, en la ***Sexual Offences Act***,

---

57 Al respecto el Congreso de los EEUU amplió el Titulo 18 U.S.C. Chapter 117 (*Transportation for Illegal Sexual Activity and Related Crimes*). *Vid.* el trabajo al efecto desarrollado por el equipo "Sexual Predators Act Policy Team" y expuesto en *Sentencing federal sexual offenders: protection of children from Sexual Predators Act of 1998*, february, 2000, p. 2.

58 A través de la *Sex Offender Registration and Notification Act* de 2006.

de 2003 (en adelante SOA, 2003), siendo la primera que en Europa se hizo eco de este fenómeno. Ante todo la regulación de una figura de "*grooming*" se prevé en el artículo 15 SOA, 2003, si bien ya en el art. 14 de dicha ley, se proscriben algunas pautas del proceso característico de este delito. Así, en este último precepto, se castiga la organización y favorecimiento de un delito sexual contra un niño (*Arranging or facilitating commission of a child sex offence*). Sin embargo, los elementos más característicos del "*grooming*" —antes señalados— son reconocibles en el art. 15 SOA, 2003, pues se castiga el encuentro con un niño, siguiendo una preparación sexual (*Meeting a child following sexual grooming,* etc.). De hecho, se considera que es precisamente a raíz de este precepto cuando, por primera vez, se introduce el término "*grooming*" en el ordenamiento jurídico británico, para referirse al encuentro con un niño como consecuencia de una previa preparación sexual de éste[59].

No obstante esta legislación exige una serie de *requisitos típicos específicos.* Para empezar, como en otras regulaciones, se requiere una edad en el sujeto pasivo, pues puede serlo el menor que tenga hasta 16 años. Pero también se exige un límite de edad a partir del cual cabe ser el *sujeto activo,* que se concreta en los 18 años, exigencia que —como luego veremos— puede considerarse una tendencia legislativa en diversos países del *Common law*, si bien no ha tenido eco en el nuestro. De otro lado, se castiga un *acto preparatorio*, de modo que se adelanta la intervención penal a estadios previos a que tenga lugar un abuso o agresión sexuales (*sexual assault*). Se entiende, por tanto que se castiga una clase de *conducta sexual depredadora* (*predatory sexual behaviour*)[60], consistente en encontrarse o tratar de encontrarse (mediante una comunicación) con un menor de aquella edad (art. 15.1, a) b) y c), siempre que, además, se pruebe la *intención* de cometer un "delito relevante" (*relevant offence*). Por tal hay que interpretar, en líneas generales, cualquier delito sexual (*sexual offences*) de los previstos en la propia ley (art. 15.2. b[61]). Hay tres características muy destacables en esta regulación: de un lado, se requiere probar que ha habido un encuentro presencial (*face-to-face*) o cuanto menos que éste se haya acordado; de otro, que el autor se haya encontrado o comunicado con el menor, al menos *dos veces*. Además, en todo caso, se ha de probar el *dolo* pues el autor ha de actuar bajo el convencimiento de que el menor no tiene más de 16 años (15.1.d). Esto último, merece una valoración positiva, pues deja margen para la aplicación de supuestos de

59 *Vid.* McALINDEN, A. M., "Setting'em" up": Personal, familiar and institutional *grooming* in the sexual abuse of children" *Social & Legal Studies*, 15 (3), 2006, p. 340.

60 *Vid.* McALINDEN, A. M., "Setting «em» up", *op. cit.*, p. 342.

61 En esta sección del art. 15, se define "*relevant offences*" por remisión a los diferentes delitos sexuales que aparecen a lo largo del texto de la ley de 2003.

error, a fin de atemperar la respuesta penal. Precisamente la prueba del *mens rea* o intención lesiva (*harmful intent*) es uno de los aspectos más controvertidos para aplicar esta regulación, por cuanto, sobre todo en las fases más iniciales del proceso de "*grooming*", la doctrina ha detectado que es complejo distinguir entre simples conductas amistosas hacia niños o conductas que encubran propósitos sexuales ilícitos[62].

Por último, es muy importante destacar que la aplicación de este delito del art. 15 SOA-2003, no se restringe a supuestos de conductas *on-line*, por cuanto la comunicación previa al encuentro puede tener lugar además *off-line* y, en todo caso, no se precisa que efectivamente se cometa ningún abuso para calificar una conducta conforme a este delito[63]. De este modo la legislación penal británica contempla —frente a legislaciones como la española—, un delito general de "*grooming*" en el que tienen cabida las diversas manifestaciones de este fenómeno delictivo que señala la doctrina penal (v.gr. *grooming* institucional, intra-familiar, etc). Es ésta una peculiaridad que diferencia este modelo del nuestro y que pone de relieve la cuestión de si es preferible prever un delito genérico —como la legislación comentada— o específicamente referido al "*grooming*" *on-line*, como sucede en la legislación española.

Dejando planteada esta cuestión y teniendo en cuenta que en *Irlanda del Norte* (*vid.* art. 15.3 SOA 2003)[64] se aplica una regulación prácticamente idéntica[65], conviene meramente apuntar que ***Escocia*** también cuenta con una regulación propia para esta clase de conductas, a través de varios cuerpos legales: no solo, de forma genérica, en la *Sexual Offences act* de 2009, art. 24 (*Communicating indecently with a young child etc.)* sino, ante todo, en la *Protection of children and prevention of Sexual Offences Act*, 2005 (art. 1) que, salvo algunas diferencias[66], regula un delito similar al del art. 15 SOA-2003.

---

62 *Vid.* McALINDEN, A. M., "Setting, em up" *op. cit.*, p. 343.

63 *Vid.* McALINDEN, A. M., "Setting, em up" op. y loc. ult. cit.

64 Téngase en cuenta que hasta 2008, el art. 15 SOA-2003 era aplicable en Irlanda del Norte. No obstante ese año se derogó la aplicación del delito allí previsto para aquel territorio y se aprobó el art. 22 de la *Sexual Offences (Nothern Ireland) Order* 2008, donde se prevé un delito (*meeting a child following sexual grooming*) sustancialmente equiparable al del art. 15 SOA-2003.

65 Para un análisis del proceso a través del cual, primero se introdujo el delito de "*grooming*", en Inglaterra y Gales y, a semejanza de éste, después se previó en Irlanda y Escocia, *vid.* McALINDEN, A. M., *"Grooming" and the Sexual Abuse of Children. Institutional, internet, and Familial Dimensions*, Oxford, 2012, p. 63.

66 Ante todo el art. 1.1 de la citada ley de 2005 prevé el delito de "Meeting a child following certain preliminary contact". Las principales diferencias con el art. 15 SOA son que, el tipo vigente en Escocia no establece una edad concreta del sujeto activo, toda vez que solo se requiere que el autor se haya encontrado o comunicado con el menor, al menos, una vez (*at least, one earlier occasion*).

3.3. *Australia*

También conocen de este delito otros países incluidos en la *Commonwelth*, como ***Australia*** donde se advierten elementos peculiares, en la tipificación de las figuras de "*grooming*" de especial interés para este trabajo, como a continuación se expondrá. Pero antes hay que advertir del carácter prolijo de la regulación de las diversas figuras de "*grooming*", lo que deriva, de un lado, de la configuración territorial de este estado, de modo que, en sus diversas jurisdicciones existe una regulación específica al respecto[67]. Y allí donde no existe dicha regulación, puede aplicarse, bajo determinadas circunstancias[68], lo legislado para la *Commonwelth*, en el *Criminal Code Act* 1995, sección 474.26 (utilización de servicios de transporte como medio de comunicación para "procurar"menores de 16 años) y, en especial, sección 474.27 (empleo de servicios de transporte como medio de comunicación para realizar "*grooming*" con menores de 16 años). Esta regulación, por así decirlo "básica" es, asimismo, muy extensa en la definición del delito de "*grooming*", por lo que solo se atenderá seguidamente, a sus principales características. En lo que tocante a la pena ha de destacarse, como se ha podido indicar en nuestra doctrina, que en líneas generales, se trata de una de las legislaciones penales más severas[69], de nuestro entorno jurídico, al prever penas de entre 12 a 15 años para aquellos delitos[70]. Ello hace muy dificultoso conciliar los ilícitos allí previstos con la pretensión de proporcionalidad de las penas, puesto que, básicamente, se castigan, la conducta iniciada por un individuo —o *emisor*— (denominado "*sender*") que, de nuevo, ha de ser mayor de 18 años, con respecto a un menor de hasta 16 años —o *destinatario*— (denominado "*recipient*"), que se ponga en contacto con éste o facilite que otra persona le contacte, siempre con intención de involucrarle en una actividad sexual[71]. La conducta más próxima a la figura de "*grooming*" es, no obstante, la

---

67 Entre las últimas regulaciones, cabe citar la de reforma realizada en New South Wales, el 28 de noviembre de 2007, en su *Ley penal de 1990* (Crimes Act) a través de la *Crimes Amendment (Sexual Procurement or Grooming of Children) Bill* 2007. Otras jurisdicciones con regulación penal propia de figuras delictivas de "*grooming*" serian, Australian Capital Territory, Queensland, Nothern Territory, South Australia, Tasmania y Western Australia.

68 *Vid.* RAYMON CHOO, K. K., *op. cit.*, p. 51.

69 *Vid.* RAMOS VÁZQUEZ, J. M., "El nuevo delito de ciberacoso..." , *op. cit.*, p. 9.

70 En concreto, los delitos de "*grooming*" regulados en la sección 474.26 del *Criminal Code Act* 1995 se castigan con 15 años de cárcel y los de la sección 474.27, se castigan con 12 años, pudiendo llegar a los 15 si concurren las circunstancias del art. 474.27(3).

71 Así pues el castigo se fundamenta en la prueba de que se puso en contacto y en que se demostró la intención de involucrar al menor en una actividad sexual, de modo que no se exige ni siquiera un encuentro sino la tentativa de involucrar a aquel menor en una actividad sexual [*vid.* 474.26 (3)].

de la sección 474.27 donde también se castiga *establecer una comunicación entre una persona mayor de 18 años y un menor de 16*, si además, se *facilita* que el menor se vea involucrado en una actividad sexual. Lo cierto es que la diferencia cuantitativa con el ilícito del anterior delito no es demasiado evidente, puesto que no se exige un acto material de acercamiento, ni siquiera un encuentro, sino tan solo "facilitar" que el menor se vea involucrado en un acto sexual, es decir, *prepararlo* para ser objeto de un acto sexual. Asimismo esta regulación viene caracterizada por constantes referencias implícitas a los *límites* impuestos por el legislador penal a la eficacia eximente del error, puesto que también se castigan las anteriores conductas cuando el emisor (*sender*) simplemente crea que el menor con el que se comunica, tiene menos de 16 años, aunque efectivamente no los tenga. Nótese que, posiblemente por la antigüedad de esta regulación, no se alude a ningún medio de comunicación específico, si bien, según se constata en la doctrina, ha servido para castigar casos de "*grooming*" a este respecto, con bastante efectividad[72]. Esta opinión, sin embargo, contrasta con las acertadas criticas que sitúan a esta legislación entre las menos garantistas del panorama comparado[73]. Bien es cierto, como se ha destacado, que la aplicación de la misma viene condicionada por la preferencia de las jurisdicciones específicas que, en líneas generales, prevén penas inferiores, de entre 5 a 10 años, y actualizan las principales conductas, con referencias más específicas a las formas de comunicación empleadas (internet, etc.).

3.4. Canadá

Por último cabe aludir a la regulación de Canadá, cuyo Código penal fue reformado a través de una Ley sancionada el 4 de junio de 2002. El origen de esta ley es la denominada "Bill C-15A" que, entre otros aspectos, modifica la legislación penal en materia de *explotación de niños, en especial la cometida a través de Internet*[74]. Como consecuencia de esta regulación, desde 2002, se ubica en el art. 172.1, el delito de "seducción de niños a través de Internet" (*luring of child over the Internet*) que castiga, en esencia, a quien a través de un *medio de telecomunicación* se comunique con una persona menor de cierta edad (o que el autor crea que es menor de cierta edad), con la *intención de facilitar* la comisión

72 *Vid.* RAYMON CHOO, *op. cit.* pp. 51 y 52.

73 *Vid.* RAMOS VÁZQUEZ, J. M., op. y loc. ult. cit.

74 *Vid.* GOETZ D./, LAFRENIÈRE G. "Bill C-15A: an act to amend the Criminal Code and to amend other acts" en *Legislative Summary, LS-410E (Parlamentary Research Branch)* Library of Parliament, 30 sept. 2002, pp. 2 y ss.

de determinados delitos sexuales en relación con niños o con el secuestro de niños (art. 172.1 (1)[75]).

De nuevo en esta legislación se especifica, como requisito típico, *la edad de la víctima* (o la edad que el autor *cree* que tiene la victima). La peculiaridad es que no se trata de una edad fija, sino que se determina dependiendo del delito que el autor favorezca, de modo que dicha edad puede oscilar entre 18, 16 o 14 años [art. 172.1 (4)][76]. Con respecto a la *pena*, el delito del art. 172.1 (2) puede castigarse con una sanción a imponer en juicio rápido (para delito menor) o con una pena dictada en juicio con procesamiento (por delito grave). En el primer caso, la sanción seria de multa hasta 2.000 dólares o de prisión hasta 6 meses; en el caso de juicio, la pena de prisión puede llegar hasta 5 años[77].

Una vez analizados, en los aspectos principales, los sistemas de los citados países del *Common law*, conviene reparar en la fundamental regulación que, en relación con el *"on-line child grooming"* ha ido emanando de ***organismos internacionales y, en especial, de la UE.***

3.5. Regulación internacional y de la UE

Con respecto al ámbito internacional, básicamente, hay que señalar el contexto normativo configurado a partir de los años noventa, en contra del abuso y la explotación sexual de los niños. Aunque la relación con el fenómeno del "*grooming*" es más genérica, no pueden pasarse por alto cumbres como el Primer *Congreso Mundial de Estocolmo contra la Explotación Sexual Comercial de Niños* (1996)[78], en donde empiezan a surgir instrumentos jurídicos internacionales,

---

75 *Vid.* www.laws-lois.justice.gc.ca: *Criminal Code* (versión inglesa y francesa). Consultado el 19/09/2015.

76 Según GOETZ D./ LAFRENIÈRE G, en el art. 172.1 se establecen una serie de pautas con respecto a la edad de la victima, en la línea de otros tipos donde dicha edad constituye un elemento del delito. Así pues, en el art. 172.1 se establece que la creencia del acusado sobre la edad de la víctima puede ser inferida a partir de la representación que el autor se haga a estos efectos. Además se excluye que el error de prohibición recaiga sobre la edad de la víctima, a no ser que el autor llevara a cabo averiguaciones razonables acerca de la edad de dicha persona, en "Bill C-15 A...", *op. cit.*, p. 4.

77 Además, la reforma aludida (a través de la cláusula 76), modificó el art. 753.1 (2), de modo que el delito del art. 172.1 se añadió a la lista de los que permiten interponer una orden contra "*long-term offender*". Dicha orden está dirigida a delincuentes que se enfrentan a una sentencia de al menos dos años por varios delitos sexuales cuando el tribunal haya determinado que existe un riesgo sustancial de que vuelva a delinquir. En estos casos el tribunal sentenciador puede ordenar un periodo de tiempo más largo (hasta 10 años) de libertad vigilada en comunidad.

78 También denominado *Primer Congreso Mundial contra la Explotación Sexual Comercial de la Infancia* (ESCNNA; *I World Congress against Commercial Sexual Exploitation of Children*). Fue organizado por UNICEF, el Grupo de ONG para la Convención sobre los Derechos del

posteriormente afianzados en el *Segundo Congresos mundial contra la explotación sexual comercial infantil* de *Yokohama* (Japón, 2001) y el Tercer *Congreso celebrado en Río de Janeiro* (Brasil, 2008), contra la *explotación sexual de niños, niñas y adolescentes*. En líneas generales, mediante estos congresos se compelió a los estados firmantes a homogeneizar progresivamente sus legislaciones contra el abuso y la explotación de menores y se recomendó fomentar la cooperación internacional en el ámbito de la persecución y castigo de hechos delictivos[79].

Aún en este marco internacional, y ya entrado el s. XXI, diversos países europeos ratificaron algunos instrumentos que, directa o indirectamente, inciden en el fenómeno del "*grooming*". De un lado, cabe citar el *Convenio del Consejo de Europa sobre la Ciberdelincuencia*, de 23 de noviembre de 2001 (Budapest)[80], donde se camina a tipificar diversas modalidades de conducta de *delitos relacionados con la "pornografía infantil"* y se define ésta (art. 9). Pero ante todo cabe reparar en el *Convenio del Consejo de Europa para la protección de los niños contra la explotación y el abuso sexual* (STCE nº. 201), de 25 de octubre de 2007 (Lanzarote)[81]. De hecho, esta última norma internacional[82], incluye, en su art. 23, el requisito de tipificar, como delito, una conducta que se aproxima a la del llamado "*on-line child grooming*", pues se refiere a las proposiciones a niños con fines sexuales a través de tecnologías de la información y la comunicación, para realizar un encuentro con un menor, cuando dicha propuesta vaya seguida de actos materiales conducentes a aquel encuentro[83].

Niño y ECPAT International (Articulación Internacional contra Prostitución, Pornografía y Tráfico de Niñas, Niños y Adolescentes). Un comité de redacción preparó y distribuyó una *Declaración y Agenda para la Acción* que fue adoptada unánimemente en la cuarta sesión plenaria. Entre otras recomendaciones allí adoptadas, destaca la de declarar el carácter *delictivo* de la explotación sexual comercial de niños (ESCNNA) y otras formas de explotación sexual, proponiendo castigar a los delincuentes involucrados y proteger a los niños que fueran víctimas.

79 Entre otros instrumentos, cabe hacer mención al *Protocolo Facultativo de la Convención sobre los Derechos del Niño relativo a la venta de niños, la prostitución infantil y la utilización de los niños en la pornografía, de Naciones Unidas*, de 25 de mayo de 2000. También destaca la *Convención contra la Delincuencia Organizada Transnacional y su Protocolo* para prevenir, reprimir y sancionar la trata de personas, especialmente mujeres y niños, de 15 de noviembre de 2000.

80 *Vid.* BOE de 17 de septiembre de 2010, núm. 226, Sec. I., pp. 78847 a 78896.

81 *Vid. Instrumento de Ratificación del Convenio del Consejo de Europa para la protección de los niños contra la explotación y el abuso sexual*, hecho en Lanzarote el 25 de octubre de 2007. En BOE de 12 de noviembre de 2010, nº 274, Sec. I., pp. 94858 a 94879.

82 Con carácter general sobre la misma *vid.* MARCOS MARTÍN, T., quien destaca que esta convención tiene naturaleza de tratado internacional de duración indeterminada, en "Un nuevo paso en la lucha contra la explotación sexual infantil: el Convenio del Consejo de Europa para la protección de los niños contra la explotación y el abuso sexual", en *Revista sobre la infancia y la adolescencia*, 1, sept. 2011, p. 103.

83 Concretamente dicho artículo establece: "cada Parte adoptará las medidas legislativas o de otro tipo que sean necesarias para tipificar como delito el hecho de que un adulto, mediante

Con respecto al estricto ámbito de los Estados miembros de la Unión Europea, conviene reparar en la *Decisión Marco del Consejo de la Unión Europea 2004/68/JAI, de 22 de diciembre de 2003*, relativa a *la lucha contra la explotación sexual de los niños y la pornografía infantil.* Sin embargo, esta decisión no alude a ilícito alguno relativo a la proposición a menores con fines sexuales. Pese a ello, el legislador penal español de 2010, apelaba en su Exposición de Motivos a dicha Decisión lo que hizo suscitar críticas entre la doctrina penal[84].

Asimismo, como antecedente más decisivo en la configuración de este delito, cabe aludir a uno de los previstos en la "Propuesta de directiva del Parlamento Europeo y del Consejo relativa a la lucha contra los abusos sexuales, la explotación sexual de los niños y la pornografía infantil" de 29 de marzo de 2010. En concreto, su artículo 6 recogía el delito de "Seducción de niños con fines sexuales", de manera prácticamente idéntica a como lo hacia el reformado artículo 183 bis) CP, tras la reforma de LO 5/2010. Con posterioridad en el tiempo, se aprobó la D*irectiva 2011/92/UE del Parlamento Europeo y del Consejo de 13 de diciem*bre de 2011, *relativa a la lucha contra los abusos sexuales y la explotación sexual de los menores y la pornografía infantil y por la que se sustituye la Decisión marco 2004/68/JAI del Consejo*[85]. En sentido similar a la *propuesta*, el art. 6 de esta *Directiva* prevé un delito que conviene reproducir a los efectos de compararlo, seguidamente, con el delito de "*on-line child grooming*" previsto en el Código penal español[86].

---

las tecnologías de la información y la comunicación, proponga un encuentro a un niño que no haya alcanzado la edad fijada en aplicación del apartado 2 del artículo 18 con el propósito de cometer contra él cualquiera de los delitos tipificados con arreglo al apartado 1.a del artículo 18 o al apartado 1.a) del artículo 20, cuando a dicha proposición le hayan seguido actos materiales conducentes a dicho encuentro." (BOE núm. 274, de 12 de noviembre de 2010, p. 94865). Para interpretar este precepto, hay que reparar en que el citado art. 18 se refiere delitos de *abusos sexuales* y el del art. 19 a los *delitos de pornografía infantil*, toda vez que el niño al que alude el precepto no ha de haber alcanzado la edad de consentimiento sexual, según el derecho nacional. Sobre la discusión relativa a dicha edad *vid.* MARCOS MARTÍN, T.," Un nuevo paso en la lucha contra la explotación sexual infantil..." *op. cit.*, p. 104.

84 Según NÚÑEZ FERNÁNDEZ, la referida decisión no mencionaba el acercamiento a menores con fines sexuales, toda vez que entendía que dicha decisión estaba derogada desde el 29 de marzo de 2010. *Vid.* "Presente y futuro del mal llamado delito de ciberacoso a menores: análisis del artículo 183 bis CP y de las versiones del Anteproyecto de Reforma de Código penal de 2012 y 2013", en *ADPCP*, vol. LXV, 2012, pp. 187 y 188.

85 *Vid. Diario Oficial de la Unión Europea* de 17 diciembre de 2011, pp. L 335/1 y ss.

86 Bajo el título de "embaucamiento de menores con fines sexuales por medios tecnológicos", el art. 6 establece:"1. Los Estados miembros adoptarán las medidas necesarias para garantizar la punibilidad de las conductas dolosas siguientes: La propuesta por parte de un adulto, por medio de las tecnologías de la información y la comunicación, de encontrarse con un menor que no ha alcanzado la edad de consentimiento sexual, con el fin de cometer una infracción contemplada en el artículo 3, apartado 4, y en el artículo 5, apartado 6, cuando tal propuesta

En conclusión, todos estos preceptos sirven al objeto de apuntar los antecedentes de la regulación en nuestro país del del*ito de* "*on-line child grooming* que, como enseguida analizaremos, se hace eco de esta legislación internacional del fenómeno, pero ante todo, es tributaria de estas últimas normas comunitarias. A tal efecto, conviene destacar los paralelismos del citado art. 23 del Convenio del Consejo de Europa de 2007 y del art. 6 de la Propuesta de directiva del Parlamento Europeo y del Consejo (2010), con el delito del art. 183 bis) CP, conforme a la LO 5/2010, de 22 de junio. Mientras que el citado art. 6 de la D*irectiva 2011/92/ UE* pudo tener eco en el vigente art. 183 ter), 1° CP, tras la reforma de LO 1/2015, de 30 de marzo, como seguidamente veremos.

Una vez constatadas estas semejanzas, no parece descabellado denominar el delito del vigente art. 183 ter) CP, con un delito de *"preparación on-line de menores para actividades o fines sexuales"*[87], coincidiendo además con el sentido dado al término "*grooming*" desde la perspectiva gramatical.

4. EL DELITO DE *ON-LINE CHILD GROOMING* DEL ART. 183 TER) 1° CP: ANÁLISIS DE SU PRINCIPALES ASPECTOS

4.1. *El nuevo delito del art. 183 ter) 1° CP en el contexto del Capítulo II bis), Título VIII*

Con la entrada en vigor de la LO 1/2015 el delito de "*on-line child grooming*" se ha ubicado sistemáticamente en un precepto distinto creado *ex novo*: el art. 183 ter) CP, apartado 1°. El delito allí previsto comparte ahora localización con el nuevo delito situado en el apartado 2° del mismo art. 183 ter) CP. Ambos delitos tienen, entre otros aspectos comunes, el empleo de determinados medios

haya ido acompañada de actos materiales encaminados al encuentro, se castigará con penas privativas de libertad de una duración máxima de al menos un año.
2. Los Estados miembros adoptarán las medidas necesarias para garantizar la punibilidad de cualquier tentativa de un adulto, por medio de las tecnologías de la información y la comunicación, de cometer las infracciones contempladas en el artículo 5, apartados 2 y 3, embaucando a un menor que no ha alcanzado la edad de consentimiento sexual para que le proporcione pornografía infantil en la que se represente a dicho menor. ES L 335/8 Diario Oficial de la Unión Europea."

87 Téngase en cuenta que, en la versión inglesa del art. 6 de la Directiva se alude a "*Solicitation of children for sexual purposes*". La conducta de "solicitation" se asocia en Derecho penal de *Common law*, a una proposición en cuanto acto preparatorio (*preparatory offences*); en sentido figurado, cabría incluso hablar de *captación* de menores con fines sexuales. Por su parte, la versión en castellano de aquel precepto, habla de "embaucamiento" en traducción del término "*solicitation*".

telemáticos así como el sujeto pasivo, menor de 16 años. Por ello la colocación de ambos, en el mismo precepto parece correcta, pese a que puedan plantearse razonables objeciones acerca de la *necesidad* de tipificar el delito del art. 183 ter) apartado 2° CP.

4.2. *Bien jurídico y delito de peligro*

Como ya se adelantó, la pregunta acerca del bien jurídico, tanto del delito del actual art. 183 ter) 1° CP como del anterior art. 183 bis) CP, es indispensable para aclarar qué se trata de proteger respecto a menores que ahora pueden ser de hasta 16 años. Partiendo de la clásica discusión existente en la doctrina penal entre las posturas que defienden que en este delito se tutela la "libertad sexual" y aquellas otras que sustentan que se protege la "indemnidad sexual", pueden advertirse posturas recientes que, indistintamente, hablan de la tutela de ambos bienes jurídicos respecto del delito del art. 183 bis) CP[88] o lo identifican con la *intangibilidad sexual*[89]. Cabe incluso advertir otras posturas que, junto a la indemnidad sexual, optan por delimitar un bien jurídico distinto al que identifican con "la seguridad de la infancia en la utilización de las TIC", de modo que el delito del art. 183 bis) CP seria pluriofensivo[90]. Puesto que el estudio del debate acerca de las posibles diferencias entre la *li*bertad e *indemnidad sexual* desbordaría los razonables límites de este trabajo, tan solo se va a incidir aquí en plantear objeciones a las últimas posturas indicadas. Y ello porque van específicamente referidas al delito que nos ocupa si bien al aludir como bien jurídico a la seguridad —siquiera sea en su relación con la genérica referencia a la infancia— aporta pocos datos materiales para caracterizar el interés allí tutelado[91]. Por todo lo anterior, parece que no puede

---

88 *Vid.* DÍAZ CORTÉS, L. M., *El denominado child grooming del artículo 183 bis) del Código* penal... *op. cit.* pp. 3, 4 y 5 (no obstante en p. 22 solo habla de la indemnidad sexual como interés del que es titular el sujeto pasivo).

89 *Vid.* GÓMEZ TOMILLO, quien antes de dicha reforma aludía a la intangibilidad sexual del menor de trece años, idea que "...cierra el paso a cualquier contacto jurídico penalmente licito con la sexualidad por debajo de tal edad", en "Capitulo II bis): De los abusos y agresiones sexuales a menores de trece años" en *Comentarios al Código penal*, 2° ed., 2011, pp.. 728 y 731.

90 *Vid.* GONZÁLEZ TASCÓN, M. M., "El nuevo delito de acceso..." *op. cit.*, p. 242. Con anterioridad DOLZ LAGO, M. J., sostuvo que además de la protección anticipada a la indemnidad sexual, se protegía, como bien juridico supraindividual, la infancia en general, en "Un acercamiento al nuevo delito de *child grooming.* Entre los delitos de pederastia" *Diario La Ley*, n° 7575, sección doctrina, 2011, p. 1740.

91 Como sucede en muchos otros delitos, siempre cabe, en última instancia, apelar a la seguridad de los sujetos pasivos para referirse a un bien jurídico genérico adicional al específicamente tutelado. Si bien con ello no parece apuntarse a la razón principal justificante de la pena prevista en el art. 183 ter)1° CP.

prescindirse, como punto de partida para delimitar el bien jurídico del delito del art. 183 ter)1° CP, de la distinción entre *libertad e* indemnidad sexual, desde que se hiciera alusión a esta última en la LO 11/1999, de 30 de abril[92]. Como es sabido, la referencia a la indemnidad sexual adquirió una nueva impronta a raíz de la previsión, mediante la LO 5/2010, de 22 de junio, del Capitulo II bis) Título VIII del CP, donde se introdujo "ex novo" el delito de "*on-line child grooming*" que nos ocupa[93]. Pese a ello cabe advertir que el encaje de este interés en los delitos del Título VIII no deja de ser controvertido. A los efectos del delito del art. 183 ter) 1° CP, es plausible sostener un entendimiento que se cohoneste con las exigencias penales de fragmentariedad y lesividad, en términos del *interés en un adecuado desarrollo y formación de la personalidad y sexualidad del menor,* entendiendo por "adecuado", *aquel desarrollo libre de* injerencias extrañas a *los intereses del menor* y que *permita su* proceso de socialización[94].

Así entendido el bien jurídico indemnidad sexual cabría apuntar una relación de progresión entre éste y la *libertad sexual*[95], de modo que la indemnidad sexual puede vincularse a esa idea de *libertad sexual en fase de consolidación* [*vid.* STS n° 97/2015 de 24 de febrero (*Tol 4776958*)][96]. En consecuencia, el bien jurídico in-

---

92 Así se deriva además de la referencia contenida en el propio Título VIII a ambos intereses, que aboca al intérprete a determinar qué delitos ubicados bajo esta rúbrica se dirigen a proteger cada uno de aquéllos. Para ello hay que recordar que la referencia a la indemnidad sexual adquiere carta de naturaleza en el Código penal a raíz de la reforma penal operada por LO 11/1999, de 30 de abril, en cuya Exposición de Motivos, se ofrecía como justificación para introducir este concepto, que los delitos contra la libertad sexual existentes no respondían adecuadamente "...a las exigencias de la sociedad nacional e internacional en relación con la importancia de los bienes jurídicos en juego...". Esta referencia, suscitó razonables críticas que apuntaban a la falta de sustantividad respecto a la libertad sexual, entre otras objeciones. *Vid.* para un análisis crítico, DIEZ RIPOLLÉS, J. L., "Título VIII. Delitos contra la libertad e indemnidad sexuales», en *Comentarios al Código penal. Parte especial II. Títulos VII-XII y faltas correspondientes",* (Díez Ripollés, J. L./ Romeo Casabona, C. M.), Valencia, 2004, pp. 233 a 242

93 En efecto, bajo la rúbrica "De los abusos y agresiones sexuales a menores de trece años" se ubicaron de manera unitaria determinados delitos de agresiones y abusos sexuales (art. 183 y 183 bis CP) cuya nota común era la edad del sujeto pasivo de todos ellos, esto es, del menor de trece años.

94 *Vid.* ORTS BERENGUER, E., quien, a su vez, cita la opinión de MORALES PRATS/GARCÍA ALVERO en VVAA, *Derecho penal. Parte especial*, 2ª ed., Valencia, 2008, p. 214. *Vid.* FERRANDIS CIPRIÁN, D., "El delito de *on-line child grooming* (art. 183 bis CP)" en *Delitos sexuales contra menores, abordaje psicológico, jurídico y policial*, Valencia, 2013, p. 190.

95 *Vid.* entre otros, MONGE FERNÁNDEZ, A., *De los abusos y agresiones a menores de 13 años: análisis de los artículos 183 y 183 bis), conforme a la LO 5/2010*, Barcelona, 2011, p. 63.

96 En esta resolución se identifica el bien jurídico protegido como la indemnidad sexual, entendiendo que "...no solo pretende preservar el derecho a su pleno desarrollo y formación y socialización del menor, así como su libertad sexual futura, sino también su integridad moral (...)" (FD 1°)

demnidad sexual sería el interés en formar al menor en esa libertad hasta que pudiera ejercitarla con madurez, lo que vendría determinado, en nuestra legislación, por el criterio cronológico de la edad del menor. Por consiguiente, la "indemnidad sexual" constituye un objeto formal de tutela penal *autónomo*, de modo que aquella relación de progresión permite diferenciar dos intereses jurídicos distintos que podrán pertenecer al mismo titular, si bien serán tutelados penalmente en diversos momentos de su vida. Desde esta perspectiva, sería posible delimitar las agresiones al bien jurídico "indemnidad sexual", como las injerencias que truncan una normal formación de la personalidad y sexualidad del menor, adecuada a la edad del titular de este interés[97]. Semejantes agresiones pueden advertirse en el ilícito de los delitos de "child *grooming*" en cuanto consistiría en ese que*branto de la conf*ianza depositada por el menor en otra persona —por lo general mayor que él— lo que comportaría una ventaja y facilitaría la manipulación o el a*buso* hacia dicho *menor en el terreno de la sexualidad*, precisamente aprovechando —o siendo conocedor— de que se está formando en este ámbito[98]. Así entendido el ilícito de este delito cabe advertir, como la práctica demuestra, su proximidad con el de ciertas figuras de abuso sexual[99], si bien con las matizaciones que luego veremos, dado que el tipo básico no requiere probar el engaño.

De todo lo que antecede, se desprende que respecto a la indemnidad sexual, el delito del actual art. 183 ter) 1° CP —anterior art. 183 bis) CP—, comportaría un peligro[100], si bien la clasificación que haya de hacerse de éste —como abstracto, *hipotético* o concreto—, vendrá determinada por una valoración conjunta de toda la conducta delictiva. Al respecto, existen distintas posturas, pudiéndose distinguir quienes, en la doctrina penal, defienden que se trata de un delito de *peligro hipotético*[101] y, por otra parte, la posición de algunas resoluciones judiciales

---

97 En sentido próximo *vid.* ORTS BERENGUER, E., en VVAA, *Derecho penal. Parte especial*, 4ª ed., Valencia, 2015, pp. 201 y 202.

98 Junto a ello, ha de tenerse en cuenta que en ocasiones los ilícitos propios de "*on-line child grooming*" pueden comprometer a otros bienes jurídicos como la intimidad y también a la propia imagen. Así en algunos casos, estos intereses van a verse en la misma línea de ataque que la indemnidad sexual, de modo que la ofensa de aquéllos a través de medios telemáticos, hará posible la puesta en peligro de la normal formación en sexualidad del menor. En estos casos, cabrá acudir a las reglas del concurso de infracciones.

99 *Vid.* el citado Estudio de Save the Children (2013) donde se destaca que en la mayoría de casos en que se producen encuentros entre menores y abusadores, "...los encuentros fueron animados por promesas de amor por parte de los abusadores", de modo que "...la relación entre internet y abuso sexual se encuentra caracterizada por el estrupro, más que por la violación forzada" en "La tecnología en la preadolescencia y adolescencia...", *op. cit.*, p. 23.

100 *Vid.* RAMOS VÁZQUEZ, "Ciberacoso" en *Comentarios* (dir. QUINTERO) 2015, *op. cit.*, p. 439.

101 *Vid.* GÓMEZ TOMILLO, M., en *Comentarios al Código penal... op. cit.*, p. 731. También parece decantarse por esta postura VILLACAMPA ESTIARTE, en "Propuesta sexual..." *op. cit.*, p. 677.

donde se sigue la línea señalada por el TS, según la cual, se trata de un delito de *peligro concreto*, a la luz, ante todo, de la exigencia típica de *actos materiales* tendentes al acercamiento. En este sentido, la STS nº 97/2015 de 24 de febrero (*Tol 4776958*) establece que "la naturaleza de este *delito es de peligro* por cuanto se configura no atendiendo a la lesión efectiva del bien jurídico protegido, sino a un comportamiento peligroso para dicho bien. Si estamos ante un delito de peligro abstracto puede ser discutible. En cuanto al tipo exige la existencia de un menor y la de actos materiales encaminados al acercamiento, la tesis del *peligro concreto* parece la acerada." (FD 1º). Reiterando la misma postura *vid.* SAP de Jaén nº 113/2015, de 11 de mayo, FD 1º [MP: P. J. Aguirre Zamorano, *(Tol 5191150)*].

Como se ha indicado, a través de este delito no se castiga cualquier agresión contra la indemnidad sexual, sino *solo* la derivada de aquel proceso de "*grooming*" tipificado en este precepto y a través de medios tecnológicos tasados. Teniendo en cuenta que la conducta tipificada en el art. 183 ter) 1º CP requiere este elemento típico, el grado de peligro allí previsto ha de valorarse, ante todo, atendiendo a que semejante conducta supone un adelantamiento muy pronunciado de la intervención penal a estadios muy iniciales con respecto al de la lesión. A ello hay que añadir que estamos ante un delito de *mera actividad* de modo que la pura constatación de un "*iter*" o acción típica bastaría para entender consumado el delito. Por todo ello, se configuraría, a mi modo de ver, un delito de *peligro abstracto*. Ahora bien, en la estructura típica del art. 183 ter) 1º CP se prevé un elemento, cual es los "actos materiales encaminados al acercamiento" que han de probarse para dotar de veracidad a la proposición de encuentro allí exigida y que, según se destaca en algunas resoluciones, podrían conferir a este delito el sesgo del *peligro concreto* [*vid.* además de la citada STS de 24 febrero 2015, las SSAP de Jaén de 11 de mayo de 2015, FD 1º *(Tol 5191150)* y de Albacete de 22 de septiembre de 2015, FD 4º, MP: M. Mateos Rodríguez (*Tol 5498686)*].

Frente a la anterior postura cabe argüir que cuando el legislador penal prevé *delitos de peligro concreto* lo hace utilizando fórmulas típicas más taxativas (v.gr. que pueda causar daños, que pueda perjudicar gravemente —art. 325 CP—, que comporte un peligro para la vida —art. 351 CP—, que pusiere en concreto peligro —art. 380 CP—, etc.). Además, la exigencia de un peligro concreto respecto el delito del art. 183 ter) 1º CP no se cohonesta bien con el entendimiento de este delito, desde la perspectiva material, como un acto preparatorio, según se indica, asimismo en muchas de aquellas resoluciones judiciales.

Delimitado el delito del "*on-line child grooming*" como de delito abstracto, cabe destacar que los medios empleados para su comisión (Internet, teléfono o TIC's) no desempeñan un papel relevante a la hora de caracterizar dicha ofensa. Parece pues que el ámbito en el que, con precisión, estos medios despliegan su principal papel es el de la *tipicidad*. Por lo demás, el ilícito anteriormente definido, puede servir como criterio interpretativo que permita excluir del tipo conductas irrelevantes o nimias que no manifiesten el mínimo contenido de ilicitud anteriormente propuesto. Y puesto que, las principales críticas al delito del art. 183 ter) 1° CP apuntan a lo desmesurado que puede llegar a ser el adelantamiento punitivo que comporta, cabe apuntar al contenido de su ilicitud como instrumento adecuado para acotar con precisión su ámbito de aplicación.

4.3. *Principales elementos típicos, a partir de las diferencias con el art. 183 bis) CP*

El anterior delito del art. 183 bis) CP se construía sobre los rasgos principales que, tanto en la doctrina extranjera como en la legislación de algunos países, han servido para diseñar el fenómeno de "*on-line child grooming*", a saber: a) el empleo de un medio tecnológico como internet u otras tecnologías de la comunicación, para (b) establecer un contacto con un menor, cuya (c) edad es de 13 años, (d) proponiéndole un encuentro (e) con el propósito de cometer determinados delitos contra la libertad sexual (arts. 178 a 183 y 189 CP). Además, el legislador penal de 2010, exigió acompañar dicha propuesta de "actos materiales encaminados al acercamiento". No obstante, en el actual art. 183 ter) 1° CP se han reformado dos de estos requisitos: de un lado, la edad del sujeto pas*ivo* y de otro, los *delitos* que fundamentan el elementos subjetivo de este tipo, es decir, los ilícitos a cuya comisión se preordena el encuentro subsiguiente a la preparación del menor (arts. 178 a 183 y 189 CP).

Con respecto al primero de aquellos elementos, esto es, la *edad* del menor o ***sujeto pasivo*** del delito del art. 183 bis) CP se cifraba, según se ha dicho, en ***13 años***. La previsión de esta edad estaba en la línea de lo establecido en las normas internacionales al respecto (v.gr. el Convenio del Consejo de Europa de 2007) y era consecuente con configuración del capítulo II bis) del Título VIII, donde se ubicaba este delito, además de con las reformas acometidas por la LO 5/2010, de 22 de junio, respecto a la edad de invalidez del consentimiento del menor, en el ámbito sexual[102]. No obstante, dicha edad fue criticada por el grupo parlamentario en la oposición[103] toda vez que se objetó por parte de un sector doctrinal[104],

---

102 A tal efecto, la reforma de LO 5/2010, de 22 de junio, suprimió la cláusula del anterior art. 181.2 CP donde se contenía una presunción *iuris et de iure* sobre la invalidez del consentimiento del menor de trece años en el terreno sexual. *Vid.* ORTS BERENGUER, E., *Derecho penal. PE*, 2008, *op. cit.*, p. 245.

103 Como indica CUGAT MAURI, M., el límite de edad de trece años fue criticado por el Grupo popular. *Vid.* "Capitulo 26: Delitos contra la libertad e indemnidad sexuales", *op. cit.*, p. 235.

104 *Vid.* DÍAZ CORTÉS, L. M., "Aproximación criminológica y político criminal del contacto TICS preordenado a la actividad sexual con menores en el Código penal español, art. 183 bis

que ya indicó la conveniencia de elevar la edad a 16 años y que se hubiera excluido a los incapaces[105], por cuanto éstos podían ser tanto o más frágiles que aquellos menores[106]. Para otros autores la edad de trece años se ajustaba al principio de lesividad y respondía a razones sistemáticas, toda vez que con este precepto el legislador se ceñía con exactitud a lo previsto en el Convenio Europeo de 2007[107].

En relación con el segundo aspecto del anterior art. 183 bis) CP que ha trascendido, con modificaciones, a la nueva redacción del delito de "*on-line child grooming*", esto es, el grupo de delitos a cuyo fin ha de orientarse la comisión de aquel otro, ha de repararse en algunos problemas para delimitarlos. En concreto, la referencia a los delitos contra la li***bertad sexual*** de los arts. 178 a 183 CP y el art. 189 CP —a cuya comisión ha de ir dirigido el "child *grooming*"— suscitó críticas por lo poco acertada de la alusión al art. 178 CP, puesto que las agresiones sexuales de este precepto iban dirigidas a mayores de trece años. De ahí que, entre algunas posturas doctrinales, se tachó de superflua la referencia a aquellos artículos, salvo en lo relativo al art. 189 CP[108], y entre otras se defendió que lo adecuado hubiera sido referirse solo a los art. 183 y al 189[109]. No obstante, también hubieron opiniones que trataron de encontrar una explicación a la referencia a los arts. 178 a 183 CP, interpretando que se podían verificar conductas consistentes en contactar con un menor de trece años respecto al que, posteriormente, cuando superara esa edad, se hubiera pretendido consumar un delito del art. 178 CP[110]. Lo cierto es que no son impensables supuestos en que el/la menor tuviera, v.gr. doce años en el momento del primer contacto, de modo que el proceso de "*grooming*" durara más de un año, al cabo del cual el delito sexual que el autor pretendiera llevar a cabo, pudiera, por tanto, enmarcarse en los arts. 178 a 182 CP[111].

Por lo que toca al reenvío normativo a los delitos del art. 189 CP fue criticado ante todo porque, en ese precepto, no solo se prevén conductas de pornografía

---

CP" en UNED *Revista de Derecho y Criminología*, 3ª época, nº 8 (2012) pp. 303, 304 y 314.

105 *Vid.* FERRANDIS CIPRIÁN, D., quien se hizo eco de la postura doctrinal que defendía que el legislador debió elevar la edad penal a los efectos de equiparar dicho delito "...con el denominado abuso sexual fraudulento..." en "El delito de *on-line child grooming* (art. 183 bis CP)", *op. cit.*, p. 192.

106 *Vid.* ORTS BERENGUER, E., *Derecho penal. Parte Especial*, 3º Ed., 2010, *op. cit.*, p. 271.

107 *Vid.* RAMOS VÁZQUEZ, J. A., "El nuevo delito...", *op. cit.*, p. 10.

108 *Vid.* GÓMEZ TOMILLO, M., "Capitulo II bis...", *op. cit.*, p. 731.

109 *Vid.* BOIX REIG, J., "Delitos contra la libertad e indemindad sexuales (3): ...", *op. cit.*, p. 357.

110 *Vid.* DÍAZ CORTÉS, L. M., "El denominado «child *grooming*»...", *op. cit.*, p. 24.

111 La *STS de 24 de febrero de 2015* (*Tol 4776958*) se hizo eco de esta polémica, concluyendo que "...si se contempla la posibilidad de comenzar un ciberacoso sexual con un menor de 13 años, y consumar la agresión sexual cuando aquel ya sea mayor de 13 años, la remisión normativa de los arts. 178 a 182 parecería correcta" (FD 1º).

infantil sino también otros ilícitos relativos a la distribución, exhibición o difusión de material pornográfico o la asistencia a espectáculos exhibicionistas. Para acotar este amplio ámbito de reenvío, algunas posturas doctrinales propusieron realizar una interpretación restrictiva de la remisión del art. 183 bis) CP al art. 189 CP en la línea de lo que apuntan las normas internacionales que conectan los delitos de *child grooming* con la pornografía infantil (v.gr. la Convención europea de 2007). En consecuencia se pudo defender que la remisión solo se integrara por conductas referidas a la pornografía infantil del art. 189.1 a) CP[112]. Pese a lo razonable de la propuesta, lo cierto es que formalmente el legislador penal de 2010 se remitió a todo el art. 189 CP, que, como es sabido, consta de siete apartados, de modo que ceñir el alcance de la remisión a lo previsto exclusivamente en el apartado 1 a) —cuando el tenor literal del art. 183bis) reenviaba al "189" sin ulteriores matizaciones— plantearía, cuanto menos, dudas desde el principio de taxatividad. De hecho, como veremos, esta remisión no se ha modificado en la reforma operada por LO 1/2015 que ha mantenido la referencia a los arts. 183 y 189 CP pero ha suprimido el reenvío al art. 178 CP, sin incluir ningún otro delito referido a la prostitución de menores —como los de los arts. 187 y 188 CP— entre los que integrarían el elemento subjetivo de este delito[113].

4.3.1. Sujeto pasivo

El titular del bien jurídico tutelado en el art. 183 ter) 1° CP reúne la condición de menor *cuya edad se eleva ahora a los 16 años*, con lo que se abarca una franja que directamente comprende a adolescentes que utilizan internet y otras TIC's con más asiduidad[114]. En todo caso, la elevación de esta edad no viene tanto condicionada por el dato de esta relación entre aquellos menores y las TIC's cuanto por la determinación de la edad de consentimiento válido para mantener relaciones sexuales en los 16 años, aspecto éste que ha sido calificado con acierto, entre la doctrina penal, de *error histórico*[115]. A este respecto, hay que recordar que una

---

112 *Vid.* TAMARIT SUMALLA, J. M., para quien "...solo quedarían abarcados por el tipo de acoso sexual mediante TIC del art. 183 bis los actos encaminados a la agresión, abuso o captación y utilización del menor acosado para elaborar material pornográfico o para hacerlo participar en espectáculos exhibicionistas o pornográficos [conductas previstas en el art. 189.1.a) CP]", en "Art. 183 bis" en QUINTERO OLIVARES, G. (dir.)/ MORALES PRATS, F., *Comentarios* al Código penal español, tomo I, 6° ed., 2011, p. 1186. En este sentido RAMOS VÁZQUEZ, J. A., "El nuevo delito...", *op. cit.*, p. 10.

113 *Vid.* BOIX REIG, J., en "Delitos contra la libertad e indemnidad sexuales (3): ...", *op. cit.*, p. 357.

114 *Vid.* RAMOS VÁZQUEZ, J. A., "*Grooming* y *sexting*: artículo 183 ter CP" en *Comentarios a la Reforma del Código penal de 2015*, 2ª ed., Valencia, 2015, p. 622.

115 *Vid.* RAMOS VÁZQUEZ, J. A., "*Grooming* y *sexting*...", op. y loc. ult. cit.

de las normas que más ha pesado en la previsión de este delito en nuestro CP, esto es, el art. 23 de la Convención europea de 2007, remite al criterio de los Estados la determinación de la "edad de consentimiento". No obstante, como se deduce del análisis de derecho comparado antes expuesto, la tónica habitual entre los países de nuestro entorno es fijar dicha edad en *catorce años*. Éste sería, en efecto, un límite mucho más acorde con las diversas legislaciones penales europeas y menos distorsionante en relación con la nuestra propia.

A pesar de que la edad, para ser sujeto pasivo del art. 183 ter) 1° CP, queda fijada en 16 años, ha de tenerse en cuenta que el actual art. 183 quáter) CP prevé la posibilidad de excluir la responsabilidad penal por delitos sexuales contra menor de 16 años, si éste presta el consentimiento libre y el autor es "...una persona próxima al menor por edad y por grado de desarrollo o madurez"[116]. Esta previsión parece ser tributaria de una causa de exclusión de la responsabilidad ya existente en países del entorno anglosajón y conocida como "*Romeo and Juliet exception*[117].

4.3.2. Conducta típica

Al margen del elemento típico relativo a la edad del menor, el nuevo delito del art. 183 ter) 1° CP queda fundamentalmente configurado por determinados ***requisitos típicos***. Con carácter previo a su estudio, hay que advertir que, como se puntualiza en la doctrina, dichos elementos han de demostrarse *cumulativamente*[118]. Más aún, es una opinión generalizada en la doctrina, el que se trata de un delito "de tipo mixto cumulativo."[119] Con esta fórmula, de amplia acogida, no puede sino indicarse que el tipo se configura a partir de la conjunción de varias acciones típicas —y no de una única—, toda vez que han de verificarse por añadidura. No obstante, más allá de incidir en esta categoría, ha de repararse en que, en todo caso, las acciones sobre las que pivota, no solo

116 Esta previsión podría ir en la línea de las medidas demandadas por la doctrina penal que permiten relativizar la excesiva rigidez y automatismo en la aplicación de consecuencias jurídicas por delitos sexuales. *Vid.* TAMARIT SUMALLA, J. M., en Comentarios..., *op. cit.*, p. 1182. En especial, en casos en que el autor del delito de *on-line child grooming* sea otro menor. *Vid.* FERRANDIS CIPRIA, en ""El delito de *on-line child grooming...*", *op. cit.*, p. 192.

117 *Vid.* RAMOS VÁZQUEZ, J. A., "El consentimiento del menor de dieciséis años como causa de exclusión de la responsabilidad penal por delitos sexuales: artículo 183 quáter CP" en *Comentarios a la Reforma del Código penal de 2015*, 2ª ed., Valencia, 2015, p. 630.

118 *Vid.* RAMOS VÁZQUEZ, J. A., *Comentarios a la reforma penal de 2015* (dir. QUINTERO OLIVARES), *op. cit.*, p. 440.

119 *Vid.* GÓMEZ TOMILLO, M., en op. y loc. ult. cit. *Vid.* GONZÁLEZ TASCÓN, M. M., "El nuevo delito...", *op. cit.*, p. 245. FERRANDIS CIPRIÁ, D., "El delito de on-line child...", *op. cit.*, p. 193.

han de acumularse sino que han de verificarse en el *orden e*n que se expresa en el citado precepto. De modo que, en primer lugar, la ***conducta típica*** se acota a través de dos ***acciones principales*** que han de verificarse de forma consecutiva: primero, se ha de "***contactar***" con un menor y, a resultas de lo anterior, se ha de "***proponer*** concertar un encuentro" con aquél. Además se exige una *tercera acción*, accesoria de aquella segunda, pues han de llevarse a cabo "actos materiales encaminados al ***acercamiento***". Esta última acción debe —según reza el propio art. 183 ter) 1° CP— acompañar a la citada "propuesta", de ahí que por lo general se deba verificar con *carácter posterior* o cuanto menos, *simultáneo* a aquella otra.

A) La acción típica de "contactar"

Ha de demostrarse que la acción de "contactar" se lleva a cabo a través del manejo de unos medios explícitamente referidos en el art. 183 ter) 1° CP. Esto es, "*internet, teléfono o cualquier otra tecnología de la información y la comunicación*". El legislador de 2015 ha mantenido la misma fórmula que previó en el anterior art. 183 bis) CP (según LO 5/2010), para referirse a los medios comisivos de este delito pese a que, como ya se ha indicado, se equipara un servicio *on-line* —internet— con otros instrumentos que pueden emplearse a través de una conexión *on-line* pero también pueden emplearse *off-line* —el teléfono—. A lo anterior se añade una cláusula abierta referida a "cualquier *otra tecnología de la información y la comunicación*". En la medida que se alude a "otra tecnología..." puede decirse que se trata de una previsión que faculta la *subsunción por analogía* de medios parecidos a las tecnologías de la información y la comunicación existentes en la actualidad. No obstante, esta cláusula se puede acotar porque la lista de "tecnología" subsumible se refiere a la *información y a la comunicación*, quedando excluida otro tipo de tecnología (v.gr. científica o artística, etc.). A este respecto, el legislador ha querido significar el empleo de Internet si bien, además, ha de destacarse —como la experiencia criminológica demuestra—, que, en el entorno virtual, sobre todo adquieren primordial importancia para la comisión del delito de *child grooming*, las llamadas "redes sociales" (*social networking sites*[120]). A este respecto, la citada STS nº 97/2015 de 24 de febrero (*Tol 4776958*) se plantea la cuestión de qué sucederá si la relación entre el autor y un menor de 16 años se desarrolla "...en el sentido real, es decir, mediante el contacto físico entre el delincuente y la víctima..." llegando a concluir que si se prescinde de los

120 *Vid.* RAYMOND CHOO, *On-line child grooming..., op. cit.* pp. 66 y ss.

medios tecnológicos[121] *habrá que descartar la aplicación de este precepto*. En esta línea, puede decirse que la importancia de comprobar el requisito del empleo de *medios tecnológicos* es tal que se revela como pieza clave a la hora de verificar el tipo contenido en el art. 183 ter) 1° CP, de modo que puede condicionar su inaplicación en casos en que el uso de dichos medios no quede acreditado. En otras palabras, los supuestos de off-line *grooming* o casos de preparación del menor para fines sexuales sin emplear teléfono, internet o algún medio tecnológico, no pueden quedar subsumidos en este precepto, por más que la preparación del menor off-line, es decir, por lo general a través de contactos físicos (v.gr. encuentros en un parque, citas en lugares, etc.), pueda resultar tanto o más efectiva que el empleo de aquellos medios[122], para realizar una propuesta —cara a cara— y, por tanto, un acercamiento material al menor. De ahí que, en la línea de lo planteado por la doctrina penal de otros países, en la nuestra se ha propuesto, de lege ferenda, regular casos de *grooming* empleando no solo aquellas tecnologías, sino de cualquier otro modo[123]. Esta propuesta habrá, no obstante, que sopesarse comprobando si existen ya otras figuras delictivas (v.gr. abusos sexuales fraudulentos) cuya tipicidad alcance supuestos de off-line *grooming* y que, por tanto, no hagan que la nueva tipificación resulte innecesaria so riesgo de producirse solapamientos normativos.

Centrándonos en la ***acción de "contactar"***, hay que partir de nuevo de la perspectiva gramatical, de modo que significa "entrar en contacto o comunicación con alguien."[124] De modo que la acción se verificaría al entrar en comunicación con un menor lo que, cabalmente, implica hacerle partícipe, manifestarle o hacerle saber algo[125]. Ello, suscita, por tanto, la duda de si es necesario, al menos, una contestación por parte del menor para establecer dicho contacto. A este respecto, la mayoría de la doctrina acuerda en entender que, el contacto requeriría la respuesta del menor[126], de modo que el mero envío de mensajes no correspondi-

---

121 Por tales entiende que el delito prevé "...un listado abierto que da cabida a cualquiera otros mecanismos o sistema de transmisión de datos que no precisen conexión a Internet o a una línea telefónica, como por ejemplo, conexión en red mediante Wi-Fi o Ethernet, aplicaciones basadas en Bluetooth u otros sistemas que puedan desarrollarse." (FD 1°).

122 *Vid*. NÚÑEZ FERNÁNDEZ, J., "Presente y futuro del mal llamado..." *op. cit.*, p. 193.

123 *Vid*. BOIX REIG, J., quien planteaba —respecto del anterior art. 183 bis) CP— la conveniencia de que el legislador hubiera aludido "...a cualquier medio, sin más, lo que también seria comprensivo de los medios tecnológicos que se cita." En "Abusos y agresiones sexuales...", *op. cit.*, p. 357. Por su parte *vid*. VILLACAMPA ESTIARTE, C., "Propuesta sexual telemática...", *op. cit.*, p. 684. La misma autora en *El delito de on-line child grooming...*, *op. cit.*, p. 175.

124 *Vid* DRAE, 22ª Ed. (2011).

125 *Vid* DRAE, 22ª Ed. (2011).

126 *Vid*. TAMARIT SUMALLA, J. M., "Comentarios..." *op. cit.*, p. 1185. VILLACAMPA ESTIARTE, C., *El delito de on-line child grooming...*, *op. cit.*, p. 174.

dos por el menor no significaría "contactar"[127]. A mi modo de ver, el envío de un mensaje (sea un *e-mail*, un *whatsup*, un mensaje de chat, una única llamada telefónica etc.) sin recibir contestación alguna, no pueden integrar este elemento del delito que nos ocupa, porque esta acción ni siquiera estadísticamente considerada pone en peligro el bien jurídico protegido. A ello hay que añadir, que esta primera fase de la conducta típica ha de entenderse en el sentido de que el *contacto* es una *forma de ganarse la confianza del menor,* de modo que, para que ello suceda, ha de ser respondido y, según se constata en la práctica, reiterado en el tiempo. No puede, por tanto, concretarse con carácter general, cuántos contactos o comunicaciones son necesarias. Pese a lo anterior, si se diera el caso de que un primer y único mensaje es enviado por el *groomer*, conteniendo una propuesta sexual y el menor lo contestara, aceptándola, entablando una conversación o incluso rechazándola, cabría dar por probado el elemento típico del contacto conforme al art. 183 ter) 1° CP.

Por otra parte, con respecto a la *acción de contactar*, ha de analizarse si, a efectos típicos, resulta relevante quien tome la *iniciativa*. Al respecto, de la dicción del art. 183 ter) 1° CP, puede extraerse que quien pretenda un "contacto", asimismo, lo ha de iniciar, de modo que quien así actúe, verifica la acción que nos ocupa. Sin embargo, pueden plantearse casos conflictivos como por ejemplo aquellos en que el menor acepte un mensaje o e-mail enviado a una generalidad de destinatarios de modo que, con su contestación, establezca contacto[128]. Esta forma de proceder verificaría la acción típica que comentamos porque, en realidad, no deja de ser el *child groomer* el que toma la iniciativa pues, por muy genérico que sea el mensaje que envía, si un menor le responde, existirá aquel contacto. De hecho, como la realidad criminológica demuestra, es más común que el contacto on-line se produzca a raíz del envío de un mismo o similares mensajes a varios menores, llegando a verificarse casos de contacto con varios menores por diversas medios virtuales (v.gr. *Facebook*, *Skype*, etc.)[129]. En estos casos, cabría calificar tantos delitos del art. 183 ter) 1° CP como menores de 16 años, se contacta y se propone tener un encuentro, con posterior acercamiento. Considérese el ejemplo que, al

---

127 *Vid.* NÚÑEZ FERNÁNDEZ, J., "Presente y futuro del mal llamado delito de ciberacoso...", *op. cit.*, p. 193. FERRANDIS CIPRIA, D., "El delito de *on-line child grooming...*", *op. cit.*, p. 193. VILLACAMPA ESTIARTE, C., "Propuesta sexual telemática...", *op. cit.*, p. 682. RAMOS VÁZQUEZ, J. A., *Comentarios a la reforma penal de 2015* (dir. QUINTERO OLIVARES), *op. cit.*, p. 440.

128 *Vid.* GONZÁLEZ TASCÓN, M. M., "El nuevo delito de acceso...", *op. cit.*, p. 246.

129 Como indican MONTIEL, I./ CARBONELL, E./ PEREDA, N., es más común la victimización on-line *múltiple* que la de victimización on-line *individual* en "Multiple On-line Victimization...", *op. cit.*, p. 10.

respecto, proporciona la SAP de Barcelona de 23 de junio de 2015 [ponente: C. Mir Puig (*Tol 5400123*)][130].

De otro lado, se han podido distinguir casos denominados de "contacto inicial" —en que se emplea, desde el principio, un medio tecnológico para entablar contacto—, y otros casos denominados de "contacto derivado"[131], es decir, supuestos en que el contacto, inicialmente, se produce sin utilizar TICs, pues tiene lugar presencialmente o cara a cara y, a resultas de ello, el menor realiza un contacto telemático[132]. Esta conducta que, en efecto, puede ser común en la práctica —puesto que, como ya se indicó, con frecuencia, los child groomers pertenecen, al círculo personal del menor—, puede subsumirse en el art. 183 ter) 1º CP; pero siempre que, efectivamente, se pruebe el ulterior contacto telemático y se verifiquen el resto de elementos típicos[133].

Es importante, por último, reparar en el *contenido* de los mensajes enviados para "contactar". A este respecto se hace necesario *distinguir entre las acciones de "contactar" y la de **"proponer"***, por más que en ocasiones se entiendan como una sola. La diferencia es fundamental porque, el contacto con el menor podrá o no tener como contenido la *proposición* a la que alude el art. 183 ter) 1 CP. Es decir, lo normal es que contengan una proposición para concertar un encuentro de carácter sexual[134], pero no necesariamente cada uno de los mensajes subsumibles en la acción de *contactar* —propia de un proce-

---

130 En ella se enjuicia, según consta en los hechos probados, la conducta del acusado quien "... al menos desde principios de 2011, movido por el ánimo libidinoso y con el fin de conseguir imágenes y vídeos en las que apareciesen menores de edad desnudas y realizando actos de provocación y contenido sexual, estableció diversos contactos por redes sociales y programas de mensajería vinculadas a las siguientes direcciones de correo electrónico..." En total se contabilizaron 13 direcciones "...con niñas, algunas de ellas menores de trece años, convenciéndolas por diferentes medios para que confiasen en él y, a continuación, activaran la web cam y, ante ella, se desnudaran y realizaran actos de naturaleza sexual mientras el acusado aprovechaba para grabar dichas imágenes." El acusado fue condenado, entre otros delitos, por dos del anterior art. 183bis) CP porque, en dos de aquellos supuestos, además de entrar en contacto con niñas menores de 13 años, logró tener un encuentro con ellas (FFDD 1º y 4º).

131 *Vid.* NÚÑEZ FERNÁNDEZ, J., "Presente y futuro del mal llamado...", *op. cit.*, p. 193.

132 *Vid.* DOLZ LAGO, M. J., "Un acercamiento al nuevo delito...", *op. cit.*, p. 1741.

133 Esta parece ser también la opinión que se abre paso ante nuestros tribunales, según se desprende de la STS 24 de febrero de 2015 (*Tol 4776958*), donde se sostiene que "si se pretende castigar estas conductas por la facilidad que supone la utilización de medios tecnológicos para captar al menor, esa captación, en muchos casos, no se agota con los contactos iniciales, por lo que sería aplicable el tipo penal al que, tras unos contactos iniciales personales prosigue la captación del menor por medios tecnológicos (por Ej. Profesor o monitor conocido por el menor)." (FD 1º).

134 *Vid.* BOIX REIG, J., "Abusos y agresiones sexuales...", *op. cit.*, p. 357.

so de "*grooming*"—, han de versar sobre dicho aspecto[135]. En consecuencia, aquellos mensajes o llamadas contestados que, sin contener una proposición explícita, claramente integren o vayan en refuerzo del proceso de "*grooming*" y se realicen por alguno de los medios descritos en el art. 183 ter) 1° CP, también serán típicos a efectos de este delito porque, en todo caso, integran la acción de "contactar"[136].

B) Segunda acción típica: proponer concertar un encuentro con el fin de cometer cualquiera de los delitos de los arts. 183 y 189 CP

Conforme al tenor literal del art. 183 ter) 1° CP, la *propuesta*, necesariamente ha de tener como contenido, *concertar un encuentro*. Es decir, habrá de realizarse en el decurso del proceso de "*grooming*" pero, en todo caso, para que éste pueda considerarse típico a efectos del citado precepto, entre los mensajes enviados al menor, ha de poder identificarse uno o algunos que contengan aquella propuesta. En consecuencia, lo normal será que esta propuesta, se realice *después* o *a la vez* que se establece el contacto con la víctima y, por regla general, consistirá en concertar un encuentro *físico* con la misma[137], determinando un *lugar y hora* para dicho encuentro. Ahora bien, resulta más

---

135 Puede suceder que sean mensajes de contenido sexual, obscenos y/o dirigidos a conocer aspectos privados del menor, incluso íntimos, de modo que preguntando acerca de ellos, el *child groomer* se gane la confianza de aquél y le prepare o seduzca, que es en lo que, en suma, consiste el *grooming*. Y ello para garantizar que, en un momento dado, al mandarle el mensaje con proposición sexual, el menor la acepte.

136 Sirva como ejemplo de muchas de las características expuestas de la acción de "contactar", el caso enjuiciado por la *SAP de Jaén, de 11 de mayo de 2015* (*Tol 5191150*) donde se aceptan, como hechos probados, que el acusado "...al menos desde octubre de 2012, ha venido manteniendo contactos por internet (Tuenti) con la menor Enma de 11 años de edad en esa época, en la cuenta de su correo electrónico (...). En dichas conversaciones además de tener un evidente contenido sexual y obsceno el acusado aprovechaba para quedar con ella con la finalidad de satisfacer sus más íntimos deseos. Así en concreto en un mensaje enviado por el acusado a través de dicho chat del día 26 de octubre de 2012 queda con la menor con la finalidad de mantener un encuentro sexual con ésta; de dicha conversación se infiere claramente la realidad de dichos encuentros..." A tal efecto, se describen diversos mensajes con sugerencias de contenido sexual, quedando el acusado en recoger a la menor. "Igualmente en otro mensaje enviado el día 27 de octubre de 2012 el acusado le llega a decir en un momento determinado que "en esa ocasión tocan cosas nuevas que me aburro"..."(...) Como resultado de dichas conversaciones y contactos mantenidos entre el acusado y la menor a través de internet, se han producido diversos actos atentatorios contra la libertad sexual de ésta, (...)." En el fallo de esta sentencia, se condenó al acusado, como autor responsable de un delito del anterior art. 183 bis) CP, y como autor responsable un delito de abusos sexuales a menores de 13 años continuado del art. 183.1 CP en relación con el art. 74 CP.

137 *Vid*. FERRANDIS CIPRIÁ, D., "El delito de *on-line child grooming*...", *op. cit*., p. 194.

cuestionable que en este elemento típico quepa subsumir un encuentro *virtual*[138]. Entre otras razones[139] porque, de aceptar que los llamados encuentros virtuales verifican este elemento típico, se podría tender a dejar sin contenido el requisito de los "actos materiales de acercamiento"[140], tendencia interpretativa censurable que sin embargo, como luego veremos, ha tenido eco en algunas resoluciones judiciales.

Por otra parte, se plantea la cuestión de *si la propuesta ha de ser aceptada*, requisito niega un sector doctrinal mayoritario que sostiene que el tipo no requiere que dicha aceptación porque no se deriva de la literalidad del precepto[141]. No obstante, otros autores defienden que dicha propuesta, tiene que aceptarse por el menor[142]. Lo cierto es que, aún siendo más restrictiva, esta segunda interpretación podría contradecir el tenor literal del mismo toda vez que no se cohonesta con el sentido dado, en el lenguaje jurídico ni en el común, al verbo "proponer". Porque si el requisito de una "proposición" se prevé en el tipo del art. 183 ter) 1º CP, como trasposición a nuestro ordenamiento penal de la exigencia de "*solicitation*" (Convenio del Consejo de Europa, Lanzarote 2007), habrá de interpretarse en sentido próximo a este concepto en los sistemas de derecho penal comparado. Es decir como una clase de los llamados "*inchoate offenses*"[143], que *latu sensu* equivale a un acto preparatorio en nuestro sistema penal[144]. Además, en nuestro

---

138 Se manifiestan a favor de dar cabida en el tipo a un encuentro en el espacio virtual, entre otros, GONZÁLEZ TASCÓN, M. M., "El nuevo delito de acceso a niños...", *op. cit.*, p. 247. NÚÑEZ FERNÁNDEZ, J., "Presente y futuro del mal llamado delito...", *op. cit.*, p. 194.

139 Puede alegarse que, a pesar de que en el ciberespacio se puedan preparar a distancia alguno de los delitos a cuya finalidad se dirige el encuentro (v.gr. elaboración de material pornográfico), es prácticamente imposible que esos encuentros interactivos tengan lugar en aquel contexto "virtual"; porque allí no se puede comprobar la exigencia de los actos "materiales" de acercamiento, que también exige el art. 183 ter) 1º CP, para probar este delito y que comporta un elemento típico infranqueable so riesgo de vulnerar el principio de legaidad.

140 *Vid.* FERRANDIS CIPRIA, D., "El delito de *on-line child grooming*...", *op. cit.*, p. 194.

141 *Vid.* GÓMEZ TOMILLO, M., "Delitos contra la libertad e indemnidad..." *op. cit.*, p. 731. GONZÁLEZ TASCÓN, M. M., "El nuevo delito de acceso a niños..." *op. cit.* pp. 246 y 247. NÚÑEZ FERNÁNDEZ, J., "Presente y futuro del mal llamado delito...", op. y loc. ult. cit.

142 *Vid.* RAMOS VÁZQUEZ, J. A., "Ciberacoso" *op. cit.*, p. 440.

143 *Vid.* ASHWORTH, A., *Principles of Criminal law*, 5ª Ed., Oxford, 2006, p. 444. SIMESTER A. P./ SULLIVAN, G. R., *Criminal law. Theory and Doctrine*, 2010, Oxford, 4th. ed., p. 285.

144 Más aún, si adoptamos el sentido dado a la proposición en nuestro sistema penal, como acto preparatorio, para verificarla no es preciso que haya un acuerdo con el destinatario de la propuesta. Como expone LLABRÉS FUSTER, A., la proposición es una conducta unilateral en la que, a diferencia de la conspiración, en la que se ha producido ya un concierto de voluntades "...no se requiere todavía haber alcanzado dicho pacto..." en "La nueva regulación de la proposición para delinquir (art. 17.2)", en *Comentarios a la Reforma del Código Penal de 2015*, 2ª ed., (dir. GONZÁLEZ CUSSAC; coord. GÓRRIZ ROYO/ MATALLIN EVANGELIO), Valencia, 2015, p. 89.

lenguaje común, no es lo mismo *proponer* concertar un encuentro que, efectivamente, *concertarlo*, acción que no es precisa para demostrar la tipicidad de esta acción *ex* art. 183 ter) 1° CP pues, desde una perspectiva material, el legislador habría adelantado la intervención a aquella fase preparatoria[145]. En sentido próximo, cabe considerar la postura mantenida por el TS, en la sentencia 24 de febrero de 2015 (*Tol 4776958*)[146].

Por otra parte ha de repararse en que la propuesta solo cabe en forma *activa* (v.gr. envío de un email, *whatsup*, llamada telefónica, etc.), de modo que se descarta la tipicidad de una propuesta *por omisión*. Por último no cabe descartar, en la práctica, el caso en que una propuesta de encuentro no respondida —y por tanto no aceptada—, vaya acompañada de *actos materiales de acercamiento*, pese a que, en efecto, no será el supuesto más habitual. Pero de demostrarse, se verificaría una acción típica *ex.* art. 183 ter) 1° CP. Como también lo será la acción de realizar una propuesta de encuentro cuando, pese a ser explícitamente rechazada —es decir, respondida negativamente—, se lleven a cabo actos materiales de acercamiento[147]. Lo que sí es, a todas luces, irrelevante a efectos de verificar la tipicidad del art. 183 ter) 1° CP es que, una vez aceptada una proposición de encuentro, el menor *no se presente* en el lugar acordado. Es decir, también en este

---

145 Como indica FERRANDIS CIPRIA, el legislador penal adelantó sobremanera el momento de la intervención penal, pues solo se precisa la propuesta "...o sea no se castigaría "citarse" con el menor, sino "pedirle una cita", en "El delito de *on-line child grooming*", *op. cit.*, p. 193.

146 Según allí se afirma "A la vista de la propia redacción del precepto parece que la consumación en caso de concurrir los restantes elementos del tipo se produciría por la mera concertación de la cita sin que sea necesaria la aceptación de la misma y menos aún su verificación" (FD 1°). No obstante, frente a lo mantenido en esta sentencia, entiendo que es prematuro admitir la *consumación* del delito del art. 183 ter) 1° CP por la sola demonstración del requisito de "proponer un encuentro...", siendo además necesario y, como luego se expondrá, demostrar la realización de *actos materiales de acercamiento*.

147 Como ejemplo de una proposición no aceptada, pese a lo cual, se producen actos materiales de acercamiento, considérese la *SAP de Barcelona de 23 de junio de 2015*, (*Tol 5400123*) donde una de las dos condenas al acusado por delitos del anterior art. 183 bis) CP, se fundamenta en los siguientes hechos probados: el acusado "...contactó durante el verano de 2012 vía Facebook y utilizando el nombre "Ramón" con Benita (...) menor de 13 años en el momento de los hechos, con el fin descrito de ganarse su amistad y confianza para que con el tiempo, llegase a desnudarse y masturbarse ante la webcam de su ordenador y así el acusado pudiera grabar tal material. Para conseguirlo, el acusado le decía lo guapa que era y la introducía en conversaciones de naturaleza sexual, así como le pedía que tuvieran una cita, *sin que la menor accediera a ello*. Tras conseguir el número de teléfono de Benita y mantener varias conversaciones a través de la aplicación Whatsapp", el acusado supo que Benita estaría en la plaza de la población donde reside, por lo que se acercó al lugar. Una vez se encontró con ella, entabló una conversación y la besó en las mejillas." (Antecedente de Hecho 1°, apartado C).

caso habría de darse por probado el elemento típico de *proponer* concertar un encuentro[148].

C) El fin de cometer cualquiera de los delitos descritos en los artículos 183 y 189 CP y las exigencias del dolo

La acción de *proponer un encuentro*, está estrechamente conectada, en el art. 183 ter) 1° CP, al ***fin de cometer cualquiera de los delitos de los arts. 183 y 189 CP***. Si como es evidente, con esta cláusula se alude a un *elemento subjetivo del tipo*[149], en todo caso habrá que probar el ***dolo*** del autor[150], sin que, por otra parte, se castigue expresamente un tipo imprudente para este delito (como demanda el art. 12 CP)[151]. Con esta decisión legislativa, en efecto, se acota mejor el ámbito de aplicación del delito del art. 183 ter) 1° CP[152]. El dolo del autor deberá abarcar, en todo caso, la edad del menor. En consecuencia, el *groomer* deberá conocer que está preparando a un menor de 16 años con fines sexuales, de otro modo si desconociera que es menor de dicha edad no podrá verificarse el tipo del art. 183 ter) 1° CP [*vid.* SAP Valencia, de 24 de octubre de 2013, FD 2° (*Tol 4089375*[153])].

---

148 *Vid.* TAMARIT SUMALLA, J. M., "Artículo 183 bis)", *op. cit.*, p. 1183. El dato de que el menor acuda físicamente a un punto de encuentro podrá tenerse en cuenta a efectos de verificar otro elemento del tipo: los actos materiales de acercamiento. Pero no ha de demostrarse, en todo caso, para afirmar que la propuesta realizada sea típica; ni siquiera para probar que hubo el acercamiento que exige el precepto pues, como veremos, caben otras formas de actos materiales de aproximación.

149 *Vid.* ORTS BERENGUER, en VVAA, *Derecho penal. Parte Especial*, 4ª ed., 2015, p. 229. BOIX REIG, J., "Abusos y agresiones sexual a menores de trece", *op. cit.*, p. 357. En sentido próximo VILLACAMPA ESTIARTE, C., alude a un *elemento subjetivo del injusto*, en *El delito de online child grooming...*, *op. cit.*, p. 182.

150 *Vid.* GÓMEZ TOMILLO, M., *Comentarios al Código penal*, 2ª ed., p. 731.

151 Pese a ello, en la doctrina penal se ha planteado la cuestión de si sería preciso prever el respectivo tipo imprudente que permitiera sancionar casos de error de tipo vencible que recaigan sobre el requisito de la edad. *Vid.* CANCIO MELIA, M., "Una nueva reforma de los delitos contra la libertad sexual" en La *Ley penal: Revista de Derecho penal, procesal y penitenciario*,2011, nº 80, p. 15.

152 *Vid.* VILLACAMPA ESTIARTE, C., en *El delito de on-line child grooming...*, *op. cit.*, p. 184.

153 En esta sentencia se concluye absolviendo al acusado respecto del delito del anterior art. 183 bis) CP, al demostrarse que éste desconocía que la menor —con la que había contactado a través de una red social y con la que había mantenido relaciones sexuales—, tuviera menos de 13 años, ante todo porque "..ni ésta ha afirmado en la vista oral que, de alguna manera, hubiere dado a conocer a aquél su verdadera edad, explicando la menor que se abrió una cuenta para registrarse en la red social "Tuenti", ayudándole a ello una amiga y si bien primero intentaron hacerlo reflejando su verdadera edad, introduciendo su fecha de nacimiento a tal fin, la red no le permitía registrarse al constar una edad inferior a la de 14 años —el mínimo a partir del cual es registro es factible—, motivo por el cual decidieron, al efecto de poder ser admitida Sara en la

Y si se pudiera demostrar que quien contacta y propone un encuentro realizando actos de acercamiento, estaba convencido de que trataba con un mayor de 16 años, cuando en realidad aún era menor de esa edad, cabrá apreciar un ***error de tipo***[154] que, conforme al régimen del art. 14.1 CP, quedaría *impune* tanto si es *invencible* como si es *vencible*, habida cuenta de la inexistencia de castigo expreso de la modalidad imprudente del delito del art. 183 ter) 1° CP. En todo caso, el conocimiento sobre la edad del menor será, en efecto, un tema controvertido, dado que en la práctica, las formas de contacto pueden dificultar que el *groomer* conozca objetivamente la edad real del menor (v.gr. conversaciones en chats, messenger, en donde se finge la edad real, etc.)[155]. Un caso problemático, a este respecto, sería el del *agente de policía encubierto* que se hiciera pasar por un menor de 16 años para contactar con un *groomer* a fin de favorecer su detención. Sin pretender ahora profundizar en este complejo supuesto, baste indicar que, en nuestro ordenamiento penal —a diferencia de otros de Derecho comparado[156]—, no se ha previsto el castigo expreso del *groomer* en este caso, en coherencia con el respeto de, entre otros principios penales, el de *ofensividad*. De modo que, en el caso en que la persona que contacte sea un agente encubierto y el *child groomer* actúe bajo la errónea creencia de que aquél es un menor de 16 años, su conducta, podría a lo sumo reconducirse a un caso de tentativa.

Añadida a la prueba del dolo, habrá que demostrar la *voluntad del autor* de cometer alguno de los delitos de abusos y agresiones sexuales contra menores de 16 años (art. 183 CP) y/o *de utilización de menores con fines exhibicionistas o pornográficos* (art. 189 CP). Y puesto que, en efecto, este elemento subjetivo excede del contenido del dolo, se ha podido sostener que se trata de un *delito mutilado en dos actos*[157], por cuanto el aspecto objetivo solo requeriría realizar una concreta conducta, mientras que el subjetivo demandaría la voluntad de llevar a cabo otras conductas delictivas a continuación, que conducirían a la lesión del bien jurídico[158]. De mayor importancia que esta caracterización teórica —que parte de la premisa de que entre el ilícito del delito del art. 183 ter) 1° CP y el de

---

red, poner otra fecha de nacimiento coincidente con una edad de 14 años; asimismo, en ningún momento refirió que le hubiese dicho al acusado que tenía 12 años." (FD 2°)

154 *Vid.* en este sentido también NÚÑEZ FERNÁNDEZ, J., "Presente y futuro...", *op. cit.*, p. 207.

155 *Vid.* CORCOY BIDASOLO, M./ MIR PUIG, S., *Comentarios al Código penal. Reforma LO 5/2010*, Valencia, 2011, p. 440.

156 Al respecto, entre otras regulaciones mencionadas, en la citada Ley escocesa de 2005 (*Protection of children and prevention of Sexual Offences Act*), se habilita el castigo del *groomer* incluso en aquellos casos en que un agente de las fuerzas y cuerpos de seguridad simula una identidad falsa para facilitar la persecución del autor de un delito de *on-line child grooming*.

157 *Vid.* TAMARIT SUMALLA, J. M., *en Comentarios al Código penal español*, *op. cit.*, p. 1186.

158 *Vid.* NÚÑEZ FERNÁNDEZ, J., "Presente y futuro..." *op. cit.*, p. 195.

los distintos delitos del art. 183 y del 189 CP hay una relación de progresión—, es que, a efectos probatorios, se haga una interpretación estricta de este elemento subjetivo que permita demostrarlo *más allá de toda duda razonable*. No obstante es probable que las exigencias derivadas de este estándar probatorio, hagan que la aplicación del art. 183 ter) 1° CP en la práctica, se complique suscitándose cuestiones similares a las ya advertidas respecto al anterior art. 183 bis) CP[159] y planteando si cabe acudir a la *prueba de indicios,* para solventarlas.

No conviene olvidar que una de las reformas operadas por la LO 1/2015 en este precepto ha sido, precisamente, para eliminar las referencias a los delitos de los artículos 178 y siguientes, hasta el 182 CP, como demandaba un sector doctrinal. Pero, pese a que en general la exclusión de algunos delitos de este elemento subjetivo del tipo ha sido aplaudido por la doctrina[160], subsiste el problema de la remisión al art. 189 CP[161]. En efecto, este precepto contiene tan amplio elenco de conductas que trascienden los actos de producción de pornografía, que es complejo acotar el ámbito típico del delito del art. 183 ter) 1° CP[162]. Pese a que este problema ya se planteaba en la anterior redacción[163], el legislador penal no ha restringido en este sentido el tenor literal del art. 183 ter) 1° CP, por lo que —a diferencia de otros delitos que han quedado excluidos de la remisión normativa de este precepto—, en principio el art. 189 CP ha de considerarse en su totalidad, so riesgo de no dar cumplimiento al mandato legal previsto en aquel otro precepto. Ello unido a que, por otro lado, tampoco se han disipado las serias dificultades que existen para deslindar el ámbito típico de los actuales delitos del art. 183 ter) 1°) respecto del art. 189.1 a) CP, hace posible plantear, *de lege ferenda,* la conveniencia de reformar la remisión que se contiene en el delito de *on-line child grooming*, especificando más la referencia a concretos apartados del art. 189 CP.

Para concluir con el análisis de la acción de *proponer concertar un encuentro con el aludido fin*, cabe tan solo aclarar que, desde la perspectiva material, ello podrá asemejarse a un *acto preparatorio*[164]. Incluso hay que considerar si cabe subsumir en el delito del art. 183 ter) 1°, actos que traspasen el inicio de

---

159 *Vid.* FERRANDIS CIPRIÁN, D., "El delito de *on-line child grooming*...", *op. cit.*, p. 194.

160 *Vid.* VILLACAMPA ESTIARTE, C., "Propuesta sexual telemática...", *op. cit.*, p. 697.

161 *Vid.* RAMOS VÁZQUEZ, J. A., "Ciberacoso" *op. cit.*, p. 441. VILLACAMPA ESTIARTE, C., en *El delito de on-line child grooming*..., *op. cit.*, p. 187.

162 *Vid.* FERRANDIS CIPRIÁN, D., "El delito de *on-line child grooming*...", *op. cit.*, p. 195.

163 Esta cuestión trató de disiparse, adoptando una interpretación restrictiva del anterior art. 183 bis) CP, apoyada en las normas internacionales (en especial del Convenio de Europa de 25 de octubre de 2007 y de las Directiva 2011/92/UE, de 13 de diciembre), para orientar las finalidades del delito de *child grooming*, a los delitos del art. 189.1 CP (captación o utilización de menores para fines pornográficos o para hacerles participar en espectáculos exhibicionistas o pornográficos).

164 *Vid.* CUERDA ARNAU, M. L., "Menores y redes sociales...", *op. cit.*, p. 22.

la ejecución de otros delitos. Es decir, que ya constituyan tentativa de por ejemplo, unos abusos sexuales a menores. Si partimos de entender que los delitos previstos en el art. 183 CP, así como la mayoría de los del art. 189 CP, son de *mera actividad*, es prácticamente imposible admitir para ellos la *tentativa acabada*, cuyo campo propio seria, tradicionalmente, el de los delitos de resultado[165]. No obstante, aunque con dificultades, sí que puede aceptarse para los delitos de mera actividad, al menos desde la perspectiva teórica, algunos casos de *tentativa inacabada*. Precisamente por las dificultades existentes para castigar, respecto de los delitos del art. 183 y 189 CP, casos de *tentativa inacabada* —como, por ejemplo, en un abuso sexual contra menor de 16 años—, pudiera ser que éstos acaben subsumiéndose en el delito de "*on-line child grooming*", del art. 183 ter) 1° CP. En todo caso, este entendimiento material —que presupone considerar un *iter criminis* orientado a la consumación de los delitos sexuales de los arts. 183 y 189 CP—, queda supeditado al entendimiento formal del delito del art. 183 ter) 1° CP, como delito autónomo con respecto al inicio de actos ejecutivos de otros delitos. De modo que las referencias antes hechas, a la acción típica de *proponer* asimilándolo al correspondiente acto preparatorio, se realizan, ante todo, para interpretar el injusto típico de aquel precepto. Pero han de poder compaginarse con lo que, a continuación, se diga respecto del requisito de llevar a cabo *actos materiales de acercamiento* que sería, según se indicó, una acción de refuerzo de aquella *propuesta* de concertar un encuentro.

D) Actos materiales encaminados al acercamiento

La *consumación* del delito del art. 183 ter) 1° CP, solo podrá darse por acreditada, una vez probado *actos materiales de acercamiento* entre el autor de aquel delito y un menor de 16 años. El hecho de que las normas internacionales de las que este precepto trae causa (art. 23 Convenio del Consejo de Europa de 2007 y art. 6 de la Directiva 2011/92/UE) exijan este requisito, explica que el legislador penal, desde la reforma de 2010, lo incluyera, en el art. 183 bis) CP, manteniéndolo en el actual art. 183 ter) 1° CP. Puede decirse que con él, se dota de *carácter tangible* al ilícito típico previsto en este último precepto porque, en el contexto del delito de *on-line child grooming*, la exigencia de este elemento supondría un "plus" al requerir —no sin cierto grado de indeterminación—, actos acreditables en el mundo *off-line* dirigidos a facilitar el encuentro entre el menor y el *groomer*. Por ello, este elemento daría entrada a la exigencia de prueba acerca de la alta probabilidad de que se produzca uno de los momentos claves en el delito de *on-*

---

165 *Vid.* ACALE SÁNCHEZ, M., *El tipo de injusto en los delitos de mera actividad*, Granada, 2000, p. 309.

line child grooming, esto es, el encuentro. Nótese que el legislador habla en plural de "actos" puesto que, por lo general, serán distintas acciones las que haya que tenerse en cuenta, en su conjunto, para verificar este requisito. Pero sobre todo, lo que se pretende, con este requisito, es circunscribir el ámbito típico del precepto a aquellos casos en que haya un propósito serio de encuentro, bien por parte del menor, bien —como será más usual— por parte del autor. Y a pesar de que, en efecto, la fórmula empleada es vaga e imprecisa, por alusión, en concreto a "actos materiales" el hecho de que éstos tengan, necesariamente, que ir "encaminados al acercamiento" permite advertir que se exigen acciones que demuestren, en el caso concreto, la posibilidad de que se produzca un encuentro (*meeting*) *presencial y real*, entre el autor y el menor de 16 años.

En sede judicial, el dato de que este elemento redunde en la exigencia de prueba de la alta probabilidad de lesión a la indemnidad sexual, se ha relacionado con la exigencia de una *clase de peligro*. Al respecto, recientes resoluciones judiciales se apoyan en este requisito típico para caracterizar el tipo del art. 183 ter) 1° CP como un delito de ***peligro concreto*** [*vid.* STS 24 de febrero de 2015, FD 1° (*Tol 4776958*[166])]. En este sentido parece entenderse que esa exigencia de "materialidad" obligaría a requerir, en el supuesto en concreto, la prueba de actos que demuestren que la lesión de aquel bien jurídico es *posible*, cabiendo además prueba en contrario, en sede judicial, para desvirtuar la existencia de dichos actos. Y pese a que la exigencia de actos "materiales" pueda parecer similar al requerimiento de *actos ejecutivos*, de otros delitos (v.gr. del art. 183 o del 189 CP) en realidad no se pueden identificar. Ha de destacarse que no son lo mismo "actos ejecutivos" que "actos materiales" toda vez que estos últimos se refieren al "acercamiento" y no a la comisión de un delito. Teniendo esto presente e interpretando el injusto típico del art. 183 ter) 1° CP desde una perspectiva material, cabe conceptuarlo como un delito en el que se subsumirían, ante todo, acciones que pueden considerarse *actos preparatorios*, en concreto, de *proposición* de los delitos del art. 183 y 189 CP, por más que en algunos casos pueda abarcar supuestos de tentativas inacabadas de los mismos[167]. Sin embargo, lo normal sería que en atención al principio de legalidad, estos últimos casos se subsumieran en los correspondien-

---

166 Según esta resolución "en cuanto al tipo exige la existencia de un menor y la de actos materiales encaminados al acercamiento, la tesis del peligro concreto parece la acertada. Siempre que ello se lleve a cabo el delito quedaría consumado, habiendo, por el contrario, dificultades para su ejecución por tentativa, por la naturaleza del tipo de consumación anticipada" (FD 1°).

167 En sentido próximo, según creo, aunque en relación con el anterior delito del art. 183 bis) CP, *vid.* CUGAT MAURI, M., *Comentarios a la reforma penal de 2010... op. cit.*, p. 236. GÓMEZ TOMILLO, M., en *Comentarios al Código penal*, 2ª ed., *op. cit.*, p. 731. RAGUÉS I VALLÉS, R., *Lecciones de Derecho penal. Parte Especial*, 3ª ed., 2011, (dir. Silva Sánchez, J. M.), Barcelona, pp. 131 y 132.

tes delitos de los arts. 183 y 189 CP. Uno de los problemas que existen para ello es que, como la doctrina penal ha puesto de manifiesto[168], no se establece una lista cerrada de aquellos "actos materiales"[169]. Por consiguiente, aquellos "actos materiales" habrán de concretarse atendiendo a la casuística de los tribunales, siendo en todo caso un criterio indiciario para descartar las propuestas poco serias[170]. Algunas notas elementales al respecto sobre dichos actos, a la luz del adjetivo "materiales", es que habrán de ser actos *tangibles* —perceptibles por los sentidos—, lo que, usualmente, requerirá una actuación física o aproximación presencial, que trascienda el mundo interactivo y facilite el encuentro entre autor y víctima. Conforme a una interpretación de "actos materiales" coherente con el principio de legalidad, han de descartarse, meros actos para un acercamiento *virtual*[171] pues precisamente este requisito es el que proporciona *materialidad* al delito del art. 183 ter) 1° CP y, por tanto, eleva el nivel de exigencia probatorio al requerir evidencias que, por obvio que parezca, han de verificarse en el mundo *físico*. Al respecto, la citada STS 24 de febrero de 2015, FD 1° [(ponente: J. R. Berdugo Gómez de la Torre (*Tol 4776958*)], se hace eco de esta problemática.

> En ella se constata que "el legislador solo ha concretado en cuanto a la naturaleza del acto, que tiene que ser material y no meramente formal y su finalidad encaminada al acercamiento. Estamos ante un numerus apertus de actos que el legislador no ha querido acotar en función de las ilimitadas formas de realizar estos actos. Por otro lado será preciso discernir si la exigencia de que los actos sean "materiales" implica que los mismos deban necesariamente repercutir y reflejar más allá del mundo digital. En este sentido parece decantarse la interpretación del precepto que se ha hecho por parte de la doctrina."[172] Con respecto a la exigencia de que aquellos *actos materiales deban ir "encaminados al acercamiento"*, en la citada sentencia se entiende que se trata de una finalidad "...que obliga a hacer una interpretación de los términos usados por el legislador; la redacción del precepto, en principio, parece referirse al estrechamiento de la relación

---

168 *Vid.* entre otros, DÍAZ CORTÉS, L. M., "El denominado "child *grooming*"..., *op. cit.*, p. 22.

169 Para evitar un sistema por completo de "*numerus apertus*" el legislador podría haber reducido la amplia discrecionalidad e indeterminación que esta referencia típica incorpora, citando uno de los ejemplos paradigmáticos de aquellos actos e incluyendo una cláusula por la que se admitieran supuestos análogos.

170 *Vid.* RAGUÉS I VALLÉS, R., *Lecciones de Derecho penal. Parte Especial*, 3ª ed., *op. cit.*, p. 131.

171 *Vid.* VILLACAMPA ESTIARTE, C., quien descarta integrar el precepto con casos en que se propone un encuentro para practicar sexo cibernético, en "Propuesta sexual telemática...", *op. cit.* pp. 685 y 686.

172 Pero esta sentencia también refleja que "otro sector considera que si el legislador ha tomado el término material, como opuesto al espiritual conforme a la acepción de la Real Academia Española, tendrían cabida en este concepto actos digitales que no tengan repercusión física. Así considerados los actos digitales exigidos por el tipo como "encaminados al acercamiento", no se distinguirían de los actos digitales a través de los que se ha desarrollado la relación o los que se hayan realizado para formular la propuesta de encuentro, si se entiende que los actos deben ser ejecutados para que tal encuentro tenga lugar."

de seducción, es decir, al acercamiento del delincuente al menor, afianzando mediante tales actos materiales el efecto y confianza a la víctima, y también cabe interpretar que el acercamiento es, en realidad, el propio "encuentro". De aceptar la primera interpretación, actos materiales como el envío de regalos que claramente tienden a fortalecer la relación que se pretende explotar integrarían el concepto exigido por el CP."

En suma, el término "acercamiento" puede interpretarse en varios sentidos, si bien se cohonesta mejor con el principio de legalidad el entendimiento que excluye aquella *aproximación virtual*. A la vez hay que tener en cuenta al respecto que este requisito procede de la exigencia en el mismo sentido prevista, en normas internacionales donde, con precisión, se alude al "encuentro"[173]. Además, si el legislador español ha querido emplear en el art. 183 ter) 1° CP el término "acercamiento" en el mismo texto en que, previamente, ya alude a "encuentro" lo razonable es pensar que quiere darle un sentido más amplio a este término, incluyendo actos de aproximación física para dicho encuentro y otros que, previamente lo refuercen o favorezcan. En todo caso, esta duda se podría haber evitado si el legislador hubiera empleado solo el término "encuentro" en la línea de aquellas normas internacionales[174].

A título de ejemplo entre otros actos materiales encaminados al acercamiento, extraídos de distintas resoluciones, cabe citar: acudir presencialmente al lugar y hora de una cita por parte de quien, previamente, ha propuesto concertar un encuentro a un menor de 16 años, por internet, teléfono o medios similares; pero también que sea el/la menor, quien acuda al lugar de encuentro propuesto [*vid.* SAP de Albacete de 22 de septiembre de 2015, FD 4° (*Tol 5498686*)]; ir a un lugar donde, normalmente, acuda el menor y esperarle (v.gr. parque, plaza, colegio...), habiéndole hecho una proposición pero sin aguardar a su confirmación de encuentro o incluso en contra del rechazo del menor al encuentro [*vid.* SAP de Barcelona 23 de junio de 2015, FD 1°, C (*Tol 5400123*)]. Entregar regalos al menor, como un teléfono móvil con el que estar en contacto [*vid.* STS de 24 de febrero de 2015, FD 1° (*Tol 4776958*).

En contraste con estos ejemplos de "actos materiales encaminados al acercamiento", es objetable la tendencia que acoge una "espiritualización" de este elemento típico, interpretando que su prueba pueda suplirse por la de otros requisitos típicos del delito del art. 183 ter) 1° CP[175]. Al respecto, ha de criticarse la postura de algunas resoluciones que hacen bascular la prueba del tipo allí previsto, en el resto de elementos, dando por presunta la verificación de aquellos

---

173 Así en el art. 23 de la Convención de Lanzarote (Convenio del Consejo de Europa de 2007) se hace referencia al término *"meeting"* al igual que en el art. 6 de la Directiva 2011/92/UE.

174 *Vid.* VILLACAMPA ESTIARTE, C., El delito de *on-line child grooming...*, *op. cit.*, p. 177.

175 *Vid.* RAMOS VÁZQUEZ, J. A., "Ciberacoso", *op. cit.*, p. 441.

"actos materiales" o suplantando su prueba por la constatación de otros elementos típicos[176].

A este respecto, la SAP de Orense de 4 de octubre de 2013 [ponente: Cid Manzano (*Tol 3972492*)] plantea diversas cuestiones desde la perspectiva del principio de presunción de inocencia, puesto que confirma la condena por un delito del anterior art. 183 bis) CP, aduciendo que no se produce la infracción de dicho precepto ante la alegada falta de prueba de "actos materiales" porque "...la exigencia de concurrencia de actos materiales encaminados al acercamiento está ligada a la constatación de la seriedad de la proposición; o dicho de otro modo, tratando de descartar la punición de proposiciones poco serias."[177] Es cierto que, en esta última resolución, se apunta al envío de algunas fotos de contenido sexual en un mensaje de whatsup, como acción próxima a lo requerido para demostrar aquellos "actos materiales". Sin embargo, desde la propuesta aquí sostenida, con ello no podría verificarse el elemento típico referido a estos actos pues, abundando en lo dicho, haría falta una actuación tangible que trascendiera el entorno virtual y se manifestara en el mundo físico.

Por todo lo que antecede, en definitiva, la falta de prueba de actos tangibles encaminados al acercamiento, impediría la aplicación del delito del art. 183 ter) 1° CP, pues aún cuando se hubiera verificado la propuesta de concertar un encuentro con alguna de las finalidades allí previstas, la conducta debería reputarse atípica[178]. Ahora bien, la falta de tipicidad con respecto al delito del art. 183 ter) 1° CP, por ausencia de prueba del elemento comentado, no impide acudir, en su caso, a otros delitos. Como por ejemplo, en los casos en que la propuesta de encuentro para llevar a cabo una actividad sexual, vaya acompañada de *una oferta de dinero u otros objetos o valores*, es cuestionable que la oferta de dinero a cambio del encuentro de naturaleza sexual pueda considerarse "actos materiales", pero sí cabría entenderla como una "remuneración o promesa", a efectos del actual

176 La postura del TS, según, la citada sentencia de 24 de febrero de 2015 (*Tol 4776958*), pasa por afirmar la necesidad de demostrar, respecto al tipo objetivo, aquellos actos materiales. Pero, a la vez, reproduce la opinión doctrinal de quienes, respecto a la propuesta de encuentro, sostienen que "la exigencia de actos materiales encaminados al acercamiento que deben acompañar a la propuesta no pueden desvincularse de la propia propuesta, de manera que la consumación se conseguirá cuando la cita propuesta por el delincuente fuese aceptada por el menor y se inician actos encaminados a que se ejercite la misma." (FD 1°).

177 Interesa seguir analizando lo sostenido al respecto en esta resolución pues respecto a este caso, se sostiene que "...el contenido de la propia secuencia comunicativa pone de relieve lo veraz y auténtico de la proposición, a lo que debe unirse la foto del pene erecto que el acusado acompañó finalmente a uno de sus mensajes con indisimulado ánimo de respaldar sus sugerencias libidinosas. La Sala aprecia, por tanto, que el menor recurrente (próximo a la sazón a la obtención de la mayoría de edad) conjugó con su conducta el verbo núcleo del tipo penal examinado, realizando actos evidentes de proposición sexual con innegable intención de concertar encuentro de tal naturaleza con la víctima, menor de 13 años."

178 *Vid.* BOIX REIG, J., "Abusos y agresiones sexual a menores de trece", *op. cit.*, p. 357.

art. 188.1 II CP (anterior art. 187.1.II CP), como sostiene la *SAP de Castellón de 31 de marzo de 2015* [MP: Solaz Solaz (*Tol 4947303*)][179]. No obstante, si la cantidad económica propuesta va dirigida a otros fines distintos a obtener relaciones o favores, particularmente, si va "encaminada al acercamiento" y, efectivamente, se envía (v.gr. por correo, giro postal, mediante terceras personas, etc.), esta conducta *sí pude resultar típica* a los efectos de integrar los "actos materiales" del art. 183 ter) 1° CP. Así sucederá, por ejemplo, cuando quien ha propuesto un encuentro, envía o hace llegar al menor una cantidad de dinero para que éste se compre el billete (v.gr. de tren, autobús, etc..) con el que desplazarse al lugar de la cita[180].

Lo que en todo caso resulta evidente a la luz de los problemas interpretativos planteados, es que el deslinde normativo entre el art. 183 ter) 1° CP y otros preceptos, no resulta sencillo. Y tampoco parece facilitarlo la cláusula final prevista en el art. 183 ter) 1°, primer párrafo, cuya interpretación, como veremos, abre múltiples interrogantes.

E) Consecuencias jurídico-penales y cláusula concursal del art. 183 ter) 1° CP

La pena con las que se conmina este delito no se ha modificado respecto del anterior art. 183 bis) CP (LO 1/2015, de 30 de marzo), de modo que se sigue previendo la *prisión* de uno a tres años o, alternativamente, la *multa* de 12 a 24 meses.

En el párrafo final del art. 183 ter) 1° CP (primera parte), se establece además que las penas previstas serán impuestas "*...sin perjuicio de las penas correspondientes a los delitos en su caso cometidos.*" Esta cláusula plantea diversos problemas para su correcto encaje en relación con las reglas del *concurso de normas* (art. 8 CP) o de *delitos* (arts. 73 y ss. CP), que no han pasado desapercibidos en la doctrina penal. Más aún, a pesar de que aquella cláusula ha trascendido

---

179 En esta resolución se descarta la calificación de los hechos conforme al art. 183 ter) 1° CP —por atipicidad—, y se confirma la sentencia de condena por un delito de corrupción de menores del art. 187.1.II CP, en un supuesto en que, según los hechos probados, el acusado mantuvo una conversación través de la red social con un menor de trece años de edad en la fecha de los hechos, siendo conocedor el acusado de dicha minoría de edad de Modesto. "...actuando con propósito de satisfacer sus deseos sexuales, le ofreció dinero, porros y una Play Station 3 a cambio de que mantuvieran relaciones de carácter sexual, tales como dejarse tocar desnudo, realizarle una felación o masturbarse. Practicada en el domicilio de Fructuoso sito en la (...) de Castellón entrada y registro el día 15 de junio de 2011, fue hallado en el mismo un ordenador y tres discos duros, siendo que en ellos se encontraron diversos archivos fotográficos con chicos jóvenes mostrándose desnudos (...) y con fechas de creación del año 2010, y que el acusado conservó con la finalidad de satisfacer sus impulsos sexuales".

180 En sentido próximo VILLACAMPA ESTIARTE, C., haciendo referencia a un ejemplo citado por Mendoza Calderón, en "Propuesta sexual...", *op. cit.*, p. 686 y nota n° 107.

literalmente desde la reforma de LO 1/2010, al texto actual del Código penal, ya existen opiniones doctrinales que reclaman su supresión[181] o, cuanto menos, mejorías en la fórmula que alberga. Ante todo, por las cuestiones que plantea su interpretación en los casos en que se cometa el delito del art. 183 ter) 1° CP junto con otros delitos contra la indemnidad sexual —en especial los del art. 183 o del 189 CP—. Se abren paso las opiniones que reclaman el respeto de las reglas del *concurso aparente de normas*, a la hora de interpretar la referida cláusula del art. 183 ter) 1° CP de modo que tratan de ofrecer propuestas que permitan compatibilizarla con aquella clase de concurso. En consecuencia se postularía acudir al art. 8 CP en casos de comisión del delito del art. 183 ter) 1° CP y los delitos a los que aquél se remite, si bien las opiniones doctrinales se dividen a la hora de determinar cuál sería la regla que resolvería dicho concurso, apelando en unas ocasiones, a la de especialidad[182], en otras, a la de subsidiaridad[183], en otras a la consunción propia[184] o, en fin, a la de consunción impropia o alternatividad[185].

Otras posturas se centran en advertir que el tenor literal de la cláusula final del art. 183 ter) 1° CP, primer párrafo, parece compadecerse con el *concurso de delitos*, por más que, con razón, se plantee que esta interpretación resulta difícilmente compatible con el principio "*ne bis in idem*"[186]. Dejando las posibles fricciones con este principio para un momento posterior, entre los autores que se decantan por el concurso de infracciones[187], algunos sostienen que lo que el art. 183 ter) 1° CP (primer párrafo) contempla es la posibilidad de un *concurso medial*[188] entre el

---

181 *Vid.* VILLACAMPA ESTIARTE, *El delito de on-line child grooming...*, 2015, p. 180.

182 *Vid.* CORCOY BIDASOLO, M./ MIR PUIG, S., "Artículo 183 bis"..., 2011, p. 440.

183 *Vid.* VILLACAMPA ESTIARTE, C., en "Propuesta sexual..." 2014, pp. 687 y 688.

184 Al respecto TAMARIT SUMALLA, J. M., sostiene que en caso de cometerse actos ejecutivos de alguno de los delitos proyectados conforme al art. 183 bis), éste quedará consumido por aquéllos (v.gr. por el delito del art. 183 CP) conforme a la regla del art. 8.3 CP "...siempre que el acoso no hubiera afectado además a otros menores finalmente no abusados, agredidos o utilizados", en "Capítulo II bis...", 2011, p. 1186. También apelan al art. 8.3 CP para resolver el concurso del normas entre el anterior art. 183 bis) CP y otros delitos contra la indemnidad sexual, entre otros, BOIX REIG, J., "Delitos contra la libertad..," 2010, p. 358; LAMARCA PÉREZ/ ALONSO DE ESCAMILLA/ MESTRE DELGADO/ RODRÍGUEZ NÚÑEZ, *Delitos y faltas. La parte especial del Derecho penal*, Madrid, 2012, p. 194. GONZÁLEZ TASCÓN, "El nuevo delito de acceso..." 2010, p. 242.

185 *Vid.* GÓMEZ TOMILLO, quien, en relación con el art. 183 bis) CP, consideraba que la regla del art. 8.4 CP habrá de aplicarse en aquellos casos en que concurra un delito del art. 183 CP y el del art. 183 bis) CP, de otro modo —a la luz de las penas previstas— se acabaría privilegiando al autor de los hechos, en "Capitulo II bis)..", 2011, 2ª ed., p. 731.

186 *Vid.* GONZÁLEZ TASCÓN, "El nuevo delito de acceso..." 2011, p. 242.

187 *Vid.* RAMOS VÁZQUEZ, "Ciberacoso" 2015, p. 441.

188 *Vid.* ORTS BERENGUER, E., *Derecho penal. PE*, 4° ed., 2015, p. 229. FERRÁNDIS CIPRIÁ, "El delito de *on-line child grooming*..." 2013, p. 195.

delito allí previsto y alguno del art. 183 o art. 189 CP, en los casos en que, tras un encuentro se materialice un acto de carácter sexual. Otras posturas apunta a que allí se prevé *concurso real de delitos*, entre el del art. 183 ter) 1° CP y otros delitos contra la indemnidad sexual (art. 183 y 189 CP), pero sobre la base de distintos argumentos: de un lado, quienes presuponen que el delito de "child *grooming*" es pluriofensivo —en tanto consideran que protege a la infancia y a la indemnidad sexual del menor—[189], justifican en ello la posibilidad de aplicar la pena prevista en el art. 183 ter) 1° CP (anterior art. 183 bis) CP), junto con la del correspondiente delito contra la indemnidad sexual (del art. 183 o del art. 189 CP). De otro, se admite que, si a la conducta de "seducción telemática" le sigue la comisión de otro delito contra la indemnidad sexual, ambas infracciones se castigarán en régimen de concurso real, pese a existir una progresión delictiva entre ellos —que merecería solventarse por consunción—, lo que haría que esta regla concursal vulnerara principios penales como el *ne bis in idem*[190]. Incluso, en un loable intento de salvar esta posible conculcación, se plantea reservar la aplicación del concurso de delitos del art. 183 ter) 1°, primer párrafo, a casos de *on-line grooming* con víctimas múltiples[191].

Expuestas a grandes rasgos las principales posturas doctrinales que suscita la interpretación de la cláusula concursal del art. 183 ter) 1° CP, para enfocar su análisis hay que partir de cuestionarnos cuál sea el *fundamento* de que, efectivamente, allí se haya previsto una fórmula que, de entrada, comparte similitud con las empleadas para indicar el *concurso real de delitos*[192]. Según algunas opiniones, estaríamos ante una suerte de cláusula concursal de salvaguardia de la autonomía punitiva del delito de *on-line child grooming*[193]. No obstante también puede apuntarse que esta cláusula cumpla con una función de recordatorio, dirigido a jueces y tribunales, para que no descarten aplicar concursos entre aquél y otros delitos. En todo caso, estas justificaciones no pueden excepcionar las reglas generales del concurso de normas de modo que, por obvio que parezca, hay que

---

189 *Vid.* DOLZ LAGO, "Un acercamiento al nuevo delito de child *grooming*..." 2011, p. 1741.

190 *Vid.* NÚÑEZ FERNÁNDEZ, "Presente y futuro del mal llamado..." 2012, pp. 204 y 205.

191 *Vid.* VILLACAMPA ESTIARTE, quien se refiere a aquellos casos en que un *groomer* contacta y propone a varios menores, actuaciones sexuales pero solo uno o alguno de ellos sufren finalmente abusos, en "Propuesta sexual..." 2014, p. 689. La misma autora en *El delito de on-line*...2015, p. 180.

192 Compárese, por ejemplo, con la fórmula empleada en el art. 173.2 CP, cuya interpretación no está exenta de problemas desde el entendimiento de que se prevé un concurso de delitos.

193 Así, se ha advertido en la doctrina penal, que si aquella cláusula concursal no existiera, sería muy cuestionable que la pena del art. 183 ter) 1° CP pudiera ser impuesta, en los supuestos en que el delito, para cuyo fin se lleva a cabo el *grooming* (alguno del art. 183 o del art. 189 CP), efectivamente se llegue a cometer. *Vid.* MUÑOZ CONDE, F., *Derecho penal. Parte Especial*, 20ª ed., 2015, Valencia, p. 209.

incidir en que el campo de aplicación del delito de *on-line child grooming* es el de aquellos casos en que, propuesto un encuentro con fines sexuales por alguna de las vías telemáticas allí previstas, se prueban actos de acercamiento físico entre el autor y la víctima, *sin llegar a consumarse ningún delito del art. 183 o 189 CP*. Porque, de consumarse uno de aquellos delitos - fin previstos en el art. 183 ter) 1° CP, se produciría una progresión delictiva, de suerte que aquellos otros delitos más graves absorberían el desvalor propio del *on-line child grooming*. Más aún, se ha podido admitir que el inicio de actos ejecutivos que comporten una tentativa de delitos del art. 183 o 189 CP ya absorbería el desvalor del delito del art. 183 ter) 1° CP (*vid.* STS de 22.09.2015, *(Tol 5512986)* y SAP de Barcelona 22.12.2014, FD1° *(Tol 5566799)*[194]).

Frente a este entendimiento, si interpretáramos la cláusula ahora comentada como una habilitación para el concurso de delitos con independencia de lo establecido en el art. 8 CP, la aplicación de la pena del art. 183 ter) 1° CP, sería posible incluso en los casos en que, finalmente, se castigue por un delito del art. 183 CP o del art. 189 CP[195]. Esta interpretación que pudiera parecer ajustada a la literalidad de la expresión "...sin perjuicio..." de la cláusula concursal del art. 183 ter) 1° CP, supondría sin embargo, introducir un régimen penológico muy desproporcionado[196] para castigar el fenómeno de *on-line child grooming*, revelando la incoherencia de castigar, conjuntamente, con las penas de un delito de peligro y otro de lesión, actos que —por ir en progresión—, constituyen unos mismos hechos. Ello rompería con las reglas generales del *concurso de normas* y, en consecuencia, vulneraría el ne bis in idem. Porque no se puede interpretar aquella cláusula desoyendo las exigencias constitucionales de lo que, según reiterada jurisprudencia del TC, se denomina la *triple identidad (de sujeto, hecho y fundamento)*[197], necesaria para proscribir casos de bis in idem. De modo que si, desde la perspectiva material, el delito del art. 183 ter) 1° CP comporta, un acto preparatorio respecto de otros delitos más graves contra la indemnidad sexual, y el *bien jurídico tutelado sería el mismo*, el ilícito típico del delito de *on-line child grooming* sería de menor entidad, estando en relación de progresión con respecto a aquellos otros delitos contra la *indemnidad sexual*. Y es que, a la postre, no cabe advertir un ilícito ni cuantitativa ni cualitativamente distinto entre el art. 183 ter) 1° CP y actos preparatorios de

194 Según el FD 1°: "castigar el acto preparatorio tipificado en el artículo 183 bis y además el delito en grado de tentativa del abuso sexual o de la prostitución sería infringir notoriamente el *non bis in ídem*".

195 Considérese la SAP de Albacete 22.09.2015 (*Tol 5498686*).

196 *Vid.* RAMOS VÁZQUEZ, en "Ciberacoso" 2014, p. 441.

197 *Vid.* la STC de 2/2003, de 16 de enero [Pleno (*Tol 228958*)].

delitos del art. 183 CP, siendo infundado apelar a los medios telemáticos, como elemento justificante de una diferencia de injusto.

Derivado de todo lo anterior, habría que afirmar una *identidad de fundamento* entre los delitos del art. 183 ter) 1° CP y otros delitos, en particular los del art. 183 CP, por mediar entre ellos una progresión; de modo que la aplicación conjunta de la pena prevista, respectivamente, en cada uno de ellos vulneraría el principio *ne bis in idem*. Ello conduce a afirmar que, en casos en que, como consecuencia de la comisión de un delito del art. 183 ter) 1° CP, se cometiera, v.gr. un abuso sexual del art. 183 CP, habría que apelar, en primer término, al art. 8 CP, pues aquéllos serían hechos susceptibles de calificarse conforme a dos o más preceptos pero no estarían "comprendidos en los artículos 73 a 77..". El correspondiente *concurso de normas,* habría de resolverse conforme a la regla de *consunción propia* del apartado 3ª del art. 8 CP[198]. En este sentido la STS de 10 de diciembre de 2015, FD 1ª (*Tol 5645263*).

No obstante, a la vista de que la cláusula concursal del art. 183 ter) 1° CP en nada beneficia a la correcta y necesaria aplicación del régimen general de los arts. 8, 73 a 77 CP en este contexto sino que, al contrario, distorsiona su correcto entendimiento, es en efecto, recomendable, desde una perspectiva *de lege ferenda,* prescindir de su previsión. Pero puesto que el legislador penal de 2015 ha decidido mantener la citada cláusula en el art. 183 ter) 1° CP habrá que interpretarla conforme al régimen del concurso de delitios, lo que, a efectos prácticos, hará que su aplicación venga condicionada por el concreto delito con el que concurra el de *on-line child grooming.*

F) Subtipo agravado del art. 183 ter) 1° CP in fine

La última parte del párrafo 1° art. 183 ter) CP prevé una subtipo, según el cual las penas de este precepto se impondrán en su mitad superior "..*cuando el acercamiento se* obtenga med*iante coacción, intimidación o engaño*."

---

198 Esta postura, no ha de llevar a concluir que la cláusula concursal del art. 183 ter) 1° CP será inaplicable, sino que ha de proyectarse sobre casos distintos al anterior en que, efectivamente, quepa un *concurso de delitos*. Así puede suceder cuando quede acreditado que una misma persona, por ejemplo, contacta vía e-mail con diversos menores y realiza propuestas de encuentro y actos materiales de acercamiento a cada uno de ellos, pero se consuma un único delito del art. 183 CP con respecto a uno solo de aquellos menores. Éste absorbería el desvalor del previo delito de "child *grooming*" pero la puesta en peligro creada, respecto del resto de menores, justificaría la aplicación del *concurso real* de diversos delitos del art. 183 ter) 1° CP con aquel otro del art. 183 CP, conforme a la fórmula concursal del primer precepto. También cabrá considerar esta clase de concurso, entre el delito del art. 183 ter) 1° CP y, por un lado, delitos contra la *intimidad* (v.gr. art. 197 CP) o, de otro, contra la *integridad moral* (art. 173.1 CP).

La previsión de este subtipo no venía recomendada ni en el Convenio del Consejo Europeo de 2007 ni en la Directiva 2011/93/UE[199]. De este modo, el ordenamiento jurídico español incorpora como peculiaridad —frente a otros de su entorno jurídico— un subtipo agravado, fundado en la prueba del empleo de coacc*ión, intimidación o engaño*. A la vista de estos métodos comisivos, puede decirse que el fundamento de la agravac*ión*, sería el *plus de ofensividad* que comportan, al comprometer a otros bienes jurídicos además de la indemnidad sexual. No obstante, plantea una serie de problemas de *índole interpretativa* que complican su aplicación al delito de *on-line child grooming*. Para empezar, la redacción del subtipo resulta manifiestamente mejorable, pues alude a la situación en que el *acercamiento* se obtenga por uno de aquellos medios. Al margen de que los verbos típicos no sean los más apropiados, el subtipo agravado parece que exige una *conducta típica distinta* a la del tipo básico, puesto que, además de probarse que mediante determinadas tecnologías de la información, se ha propuesto un encuentro, ha de demostrarse que efectivamente se ha producido un "acercamiento" —es decir, que ha habido un encuentro en el sentido de la propuesta sexual planteada— y que éste ha sido consecuencia del empleo de coacc*ión, intimidación o engaño*. De modo que habrá que demostrar una *relación de causalidad,* es decir, probar que el acercamiento al menor es objetivamente imputable a la acción de proponer dicho encuentro por internet, teléfono o cualquier otra tecnología de la comunicación precisamente porque ésta se realiza con coacción, intimidación o engaño[200].

El primero de estos métodos comisivos es el uso de ***coacción***, para lo que habrá que constatar que el acercamiento se está dando, cuanto menos *a la vez* que el empleo de este método comisivo, por eso no deja de ser difícil de interpretar este motivo de agravación[201]. Porque si no hay una aproximación material difícilmente podrá desplegarse la violencia característica de la coacción, de modo que difícilmente ésta podrá emplearse antes de dicho acercamiento. Salvo que la violencia, propia de la coacción se entienda en un sentido espiritualizado, interpretación que no resulta oportuno admitir, para el delito de *on-line child grooming*. Y ello, entre otras razones, porque un entendimiento de la violencia

199 Los casos ahora previstos el subtipo agravado, aparecían como medios comisivos del tipo básico, hasta que una enmienda transaccional condujo a su inclusión en el tipo cualificado del art. 183 bis) CP, *Vid*. VILLACAMPA ESTIARTE, C., en "Propuesta sexual telemática...", *op. cit*., p. 690. La misma autora en *El delito de on-line child grooming*..., *op. cit*., p. 182.

200 En sentido próximo, FERRANDIS CIPRIAN, D., exige demostrar el "nexo causal entre su utilización el acercamiento...", en "El delito de on-line...", *op. cit*., p. 195.

201 *Vid*. GÓMEZ TOMILLO, M., *Comentarios al Código penal*, 2º ed., *op. cit*., p. 732.

típica de la coacción en el sentido de algunas tendencias jurisprudenciales[202], que lo asemejan a la fuerza en las cosas o a la intimidación, haría que este método comisivo no se pudiera distinguir del siguiente previsto en el art. 183 ter) 1° CP *in fine*. Esto es, de la ***intimidación*** respecto a la que no se plantean tantos problemas de prueba, porque puede darse sin necesidad de un contacto físico y con carácter *previo* al acercamiento. Ahora bien, este método plantea otro tipo de cuestiones; ante todo que, por lo general, la intimidación se verificará a través de amenazas (por internet, teléfono, etc.) de modo que resultará muy complejo deslindar la aplicación de este subtipo agravado de aquellos delitos (v.gr. amenazas condicionales de un mal constitutivo de delito). En realidad, este problema también se puede plantear respecto de las coacciones. De modo que la solución a adoptar será similar en los dos casos. A tal efecto cabría apuntar a un *concurso de normas*[203], lo que presupondría admitir que, en todo caso, se da la identidad de sujetos, hecho y fundamento. No obstante entiendo que, en primer lugar, habrá que constatar qué tipicidad se constata en cada concreto supuesto de hecho, teniendo en cuenta que si la coacción o amenaza ha sido realizada *para proponer concertar un encuentro* y, a causa de ello se produce un acercamiento, prevalecerá el subtipo agravado del art. 183 ter) 1° CP. Por su parte, en recientes resoluciones judiciales, cabe constatar que con mejor o peor criterio, no se plantea la aplicación del subtipo agravado que venimos analizando, en caso en que medie intimidación, sino que se aplica el correspondiente delito de amenazas (*SAP de Barcelona de 23 de junio de 2015*)[204]. Ello también da cuenta del difícil encaje de este subtipo en el campo de aplicación del delito de *on-line child grooming*, siendo cuestionable la efectividad de estas agravaciones en la práctica. Esta crítica adquiere incluso mayor relevancia respecto al ***engaño***. Ante

---

202 *Vid*. FERRANDIS CIPRIAN, D., exige demostrar el "nexo causal entre su utilización el acercamiento...", en "El delito de on-line...", *op. cit*., p. 196.

203 Al respecto la doctrina ha planteado acudir a un hipotético concurso de normas, a resolver bien por el principio de especialidad, bien por el de alternatividad. *Vid*. NÚÑEZ FERNÁNDEZ, J., quien en concreto se decanta por el principio del art. 8.1 CP, en "Presente y futuro...", *op. cit*. pp. 208 y 209.

204 Uno de los supuestos enjuiciados, da por probado el proceso de *grooming*, a consecuencia de lo que "..posteriormente, el acusado le pidió que saliera con ella, a lo que, a pesar de haber accedido en un primer momento, después se negó. El acusado, utilizando el perfil (...) le contestó que si no salía con él, enviaría a su primo para que la violara, infundiendo profundo temor a la menor." (Antecedente de Hecho, 1°, punto D). En relación con estos hechos, se condena al acusado por un delito de *grooming* del anterior art. 183 bis) CP y un delito de amenazas condicionales —sin lograr el objetivo— del art. 169.1 CP. En este concreto supuesto, no se prueban actos materiales de acercamiento ni este último, de modo que la tipicidad del art. 183 bis) CP no se debería haber dado por probada y, por tanto, tampoco cabe aplicar el subtipo agravado aunque sí, como efectivamente se hace, el delito de amenazas.

todo por las dificultades que se plantean a la hora de deslindarlo respecto a la conducta del tipo básico, en los casos en que ésta tenga carácter fraudulento. Y ello porque, con frecuencia, en la comisión del tipo básico pueden emplearse artimañas, algún ardid o actitudes engañosas (v.gr. mentir acerca de la verdadera identidad o propósitos, etc.) para iniciar el contacto[205].

Desde la perspectiva que aquí se defiende lo que, en todo caso, ha de advertirse para aplicar el tipo básico del art. 183 ter) 1° CP es que el ilícito típico comporte, según se indicó, un *quebranto de la confianza depositada por el menor* en el *groomer*. Es cierto que aquel aprovechamiento de la confianza depositada por el menor, puede venir favorecido o reforzado por un engaño, pero éste no es un elemento típico del delito del art. 183 ter) 1° CP; de modo que no es necesario demostrarlo en todo caso. Ahora bien, en los supuestos en que el engaño sea un mero medio para prevalerse de la confianza del menor y así lograr *contactar* con él o para hacer llegar o convencer sobre la *propuesta de encuentro* con el menor, deberá subsumirse en la conducta del tipo básico. Un primer criterio a considerar, será la fase en que se produce el engaño: en los casos en que sea el medio para *conseguir un contacto* o *hacer llegar/reforzar* la propuesta de encuentro habrá de integrarse en el tipo básico (v.gr. mentir sobre la edad o la identidad, de modo que se suplante a otra persona y, bajo la falsa creencia de que es un amigo, el menor lea el mail y le conteste concertando un encuentro). Pero si el engaño *efectivamente* ha servido para un acercamiento entre el autor y la víctima, entonces podrá subsumirse en el subtipo agravado (v.gr. se lleva a cabo un encuentro motivado por el falso pretexto de ayudar al menor en sus estudios). En otras palabras solo cuando el engaño sea de entidad suficiente para lograr el encuentro[206], procederá aplica el subtipo agravado. Por tanto, a tenor del art. 183 ter) 1° CP, debería ser un engaño que además, de favorecer un abuso de confianza sobre el menor, logre causalmente el *acercamiento con fines sexuales*. En todo caso, frente a los esfuerzos de la doctrina penal por establecer criterios que identifiquen el engaño del subtipo agravado, este elemento no ha merecido la atención de resoluciones judiciales que aplican el delito de *on-line child grooming* [*vid.* SAP de Barcelona de 23 de junio de 2015 (*Tol 5400123*)][207].

---

205 *Vid.* GÓMEZ TOMILLO, M., *Comentarios al Código penal*, 2ª ed., *op. cit.*, p. 732.

206 *Vid.* RAMOS VÁZQUEZ, J. A., "Ciberacoso", *op. cit.*, p. 441. FERRANDIS CIPRIAN, D., "El delito de *on-line child grooming...*", *op. cit.*, p. 196.

207 En uno de los supuestos de hecho que se dan por probados, es evidente que el acusado emplea engaño pues se hace pasar por dos personas distintas (una con nombre "Campanilla" y otra "Gabino") para así ganarse la confianza de la menor. Sin embargo, no se plantea ninguna cuestión relativa a la subsunción del engaño en el tipo básico. El tribunal entiende que éste se aplica a la vista de que, mediante el falso perfil de amiga de la menor, el acusado hablaba bien

Como reflexión final, a la luz de las dificultades tanto interpretativas cuanto aplicativas que plantea la aplicación de este subtipo, cabe destacar la idea, ya apuntada en la doctrina penal, que reclama su supresión[208]. Y es que cuanto menos parece necesario una reforma de esta agravación para cohonestar mejor sus conductas con las del tipo básico o bien para suprimir la referencia al *engaño* por las distorsionantes interferencias interpretativas que está planteando.

5. CONCLUSIONES

1.– A través del estudio realizado, se ha podido constatar, en primer término que, desde una perspectiva criminológica, cabe diferenciar diversas clases de *grooming* que, en su mayoría y a la luz de las contribuciones de la doctrina extranjera, pueden agruparse bajo el término "sexual *grooming* of children". Con preferencia a otras expresiones que se suelen utilizar[209], en este trabajo se parte del llamado "sexual *grooming*" para enfatizar así el enfoque sexual que prevalece en este fenómeno, frente a otras agresiones que tienen lugar en la red, si bien carecen del carácter sexual que posee el *grooming* (v.gr. "*cyberbulling*" o "*happy slapping*"). Derivado de este enfoque, se ha optado por la expresión "*on-line child grooming*" para aludir al fenómeno delictivo, objeto de estudio de este trabajo, teniendo en cuenta las diversas clasificaciones propuestas en la doctrina penal extranjero y considerando, además, los elementos típicos del delito del actual art. 183 ter) 1° CP. Por consiguiente, con el empleo de este término se trata de enfatizar la *perspectiva telemática* que caracteriza al delito del art. 183 ter) 1° CP —frente a otras manifestaciones de *grooming*—, y de enfocar su estudio hacia la tutela de la indemnidad sexual de los menores.

2.– En consecuencia con este razonamiento, cabría caracterizar el ilícito del "*on-line child grooming*", como una de las posibles manifestaciones de una figura más amplia de "*sexual grooming of children*", fenómeno que no se limita a las situaciones *on-line* sino que puede acontecer *off-line*. De hecho, frente a la tradicional caracterización del "*on-line child grooming*" como ilícito cometido por el llamado "*predatory stranger*" el estudio realizado revela, en atención a la doctrina penal extranjera, una mayor frecuencia de procesos de "*grooming*", en el ámbito familiar, en el institucional y entre el círculo de amistades del menor;

---

de sí mismo para que aquélla accediera a su petición de encuentro (antecedente de derecho 1°, apartado D). A la luz de estos hechos probado —en los que sin embargo no constan actos materiales de acercamiento— se condena al acusado por un delito del anterior art. 183 bis) CP.

208 *Vid.* VILLACAMPA ESTIARTE, C., "Propuesta sexual..." *op. cit.*, p. 692. La misma autora en *El delito de on-line child grooming...*, *op. cit.*, p. 182.

209 Entre otras: "*internet seduction of children*" y "*solicitation of children for sexual purpose*".

incluyendo supuestos en que el *groomer* es otro menor o incluso una mujer. No puede, por tanto, obviarse que el fenómeno de "*on-line child grooming*" es compatible con aquellas otras manifestaciones de *grooming*, como por ejemplo, el que se comete por parte de conocidos del menor que, antes de usar Internet, se ganan la amistad de la víctimas en la vida real. El legislador penal español ha optado por tipificar solo la clase de "child *grooming*" que viene caracterizada como *on-line*, es decir que, ante todo se comete a raíz del empleo de Internet —donde desempeñan un papel esencial las *redes sociales*—, *teléfono o de tecnologías de la comunicación*. La limitación a esta clase de *grooming*, plantea la duda de si seria oportuno, desde una perspectiva político-criminal, acoger otras clases de *off-line grooming* en nuestra legislación penal.

3.- Para sopesar la anterior cuestión, hay que volver la vista hacia recientes estudios criminológico realizados en nuestro país, pues no revelan un crecimiento exponencial del *on-line child grooming* cometido por adultos desconocidos sino que, más bien, coinciden con el análisis que, en otros países apunta, a más casos de *grooming*, cometidos en el entorno personal de los menores. Pese a ello, a la luz de las legislaciones de otros países así como en la normativa comunitaria, cabe advertir que nuestro legislador penal se ha decantado por una modalidad de *grooming* cometida *on-line* que responde al perfil de delito cometido, ante todo, por el llamado *"stranger danger"*. En efecto, a la luz del anterior art. 183 bis) CP y del actual art. 183 ter) 1° CP, se ha podido constatar que el legislador penal de 2015 incide en la modalidad de *grooming telemático* u *on-line* —frente a los casos de *grooming off-line*—, si bien ha elevado la edad del menor a los 16 años y ha reducido el número de delitos a los que el autor ha de dirigir la comisión del *grooming*. En todo caso, la actual regulación penal sigue pivotanda en la idea de un encuentro (*meeting*), inspirado y por influencia de otros países de nuestro entorno jurídico (v.gr. EEUU), en la figura del depredador sexual. Es decir, la configuración del delito refleja la creencia de que el *contacto* por internet con extraños, puede desencadenar toda clase de agresiones de naturaleza sexual.

4.- Pese a que la mayoría de ordenamientos europeos han acogido esta influencia, cabe traer a colación algunos aspectos recogidos en otras regulaciones penales. A tal efecto, es interesante la propuesta (v.gr. del ordenamiento penal australiano) acerca de que el delito se delimite no tanto por referencia a "actos materiales encaminados al acercamiento..." —como hace el tipo penal de nuestro país—, cuanto por la constatación de *actos materiales encaminados a la comisión de los delitos de agresión o abusos sexuales*. De este modo el ilícito del *on-line child grooming* se situaría más claramente en la línea ideal progresiva hacia la ofensa de la indemnidad sexual, adquiriendo mayor entidad lesiva. Ésta podría ser una vía de reforma a considerar en futuras modificaciones del art. 183 ter) 1° CP, junto a otras propuestas como la que se plantea a la vista de la *legislación penal británica* donde existe un delito más genérico de "*grooming*" que no solo abarcaría conductas *on-line*, sino también *off-line* o producidas presencialmente. Cuenta además con la ventaja de concretar cómo han de traducirse aquellos actos materiales —que la legislación española delimita genéricamente— pues han de probarse, al menos, *dos comunicaciones o encuentros*. Y es que, en efecto, en la línea de lo aquí sostenido sería conveniente concretar la referencia a los "actos materiales encaminados al acercamiento", con alguna exigencia probatoria similar a aquélla o, cuanto menos con ejemplos paradigmáticos que sirvieran para orientar la aplicación de esta referencia que tanta importancia está adquiriendo en la práctica.

5.- De hecho, alguna de las propuestas derivadas del análisis de Derecho comparado, se aproximan a otras sugerencias doctrinales que, como se ha comentado en este estudio, apuntan a regular, en nuestro ordenamiento, casos de *grooming* genéricos. A tal efecto, se ha podido proponer eliminar la referencia al uso de *internet, teléfono o cualquier otra tecnología de la información o de la comunicación,* para así prever el castigo de la preparación de menores para fines sexuales, *a través de cualquier medio*. Esta propuesta que, en efecto, ampliaría el ámbito de aplicación del delito ahora previsto, podría plantear inconvenientes relativos al solapamientos normativos con otros delitos (v.gr. los abusos sexuales con prevalimiento, art. 183.4 d) CP; o el acoso sexual con víctima especialmente vulnerable por razón de edad, art. 184.3 CP). Por otra parte, un delito de *child grooming más genérico* —y no exclusivamente orientado al empleo de medios tecnológicos— podría dar mejor respuesta a la realidad del fenómeno del *grooming* que, en la práctica, es cometido en ámbitos como el familiar o por personas del entorno del menor. Sin embargo, esta propuesta supondría tal adelantamiento de la intervención penal a casos que ya no estarían caracterizados por el empleo de medios telemáticos para preparar a menores con fines sexuales que, *de facto*, comportaría el castigo de actos preparatorios respecto de muchos delitos del Capítulo II bis) Título VIII.

6.- Por ello, en definitiva, la previsión de un genérico delito de *child grooming* o de otros delitos de *off-line grooming* se compadece mal con la actual regulación del Capitulo II bis (Titulo XVIII del CP). Tampoco parece que las necesidades de regulación del *on-line child grooming* sean mayores que las de otras agresiones on-line a menores de 16 años, a la vista de los estudios criminológicos analizados. De modo que no resulta aventurado concluir que el delito del actual art. 183 ter) 1º CP suscita, en el contexto del Capítulo II bis), fricciones para su correcto encaje con el resto de delitos allí previstos. Por lo que, en suma, la incorporación de más delitos de *child grooming* a nuestro ordenamiento penal, bien requeriría una reestructuración sistemática del resto de delito del citado Capítulo, bien habría de descartarse, como parece más conveniente, por el genérico adelantamiento de la barrera penal que conllevaría.

6. BIBLIOGRAFÍA

ACALE SÁNCHEZ, M., *El tipo de injusto en los delitos de mera actividad*, Granada, 2000.

ASHWORTH, A., *Principles of Criminal law*, 5ª Ed., Oxford, 2006.

BOIX REIG, J., en VVAA *Derecho penal. Parte Especial*, vol. I, Madrid, 2010.

CANCIO MELIA, M., "Una nueva reforma de los delitos contra la libertad sexual" en La *Ley penal: Revista de Derecho penal, procesal y penitenciario*,2011, nº 80.

CUERDA ARNAU, M. L., "Menores y redes sociales: protección penal de menores en el entorno digital" en *Cuadernos de Política Criminal*, núm. 112, I, época II, mayo 2014.

CUGAT MAURI, M., "Capitulo 26: Delitos contra la libertad e indemnidad sexuales" en *Comentarios a la Reforma Penal de 2010* (dirs. ÁLVAREZ GARCÍA, J./ GONZÁLEZ CUSSAC, J. L.), Valencia, 2010.

DEFENSOR DEL PUEBLO, "Programación y contenidos de la televisión e internet: la opinión de los menores sobre la protección de sus derechos" Madrid, 2010.

DEL RIO, J./ SADABA, C./ BRINGUÉ, X., "Menores y redes ¿sociales?: de la amistad al cyberbylling" en *Juventud y nuevos medios de comunicación*, nº 88, INJUVE, Madrid, marzo 2010.

DÍAZ CORTÉS, L. M., *El denominado child grooming del artículo 183 bis) del Código penal: una aproximación a su estudio*, Boletín del Ministerio de Justicia, año LXVI, nº 2138, enero de 2012.

DOLZ LAGO, M. J., "Un acercamiento al nuevo delito de child *grooming*. Entre los delitos de pederastia" *Diario La Ley*, nº 7575 (sección doctrina) 23 febrero, 2011.

FERRANDIS CIPRIÁ, D., "El delito de *on-line child grooming* (art. 183 bis CP)" en *Delitos sexuales contra menores, abordaje psicológico, jurídico y policial*, Valencia, 2013.

GIL ANTÓN, A. M., "El fenómeno de las redes sociales y los cambios en la vigencia de los derechos fundamentales" *Revista de Derecho UNED. Universidad Nacional de Educación a Distancia*. Número 10, 2012.

GOETZ D./, LAFRENIÈRE G. "Bill C-15A: an act to amend the Criminal Code to amend other acts" en *Legislative Summary, LS-410E (Parlamentary Research Branch)*Library of Parliament, 30 sept. 2002

GÓMEZ TOMILLO, M., "Capitulo II bis): De los abusos y agresiones sexuales a menores de trece años" en Comentarios al Código penal (dir. GÓMEZ TOMILLO, M.), 2º ed., 2011.

GORRIZ ROYO, E., "Sentido y alcance del "Ne bis in idem" respecto a la preferencia de la jurisdicción penal, en la jurisprudencia constitucional. En especial, la STC 2/2003, de 16 de enero", en *Estudios penales y criminológicos*, XXIV, 2002-2003.

ESTUDIO de Save the Children: "La tecnología en la preadolescencia y adolescencia: usos, riesgos y propuestas desde los y las protagonistas", (CABELLO CÁDIZ, P./ FERNÁNDEZ VILLANUEVA, I.; coord. ORJUELA LÓPEZ, L.) 2013.

HOWITT, D., *Paedophiles and Sexual Offences Against Children.* Oxford (John Wiley and Sons), 1995.

JACOBS, E. T., "On-line sexual solicitation of minors: an analysis of the average predator, his victims, what is being done and can be done to decrease occurrences of victimization" en *Cardozo Public Law, Policy & Ethics Journal*, volume 10, 2010-2011.

JOWERS, R., *Léxico temático de terminología jurídica español-inglés (Thematic lexicón of Spanish-English Legal Terminology)*, Valencia, 2015.

LAMARCA PÉREZ/ ALONSO DE ESCAMILLA/MESTRE DELGADO/ RODRÍGUEZ NÚÑEZ, *Delitos y faltas. La parte especial del Derecho penal*, Madrid, 2012.

LLABRÉS FUSTER, A., "La nueva regulación de la proposición para delinquir (art. 17.2)", en *Comentarios a la Reforma del Código Penal de 2015*, 2ª ed., (dir. GONZÁLEZ CUSSAC; coord. GÓRRIZ ROYO/MATALLIN EVANGELIO), Valencia, 2015.

McALINDEN, A. M., "Setting'em" up": Personal, familiar and institutional *grooming* in the sexual abuse of children" *Social & Legal Studies*, 15 (3), London, 2006.

- *"Grooming" and the Sexual Abuse of Children: Institutional, Internet, and Familial Dimensions*, Oxford, 2012.
- "«*Grooming*» and the Sexual Abuse of Children: Implications for Sex Offender Assessment, Treatment and Management", *Sexual Offender Treatment*, Volume 8, Issue 1, 2013.

MARCOS MARTÍN, T.," Un nuevo paso en la lucha contra la explotación sexual infantil: el Convenio del Consejo de Europa para la protección de los niños contra la explotación y el abuso sexual", en *Revista sobre la infancia y la adolescencia*, 1, septiembre 2011.

MEGIAS QUIRÓS, I./ RODRÍGUEZ SAN JUAN, E., *Jóvenes y comunicación. La impronta de lo virtual.* Centro Reina Sofía sobre adolescencia y juventud, Madrid, 2014.

MONGE FERNÁNDEZ, A., *De los abusos y agresiones a menores de 13 años: análisis de los artículos 183 y 183 bis), conforme a la LO 5/2010*, Barcelona, 2011.

MONTIEL, I./ CARBONELL, E./ PEREDA, N. "Multiple On-line Victimization of Spanish adolescents: Results from a Community Sample", *Child Abuse & Neglect* (2015), p. 9 (también en: http://dx.doi.org/10.1016/j.chiabu.2015.12.005).

MUÑOZ CONDE, F., *Derecho penal. Parte Especial*, 20ª ed., 2015, Valencia.

NÚÑEZ FERNÁNDEZ, J., "Presente y futuro del mal llamado delito de ciberacoso a menores: análisis del artículo 183 bis CP y de las versiones del Anteproyecto de Reforma de Código penal de 2012 y 2013", en *ADPCP*, vol. LXV, 2012.

ORTS BERENGUER, E., VVAA, *Derecho penal. Parte especial*, 2ª ed., Valencia 2008.

- VVAA, *Derecho penal. Parte especial*, 4ª ed., Valencia, 2015.

RAGUÉS I VALLÉS, R., *Lecciones de Derecho penal. Parte Especial*, 3ª ed., 2011, (dir. Silva Sánchez, J. M.), Barcelona.

RAMOS VÁZQUEZ, J. A.: "El nuevo delito de acoso de menores a la luz del derecho comparado" en *La Ley* 29 de noviembre de 2011.

- "Depredadores, monstruos, niños y otros fantasmas de impureza (algunas lecciones de Derecho comparado sobre delitos sexuales y menores)" *Revista de Derecho penal y Criminología*, 3ª Época, (2012) nº 8, pp. 195-227.

- "*Grooming* y *sexting*: artículo 183 ter CP" *Comentarios a la Reforma del Código penal de 2015* (dir. GONZÁLEZ CUSSAC; coords. GÓRRIZ/MATALLIN) 2ª ed., (2015) Valencia.
- "El consentimiento del menor de dieciséis años como causa de exclusión de la responsabilidad penal por delitos sexuales: artículo 183 quáter CP" en *Comentarios a la Reforma del Código penal de 2015*, (dir. GONZÁLEZ CUSSAC; coords. GÓRRIZ/MATALLIN), 2ª ed., 2015) Valencia.
- "Ciberacoso" en *Comentarios a la reforma penal de 2015* (dir. QUINTERO OLIVARES, G.), (2015) Pamplona.

RUBIO GIL, A, *Adolescentes y jóvenes en la red: factores de* oportunidad, INJUVE, 2009.

SAVE THE CHILDREN: La *tecnología en la preadolescencia y la adolescencia: usos, riesgos y propuestas de los y las protagonistas*. Investigadores: CABELLO CÁDIZ/FERNÁNDEZ VILLANUEVA (coord. ORJUELA LÓPEZ, L.).

SIMESTER A. P./ SULLIVAN, G. R., *Criminal law. Theory and Doctrine*, 2010, Oxford, 4th. ed.

TAMARIT SUMALLA, J. M., "Art. 183 bis" en QUINTERO OLIVARES, G. (dir.)/MORALES PRATS, F., *Comentarios* al Código penal español, tomo I, 6º ed., 2011.

VILLACAMPA ESTIARTE, C.: "Propuesta sexual temática a menores u *on-line child grooming*: configuración presente del delito y perspectivas de modificación" en *Estudios penales y criminológicos*, vol. XXXIV, 2014.

- *El delito de on-line child grooming o propuesta sexual telemática a menores*, Valencia, 2015

VILLACAMPA ESTIARTE, C./ GÓMEZ ADILLÓN, M. J., "Nuevas tecnologías y victimización sexual de menores por on-line *grooming*", en *RECPC*, 18-02-2016, p. 3.

Intimidad y menores: consecuencias jurídico-penales de la difusión del *sexting* sin consentimiento tras la reforma del Código Penal operada por LO 1/2015

Cristina Guisasola Lerma
Profesora Titular de Derecho Penal
Universidad Jaume I de Castellón

SUMARIO: 1. Cuestiones introductorias. 2. Ámbito y contenido del derecho a la intimidad de los menores de edad en el entorno tecnológico. 3. La reforma penal de 2015 relativa a los delitos contra la intimidad: el art. 197.7 y otras conductas vinculadas al *sexting* (art. 183 ter). 3.1. Estado de la cuestión previo a la reforma operada por LO 1/ 2015. 3.2. La tipificación de la difusión inconsentida del *sexting* ajeno (art. 197.7 CP). 3.3. Breve referencia al apartado 2º del artículo 183 ter: embaucamiento de menores y *sexting*. 4. Conclusiones. 5. Bibliografía.

RESUMEN: La universalización de las TIC y muy especialmente las oportunidades que brinda Internet han supuesto también un cambio en el *modus operandi* de la delincuencia, cuyas víctimas —y en muchas ocasiones también sus autores— son menores de edad. En el presente trabajo incidiremos en el fenómeno del *sexting* y el tratamiento penal tras la reforma de 2015 de conductas derivadas del mismo. En particular analizaremos el nuevo tipo penal recogido en el ámbito de los delitos contra la intimidad en el apartado 7º del art. 197 que sanciona a quien divulga imágenes o grabaciones de otra persona, contra su voluntad aunque obtenidas con su consentimiento, cuando la imagen o grabación se haya producido en un ámbito personal y su difusión lesione gravemente su intimidad.

PALABRAS CLAVE: Intimidad, ciberdelitos, *sexting*, menores, *grooming*, Derecho penal.

ABSTRACT: The universalization of ICT and especially the opportunities Internet have provided have also changed the modus operandi of crime, with many of the victims being among the young, particularly adolescents. In this paper we will focuse on the phenomenon of *sexting* and the penal treatment of the criminal conduct it leads to, following the penal reform of 2015. In particular we will analyze the new offense set out in the scope of crimes against privacy in Section 7 of art. 197 which punishes anyone who makes public pictures or recordings of another person against his or her will even though consent was obtained, when the image or recording itself was made in a private environment and the persons privacy has been seriously damaged by its circulation.

KEYWORDS: Privacy, cybercrime, minors, *sexting*, criminal law, *grooming*.

1. CUESTIONES INTRODUCTORIAS

La premisa de partida de este trabajo[1] nace de una evidencia: en los últimos años los procesos de comunicación y transmisión de información se han ampliado de manera considerable y las nuevas dinámicas sociales han provocado notables avances en las redes de comunicación digital a la par que nuevos riesgos inherentes a ellas. Esta expansión de las redes de telecomunicación ha traído aparejadas nuevas situaciones carentes de regulación penal, o al menos no tipificadas expresamente, de suerte que se podría afirmar como la dinámica de las nuevas tecnologías ha traspasado a la dinámica legislativa.

La universalización de las TIC y muy especialmente las oportunidades que brinda Internet han supuesto también un cambio en el *modus operandi* de la delincuencia, cuyas víctimas son a menudo —y en muchos casos también sus autores— menores de edad. A ello se une el hecho de que el uso de las redes sociales por éstos[2] habitualmente lleva aparejado un volcado excesivo de datos e información personal[3], careciendo en muchos casos los menores de la conciencia necesaria acerca de los riesgos a los que se enfrentan, entre otros que ahora señalaremos, a nuevas formas de amenaza contra la intimidad provenientes de un uso ilegítimo del tratamiento de dicha información y datos personales. Esa mayor vulnerabilidad que se les viene reconociendo a los "nativos digitales" se debe al hecho de que de su personalidad se encuentra en pleno proceso de desarrollo y

---

1 Resultado de los proyectos complementarios solicitados a la Universidad Jaume I y al Ministerio de Economía y Competitividad sobre "*Menores: prevención y sanción de la delincuencia en la era tecnológica*", concedidos en ambos cursos (P1-1B2013-25 y DER2013-45862-P).

2 Pese a que se prohíbe a los prestadores de servicios recabar información y datos de menores de 14 años sin autorización de los padres —de acuerdo con el art. 13 del RD 1720/2007, por el que se aprueba el Reglamento de desarrollo de la LO 15/1999 de Protección de Datos de Carácter Personal— los mecanismos tecnológicos implantados en la mayoría de las redes no permiten una comprobación válida de la edad de los usuarios de las mismas. Solo la exigencia del DNI electrónico podría solucionar este requerimiento normativo. Cabe destacar el protocolo de detección de perfiles sospechosos de ser menores de 14 años, implantado en la red social Tuenti con el impulso de la Agencia de Protección de Datos, mediante el cual, analizando dichos perfiles se les requiere un DNI o pasaporte; en el caso de no envío en un plazo no inferior a 96 horas, el perfil es borrado. *Vid*. MARTOS DÍAZ, N.: "Políticas de privacidad, redes sociales y protección de datos. el problema de la verificación de la edad" en *Derecho y redes sociales*. 2010, p. 158.

3 Un estudio del INTECO (en la actualidad INCIBE, Instituto Nacional de Ciberseguridad) sobre hábitos seguros en el uso de smartphones por los niños y españoles adolescentes revela que los menores de edad entre quince y dieciséis años sienten preferencia por compartir datos privados como el intercambio de fotografías (71%), vídeos (39%), datos personales como nombre, dirección o edad (35%) o información sobre sus planes de tiempo libre (34'3%).

formación y el "anonimato" que proporciona la red puede conducir con más facilidad a situaciones de engaño y extorsión.

Tal y como se recoge en la Memoria de la FGE 2014 acerca de los Riesgos de los menores en las comunicaciones *on line*, la Fiscal de Sala, en comparecencia ante la Comisión del Senado ofreció la óptica del Ministerio Fiscal destacando como primer factor de riesgo "*la inexistencia de privacidad y —pese a las apariencias— de gratuidad en internet. El compromiso inconsentido o ignorado de la privacidad es particularmente importante para los jóvenes que, en su mayor parte, se registran con perfil abierto en las plataformas que siempre ofrecen tal opción, por defecto. La descontextualización de la información en la red altera las reglas ordinarias de la comunicación en los distintos contextos familiar, escolar, social... y atenúa los frenos a la difusión de contenidos íntimos o dañosos... Con todo ello, el mundo virtual aleja la percepción de los riesgos, facilita aproximaciones y contactos indeseados, motoriza la difusión de contenidos ilícitos y confiere una particular trascendencia a comportamientos sólo aparentemente irrelevantes*". Es por todo ello que considera preciso elevar el nivel de las cautelas y actualizar los instrumentos normativos desde la triple perspectiva de la protección de datos de carácter personal, la protección civil y penal de los derechos al honor, intimidad y propia imagen, integridad e indemnidad sexuales, integridad moral.

En efecto, los riesgos para los menores cuando su imagen es difundida son diversos y suelen aparecer interrelacionados: con independencia del ataque a su intimidad, desde el momento en que su imagen es enviada se pierde el control sobre su difusión, de manera que los contenidos que uno mismo ha generado pueden acabar en manos de otras personas y conllevar la comisión de comportamientos delictivos como el *cyberbullying,* el *grooming* (si se ve implicado un adulto) o la práctica conocida como *sextorsión*, que constituye normalmente un delito de coacciones o amenazas, pudiendo producirse incluso delitos relacionados con la posesión o distribución de pornografía infantil. La Circular de la FGE del presente ejercicio 2015 sigue la tónica de la precedente, percibiendo un uso inadecuado de móviles *smartphone*, cada vez más incluso entre menores que no llegan a catorce años. Sus aplicaciones se emplean en conductas vejatorias, amenazas o para difundir fotos y videos de contenido sexual, facilitados muchas veces voluntariamente por la víctima a otro menor de su entorno.

Pues bien, en el presente trabajo retomaré un estudio anterior[4] acerca del fenómeno denominado "*sexting*", con el objeto de analizar el actual tratamiento penal, tras la reforma operada por LO 1/2015, de conductas antijurídicas derivadas del mismo. Recordemos que el vocablo —fusión de los términos "sex" y

---

4 GUISASOLA LERMA, C.: "Menores, intimidad y riesgos en la sociedad tecnológica: el curso particular del *sexting*" en *Los derechos a la intimidad y privacidad en el siglo XXI*, 2014.

"texting" (de la acción verbal anglosajona acuñada para el envío de SMS)— viene referido a la difusión o publicación de contenidos (principalmente fotografías o vídeos) de tipo sexual, producidos y protagonizados por el propio remitente en el curso de una relación de confianza, utilizando para ello el teléfono móvil u otro dispositivo tecnológico[5]. Se habla de *sexting* activo *(primary sexting)* para referirse a la conducta de quien envía esas fotos y/o videos, y de *sexting* pasivo (*secondary sexting*) para el caso de quien las recibe y tiene la posibilidad de difundirlo a terceros[6]. Este es precisamente el riesgo inherente a esa conducta, la difusión a terceros no consentida.

En particular *analizaremos* el nuevo tipo penal incorporado con la reforma de 2015 en el ámbito de los delitos contra la intimidad, concretamente en el apartado 7º del art. 197, sancionando a quien divulga imágenes o grabaciones de otra persona, contra su voluntad aunque obtenidas con su consentimiento, cuando la imagen o grabación se haya producido en un ámbito personal y su difusión lesione gravemente su intimidad[7]. Siguiendo este planteamiento me parece oportuno realizar antes de nada una breve aproximación al derecho fundamental intimidad, previsto en el art. 18.1 CE, con el fin de determinar su alcance y los límites del ejercicio del mismo en el caso de los menores de edad.

2. ÁMBITO Y CONTENIDO DEL DERECHO A LA INTIMIDAD DE LOS MENORES DE EDAD EN EL ENTORNO TECNOLÓGICO

El derecho a la intimidad personal y familiar, reconocido como derecho fundamental en el art. 18.1 de la Constitución Española, junto al derecho al honor y a la propia imagen ya fue vinculado por el constituyente en el año 1978 con las entonces incipientes nuevas tecnologías: "*La ley limitará el uso de la informática para garantizar el honor y la intimidad personal y familiar de los ciudadanos y el pleno ejercicio de sus derechos*" (art. 18.4). Pero además, en el ámbito de los menores, el art. 20 de la CE especifica que el derecho a comunicar o recibir

---

5 *Vid*. INTECO: *Guía sobre adolescencia y sexting: qué es y como prevenirlo*. 2011.

6 La Fiscalía de Menores de Valencia detecta todas las semanas casos de envío de fotografías o vídeos de índole sexual a través de móviles o Internet. *Vid*. "El "*sexting*", un peligroso juego de niños" en Diario Levante, 16 de junio de 2013.

7 Necesariamente habremos de referirnos asimismo a la nueva regulación del artículo 183 ter, el cual castiga dos conductas diversas pero unidas por la existencia de un contacto con un menor, utilizando las nuevas tecnologías y una finalidad sexual. En particular, el apartado segundo, introduce un nuevo tipo vinculado con el *sexting*, en el que la finalidad de los actos tendentes a embaucarles consiste en el envío o muestra de imágenes de pornografía de menores.

libremente información veraz por cualquier medio de difusión tiene su límite "especialmente" en el derecho al honor, la intimidad y la propia imagen y en la protección de la juventud y la infancia, lo que revela la protección reforzada que éstos reciben[8].

Pese a que no es tarea fácil delimitar lo que se entiende por intimidad como bien jurídico protegido, es necesario recordar que se le viene reconociendo una doble vertiente: positiva, que consiste en el poder de control que se tiene sobre la información que atañe a uno mismo; y una vertiente negativa, como la facultad de excluir a terceros de aquellos ámbitos que el sujeto considera reservados o secretos. A la luz de la doctrina del Tribunal Constitucional el derecho fundamental a la intimidad, "*tiene por objeto garantizar al individuo un ámbito reservado de su vida, vinculado con el respeto de su dignidad como persona, frente a la acción y el conocimiento de los demás, necesario para mantener una calidad mínima de la vida humana*"[9]. De suerte que el derecho a la intimidad personal otorga a su titular cuando menos "*una facultad negativa o de exclusión, que impone a terceros el deber de abstención de intromisiones*" (STC 70/2009), salvo que estén fundadas en una previsión legal que tenga justificación constitucional y que sea proporcionada, o que exista un consentimiento eficaz del afectado que lo autorice, pues corresponde a cada persona acotar el ámbito de intimidad personal que reserva al conocimiento ajeno. Es por ello que se afirma que es correlato de esta dimensión subjetiva del derecho a la intimidad el desarrollo del criterio o canon de la "expectativa razonable de privacidad o confidencialidad", conforme al cual cada ciudadano acota con su conducta y voluntad el contenido objetivo de su intimidad, permitiendo el acceso a zonas objetivamente reservables[10].

A diferencia del derecho al secreto de las comunicaciones, reconocido en el apartado 3° del art. 18, que proyecta su tutela cualquiera que sea el contenido de lo comunicado[11], el derecho a la intimidad personal se refiere a los elementos que

---

8 En este sentido la jurisprudencia tanto del Tribunal Constitucional como del Tribunal Supremo han asumido este criterio hermenéutico en caso de conflicto.

9 *Vid*, entre otras muchas, SSTC 231/1988, 134/1999, 206/2007, 159/2009.

10 Este canon procede de la jurisprudencia del TEDH y ha sido acogido por la jurisprudencia constitucional española. Sobre este particular, GONZÁLEZ CUSSAC, J. L.: "Delitos contra la intimidad", *Derecho penal. Parte especial.* 2015., p. 277.

11 Su ámbito de protección fue precisado por el Tribunal Constitucional en la STC 114/84 declarando que este derecho únicamente protege frente a *interferencias de terceros en el proceso comunicativo*, no extendiendo su cobertura a otras manifestaciones o contenidos del derecho a la intimidad, señalando en su FJ 7° que "*sobre los comunicantes no pesa tal deber (de secreto) sino en todo caso, y ya en virtud de norma distinta a la recogida en el art. 18.3 de la Constitución, un posible "deber de reserva" que, de existir tendría un contenido estrictamente material, en razón del cual, fuese el contenido mismo de lo comunicado (un deber que derivaría así del derecho a la intimidad reconocido en el art. 18.1 de la Norma fundamental)*".

forman parte del ámbito propio y reservado de lo intimo[12]. En suma, la intimidad se entiende como el derecho a controlar o autodeterminar nuestras zonas de retiro y secreto[13], esto es, un derecho activo de control sobre el flujo de informaciones que afecta a cada persona[14].

Ahora bien la que viene denominándose como "sociedad de riesgo informatizada" ha dado paso a una política criminal más flexible que trata de dar respuesta a los riesgos inherentes a las nuevas dinámicas sociales[15]. No obstante, la intimidad como objeto de protección jurídico-penal presenta contornos difícilmente definibles a la luz de las nuevos usos de las tecnologías: en tiempos en los que impera la exposición en las redes sociales de datos y aspectos de la propia vida personal (fenómeno que ha llevado a los civilistas a hablar de "extimidad") se plantean nuevas tensiones entre seguridad y derechos y libertades de los ciudadanos[16] en los casos en que la propia víctima da su consentimiento inicial en la difusión de imágenes o grabaciones.

En el caso de los menores la problemática se acentúa[17], habiendo de plantearse la validez del consentimiento del menor de edad en torno a la disponibilidad del bien jurídico intimidad personal.

En el ámbito civil el art. 4.3 de la LO 1/1996, de protección jurídica del menor, limita la validez del consentimiento prestado por un menor de edad cuando la utilización de una imagen implique un menoscabo en su honra o reputación porque prima siempre el interés superior de los menores. Por su parte, el art. 13.1 del reglamento de desarrollo de la *Ley de protección de datos de carácter personal*[18] distingue entre mayores y menores de 14 años para que el menor pueda prestar válidamente su consentimiento en relación al tratamiento de datos de los mismos.

---

12 *Vid.* In extenso, acerca de su diferente naturaleza, objeto de protección y connotación temporal, en GONZÁLEZ CUSSAC, J. L.: "La expansión aplicativa del art. 18.3 de la Constitución Española frente al 18.1 CE y sus efectos sobre la tutela penal de la intimidad" en *L. H. a Herrero Tejedor*, 2015, pp. 148 y ss.

13 JAREÑO LEAL, A.: "Intimidad e imagen del menor de edad. Protección penal y civil" en *Menores y nuevas tecnologías,* 2012, *ob. cit.*, p. 152.

14 VALEIJE ÁLVAREZ, I. "Intimidad y difusión de imágenes sin consentimiento", en VVAA: *Constitución, derechos fundamentales y sistema penal (Semblanzas...), T. II, p*p. 1865 y ss.

15 GONZÁLEZ CUSSAC: "La expansión aplicativa...", *ob. cit.* p. 143.

16 ROMEO CASABONA: "Derecho penal y libertades de expresión y comunicación en Internet" en *La adaptación del derecho penal al desarrollo social y tecnológico*. Granada, 2010.

17 *Vid.* al respecto, LLORIA GARCÍA, P: "Menores, redes sociales e intimidad: consentimiento y tutela. Algunas consideraciones" en *Nuevos conflictos sociales. El papel de la privacidad*. 2015.

18 RD 1720/2007 por el que se aprueba el reglamento de desarrollo de la *LO 15/1999 de protección de datos de carácter personal*

En el ámbito penal se viene planteando la conveniencia de fijar un límite de edad a partir de la cual se empiece a tener en cuenta la posibilidad de consentimiento válido por parte del menor[19] en torno a la disponibilidad del bien jurídico intimidad en el ámbito del ciberespacio. Ya hemos aludido a la especial vulnerabilidad del menor en dicho entorno, así como al hecho de que la decisión de un menor de edad de proporcionar a un tercero su imagen íntima a través del ciberespacio puede facilitar o vincularse a la comisión de otros ilícitos penales ya referidos.

De ser la respuesta afirmativa en torno al establecimiento de límites por los motivos señalados, una parte de la doctrina manifestada al respecto señala que en todo caso debía exigirse, al menos, la edad de 14 años, a partir de la cual se pueda empezar a tomar en cuenta la posibilidad del consentimiento válido por parte del menor[20]. Y a partir de dicha edad, la determinación de la capacidad de juicio a la hora de reconocer eficacia a su consentimiento dependerá del grado de madurez del menor[21] para comprender el alcance y trascendencia de su decisión y de los riesgos inherentes a su conducta, siendo conscientes, en todo caso, de las dificultades de prueba objetiva, por lo que el arbitrio del juez desempeñará un papel determinante.

La limitación de la eficacia del consentimiento de un menor de edad en torno a la disponibilidad del bien jurídico intimidad personal en el ciberespacio no impide que el menor pueda ser portador o titular de dicho bien jurídico, si bien la propuesta efectuada obliga a establecer más medios de control en dicho ámbito, con el fin de garantizar su ejercicio adecuado[22]. En suma, los menores son titulares del "derecho a la intimidad y la imagen reconocidos en el art. 18 de la CE, en la misma medida que lo son los mayores de edad. Ahora bien, el ejercicio de la titularidad sobre estos derechos, como afirma JAREÑO LEAL, dependerá de su capacidad natural para entender el alcance del ejercicio de derechos tan personales (en caso contrario lo serán los representantes legales), siendo ésta una cuestión que en el ámbito de la legislación civil tiene respuesta distinta según la edad concreta del menor[23].

---

19 A este respecto, *vid.* el trabajo de RUEDA MARTÍN M. A.: "La relevancia penal del consentimiento del menor de edad en relación con los delitos contra la intimidad y la propia imagen. (Especial consideración a la disponibilidad de la propia imagen del menor de edad en el ciberespacio", en *Indret*, octubre de 2013.

20 RUEDA MARTÍN: ob. y loc. cit.; GONZÁLEZ RUS, EN MORILLAS CUEVAS (dir)/SUÁREZ LÓPEZ (coord.): *El menor como víctima y como victimario de la violencia social*. 2010

21 En consonancia con el art. 3 de la LO 1/1982 que dispone que el consentimiento de los menores e incapaces deberá prestarse por ellos mismos si sus condiciones de madurez lo permiten, de acuerdo con la legislación civil.

22 En este sentido, RUEDA MARTÍN: *ob. cit.*, p. 32.

23 *Vid.* acerca de esta cuestión, JAREÑO LEAL:"Intimidad e imagen del menor...", *ob. cit.* pp. 155 y ss.

La eficacia del consentimiento de los menores sobre su intimidad sigue sin estar regulada expresamente tras la reforma penal de 2015. El legislador, en lugar de ofrecer una solución integral y coherente en el ámbito del consentimiento, únicamente ha incluido una cláusula en el 183 quater, disponiendo expresamente que el consentimiento libre del menor de 16 años excluye la responsabilidad por los delitos cometidos en el Capítulo II bis (abusos y agresiones sexuales a menores de 16 años), exigiendo de forma cumulativa un requisito cronológico ("cuando el autor sea una persona próxima al menor por edad") y otro de madurez desarrollo, con el objetivo de dotar de irrelevancia penal a los comportamientos en que no ha habido una situación de desequilibrio ni en edad ni en madurez. Sobre este particular, como ha señalado ORTS BERENGUER[24], su defectuosa enunciación deja interrogantes abiertos, generando además cierta inseguridad el último requisito, que requerirá la peritación a cargo de forenses o psicólogos.

3. LA REFORMA PENAL DE 2015 RELATIVA A LOS DELITOS CONTRA LA INTIMIDAD: EL ART. 197.7 Y OTRAS CONDUCTAS VINCULADAS AL *SEXTING* (ART. 183 TER)

3.1. Estado de la cuestión previo a la reforma operada por LO 1/2015

Hasta la reforma penal de 2015 se castigaba en el art. 197.4 del CP la divulgación no consentida de datos, hechos o imágenes de otra persona que comprometían su intimidad en los supuestos en que se obtenían sin consentimiento, dado que dichas conductas iban vinculadas a la recogida en el art. 197.1, que preveia como elemento típico la falta de consentimiento en el momento de la grabación. De suerte que, la publicación o difusión posterior de imágenes obtenidas lícitamente aunque pudiera suponer una invasión no consentida de la esfera privada del persona, y en el ámbito que nos ocupa, del menor, no era constitutiva de una infracción penal contra la intimidad, atendiendo a la regulación previa a la reforma.

De ese modo, la jurisprudencia existente hasta la fecha ha venido subsumiendo los supuestos de difusión no consentida del *sexting* ajeno en tipicidades distintas, intentando encontrar vías de punibilidad conforme al principio de ofensividad. A modo ejemplificativo citaré algunas resoluciones que reconducían estos supuestos

24 ORTS BERENGUER, E.: *Derecho penal. Parte especial*, 2015, p. 230.

de delitos contra el honor[25] en el caso de que las imágenes pertenecieran a una mujer adulta, e incluso de pornografía infantil si la que aparecía en las mismas era una menor. En concreto encontramos sentencias en las que se condenaba por un delito de injurias graves con publicidad (art. 209 CP) al considerarse que las imágenes, obtenidas con autorización pero difundidas sin la misma, tenían un contenido afrentoso, y probado el *animus injuriandi*[26]. Sin embargo, comparto la opinión de aquellos que afirmaban que el reenvío no consentido de *sexting* ajeno atenta principalmente contra la intimidad y la propia imagen y sólo tangencialmente contra el derecho al honor[27], de suerte que este tipo podía entrar en juego de manera subsidiaria, mientras no se contemplaba un tipo legal que absorbiera específicamente el desvalor de esa conducta[28].

De interés resulta también la Sentencia de la Audiencia Provincial de Santander 177/2014 que enjuició un supuesto en que el un menor coaccionó a otra menor de edad para que se hiciese una fotografía con el torso desnudo, amedrentándola a posteriori con subir la fotografía a Internet si no accedía a sus pretensiones de carácter sexual. Como consecuencia de la difusión en la red que finalmente llevó a cabo, la menor sufrió una situación de burla, humillación, rechazo por sus compañeros y aislamiento social, padeciendo un cuadro de estrés agudo, con importantes secuelas de carácter psiquiátrico. La Audiencia condenó,

---

25 *Vid.,* sobre esta cuestión, Comes Raga, I.: "La protección penal de la intimidad a través de ladifusión inconsentida de *sexting* ajeno", en *La Ley penal. Monográfico sobre ciberdelincuencia,* núm. 105, noviembre-diciembre de 2013, pp. 14 y ss. También, Lloria García, P.: "Delitos y redes sociales: los nuevos atentados a la intimidad, el honor y la integridad moral especial referencia al «*sexting*»", en *La Ley penal. Monográfico sobre ciberdelincuencia,* núm. 105, noviembre-diciembre de 2013, pp. 24 y ss.

26 *Vid.* STS 23/05/2011 y SSAP Palencia de 28 de junio de 2006, Lérida 90/2004, de 25 de febrero y Madrid,26/2014, de 24 de enero.

27 MARTÍNEZ OTERO: "La difusión del *sexting* sin consentimiento del protagonista: un análisis jurídico" en *Derecom nº 12, 2013,* p. 8; el citado autor apunta como segundo motivo para negar la operatividad del delito de injurias en estos casos el hecho de que el CP descarta aquellas consistentes en la imputación de hechos salvo cuando se hayan llevado a cabo con conocimiento de su falsedad o temerario desprecio hacia la verdad" (art. 209 CP). Difundir *sexting* ajeno es, de un modo u otro, atribuir a un tercero unos hechos determinados que ciertamente ha realizado. No obstante discrepo con el autor es con su afirmación: "el deshonor que conllevan ciertas actuaciones negativas, en caso de ser ciertas, no es consecuencia tanto de su revelación por un tercero, como de su realización por e l propio sujeto".
Vid, asimismo, considerando discutible la afección al honor y no a la intimidad, FERNÁNDEZ TERUELO en *Derecho penal e Internet. Especial consideración de los delitos que afectan a jóvenes y adolescentes.* 2011; en esta dirección CARRASCO/MOYA/OTERO: "Delitos contra la intimidad: art. 197.4 bis CP" en *Estudio crítico del Anteproyecto de reforma del Código Penal,* 2013; GONZÁLEZ COLLANTES, T.: "Descubrimiento y revelación de secretos (arts. 197, 197 bis, 197 ter y 197 quater), en *La reforma penal de 2015,* p. 673.

28 En ese sentido, COMES RAGA, *ob. cit.*, p. 19.

de modo discutible, únicamente por un delito de amenazas del art. 171 CP en concurso con un delito de coacciones, descartando que los hechos fueran constitutivos del delito de pornografía infantil, tal y como solicitaban el Ministerio Fiscal y la acusación particular[29], concluyendo la ausencia de un ánimo libidinoso y sí otro distinto, el de perjudicar la fama y la estima de la menor, ratificando así la sentencia recurrida, en virtud del principio acusatorio en cuanto a la calificación de los hechos.

Cuando la difusión no consentida suponga un envilecimiento o humillación de la víctima, habitualmente en situaciones de ciberacoso, se ha estimado que los hechos podrían constituir un delito contra la integridad moral. A este respecto cabe traer a colación la Sentencia del Tribunal Supremo 342/2013, de 13 de abril relacionada con una serie de conductas acosadoras, con clara finalidad sexual[30], en la que se aprecia un concurso de delitos entre el art. 173 CP y el delito de amenazas del art. 169 CP, en concreto un concurso real de delitos, no de normas, y condenando al autor asimismo por delitos de descubrimiento y revelación de secretos y delitos de utilización de menores para la elaboración de material pornográfico previsto en el art. 189 CP.

---

29 Apoyándose en algunas resoluciones del TS que consideraban que, pese a que el CP entonces vigente no recoge una definición de pornografía, "lo cierto es que comporta un añadido a las imágenes de obscenidad o impúdicas, en concreto que pretendan la excitación libidinosa con su difusión (SSTS 8/3/06) asi como que "la imagen de un desnudo —sea menor o adulto, varón o mujer— no puede ser considerada objetivamente material pornográfico, con independencia del uso que de las fotografías pueda posteriormente hacerse" (STS 20/10/03). Tras la reforma 2015 el Código Penal sí recoge una definición de lo que ha de considerarse "material pornográfico", considerándo expresamente como tal: 189 "*b) Toda representación de los órganos sexuales de un menor o persona con discapacidad necesitada de especial protección con fines principalmente sexuales*".

30 En este supuesto, el acusado, durante los años 2007, 2008 y los primeros meses del año 2009, y ocultando sus datos relativos a sexo y edad el cual, contactaba con personas, casi todas chicas y menores de edad a través de distintas páginas de Internet y tras mantener conversaciones las pedía que le enviasen fotos o videos de ellas desnudas así como les exigía que conectasen la webcam para obtener sus imágenes. Ante la negativa, les profería insultos y amenazas, bloqueándole las cuentas de correo y apoderándose de las mismas así como de sus contactos, datos personales, fotografías y videos que aquellas tenían en el escritorio o en carpetas de sus ordenadores y no solo de las que las víctimas habían colgado en sus perfiles. En muchos casos llegó a conseguir que aquellas les mandasen fotografías y videos mostrando sus cuerpos desnudos, adoptando posturas y actitudes de claro contenido pornográfico, no sin antes amenazarles e insultarles con el fin de obtener una permanencia en el tiempo de dichas conductas.

3.2. *La tipificación de la difusión inconsentida del* sexting *ajeno (art. 197.7 CP)*

En el Preámbulo de la LO 1/2015 se pone de manifiesto como se modifican los delitos relativos a la intromisión en la intimidad de los ciudadanos "*con el fin de solucionar los problemas de falta de tipicidad de algunas conductas*". Según se continua exponiendo, la reforma lleva a cabo la transposición de la Directiva 2013/40/UE, de 12 de agosto, pretendiéndose superar las limitaciones de la regulación vigente para ofrecer respuesta a la delincuencia informática en el sentido de la normativa europea.

El legislador sigue recogiendo en el Título X bajo la rúbrica "Delitos contra la intimidad, el derecho a la propia imagen y la inviolabilidad de domicilio", los delitos de descubrimiento y revelación de secretos. En él se agrupan distintas modalidades básicas y varios tipos agravados si bien se produce una reestructuración interna, manteniendo su contenido en la mayor parte de los preceptos. En lo que afecta a nuestro objeto de estudio, las conductas descritas en los tres primeros apartados del artículo 197 (apoderamiento para descubrir, delitos cometidos a través de medios informáticos y difusión, revelación o cesión de datos reservados a terceros) se ven agravadas en el apartado 5°, imponiendo las penas previstas en su mitad superior cuando la víctima fuere un menor de edad o un incapaz, equiparando estos ataques a la afección de datos de carácter personal que afectan al núcleo duro de la privacidad: ideología, salud, creencias, origen racial o vida sexual.

Como avanzamos, se introduce un nuevo tipo en el núm. 7° del art. 197, que sanciona la difusión no autorizada de imágenes obtenidas con consentimiento:

> *"Será castigado con una pena de prisión de tres meses a un año o multa de seis a doce meses el que, sin autorización de la persona afectada, difunda, revele o ceda a terceros imágenes o grabaciones audiovisuales de aquélla que hubiera obtenido con su anuencia en un domicilio o en cualquier otro lugar fuera del alcance de la mirada de terceros, cuando la divulgación menoscabe gravemente la intimidad personal de esa persona. La pena se impondrá en su mitad superior cuando los hechos hubieran sido cometidos por el cónyuge o por persona que esté o haya estado unida a él por análoga relación de afectividad, aun sin convivencia, la víctima fuera menor de edad o una persona con discapacidad necesitada de especial protección, o los hechos se hubieran cometido con una finalidad lucrativa".*

El nuevo tipo recogido en el ámbito de los delitos contra la intimidad parece dar respuesta a supuestos mediáticos —en particular trae causa del video de contenido erótico con protagonistas del Ayuntamiento de Yébenes (caso

"Hormigos")[31]— lo cual resulta criticable desde un punto de vista político-criminal; ahora bien, lo cierto es que las consecuencias lesivas para la intimidad derivadas del fenómeno expansivo del *sexting*, creciente especialmente entre los adolescentes, requería al menos la atención de nuestro legislador, armonizando la legislación penal con las iniciativas europeas[32]. De entrada insisto en que la respuesta penal no puede venir mediatizada por casos aislados que generen alarma social, sin analizar previamente si el Derecho Penal cuenta ya con mecanismos adecuados frente a determinadas conductas graves, en este caso, vinculadas al uso de las nuevas tecnologías, esto es, si pueden ser ya objeto de enjuiciamiento con delitos ya recogidos en nuestro CP evitando así un recurso desmedido al Derecho penal y al denominado "populismo punitivo"[33].

Sin embargo, considero que la regulación hasta ahora vigente de los delitos contra la intimidad estaba pensada para ataques más tradicionales dirigidos contra la misma y por tanto la redacción del art. 197 no permitía abarcar una

---

31 El Juzgado de Primera Instancia e Instrucción número 1 de Orgaz (Toledo) en fecha de 15 de marzo de 2013 archivó de forma provisional las actuaciones por un supuesto delito contra la intimidad de una ex concejala de Los Yébenes quedando por determinar si los hechos carecían por completo de relevancia penal o si podían ser constitutivos de un delito contra la integridad moral. La juez decretó el sobreseimiento provisional y archivo de las actuaciones contra los dos imputados, C.S.R., un futbolista acusado de la difusión del video de carácter sexual y el alcalde de la localidad, por un delito contra la intimidad.
En el auto se sostiene que, en el caso de C.S.R., no procede hablar de delito contra la intimidad cuando la denunciante reconoció que, en el ámbito de la relación íntima que mantenían, le envió el vídeo en varias ocasiones de forma voluntaria a través del sistema de mensajería whatsapp. Según la juez, sólo si el acusado hubiera accedido al teléfono móvil de la denunciante sin autorización se podría hablar de un delito contra la intimidad. En el caso del alcalde, al que la ex concejala acusó de difundir el documento desde el correo de la Alcaldía, la juez expone que, "más allá de un mero reproche ético y social" sobre el que a ella no le corresponde pronunciarse, aunque lo hubiera hecho no habría incurrido en un delito, pues el vídeo no fue obtenido sin consentimiento o autorización. Por esos motivos, decide archivar la causa contra ambos por el presunto delito contra la intimidad y practicar nuevas pruebas para determinar si los hechos pueden constituir un delito contra la integridad moral.

32 Cabe destacar la Decisión 1351/2008/CE del Parlamento Europeo y del Consejo de 16 de diciembre de 2008 en las iniciativas de protección de los menores frente a los peligros que encierra el entorno digital, asi como los tres programas marco (1999-2004, 2005-08 y 2009-14) destinados a potenciar la seguridad frente a los mismos. Asimismo especial mención merece la Resolución del Parlamento Europeo de 20 de noviembre de 2012, sobre la protección de los niños en el mundo digital, subrayando los riesgos sustanciales contra la intimidad y la dignidad de los menores que el entorno virtual entraña, como usuarios más vulnerables.

33 GARCÍA ARÁN, M.: "Delincuencia, seguridad y pena en el discurso mediático" en MUÑOZ CONDE (DIR): *Problemas actuales del Derecho Penal y la Criminología. Estudios penales en memoria de la Profa. Díaz Pita*. Valencia, 2008, p. 86; MENDOZA CALDERÓN, S: *El derecho penal frente a las formas de acoso a menores*. Valencia, 2013, p. 238.

previsión adecuada de los atentados contra la misma[34]. Coincido con LLORIA GARCÍA cuando afirma que había que partir de un escenario distinto, donde ese despojo de intimidad no puede ser absoluto en el mundo digital, entre otros motivos, porque la rapidez o casi inmediatez en la posible difusión supone un incremento del riesgo para el bien jurídico[35].

La reforma presta ahora atención a la dimensión subjetiva del derecho a la intimidad, como facultad de control y exclusión para terceros, distinguiendo ahora claramente, de un lado, entre prestar consentimiento para una grabación o tomar una imagen para uso privado o solitario de dos personas y, de otro lado, autorizar grabarla o tomarla para difundirla[36]. De suerte que, es cada cual quien decide hasta donde o donde se sitúan los límites de lo que entiende dentro del marco de su propia intimidad, alcance del consentimiento que estaba huérfano en la regulación anterior[37], dando ahora respuesta penal a aquellos supuestos en que se rompe esa "expectativa tácita de privacidad"[38]. Por tanto, el apartado 7 del art. 197 de nueva creación refleja la ampliación o tendencia expansiva de la protección de la intimidad, debido al desarrollo tecnológico actual[39].

En la doctrina científica se han pronunciado voces partidarias de restringir el alcance de los tipos penales relativos a la intimidad a aquellos supuestos en los que la información se ha obtenido ilícitamente[40] o de relegar la sanción de estos comportamientos a la vía civil, como lesión del derecho a la propia imagen del

34 En este sentido, VALEIJE ÁLVAREZ: *ob. cit.*, pp. 1873 y 1889.

35 Pensemos, por ejemplo, que la imagen se difunde en una web pornográfica, visionada por miles de personas.

36 En este sentido COMES RAGA, I.: "La protección penal de la intimidad a travės de la difusión inconsentida del *sexting* ajeno," en *La Ley Penal* n. 105, 2013; GUISASOLA LERMA. "Menores, intimidad y riesgos de la sociedad tecnologica. el caso particular del *sexting*" en *Los derechos a la intimidad y a la privacidad en el siglo XXI"*. Dykingson, 2014; LLORIA GARCÍA, P: "Delitos y redes sociales: los nuevos atentados a la intimidad, el honor y la integridad moral. Especial referencia al *sexting*", en *La Ley Penal* n. 105, 2013; DOVAL, A./ JUANATEY, C.: "Revelación de hechos íntimos que afectan al honor y (o) a la propia imagen" en CARBONELL/GONZÁLEZ/ORTS (dir): *Constitución, derechos fundamentales y sistema penal, LH a Vives Antón, T. I,* Valencia 2009, pp. 556 y ss. *Vid* asimismo, acerca de la doctrina tradicional del TS y del TC en relación a "la intimidad compartida" o "el despojo de intimidad" la cual conduce a la pérdida de dominio sobre la información, en DOVAL/JUANATEY: "Límites de la protección penal de la intimidad" en *La protección jurídica de la intimidad. 2010,* pp. 136 y 7.

37 Como subraya GONZÁLEZ CUSSAC, JL: "Delitos contra la intimidad", en *Derecho Penal. Parte Especial*, 2015, p. 287.

38 *Vid.* sobre este particular el trabajo del mismo autor: "La tutela penal del derecho a la intimidad desde el canon de la expectativa razonable de privacidad", en *Libro Homenaje al Prof. Dr. Emilio Ocatavio de Toledo y Ubieto (en prensa).*

39 Como señala GONZÁLEZ RUS: "Delitos contra la intimidad, el derecho a la propia imagen y la inviolabilidad de domicilio" en *Sistema de Derecho Penal. Parte especial*, 2011.

40 De esta opinión CASTELLÓ NICAS: ob. y loc. cit.

perjudicado, conforme a la LO 1/1982[41]. En concreto, MORALES PRATS afirma que el nuevo precepto incorporado por el legislador en los delitos contra la intimidad viene a alterar el reparto de funciones entre el Código Penal y el Derecho Civil en la materia[42]. Otras voces sin embargo se manifiestan a favor de la nueva tipificación[43] al cubrir una laguna de punibilidad, tal y como recoge la Exposición de Motivos de la LO 1/2015.

En mi opinión, si bien es cierto es que, como se ha dicho el precepto nace en un momento cultural de clara relajación de costumbres en materia de intimidad[44], insisto en que no puede equipararse consentir o tomar una imagen para uso privado o solitario de dos personas" y "consentir grabarla o tomarla para difundirla"[45]: cada persona tiene derecho a decidir a quien muestra su intimidad y hasta donde, con exclusión de terceros, de acuerdo con el significado de intimidad anteriormente expuesto, de ahí que el art. 201 CP exija la presentación de denuncia de la persona agraviada o de su representante legal para proceder a la persecución de los delitos de descubrimiento y revelación de secretos.

La introducción del nuevo tipo me parece positiva, sin ninguna duda en el ámbito de los menores[46], coincidiendo con el Consejo Fiscal cuando afirmaba en su Informe al anteproyecto de reforma del CP que este tipo de conductas merece reproche penal a fin de proteger la intimidad ante ataques intolerables que se han iniciado con un consentimiento de la victima y una expresa voluntad de que el mismo no se difunda[47]. En concreto la difusión a través de las TIC de imágenes o videos íntimos de tipo sexual o erótico supone un mayor menoscabo de la intimidad, por su permanencia en el tiempo y su mayor alcance, por lo que su dañosidad es más intensa[48].

41

42 *Vid.* MORALES PRATS, F.: "La reforma de los delitos contra la intimidad: artículo 197 CP" en *Comentario a la reforma penal de 2015* (dir. por Quintero Olivares), 2015.

43 CARRASCO, M./ MOYA, M/OTERO, P.: "Delitos contra la intimidad: art. 197.4 bis CP" en *Estudio crítico del Anteproyecto de reforma del Código Penal,* 2013; COLÁS TURÉGANO, A.: "Nuevas conductas delictivas contra la intimidad (arts. 197, 197 bis, 197 ter), en *Comentarios a la Reforma del Código penal de 2015.* Valencia, 2015, p. 665.

44 También en este sentido, LLORIA, en relación al concepto de *extimidad*: "Menores, redes sociales e intimidad: consentimiento y tutela", cit., p. 251.

45 En esta dirección también, COMES RAGA, I.: "La protección penal de la intimidad a través de la difusión inconsentida del *sexting* ajeno," en *La Ley Penal* n. 105, 2013.

46 Asi también, CASTELLÓ NICAS:, *ob. cit.* p. 500-1.

47 Pese a que a continuación se considera que ya tienen suficiente protección por la vía de los delitos contra la integridad moral.

48 En este sentido RUEDA MARTÍN, M. A.: "La relevancia penal del consentimiento del menor de edad en relación con los delitos contra la intimidad y la propia imagen", *ob. cit.*; MIRÓ LLINARES, F.: *El cibercrimen. Fenomenología y criminología de la delincuencia en el ciberespacio,* 2012, p. 124.

No obstante, deben realizarse algunas objeciones a la nueva regulación, anticipando problemas aplicativos del nuevo precepto y valorando si se hubiera requerido algún matiz más para que la conducta tenga la suficiente lesividad desde el punto de vista jurídico-penal en el caso de los adultos.

En cuanto a las formas comisivas el legislador castiga la "***difusión, revelación o cesión*** a terceros" *de imágenes o grabaciones audiovisuales de aquélla que hubiera obtenido con su anuencia en un domicilio o en cualquier otro lugar fuera del alcance de la mirada de terceros, cuando* ***la divulgación*** *menoscabe gravemente la intimidad personal de esa persona.*

Nos planteamos entonces la siguiente pregunta: ¿tiene la misma relevancia penal la conducta de exhibir o mostrar esas imágenes o audiovisuales a terceros, sin transmitirlas, cuando ello suponga un menoscabo grave de la intimidad? Si bien la cesión conlleva transmitir la posesión de algo que se tiene, la "revelación" significa dar a conocer a otro lo que éste ignora pero no implica una transmisión, de suerte que podría interpretarse, de acuerdo con el citado verbo típico, que sí que se podria subsumir en el tipo. En todo caso todas las modalidades deben confluir en la conducta genérica de una divulgación que menoscabe gravemente la intimidad personal de esa persona.

Por su parte, tal y como está redactado se castiga penalmente la difusión inconsentida del *sexting* pero también otros supuestos de difusión de imágenes que afecten a la intimidad personal —por ejemplo, un estado de embriaguez— si bien la clausula valorativa indeterminada "menoscabar gravemente" genera *inseguridad jurídica* y plantea problemas de interpretación asi como de formulación de la prueba. A este respecto resulta de interés la Sentencia del Tribunal de Supremo de 19 de mayo de 2015 en la que se fijan los criterios para aceptar los mensajes de las redes sociales como prueba en los juicios[49]. En la fase de investigación de los hechos también se presentan dificultades especificas: a veces resulta imposible retirar los contenidos ilícitos por las posibilidades casi ilimitadas de su difusión; otras es preciso archivar ante la falta de colaboración de las plataformas[50] o la caducidad de los datos. Activar la cooperación internacional podría resultaría desproporcionado en relación con la entidad de los hechos, tal y como estima la Fiscalía General del Estado en su Memoria de 2014.

Por lo que se refiere al sujeto activo, de entrada podríamos plantearnos si merece el mismo reproche penal el tercero que procede al reenvío de lo recibido, por ejemplo a sus contactos en la red y así sucesivamente, ¿sería una forma de

---

49 (*Tol 5002579*). En el caso se confirma la validez de la transcripción de los diálogos mantenidos por una menor con un amigo a través de una red social, a quien contó los abusos sexuales por parte del novio de su madre.

50 *Facebook* remite a los Tribunales de Santa Clara, en California y *Myspace* a los de Nueva York.

participación? Sin embargo, tal como se describe la conducta típica, queda fuera de ella la del tercero ajeno al pacto que consigue el material y lo difunde, tal y como también advierte el Informe del Consejo Fiscal. Lo cierto es que, al rechazarse las enmiendas (GP Entesa y PSOE) para incluir de manera expresa una referencia a las imágenes y grabaciones realizadas directamente por la persona afectada, se ha quedado configurado como un delito de propia mano, que solo puede ser cometido por aquel que ha obtenido las imágenes o grabaciones con consentimiento de la víctima[51] ("que hubiera obtenido con su anuencia", dice la redacción final).

Asimismo, las imágenes o grabaciones audiovisuales han de haber sido *obtenidas en un domicilio "o en un lugar excluido del alcance de la mirada de terceros*". Dicha fórmula fue tildada por el Consejo Fiscal de forzada y demasiado coloquial si bien ajustada a lo dispuesto en Ley Orgánica 1/1982. Algunos autores proponen en su lugar utilizar la fórmula "lugares privados"[52] o "en cualquier otro lugar al resguardo de la observación ajena"[53], por ajustarse a la expresión utilizada por la jurisprudencia constitucional (SSTC 12/2012 y 74/2012) y del Tribunal Europeo de Derechos Humanos (STEDH 28/1/2003 y relacionadas). Pero en todo caso, considero reservada la aplicación del precepto que nos ocupa a aquellos supuestos en que las imágenes se obtienen en lugares privados y cerrados[54], quedando la vía civil para la captación en lugares abiertos.

Por último, el legislador ha previsto en el tipo objeto de estudio una penalidad reducida si se la compara con los tipos recogidos en los apartados anteriores del art. 197, entendemos por el hecho de que la víctima se despoja en primera instancia de su intimidad[55]; en concreto se prevé una pena alternativa de prisión de tres meses a un año o multa de seis a doce meses[56], frente a la pena de dos a cinco años de prisión si se difunden imágenes obtenidas sin consentimiento. Ahora bien, se prevé un subtipo agravado cuando los hechos se hayan cometido por el cónyuge o persona que esté o haya estado unida al sujeto pasivo por análoga relación de afectividad, aun sin convivencia, o la víctima fuera menor de edad o persona con discapacidad necesitada de especial protección o los hechos se hubieran cometido con finalidad lucrativa[57]. En estos supuestos la pena se im-

---

51 En este sentido, GONZÁLEZ COLLANTES, T.: "Descubrimiento y revelación de secretos (arts. 197, 197 bis, 197 ter y 197 quater), en *La reforma penal de 2015*, p. 673.

52 En este sentido también, COMES RAGA: *ob. cit.*, p. 20.

53 CARRASCO/MOYA/OTERO: *ob. cit.*

54 Hay supuestos que pueden resultar controvertidos como, por ejemplo, cuando la obtención de fotos se lleve a caboen el interior de un vehículo.

55 COMES RAGA,: *ob. cit.*, p. 21.

56 Salvo que sea un menor el que realiza la conducta, al que se le aplicarán las medidas previstas en la LO 5/2000, reguladora de la responsabilidad penal de los menores.

57 Por ejemplo, difundiendolo en una revista del corazón.

pondrá en su mitad superior, reforzando claramente el legislador la tutela de la intimidad. En el ámbito de la violencia de género considero que se podría haber hecho constar la posibilidad de imposición de la pena de multa sólo cuando quede acreditado que entre ellos no existen relaciones económicas derivadas de una relación conyugal, de convivencia o filiación, como asi se recoge expresamente en el ámbito de la suspensión de la pena, para evitar que termine repercutiendo en quien ha sido pareja. De interés resulta la reciente sentencia condenatoria del Juzgado de violencia sobre la mujer n. 1 de Castellón de 6 de octubre de 2015 por un delito de descubrimiento y revelación de secretos en el ámbito de la violencia de género en un supuesto en que el acusado grabó de común acuerdo con su entonces pareja varios encuentros sexuales, grabaciones respecto de las cuales la víctima creía habían sido borradas. Al año siguiente, el mencionado acusado envió desde su teléfono móvil videos a un amigo común entre los que se encontraban los encuentros sexuales íntimos de la pareja de la época en que lo eran, naturalmente por despecho y sin consentimiento de la víctima. La condena, dictada sentencia de conformidad, fue a seis meses de multa y a la prohibición de aproximarse a menos de 200 m.

3.3. *Breve referencia al apartado 2º del artículo 183 ter: embaucamiento de menores y sexting*

De acuerdo con la Exposición de Motivos de la reforma, la protección de los menores frente a los abusos cometidos a través de Internet u otros medios de telecomunicación, se completa con la introducción de un nuevo apartado segundo en el artículo 183 ter del Código Penal destinado a sancionar al que a través de medios tecnológicos contacte con un menor de dieciséis años y realice actos dirigidos a embaucarle para que le facilite material pornográfico o le muestre imágenes pornográficas en las que se represente o aparezca un menor.

Si bien el primer apartado del citado precepto se corresponde con el anterior art. 183 bis (*grooming*) —con dos salvedades importantes: la elevación de la edad a los 16 años y la finalidad de cometer cualquiera de los delitos recogidos en los arts. 183 y 189— el nuevo apartado segundo supone la introducción de una conducta ex novo, relacionada con el *sexting*, y configurada como un delito de peligro[58].

---

58 *Vid.* a este respecto, el comentario al mismo de RAMOS VÁZQUEZ, J. A.: "*Grooming* y *sexting*: artículo 183 ter" *en La reforma penal de 2015*, p. 617; MORILLAS FERNÁNDEZ, D.: "Los delitos contra la libertad e indemnidad sexuales" en *Estudios sobre el Código Penal reformado*. 2015, p. 456.

Dicho precepto trae causa del art. 6.2 la Directiva 2011/93/UE del Parlamento Europeo y del Consejo[59], relativa a la lucha contra los abusos sexuales y la explotación sexual de los menores y la pornografía infantil, si bien se advierten divergencias relevantes entre el precepto de la Directiva y su plasmación en nuestro texto punitivo.

Son varias las objeciones planteadas al nuevo delito, de entrada respecto del bien jurídico protegido. En principio parece que el legislador ha pretendido proteger a los menores de 16 años frente a conductas que puedan afectar a su proceso de formación y desarrollo en la esfera sexual, sin embargo, puesto que el tipo penal habla de "un menor", las fotos o videos solicitadas pueden no ser propios del menor embaucado, de manera que en estos casos no queda claro cual es el bien jurídico protegido[60]. Con dicha redacción queda la conducta desvinculada de los riesgos inherentes al *sexting*, como ya se ha expuesto, que consisten en la posible deriva en chantajes o en conductas de *bullying*. Hubiera resultado preferible aludir a "dicho menor", como recogía antes el proyecto y se ajusta a lo dispuesto en la Directiva europea que ha conducido supuestamente a la introducción de dicho tipo penal.

Son dos los elementos diferenciados que exige el tipo:

a) Contactar con un menor de dieciséis años a través de Internet, el teléfono o cualquier otra tecnología de la información y comunicación.
b) Realizar actos dirigidos a embaucarle para que le facilite material pornográfico o le muestre imágenes pornográficas en la que se represente o aparezca un menor.

Si bien el primero coincide con el del primer apartado del art. 183 ter, se diferencia en que aquí los actos realizados a través de las TIC tienden a "embaucarle", término, que atendiendo al diccionario de la Real Academia implica un engaño ("*engañar, alucinar, prevaliéndose de la inexperiencia o candor del engañado*").

La Directiva pretendía sancionar únicamente a los adultos que llevaran a cabo estas conductas, sin embargo de la descripción típica se observa que el tipo puede ser cometido por cualquier persona, tanto mayores como menores. No obstante, en principio cabría la exoneración de responsabilidad criminal a través de la aplicación del art. 183 *quater* sobre la base del consentimiento del menor de

---

59 Art. 6.2.: "Los Estados miembros adoptarán las medidas necesarias para garantizar la punibilidad de cualquier tentativa de un adulto, por medio de las tecnologías de la información y la comunicación, de cometer las infracciones contempladas en el art. 5, apartados 2 y 3, embaucando a un menor que no ha alcanzado la edad de consentimiento sexual para que le proporcione pornografía infantil en la que se represente a dicho menor".

60 En este sentido, ORTS BERENGUER: *ob. cit.*, p. 230.

dieciséis años, cláusula a la que ya nos referimos con anterioridad, si bien coincidimos con RAMOS VÁZQUEZ[61] en que parece incompatible otorgar un consentimiento válido tras haber sido "embaucado". Ahora bien, entendemos que en supuestos donde el menor envía el material visual de *motu propio*[62] tras el previo contacto dicha conducta no sería punible de acuerdo con este precepto (aunque sí podría por otros relacionados con material pornográfico de menores).

En todo caso, tanto desde un punto de vista doctrinal[63] como atendiendo a los informes de la Fiscalía General del Estado y del Consejo General del Poder Judicial al anteproyecto, se estima que los hechos tipificados en el 183 ter apartado segundo podrían considerarse —de no existir el nuevo tipo— como una tentativa de un delito de pornografía infantil del art. 189 (captar o utilizar a menores para fines o espectáculos exhibicionistas o para elaborar material pornográfico). Y al no existir la cláusula concursal del apartado anterior, esto es si el autor del embaucamiento recibe el material, se aplicaría dicho precepto, el art. 189, en virtud del principio de consunción.

Por ultimo, en cuanto a la penalidad, comparando los dos apartados del art. 183 ter, si bien el límite máximo de la pena de prisión prevista en el primer apartado es superior a la del tipo recogido en el segundo, prisión de seis meses a dos años, resulta sorprendente que se contemple en el *grooming* la pena alternativa de multa, cuando se trata de una propuesta para cometer un abuso o agresión sexual.

4. CONCLUSIONES

A la vista de lo expuesto cabe incidir en la necesidad de incrementar adecuadas estrategias —tanto en el entorno escolar y familiar— y políticas de prevención de futuras infracciones que puedan afectar a menores en el contexto de las TIC. Fomentar la educación en valores, como la privacidad, para saber gestionar las situaciones descritas resulta imprescindible pues de nada servirá la incriminación de las conductas si no concienciamos y educamos a los posibles sujetos pasivos de los delitos a los que hemos hecho referencia. Asimismo, en relación a los menores víctimas de los delitos, la aprobación de la Ley 4/2015, de 27 de

---

61 RAMOS VÁZQUEZ: "Ciberacoso" en *Comentarios a la reforma penal de 2015*.

62 Pensemos por ejemplo en el menor o joven que le pide una foto de un desnudo provocador a su novia de quince años

63 RAMOS: ob. y loc. cit.; MORILLAS FERNÁNDEZ: "Los delitos contra la libertad e indemnidad sexuales" en *Estudios sobre el Código penal reformado*. 2015, p. 461; VILLACAMPA, C.: "El delito de online child *grooming* o propuesta sexual telemática a menores" en *Delitos contra la libertad e indemnidad sexual de los menores*. 2015.

abril, del Estatuto de la Víctima del delito, supondrá un avance para evitar su victimización al preverse expresamente medidas específicas de protección hacia las mismas. Entre ellas cabe destacar: de un lado, el que la Fiscalía velará especialmente por el cumplimiento de este derecho de protección, adoptando las medidas adecuadas a su interés superior cuando resulte necesario para impedir o reducir los perjuicios que para ellos puedan derivar del desarrollo del proceso (art. 26); y a su vez, respecto a la protección de su intimidad, los Jueces, Tribunales, Fiscales y las demás autoridades y funcionarios encargados de la investigación penal, así como todos aquellos que de cualquier modo intervengan o participen en el proceso, adoptarán de acuerdo con lo dispuesto en el art. 22 de la Ley, las medidas necesarias para proteger la intimidad de todas las víctimas y de sus familiares y, en particular, para impedir la difusión de cualquier información que pueda facilitar la identificación de las víctimas menores de edad.

5. BIBLIOGRAFÍA

BOIX REIG, J./ JAREÑO LEAL, A., *La protección jurídica de la intimidad.* Madrid, 2010.

CARRASCO, M./ MOYA, M/OTERO, P., "Delitos contra la intimidad: art. 197.4 bis CP" en *Estudio crítico del Anteproyecto de reforma del Código Penal,* 2013.

CASTELLÓ NICAS, N., "Delitos contra la intimidad, el derecho a la propia imagen y la inviolabilidad del domicilio, y delitos contra el honor", en *Estudios sobre el Código Penal reformado (Leyes Orgánicas 1/2015 y 2/2015).* (Dir. Por Morillas), Madrid, 2015.

COLAS TURÉGANO, A., "Nuevas conductas delictivas contra la intimidad (arts. 197, 197 bis, 197 ter), en *Comentarios a la Reforma del Código penal de 2015.* Valencia, 2015.

COMES RAGA, I., "La protección penal de la intimidad a través de la difusión inconsentida del *sexting* ajeno," en *La Ley Penal* n. 105, 2013.

CUERDA ARNAU, M., "Menores y redes sociales: protección penal de los menores en el entorno digital" en *Cuadernos de Política Criminal,* mayo 2014.

DE PRIEGO FERNÁNDEZ, V., "La protección jurídica del derecho a la intimidad de los menores en la red", en VVAA: *Los derechos de la personalidad de los menores y las Nuevas Tecnologías,* 2012

DOVAL, A./ JUANATEY, C., "Revelación de hechos íntimos que afectan al honor y (o) a la propia imagen" en CARBONELL/GONZÁLEZ/ORTS (dir): *Constitución, derechos fundamentales y sistema penal, LH a Vives Antón, T. I,* Valencia 2009, pp. 556 y ss.

DOVAL, A./ JUANATEY, C, "Límites de la protección penal de la intimidad" en *La protección jurídica de la intimidad.* Madrid, 2010.

FERNÁNDEZ TERUELO, J. G., *Derecho penal e Internet. Especial consideración de los delitos que afectan a jóvenes y adolescentes.* Valladolid, 2011.

GARCÍA ARÁN, M., "Delincuencia, seguridad y pena en el discurso mediático" en MUÑOZ CONDE (Dir.), *Problemas actuales del Derecho Penal y la Criminología. Estudios penales en memoria de la Profa. Díaz Pita.* Valencia, 2008.

GARCÍA GONZÁLEZ (coord.), *Ciberacoso: la tutela penal de la intimidad, la integridad y la libertad sexual en Internet,* Valencia 2010.

GIDDENS, A., *La transformación de la intimidad.* 1992.

GONZÁLEZ COLLANTES, T., "Descubrimiento y revelación de secretos (arts. 197, 197 bis, 197 ter y 197 quater), en *La reforma penal de 2015,* p. 673.

GONZÁLEZ CUSSAC, J. L., "La expansión aplicativa del art. 18.3 de la Constitución española frente al art. 18.1 de la Constitución Española y sus efectos sobre la tutela penal de la intimidad" en *LH a Herrero-Tejedor Algar,* 2015.

GONZÁLEZ CUSSAC, J. L., "La tutela penal del derecho a la intimidad desde el canon de la expectativa razonable de privacidad", en *Libro Homenaje al Prof. Dr. Emilio Ocatavio de Toledo y Ubieto (en prensa).*

GONZÁLEZ CUSSAC, J. L., "Delitos contra la intimidad", en *Derecho Penal. Parte Especial,* 2015, p. 287.

GONZÁLEZ RUS, EN MORILLAS CUEVAS (dir.)/ SUÁREZ LÓPEZ (coord.), *El menor como víctima y como victimario de la violencia social.* 2010

GUISASOLA LERMA, C., "Menores, intimidad y riesgos en la sociedad tecnológica: el caso particular del *sexting*", en *Los derechos a la intimidad y privacidad en el siglo XXI.* Dykinson, 2014.

GUISASOLA LERMA, C., "Reflexiones en torno a la doctrina jurisprudencial sobre la legitimidad del acceso policial a información generada en el tráfico en Internet, con motivo de investigaciones policiales", en *Nuevas amenazas a la seguridad nacional.* 2013.

GUISASOLA LERMA, C., "Tutela penal del secreto de comunicaciones. Estudio particular del supuesto de interceptación ilegal de telecomunicaciones por autoridad y funcionario público" en *Constitución, derechos fundamentales y sistema penal (Semblanzas y estudios con motivo del setenta aniversario del prof. Tomás S. Vives Antón).* Tomo I. Valencia, 2009, p. 945.

JAREÑO LEAL, A., "Intimidad e imagen del menor de edad. Protección penal y civil" en *Menores y nuevas tecnologías,* 2012.

JAREÑO LEAL, A., *Intimidad e imagen: los límites de la protección penal.* 2008.

JORDA CAPITAN, *Los derechos de la personalidad de los menores y las nuevas tecnologías,* 2012.

LIEBENS, E., "Bullyng and *sexting* in social networks: Protecting minors from criminal acts or empowering minors to cope with risk behaviour?" in *International Journal of Law, Crime and Justice,* 2014.

LLORIA GARCÍA, P., "Menores, redes sociales e intimidad: consentimiento y tutela. Algunas consideraciones" en *Nuevos conflictos sociales. El papel de la privacidad.* 2015

LLORIA GARCÍA, P., "Delitos y redes sociales: los nuevos atentados a la intimidad, el honor y la integridad moral. Especial referencia al *sexting*", en *La Ley Penal* n. 105, 2013.

MARTÍNEZ OTERO, "La difusión del *sexting* sin consentimiento del protagonista: un análisis jurídico" en *Derecom nº 12,* 2013.

MARTOS DÍAZ, N., "Políticas de privacidad, redes sociales y protección de datos. el problema de la verificación de la edad" en VVAA: *Derecho y redes sociales*. Navarra, 2010.

MENDOZA CALDERÓN, S., *El derecho penal frente a las formas de acoso a menores*. Valencia, 2013.

MIRÓ LLINARES, F., *El cibercrimen. Fenomenología y criminología de la delincuencia en el ciberespacio*, 2012.

MORILLAS FERNÁNDEZ, D., "Los delitos contra la libertad e indemnidad sexuales" en *Estudios sobre el Código Penal reformado. 2015*, p. 456.

MORALES PRATS, F., "La reforma de los delitos contra la intimidad: artículo 197 CP" *en Comentario a la reforma penal de 2015* (dir. Quintero Olivares), 2015.

– "Delitos contra la intimidad: arts. 197.4 bis y 203.2-3" en *Estudio crítico del Anteproyecto de reforma del Código Penal*, 2013.

MUÑOZ CONDE, F., *Derecho penal. Parte especial*, Valencia, *2015*.

MURRAY LEE, THOMAS CROFTS, MICHAEL SALTER, SANJA MILIVOJEVIC, ALYCE MCGOVERN, "«Let's get *sexting*»: risk, power, sex and criminalisation in the moral domain" in *International Journal of Crime, Justice and Social Democracy 2013*.

ORTS BERENGUER, E., *Derecho penal. Parte especial*, 2015, p. 230.

ORTS BERENGUER, E./ ROIG TORRES, M., *Delitos informáticos y delitos comunes cometidos a través de la informática. 2001*.

PUENTE ALBA, "Delitos contra la intimidad y nuevas tecnologías", en *Eguzkilore*. 2007.

RAMOS VÁZQUEZ, J. A., "*Grooming* y *sexting*: artículo 183 ter" *en Comentarios a la reforma penal de 2015*, p. 617.

ROMEO CASABONA, "Derecho penal y libertades de expresión y comunicación en Internet" en *La adaptación del derecho penal al desarrollo social y tecnológico*. Granada, 2010.

RUEDA MARTÍN, M. A., "La relevancia penal del consentimiento del menor de edad en relación con los delitos contra la intimidad y la propia imagen. (Especial consideración a la disponibilidad de la propia imagen del menor de edad en el ciberespacio", en *Indret*, octubre de 2013.

TAUSTE, O./ CERVANTES, P., *Tranki pap@s. Como evitar que tus hijos corran riesgos en Internet*. Barcelona, 2012.

VALEIJE ÁLVAREZ, I., "Intimidad y difusión de imágenes sin consentimiento", en VVAA: *Constitución, derechos fundamentales y sistema penal (Semblanzas...)*, T. II, pp. 1865 y ss.

VÁZQUEZ DE CASTRO, E., "Protección de datos personales, redes sociales y menores" en *Revista Aranzadi de Derecho y Nuevas Tecnologías*, 2012.

VILLACAMPA, C., "El delito de online child *grooming* o propuesta sexual telemática a menores" en *Delitos contra la libertad e indemnidad sexual de los menores*. 2015.

ZANGH, X., "*Charging children with child pornograpy - using the legal system to handle the problem of "sexting", in Computer Law & Security review, 26,* 2010, pp. 251-259.

Agresiones a bienes altamente personales a través de las TICs: tratamiento penal de fenómenos como el *stalking*, *sexting*, *grooming* y ciberacoso en Alemania

Teresa Manso Porto
Instituto Max Planck de Derecho Penal extranjero e Internacional

SUMARIO: 1. Introducción. 2. El acoso, acecho o *stalking* (§ 238 CP alemán). 2.1. Origen legislativo y aspectos criminológicos. 2.2. La redacción típica. 2.3. La estructura del tipo básico: elementos más destacados y complejos. 2.3.1. Persistencia de la conducta. 2.3.2. Grave menoscabo de la forma de vida de la víctima. 2.3.3. El intento de contactar con la víctima por medios de telecomunicación y otras formas de *ciberstalking.* 2.4. Recepción en la jurisprudencia. 3. El ciber-mobbing: fenómeno y relevancia penal. 4. El *sexting* y su relevancia penal. 5. El child-*grooming* y su relevancia penal. 6. Bibliografía.

RESUMEN: El uso de las tecnologías de la información y la comunicación ha ampliado las posibilidades de agresión a bienes altamente personales, lo que supone un nuevo reto para el Derecho penal para dar respuesta a nuevos fenómenos cuya autonomía como figuras delictivas es más que cuestionable. En esta aportación se lanza una visión de cómo ha respondido hasta ahora el legislador alemán a la proliferación de fenómenos como el *stalking*, el cibermobbing, el *sexting* o el child-*grooming.*

PALABRAS CLAVE: *stalking*, *ciberstalking*, ciberacoso, cibermobbing, *sexting*, child-*grooming*, *grooming*, acoso cibernético, ciberdelincuencia, internet-*grooming*, Nachstellung,

ABSTRACT: The use of the ICT has increased the posibilities of personal values, which means a new challenge for the Criminal Law, who must give a solution to behaviors whose autonomy is not clear. In this work can be found an image of the german legislator's response to the proliferation of the *stalking*, the cybermobbing, the *sexting* or the child-*grooming*.

KEYWORDS: *stalking*, *cyberstalking*, ciberharassment, cybermobbing, *sexting*, child-*grooming*, *grooming*, cybercrime, internet-*grooming*,

1. INTRODUCCIÓN

La proliferación cada vez mayor del uso de las tecnologías de la información y la comunicación provoca que los individuos estén casi permanentemente localizables, accesibles o virtualmente presentes en la red. Ello abre nuevas posibilidades o formas de agresión o ataque intenso a bienes altamente personales como la libertad, la libertad e indemnidad sexual, la intimidad, la integridad moral, la salud, el honor, etc. Surgen así fenómenos como el ciberacoso o acoso cibernético, el *stalking*, el *grooming*, etc, que en su mayoría afectan a menores o adolescentes. Su tratamiento jurídico-penal supone un reto importante.

Por un lado, es discutible si y cuáles de estas conductas deben alcanzar una sustantividad propia y tipificarse como delito cuando se cometen por medio de las TICs o cuándo estamos antes simples formas de comisión que no merecen un tratamiento penal diferenciado, salvo en lo que se refiere a la posible necesidad de recoger este modo de comisión de forma expresa en los tipos penales correspondientes. En este, como en muchos otros ámbitos, las necesidades de adaptación de la regulación penal a estos fenómenos vienen impuestas por compromisos internacionales del Estado. En este sentido hay que recordar que las pautas que imponen los instrumentos supranacionales como, en este campo especialmente, la Convención del Consejo de Europa contra la Ciberdelincuencia (2002), tienen como fin asegurar que determinados comportamientos estén en todo caso recogidos y penados por los ordenamientos respectivos, pero dejan libertad a los legisladores nacionales en lo que a la configuración legal concreta se refiere. En unos supuestos puede ser necesario crear un tipo penal *ex novo*. En otros puede que, por vía interpretativa, en los tipos penales ya existentes se pueda entender incluido el comportamiento en cuestión. En otros, se puede estimar procedente recoger una modalidad, forma o medio de comisión de forma expresa dentro de un tipo penal ya existente. Y, más allá de la opción que se elija, puede suceder, finalmente, que si el legislador no hace un buen uso de su margen de discrecionalidad a la hora de transponer la normativa supranacional con recursos de técnica legislativa adecuados y en todo caso con cierta fidelidad a la sistemática interna de las normas penales nacionales, en muchos casos se constate que las reformas dan lugar a tipos penales con una redacción excesivamente extensa, técnicamente deficiente, de contenido excesivamente casuístico, que produce solapamientos con tipos penales ya existentes o que incluso resulta superflua.

Y también en este, como en muchos otros ámbitos, es conveniente y provechoso realizar la propia andadura jurídica echando una mirada a lo que hacen otros legisladores de nuestro entorno. Se ofrece aquí con fines comparativos un vistazo a la forma en la que el legislador alemán ha resuelto hasta el momento los problemas acarrea el dar una respuesta penal eficaz a estos fenómenos relacionados con el uso de las tecnologías de la información y la comunicación. Me centraré de modo particular en el acoso o *stalking*, por ser una modalidad de conducta que tras una larga discusión ha sido objeto de regulación a través de una nueva figura legal específica, que al menos en una de sus variantes típicas hace referencia expresa al uso de tecnologías de la información y comunicación[1]. Adicionalmente, se expondrá de qué forma encuentran cobertura penal otros fenómenos como el *sexting* el *grooming* o el ciberacoso.

2. EL ACOSO, ACECHO O *STALKING* (§ 238 CP ALEMÁN)

2.1. *Origen legislativo y aspectos criminológicos*

Tras una larga discusión doctrinal acerca de la necesidad y posibilidad técnica de crear un tipo penal específico, el fenómeno conocido como *stalking* se tipifica expresamente en el CP alemán en 2007 (entrada en vigor: 31.3.2007) en el parágrafo 238, con la rúbrica: *Nachstellung*[2]. Este, al igual que el *stalking*, es un término que se utiliza en la legislación sobre caza y que puede traducirse con las acepciones acecho, persecución o acoso. Semánticamente, los términos *stalking* o *Nachstellung* se aproximan más a comportamientos persecutorios o de acecho que a comportamientos molestos que pudieran constituir acoso, como la solicitud de favores sexuales en el acoso sexual. Pero hay que precisar que lo que persigue el autor en estas conductas no es acorralar a la víctima físicamente, sino causarle temor[3].

Se calcula que anualmente hay 500000 víctimas de *stalking*. El 90% son mujeres. Según un estudio hecho hace ya algunos años en Mannheim, de entre 700 personas encuestadas un 12% habían sido víctimas de *stalking*, esto es, acosadas durante un período de al menos dos semanas con al menos dos métodos distintos. Otro estudio hecho en Darmstadt arrojó resultados similares.

Es, por tanto, un fenómeno socialmente relevante, pero complejo de tipificar y que además plantea problemas en su aplicación práctica[4].

---

1 Véase al respecto el punto 2.3.2.

2 En la discusión previa, escéptico con la invención penal, Kinzig, *Stalking* - ein Fall für das Strafrecht? ZRP 255 ss.; a favor, Kerbein/Pröbsting, *Stalking*, *ZRP* 2002, pp. 76 ss.; un panorama general y comparado en Albrecht: *Stalking* - Nationale und Internationale Rechtspolitik und Gesetzesentwicklung, FPR 2006, pp. 204 ss.; sobre la discusión, más en detalle, Rackow, Peter, Der Tatbestand der Nachstellung (§ 238 StGB) *Stalking* und das Strafrecht, *GA* 2008, pp. 557 ss.; para más referencias, MüKo-Gericke, StGB § 238, 2. Ed. 2012, Tomo 4, núm. marg. 1-12; Schönke-Schröder/Eisle, Strafgesetzbuch § 238, núm. marg. 1-3.

3 Mitsch, Der neue *Stalking*-Tatbestand im Strafgesetzbuch, *NJW* 2007, 1237, 1238.

4 Una perspectiva desde la práctica de la persecución policial en Peters, Der Tatbestand des § 238 StGB (Nachstellung) in der staatsanwaltlichen Praxis, *NStZ* 2009, 238 ss.

2.2. *La redacción típica*

El delito de acoso o *stalking* se regula de una forma algo casuística, que se aparta del tradicional estilo legislativo alemán, más abstracto y conciso[5]. El tipo recoge hasta cuatro modalidades frecuentes de acoso que ilustran qué tipo de comportamientos típicos entran en consideración y añade una cláusula general que deja el tipo abierto a supuestos similares.

> *§ 238 Acoso*
>
> *(1) Quien acose de forma ilícita a una persona, de tal forma que persistentemente*
> *1. busque su cercanía espacial,*
> *2. intente establecer contacto con ella mediante el uso de medios de telecomunicación o de otros medios de comunicación o a través de terceros,*
> *3. realice, mediante un uso abusivo de sus datos personales, pedidos de mercancías o servicios para ella o provoque que terceros la contacten,*
> *4. amenace con lesionar su vida, integridad corporal, salud o libertad o la de otra persona cercana a ella o*
> *5. realice otra acción similar,*
> *y de esta forma menoscabe gravemente su forma de vida, será castigado con pena de prisión de hasta tres años o multa.*
>
> *(2) Se impondrá la pena de tres meses a cinco años cuando a través del hecho el autor ponga en peligro de muerte o de lesión grave de la salud a la víctima o a otra persona cercana a ésta.*
>
> *(3) Si a través del hecho el autor causa la muerte de la víctima, de un pariente de la víctima o de otra persona cercana a ésta, la pena será de prisión de uno a diez años.*
>
> *(4) En los supuestos del apartado 1 el hecho se perseguirá solo a instancia de parte, a no ser que el órgano de persecución penal entienda que es obligado intervenir de oficio por existir un especial interés público en la persecución.*

2.3. *La estructura del tipo básico: elementos más destacados y complejos*

El delito de acoso se sitúa sistemáticamente junto a otros delitos de la decimoctava sección del Código penal alemán que protegen bienes jurídicos relacionados con la libertad. En el § 238 lo que se protege es la libertad de configurar la propia vida sin injerencias de terceros, lo cual abarca tanto la libertad de acción como la libertad de decisión. Además se incluye el derecho a la vida y la integridad corporal (apartados 2 y 3), el derecho a la autodeterminación informativa (apartado 1, núm. 3) y una parte fundamental del "derecho a ser dejado en paz"[6].

---

5 Kinzig/Zander remiten a otros tipos similares, Der neue Tatbestand der Nachstellung (§ 238 StGB), *JA* 2007, pp. 481 ss., 482.

6 MOSBACHER, Nachtellung - § 238, *NStZ* 2007, pp. 665 ss., 666.

El delito de acoso se estructura como un delito de resultado. La acción consiste en acosar de forma persistente a una persona de alguna de las maneras que el tipo describe o de otras similares. Entre ellas, se encuentra *el intentar establecer contacto mediante el uso de medios de telecomunicación o de otros medios de comunicación*. El uso de las tecnologías de la información y la comunicación es, por tanto, una forma más de acosar a una persona, pero no pertenece al núcleo de la conducta típica.

El resultado consiste en un menoscabo grave en la forma de vida de la persona acosada. Dicho menoscabo, como elemento típico, debe ser constatado por el juez en cada caso. Además, la conducta se ha de llevar a cabo de forma insistente o reiterada. De entre los elementos típicos, precisamente estos dos son especialmente problemáticos. Por un lado, determinar cuándo la conducta produce un fuerte menoscabo en la forma de vida de la víctima. Y por otro, fijar lo que significa persistente o insistentemente.

La gravedad de las conductas descritas en el tipo y los exigentes requisitos que delimitan su punibilidad, contrastan con la previsión de una pena de hasta solo tres años de privación de libertad en el tipo básico[7]. En caso de resultado de muerte, el marco se establece en 1 a 10 años.

2.3.1. Persistencia de la conducta

La conducta se debe producir de manera persistente o reiterada. En este sentido, no basta la mera reincidencia en el comportamiento, sino que de lo que se trata, tal y como se manifiesta en la Exposición de Motivos de la Ley, es de que durante la comisión del hecho se haya manifestado una "especial obstinación" y una "indiferencia intensificada" frente a la prohibición legal, que al mismo tiempo sea indicio de que hay riesgo de reiteración. El desprecio manifestado hacia la voluntad de la víctima y hacia sus deseos debe indicar que el autor ha actuado con la voluntad de seguir haciéndolo de ese modo en el futuro[8].

La persistencia en el comportamiento es resultado de una valoración general en la que hay que tener en cuenta los intervalos de tiempo entre las diferentes acciones y el contexto en el que se producen. No habría persistencia en comportamientos consistentes en el repetido intento de toma de contacto con la persona para acordar el régimen de visitas, para exigir un pago vencido o tampoco en el caso de periodistas que repetidamente intentan entrar en contacto con una persona, siempre y cuando se realice dentro de los márgenes legales. La reincidencia en un comportamiento sí puede ser suficiente para determinar la persistencia si

---

7 Mosbacher, Nachtellung - § 238, *NStZ* 2007, pp. 665 ss., 666.

8 Impresos del Parlamento 16/575, p. 7.

se produce salvando obstáculos considerables, como por ejemplo el contacto tras un cambio de vivienda o de número de teléfono[9]. No se puede determinar, en cambio, un número mínimo de agresiones[10].

2.3.2. Grave menoscabo de la forma de vida de la víctima

El otro elemento complejo de determinar es la existencia de un resultado de grave menoscabo de la forma de vida de la víctima, que debe producirse a causa del comportamiento del autor. La medida para determinar una alteración grave se establece con un patrón objetivo. La jurisprudencia establece que debe tratarse de consecuencias graves y serias, "que superen en mucho el promedio de cargas normales que por general son soportables y exigibles"[11]. No se considera alteración grave el tener que instalar la víctima un contestador automático o incluso cambiar de número de teléfono. Sí se considera alteración o menoscabo grave un cambio de domicilio, si es una reacción motivada por el acoso del autor[12].

Se rechaza, en cambio, la aplicación de un baremo subjetivo, de tal forma que las inconveniencias que sean sentidas por la víctima como graves pero no superen el umbral de relevancia objetiva, no serán tenidas en cuenta a efectos de tipicidad aunque la víctima sufra alteraciones psicológicas a consecuencia de ellas[13].

Schöch critica la configuración como delito de resultado precisamente porque se deja depender la tipicidad del comportamiento, no del menoscabo que ha sufrido efectivamente la víctima, sino de la forma en la que ésta reacciona ante él. Propone, en su lugar, la creación de un delito de idoneidad o de peligro abstracto-concreto[14].

2.3.3. El intento de contactar con la víctima por medios de telecomunicación y otras formas de *ciberstalking*

Una de las formas de acción que describe el tipo básico (apartado 1, núm. 2) consiste en el intento de *establecer contacto mediante el uso de medios de telecomunicación o de otros medios de comunicación*. Dentro de esta variante se incluye tanto el "terror telefónico", como, más ampliamente, formas de ciber-*stalking*,

---

9 Impresos del Parlamento 16/575, p. 7.

10 Sentencia del BGH 54, 189, 198.

11 Sentencia del BGH 54, 189, 197.

12 KÜHL, Strafgesetzbuch, § 238 núm. marg. 2, Munich, 2014; Valerius, Der neue Tatbestand der Nachstellung in § 238 StGB, *JuS* 2007, pp. 319, 323.

13 KÜHL, Strafgesetzbuch, § 238 núm. marg. 2, Munich, 2014. Krüger, *Stalking* als familien- und strafrechtliches Problem, *FPR* 2011, pp. 219 ss., 222.

14 SCHÖCH, Zielkonflikte beim *Stalking*-Tatbestand, *NStZ* 2013, 221 ss., 224.

además otros modos de establecer contacto, como, por ejemplo, la entrega de cartas o la utilización de terceras personas. Los intentos de establecer contacto por medios de telecomunicación incluyen, por ejemplo, el envío de Emails o de sms amenazantes o vejatorios.

Solo este apartado menciona expresamente el uso de tecnologías de información o telecomunicación, pero al mismo tiempo solo se refiera a los intentos de establecer contacto. Si se trata de otras formas de ciber-*stalking* como el hacer pedidos o compras a nombre de la víctima a través de internet o poner un anuncio en internet usando los datos de la víctima para que otras personas la contacten, crear una página web con su nombre, etc., la conducta sería encuadrable en la variante del número 3 del apartado 1, que prevé la realización, mediante un uso abusivo de sus datos personales, de pedidos de mercancías o servicios para la víctima, o que el autor provoque con su comportamiento que terceras personas la contacten. Sin embargo, este otro apartado no hace referencia expresa a los medios técnicos ni distinciones en relación a si tales comportamientos se producen a través de internet o no.

Por lo tanto, en el nuevo tipo penal de acoso o *stalking*, el uso de las tecnologías de la información y la telecomunicación no tiene sustantividad propia a nivel normativo. Por una parte, no pertenece al núcleo de la tipicidad, pues se trata de un tipo abierto que incluye diferentes modalidades y medios de comisión. Además, solo se menciona expresamente en la variante típica consistente en intentar establecer contacto con la víctima, como uno de los medios posibles. Y, por último, en los comportamientos basados en el uso abusivo de los datos personales de la víctima, no se menciona expresamente el medio que se utilice.

En definitiva, el uso de las tecnologías de la comunicación y la información en el delito de acoso no supone ningún plus de injusto en razón del medio utilizado. Puede ser un medio técnico utilizado en la comisión de alguna de las modalidades típicas, pero no constituye una forma especialmente grave de comisión, ni se menciona expresamente en todas las variantes típicas en las que el autor puede haber recurrido a ellas.

2.4. *Recepción en la jurisprudencia*

En una primera valoración crítica de la aplicación práctica del § 238 CP alemán, Krüger constata en 2010 algunos desarrollos negativos y deficiencias en la argumentación de las sentencias[15].

---

15 KRÜGER, *Stalking* in allen Instanzen - Kritische Bestandsaufnahme erster Entscheidungen zu § 238 StGB, *NStZ* 2010, pp. 546 ss.

En la primera sentencia del Juzgado de Primera Instancia de Löbau de 17 de abril de 2008 se resolvió un supuesto en el que el acusado, al término de una relación amorosa con la víctima, realizó un elevado número de llamadas de teléfono al domicilio, móvil y trabajo de la víctima, además de enviar masivamente sms. Como consecuencia de ello, la víctima cambió su número de teléfono, dejaba que las llamadas al trabajo las respondiera una compañera, se trasladó durante una semana a un piso de vacaciones, evitando así su domicilio, y redujo el tiempo de aprovechamiento de un terreno de fin de semana, al que ya solo acudía en compañía de otras personas. Finalmente, en los días en los que recibía numerosas llamadas, tenía problemas para conciliar el sueño. La sentencia declara la inocencia del acusado, pero no deja claro si el elemento de la tipicidad que falta en este caso es la existencia de un grave menoscabo de la forma de vida de la víctima o la persistencia de la conducta. Incurriría además, según Krüger, en una contradicción argumentativa. Por un lado, constata el Tribunal que el comportamiento descrito en el § 238 I 2 es, en principio, "socialmente adecuado", pues la vida en comunidad puede llevar a conflictos incómodos para el individuo que son tolerables para la comunidad. En este caso, la frontera de lo socialmente adecuado no se habría vulnerado. Por otro lado, declara que el afectado debe soportar en cierta medida dichas molestias, especialmente teniendo en cuenta que dispone de la vía civil para defenderse frente a tales agresiones[16]. Como constata Krüger, esta argumentación es contradictoria desde el punto de vista de la teoría de las normas. Si es cierto que el comportamiento en cuestión es socialmente adecuado, no se vería infringida la norma primaria de comportamiento, por lo que no podría verse infringida tampoco la norma secundaria de sanción, pero es que además tampoco entraría en consideración la norma civil[17], pues si se trata de un comportamiento adecuado, no solo no se habría infringido la norma penal, sino el ordenamiento en su conjunto[18].

En la sentencia del BGH de 19 de noviembre de 2009 se trataba también de un típico caso de *stalking* al término de una relación, en el que al acusado, tras sus intentos de contactar a la víctima, se le habían impuesto unas medidas de alejamiento que incumplía una y otra vez, sin que se le llegase a juzgar por ello. El acusado buscaba a la víctima en su casa o la llamaba por teléfono, in-

16 Se trata básicamente de la Ley de protección contra la Violencia (Gewaltschutzgesetz), que prevé los supuestos de acoso en el § 1 II; *vid.* BORCHERT, *Stalking* - Ein rechtliches Phänomen, FPR 2004, pp. 239 ss.

17 En concreto, se trata de la posibilidad de aplicar la Ley de Protección contra la Violencia (Gewaltschutzgesetz, de 11 de diciembre de 2011) que prevé la posibilidad de aplicar medidas judiciales de alejamiento en casos de acoso (§ 1).

18 KRÜGER, *Stalking* in allen Instanzen - Kritische Bestandsaufnahme erster Entscheidungen zu § 238 StGB, *NStZ* 2010, p. 548.

juriándola y amenazándola incluso con matarla. La víctima creía en la seriedad de estas amenazas y vio seriamente menoscaba su forma de vida. Prácticamente no salía del piso, salvo de día, y por las noches no encendía la luz ni abría la puerta. No andaba sola por la calle y como consecuencia de las circunstancias perdió peso.

En esta sentencia, si bien el Tribunal evita dar una definición general de *stalking* apoyándose en que ya el tipo esconde una definición legal, sí deja claro, apartándose del criterio del Bundesrat en su Proyecto de Ley, que la persistencia no puede hacerse depender de un número concreto de acciones. Mientras que la mera repetición de un comportamiento no resulta suficiente, en el caso de hechos graves puede bastar un número reducido de los mismos, siempre y cuando sean expresión de una especial obstinación e indiferencia del autor, que a su vez sean indicio de que va a seguir cometiendo los hechos.

La decisiva importancia que tiene la jurisprudencia a la hora de establecer en el práctica cuándo se produce un gravo menoscabo de la forma de vida, contrasta con la parquedad de la argumentación de las primeras sentencias en las que se ha discutido este elemento típico. El Tribunal Superior de Rostock resolvió en un Auto de 25 de mayo de 2009 un caso en el que la acusada buscaba la cercanía de la víctima, un profesor universitario, para forzar una relación sexual. Concretamente, acudía a sus clases y posteriormente entraba también en su domicilio, donde dejaba ropa interior. También estableció en numerosas ocasiones contacto por teléfono o por E-Mail. Aunque se le prohibió asistir a las clases, siguió haciéndolo. La víctima no intentó hacer efectiva la prohibición por temor a que ello tuviese peores consecuencias, y se limitaba a disponer que un asistente se sentara detrás de ella. Como consecuencia de estos hechos, la víctima vivía con una sensación de amenaza permanente. Abandonó la costumbre, que era común en su pueblo, de no echar el cerrojo de la puerta y dejó de ventilar con las ventanas abiertas de par en par. Además, su problema de tensión alta se agudizó y dormía mal. Finalmente, la acusada solo fue juzgada por allanamiento de morada. El Tribunal no advierte gravedad en las medidas o cambios que tiene que adoptar la víctima en su forma de vida, porque las mismas (cerrar puertas y ventanas) coinciden con las que adoptaría la generalidad en circunstancias normales. Dado que este elemento de la tipicidad ha de ser interpretado restrictivamente, la jurisprudencia aplica un criterio individual-objetivo, que ni protege a los aprensivos ni desprotege a los no se dejan impresionar fácilmente. Se rechaza, por tanto un tratamiento individualizador. En el caso en cuestión, no se tuvo en cuenta, por tanto, que la víctima se sintiera permanente amenazada, ni consideró suficiente que tuviese problemas para dormir los días que estaba nerviosa y que cambiara algunas de sus costumbres, sino que valoró en primera línea el hecho de que cerrar las ventanas y las puertas no son circunstancias objetivas que constituyan medidas excepcionales o inexigibles para el ciudadano medio[19].

3. EL CIBER-MOBBING: FENÓMENO Y RELEVANCIA PENAL

De acuerdo con una definición amplia, el fenómeno del ciber-mobbing o mobbing por internet, que también suele equipararse, como sinónimo, al ciber-bulling o al ciber-*stalking*, incluye diversas formas de difamar a una persona, acosarla, presionarla o coaccionarla a través de medios de comunicación electrónicos como internet, chats, programas de mensajería instantánea o telefonía móvil, incluyendo también conductas de usurpación de identidad virtual.

Como se ha visto en el apartado anterior, algunos aspectos del ciber-mobbing se recogen en alguna de las modalidades de *stalking* del § 238 CP alemán. El ciber-mobbing no tiene relevancia propia como delito, sino que el CP alemán se limita a proteger algunos aspectos de este a través de diversos tipos penales como los delitos contra el honor (§ 185 ss.), delitos contra la intimidad (§ 201 ss.), delitos contra la libertad (§ 232 ss.), además del *stalking*. Otras conductas pueden tener relevancia jurídica para emprender contra ellas acciones civiles.

Existe, sin embargo, una discusión en torno a si deberían crearse más tipos penales que den respuesta al problema del ciber-mobbing. En la doctrina alemana hay voces que defienden la necesidad de un tipo específico que abarque este fenómeno en atención a sus características propias. Así, manifiesta Cornelius que hasta ahora no se ha recogido en ningún tipo penal lo específico de estas conductas, que consistiría en difamar a una persona de forma persistente y reiterada a través de la colaboración dinámica de muchas personas, la cual puede generar en la víctima afectada una enorme presión psicológica[20].

Por contra, la Asociación Alemana para la Abogacía, por ejemplo, advierte en una postura hecha pública el 27-06-2014 que el problema del ciber-mobbing no se puede resolver creando nuevos tipos penales y aconseja que su sanción tenga lugar preferente al margen del Derecho penal. Los argumentos en contra de nuevos tipos penales y, en general, de una solución penal son los siguientes:

a. En primer lugar, la mayoría de los autores y víctimas de ciber-mobbing se encuentran en la franja de edad entre los 11 y 16 años. La mayoría de edad penal se sitúa en los 14 años (§ 19 CP alemán), por lo que en una

---

19 KRÜGER, *Stalking* in allen Instanzen - Kritische Bestandsaufnahme erster Entscheidungen zu § 238 StGB, *NStZ* 2010, p. 553; en los últimos cinco años se han dictado varias decenas de sentencias en la materia, que no se pueden analizar en detalle en marco de esta perspectiva general de la regulación alemana de nuevas formas comisivas a través de las TICs.

20 CORNELIUS, Plädoyer für einen Cybermobbing-Straftatbestand, ZRP 2014, pp. 164 ss.

buena parte de los "autores" faltaría ya la capacidad de culpabilidad. La mayoría de autores que sí podrían ser responsables penalmente, se encontrarían en el límite inferior de la capacidad de culpabilidad penal, es decir, entre los 14 y los 16 años. Pero justamente en este ámbito, por razones educativas, la intervención con sanciones penales ha de ser especialmente restrictiva.

b. Por otro lado, los comportamientos que pueden caracterizarse como ciber-mobbing, serían subsumibles en otros tipos penales ya existentes como las injurias (§ 185), el acoso (§239), las amenazas (§ 240) o incluso las lesiones (§ 223), cuando el comportamiento produce como resultado cuadros psicológicos como depresiones, alteraciones del sueño o de la capacidad de concentración. En cambio, la creación de un tipo penal específico de ciber-mobbing podría incitar a los potenciales autores a derivar la comisión de delitos a servidores situados en el extranjero, lo cual incluso dificultaría o imposibilitaría la investigación y persecución de tales hechos.

4. EL *SEXTING* Y SU RELEVANCIA PENAL

El término "*sexting*" es un neologismo proveniente de la fusión de los términos ingleses "sex" y "texting", es decir, enviar sms de contenido sexual. Por lo general, se utiliza tal vocablo para hacer referencia al envío de fotografías eróticas de uno mismo a través de teléfonos inteligentes (smartphones) o internet.

Esta extendida práctica entre adolescentes tampoco es objeto de un tipo penal específico en Alemania. En determinados casos, estas conductas pueden constituir un delito del § 184c CP alemán: distribución, adquisición o posesión de material pornográfico con víctimas adolescentes. El tipo fue objeto de la cuadragésimo novena reforma penal en materia de delitos contra la libertad e indemnidad sexual para adaptar la legislación a las directrices europeas.

El parágrafo 184c CP alemán castiga con pena de hasta tres años de pena privativa de libertad a quien (1) distribuya o ponga a disposición de la generalidad material de pornografía juvenil; (2) le consiga a otra persona la posesión de material de pornografía juvenil que reproduzca un suceso real o cercano a la realidad; (3) elabore material pornográfico de menores que reproduzca un suceso real o verosímil; (4) elabore, obtenga, envíe, almacene, ofrezca, adquiera, importe o exporte material pornográfico de adolescentes para utilizar dicho material o partes obtenidas a partir del mismo para utilizarlo en el sentido de los números 1 ó 2 del § 184d apartado 1 frase 1 o facilite dicha utilización a otra persona, siempre y cuando los hechos no sean constitutivos de uno de los delitos del número 3.

La definición de material pornográfico que ha incorporado al CP de forma expresa el legislador alemán es algo más restringida que la española y se refiere a todo material que tenga como contenido: (a) conductas sexuales realizadas por, sobre o delante de una persona de catorce años o más pero menor de dieciocho o; (b) la reproducción de un adolescente a partir de catorce y hasta los dieciocho años total o parcialmente desnudo *en una postura corporal sexualmente explícita.*

5. EL *CHILD-GROOMING* Y SU RELEVANCIA PENAL

El child-*grooming* consiste en intentar establecer contacto con un menor ganándose su confianza o embaucándole para preparar la perpetración de un delito de abuso sexual. Cuando la iniciación de ese tipo de contactos se realiza por internet, hablamos más específicamente de "internet-*grooming*".

Esta conducta, a diferencia de lo que ha sucedido en España, tampoco ha adquirido autonomía como delito propio. Se considera una modalidad o una forma de comisión de abuso sexual de menores (§ 176 ap. 4 núm. 3), pues el delito de abuso sexual a menores incluye entre sus modalidades de comisión el influir o actuar sobre un menor con intención de cometer un delito contra la indemnidad sexual.

Concretamente se castiga con la pena de tres meses hasta cinco años a quien por medio de impresos (§ 11 ap. 3) o a través de tecnologías de la información o la comunicación influya en el menor con la intención de cometer un delito sexual.

Esta variante se introdujo en una reforma de finales de 2003 para perseguir penalmente a los pedófilos que intentan embaucar a niños por internet, en chats o en sitios virtuales similares[21]. Materialmente se trata de un acto preparatorio que no exige que se haya iniciado ningún contacto sexual, pero, sin embargo, la conducta se castiga con el mismo marco penal que las demás modalidades materialmente consumadas de abuso. Inicialmente el tipo solo hablaba de "impresos" o documentos (*Schriften*). El CP alemán ya equipara desde 1997 en el § 11 ap. 3 las memorias de datos a los documentos. La mayoría de la doctrina consideraba memorias de datos también los chats u otros servicios de mensajería instantánea. El Tribunal Supremo Federal (BGH) incluye también en el concepto de documento las memorias del ordenador, y con ello las visualizaciones en la pantalla del mismo. A pesar de todo, había algunas dudas sobre la suficiencia del precepto para perseguir las conductas de embaucamiento de menores a través de internet (dudas que se incrementaron a raíz de un programa de televisión que extendió

21 Ley de 27 de diciembre de 2003, que entró en vigor el 1 de abril de 2004.

la alarma divulgando la existencia de una clara laguna legal para perseguir el internet-*grooming*).

A consecuencia de ello, recientemente se produjo una nueva modificación legal que ha incluido, junto a los documentos, el uso de las tecnologías de la información o la telecomunicación entre las formas de comisión.

En definitiva, tampoco en este supuesto el contacto a través del uso de tecnologías de la información o la comunicación adquiere sustantividad propia como un tipo penal independiente, como sucede en España. Sí se regula expresamente, pero técnica y formalmente como una modalidad de abuso sexual. No puede decirse, en cambio, que el internet-*grooming* sea una modalidad del embaucamiento de menores para cometer un delito de abuso sexual cuando se cometa utilizando estos medios, pues el embaucamiento, como acto preparatorio que es, no es que se castigue también, expresamente, cuando se realiza a través de tecnologías de la información y la comunicación, sino *solamente* en este caso. De esta forma, se ha llegado a la situación absurda y curiosa de que intentar embaucar a un menor en internet con comunicaciones de contenido sexual o con el objetivo de entablar un encuentro para cometer un abuso sexual es delito (en Alemania de abuso), mientras que embaucarle de manera directa (no a través de internet) sigue constituyendo un acto preparatorio impune siempre y cuando no se comience a ejecutar el abuso.

6. BIBLIOGRAFÍA

ALBRECHT, HANS-JÖRG (2006), *Stalking* - Nationale und Internationale Rechtspolitik und Gesetzesentwicklung, *FPR* 2006, pp. 204 ss.

BORCHERT, HANS-ULRICH (2004), *Stalking* - Ein rechtliches Phänomen, *FPR* 2004, pp. 239-241.

CORNELIUS, KAI (2014), Plädoyer für einen Cybermobbing-Straftatbestand, *ZRP* 2014, pp. 164-168.

EISLE. Schönke/Schröder Strafgesetzbuch, 26. Ed., 2014. StGB § 238, núm. Marg. 1-3.

GERICKE. 2012. MüKoStGB § 238, 2. Ed. 2012, Tomo 4, núm. marg. 1-12.

IMPRESOS DEL PARLAMENTO 16/575.

KERBEIN, Björn/ PRÖBSTING, Phillip, *Stalking*. 2002. *ZRP* 2002, pp. 76-78.

KÜHL, Christian/ LACKNER, Karl (2014), *Strafgesetzbuch, § 238* núm. marg. 2, Munich, 2014.

KINZIG, Jörg (2006), *Stalking* - ein Fall für das Strafrecht? *ZRP* 2006, pp. 255-258.

KINZIG, Jörg/ Zander, Sebastian (2007), Der neue Tatbestand der Nachstellung (§ STGB § 238 StGB) —Gelungener Abschluss einer langen Diskussion oder missglückte Maßnahme des Gesetzgebers?—. *JA* 2007, pp. 481-488.

KRÜGER, Matthias (2010), *Stalking* in allen Instanzen - Kritische Bestandsaufnahme erster Entscheidungen zu § 238 StGB. En *NStZ* 2010, pp. 546-553.

KRÜGER, Matthias (2011), *Stalking* als familien- und strafrechtliches Problem, *FPR* 2011, pp. 219-224.

MITSCH, Wolfgang (2007), Der neue *Stalking*-Tatbestand im Strafgesetzbuch, *NJW* 2007, pp. 1237-1242.

MOSBACHER, Andreas (2007), Nachtellung - § 238, *NStZ* 2007, pp. 665-671.

PETERS, Sebastian, Der Tatbestand des § 238 StGB (Nachstellung) in der staatsanwaltlichen Praxis, *NStZ* 2009, pp. 238-242.

RACKOW, Peter (2008), Der Tatbestand der Nachstellung (§ 238 StGB) *Stalking* und das Strafrecht, *GA* 2008, pp. 552-568.

SCHÖCH, Hein (2013), Zielkonflikte beim *Stalking*-Tatbestand, *NStZ* 2013, pp. 221-224.

VALERIUS, Brian, Der neue Tatbestand der Nachstellung in § 238 StGB. *JuS* 2007, pp. 319 324.

Nuevas formas de acoso: *stalking/cyberstalking*-acoso/ciberacoso

Ángela Matallín Evangelio
Profesora Titular de Derecho Penal
Universidad de Valencia

SUMARIO: 1. Consideraciones previas. 2. Justificación del delito. 3. Bien jurídico protegido. 4. Conducta típica. 4.1. El resultado del delito: la grave alteración del desarrollo de la vida cotidiana. 4.2. Modalidades de conducta: el acoso típico. 4.2.1. Determinación del número de actos necesarios para que la conducta merezca el calificativo de acoso. 4.2.2. Modalidades de conducta constitutivas de acoso. 5. La cláusula legal sin estar legítimamente autorizado. 6. Tipos agravados. 7. Cláusula concursal. 8. Bibliografía.

RESUMEN: El presente trabajo analiza la problemática del nuevo delito de acoso u hostigamiento (*stalking/cyberstalking* para cierto sector doctrinal) en el art. 172 ter, tras la Ley Orgánica 1/2015, de 30 de marzo, de reforma del Código Penal, cuya tipificación sin límites, ambigua y desproporcionada, cuestiona su legitimidad. Se estudian los perfiles típicos de la figura desde la óptica de los principios penales como límites del poder punitivo del Estado, analizando su ilegalidad y desproporción en cada una de sus modalidades de conducta (también en su relación con menores a través de las nuevas tecnologías de la información y de la comunicación —TIC's—). Al mismo tiempo se establecen paralelismos con la regulación internacional del *stalking/cyberstalking*, llegando a la conclusión de que la criminalización de esta nueva forma de acoso vulnera y resulta incompatible no solo con las garantías inherentes al principio de legalidad, sino también con las implicadas en otros principios penales como el de proporcionalidad.

PALABRAS CLAVE: Acoso, principios penales, menores, nuevas tecnologías, *stalking*, *cyberstalking*, ciberacoso.

SUMMARY: This article analyses the newly configured crimes of *stalking* and *cyberstalking* introduced in the Penal Code in article 172 (three) by Organic Law 1/2015 of the 30th of March on the reform of the Penal Code. It questions the legitimacy of this new figure that is ambiguous, disproportionate and not clearly delineated. We study the typical profiles of the figure from the perspective of the Criminal Law principles that limit the punitive power of the State, and examine the illegality and lack of proportion present in each of its modes of commission (as well as its commission by minors via new information and communication technologies —TIC's—). We also examine the parallels between the international regulation of the crimes of *stalking* and *cyberstalking*, and conclude that the criminalization of this new form of harassment violates and is incompatible with not only the inherent guarantees of the principle of legality, but also impinges on other principles of Criminal law, such as the principle of proportionality.

KEY WORDS: harassment, minors, new technologies, Principles of criminal law, *stalking*, *cyberstalking*, online harassment.

1. CONSIDERACIONES PREVIAS

La Ley Orgánica 1/2015, de 30 de marzo, de reforma del Código Penal, introduce entre los delitos contra la libertad y a continuación de las coacciones el delito de *acecho u hostigamiento* —según la terminología del Preámbulo de la Ley[1]—, también denominado delito de *stalking* entre cierto sector doctrinal[2], que concreta, asimismo, el término *cyberstalking* en los comportamientos constitutivos de *stalking* cuando son realizados a través de la red[3].

La utilización del término *stalking* no es propia en nuestro ordenamiento jurídico. Es común en los países del *Common Law*, en Estados Unidos —país del que proviene la incriminación del delito[4]—, y en Gran Bretaña —desde 2012,

---

1 *Vid.*, el Preámbulo de la Ley (I), cuando señala que con la reforma se tipifican nuevos delitos como el de matrimonio forzado, ***hostigamiento o acecho***, divulgación no autorizada de imágenes o grabaciones íntimas obtenidas con la anuencia de la persona afectada, y manipulación del funcionamiento de los dispositivos de control utilizados para vigilar el cumplimiento de penas y medidas cautelares o de seguridad.

2 Entre otros, *vid.*, ALONSO ESCAMILLA, A.: "El delito de *stalking* como nueva forma de acoso: *cyberstalking* y nuevas realidades", *La ley penal: revista de derecho penal, procesal y penitenciario*, nº. 105, 2013; VILLACAMPA ESTIARTE, C.: "La introducción del delito de "atti persecutori" en el Código penal italiano: La tipificación del *stalking* en Italia", *Indret: Revista para el Análisis del Derecho*, nº. 3, 2009; *vid.*, asimismo, de la misma autora, "El nuevo delito de *stalking*/acoso", *Iuris: Actualidad y práctica del derecho*, nº 210, 2014; *Stalking y derecho penal: relevancia jurídico-penal de una nueva forma de acoso*, Madrid, 2009; "El proyectado delito de acecho: incriminación del "*stalking*" en Derecho Penal español", *Cuadernos de política criminal*, nº 109, 2013; "El delito de *stalking*", *Comentario a la reforma penal de 2015, Parte Especial*, Director, Gonzalo Quintero Olivares, Aranzadi, 2015.

3 ALONSO ESCAMILLA, A. *Ob, cit.*

4 Sobre el origen de la incriminación del *stalking* en Estados Unidos, señalan, MULLEN AND PATHÉ ("*Stalking*", *Crimen and Justice,* Vol. 29, 2002, pp. 273 y 274) que la palabra "stalk" ha tenido durante mucho tiempo el significado de seguimiento sigiloso. A finales de 1980 los términos *stalking* y stalker se utilizaban para describir a un grupo de individuos que persistentemente seguían y se entrometían intrusamente en la vida de los demás (MULLEN/PATHÉ/PURCELL: "Stalkers and Their Victims", *Cambridge University Press,* 2008, p. 1). "Inicialmente los así descritos se relacionaban con famosos. Desde el principio, los medios de comunicación vinculaban el *stalking* a la violencia. Uno de los primeros ejemplos del fenómeno fue la persecución y asesinato de la actriz Rebecca Shaeffer por un fan perturbado, siendo alrededor de 1988 cuando el término *stalking* comenzó a adquirir trascendencia en los medios. Posteriormente, el uso del término dejó de limitarse a los medios, trascendiendo a otros ámbitos (...). El uso de la palabra *stalking* se amplió para incorporar a los acosadores de exparejas, reformulándose como "una cuestión relacionada con un precursor de violencia grave... Un problema común... Una forma de violencia doméstica contra las mujeres. Esta construcción nueva se caracteriza

fecha en la que se introdujo dicha expresión en el *Harassment Act* 1997[5]—, pero no en los restantes sistemas de derecho comparado, donde, no obstante, se utilizan otros términos *(atti persecutori* —art. 612 bis CP Italiano[6]—, *Nachstellung*

---

por la existencia de un hombre enojado y vengativo perseguidor de una mujer aterrorizada. En el proceso un problema social que en un principio había sido confinado a los famosos se transformó en una experiencia abierta a todas las mujeres. La configuración del *stalking* como una forma de acoso femenino se convirtió en la construcción dominante, aunque nunca superó la fascinación de los medios de comunicación con los acosadores de las estrellas. Finalmente, el *stalking* se generalizó más allá de los confines de la violencia doméstica y de la fama para abarcar cualquier búsqueda o persecución prolongada con tentativas de comunicación o de inmiscuirse e importunar a una víctima que no quiere estas conductas y que está asustada (MULLEN AND PATHÉ, *ob. cit.*).

5 El 25 de noviembre 2012, mediante otra enmienda a la tan criticada Ley de protección contra el acoso de 1997, entró en vigor el delito de *stalking* que por primera vez en la historia fue criminalizado explícitamente (...). La decisión de evitar el uso de la palabra *stalking* en una norma (Act) diseñada principalmente para hacer frente a este problema en particular fue deliberada. Esta decisión dió lugar a diversas campañas en favor de la existencia de una legislación específica contra el *stalking* o, alternativamente, para traerlo al ámbito de la legislación contra el *harassment,* opción, ésta última, que fue la resultante (GOWLAND, J.: "Protection from Harassment Act 1997: The *New Stalking* Offences", *The Journal Of Criminal Law* (2013) 77 JCL, p. 387).

6 El contenido del art. 612 bis del Código Penal Italiano es el siguiente: Atti persecutori (1)
Salvo que el hecho constituya un delito más grave, será castigado con prisión de seis meses a cuatro años, el que con conductas reiteradas amenace o moleste a alguien de modo que pueda ocasionarle un estado permanente y grave de ansiedad o miedo o generarle un temor fundado por la propia persona o por un pariente próximo, o por alguien con la que se encuentre unido por una relación de afectividad, o pueda constreñirle a alterar sus hábitos de vida.
La pena se agrava si el hecho es cometido por el cónyuge, aunque esté separado o divorciado, o por persona que esté o haya estado ligada por análoga relación de afectividad con el ofendido, o si el hecho se comete con instrumentos informáticos o telemáticos.
La pena se agrava si el hecho es cometido contra un menor, o una mujer embarazada o discapaz del art. 3 o con armas o disfrazada.
Art. 612 bis: Salvo che il fatto costituisca più grave reato, è punito con la reclusione da sei mesi a cinque anni chiunque, con condotte reiterate, minaccia o molesta taluno in modo da cagionare un perdurante e grave stato di ansia o di paura ovvero da ingenerare un fondato timore per l'incolumità propria o di un prossimo congiunto o di persona al medesimo legata da relazione affettiva overo da costringere lo stesso ad alterare le proprie abitudini di vita. (2)
La pena è aumentata se il fatto è commesso dal coniuge, anche separato o divorziato, o da persona che è o è stata legata da relazione affettiva alla persona offesa ovvero se il fatto è commesso attraverso strumenti informatici o telematici. (3)
La pena è aumentata fino alla metà se il fatto è commesso a danno di un minore, di una donna in stato di gravidanza o di una persona con disabilità di cui all'articolo 3 della legge 5 febbraio 1992, n. 104, ovvero con armi o da persona travisata.
(1) Articolo inserito dall'art. 7 del D. L. 23 febbraio 2009, n. 11, convertito con modificazioni nella L. 23 aprile 2009, n. 38.
(2) Comma così modificato dall'art. 1-bis, comma 1, DL 1° luglio 2013, n. 78, convertito, con modificazioni, dalla L. 9 agosto 2013, n. 94.

—§238 StGB[7]—...) con referencia a ciertas conductas delictivas de semejante contenido.

No resulta extraña, sin embargo, la utilización de dicho término en la normativa supranacional. El art. 34 del Convenio del Consejo de Europa sobre Prevención y Lucha contra la Violencia contra las Mujeres y la Violencia Doméstica (Convenio de Estambul[8]) establece la necesidad de tipificar como delito de *stalking* (término traducido como *acoso* en el instrumento de adhesión español[9]) *el hecho de adoptar, en varias ocasiones, un comportamiento amenazador contra otra persona que lleve a ésta a temer por su seguridad*[10]. Existe por tanto una definición genérica del delito, sin precisión de sus elementos en el art. 34 del Convenio de Estambul, que se limita a señalar su integración por un comportamiento amenazador reiterado, trascendente en la percepción de la víctima de su propia seguridad.

A continuación, el propio Consejo de Europa aclara el contenido genérico de este precepto, señalando que se refiere a conductas repetidas de naturaleza amenazante contra una persona identificada que tienen la consecuencia de llegar a causarle un sentimiento de miedo, efectuando una ejemplificación de alguno de los supuestos constitutivos de *stalking*, no obstativa de su integración por otras realidades que encajen en la exigencia genérica de un comportamiento amenazante reiterado que infunda miedo a la víctima.

> En este sentido, aclara *que los comportamientos amenazantes* ***pueden consistir*** *en repetidos seguimientos a otra personas, participación en co-*

---

(3) Comma così modificato dall'art. 1, comma 3, lett. a), DL 14 agosto 2013, n. 93, convertito, con modificazioni, dalla L. 15 ottobre 2013, n. 119.

7 El contenido del § 238 del Código Penal alemán, es el siguiente:
El que sin estar legitimado ("unbefugt") persiga a una persona de modo persistente, de manera que:
1. busca su proximidad espacial,
2. intenta establecer contacto con ella utilizando medios de telecomunicación u otros medios de comunicación o a través de un tercero,
3. encarga para otra persona mercancías o servicios mediante la utilización abusiva de sus datos personales o hace que terceras personas se pongan en relación con ella,
4. la amenaza con dañar la vida, la incolumidad corporal, la salud o la libertad suyas o de persona próxima a ella o
5. realiza cualquier otra conducta semejante a las indicadas.

8 Ratificado por España en junio de 2014, y en vigor desde el 1 de agosto del mismo año.

9 BOE 6 de junio de 2014.

10 **Art. 34 Council of Europe Convention on preventing and combating violence against women and domestic violence** (Istanbul, 11.V.2011): *Stalking: Parties shall take the necessary legislative or other measures to ensure that the intentional conduct of repeatedly engaging in threatening conduct directed at another person, causing her or him to fear for her or his safety, is criminalized.*

municaciones no deseadas con otra persona, o en dejar a otra persona saber que está siendo observada o vigilada. Esto incluye ir físicamente detrás de la víctima apareciendo ante ella o en su lugar de trabajo, gimnasio o colegio/universidad, o el seguimiento de la víctima en un entorno virtual (chats, redes sociales), participar en comunicaciones indeseadas mediante la búsqueda de cualquier contacto activo con la víctima a través de cualesquiera medios de comunicación disponibles, incluyendo las herramientas modernas de la comunicación y TIC's. También pueden incluir comportamientos más diversos como el vandalismo o destrucción de la propiedad de otra persona, dejando rastros de contacto en los artículos personales de una persona, apuntando al animal doméstico de una persona, poniendo identidades falsas o difundiendo información falsa en línea. Además, para que sea aplicable esta disposición la conducta debe realizarse intencionadamente, para provocar un sentimiento de miedo en la víctima[11].

Al mismo tiempo, continúa aclarando el Consejo de Estado, *la operatividad del Stalking requiere un tipo de conducta consistente en repetición de incidentes significativos, un modelo del comportamiento cuyos elementos individuales, en sí mismos considerados, no siempre tienen naturaleza criminal. El delito se refiere a comportamientos dirigidos hacia la víctima, aunque podrían ampliarse a comportamientos dirigidos hacia otra persona dentro del ambiente social de la misma, incluyendo los miembros de la familia, los amigos y los colegas. La experiencia de víctimas de stalking muestra que muchos acosadores no limitan sus actividades de acecho a su víctima real sino que apuntan a menudo a cualquier individuo cercano a la víctima. Con frecuencia esta situación aumenta perceptiblemente la*

---

11 Explanatory Report: Article 34 - *Stalking*

182. This article establishes the offence of *stalking*, which is defined as the intentional conduct of repeatedly engaging in threatening conduct directed at another person, causing her or him to fear for her or his safety. This comprises any repeated behaviour of a threatening nature against an identified person which has the consequence of instilling in this person a sense of fear: The threatening behaviour **may consist** of repeatedly following another person, engaging in unwanted communication with another person or letting another person know that he or she is being observed. This includes physically going after the victim, appearing at her or his place of work, sports or education facilities, as well as following the victim in the virtual world (chat rooms, social networking sites, etc.). Engaging in unwanted communication entails the pursuit of any active contact with the victim through any available means of communication, including modern communication tools and ICTs.

183. Furthermore, threatening behaviour may include behaviour as diverse as vandalising the property of another person, leaving subtle traces of contact with a person's personal items, targeting a person's pet, or setting up false identities or spreading untruthful information online.

184. To come within the remit of this provision, any act of such threatening conduct needs to be carried out intentionally and with the intention of instilling in the victim a sense of fear.

sensación de miedo y la pérdida de control sobre la situación, pudiendo por tanto integrarse en el contenido de esta disposición[12].

En cualquier caso, sin desconocer el significado genérico atribuido al delito de *stalking* en el Convenio de Estambul, ni la explicación realizada sobre el mismo —de carácter ejemplificativo—, y reconociendo, asimismo, que dicho significado refleja una realidad muy aproximada a la descrita en el art. 172 ter CP, pero que también se aproxima a otras realidades delictivas —como las tipificadas en los artículos 173.2, 169, u otros, del Código Penal—, vamos a preferir la utilización del término acoso, o, en su caso, el de acecho u hostigamiento[13], para describir el delito del art. 172 ter, término que, a diferencia del de *stalking*, sí tiene soporte en el Diccionario de la Real Academia de la Lengua Española, permitiendo una mejor interpretación del tipo según el sentido lógico de las palabras en el uso común del lenguaje[14].

Las dificultades de tratar de elaborar un concepto de *stalking* se ponen de manifiesto por gran parte de la doctrina que ha afrontado su problemática[15]. Dicha dificultad se incrementa por dos circunstancias: en primer lugar, por la variedad de disciplinas que la afrontan, que no se limitan a las de carácter jurídico, sino que se extiende a otras diferenciadas como las ciencias de la salud; y, en segundo lugar, por el hecho de que cada uno

---

12 Explanatory Report: Article 34 - *Stalking*
185. This provision refers to a course of conduct consisting of repeated significant incidents. It is intended to capture the criminal nature of a pattern of behaviour whose individual elements, if taken on their own, do not always amount to criminal conduct. It covers behaviour that is targeted directly at the victim. However, Parties may also extend it to behaviour towards any person within the social environment of the victim, including family members, friends and colleagues. The experience of *stalking* victims shows that many stalkers do not confine their *stalking* activities to their actual victim but often target any number of individuals close to the victim. Often, this significantly enhances the feeling of fear and loss of control over the situation and therefore may be covered by this provision.

13 En la misma línea que otros autores nacionales, como, por ejemplo GÓMEZ RIVERO, que prefiere la denominación de acoso persecutorio ("El derecho penal ante las conductas de acoso persecutorio", *El acoso: tratamiento penal y procesal,* Martínez González —Dir.—, Valencia, 2011, pp. 27 y ss.) o BAUCELLS LLADÓS ("La irreflexiva criminalización del hostigamiento en el proyecto de código penal", *Revista General del Derecho*, 21, 2014), que también matiza su preferencia por utilizar el término hostigamiento para referir la realidad delictiva del art. 172 ter.

14 Cfr., VIVES ANTÓN, T. S.: "Principio de legalidad, interpretación de la ley y dogmática penal", en *Estudios de Filosofía del Derecho Penal*, Ed. Díaz y García Conlledo y García Amado, Columbia, 2006, pp. 334 y ss.

15 Entre otros, *vid.*, MULLEN/ PATHÉ/ PURCELL, *Stalkers..., cit.*, p. 168, cuando señala el fracaso general en el intento de elaborar un concepto de *stalking*; VILLACAMPA ESTIARTE, C.: "El proyectado delito...", *cit.*, p. 14; CUERDA ARNAU, M.: "Menores y redes sociales: protección penal de los menores en el entorno digital", *CPC*, Número 112, Época II, mayo 2014, pp. 20-23.

de los distintos autores que realizan el estudio del *stalking* —como delito, como fenómeno, como patología, o en la forma y con la perspectiva con que se enfrenten al mismo— son proclives a dar su propia y particular conceptualización del fenómeno/delito/término.., lo que, en definitiva, excluye, a mi juicio, la oportunidad de elaborar y trabajar con un concepto de *stalking*, dada la falta de univocidad en su significado apta y útil para su utilización general. Sobre estos argumentos se abona el derivado de la confusión que genera el uso coloquial del término, dada la frecuente y preferente utilización del mismo por los medios de comunicación[16].

Por otro lado, tampoco vemos la utilidad de encontrar un concepto legal de *stalking*, que sería propio de otro/s ordenamiento/s jurídicos que específicamente hubieran tipificado la figura, pues su operatividad quedaría limitada a su exegesis en dicho ámbito legal, sin más trascendencia positiva[17].

---

16 En este sentido, y por poner algún ejemplo, podemos citar entre los autores que ofrecen un concepto de *stalking*, siempre desde su particular perspectiva de estudio, los siguientes: MULLEN/PATHÉ/PURCELL, cuando definen el *Stalking* como *una línea de conducta en el que un individuo inflige a otros intrusiones y comunicaciones no deseadas repetidas, hasta tal punto que la víctima teme por su seguridad* ("*Stalking*: Defining and prosecuting a new category of offending", *International Journal of Law and Psychiatry,* 27, (2004), p. 157); DRESSING/HENN/GASS, cuando señalan sin más aditamentos *que las diversas definiciones de acoso generalmente comprenden un patrón de comportamiento intrusivo y amenazante que conduce a la percepción de la víctima de ser acosado y preso de miedo* ("*Stalking* behavior-an Overwiew of the Problem and a Case report of Male-to-Male *Stalking* during Delusional Disorder, *Psychopathology*, 2002, p. 313); STOREY/HART/MELOY/REAVIS: "Psychopathy and *Stalking*", *Law and Human Behavior*, 33 (3), 2009, p. 237, matizan que *el stalking, también conocido como seguimiento obsesivo o acoso criminal, puede ser definido como la comunicación no deseada y repetida, el contacto, u otra conducta que deliberada o imprudentemente hace experimentar a la gente temor razonable o preocupación por su seguridad o por la seguridad de otros conocidos*; en el mismo sentido *vid.*, KROPP/HART/LYON/STOREY: The Development and Validation of the Guidelines for *Stalking* Assessment and Management, *Behav. Sci. Law* 29, 2011, p. 302. *Vid*, asimismo sobre el tema, PATHE/MULLEN: "The impact of stalkers on their victims", *British Journal of Psychiatry*, 170, 1997, p. 12.

17 Así, y por ejemplo, podemos referir la ejemplificación de supuestos constitutivos de *stalking* que ofrece el art. 2 del Harassment Act 1997, tras la introducción del citado delito en 2012, pero teniendo en cuenta que dicha enumeración abierta tendrá poca o ninguna trascendencia en nuestro ordenamiento, más allá de ilustrarnos con alguna realidad que pudiera escapársenos por la novedad del art. 172 ter. En dicho precepto se señalan como actos u omisiones que, en determinadas circunstancias, son los asociados con el delito de *stalking*, los siguientes: (a) seguir a una persona; (b) contactar o tratar de ponerse en contacto con ella por cualquier medio; (c) publicar cualquier declaración u otro material —(i) relacionado con una persona o, (ii) que pretende provenir de una persona—; (d) supervisar el uso por una persona de Internet, correo electrónico o cualquier otro medio de comunicación electrónica; (e) merodear en cualquier lugar (ya sea público o privado); (f) interferir en cualquier propiedad en poder de una persona; (g) ver o espiar a una persona.

En consecuencia, de momento y a falta de normativa unificadora que delimite los contornos mínimos de una figura típica de *stalking* —por ejemplo en el ámbito de la UE—, y con el sobreañadido que supone la falta de soporte idiomático del término *stalking* en nuestro país, prescindiremos de su utilización. Dicho término resultará preferible, sin embargo, en el ámbito de la Unión Europea[18], dado el carácter supranacional de las instituciones y de su normativa, independiente de la regulación específica del tipo en cada uno de los Estados Miembros, aunque, como hemos anticipado, tampoco allí existe un concepto legal de *stalking* con validez general en todo el territorio, ni Directiva al respecto.

La Comisión Europea tuvo ocasión de manifestarse sobre los límites de tipificación del delito de *stalking* en el año 2009[19], con relación a la pregunta escrita formulada por el Diputado Luca Romagnoli el 6 de enero de dicho año. En ella se pedía información sobre cuáles eran los instrumentos establecidos en la UE para prevenir dicha figura delictiva, respondiendo la Comisión[20] que, en atención al principio de subsidiariedad, la problemática concreta de la criminalización del *stalking* era principalmente una cuestión doméstica, que, por lo tanto, debía resolverse particularmente en cada uno de los Estados Miembros.

> Con posterioridad a esta fecha también se han formulado diversas cuestiones sobre las estrategias de la UE frente al *stalking*, así como sobre la oportunidad de armonizar las respuestas legislativas de los Estados Miembros.
>
> En este sentido, cabe destacar, entre otras, la pregunta escrita de Claudette Abela Baldacchino (S&D) el 11 noviembre de 2013 (E-012723-13), sobre la posibilidad de que la Comisión potenciara el desarrollo de proyectos para incrementar la conciencia de los EM contra el *stalking*. La Comisión contestó reconociendo las diferencias existentes en los sistemas legislativos de los Estados miembros y el hecho de que las medidas nacionales de protección fueran diferentes en alcance, duración y naturaleza, aclarando que el marco jurídico de la UE no armoniza medidas de la protección en los Estados miembros, sino que se basa en el principio de reconocimiento mutuo, asegurándose de que las víctimas puedan confiar en las órdenes de

18 *Vid*., entre otros documentos, los textos correspondientes a las preguntas escritas E-6939/08 (IT), de Luca Romagnoli a la Comsión (6 de enro de 2009), asunto: *Stalking*; y en E-6673/2010, Protection from *stalking*, formulada por Oreste Rossi, donde el término *stalking* se traduce como acoso. Ocasionalmente se ha traducido como acecho, en la Motion for a resolution on the crime of *stalking* —B8-0497/2015—, formulada por Aldo Patriciello.

19 *Vid*., Diario Oficial de la Unión Europea, de 23/12/2009, C 316/175.

20 El 24/02/2009.

la restricción o de protección emitidas contra el autor en su país de origen si se desplazan fuera del mismo[21].

Más recientemente, el 28 de mayo de 2015, en esta línea de creciente preocupación por la problemática del *stalking*, surge la Propuesta de Resolución del Parlamento Europeo sobre el delito de *stalking* (B8-0497/2015), que llega a pedir a la Comisión que inicie acciones para armonizar la legislación sobre el *stalking* y que ponga a disposición un fondo para apoyar a los Estados miembros en la financiación de centros contra la violencia para las mujeres y centros de rehabilitación para los agresores.

Por lo que se refiere a las conductas constitutivas de acoso típico del art. 172 ter CP cuando se realicen utilizando, conectado o haciendo uso de una red (generalmente, internet) debemos finalizar señalando que preferimos la denominación de acoso en línea o ciberacoso frente al término *cyberstalking*, cuya utilización, al igual que la del término *stalking*, consideramos preferible en un ámbito supranacional, como el de la Unión Europea[22].

---

21 La Comisión, añade que "La regulación (UE) Nº 606/2013 en el reconocimiento mutuo de las medidas de la protección en las materias civiles adoptadas en junio de 2013 complementa la Directiva 2011/99/EU del 13 de diciembre de 2011, sobre la orden europea de la protección, que se aplica a las medidas de la protección adoptadas en materia penal. Directiva y Regulación —continúa—, juntas, asegurarán que los tres tipos más conocidos de medidas de protección son aplicados y reconocidos dentro de Unión Europea, a saber: Prohibición de contacto con la víctima, limitación de acercamiento a la víctima o de entrar en el lugar donde reside la víctima, trabajo o estudios".

22 Sobre la distinción entre el *cyberstalking* y online harassment, la Comisión Europea, respondiendo a una pregunta escrita formulada por Amelia Andersdotter (el 22 de febrero de 2013 —E/001966/13, Diario Oficial de la Unión Europea C 372 E—), y citando el Informe realizado por RAND Europa —a petición de la Comisión misma— afirma que ambos conceptos resultan de difícil definición y diferenciación. En este sentido señala que en el estudio RAND el término "ciberdelito" es comúnmente utilizado para referirse a una amplia variedad de actividades y la expresión ciberdelincuentes para reflejar la actividad de los sujetos que emplean inadecuadamente los datos, ordenadores y sistemas de información y el ciberespacio para obtener una ganancia económica, personal o psicológica. Las definiciones diferentes y los sistemas que clasifican el ciberdelito existen en todas partes de la UE y más allá, pero, actualmente, no hay definición jurídica (legal) de general aceptación en la UE del término "ciberdelito". Como el estudio indica —continúa la Comisión— los términos "acoso en línea" y *cyberstalking* a menudo se usan de modo intercambiable, y aunque a título de ejemplo un estudio académico (Garlik 2009) propone una vía de distinción entre los dos, no es necesariamente apropiado hacerlo así. Si tales acciones son de una naturaleza criminal y si realmente queremos articular la distinción entre ambos términos, esta distinción debe hacerse específicamente por las leyes propias de los Estados Miembros.

El informe RAND, que reproduce en este punto literalmente el informe Garlik (UK Cybercrime Report, september 2009. As of 17 February 2012: http://www.garlik.com/file/cybercrime_report_attachement), y que fue realizado para evaluar la viabilidad de un Centro Europeo de Estudio del Cyberdelito: http://www.rand.org/content/dam/rand/pubs/technical_reports/2012/

2. JUSTIFICACIÓN DEL DELITO

La introducción de este nuevo delito de *acoso* con el art. 172 ter CP se justifica por la necesidad de sancionar ciertos ataques graves contra la libertad del sujeto, como las persecuciones o vigilancias constantes, las llamadas reiteradas, u otros actos continuos de hostigamiento, que por no realizarse con violencia o mediante el anuncio expreso o tácito de un mal no permiten la aplicación de los tipos tradicionales de amenazas y coacciones[23]. Dicha justificación, reiterada en el ICGPJ y en el del Consejo fiscal, no resulta totalmente sostenible puesto que no siempre se han tipificado acosos gravemente lesivos para la libertad, necesitados de tutela penal, sino, en ocasiones, conductas molestas, cuya criminalización resulta discutible desde el punto de vista de ciertos principios penales como el de intervención mínima.

Nos encontramos, pues, ante una figura que tipifica algunas conductas inocuas que forman parte de la vida cotidiana, castigándose en ocasiones la conducta social (*criminalización de la molestia*). Ello es así incluso desde la exigencia del resultado *de alteración grave del desarrollo de la vida cotidiana*, que debe ser objeto de interpretación absolutamente restrictiva, pues algunos de los supuestos que fácticamente resultaran típicos, por determinar graves molestias para el sujeto, constituirán actos de la vida social inocuos para el derecho penal, cuya corrección debería instarse mediante la utilización de mecanismos sociales o jurídicos (denuncia a consumo, reclamación a las operadoras, cancelación de datos personales) al margen del derecho penal.

Es cierto que junto a estos supuestos que podríamos considerar cotidianos, existen otros, que por ser especialmente graves podrían ser merecedores de sanción específica, al no tener cabida "clara" en las figuras tradicionales de coacciones o amenazas —siempre y cuando, claro está, tampoco supongan otras realizaciones típicas, por ejemplo, contra la salud o contra la propia integridad

---

RAND_TR1218) señala que el acoso online (online harassment) constituye un tipo de delito cibernético caracterizado por el uso de la computadora para causar daño personal, como la ansiedad, la angustia o daño psicológico, incluyendo mensajes de correo electrónico abusivos, amenazadores o llenos de odio y la publicación de información negativa en línea. No hay una única definición de "acoso en línea" o "*cyberstalking*". Los términos, continúa, se usan indistintamente. Una definición simple de *cyberstalking* utilizado en el informe Garlik es: "el uso de las comunicaciones electrónicas, incluyendo localizadores, teléfonos móviles, correos electrónicos e Internet para intimidar, amenazar, acosar a la víctima". El acoso en línea puede ser visto como un elemento de *cyberstalking*, que tiene el factor adicional de persecución o caza a través de medios electrónicos: La distinción entre el acoso y el *cyberstalking* es que éste se caracteriza por la persecución/caza (búsqueda) y el miedo.

23 Preámbulo de la Ley Orgánica 1/2015, de 30 de marzo, por la que se modifica la Ley Orgánica 10/1995, de 23 de noviembre, del Código Penal (XXIX).

moral—, como es el caso del acecho de los *paparazzi*. En esos supuestos, desde una interpretación restrictiva del concepto de violencia en el delito de coacciones, podría defenderse la necesidad residual del nuevo precepto, aunque de aceptar la interpretación dominante de los Tribunales, que convierte al tipo de coacciones en una figura de recogida de supuestos que no tienen cabida en otras figuras, ni siquiera en esos supuestos podríamos afirmar que necesitábamos un precepto específico de acoso.

> En este sentido, el Tribunal Supremo es conforme en señalar que la violencia como medio comisivo de la coacción puede serlo tanto física como moral, y ésta última bien a través de una intimidación personal o sobre las cosas, siempre que de alguna manera afecte a la libertad de obrar o a la capacidad de actuar del sujeto[24], llegando incluso a aplicar el delito, que califica como delito de hábito, en base a una actitud persistentemente ejecutada de forma continuada, que lleva a la víctima a encontrarse injustificada e incalificablemente coartada en su libertad y en su derecho a la tranquilidad y sosiego[25], o a la afirmación de que no existe ningún inconveniente técnico para que la acción típica del delito de coacciones se descomponga en una pluralidad de actos, que sumados lesionen gravemente al bien jurídico de la libertad personal[26].
>
> En consecuencia, podemos reconocer la necesidad residual del precepto para dar respuesta a esos *contados* supuestos, que, desde un entendimiento restrictivo del concepto de violencia del delito de coacciones, y sin encajar en otros preceptos penales, no tuvieran adecuada respuesta punitiva; necesidad residual que quizás no justifica la introducción de un nuevo delito ni tampoco su deficiente redacción típica. Por el contrario, el legislador debería haber tratado de paliar los efectos negativos de su exceso punitivo, siendo más cuidadoso en la redacción, definiendo de manera taxativa las conductas que reflejaran las ofensas necesitadas de tutela penal.

Alguna autora[27] deriva la obligación de tipificación del art. 172 ter CP de la suscripción por el Estado español del Convenio del Consejo de Europa para

---

24 SSTS núms. 362/1999, de 11 de marzo (*Tol 146218*), 660/2003, de 5 de mayo (*Tol 274558*), y 214/2011, de 3 de marzo (*Tol 2088453*), entre otras.

25 Sentencia núm. 798/2006 de 14 julio (*Tol 979540*).

26 STS núm. 968/2003 de 4 de julio (*Tol 305440*).

27 VILLACAMPA ESTIARTE, C.: "El delito...", *cit.*, p. 379; DE LA MISMA: "Delito de acecho/*stalking*: art. 172 ter", *Estudio crítico sobre el anteproyecto de reforma penal de 2012*, Dir. Francisco Javier Álvarez García, Coord. Jacobo Dopico Gómez-Aller, Tirant lo Blanch, Valencia, 2013, p. 598.

prevenir y combatir la violencia contra las mujeres y la violencia doméstica[28]. Concretamente del art. 34, que dispone que "*las Partes adoptarán las medidas legislativas o de otro tipo necesarias para tipificar como delito el hecho, cuando se cometa intencionadamente, de adoptar, en varias ocasiones, un comportamiento amenazador contra otra persona que lleve a ésta a temer por su seguridad*". A mi juicio dicha percepción de la obligatoriedad de tipificación del delito de acoso personal, llamado *stalking* en el Convenio, puede no ser real, pues el mismo nos obligaba, en efecto, a tipificar como delito *el comportamiento amenazador reiterado contra otra persona que le lleve a temer por su seguridad*, pero no a reiterar en diversos tipos penales dicha tipificación, y, en mi opinión, la obligación impuesta por la norma resultaba cumplimentada en nuestro ordenamiento sin necesidad de la introducción expresa del art. 172 ter, a través de la figura genérica de las amenazas continuadas, de amplia aplicación y reconocimiento doctrinal y jurisprudencial, o mediante la aplicación de otros tipos penales.

Ciertamente, alguno de los ejemplos de *stalking* citados por el Consejo de Europa en el texto explicativo del art. 34 pueden resultar de difícil encaje en nuestro CP[29], sin embargo, y quizás, ni siquiera en estos casos resulte posible afirmar *la necesidad* de introducir un nuevo delito para darles respuesta. Por el contrario, deberán analizarse cada uno de ellos, en sus contenidos concretos, para poder concluir su atipicidad en el marco global del texto punitivo vigente, pues, aunque aparentemente resulten atípicos, en la mayoría de ocasiones, y tratándose de los supuestos más graves, sin duda tendrán cabida en alguna de las figuras delictivas existentes. En cualquier caso, lo que de ninguna manera resulta sostenible es la tipificación final del art. 172 ter, en la forma y con el contenido atribuido.

El convenio de Estambul obliga a tipificar el delito de *stalking* (acecho) para dar respuesta a ciertos comportamientos, algunos ejemplificados en su propio texto explicativo, siempre y cuando los mismos no se encuentren debidamente tipificados en otras figuras delictivas por parte de los Estados Miembros, pues de estarlo no hay obligación ninguna que cumplimentar. Éste, entiendo, es nuestro caso, ya que el código penal es lo suficientemente amplio para dar cobertura a la mayoría —por no decir a todos— de los supuestos constitutivos de *stalking* cuando reúnan la gravedad necesaria para merecer reproche penal. Supuestos en los que, por lo tanto, no podemos afirmar que existiera obligación de tipificación ninguna, determinante de la introducción expresa del art. 172 ter, porque ya se encontraban debidamente tipificados en el CP.

---

28 Convenio sobre prevención y lucha contra la violencia contra la mujer y la violencia doméstica, hecho en Estambul el 11 de mayo de 2011.

29 Por ejemplo, el comportamiento consistente en apuntar al animal doméstico cuando ello lleve a la persona a temer por su seguridad.

Además, la ausencia de obligación de tipificación del delito de acoso, se reconoce expresamente en el propio Convenio de Estambul. Concretamente, en el art. 78 cuando señala que "cualquier Estado o la Unión Europea podrá precisar, en el momento de la firma o del depósito de su instrumento de ratificación, aceptación, aprobación o adhesión, mediante declaración dirigida al Secretario General del Consejo de Europa, que se reserva el derecho a prever sanciones no penales, en lugar de sanciones penales, con respecto a las conductas indicadas en los artículos 33 y 34", permitiendo de esta forma la posibilidad de excluir la sanción penal del delito de *stalking* (acoso)[30] del art. 34. Por último, debemos señalar que la mencionada obligación de tipificación no deriva de otros textos normativos de la UE, donde, como hemos señalado anteriormente, la Comisión señala específicamente que aun reconociendo la gravedad e importancia de algunas de las posibles formas de acoso (*stalking*) no deja de ser un problema doméstico, debiendo ser los Estados Miembros los que lo resuelvan en particular.

En definitiva, con carácter general, nos encontramos ante un tipo penal innecesario[31], tanto en los supuestos de mayor gravedad, en los que solapándose con otros tipos penales —que ya les daban adecuada respuesta— generará confusión, como en los de menor entidad, que, en cuanto determinantes de molestias, que alteren —aunque sea de forma importante— la vida cotidiana, deberían resolverse por otras vías ajenas al derecho penal. Por ello, en ninguno de dichos supuestos

---

30 En el mismo sentido, BAUCELLS LLADÓS, J.: *Ob. cit.*

31 En la misma línea se manifiesta BAUCELLS LLADÓS, J.: *ob. cit.*, cuando señala que "la criminalización del hostigamiento se insinúa como una forma de actuar irreflexiva e impulsiva que elude cualquier reconocimiento realista de los problemas subyacentes, proveyendo al mismo hecho de actuar su propia forma de gratificación y consuelo. En otras palabras —continúa— se trata de una decisión que desarrolla funciones eminentemente simbólicas. De un lado, funciones propagandísticas, para presentarse como un país pionero en la reforma penal, para encontrar en este ámbito, el penal, la legitimidad perdida en el resto de competencias propias de un estado soberano, especialmente las reguladoras del mercado puestas claramente en jaque en el presente contexto de crisis. De otro lado, funciones valorativas puesto que pueden reforzar los valores que dicen proteger, sin ser necesarias porque la ley penal ya disponía de instrumentos. En realidad no deja de ser una norma interpretativa que resulta innecesaria si los tribunales son capaces de adaptar las normas generales a las nuevas situaciones que se plantean. En este tipo de normas, la función desvalorizadora simbólica deja de ser un instrumento para la protección de intereses y se convierte en un fin en sí mismo, que resulta predominante. Y si ello se instaura como técnica legislativa, no resultará extraño que los jueces esperen a nuevas reformas para dar solución a cuanto, con apariencia de novedoso, se les plantee (*ob. cit*).

En sentido contrario, *vid.*, por todos, VILLACAMPA ESTIARTE cuando señala que la "incorporación del delito de *stalking* a nuestro ordenamiento jurídico-penal resulta adecuada. Las razones para la misma deben buscarse tanto en los déficits de tipificación de los tradicionales delitos contra las personas para hacer frente a este fenómeno, en las experiencias regulativas en Derecho comparado, cuanto finalmente en el surgimiento de obligaciones de incriminación procedentes de instancias internacionales ("El Delito...", *cit.*, p. 379).

resultaba necesaria la introducción del delito[32], ni en los primeros y más graves, porque ya se encontraban resueltos por el propio código en otros lugares del mismo, ni en los segundos, de menor gravedad, porque podían y debían resolverse por otras vías menos lesivas, respetando la exigencia de *última ratio* de esta rama del ordenamiento. Solo excepcionalmente, en supuestos muy contados, que habrá que encontrar, podremos justificar su presencia, pero teniendo en cuenta que el sentido de esta afirmación, esto es, el significado del reconocimiento de que para dar respuesta a contados supuestos hemos construido un tipo nuevo —y en la forma en que lo hemos hecho—, desvirtuará, incluso, dicha necesidad residual, convirtiéndolo en un tipo de dudosa legitimidad. Cuando para dar respuesta a unos pocos supuestos se construye un tipo sin orillas, indeterminado y desproporcionado, en cuyo seno pueden tener cabida algunas conductas inocuas, inherentes al desarrollo de la vida social, desaparece su justificación entrando en juego la arbitrariedad y el abuso de poder. Esas conductas, por muy molestas que sean, no deben sancionarse con una pena, sino que su corrección debe articularse social o jurídicamente, a través de los propios mecanismos que ofrece la vida cotidiana o mediante la utilización de las opciones que ofrece el ordenamiento, pero al margen del derecho penal.

Tampoco justifica su necesidad las manifestaciones contenidas en el Preámbulo de la LO 1/2015, cuando ejemplifica las conductas a las que se trata de dar respuesta con la introducción de este delito, pues, por sí mismas, y si no se acompañan de mayores vulneraciones de la libertad ajena, pueden constituir supuestos de la vida cotidiana, muy molestos, pero exentos de la gravedad exigible en toda configuración típica (ej. la realización de llamadas reiteradas)[33].

El art. 172 ter *quiere ofrecer respuesta a conductas de indudable gravedad que no pueden ser calificadas de coacciones o amenazas*[34], pero querer no es poder. Y con el pretexto de tranquilizar a la opinión pública, el legislador no puede tipificar vulnerando principios constitucionales. No podría aunque se hubiera tomado el esfuerzo —que no ha realizado— de depurar la redacción típica,

---

32 En el mismo sentido, se señala "que podemos afirmar que en todas las reformas penales de los últimos años, en mayor o menor medida, se ha visto reproducido un determinado "patrón criminalizador" caracterizado por tipificar conductas de dudosa necesidad, si atendemos a los tipos genéricos ya vigentes, y cuya finalidad sería la de desarrollar funciones simbólicas de etiquetamiento expreso de estas conductas para reforzar mensajes desvaloradores o de aclaración a los jueces de su relevancia penal. El nuevo proyecto de código penal no sólo deja de aprovechar la oportunidad para abordar el reto de proponer una regulación unitaria del acoso, sino que la tipificación expresa del delito de hostigamiento representa quizás el más criticable de los ejemplos de este "patrón criminalizador" (BAUCELLS LLADÓS, J.: *ob. cit*).

33 Y ello aunque cumplimenten la exigencia de determinar —en su molestia— una grave alteración de la vida cotidiana.

34 Preámbulo LO 1/2015, de 30 de marzo.

construyendo un tipo cerrado y preciso, y no podría, porque al construirse sobre algunas conductas inocuas, puede que no ostenten la pretendida gravedad que se les atribuye.

En consecuencia, en la práctica, el art. 172 ter CP podría surgir con el peligro de acabar convirtiéndose en un precepto simbólico inoperante, o con el peligro, aún mayor, de convertirse en un tipo utilizable para dar respuesta a algunas situaciones de menor gravedad que interese punir por distintas razones político-criminales poco o nada fundamentadas[35].

3. BIEN JURÍDICO PROTEGIDO

El Preámbulo de la Ley Orgánica 1/2015, de 30 de marzo, de modificación del Código Penal, y los informadores del art. 172 ter CP son conformes en situar el bien jurídico protegido en la libertad del sujeto. También se manifiesta en este sentido una parte de la doctrina[36], surgiendo dudas en la identificación de la concreta fase de la libertad —de formación o de ejecución— que resulta limitada[37].

---

35 BAUCELLS LLADÓS pone de manifiesto la ausencia de base sólida para la decisión legislativa de tipificar el delito de hostigamiento del art. 172 ter CP, en primer lugar, porque, a diferencia de otros países en los que se han tipificado expresamente estas conductas (ej. EEUU, como país pionero en la criminalización del *stalking*, donde se han elaborado numerosos trabajos empíricos que han contribuido a conceptualizar el fenómeno), no existen en España los cimientos empíricos suficientes para sostener la criminalización de este fenómeno, ni tan siquiera acuerdo en el nombre para referirse al fenómeno (unos utilizan el término *stalking*, otros acecho, hostigamiento"). Aunque en España no exista cultura criminológica o, precisamente por ello, la falta de fundamentación empírica de cualquier propuesta político-criminal se sitúa en la primera de las críticas a la criminalización del hostigamiento. Compartimos la idea de que toda decisión político-criminal tomada a espaldas de los datos cuantitativos y cualitativos propuestos por la Criminología está abocada al fracaso. Pero es que, además, y en segundo lugar, la ausencia de trabajos empíricos imposibilita identificar el suficiente contenido material para conocer cuáles deberían ser los elementos definidores de este delito, incrementando las dificultades que existen en la tipificación de esta conducta (*Ob. cit.*).

36 VILLACAMPA ESTIARTE, C.: "El delito...", *cit.*; BAUCELLS LLADÓS, J.: "La irreflexiva...", *cit.*

37 GALDEANO SANTAMARÍA, señala que el bien jurídico protegido podría ser también mixto seguridad-libertad ("Acoso-*stalking*: art. 172 ter", *Estudio crítico sobre el anteproyecto de reforma penal de 2012,* Dir. Francisco Javier Álvarez García, Coord. Jacobo Dopico Gómez-Aller, Tirant lo Blanch, Valencia, 2013, p. 573). En el mismo sentido, *vid.*, asimismo, GUTIÉRREZ CASTAÑEDA, A.: "Acoso-*stalking*: art. 172 ter", *Estudio crítico sobre el anteproyecto de reforma penal de 2012,* Dir. Francisco Javier Álvarez García, Coord. Jacobo Dopico Gómez-Aller, Tirant lo Blanch, Valencia, 2013, p. 584.

Partiendo de la ubicación sistemática del precepto deberíamos enlazar el resultado de grave alteración del desarrollo de la vida cotidiana con la fase de ejecución de la libertad del sujeto, que realizaría actos de la vida ordinaria de forma distinta a la deseada u omitiría los queridos, precisamente como consecuencia de las conductas de acoso sufridas. En este sentido, el art. 172 ter constituiría una modalidad específica de coacciones, por razón de la realización insistente y reiterada de alguno de los actos señalados en el texto, que a pesar de la utilización típica del término acoso poco o nada tendría que ver con el significado propio de tal vocablo, vinculado con el bien jurídico integridad moral.

Lo cierto es que la problemática del bien jurídico tutelado en el art. 172 ter es profunda, pues no obstante la general inclinación de las instancias informadoras del art. 172 ter a la calificación del delito como atentado "contra la libertad de la persona, que afecta gravemente a su desarrollo" alguna de ellas confunde sus conclusiones, enlazando claramente la tipicidad con otros bienes jurídicos más relacionados con la integridad moral —o incluso con la salud psíquica o física— que con la propia libertad. Este es el caso del Informe del Consejo General del Poder Judicial cuando señala que "pese a no resultar individualmente punibles cada uno de los actos en que el acoso consiste, sin embargo, por su reiteración y carga de hostilidad, incluso en ausencia de una amenaza manifiesta de causar daño a la víctima, se presentan como particularmente inquietantes y constituyen una agresión psicológica, que produce un nivel de temor y ansiedad, que puede acabar traduciéndose hasta en resultados lesivos para la salud".

Esta confusión de bienes se produce como consecuencia de la amplitud e indeterminación de la exigencia típica de grave alteración de la vida cotidiana, que puede concretar realidades de muy diverso significado, unas veces limitativas de la libre ejecución de la voluntad y otras veces no, siendo también admisible la afección de otros bienes jurídicos (como la salud o la integridad moral), conjunta o separadamente con la propia ofensa de la libertad. Es decir, que en la expresión grave alteración de la vida cotidiana tienen cabida múltiples situaciones de muy distinto significado y entidad, desde la molestia importante hasta la limitación grave de la libertad (en formación o ya formada), pasando por la posible lesión de la salud (ej. cuando por el acoso reiterado la víctima llega a sufrir una depresión, que altera gravemente su vida cotidiana) o de la propia dignidad, lo que en la práctica podrá determinar problemas concursales de difícil solución. Cabría, pues, preguntarnos cuál es el bien jurídico protegido, ya que a la vista de lo expuesto podría ser cualquiera de los mencionados —libertad, salud, integridad, intimidad..., todos o ninguno, juntos o separados—, encontrándonos ante una suerte de bien jurídico indeterminado absolutamente inadmisible.

La imprecisión del objeto de tutela, derivada del deseo de tipificar un delito de recogida, con un significado aún más amplio que el atribuido jurisprudencialmente al delito de coacciones, tan amplio, tan amplio, que dé cabida prácticamente a todo lo que uno quiera punir, cuando falten los requisitos esenciales de los tipos tradicionales de amenazas, coacciones, lesiones, o aunque no falten —determinando en tal caso un problemático régimen concursal—, puede corregirse *nominalmente*, como hacen los comentaristas e informadores del texto —e incluso el Preámbulo de la Ley—, mediante su calificación como delito contra la libertad o contra la seguridad —o incluso calificándolo, como hacen algunas autoras, como delito híbrido entre las amenazas y las coacciones[38]—, pero *materialmente* ese planteamiento, puramente lingüístico, no admite corrección, porque lo que realmente tenemos es un tipo de difícil concreción cualquiera que sea el entendimiento final que le demos, y aunque situemos su objeto de tutela en la libertad del sujeto. Pues si para evitar esta indeterminación ciframos el bien jurídico protegido en la libertad, lo que sin duda podemos hacer, restringiendo en tal caso su exegesis a los supuestos de lesión de tal objeto de tutela —derivados del resultado de grave alteración de la vida cotidiana—, aun así debemos reconocer que su tipificación puede resultar innecesaria y desproporcionada, ante el elenco tradicional de tipos penales que ya daban adecuada respuesta a la práctica totalidad de supuestos que ahora tendrán cabida en el art. 172 ter del Código Penal[39].

---

38 GALDEANO SANTAMARÍA, A.: "Acoso-*stalking*...", *cit.*, p. 571; GUTIÉRREZ CASTAÑEDA, A.: "Acoso-*stalking*: art. 172 ter", *Estudio crítico sobre el anteproyecto de reforma penal de 2012*, Dir. Francisco Javier Álvarez García, Coord. Jacobo Dopico Gómez-Aller, Valencia, 2013, p. 584.

39 No obstante, y quizás, lo que se pretende con este tipo, a salvo algún supuesto absolutamente excepcional, es dar respuesta punitiva a supuestos carentes de la gravedad exigida por otros tipos penales de carácter principal, como las coacciones o las amenazas —pues de reunirla ya tendrían encaje en los mismos—, creando una especie de delito de coacción menor, amenaza menor, lesión menor, o, en definitiva, de tipo menor, que por ello no se encontraría necesitado de tutela, lo que haría más patente su posible desproporción, elevada al máximo desde la amplitud e indeterminación de las conductas constitutivas del acoso típico.

Es cierto que en el ámbito específico de su relación con el delito de coacciones del art. 172 CP, la menor gravedad de la pena del art. 172 ter, respecto de la establecida en el número primero del art. 172 CP —dejando a un lado, de momento, los supuestos coactivos leves, establecidos en los números 2 y 3 de dicho precepto—, pudiera derivar en la calificación del art. 172 ter CP como delito de coacción menor. En este sentido, el art. 172 ter aparecería como una modalidad específica de coacciones, derivada de ciertas formas de conducta —las tipificadas en el art. 172 ter—, carentes de violencia física, que daría respuesta punitiva a algunos supuestos coactivos que no tenían cabida clara en el tipo general del 172 —siempre desde una interpretación restrictiva del término violencia—; supuestos coactivos que para explicar la menor pena que asocian frente a los derivados de violencia física incardinables en el art. 172.1 deberían ostentar menor entidad que éstos. De otra forma no tendría sentido la diferencia punitiva a la baja establecida para los mismos en el art. 172 ter. Menor entidad, que, siguiendo con el paralelismo punitivo entre los dos preceptos —172 ter y 172—, debería superar la correspondiente a las coacciones

Quizás hubiera sido preferible configurar el delito del art. 172 ter como una modalidad específica de acoso punible[40], situando el bien jurídico protegido, igual que en otras formas de acoso, en la integridad moral del sujeto, en la línea mantenida por una parte de la doctrina y jurisprudencia, y por alguno de los textos supranacionales que nos vinculan[41].

Desde esta óptica, la grave alteración del desarrollo de la vida cotidiana, que constituye el resultado típico del delito, debería vincularse con el bien jurídico integridad moral y con la creación de un clima hostil u ofensivo para el sujeto[42], que aunque de forma mediata, y lógicamente, también afectaría a la libertad del sujeto —de formación o ejecución de decisiones—, ya que le llevaría a modificar determinadas conductas integrantes de su vida diaria, lo haría de forma indirecta como objeto de lesión, pero sin constituir el objeto formal del delito. Con ello,

---

leves de los números 2 y 3 del art. 172 CP, pues la mayor pena establecida para los supuestos de acoso del art. 172 ter, comparada con la establecida para las coacciones leves del art. 172 CP, conduciría a dicha interpretación.

Esta exegesis supondría una construcción artificiosa y de extrema dificultad práctica, pues concretaría la nueva categoría de las coacciones menores —desde ahora sancionables por la vía del 172 ter—, como una figura graduable entre los demás supuestos coactivos del art. 172, dando respuesta punitiva a esos casos coactivos menores, realizados con violencia psíquica, y derivados de alguna de las modalidades de acoso típico, cuya entidad, superior a la de las coacciones leves del propio 172 CP, e inferior a la de las graves, tipificadas en su núm. 1, se nos antoja de difícil o imposible concreción práctica.

En cualquier caso, aun superando las dificultades antedichas, es lo cierto que con esta nueva configuración típica algunos supuestos de violencia psíquica coactiva, derivados de alguna de las modalidades de acoso típico del art. 172 ter, podrían tener encaje específico en dicho precepto, reconociendo así la existencia de una necesidad residual del 172 ter en su relación con el art. 172 CP, lo que pondría fin a una parte importante de la polémica interpretativa del termino violencia en el delito de coacciones. Sin embargo, dejaría sin respuesta otros supuestos coactivos —graves y leves— también realizados con violencia psíquica, que en la medida que no merecieran el calificativo acoso —por no encajar en alguna de las modalidades de conducta tipificadas en el art. 172 ter—, no podrían incardinarse en dicho precepto, supuestos que deberían resolverse, igual que hasta ahora, conforme a la praxis jurisprudencial general, favorable a la aplicación del art. 172 CP mediando este tipo de violencia psíquica; exegesis que tampoco superaría su carácter innecesario con respecto a otras figuras delictivas.

40 GÓMEZ RIVERO, C.: "El derecho penal...", *cit*., p. 47.

41 Como la Directiva 2006/54/CE del Parlamento Europeo y del Consejo, de 5 de julio de 2006, relativa a la aplicación del principio de igualdad de oportunidades e igualdad de trato entre hombres y mujeres en asuntos de empleo y ocupación, que en su art. 2, señala, que 1. A efectos de la presente Directiva se entenderá por:

c) "acoso": la situación en que se produce un comportamiento no deseado relacionado con el sexo de una persona con el propósito o el efecto de atentar contra la dignidad de la persona y de crear un entorno intimidatorio, hostil, degradante, humillante u ofensivo.

42 Sobre la necesidad de incluir en la redacción típica del acoso persecutorio una cláusula que enlazara con la producción de un resultado gravemente intimidatorio, hostil o humillante, *vid*., GÓMEZ RIVERO, C.: "El derecho penal...", *cit*., p. 46.

esta forma de acoso personal del art. 172 ter, como otras formas de acoso típico (acoso sexual, mobiliario, laboral), lesionaría de manera directa la integridad moral del sujeto y solo de forma mediata su libertad.

Las consecuencias de tal opción interpretativa serían menos desafortunadas que situando el bien jurídico protegido en la libertad, pues se evitarían alguno de los solapamientos que pueden producirse con otros delitos, como por ejemplo con el acoso sexual[43].

Por coherencia legislativa, que brilla por la ausencia en todo el articulado de reforma del código, debiera haberse situado el bien jurídico protegido en la integridad moral del sujeto —aprovechando la coyuntura para sistematizar adecuadamente la pluralidad de acoso punibles dispersos por el código— y el objeto mediato de lesión en su libertad, evitando con ello, como decimos, toda una suerte de problemas interpretativos, en especial en materia concursal.

A partir de aquí, y una vez realizado nuestro planteamiento crítico, es lo cierto que no podemos prescindir de la que sin duda constituirá la exegesis general del art. 172 ter, como delito contra la libertad, y desde ese reconocimiento debemos concretar que, en tal caso, y a nuestro juicio, será la fase de ejecución de la voluntad —decisión— la que resultará limitada por la realización de alguna de las conductas constitutivas del acoso típico, ya que la mención de la vida cotidiana en el resultado del delito supone que el sujeto tiene un modo determinado de desarrollo diario —cotidiano— de su vida ya establecido, desarrollo cotidiano que es el que debe alterarse gravemente como consecuencia de las conductas constitutivas de acoso, determinándole a modificarlo.

Evidentemente será posible que a consecuencia de acosos reiterados, por ejemplo mediante seguimientos continuados que no supongan anuncio explícito ni implícito de un mal —lo que determinaría la actuación de las amenazas—, el sujeto llegue a temer por su seguridad, formando nuevos hábitos cotidianos distintos de los ya establecidos, siendo en tales casos implicada la fase de formación de la voluntad, pero en la medida que esos nuevos hábitos se construyen sobre otros previos decididos e instaurados, que son los que el sujeto no puede ejecutar, entiendo que seguirá siendo la fase de ejecución de la voluntad —haciendo algo distinto a lo previamente decidido— la que resultará limitada, enlazando nuevamente el delito con una forma específica de coacción.

---

43 El delito de Child *grooming* (o simplemente *grooming*) sanciona expresamente la conducta consistente en seducir a un menor con la finalidad de atentar posteriormente su indemnidad sexual, ganándose la confianza de aquél de maneras muy variadas en función de las características de su potencial víctima (sobre este delito, *vid*, CUERDA ARNAU, y la bibliografía allí citada, en "Menores y redes", *cit.*, p. 27.).

En cualquier caso, conviene tener presente que a diferencia de otros acosos típicos, como por ejemplo el acoso sexual o el laboral, el acoso del art. 172 ter no gravita sobre la nota de hostilidad, humillación o intimidación del sujeto pasivo, que sí se requiere, sin embargo, en los otros supuestos descritos en los arts. 184 y 173 del CP, sino que desde su tenor literal podremos aplicar el tipo aunque la persona acosada no se sienta ofendida o humillada, bastando con una modificación de entidad de los hábitos de conducta que conforman su vida cotidiana. En este sentido resulta discutible la oportunidad de tal decisión legislativa, ya que cualquiera que sea el supuesto que determine la operatividad del art. 172 ter parece que siempre existirá un clima ofensivo para el sujeto, hostil y/o intimidatorio[44] —propio de los atentados contra la integridad moral— asociado al cambio del desarrollo cotidiano del sujeto, por lo que quizás hubiera sido deseable tipificar expresamente dicha exigencia.

A mi juicio, el significado del término hostil, como ofensivo y contrario a lo que comúnmente se tiene por bueno o agradable, siempre resultará implicado en una situación de grave alteración del desarrollo de la vida cotidiana —determinada por alguna de las conductas descritas en el art. 172 ter—, por lo que en el fondo ese resultado siempre enlazará con la un clima hostil, ofensivo o intimidatorio[45], propio del concepto nacional (art. 184, 173 CP) y supranacional del termino acoso (DIR 2006/54), como atentado contra la integridad moral. En consecuencia, aunque mantengamos que el bien jurídico protegido es la libertad —por seguir la línea argumental del Preámbulo de la LO 1/2015, de los comentaristas e informadores del artículo 172 ter, y la propia ubicación sistemática del precepto—, es lo cierto que la integridad moral y la dignidad del sujeto aparecerán también implicadas en la exigencia del resultado de grave alteración de la vida cotidiana, bien como objeto directo de tutela bien como objeto mediato.

4. CONDUCTA TÍPICA

La tipicidad se construye sobre una exigencia genérica de acoso, reiterado e insistente, *sin estar legítimamente autorizado,* como consecuencia de la realización de alguna de las conductas descritas en el art. 172 ter, que producen como resultado una grave alteración del desarrollo de la vida cotidiana de la víctima.

---

44 Cfr. GÓMEZ RIVERO, C.: "El derecho penal...", *cit.*, pp. 31-39.

45 E incluso en situaciones de mayor gravedad podrá llegar a merecer el calificativo de humillante o degradante, según el grado que alcance la ofensa a la dignidad.

4.1. *El resultado del delito: la grave alteración del desarrollo de la vida cotidiana*

La relevancia típica de las conductas descritas en el art. 172 ter exige la producción de un resultado *de grave alteración del desarrollo de la vida cotidiana en el sujeto.*

Dicha exigencia, indeterminada e imprecisa[46], que, además, carece de precedentes históricos en nuestro ordenamiento, sin que, por tanto, tengamos dicho recurso interpretativo, plantea graves dudas de legalidad, que solo desde un entendimiento restrictivo evitará indeseables excesos punitivos. Excesos que podrían conducir a la sanción de conductas molestas, que no obstante poder afectar, en ocasiones, de modo importante al desarrollo de dicha vida cotidiana, no deben dejar de ser conductas inocuas, cuya resolución debe instarse a través de otros mecanismos, sociales o jurídicos, distintos al Derecho penal.

El peligro de una amplia interpretación del resultado del delito es tan grande como imprecisos los elementos que conforman el concepto de vida cotidiana. Peligro aún mayor porque como en toda la redacción de esta figura delictiva las imprecisiones se construyen sobre otras indeterminaciones iguales o mayores, de manera que a la laxitud de lo cotidiano se une la impresión de la gravedad de la alteración, también laxa e imprecisa, que a su vez se construye sobre una serie de conductas también ambiguas e indeterminadas. En efecto, como señalamos anteriormente, en la expresión grave alteración de la vida cotidiana pueden tener cabida muchas situaciones de distinto significado, que pueden llegar a afectar a distintos bienes jurídicos, conjunta o separadamente. Pueden afectar a la libre ejecución de la voluntad con carácter exclusivo, por ejemplo, si a consecuencia de actos sucesivos de persecución la víctima modifica intensamente sus hábitos diarios (cambiando de móvil, casa, trabajo..), o a otros bienes jurídicos distintos como la salud física o psíquica, si por la realización de alguna de las formas típicas de acoso ésta sufre una depresión o una enfermedad física, pero no modifica en absoluto sus hábitos de conducta —sin la consiguiente alteración de la vida cotidiana—, y también resulta factible la plural afección de varios objetos de tutela —libertad y otros bienes jurídicos distintos—, si el sujeto pasivo, además de modificar sus hábitos de conducta de forma grave, sufre, por ejemplo, una lesión física o psíquica necesitada de tratamiento médico, lo que determinará la problemática de la posible vulneración del principio *ne bis in indem* si sancionáramos las dos conductas. También pueden tener cabida en ella situaciones muy molestas que no obstante deben ser intrascendentes para el derecho penal. Lo cierto es que

---

46 *Vid.*, VILLACAMPA ESTIARTE, C.: "Delito...", *cit.*, p.; GALDEANO SANTAMARÍA, A.: "Acoso-*stalking*...", *cit.*, p. 569; BAUCELLS LLADÓS, J.: "La irreflexiva...", *cit.*, p. 7.

éstas últimas, que en ocasiones generan importantes modificaciones de hábitos diarios, deben sustraerse del ámbito de aplicación del art. 172 ter, evitando que propia labilidad de la vida cotidiana (imprecisión del resultado exigible), susceptible de alterarse por muchas causas —graves unas y otras no—, reforzada por la previa imprecisión de las conductas típicas, configuren un tipo sin orillas inadmisible desde la óptica de los principales penales.

El 172 ter no configura un derecho a no ser molestado, un derecho a apartar a los demás de mi vida, equiparable a mi derecho a excluir la invasión de mi intimidad domiciliaria, postal o de las comunicaciones, eliminando cualquier contacto inconsentido —aunque sea visual—, sino que considerado como delito contra la libertad —y también desde su consideración como atentado contra la integridad moral— su aplicación debe orbitar sobre la fijación restrictiva del significado de grave alteración de la vida cotidiana, exigiendo la producción causal de una grave perturbación del orden de la vida diaria —evaluable objetivamente, de acuerdo con un parámetro general de víctima[47]—, que para evitar excesos punitivos debe complementarse, como en toda figura típica, con la exigencia de un mínimo contenido lesivo para el bien jurídico protegido. Y ello cualquiera sea la opción final adoptada en este punto, esto es, tanto si éste se sitúa en la fase de formación o de ejecución de la libertad, según los casos, considerando el 172 ter como una modalidad específica de coacciones o amenazas (que algunas autoras consideran de menor entidad, y con un *minus* de exigencia lesiva sobre la libertad que los citados tipos tradicionales[48], o incluso como un tipo híbrido entre el delito de amenazas y coacciones[49]), como si defendemos que el objeto de tutela es la integridad moral, exigiendo ofensas graves, limitadoras de la tipicidad.

---

47 En el mismo sentido, *vid.*, BAUCELLS LLADÓS, J.: "La irreflexiva...", *cit.*, p. 5. A su juicio, tampoco parece razonable construir la relevancia penal de estas conductas entorno a un patrón subjetivo, es decir, en atención a los efectos que la conducta provoque en la víctima. Este planteamiento conduce a dar relevancia penal a conductas que ex ante no son adecuadas para limitar la libertad de obrar de la víctima por la sola circunstancia de hallarnos frente a una víctima en exceso sensible. En la misma línea, *vid.*, VILLACAMPA ESTIARTE, C.: "Delito de acecho/*stalking*...", *cit.*, p. 606. GALDEANO SANTAMARÍA proponía que la redacción final del resultada de grave alteración de la vida cotidiana de la víctima aparejara la exigencia de objetividad, proponiendo como redacción alternativa del mismo *la alteración objetiva y grave del desarrollo de la vida cotidiana* ("Acoso-*stalking*...", *cit.*, p. 577); PALMA HERRERA, J. M.: "La Reforma de los Delitos contra la libertad operada por la LO 1/2015, de 30 de marzo, en *estudios sobre el Código Penal reformado (Leyes Orgánicas 1/2015 y 2/2015)*, Dir. Morillas Cueva, Madrid, 2015, p. 406.

48 Cfr. GALDEANO SANTAMARÍA, A.: *Ob. cit.* p. 569.

49 GALDEANO SANTAMARÍA, A.: *Ob. cit.*; GUTIÉRREZ CASTAÑEDA, A.: "Acoso-*stalking*...", *cit.*, p. 584.

4.2. Modalidades de conducta: el acoso típico

El acoso reiterado e insistente sobre la víctima, determinante de la grave alteración del desarrollo de la vida cotidiana, no puede derivar de cualquier comportamiento del sujeto activo, sino que se concreta por disposición legal en la realización de alguna de las conductas que enumera el art. 172.1 ter en sus cuatro números, a saber:

- vigilancia, persecución o búsqueda de proximidad física;
- contacto o intento de contacto a través de cualquier medio de comunicación o por medio de terceras personas;
- uso indebido de los datos personales de una persona para adquirir productos, contratar servicios, o hacer que terceras personas se pongan en contacto con ella;
- atentar contra su libertad o contra su patrimonio, o contra la libertad o patrimonio de otra persona próxima a ella.

El carácter abierto del acoso típico, que puede derivar prácticamente de cualquier conducta de un sujeto en su interacción con otro, con contacto o con intento de contacto —a través de terceras personas o utilizando distintos medios de comunicación—, atentando de cualquier forma contra su libertad o patrimonio, o, para ser aún más laxos, sin realizar más conducta que hablar con un tercero para que contacte con él, si previamente no media consentimiento para la cesión de sus datos personales, supone una flagrante vulneración de las garantías derivadas del principio de legalidad, que dejará al ciudadano en una suerte de inseguridad jurídica, desde la que buena parte de su actuación (ej. actos de cortejo reiterado no deseados por el destinatario) será susceptible de encajar fácticamente en el nuevo delito de acoso personal. Inseguridad aún mayor si tenemos en cuenta que además del carácter abierto de las conductas de acoso típico, resulta que éste, por expresa disposición del art. 172 ter, ostenta un significado absolutamente imprevisible para el ciudadano, pues en alguna de sus concreciones típicas se desvincula por completo del significado del término *acoso* en el lenguaje común, referido a situaciones de persecución personal sin tregua ni reposo[50], enlazando con ciertas conductas que nada tienen que ver con la libertad ni con la integridad moral, sino directamente con otros bienes jurídicos, como por ejemplo el patrimonio.

Afortunadamente, tan desastrosa muestra de insensatez jurídica no ha culminado con la tipificación expresa de una cláusula analógica de cierre en contra del reo, tal y como se pretendía en la redacción originaria del precepto, que llegaba

---

[50] El Diccionario de la Real Academia de la Lengua Española (vigésimo tercera edición) identifica el significado del término acosar con relación a conductas de persecución —sin tregua ni reposo—, apremio o importuno —con molestias o requerimientos—.

a admitir sin rubor la tipicidad de conductas de acoso parecidas a otras descritas anteriormente de forma totalmente imprecisa, configurando con ello una analogía indeterminada, construida sobre conductas también indeterminadas (analogía doble), que vulneraba doblemente el principio de legalidad. A pesar de las duras críticas vertidas sobre dicha cláusula por el Consejo Fiscal, el Consejo de Estado y la práctica totalidad de autores que tuvimos la *suerte* de enfrentarnos con este nuevo delito (a excepción del Consejo General del Poder Judicial, que en su informe al Anteproyecto alababa que el precepto acabara con una enumeración abierta de conductas típicas) hubo que esperar a que Convergencia i Unió, y el Grupo Parlamentario de Unión y Progreso Democrático, le enmendaran la plana al legislador recordándole la vigencia en nuestro ordenamiento del principio de legalidad penal y la prohibición absoluta de la analogía en contra del reo[51].

4.2.1. Determinación del número de actos necesarios para que la conducta merezca el calificativo de acoso

La tipicidad de las distintas formas de acoso se construye sobre su realización ***insistente y reiterada,*** sin más matizaciones, lo que plantea la duda de cuantos actos son necesarios para cumplimentar dicha exigencia, pudiendo concluir que al menos serán necesarios dos actos[52], siendo insuficiente la realización aislada de alguna de las modalidades de conducta que enumera el art. 172 ter. 1, aunque con ella se produzca el resultado de grave alteración de la vida cotidiana. Esta exclusión típica de la conducta única fue puesta de manifiesto como una deficiencia legislativa en el Informe realizado por el Consejo Fiscal, señalando que en algunos casos debería bastar con un solo acto para realizar el tipo, como, por ejemplo "cuando se colocan anuncios en un medio de comunicación o en internet, que someten a la víctima a continuas llamada"[53].

---

51 *Vid.*, Enmiendas 472 y 554.

52 VILLACAMPA ESTIARTE señala que "el empleo del término «reiterado» para referirse al acoso plantea el problema de que su requerimiento intrínseco puede entenderse colmado con la realización de la conducta intrusiva en tan sólo dos ocasiones, cuando, según opinión generalizada, se entiende preferible que no se determine normativamente el número de ocasiones en que el comportamiento intrusivo debe producirse para considerar que nos hallamos frente a un patrón conductual" ("El delito...", *cit.*, p. 385).

53 Expresamente señaló el Consejo Fiscal en su Informe al Anteproyecto que en el art. 172 ter se exige que el acoso se lleve a cabo mediante alguna de las conductas que se mencionan en el tipo y que éstas se realicen de forma insistente y reiterada; insistencia y reiteración que no siempre existirá en los supuestos previstos en el artículo 172 ter 1.3° (mediante el uso indebido de sus datos personales, adquiera productos o mercancías, o contrate servicios, o haga que terceras personas se pongan en contacto con ella), ya que podrían encuadrarse en este apartado aquellos supuestos en los que se colocan anuncios en un medio de comunicación o en Internet que

Lo cierto es que teniendo en cuenta el significado de los términos insistir y reiterar, resultará suficiente con la repetición de alguna de las conductas tipificadas en los cuatro números del art. 172 ter, 1[54] para que merezca el calificativo de acoso, siempre y cuando, claro está, dicha manifestación de voluntad se acompañe de la producción del resultado exigido por el tipo.

No obstante, teniendo en cuenta el sentido usual del término acoso, referido a una persecución sin tregua ni reposo, quizás resulte conveniente limitar su apreciación por la exigencia de más de dos actos[55], al menos con relación a aquellas modalidades de conducta que por su propio significado son inocuas en su realización individual[56] (por ejemplo, el contacto a través de medios de comunicación). De esta forma se realizaría de manera clara el patrón de comportamiento

---

someten a la víctima a continuas llamadas, en los que, sin embargo, el autor del anuncio sólo ha realizado una única conducta que perdura en el tiempo.

54 El Convenio de Estambul en el art. 34 no indica el número de actos necesarios para su calificación como delito de *stalking* (acoso), exigiendo genéricamente la realización reiterada de la conducta amenazadora. No obstante, en el texto explicativo, después de señalar distintos ejemplos de conductas que podrían integrarse en dicho precepto, señala que el art. 34 se refiere a un patrón de conducta integrada por una repetición de incidentes significativos, cuyos elementos individuales, tomados en mismos, no siempre tienen naturaleza criminal.

En Inglaterra y Gales la regulación del acoso —sección 1 y 2 Harassment Act 1997— y, específicamente, del delito de *stalking* —sección 2 A, y sección 4 A—, exigen la realización de un *curso de conducta*, que implica su repetición en, al menos, dos ocasiones —sección 7—.

En el ordenamiento jurídico italiano, el art. 612 bis solo exige reiteración en la conducta, pero está consolidada la interpretación de este requisito en el sentido de exigir al menos dos actos (MATTEUDAKIS, M.: "L'Imputazione soggettiva nell'ambito del delitto di atti persecutori —*Stalking*—", *L'Indice Penale,* Luglio-Dicembre 2014, p. 558). La reiteración en un cierto lapso de tiempo es elemento constitutivo del delito, sin que los actos aislados, realizados en una sola ocasión, integren la figura del art. 612 bis (AGNINO, F.: Il Nuovo Delitto di Atti Persecutori, c.d. *stalking*, entra subito in scena nelle aule di giustizia, *Corriere Merito*, 2009, 7). Se dice que la ley no especifica el número de actos necesarios y suficientes para cumplimentar la exigencia de reiteración del art. 612 bis, ni tampoco el límite cronológico de la misma (DE SIMONE, J.: "Il delito de atti persecutori - la struttura oggetiva della fattispecie, *Archivio Penale,* núm. 3, 2013, p. 31), lo que sin duda entra en contradicción con el principio de taxatividad (MANNA A.: Il nuovo delitto di "atti persecutori" e la sua conformità ai principi costituzionali in materia penale, in S. VINCIGUERRA/ F. DASSANO (a cura di), Scritti in memoria di Giuliano Marini, ESI, Napoli, 2010, p. 474).

55 En el mismo sentido, MUÑOZ CONDE, F..: Derecho Penal Parte Especial, Valencia, 2015, p. 147.

56 BAUCELLS LLADÓS señala "que el principal problema de la criminalización del hostigamiento es que se materializa en actos que aisladamente considerados pueden resultar lícitos, neutros, expresión de comportamientos absolutamente cotidianos e incluso socialmente adecuados y valorados positivamente" ("La irreflexiva", *cit.*).

Por su parte, el texto explicativo del art. 34 del Convenio de Estambul también indica la posibilidad de que alguno de los actos integrantes del patrón de comportamiento constitutivo de acoso no tenga naturaleza criminal.

característico del acoso, pues la simple reiteración de un acto de vigilancia, o de contacto con una persona, por citar alguno de los ejemplos que pueden determinar la realización del art. 172 ter, puede que no ostente la gravedad mínima exigible para crear un estado general capaz de alterar gravemente el desarrollo de la vida cotidiana.

Este entendimiento de la exigencia de reiteración del art. 172 ter restringiría la aplicación del precepto dotándolo de un mínimo contenido ofensivo, ya que algunas de las conductas constitutivas del acoso típico, en sí mismas y aisladamente consideradas, pueden ser inocuas[57], por lo que la mera reiteración, por dos veces, de una conducta inocua, quizás resulte insuficiente para satisfacer las exigencias mínimas de ofensividad que deben cumplimentar todos los tipos penales.

Lo que sí resulta claro con el texto vigente es la atipicidad de la conducta única ejemplificada por el Consejo Fiscal, consistente en publicar sin consentimiento en un medio de comunicación —o en internet— los datos personales de una persona, anunciando, por ejemplo, la prestación de servicios sexuales, ya que si se ejecuta a través de un solo acto no cumplimentaría la exigencia de su realización insistente y reiterada.

Quizás hubiera resultado preferible que el art. 172 ter se hubiera mantenido en la línea del delito de acoso sexual (frente a la redacción del acoso laboral e inmobiliario, que también condicionan la tipicidad por la necesidad de realización reiterada), que no requiere un determinado número de actos, utilizando el término genérico de acoso, complementado con la exigencia de producción de un determinado resultados lesivo para el bien jurídico protegido, pues parece preferible que no se determinen normativamente las ocasiones en las que debe realizarse el comportamiento para considerar cumplimentada la exigencia típica de acoso, y confiar en la interpretación restrictiva del término —doctrinal y jurisprudencial—, para evitar abusos.

Por lo que se refiere a la cuestión de si la exigencia típica de reiteración se circunscribe a la misma conducta o admite su combinación entre las distintas modalidades de conducta del 172 ter, considero que la dicción del precepto refiere la reiteración e insistencia al ámbito de una misma de las conductas mencionadas en los números 1, 2, 3 o 4[58], aunque una vez cumplimentada dicha exigencia, esto

---

57 La redacción típica de otras formas de conducta del art. 172 ter, por ejemplo la 4, en la medida que tipifica —como acoso— la reiteración del "atentado" contra la libertad o contra el patrimonio parece enlazar con ofensas delictivas, eludiendo su consideración aislada como actos inocuos.

58 En el mismo sentido se manifiestan VILLACAMPA ESTIARTE, C.: "El delito...", *cit.*, p. 385, y BAUCELLS LLADÓS, J.: "La irreflexiva...", *cit.*, En sentido contrario, GALDEANO SANTAMARÍA, A.: "Acoso-*stalking*...", *cit.*, p. 575; y PALMA HERRERA, J. M.: "La Reforma...", *cit.*, p. 406.

es, reiterada alguna de las conductas descritas en dichos números, cabrá la posibilidad de que sobre dicha reiteración se produzca la realización de cualesquiera otra conducta/s de las citadas en el art. 172 ter.1 CP, determinando con ello la actuación de la cláusula concursal del párrafo 3, con los consiguientes problemas asociados de posible vulneración del principio *ne bis in idem*.

4.2.2. Modalidades de conducta constitutivas de acoso

La primera de las modalidades de conducta descritas en el número 1° del art. 172 ter, 1, se concreta en la realización de actos de vigilancia, persecución o búsqueda de proximidad física.

La tipicidad de los actos de vigilancia exige su conocimiento por la víctima, pues aunque literalmente cabría la posibilidad de realizar una vigilancia desconocida para la víctima, tal desconocimiento determinaría su atipicidad por ausencia del resultado de grave alteración de la vida cotidiana exigido por el tipo, ya que lo desconocido no puede determinar cambios en el desarrollo de la vida del sujeto[59]. A partir del conocimiento de la vigilancia por la víctima, entiendo que cabe su realización con contacto visual o sin él. No obstante, para evitar solapamientos con la conducta de persecución —tipificada a continuación en este mismo número del art. 172 ter, 1—, cuyo significado se concreta en la realización de actos de seguimiento o búsqueda de una persona por todas partes con frecuencia e inoportunidad, molestando[60], quizás resulte adecuado limitar la tipicidad de la vigilancia a los supuestos de vigilancia oculta, en los que la víctima sabe que se la vigila, pero no ve al vigilante ni conoce las circunstancias concretas de dicha situación.

Por lo demás, el sentido de los actos de vigilancia y persecución como formas típicas enlaza con la exigencia de su frecuente realización y con la creación de un clima ofensivo derivado de su inoportunidad y de su carácter inconsentido, ya que, como anticipábamos, la vigilancia o persecución en dos únicas ocasiones quizás no reúna la gravedad necesaria determinante de la grave alteración de la vida cotidiana, siendo preferible la exigencia de al menos tres actos de vigilancia

---

59 En sentido contrario parece manifestarse VILLACAMPA ESTIARTE cuando con relación a esta modalidad de conducta señala que a diferencia de lo que ocurre en Alemania, donde no basta con la observancia a distancia u oculta, la redacción típica del art. 172 ter, 1, 1ª en nuestro ordenamiento sí lo permite (*Ob. cit.* p. 387).

60 Entre los significados del término perseguir establecidos en el Diccionario de la Real Academia de la Lengua, se encuentran los siguientes: 1.– ...; 2.– Seguir o buscar a alguien en todas partes con frecuencia e importunidad; 3. Molestar, conseguir que alguien sufra o padezca procurando hacerle el mayor daño posible.

o persecución para entender que reúnen la entidad suficiente para la aplicación del precepto[61].

La misma reflexión podemos extenderla a la conducta de búsqueda de cercanía física, pero teniendo en cuenta, además, que la indeterminación de su significado (dos metros es cercano?, cuatro?, diez?"), vulnera nuevamente las exigencias de taxatividad asociadas al principio de legalidad, pudiendo, asimismo, contradecir las implicadas en el principio de ofensividad, que no se superan ni siquiera por la exigencia de que como consecuencia de esa proximidad física se altere gravemente el desarrollo de la vida cotidiana. Como puede entenderse el desarrollo de la vida cotidiana, por su propio significado, integrado por un conjunto de hábitos diarios, se puede alterar de forma importante por situaciones muy molestas que no obstante ello deben ser intrascendentes para el derecho penal (baste pensar en las graves modificaciones de conducta que pueden provocar ciertas conductas comunes en el ámbito de las rupturas sentimentales, como, por ejemplo, la del exnovio o exmarido, que sabiendo dónde vas diariamente se acerca y busca tu proximidad para hablar contigo —en más de dos ocasiones—, provocando tu consiguiente molestia y desagrado, que te lleva a cambiar tus lugares habituales de ocio, tu camino de vuelta a casa...), lo que conduce a la conclusión de que la propia labilidad de la vida cotidiana, susceptible de alterarse por muchas causas —graves unas y otras no—, refleja la imprecisión del resultado exigible, imprecisión que, como decíamos anteriormente, enlazada con la imprecisión previa de la conducta, en este caso muy laxa, constituye un argumento más sobre la inoportunidad del delito; inoportunidad que, nuevamente, también con relación a esta modalidad de conducta, deberá ser objeto de interpretación restrictiva para no dar entrada a ofensas insignificantes para el derecho penal.

En cualquier caso, y como reflexión aplicable a las tres modalidades de conducta descritas en el número primero del art. 172 ter, 1, debemos poner de manifiesto su carácter redundante, pues las tres formas de conducta, vigilancia, persecución y búsqueda de cercanía física pueden tener significados muy próximos, lo que puede determinar su solapamiento, en especial, la última de las citadas, esto es, la conducta de búsqueda de cercanía física, que puede acabar solapándose con el significado de los actos de vigilancia —salvo que ésta se interprete en el sentido propuesto de limitarla a los casos de vigilancia oculta, conocida por la víctima—, y también con los constitutivos de persecución.

---

61 En la explicación del significado del art. 34 del Convenio de Estambul se señala que los comportamientos amenazantes constitutivos de acoso pueden consistir, entre otros, en seguimientos repetidos a otra persona, en dejarle saber que está siendo observada o vigilada, o en ir físicamente detrás de la víctima apareciendo ante ella o en su lugar de trabajo, gimnasio o colegio/universidad...

El segundo grupo de modalidades de conductas determinantes de acoso, se contiene en el núm. 2 del apartado primero del art. 172 ter: el contacto o intento de contacto con el sujeto a través de cualquier medio de comunicación o por medio de terceras personas.

Además de la inadmisible equiparación punitiva de los actos de tentativa y consumación, al sancionar con la misma pena el contacto como su intento, lo que vulnera las exigencias del principio de proporcionalidad, también en este caso, y al igual que en el supuesto descrito en el número anterior, la insistencia y reiteración de la conducta debería concretarse en la exigencia de su realización por tres o más veces para evitar excesos punitivos, ya que parece difícil que dos simples contactos o intentos de contacto, por ejemplo a través de internet, determinen la grave alteración del desarrollo de la vida cotidiana exigida por el tipo. Cierto que si dichos actos contienen mensajes de gran carga amenazante podría producirse tal alteración incluso con un solo acto, pero en tal caso, como venimos insistiendo, estaremos ante un supuesto típico distinto para el que ya disponíamos de una respuesta punitiva adecuada.

La masiva utilización de las nuevas tecnologías de la información y de la comunicación (TIC's) entre menores es un hecho que incrementa los riesgos derivados de su abuso. Sobre este particular la Decisión 1351/2008/CE, de 16 de diciembre de 2008 —que marca un punto de inflexión en las iniciativas de protección de los menores frente a los peligros que pueden producirse en el entorno digital— reconoce que el uso de Internet y de otras tecnologías de la comunicación tales como el teléfono móvil sigue experimentando un crecimiento considerable en la Unión Europea e incrementa los peligros derivados de su uso para los niños, ya que con la evolución de la tecnología y de los comportamientos sociales, aparecen nuevos riesgos y abusos[62]. Por ello, considera que deben adoptarse medidas a escala de la UE dirigidas a proteger la integridad física, mental y moral de los niños[63]. Asimismo, insiste en la necesidad "de seguir actuando para evitar los casos en que los niños son víctimas de comportamientos nocivos e ilícitos que desembocan en perjuicios físicos y psicológicos y aquellos en que son embaucados para que imiten tales comportamientos, perjudicando a

---

62 En el mismo sentido, la Resolución del Parlamento Europeo, de 20 de noviembre de 2012, sobre la protección de los niños en el mundo digital, insiste en que "Internet también entraña peligros para los menores a través de los fenómenos como la pornografía infantil, el intercambio de material con contenido violento, la delincuencia cibernética, la intimidación, el acoso, la manipulación (*grooming*), el acceso o adquisición de productos y servicios legalmente restringidos o inapropiados para la edad, la exposición a publicidad agresiva, engañosa o inapropiada para la edad, las estafas, el hurto de datos de identidad, el fraude y otras amenazas similares de carácter financiero que pueden suponer experiencias traumáticas".

63 Considerando I.

otros o a sí mismos. Es necesario un esfuerzo particular para explorar soluciones que impidan que los adultos, a través de las tecnologías de la información y la comunicación, propongan citas a niños con la intención de cometer abusos sexuales u otros delitos sexuales. Debe prestarse al mismo tiempo especial atención al sistema de apoyo de igual a igual"[64]. Añadiendo, que "las acciones deben asimismo estar encaminadas a impedir que los niños sean víctimas de amenazas, acoso y humillación a través de Internet o de las tecnologías digitales interactivas, incluidos los teléfonos móviles"[65].

Por lo tanto, y aunque no constituye la forma habitual de acoso entre menores[66], podemos afirmar que no existe inconveniente en el empleo de las nuevas tecnologías (móvil, redes sociales, email...) *por y contra los menores*, realizando esta modalidad de conducta del art. 172 ter, 1, 2ª, como forma específica de acoso digital.

Por otro lado, con relación a esta forma de conducta podemos encontrar distintos supuestos problemáticos que de no interpretarse restrictivamente darían entrada a la punición de la molestia, contraria al principio de proporcionalidad. Por ejemplo, en el caso de una expareja o excónyuge que contrariado por la ruptura sentimental decide mandar mensajes rogatorios reiterados provocando un sentimiento de intranquilidad que acaba llevando al sujeto a cambiar su número de teléfono y sus cuentas de correo electrónico, a suprimir el uso de redes sociales, y hasta a modificar la trayectoria de acceso a su casa. Quizás este supuesto pueda considerarse que fácticamente *altera gravemente el desarrollo de la vida cotidiana*, pero puede resultar cuestionable la operatividad del art. 172 ter, desde parámetros de necesidad, en cuanto que tales comportamientos constituyen actos de la vida social que no parece que alcancen la entidad lesiva exigible para la actuación del derecho penal[67]. Y, aún más, admitiendo la hipótesis contraria, esto es, entendiendo que los mencionados supuestos sí reúnen la gravedad imprescindible para la actuación de esta rama del derecho, vuelve a resultar cuestionable la necesidad de aplicar esta modalidad de acoso personal, existiendo como existía el recurso punitivo a otros preceptos penales, como por ejemplo el art. 173.2 CP, incardinando la conducta como un supuesto más de violencia psíquica habitual.

Por lo que se refiere a la tipicidad específica de los contactos indirectos a través de terceras personas, también merece un juicio negativo, porque además de su

---

64 Considerando IV.

65 Considerando V.

66 CUERDA ARNAU, M.: "Menores y redes...", *cit.*, p. 21.

67 Ya que, al margen de entidad de las alteraciones que producen efectivamente en la vida cotidiana del sujeto, quizás pudieran corregirse mediante el recurso a mecanismos ordinarios de solución, distintos del derecho penal.

carácter innecesario en el marco general de la participación, planteará problemas especiales de autoría mediata de difícil solución práctica (ej. la amiga del excónyuge que colabora en la aproximación de las partes...).

En cualquier caso, resulta cuestionable la oportunidad de tipificar las conductas descritas en los apartados 1° y 2° del número 1 del art. 172 ter como formas específicas de acoso personal, desde la óptica de su necesidad, ya que muchas de las persecuciones o búsquedas de proximidad física —a excepción de algún supuesto extremo de persecución incesante, como el de los paparazzi—, o los propios contactos personales directos o indirectos, podrían constituir conductas inocuas, respecto de las cuales resulta improcedente el recurso al derecho penal (supuestos menos graves). Y en el resto de supuestos, de mayor gravedad, también podremos cuestionar la existencia de necesidad de tipificación expresa, pues podrían encajar en los tipos generales de amenazas —implícitas o explícitas—, o en otros preceptos penales, como atentados contra la libertad sexual (art. 183 ter CP, si el destinatario es menor de 16 años), contra la intimidad (art. 197 CP), contra la integridad moral (art. 173.2 CP), o incluso contra la integridad física o psíquica, constituyendo en ocasiones supuestos genéricos de lesiones, si además de modificar gravemente el desarrollo de la vida cotidiana de la víctima generan secuelas en su salud.

El propio Consejo General del Poder judicial, sin reconocerlo expresamente, apuntaba esta última posibilidad en su informe señalando "que alguno de los actos de acoso, por su reiteración y carga de hostilidad, incluso en ausencia de amenaza manifiesta de causar daño a la víctima, se presentan como particularmente inquietantes y constituyen una agresión psicológica, que produce un nivel de temor y ansiedad, que puede acabar traduciéndose hasta en resultados lesivos para la salud".

En definitiva, por lo que hace a la conducta concreta de contacto a través de redes sociales, teléfono..., o por medio de terceras personas, debemos insistir en que no parecen supuestos necesitados de pena si no se acompañan de ninguna pretensión coactiva o intimidatoria explícita o implícita (por ejemplo, sexual o de muerte) o de alguna lesión relevante de otros bienes jurídicos, pues al margen de que se entienda o no que determinan la producción del ambiguo resultado de grave alteración del desarrollo de la vida cotidiana exigido por el tipo (lo que lógicamente dependerá del sentido que se atribuya a dicha expresión), entendemos que o bien presentan el carácter de actos sociales, lo que debe evitar su punición específica por la vía del art. 172 ter CP, solucionando tal molestia mediante la intervención de otras instancias sociales o jurídicas, distintas del derecho penal, o bien, tratándose de casos de mayor gravedad, que superen el umbral de la molestia y lesionen de forma relevante distintos bienes jurídicos, tampoco existía verdadera necesidad de pena[68], debiendo sancionarse su lesión mediante la aplicación de alguno/s de los tipos existentes en el CP (173.2, 183 ter...). Ello es así a pesar de que el Preámbulo de la LO 1/2015 cita expresamente los supuestos de llamadas reiteradas o los actos de hostigamiento (que por definición significan molestias) como supuestos concretos a los que se trata de ofrecer respuesta con la tipificación específica de esta nueva modalidad de acoso del art. 172 ter. Y debe serlo porque tales conductas o no reúnen la gravedad mínima exigible para la intervención del derecho penal, por constituir meras conductas molestas, inocuas desde la perspectiva del derecho penal —por falta de la mínima gravedad exigida para su actuación—, que aunque determinen alguna modificación de hábitos de conducta para resolver la situación (cambio de cuentas, modificación de perfiles...), siguen siendo molestias no necesitadas de tutela penal, o, reuniéndola, en su mayoría, ya obtenían adecuada respuesta punitiva a través de otro/s preceptos de nuestro texto punitivo[69].

---

[68] Salvo supuestos excepcionales.

[69] Como ejemplos de resoluciones que frente a distintas conductas de las hoy tipificadas en el art. 172 ter CP sancionaban por distintos preceptos del CP, en especial, por el art. 172 o por el 173.2, *vid.*, entre otras muchas, los siguientes grupos: *1.– Sentencias que condenan por delito de coacciones las siguientes conductas reiteradas*: sentarse en las proximidades del lugar de trabajo de la víctima, pasar por la puerta del mismo, o frecuentarlo, observando a la víctima continuamente, tratando de entrometerse en las conversaciones de ésta con sus compañeras de trabajo... [STS núm. 798/2006, de 14 de julio (*Tol 979540*)]; realizar llamadas reiteradas de teléfono, dirigir mensajes e ir a buscar a la víctima a la salida del trabajo insistentemente (STSJ Aragón, de 7 de abril de 2004, que resuelve recurso de apelación contra la Sentencia núm. 81/2003 de 19 diciembre, confirmando la condena por coacciones); realizar continuas llamadas, casi a diario, al teléfono móvil de la víctima, así como al de su domicilio, remitir multitud de mensajes de voz a su teléfono móvil y diversos mensajes de texto... (SAP de Madrid, núm. 747/2012, de 6 de julio); realización reiterada de insinuaciones, asechanzas y la conducta de espiar a la víctima (SAP de Zaragoza, núm. 185/2001, de 26 de abril); seguimiento continuo a la víctima para conseguir que estuviera con él (SAP Zaragoza, núm. 319/2000, de 28 de septiembre); acompañar por la calle a la víctima durante un mes para que siguiera manteniendo relaciones sentimentales con el acusado (SAP Cáceres, núm. 58/1998, de 22 de octubre); mandar continuos mensajes de móvil, realizar llamadas telefónicas a la víctima y a sus familiares, realizar comunicaciones en redes sociales (SAP A Coruña, núm. 519/2012, de 9 de noviembre); perseguir a la víctima de forma continuada (SAP de Las Palmas, núm. 28/2006, de 16 de enero); situarse reiteradamente en la puerta de la vivienda de la víctima o en su lugar de trabajo (AP de Asturias, núm. 317/2004, de 22 de diciembre); envío a través de internet de mensajes a los teléfonos móviles de las perjudicadas, su excompañera sentimental y sus amigas (AP de Zaragoza, núm. 374/2003, de 20 de noviembre); persecución consistente en visitas asiduas al lugar de trabajo de la víctima, esperándola repetidas veces a la salida de su jornada laboral, siguiéndola a su domicilio y llamándola al domicilio de sus padres, lo que produjo temor (AP de Zaragoza, núm. 165/2001, de 28 de marzo); acoso y hostigamiento constantes consistente en múltiples llamadas telefónicas y presentarse en repetidas ocasiones en el lugar de trabajo (AP Islas Baleares, núm. 140/2000, de 28 de noviembre); etcétera; 2.– *Sentencias que condenan por*

La conducta descrita en el número 3 del art. 172.1 ter, se concreta en el uso indebido de los datos personales de una persona para adquirir productos (la cita expresa de las mercancías carece de sentido, ya que entra sin problema en el concepto de productos), contratar servicios, o, alternativamente, para hacer que terceras personas se pongan en contacto con ella. Este último caso, referido a la conducta de hacer que terceras personas se pongan en contacto con la víctima mediante un uso indebido de sus datos personales plantea el problema de determinar cuál debe ser la finalidad del mencionado contacto.

Para evitar solapamientos parciales con la conducta descrita en el núm. 2 del art. 172 ter, 1 —contacto o intento de contacto por medio de terceras personas—, debemos circunscribir el uso indebido de los datos personales de la víctima a su realización con la finalidad de que el/un tercero que contacte con ella lo haga con fines particulares —de ese tercero— de carácter sexual —ejemplo típico citado por la doctrina[70] y por el Consejo de Estado en el informe realizado al Anteproyecto—, o de cualquier otro tipo —por ejemplo para conseguir que la víctima adquiera bienes o servicios—, exclusión hecha del uso de esos datos personales para la consecución de un contacto último entre el sujeto que los transmite indebidamente y la propia víctima, supuesto que quedaría circunscrito a la tipicidad del art. 172 ter, 1, 2°.

La deficiente redacción de la conducta de uso indebido de datos personales para hacer que terceras personas se pongan en contacto con la víctima[71] plantea otros problemas adicionales. El primero de ellos se refiere a la propia realización de la conducta, pues si la cesión indebida de los datos por parte del sujeto activo es única (ej. mediante publicación de los mismos en un solo diario, o mediante su cesión a una sola persona para que contacte con la víctima) sería atípica. Así, para que la cesión de los datos personales realice la tipicidad deberá realizarse de

---

delito de violencia doméstica del art. 172.2 CP, las siguientes conductas: de control, vigilancias, intimidación o desvalorización tendentes a minar la autoestima de la víctima (AP de Sevilla, núm. 188/2005, de 19 de abril); llamadas telefónicas insultantes y persecuciones al trabajo a expareja sentimental (AP de Burgos, núm. 39/2010, de 22 de febrero); mensajes a móviles enviadas a su ex, hostigamiento, maltrato psicológico habitual (AP Madrid, núm. 77/2006, de 13 febrero); persecuciones (AP Valladolid, núm. 119/2002, de 18 de febrero); maniobras persecutorias y amenazantes a ex compañera sentimental (AP Cantabria, núm. 77/2001, de 31 de octubre); continuas llamadas telefónicas a exesposa, dejando en el contestador frases amenazantes y vejatorias, mandándole también mensajes de texto a su teléfono móvil (AP de Zaragoza, núm. 32/2004, de 27 de enero); SAP de Sevilla, núm. 965/2012, de 27 de noviembre; etcétera.

70 VILLACAMPA ESTIARTE, C.: "El delito...", cit., p. 387; PALMA HERRERA, J. M.: "La Reforma..." *cit.*, p. 409.

71 Pretendiendo que el tercero consiga, como hemos dicho, alguna finalidad personal, sexual o de otro tipo.

forma insistente y reiterada (cesión plural, por ejemplo mediante publicación de los datos en diversos medios de comunicación)[72].

Además, la conducta del número tercero del art. 172 ter, 1, incorpora otra redundancia legislativa al construirse sobre el carácter indebido del uso de los datos personales de la víctima, ya que, en cuanto forma específica de acoso, su realización, por definición, carece de legítima autorización, por lo que resulta inadecuada la expresa referencia al carácter indebido del uso de los datos personales.

En cualquier caso, la mayor crítica de esta conducta deriva de su posible solapamiento con ciertos atentados contra el patrimonio, pues el uso inconsentido de los datos personales de una persona para la adquisición de bienes o servicios, según el medio utilizado para la consecución del dato que posteriormente utilizas, será constitutivo del correspondiente atentado patrimonial, siendo ésta la vía adecuada de punición, en su forma continuada —dada la necesidad de su realización reiterada e insistente—, y no la del delito de acoso del art. 172 ter. Por lo tanto, tampoco esta modalidad de conducta resultaba necesaria, existiendo una amplia gama de delitos contra el patrimonio susceptibles de entrar en juego para sancionar adecuadamente la tipicidad derivada del uso indebido de datos personales[73].

En efecto, en la mayoría de supuestos de uso indebido de tus datos personales (por ejemplo, de tu número de DNI, número de cuenta o número de tarjeta) existirá alguna modalidad de estafa del art. 248 CP, sin que teóricamente resulte adecuado sancionar como delito autónomo la lesión a la libertad, que ya habría sido tomada en consideración por el tipo patrimonial correspondiente (acto copenado, vulnerador del *ne bis in idem*).

El uso indebido de datos personales para adquirir productos o contratar servicios, traslada a un primer plano el atentado patrimonial, que es el que resultará afectado con la adquisición, y ello aunque como consecuencia asociada también se pueda alterar gravemente la vida cotidiana.

- así, si mediante engaño directo a su titular (por ejemplo, diciéndole que es para otros fines) consigues, por ejemplo, su DNI, y adquieres bienes o

---

72 Supuesto que, por otro lado, además de incurrir en la figura del art. 172 ter CP podría estar realizando, en su caso, y dependiendo de la forma de acceso a los datos, algún atentado contra la intimidad del titular de dichos bienes —art. 197 CP, en cuanto utilización de los mismos en su perjuicio—.

73 El concepto legal de dato personal se contiene en el artículo 3 de la Ley Orgánica 15/1999, de 13 de diciembre, de Protección de Datos de Carácter Personal, que ofrece una definición muy amplia de los mismos, al considerar como tales cualesquiera información concerniente a personas físicas identificadas o identificables (DNI, datos bancarios, datos de tarjeta sanitaria, número de la Seguridad Social, dirección, teléfono, fecha de nacimiento, edad, sexo, ingresos, rentas, profesión"). Datos personales que en ocasiones son objeto de especial protección en esta norma, por ejemplo, por su carácter sensible o íntimo (ej. ideología, salud..).

productos —para sí o para un tercero, e incluso aunque lo sean para el titular de los bienes—, entraría en juego el art. 248.1 CP como supuesto específico de estafa;

- si mediante manipulación informática o artificio semejante consiguen acceder a tus números de cuenta o de tarjeta, adquiriendo posteriormente bienes o servicios, también podría entrar en juego del delito de estafa descrito en el art. 248.2, c) CP;
- si tras sustraerte el bolso acceden a tus datos de tarjeta o de cuenta corriente, adquiriendo bienes o contratando servicios mediante manipulación informática, podría entrar en juego la modalidad de estafa del art. 248.2 a) CP[74].

En estos supuestos de atentados patrimoniales de no existir el 172 ter las conductas se sancionarían como atentado contra el patrimonio sin ningún otro problema asociado. Sin embargo, de acuerdo con la dicción del 172 ter, si tras el atentado patrimonial se alterara gravemente la vida cotidiana (por ejemplo, dejando a la víctima sin efectivo con los consiguientes déficits económicos por la falta de liquidez, o llevándola a realizar actos correctores de subsanación —ir al banco, pago de recibos devueltos, llamadas de anulación, a las aseguradoras para cubrir las pérdidas...—), también se realizaría el delito de acoso personal, con la consiguiente aplicación de las reglas del concurso de delitos[75]; solución que podría resultar desproporcionada, desde la óptica del principio *ne bis in idem*, ya que entendemos que el tipo patrimonial ya podría haber tomado en consideración la alteración en la vida cotidiana derivada del delito, debiendo actuar tan solo el delito patrimonial[76], que consumiría la limitación de la libertad, entrando en juego para la subsanación de las molestias derivadas otros mecanismos sociales de corrección, como, por ejemplo, la anulación de cuentas o el reintegro por el banco o por la aseguradora.

En cualquier caso, y aunque, como decimos, la mayoría de las conductas incardinables en el art. 172.1, 3° constituirían supuestos de atentados contra el patrimonio de sujetos particulares, también resultan imaginables usos indebidos de datos personales que lesionen otros intereses patrimoniales, como por ejemplo los de la Seguridad social, en el caso de utilización de los datos asociados a la tarjeta sanitaria de un sujeto para contratar servicios profesionales médicos, o la adquisición de productos farmacéuticos usando indebidamente su número de la Seguridad Social, supuestos que quizás tampoco se encontraran necesitados de tutela,

---

74 En concurso con los correspondientes atentados patrimoniales, según la forma concreta de realización de la sustracción.

75 Tal y como señala expresamente el art. 172 ter, 3° CP.

76 En su forma continuada.

en la medida que tras la reforma acaecida por la LO 7/2012, de 27 de noviembre, podrían incardinarse sin problemas en el art. 307 ter CP. De esta manera, al igual que en los supuestos de uso indebido de datos personales constitutivos de ataques patrimoniales de un sujeto particular, también aquí podríamos considerar inadecuada la evaluación independiente del atentado contra su libertad —concretado en la grave perturbación del desarrollo de su vida cotidiana— derivado de la utilización inconsentida de dichos datos[77].

La última de las conductas constitutivas de acoso supone una nueva inconcreción que aleja cada vez más la tipicidad de la seguridad jurídica, y por tanto de su legitimidad constitucional, considerando punible ***la realización de cualquier atentado contra la libertad o patrimonio de un sujeto o de cualquier otra persona próxima a él***. Tal indeterminación, sin precedentes en nuestro ordenamiento, que considera típico cualquier atentado contra la libertad o contra el patrimonio, propio o próximo, sin más calificativo, supone la introducción de una cláusula totalmente abierta en contra del reo, en la que el justiciable carece por completo de pistas para intuir lo que está prohibido, pues resulta punible cualquier atentado contra la libertad o el patrimonio de una persona o de otro sujeto próximo a ella, parecido o no a otros atentados típicos contra los mencionados bienes jurídicos. Esta forma de legislar evidencia las injustificables razones político-criminales que acompañan la introducción del delito, construido, conscientemente, sobre una extrema inconcreción, nunca vista con anterioridad, dirigida a tipificar todo lo que moleste, aunque carezca de lesividad (criminalización de la molestia).

De cualquier forma, con relación a esta forma de conducta conviene no perder de vista el refuerzo legislativo que supone que alguno de los informadores del texto del Anteproyecto no solo alabara sus contenidos, sino que incluso fuera más allá que el propio legislador, profundizando en sus despropósitos, al pedir mayor amplitud típica. Tal es el caso del Consejo de Estado y del Consejo General del Poder Judicial cuando pidieron mayores ámbitos de tutela, señalando lo reprochable que resultaba en dicha conducta la falta de referencia a bienes como la vida o la salud[78], de manera que de haberse concretado sus pretensiones tendríamos una cláusula de cierre que consideraría típico cualquier atentando contra la libertad o contra el patrimonio, propio o de una persona próxima, o contra la salud o la vida, propia o ajena, cláusula lo suficientemente amplia para refundir

---

77 Aunque también aquí, al igual que en los supuestos de uso indebido de datos personales de un sujeto constitutivos de ataques patrimoniales de carácter individual, deberán aplicarse la regla concursal del art. 172 ter. 3° CP.

78 En el mismo sentido, VILLACAMPA ESTIARTE, cuando señala que debería parificarse al atentado la amenaza implícita o explícita contra la vida, la integridad física, la salud o la libertad de la víctima o de sus allegados, si bien en el caso del patrimonio considera adecuada la limitación típica al atentado ("El delito...", *cit.*, pp. 387-388).

en un solo precepto gran parte de las ofensas que con tanto esfuerzo se han ido sistematizando de forma separada en el texto punitivo.

La ilegitimidad de las conductas descritas en el núm. 4 del apartado primero del art. 172 ter, que mediante una cláusula absolutamente indeterminada de recogida mezcla en un mismo precepto la tutela de la libertad con la del patrimonio, incluso ajeno, ofrece una imagen de fraude de etiquetas, con el que el legislativo trata de eludir las exigencias del principio de legalidad, introduciendo bajo la cobertura de una Ley Orgánica una clausula tipo abusiva que realmente lo que hace es tipificar de forma indeterminada cualquier atentado contra los bienes jurídicos que cita, propios o de una persona próxima, que interese al legislador. Ilegitimidad aún mayor, si tenemos en cuenta que se construye sobre otra dudosa cláusula concursal, cuya problemática comentaremos posteriormente.

5. LA CLÁUSULA LEGAL SIN ESTAR LEGÍTIMAMENTE AUTORIZADO

La tipicidad de las conductas de acoso del art. 172 ter se condiciona legalmente a su realización *sin estar legítimamente autorizado*. Legítima autorización que unida con el término acoso —por naturaleza ilegítimo[79]— supone un contrasentido legal, que conduce al reconocimiento de la existencia de acosos legítimos, lo que, evidentemente, resulta insostenible[80].

En los ordenamientos jurídicos de nuestro entorno no se utiliza este enlace terminológico del acoso con la cláusula de ausencia de legítima autorización, ni siquiera en el art. 238 StGB, en el que se inspira claramente el art. 172 ter, donde se tipifica la persecución persistente sin estar legitimado, pero sin adicionar sobre la misma el término acoso. Tampoco se produce dicho enlace en Inglaterra y Gales, donde aunque el Harassment Act incluye en la misma sección —la primera, que contiene la prohibición de acoso—, la referencia al acoso (harassment) y los supuestos de exclusión de dicha calificación, separa claramente los supuestos —

---

79 Algunos autores proponen la utilización de otros términos distintos al de acoso, como el de persecución, que por su menor carga negativa permita su asociación a conductas legítimas y también ilícitas (VILLACAMPA ESTIARTE, C.: *Ob. cit.* pp. 385-386). En el mismo sentido se manifestó el Informe del Consejo de Estado cuando sugiere dar una nueva redacción a la expresión "sin estar legítimamente autorizado" (...), pues de la lectura del mismo podría desprenderse, a sensu contrario, la posibilidad de acoso cuando se esté legítimamente autorizado cuando, evidentemente, el acoso, en sí mismo, en ningún caso podría estar justificado o amparado por la norma.

80 En el mismo sentido, véase el Informe del Consejo de Estado al Anteproyecto de Reforma del CP de 27 de junio de 2013.

acoso/exclusión— en dos subsecciones distintas —la 1 y la 3—, de tal forma que la prohibición de acoso y las causas de exclusión no implican el contrasentido legal existente en el art. 172 ter, que enlaza el significado del acoso —de por sí ilegítimo— con la posibilidad de su legítima realización, en una misma construcción semántica.

Este reconocimiento de la existencia de *acosos* legítimos en alguna de sus manifestaciones típicas (vigilancia, búsqueda de cercanía física...) deriva de la consideración del art. 172 ter como modalidad específica de coacciones, que sigue la estructura de dicho tipo penal, pues el art. 172 CP también reconoce la posibilidad de que el empleo de la violencia para impedir hacer lo que la Ley no prohíbe, o para obligarle a efectuar lo que no quiere, puede estar legitimado[81]. Sin embargo, los perfiles típicos del acoso, con su ineludible significado de actividad ilegítima, unido a la exigencia de su realización insistente y reiterada, determinante de la grave alteración de la vida cotidiana, no permite sostener la posible existencia de acosos legítimos ni siquiera por parte de los garantes de la seguridad, ciudadana —miembros de Fuerzas y Cuerpos de Seguridad del Estado—, o personal —padres, tutores, etcétera—. Tampoco por parte de otros sujetos, como los periodistas, cuando bajo la cobertura de una pretendida libertad de información alteren gravemente el desarrollo de la vida cotidiana mediante la realización de alguna de las conductas constitutivas del acoso típico, pues cuando el ejercicio de un derecho produce dicho resultado deja de ser legítimo.

Naturalmente, cualquier padre podrá buscar *legítimamente* la proximidad física de sus hijos, en cumplimiento de su deber de velar por ellos, o contactar reiterada e insistentemente con los mismos, pero de eso a la afirmación de que están legitimados para *acosar* a través de dichas conductas va un trecho. Nadie, absolutamente nadie, puede acosar legítimamente, sino que la realización de alguna de las conductas descritas en el art. 172 ter, de forma insistente y reiterada, alterando gravemente el desarrollo de la vida cotidiana, por sí misma y cuando reúna la entidad ofensiva mínima exigida por el derecho penal, será siempre y en todo caso ilegítima.

En el mismo sentido y por seguir con el otro ejemplo plausible de actuación en principio legítima, podemos afirmar que existiendo causa legal los miembros de Fuerzas y Cuerpos de Seguridad del Estado podrán realizar de forma insistente y reiterada alguna de las conductas constitutivas del acoso típico del art. 172 ter (ej. seguimientos, vigilancias...), pero la legitimidad de su actuación quedará circuns-

---

81 Sobre este particular señala GALDEANO SANTAMARÍA que la utilización de la misma fórmula en el art. 172 CP resulta adecuada, pero no lo es en el art. 172 ter, porque en el delito de coacciones sí existe previsión legal, y por tanto legitimación, que autoriza la coacción, pero no existe ninguna legislación que legitime a nadie a acosar ("Acoso-*stalking*", *cit.*, p. 573).

crita al supuesto concreto habilitante, sin que en ningún caso resulte admisible la producción del resultado exigido por el tipo de grave alteración de la vida cotidiana, porque de ser así se produciría una extralimitación constitutiva de acoso, que privaría de legitimidad a su actuación. Su conducta merecería entonces el calificativo de acoso y desde luego dejaría de estar legítimamente autorizada.

En definitiva, alguna de las conductas descritas en el art. 172 ter, como las vigilancias o búsquedas de proximidad física, en algunos supuestos pueden realizarse legítimamente por determinados sujetos, pero en tales casos, y precisamente por su legitimidad, nunca merecerán el calificativo de acoso[82], sin que por tanto resulte factible que en una misma frase se encuentren enlazados los términos acoso y legítima autorización. O se prescinde de la cláusula *legítimamente autorizado* o se prescinde del término acoso, pues los dos juntos suponen un contrasentido legal.

El legislador podría haber utilizado el término genérico *acoso*, sin la cláusula de inexistencia de legítima autorización. O, por el contrario, optar por una enumeración abierta de las conductas reiteradas e insistentes determinantes del resultado del delito, eliminando de la descripción típica el término *acoso* —que por su propia naturaleza es siempre ilegítimo—. En este último caso, podría haber utilizado la cláusula genérica "sin estar legítimamente autorizado", opción legislativa que podría considerarse correcta, pues reflejaría expresamente la posibilidad de que la realización de las conductas por determinados sujetos pudiera ser legítima, aunque, al igual que ocurre en el delito de coacciones del art. 172, resultaría innecesaria en el marco general de las causas de justificación.

6. TIPOS AGRAVADOS

La primera de las agravaciones previstas en el art. 172 ter se construye sobre la especial vulnerabilidad de la víctima, por razón de edad, enfermedad o situación, agravación por la condición del sujeto pasivo que para evitar solapamientos con la siguiente agravación deberá excluir de su ámbito de actuación a cualquiera de los sujetos citados en el art. 173.2 CP (cónyuge o excónyuge...)[83], que se in-

---

82 Y nunca podrán llegar a producir una grave alteración de la vida cotidiana, pues de producirla devendrían en acosos, ilegítimos.

83 En sentido diverso a esta opción se manifiesta VILLACAMPA ESTIARTE ("El delito...", *cit.*, pp. 392-393). A su juicio, el art. 172 ter establece un doble nivel agravatorio, de primer grado, cuando el sujeto pasivo sea una persona especialmente vulnerable por razón de edad, enfermedad o situación —núm. 1 in fine— y de segundo grado, cuando el ofendido sea alguno de los sujetos del art. 173.2 CP —art. 172 ter, 2—, que plantea difíciles problemas concursales en el supuesto de que la víctima particularmente vulnerable sea, a la vez, alguna de las previstas en

tegrarían en el campo de actuación de la agravación prevista en el número 2 del art. 172 ter.

La oportunidad de tales agravaciones resulta cuestionable, a pesar del informe favorable realizado al respecto por el CGPJ y por el Consejo Fiscal.

El Consejo General del Poder Judicial en la redacción informada del Anteproyecto, que únicamente contenía la agravación por razón de los sujetos del art. 173.2 CP, destacó su oportunidad por la frecuencia de su realización en este ámbito familiar y por la mayor facilidad comisiva derivada del conocimiento de la víctima que asocia, siendo el Consejo Fiscal el que propuso la ampliación de las agravantes a las personas especialmente vulnerables por razón de su edad, enfermedad o situación.

A nuestro juicio dicha apreciación resulta cuestionable. En el supuesto agravado de especial vulnerabilidad de la víctima sin vínculo familiar ni doméstico con el sujeto activo del delito por su carácter innecesario, preexistiendo la agravante genérica de abuso de superioridad de art. 22 CP. Y ello en cuanto manifestación de una recidivante tendencia legislativa de sobreproteger a las personas *vulnerables* mediante la tipificación específica de tal circunstancia en el mayor número de tipos posibles, aun cuando dichas víctimas no se encuentren *necesitadas de especial protección* por el juego de las agravantes genéricas del Código Penal; redundante sobreprotección que genera una evidente confusión normativa altamente desaconsejable.

Y a la misma conclusión podemos llegar con relación a la segunda de las agravaciones previstas en el art. 172 ter, apartado segundo, agravación derivada de la existencia de un vínculo familiar o afectivo entre los sujetos del delito, que también consideramos innecesaria, esta vez por su posible solapamiento con el delito de violencia doméstica del art. 173.2 CP[84], pues es lo cierto que la vigilancia reiterada e insistente, la búsqueda de proximidad física, el contacto o intento de contacto..., o, en definitiva, cualquiera de las conductas típicas del art. 172 ter, realizadas en el ámbito de una relación familiar o doméstica de las descritas en

---

el art. 173.2. En tal caso, y a su juicio, ninguno de los principios de solución de dicho concurso de normas permite su resolución, ni siquiera el aplicable en defecto de operatividad de todos ellos, el de alternatividad, puesto que, si bien la aplicación del número 2 del precepto supone la imposición de pena de prisión con umbral mínimo más elevado, también permite optar por la imposición de una pena claramente menos coartadora de la libertad, cual es la de trabajos en beneficio de la comunidad, cosa que no sucede de aplicar el tipo cualificado previsto en el número 1 *in fine* del artículo 172 ter CP, que conduce en todo caso a la imposición de una pena de prisión con umbral mínimo de pena agravado. Por todo ello, continua, hubiera sido preferible mantener, tal como hacía la segunda de las versiones del Anteproyecto de 2012, ambos supuestos cualificantes en un mismo nivel de agravación, puesto que a ambos se refiere además en igualdad de condiciones el artículo 46 del Convenio de Estambul *(ob. cit.)*.

84 En el mismo sentido, *vid.*, PALMA HERRERA, J. M.: "La Reforma...", *cit.*, p. 402.

el art. 173.2 CP, pueden generar sin dificultad el ambiente de violencia física o psíquica propio de este último precepto, razón por la cual, lo procedente sería la exclusiva aplicación del mismo. Con ello se evitaría el sinsentido de privilegiar el acoso personal agravado por la relación afectiva o familiar de los sujetos frente al delito del art. 173.2 CP[85], pues la pena agravada del art. 172 ter, 2, es menor que la establecida para los supuestos de violencia doméstica del 173.2 CP. Y es que lo que en ningún caso parece que resultará admisible es la conjunta aplicación de la pena de uno y otro precepto, por mucho que la cláusula concursal del apartado 3 del art. 172 ter así lo permita[86]. O aplicamos el art. 172 ter, 2, privilegiando al acosador, o aplicamos el 173.2 como supuesto de violencia doméstica habitual, considerando los actos constitutivos de acoso como concreción de los actos de violencia física o psíquica exigidos por el tipo. Lo procedente sería aplicar el 173.2 exclusivamente, que consumiría la lesión a la libertad derivada de los actos habituales de violencia física o psíquica —constitutivos asimismo del acoso típico, determinante de la grave alteración de la vida cotidiana—, pues de otra forma se produciría una doble valoración de la relación familiar o doméstica y de los actos determinantes de la violencia física y/o psíquica vulneradora del principio *ne bis in ídem*, claramente inadmisible.

7. CLÁUSULA CONCURSAL

El núm. 3 del art. 172 ter prevé expresamente una modalidad de concurso real entre los delitos que hubieran concretado los actos de acoso y el propio delito de acoso personal. Esta cláusula concursal, que reproduce el esquema del art. 173.2 del CP, puede plantear problemas de legitimidad. Sobre todo partiendo del que se pretende constituya el bien jurídico protegido por este delito, esto es, desde el reconocimiento de la libertad como objeto de tutela, porque nos podremos encontrar con que la conducta aislada, cuya reiteración determina el acoso típico, realice también alguno de los tipos tradicionales de coacciones o amenazas (ej. contacto telefónico o por medio de terceras personas con amenaza implícita), lesionando la libertad del sujeto. En tal caso, por expresa disposición del art. 172 ter, deberá sancionarse individualmente, por el tipo de amenazas que corresponda, y separadamente por su realización reiterada e insistente, que es la que será constitutiva de acoso, debiendo imponerse las penas de ambos preceptos a pesar

---

85 En el mismo sentido, *vid.*, VILLACAMPA ESTIARTE, C.: "El proyectado...", *cit.*, p. 40; BAUCELLS LLADÓS, J.: "La irreflexiva...", *cit.*

86 En el mismo sentido, *vid.*, BAUCELLS LLADÓS, J.: *Ob. cit.*

de la lesión del mismo bien jurídico, lo que podría determinar problemas desde la óptica del principio *ne bis in ídem*.

Dicha problemática también podría plantearse en la relación del art. 172 ter con otros tipos penales que tutelen bienes jurídicos distintos de la libertad, por ejemplo con el delito de acoso sexual del art. 184 CP o con la figura descrita en el art. 183 ter, teniendo en cuenta que en tales delitos no se requiere reiteración. En este último supuesto[87], de cumplimentarse las exigencias típicas del art. 183 ter debería aplicarse dicho precepto por la conducta constitutiva de acoso, más el art. 172 ter por los actos reiterados de contacto con el menor por internet para concertar el encuentro sexual[88], lo que podría resultar excesivo desde el prisma de su proporcionalidad.

Para evitar esta situación se propone por alguna autora la exigencia implícita de que los actos constitutivos de acoso sean inocuos y no punibles por ningún otro precepto del código, *sin perjuicio de que en algún caso puedan concurrir con alguna conducta que aisladamente considerada sea penalmente relevante (como, por ejemplo, un allanamiento de morada o unos daños)*[89]. En este sentido, se indica que las concretas acciones integrantes de la estrategia de acoso han de ser penalmente irrelevantes, pudiendo consistir en comportamientos cotidianos y totalmente inocuos. Ello implicaría la exclusión de conductas que, aisladamente consideradas, poseen trascendencia penal —que ya son objeto de sanción a través de otras figuras delictivas—, lo que permitiría eludir el riesgo de infracción de la prohibición del *ne bis in ídem* a que conduce la cláusula concursal incluida en el art. 172 ter del Anteproyecto[90].

A mi juicio, sin embargo, dicho entendimiento del delito, restringido a su integración por supuestos que no realicen ninguna otra figura delictiva, no sólo no se desprende de la redacción típica, sino que se contradice por la misma, ya que expresamente se indica en el núm. 3 del precepto, que ***las penas previstas en este artículo se impondrán sin perjuicio de las que pudieran corresponder a los delitos en que se hubieran concretado los actos de acoso***[91]. Opción concursal tipifica-

---

87 Relación del art. 172 ter con el art. 183 ter CP.

88 Siempre que se realizaran las distintas exigencias de tipicidad del art. 172 ter.

89 GUTIÉRREZ CASTAÑEDA, A.: Acoso-*stalking*...", *cit.*, p. 586.

90 GUTIÉRREZ CASTAÑEDA, A.: *Ob. cit.* En el mismo sentido se manifiesta GALDEANO SANTAMARÍA cuando señala que las conductas descritas en los distintos apartados del art. 172 ter "han de ser atentados contra el patrimonio, la libertad o la intimidad que no puedan constituir per se otras figuras delictivas ("Acoso-*stalking*...", *cit.*, p. 574).

91 VILLACAMPA ESTIARTE señala que podría entenderse que la interpretación del tipo en clave de subsidiariedad —"salvo que los hechos constituyeren un delito más grave"— entra en contradicción con la específica cláusula concursal ya contemplada en el núm. 3 del artículo 172 ter CP, según la cual "las penas previstas en este artículo se impondrán sin perjuicio de las que pudieran corresponder a los delitos en que se hubieran concretado los actos de acoso". Sin

da —de delitos y no de normas— que solo admite su crítica y la propuesta futura de modificaciones legislativas favorables, en su caso, al instituto del concurso de normas, que desde el respeto del principio *ne bis in idem* permita solucionar los posibles problemas que en la práctica pudieran presentarse.

8. BIBLIOGRAFÍA

ALONSO DE ESCAMILLA, A.: "El delito de *stalking* como nueva forma de acoso: *cyberstalking* y nuevas realidades", *La ley penal: revista de derecho penal, procesal y penitenciario*, nº. 105, 2013.

AGNNINO, F.: "Il Nuovo Delitto di Atti Persecutori, c.d. *stalking*, entra subito in scena nelle aule di giustizia", *Corriere Merito*, 2009, 7.

BAUCELLS LLADÓS, J.: "La irreflexiva criminalización del hostigamiento en el proyecto de código penal", *Revista General del Derecho*, 21, 2014.

CARUSO FONTÁN, M. V.: "El acoso inmobiliario como agravante del delito de coacciones y su posible incidencia en el concepto de violencia", *Revista General de Derecho Penal*, nº. 16, 2011.

CUERDA ARNAU, M.: "Menores y redes sociales: protección penal de los menores en el entorno digital", *CPC*, Número 112, Época II, mayo 2014.

DE SIMONE, J.: "Il delito de atti persecutori - la struttura oggetiva della fattispecie", *Archivio Penale*, núm. 3, 2013.

DRESSING/HENN/GASS: "*Stalking* behavior-an Overwiew of the Problem and a Case report of Male-to-Male *Stalking* during Delusional Disorder", *Psychopathology*, 2002.

GALDEANO SANTAMARÍA, A.: "Acoso-*stalking*: art. 172 ter", *Estudio crítico sobre el anteproyecto de reforma penal de 2012*, Dir. Francisco Javier Álvarez García, Coord. Jacobo Dopico Gómez-Aller, Tirant lo Blanch, Valencia, 2013.

GÓMEZ RIVERO, C.: "El derecho penal ante las conductas de acoso persecutorio" en *El acoso: tratamiento penal y procesal*, Martínez González (Dir.), Valencia, 2011.

GOWLAND, J.: "Protection from Harassment Act 1997: The New *Stalking* Offences", *The Journal Of Criminal Law* (2013).

---

embargo, y como ya propuso en su momento, dicha posibilidad concursal —de normas y no de delitos—, en la actualidad, y con la vigente proliferación de tipos de acoso, tipificados sin concierto interno, que puede acabar abocando a la afirmación de concursos artificiales —y, por tanto, claramente atentatorios contra el principio non bis in idem—, resultaría más adecuada que la vigente favorable al concurso de delitos. En definitiva, frente a la cláusula concursal vigente que deja expedita la vía del concurso de delitos de manera indiscriminada, debería pensarse en la inclusión de una cláusula en la que, admitiéndose que el tipo contemplado en el artículo 172 ter CP pueda entrar en concurso con los delitos en que se hubiesen concretado los actos de acoso, exceptúe de tal posibilidad de concurso a aquellos delitos que en esencia supongan el empleo de la violencia psicológica y aquellos otros que atenten contra la libertad de obrar, pues en uno y otro caso la afirmación del concurso de delitos con el de *stalking* podría suponer la infracción del principio non bis in idem (Cfr. "El Delito", *cit.*, pp. 396-397).

GUTIÉRREZ CASTAÑEDA, A.: "Acoso-*stalking*: art. 172 ter", *Estudio crítico sobre el anteproyecto de reforma penal de 2012*, Dir. Francisco Javier Álvarez García, Coord. Jacobo Dopico Gómez-Aller, Tirant lo Blanch, Valencia, 2013.

KROPP/ HART/ LYON/ STOREY: "The Development and Validation of the Guidelines for *Stalking* Assessment and Management", *Behav. Sci. Law,* 29, 2011.

LOWNEY, K. S./ BEST, "*Stalking* Strangers and Lovers: Changing Media Typifications of a New Crime Problem", *In Images of Issues: Typifying Contemporary Social Problems,* Ed. by J. Best. New York: Aldine De Gruyter.

MANNA A., "Il nuovo delitto di «atti persecutori» e la sua conformità ai principi costituzionali in materia penale", in S. vinciguerra/ f. dassano (a cura di), *Scritti in memoria di Giuliano Marini,* ESI, Napoli, 2010.

MARTÍNEZ GONZÁLEZ, M./ MENDOZA CALDERÓN, S.: "El acoso en derecho penal: una primera aproximación al tratamiento penal de las principales formes de acoso" *en Revista penal*, núm. 18, 2006.

MATALLÍN EVANGELIO, A.: "Acoso-*stalking*: art. 172 ter", *Estudio crítico sobre el anteproyecto de reforma penal de 2012*, Dir. Francisco Javier Álvarez García, Coord. Jacobo Dopico Gómez-Aller, Tirant lo Blanch, Valencia, 2013.

– "Delito de acoso: art. 172 ter", en *Comentarios a la Reforma del Código Penal de 2015*, 2ª Edición, Dir. González Cussac, Coords. Górriz Royo y Matallín Evangelio, Valencia, 2015.

MATTEUDAKIS, M.: "L'Imputazione soggettiva nell'ambito del delitto di atti persecutori —*Stalking*—", *L'Indice Penale,* Luglio-Dicembre 2014.

MELOY, J. R.: *The psychology of Stalking an Forensic Perspectives*, San Diego, Academic Press, 1998.

MULLEN, P./ PATHÉ, M.: "*Stalking*", *Crimen and Justice*, Vol. 29, 2002.

MULLEN/ PATHÉ/ PURCELL: "*Stalking*: Defining and prosecuting a new category of offending", *International Journal of Law and Psychiatry*, 27 (2004).

– "Stalkers and Their Victims", *Cambridge University Press,* 2008.

MUÑOZ CONDE, F.: *Derecho Penal Parte Especial*, Valencia, 2015.

PALMA HERRERA, J. M.: "La Reforma de los Delitos contra la libertad operada por la LO 1/2015, de 30 de marzo, en *Estudios sobre el Código Penal reformado (Leyes Orgánicas 1/2015 y 2/2015)*, Dir. Morillas Cueva, Madrid, 2015.

PATHE/MULLEN: "The impact of stalkers on their victims", *British Journal of Psychiatry*, 170, 1997.

POMARES CINTAS, E.: "La incriminación específica del "acoso inmobiliario" en la reforma del Código penal de 2010: los nuevos delitos de coacciones y contra la integridad moral", *Estudios Penales y Criminológicos*, vol. XXX (2010).

POMARES, E.: "El acoso en el trabajo basado en la alteración de condiciones de prestación de la actividad laboral. Análisis de los planteamientos prelegislativos, jurisprudenciales y doctrinales sobre su regulación penal" en *Cuadernos de política criminal,* núm. 97, 2009.

REBOLLO VARGAS, R.: "Los delitos contra la integridad moral y la tipificación del acoso psicológico u hostilidad en el proyecto de reforma de código penal" en *Anuario de Derecho Penal y Ciencias Penales*, 2007.

STOREY/HART/MELOY/REAVIS: "Psychopathy and *Stalking*", *Law and Human Behavior*, 33 (3), 2009.

VILLACAMPA ESTIARTE, C.: "La introducción del delito de "atti persecutori" en el Código penal italiano: La tipificación del *stalking* en Italia", *Indret: Revista para el Análisis del Derecho*, nº. 3, 2009.

- "El nuevo delito de *stalking*/acoso", Iuris: *Actualidad y práctica del derecho*, nº 210, 2014.
- *Stalking y derecho penal: relevancia jurídico-penal de una nueva forma de acoso*, Madrid, 2009.
- "El proyectado delito de acecho: incriminación del "*stalking*" en Derecho Penal español", *Cuadernos de política criminal*, nº 109, 2013.
- "Delito de Acecho/*Stalking*: art. 172 ter", *Estudio crítico sobre el anteproyecto de reforma penal de 2012*, Dir. Francisco Javier Álvarez García, Coord. Jacobo Dopico Gómez-Aller, Valencia, 2013.
- "El delito de *stalking*", *Comentario a la reforma penal de 2015, Parte Especial*, Director, Gonzalo Quintero Olivares, Aranzadi, 2015.
- "La incriminación del mobbing en derecho penal español: los claroscuros del delito de acoso laboral", *Revista de derecho y proceso penal*, nº. 30, 2013.

VIVES ANTÓN, T. S.: *Fundamentos del Sistema Penal*, Valencia, 1996, nota 71, y "Constitución, sistema democrático y concepciones del bien jurídico protegido", *Revista Jurídica de la Comunidad Valenciana: Jurisprudencia seleccionada de la Comunidad Valenciana*, nº 16, 2005

- "Principio de legalidad, interpretación de la ley y dogmática penal", en *Estudios de Filosofía del Derecho Penal,* Editores DÍAZ y GARCÍA CONLLEDO y GARCÍA AMADO, Columbia, 2006.
- *La estructura de la teoría del concurso de infracciones*, Universidad de Valencia, 1981.
- "Presupuestos constitucionales de la prevención y represión del tráfico de drogas tóxicas y estupefacientes", en *Problemática jurídica y psicosocial de las drogas, Monografies Sanitaries*, Generalitat Valenciana, 1987.
- "Constitución, sistema democrático y concepciones del bien jurídico protegido", *Revista Jurídica de la Comunidad Valenciana: Jurisprudencia seleccionada de la Comunidad Valenciana*, nº 16, 2005.
- "Principios penales y dogmática penal", *Estudios sobre el Código penal de 1995*, Madrid, 1996.

El fenómeno del *ciberbullying* desde el Derecho penal español. Su delimitación con otras formas de ciberacoso a menores

Silvia Mendoza Calderón
Profesora Titular de Derecho penal acreditada
Profesora Contratada Doctora
Universidad Pablo de Olavide, de Sevilla

SUMARIO: 1. Introducción: el fenómeno del acoso entre iguales. 2. El *Ciberbullying*. 2.1. Consideraciones generales. 2.2. La tutela penal frente a los casos de ciberacoso: la comisión de delitos contra la integridad moral y la intimidad. La suplantación de identidad. La incidencia de la reforma operada por la Ley orgánica 1/2015, de 30 de marzo. 3. La distinción del *ciberbullying* de otras formas de acoso a menores. 3.1. Supuestos de acoso a menores con finalidad sexual: delitos de *grooming*, atentados contra la integridad moral, la libertad, prostitución y corrupción de menores. 3.2. La distinción entre las conductas de *bullying* y *ciberbullying* como delito contra la integridad moral. 4. Conclusiones. 5. Bibliografía.

RESUMEN: El presente estudio analiza el fenómeno del acoso entre iguales a través de las nuevas tecnologías, centrándose en la figura del *ciberbullying* y su delimitación con otras formas de ciberacoso, examinado su vertiente doctrinal y de aplicación jurisprudencial. Asimismo, se estudia la incidencia de la Ley orgánica 1/2015, de 30 de marzo, sobre determinadas formas de acoso realizadas a través de medios informáticos.

PALABRAS CLAVE: Acoso, menores, ciberacoso, *ciberbullying*, delitos contra la integridad moral.

ABSTRACT: This paper analyzes the phenomenon of peer-group harassment through new technologies, focusing on the figure of cyberbullying and its distinction between other forms of harassment through the Internet, examined its doctrinal and jurisprudential interpretation. Also, it is studied the incidence of the Organic Law 1/2015, of March 30, 2015, on certain forms of harassment performed through information technologies.

KEYWORDS: Harassment, juveniles, internet, cyberbullying, crimes against the moral integrity.

1. INTRODUCCIÓN: EL FENÓMENO DEL ACOSO ENTRE IGUALES

En el maltrato entre iguales o *bullying*, el anglicismo "*bully*" haría referencia al término castellano "matón". Se trataría de acciones y comportamientos de ridiculización, de sometimiento, de subyugación, de humillación, de exclusión, de extorsión, de agresión, realizada entre escolares de forma repetida y mantenida en el tiempo, siempre lejos de la mirada de los adultos, con la intención de humillar y someter abusivamente a una víctima indefensa por parte de un abusón o grupo de matones a través de agresiones físicas, verbales y sociales con resultados de victimización psicológica y rechazo grupal[1].

En el *Informe Cisneros VII, (2005)* se definía al acoso escolar como "un continuado y deliberado maltrato verbal y modal que recibe un niño por parte de otro u otros, que se comportan con el cruelmente con el objeto de someterlo, apocarlo, asustarlo, amenazarlo y que atentarían contra la dignidad del niño. La persistencia del acoso generaría en la víctima una sensación de temor, incluso más allá de las situaciones de ataque, lo que permitiría que pudiera seguir sufriendo en otros espacios y tiempos distintos a los que se producen los ataques, al repensarlos, revivirlos y anticiparlos".

En relación al enjuiciamiento de esta serie de conductas y qué hechos podrían encuadrarse dentro de un acoso propio *de bullying*, la *Sentencia del Juzgado de Primera Instancia de Madrid, núm. 44, sentencia núm. 91, de 25 marzo de 2011*, habría detallado como un menor era víctima de acoso desde segundo hasta cuarto de primaria, por compañeros, dándose por parte de los agresores pinchazos con lápices, constantes desapariciones de objetos personales y material escolar, para humillar a la víctima y obligarlo en reiteradas ocasiones a salir con retraso, con la producción de un progresivo aislamiento del menor en actividades escolares. Como consecuencia de esta actitud acosadora por parte de los otros compañeros, el menor comienza a negarse a asistir a clase, evidenciándose tics, tos nerviosas, sensación de ahogo, terrores nocturnos y hábitos alimenticios compulsivos, manifestando que no puede comer por opresión en el pecho o arderle la garganta. Los agresores asimismo, insultaban al menor, lo humillaban, y prohibían a otros compañeros jugar con el mismo, persiguiéndolo durante el recreo y pegándole entre todos, haciéndolo víctima de pequeños hurtos.

---

1 AVILÉS MARTÍNEZ, 2006. *Bullying, maltrato entre iguales. Agresores, víctimas y testigos en la escuela*. Salamanca, pp. 79-82.
TERUEL ROMERO. 2007. *Estrategias para prevenir el bullying en las aulas*, p. 27. Sobre el Informe Cisneros X, Cfr. OÑATE CANTERO, PIÑUEL Y ZABALA, en www.fapacne.com, consultada en abril 2011.

Desde esta perspectiva, la *Instrucción 10/05 de la Fiscalía del Estado, de 6 de octubre, sobre Tratamiento del Acoso Escolar,* afirma que éste comprendería un catálogo de conductas, en general permanentes o continuadas en el tiempo y desarrolladas por uno o más alumnos sobre otro, susceptibles de provocar en la víctima sentimientos de terror, de angustia e inferioridad idóneos para humillarle, envilecerle y quebrantar, en su caso, su resistencia física y moral.

Sin embargo, se recalca que en todo caso debería partirse de que conceptualmente el acoso escolar requiere de una cierta continuidad o reiteración, debiendo distinguirse estas conductas de los incidentes aislados. Por ello, respecto a la aplicación del art. 173 CP conforme a lo sostenido por *la Sentencia del Tribunal Supremo 489/2003, de 2 de abril*, podrían incluirse la realización de "novatadas" y, en general, las conductas susceptibles de producir en las víctimas "sentimientos de terror, de angustia y de inferioridad susceptibles de humillarles, de envilecerles y de quebrantar, en su caso, su resistencia física y moral" y conductas, como desnudar a una persona y obligarle a realizar flexiones, etc.. comportamientos que se realizan con una finalidad envilecedora. De esta forma, incluso los actos de violencia psíquica de escasa gravedad, si se vienen produciendo en forma reiterada, como expresión de un clima de violencia psíquica habitual, podrían ser encajados en el delito del art. 173 CP, siempre que se hubiera producido como resultado un grave menoscabo en la integridad moral.

En la *Sentencia de la Audiencia Provincial de Castellón (Sección 1ª) núm. 355/2010 de 21 octubre*, se examina un supuesto de acoso a un menor en el que compañeros del instituto lo insultaban, se burlaban de su forma de vestir y con el hecho de que su padre hubiese fallecido, empujándole continuamente en los pasillos, escupiéndole, repitiéndose estos hechos prácticamente a diario y poniendo la víctima estos hechos en conocimiento de los profesores del centro. La Sala consideró que para que se aprecie el delito del art. 173.1 CP debería darse una cierta permanencia en el comportamiento acosador o, al menos, repetición; si bien, ello no sería obstáculo para que se apreciase este delito por medio de una conducta única, siempre que en ella se apreciara una intensidad lesiva para la dignidad humana suficiente para su calificación delictiva[2].

---

2 La *Sentencia del Juzgado de Menores de Guipúzcoa, de 12 de mayo de 2005, número 86/2005* consideró la conducta de acoso escolar como constitutiva de un delito contra la integridad moral, ya que se aprecia cometido el delito del art. 173.1 CP, tanto por conductas aisladas que por su naturaleza tienen entidad suficiente para producir un menoscabo grave de la integridad moral de la víctima, como por aquellas otras, que si bien, aisladamente consideradas no rebasarían el umbral exigido por el delito, sin embargo, al ser reiteradas o sistemáticas, realizadas habitualmente y consideradas en su conjunto, terminan produciendo un menoscabo grave a la integridad moral. Se estima que son conductas de trato degradante, que al reiterarse afectan gravemente, por erosión, la integridad moral.

Se expone que si el trato supone la comunicación o relación que se tiene con otra persona, el calificativo "degradante" indica lo que humilla, rebaja o envilece. Desde esta perspectiva, los "tratos degradantes" consisten esencialmente en "infligir un sufrimiento físico o psíquico tendente a humillar a la víctima ante los demás o ante sí misma", considerándose que la burla casi cotidiana de que hacían objeto a la víctima, al que insultaban, empujaban e incluso escupían, en un contexto de hostilidad evidente, supuso un trato degradante, que hubo de humillar a la víctima y causarle un indudable sufrimiento psíquico, con entidad suficiente para ser calificada como constitutiva de un delito contra la integridad moral de la víctima, del art. 173 del CP.

Conforme a la jurisprudencia del Tribunal Supremo[3] los elementos que conforman el concepto de atentado a la integridad moral serían los siguientes: un acto de claro e inequívoco contenido vejatorio para el sujeto pasivo; la concurrencia de un padecimiento físico o psíquico; que el comportamiento sea degradante o humillante con especial incidencia en el concepto de dignidad de la persona-víctima. Y todo ello unido a modo de hilo conductor de la nota de gravedad, que exigiría un estudio individualizando caso a caso, pudiendo derivarse de una sola acción particularmente intensa que integre las notas que vertebran el tipo, o bien una conducta mantenida en el tiempo; sin que se requiera que este quebranto grave se integre en el concepto de lesión psíquica. De igual modo se añade, que aunque la conducta no tenga la entidad lesiva suficiente para constituir un delito contra la integridad moral, otra serie de "daños morales" podrían ser resarcidos a través de la responsabilidad civil.

No obstante, la problemática del acoso escolar no se agota solamente en la comisión de un delito contra la integridad moral[4], sino que al igual que sucede con otras conductas acosadoras, surgen las dudas en torno a los posibles concursos con los resultados lesivos. Con respecto a los daños a la salud de la víctima, la polémica surge al examinarse la causación de daños psicológicos, ya que nor-

---

3 *Cfr. STS. 294/2003, de 16 de abril y 213/2005, de 22 de febrero.*

4 En otras ocasiones, las conductas agresivas pueden generar la comisión de delitos contra la libertad sexual, como los enjuiciados *por la Sentencia de la Audiencia Provincial de A Coruña (Sección 2ª), núm. 317/2010 de 21 julio*. En relación a la responsabilidad civil de los progenitores frente a la argumentación de que los hechos ocurren en el centro escolar y además en las horas lectivas, se afirma que la responsabilidad civil, solidaria y objetiva, de los padres por los hechos cometidos por sus hijos menores de edad impuesta por el artículo 61.3 LO 5/2000, sólo admite la posibilidad de moderación, nunca de exclusión, cuando los padres no hubieran favorecido la conducta del menor, ausencia de favorecimiento que ha de ser acreditada por ellos, al producir la declaración de responsabilidad objetiva la inversión consiguiente de la carga probatoria, de manera que es a ellos a quien corresponde acreditar que han empleado las precauciones adecuadas para impedir el evento dañoso o que, al menos, no actuaron favoreciéndolo.

malmente, se defiende la existencia de un concurso de normas, al sostenerse que el delito contra la integridad moral absorbería el desvalor asignable al delito de lesiones[5].

En cambio, la *Audiencia Provincial de Guipúzcoa* estimó en el caso "Jokin" que el art. 15 CE configura la integridad moral como una realidad axiológica dotada de autonomía propia, reconociéndose la existencia de un bien jurídico, de un valor humano, independiente y distinto de los derechos a la vida, a la integridad física, a la libertad y demás intereses que constituyen una emanación de la personalidad. Se recalca que el Tribunal Constitucional habría vinculado la integridad moral con la inviolabilidad de la persona, ubicando dentro de la esfera de la integridad moral conductas idóneas para envilecer, humillar o vejar. Desde este punto de vista, la integridad moral comprendería todas las facetas de la personalidad: la identidad individual, el equilibrio físico, la autoestima o el respeto ajeno que debe acompañar a todo ser humano, constituyendo un atributo de la persona por el mero hecho de serlo, con la consiguiente proscripción de cualquier uso instrumental de un sujeto. Se considera que se trataría de un bien jurídico que tutela el derecho a ser tratado como uno mismo, como un ser humano libre y nunca como un simple objeto.

Igualmente, en la *Sentencia de 15 de julio de 2005 de la Audiencia Provincial de Guipúzcoa* se destacó que no cualquier maltrato psíquico constituiría un delito del art. 147 CP, puesto que únicamente el menoscabo de la salud psíquica que provenga de una lesión corporal encuentra acomodo en el tipo de lesiones descrito en el apartado primero de dicho precepto. Solo se subsumen los supuestos en los que la lesión causada tenga una determinada gravedad resultante de sus consecuencias sobre la integridad corporal, la salud física o la salud mental. En concreto, la lesión corporal, desde esta óptica judicial, incluiría el daño o la pérdida de la sustancia corporal, la perturbación de las funciones del cuerpo, la modificación de la forma de alguna parte del cuerpo, malestares físicos de cierta entidad, o bien *el terror o asco, cuando junto a la conmoción del equilibrio espiritual se de también una excitación de los nervios sensitivos del sistema central nervioso, que transmiten las impresiones sensibles, como someter a una persona*

---

5 Según recoge la *Sentencia de la Audiencia Provincial de Guipúzcoa, número 178/2005, de 15 de julio,* el Tribunal Supremo estima que la integridad moral comprende todas las facetas de la personalidad: la identidad individual, el equilibrio físico, la autoestima o el respeto ajeno que debe acompañar a todo ser humano. También mantiene que la integridad moral es un atributo por el mero hecho de serlo, con la proscripción de cualquier uso instrumental del sujeto, siendo el derecho a ser tratado como uno mismo, como un ser humano libre y nunca como un simple objeto.

de forma continuada a fuertes ruidos, aterrorizar a otro mediante la amenaza con un arma, etc.[6].

Por estos motivos, la Sala apreció que de la existencia de agresiones en un marco de hostigamiento, (como puñetazos en la cara, empujones, cachetes en la cabeza, patadas en las piernas, y en la espalda, golpes en los hombros y abdomen, balonazos, etc), la sinergia de esta violencia física con la violencia psíquica ejercida, menoscababa la salud mental de la víctima, lo cual motivaría que la conducta entrara dentro del tipo recogido en el art. 147 CP[7], sobre todo cuando el art. 177 CP establece un concurso de delitos entre los delitos contra la integridad moral y los delitos de lesiones.

Por lo tanto, se consideró que la conducta de los siete menores agresores había afectado a dos bienes jurídicos diferentes, como eran la inviolabilidad de la persona humana y la salud mental. Su comportamiento vejó y humilló a la víctima, (ámbito propio de la integridad moral), y también afectó a la salud psíquica sumiéndole en un estado de desequilibrio emocional, cuya evaluación y enfrentamiento hubiera precisado de tratamiento médico. Serían dos infracciones distintas, con significación jurídica propia y tutela normativa y jurisdiccional diferenciada. Se mantuvo por el órgano judicial en este caso, un concurso real de infracciones[8].

---

6 Sentencias del Tribunal Supremo de 9 de junio de 1998 y 10 de marzo de 2003. CUERDA ARNAU, M. L., 2014. "Menores y redes sociales: protección penal de los menores en el entorno digital", CPC, número 112, Época II, mayo, p. 27, valorando las lesiones derivadas de estas conductas de acoso como imprudentes.

7 Fundamento Cuarto, Juicio de subsunción típica, de la Audiencia Provincial de Guipúzcoa, número 178/2005, de 15 de julio.

8 La Audiencia Provincial de Guipúzcoa, dicta segunda sentencia, en fecha 15 de julio de 2005, número 178/2005, ratificando el pronunciamiento del Juzgado de Menores de Donostia-San Sebastián, absolutorio referido al delito de inducción al suicidio, y en lo relativo a la falta de lesiones penalizada con tres fines de semana de permanencia en centro educativo. Revoca el resto de los pronunciamientos y declara a siete menores como autores de un delito contra la integridad moral y un delito contra la salud psíquica de Jorge, y les imponen por ambas infracciones a cada uno la medida de dos años de internamiento en centro educativo en la modalidad de régimen abierto, siguiendo lo dispuesto en el art. 7.2 LORPM, con el siguiente contenido: Durante el primer año los menores llevarán a cabo las actividades del proyecto educativo en los servicios normalizados del entorno, residiendo en el centro como domicilio habitual, con sujeción al programa y régimen interno del mismo. Durante el segundo año, los menores estarán en régimen de libertad vigilada. Cfr. igualmente la *Sentencia del Juzgado de Menores núm. 1 de Bilbao núm. 216/2005 de 23 noviembre* en relación al el art. 177 CP.

2. EL *CIBERBULLYING*

2.1. *Consideraciones generales*

En lo que respecta al ciberacoso, según el Observatorio de la Seguridad de la Información, este comportamiento se definiría como acoso entre iguales en el entorno TIC e incluye actuaciones de chantaje, vejaciones e insultos de niños a otros niños. En una forma más exhaustiva, el *ciberbullying* supondría el uso y difusión de información lesiva o difamatoria en formato electrónico a través de medios de comunicación como el correo electrónico, la mensajería de texto a través de teléfonos o dispositivos móviles o la publicación de videos y fotografías en plataformas electrónicas de difusión de contenido. La clave, en algunos casos, sería una situación en que acosador y victima serian niños, compañeros de colegio o instituto o personas con las que la víctima se relacionaría en la vida física[9].

La doctrina asimismo, ha insistido en que debe diferenciarse el *ciberbullying* conceptualmente de dos fenómenos. Por una parte habría que distinguirlo del *cyberstalking*, que englobaría las conductas de acoso u hostigamiento continuado a adultos en el ciberespacio, y por otra, el *cyberharassment*, que suele emplearse para referirse a actos concretos, y no continuados, de *bullying* o *stalking* en el ciberespacio[10].

---

9 INTECO, OBSERVATORIO DE LA SEGURIDAD DE LA INFORMACIÓN, "Guía legal sobre el *ciberbullying* y *grooming*", en www.inteco.es, consultada en fecha 5 de febrero de 2010, p. 3.

10 MIRÓ LLINARES, F. 2013. "Derecho penal, cyberbullying y otras formas de acoso (no sexual) en el ciberespacio", en *Revista D'Internet, Dret i Politica*, núm. 16, junio, pp. 64 ss. Cfr. igualmente, MIRÓ, F. 2011, "La oportunidad criminal en el ciberespacio. Aplicación y desarrollo de la teoría de las actividades cotidianas para la prevención del cibercrimen". *Revista Electrónica de Ciencia Penal y Criminología*, nº 13-07, pp. 47 ss., afirma que desde la teoría de la prevención de la delincuencia es esencial comprender en primer lugar, que el cibercrimen como evento, tiene mucho que ver con las decisiones que adopta la víctima en su día a día, con sus actividades cotidianas y con la (escasa) percepción del riesgo de las mismas, y la cuestión central debe ser, por tanto, la de mejorar su protección como forma de, en términos de prevención situacional, aumentar el esfuerzo necesario para la realización del delito. La prevención de la cibercriminalidad requerirá la adopción de medidas que permitan a la víctima convertirse en su propio guardián capaz y, a la vez, evitar la realización de las conductas que facilitan la ejecución del delito. Aumentar su formación para una mejor autoprotección y para la adopción de rutinas seguras, potenciar la utilización de sistemas de autoprotección que eviten riesgos no deseados, e incluso enseñar a limitar los bienes personales y patrimoniales que pone en contacto con el ciberespacio, deberían ser objetivos político-preventivos básicos en relación con la cibercriminalidad. Asimismo, se detalla la potenciación de medidas tendentes a la ocultación de objetivos y demás formas de minimización de las posibles ganancias o recompensas que el agresor percibirá que puede obtener, podrían tener gran éxito.

Este fenómeno por lo tanto, presentaría los siguientes elementos: la existencia de una situación de acoso[11] dilatada en el tiempo, descartándose acciones puntuales; se daría una situación de acoso que no cuenta con elementos de índole sexual; las víctimas y acosadores serían de edades similares y tendrían relación o contacto con el mundo físico; y finalmente, que el medio utilizado para llevar a cabo el acoso sería tecnológico, pudiendo tratarse de Internet o cualquiera de sus servicios asociados, como telefonía móvil, redes sociales o plataformas de difusión de contenidos[12]. En otros medios también se han destacado el uso de videoconsolas con conexión *on line*[13].

Como ejemplo de esta serie de conductas, pueden citarse actos como subir a Internet una foto montada o real que sea vergonzosa para la víctima; crear un espacio en la Red a nombre del acosado donde se confiesen historias íntimas y vergonzantes; dar de alta el e-mail de la víctima en sitios desde donde luego le enviarán spam; poner en circulación rumores donde el acosado queda en actitud reprochable, para que aquellos que los lean, actúen en consecuencia; o poner *online* videos caseros donde se insulta, burla, ridiculiza o tortura de alguna manera a la víctima[14].

---

11 Sobre las distintas definiciones de acoso, (incluido el acoso escolar del Informe Cisneros 2005) cfr. TERUEL ROMERO, 2007, *Estrategias para prevenir el bullying en las aulas,* Madrid, pp. 25 s. En relación a la distinción entre acoso físico, verbal, extorsión, acoso visual, exclusión, acoso sexual y acoso racial, cfr. SUCKLING, TEMPLE, 2006, *Herramientas contra el acoso escolar. Un enfoque integral,* Madrid, pp. 79 s.

12 INTECO, OBSERVATORIO DE LA SEGURIDAD DE LA INFORMACIÓN, "Guía legal sobre el *ciberbullying* y *grooming*", en www.inteco.es, consultada en fecha 5 de febrero de 2010, p. 5. En cambio, cfr. INTECO, www.inteco.es, FLORES FERNÁNEZ, "*Ciberbullying*, nueva forma de acoso", 16/09/2008, consultada en fecha 5 de febrero de 2010, que indica que acosador y víctima no tienen siquiera que conocerse y las situaciones de *bullying* y *ciberbullying* no van siempre ligadas. Muchas veces sería cierto que el acoso escolar se complementa con acecho virtual pero no necesariamente. Puede incluso que un conflicto online entre compañeros derive en *bullying* al trasladarse al otro espacio que las partes comparten: el centro escolar.

13 ARARTEKO, (Defensoría del Pueblo), *Ciberbullying*. Guía rápida para la prevención del acoso por medio de las nuevas tecnologías, Pantallas Amigas, 2008, p. 1.

14 GRANDINETTI, "*Ciberbullying* o acoso cibernético. Una nueva práctica de hostigamiento", 19-ago.-2009, en http://violenciaaulas.suite101.net/article.cfm/*ciberbullying*#ixzz0a2dNyzPM, consultada en fecha 8 de febrero de 2010. Se reitera que el ciberacoso es repetitivo y continuado; se establece un control sobre la víctima; exige el conocimiento y dominio de la tecnología; genera mayor sentimiento de desprotección al infiltrarse en ámbitos donde uno supondría estar a salvo, como el hogar; se propaga rápidamente, abriéndose paso a gran cantidad de gente en poco tiempo y el desconocimiento del agresor genera mayor impotencia y miedo. Cfr. *Sentencia de la Audiencia Provincial de Guipúzcoa núm. 232/2009 de 24 junio,* en relación a falta de vejación injusta, en la conducta de colgar en internet una foto de la víctima con la frase "se busca delincuente en fuga, si la ven, avísenme, se les da recompensa". Cfr. La *Sentencia de la Audiencia Provincial de Las Palmas, núm. 449/2008 de 9 diciembre,* que considera aplicable un delito de amenazas condicionales consiguiendo el propósito, la conducta del acusado que amenazó a

En el entorno europeo, la *Decisión 1351/2008/CE del Parlamento Europeo y del Consejo, de 16 de diciembre de 2008,* ha establecido un programa comunitario plurianual sobre la protección de los niños en el uso de Internet y de otras tecnologías de la comunicación. En ella, se detalla que el uso de Internet y de otras tecnologías de la comunicación tales como el teléfono móvil habría experimentado un crecimiento considerable en la Unión Europea brindando grandes ventajas en relación a participación, la interactividad y la creatividad. No obstante, se recalcan los riesgos para los niños y el abuso de estas tecnologías también siguen existiendo y, con la evolución de la tecnología y de los comportamientos sociales, aparecen nuevos riesgos y abusos. En esta Decisión se insiste en el interés por parte de la Unión Europea en crear medidas a escala dirigidas a proteger la integridad física, mental y moral de los niños, que podría verse vulnerada al acceder estos últimos a contenidos inapropiados[15].

Asimismo, se destaca la necesidad de actuar para evitar los casos en que los niños son víctimas de comportamientos nocivos e ilícitos que desembocan en perjuicios físicos y psicológicos y aquellos en los que son embaucados para que imiten tales comportamientos, perjudicando a otros o a sí mismos. Las acciones deberán encaminarse a impedir que los niños sean víctimas de amenazas, acoso y humillación a través de Internet o de las tecnologías digitales interactivas, incluidos los teléfonos móviles[16].

En lo que respecta a la relación entre conductas de *bullying y ciberbullying* se ha destacado que en ambas modalidades de acoso se da un abuso entre iguales, pero el *ciberbullying* podría tener otras causas, se manifiesta de formas diversas y sus consecuencias diferirían. Se indica que en los casos de *ciberbullying* la víctima no tiene por qué ser un compañero de clase, sino que puede ser cualquier persona

---

la víctima con colgar un vídeo de claro contenido sexual grabado con el consentimiento de la víctima en internet. *La Sentencia de la Audiencia Provincial de Navarra, núm. 124/2004, de 29 junio,* aplica un delito de injurias graves con publicidad al hecho de insertar en varias direcciones de internet diversos anuncios en que se incitaba a llamar al teléfono de la perjudicada, con la finalidad de tener una conversación de tipo sexual. Para confrontar casos de *ciberbullying* resaltados en prensa, cfr. http://www.*ciberbullying*.com/cyberbullying/casos-de-*ciberbullying*/. Cfr. CUERDA ARNAU, M. L, *ul. op. cit.*, sobre el *happy slapping* o filmación y distribución de la agresión.

15 Cfr, CUERDA ARNAU, M. L., 2014, "Menores y redes sociales: protección penal de los menores en el entorno digital", CPC, número 112, Época II, mayo, pp. 11 ss., destaca asimismo la Resolución del Parlamento Europeo de 20 de noviembre de 2012 sobre la protección de los niños en el mundo digital, resaltando la opinión del Parlamento europeo sobre la lentitud de los procesos de detección y retirada. Asimismo se recoge el PENIA, II Plan estratégico Nacional de Infancia y adolescencia, 2013-2016.

16 Cfr. igualmente *Dictamen del Comité de las Regiones sobre el tema Protección de la infancia en el uso de Internet (2009-2013)* Diario Oficial n° C 325 de 19/12/2008, pp. 0081-0086.

a la se llegue por medio de Internet, el móvil o los videojuegos. Asimismo, en ocasiones el abuso se produce como un juego en el que quien acosa no es consciente del daño que ocasiona. Otras veces el acosador ni siquiera se plantearía las consecuencias de su acción ya que ésta se atribuye a un personaje o rol que es interpretado en la Red[17].

Para distinguir las conductas de ciberacoso, se ha afirmado que la agresión debe ser repetida y no un hecho puntual, pudiendo evidenciarse cierta jerarquía de ***poder*** (incluida una mayor competencia tecnológica) o prestigio social del acosador o acosadores respecto de su víctima, si bien esta característica no se daría en todos los casos[18].

En cualquier caso, debe distinguirse entre *bullying online* o *ciberbullying* y *bullying sufrido en otros contextos offline*. Se ha destacado que en España el 16% de los menores entre 9 y 16años afirmaron haber sufrido este tipo de conducta tanto online como offline. La media en Europa se sitúa ligeramente por encima (21%). En cambio, el porcentaje sería de un 5% cuando se trata de menores que han sufrido *bullying* online. Se considera que el *bullying* sería una experiencia frecuente en muy pocos casos —sólo el 3% de los encuestados que habían sufrido *bullying* online u offline en los últimos doce meses en España afirmaron sufrir estas conductas más de una vez a la semana, y el 4% una o dos veces al mes (en Europa estos porcentajes son del 4% en ambos casos)—[19].

En la *Memoria de la Fiscalía General del Estado de 2012*, se habría detallado un frente al aumento de conductas vejatorias, amenazas y coacciones a través de Internet, y en concreto de las llamadas redes sociales. Se afirma que en los casos de menores, otras veces se graban mediante móviles peleas, agresiones o se difunden vídeos de relaciones íntimas sin el consentimiento de quien ha sido grabado[20].

---

17 ARARTEKO, (Defensoría del Pueblo), *Ciberbullying*. Guía rápida para la prevención del acoso por medio de las nuevas tecnologías, Pantallas Amigas, 2008, pp. 2 ss.

18 Cfr. *Ciberbullying*. GUÍA DE RECURSOS PARA CENTROS EDUCATIVOS. La intervención en los centros educativos: Materiales para Equipos Directivos y acción tutorial, Defensor del Menor en la Comunidad de Madrid, Madrid, 2011, p. 15.

19 MAIALEN GARMENDIA Y OTROS, 2011, *Riesgos y seguridad en Internet: los menores españoles en el contexto europeo, Resultados de la encuesta de EU Kids Online a menores entre 9 y 16 años y a sus padres y madres, marzo,* Servicio Editorial de la Universidad del País Vasco = Euskal Herriko Unibertsitateko Argitalpen Zerbitzua, pp. 49 ss.

20 Cfr. INTECO, GUIA DE ACTUACION CONTRA EL CIBERACOSO, octubre 2012, pp. 129 ss. Se señala que el problema, en todo caso, es que en muchas ocasiones esas conductas (faltas o amenazas no condicionales) generan gran temor e inquietud a la víctima, aunque no tengan consideración de delito grave. Por ese motivo, uno de los Juzgados de Menores de la capital andaluza denegó en su momento una autorización solicitada para identificar el origen de la comunicación. Cfr. Memoria de la Fiscalía General del Estado del año 2015, donde se recoge un incremento de los delitos conectados con un uso inadecuado de móviles smartphone.

2.2. *La tutela penal frente a los casos de ciberacoso: la comisión de delitos contra la integridad moral y la intimidad. La suplantación de identidad. La incidencia de la reforma operada por la Ley orgánica 1/2015, de 30 de marzo*

Frente a los casos de acoso escolar en los que la jurisprudencia parece inclinarse por apreciar la comisión de delitos contra la integridad moral, al considerar que los actos reiterados pueden menoscabar gravemente dicho bien jurídico, los casos de *ciberbullying* en algunos casos han sido valorados bien como la antigua (hoy derogada) falta de vejaciones injustas o bien, como delitos contra la intimidad. Del mismo modo, debe diferenciarse la realización de estos delitos de aquellos casos de suplantación de identidad en el medio virtual.

La *Sentencia del Juzgado de Instrucción núm. 4 de Sevilla núm. 67/2009, de 25 febrero* se refiere a la conducta de un alumno que colgó en su perfil de "Tuenti" una fotografía en la que aparecía un menor, compañero de clase, tocando un violín en el interior de una mira telescópica, la cual compartió con todos los contactos de su perfil y tuvo colgada en internet durante dos meses aproximadamente; fotografía que previamente había manipulado el acusado con software informático adecuado, provocando deliberadamente comentarios despectivos hacia el menor por parte de otros compañeros del colegio a los que el acusado contribuyó en primera persona a través de los chats que sostuvo con los mismos. Se consideró que dichos hechos constituían una (hoy derogada) falta de vejaciones injustas del antiguo art 620.2 CP.

Se recalca *que la Sentencia de 2 de noviembre de 2000 de la Audiencia Provincial de Sevilla* habría distinguido entre las figuras de las injurias leves y las vejaciones declarando que la diferencia podría encontrarse en el plano subjetivo de la infracción, apreciándose injuria cuando como elemento subjetivo específico del injusto se de el *"animus iniuriandi"*, y la falta de vejación cuando la intención del agente sea otra, como la de ridiculizar o malestar a la víctima. Esta distinción debería valorarse en atención a la ocasión, las personas intervinientes y el propio contenido de las palabras que se profieren o conducta que se protagoniza, ya que es sabido el derecho fundamental de toda persona a ser respetada en su integridad moral. Se considera que el comportamiento descrito encajaría en el injusto típico de vejación injusta al constituir un deliberado ataque a la dignidad personal del menor denunciante y a imagen y buena fama entre sus compañeros del colegio guiado por el propósito de un menoscabo personal y moral[21].

---

[21] Cfr. en relación a esta distinción asimismo la Sentencia de la Audiencia Provincial de Córdoba (Sección 3ª) núm. 59/2009 de 26 febrero, en lo que se refiere a la valoración como vejatoria o no de la ubicación en internet (en la denominada red social tuenti) de una fotografía de la

En cambio, en *la Sentencia de la Audiencia Provincial de Murcia, núm. 7/2010, de 29 enero,* se habría enjuiciado un supuesto en el que un menor colgó en el portal de Tuenti de Internet, una fotografía de la víctima con comentarios humillantes invitando a los compañeros y amigos a hacer comentarios sobre la misma, respondiendo estos en los días siguientes con expresiones despectivas y de mofa. En este supuesto, se consideró cometido un delito de revelación y descubrimiento de secretos, sancionándose al menor la medida de tres meses de tareas socioeducativas orientadas al correcto uso de las nuevas tecnologías y a prevenir el uso inadecuado de las mismas.

En este sentido debe tenerse en cuenta que el art. 197 CP, no protege el bien jurídico integridad moral sino la intimidad, de ahí que se sancione la conducta del que para *descubrir los secretos o vulnerar la intimidad de otro*, sin su consentimiento, se apodere de sus papeles, cartas, mensajes de correo electrónico o cualesquiera otros documentos o efectos personales o intercepte sus telecomunicaciones o utilice artificios técnicos de escucha, transmisión, grabación o reproducción del sonido o de la imagen, o de cualquier otra señal de comunicación, por lo tanto, (siempre con anterioridad a la reforma de la Ley orgánica 1/2015, de 30 de marzo) no se cometería este delito cuando la foto se ha obtenido con consentimiento de la víctima, o sin que exista el elemento subjetivo del injusto dirigido a descubrir los secretos o vulnerar la intimidad de la otra persona, independientemente de que la humillación que sufra la misma en el medio virtual pueda considerarse bien como la antigua falta de vejaciones injustas o como delito contra la integridad moral atendiendo a la gravedad del menoscabo a este último bien jurídico protegido[22].

---

denunciante sin su consentimiento y los comentarios incluidos por las denunciadas en relación con dicha fotografía, la falta de vejaciones establecida en el artículo 620.2 del Código Penal. Se afirma que no siempre resulta fácil distinguirla de la falta de injurias tipificada en el mismo precepto. Mientras que la injuria ha sido definida por el legislador ("acción o expresión que lesionan la dignidad de otra persona, menoscabando su fama o atentando contra su propia estimación": artículos 620.2 y 208.1 CP), no se cuenta con un concepto legal de vejación; y si acudimos al lenguaje cotidiano, sus analogías con la injuria se estiman considerables. Se estima que la acción de vejar puede en muchos casos afectar también al honor y a la dignidad personal; y el examen de la jurisprudencia no aclara demasiado, porque como vejaciones ha considerado más de una vez acciones que afectan a la dignidad personal. La diferencia entre las injurias leves y las vejaciones puede encontrarse en el plano subjetivo de la infracción. De esta manera habrá injuria, cuando como elemento subjetivo específico del injusto se dé el "animus iniurandi" y se apreciará la falta de vejación cuando la intención del agente sea otra, como por ejemplo la de ridiculizar, humillar o molestar a la víctima.

22 En lo que respecta al art. 197.3 CP introducido por la Ley orgánica 5/2010, de 22 de junio, y el bien jurídico colectivo protegido en el tipo, cfr. RUEDA MARTÍN, "Los ataques contra los sistemas informáticos: conductas de Hacking", en ROMEO CASABONA, GUANARTEME

De esta forma, *la Sentencia de la Audiencia Provincial de Badajoz (Sección 3ª), sentencia núm. 215/2007*[23], subraya que el tipo penal tutelaría dos distintos bienes: la salvaguarda de los secretos propiamente dichos y, aparte, la intimidad de las personas. En cualquier caso, se destaca en orden a la tipicidad subjetiva de la conducta, que debe darse no sólo el dolo genérico de saber lo que se hace y la voluntad de hacerlo, sino también el dolo específico, caracterizado por el ámbito tendencial de invadir la esfera de privacidad e intimidad de las personas que aparecían en las imágenes objeto de difusión[24].

En la *Sentencia de la Audiencia Provincial de Málaga (Sección 8ª), núm. 452/2009 de 16 septiembre* se enjuicia la conducta de varias niñas que además de empujar a una compañera, propinarle diversos golpes y amedrentarla con pegarle a la salida del colegio, grabaron la agresión en un teléfono móvil, enviándola posteriormente a otros alumnos. En una ocasión, incluso llegaron a prenderle fuego a la mochila de la misma. Como consecuencia del acoso sufrido, la víctima padeció trastorno adaptativo con ansiedad precisando de tratamiento psicoterapéutico. En este supuesto, las menores fueron condenadas por la comisión de una (hoy derogada) falta de lesiones, delito de lesiones psíquicas, delito contra la integridad moral y un delito contra la intimidad.

Sin embargo, a pesar de lo expuesto no puede prescindirse del impacto de la reforma realizada por ***la Ley orgánica 1/2015, de 30 de marzo, en relación a los delitos contra la integridad moral y los delitos contra la intimidad.***

En primer lugar, el hecho de que se hayan suprimido las faltas, en este caso la de injuria leve o vejación injusta, excepto el delito previsto en el actual art. 173.4 CP siempre que las víctimas sea alguna de las personas a las que se refiere el art. 173.2 CP[25], hace que deba valorarse si cualquier acto de acoso cibernético entre

SÁNCHEZ-LÁZARO (EDITORES), ARMAZA ARMAZA (Coordinador), *La adaptación del Derecho penal al desarrollo social y tecnológico,* Granada, 2010, pp. 367 ss.

23 En relación a la actuación de los acusados de colgar fotografías de explícito contenido sexual en las que se identificaba a los denunciantes en varias páginas web creadas por los acusados.

24 Se indica que aunque se admitiese, que cuando los acusados realizan la acción típica consistente en difundir las fotografías, éstas ya eran conocidas, y pudiera decirse que no eran ya "secretas", tal conducta sí opera sobre la otra alternativa sancionada penalmente cual es la agresión a la intimidad mediante la invasión de un ámbito de la más estricta privacidad, constituido por las relaciones personales íntimas y vida sexual de las personas.

25 Quien cause injuria o vejación injusta de carácter leve, cuando el ofendido fuera una de las personas a las que se refiere el apartado 2 del artículo 173, será castigado con la pena de localización permanente de cinco a treinta días, siempre en domicilio diferente y alejado del de la víctima, o trabajos en beneficio de la comunidad de cinco a treinta días, o multa de uno a cuatro meses, esta última únicamente en los supuestos en los que concurran las circunstancias expresadas en el apartado 2 del artículo 84.

Las injurias solamente serán perseguibles mediante denuncia de la persona agraviada o de su representante legal.

menores tendría *per se* la entidad suficiente para constituir un delito previsto en el actual art. 173.1 CP como delito contra la integridad moral[26].

En el actual art. 197.7 CP se castiga con una pena de prisión de tres meses a un año o multa de seis a doce meses al que, sin autorización de la persona afectada, difunda, revele o ceda a terceros imágenes o grabaciones audiovisuales de aquélla que hubiera obtenido con su anuencia en un domicilio o en cualquier otro lugar fuera del alcance de la mirada de terceros[27], cuando la divulgación menoscabe gravemente la intimidad personal de esa persona.

La pena se impondrá en su mitad superior cuando los hechos hubieran sido cometidos por el cónyuge o por persona que esté o haya estado unida a él por análoga relación de afectividad, aun sin convivencia, la víctima fuera menor de edad o una persona con discapacidad necesitada de especial protección, o los hechos se hubieran cometido con una finalidad lucrativa.

MUÑOZ CONDE sostiene que se ha tipificado expresamente, el denominado "*sexting*", es decir, la divulgación de imágenes o grabaciones audiovisuales obtenidas con consentimiento de la persona afectada, pero sin que ésta haya autorizado la divulgación. No obstante, mantiene que la actual redacción parecería referirse solo a casos en los que el que difunde la grabación ha participado también en la misma[28].

En relación a otras formas de acoso, como el fenómeno del stalking, dentro de los delitos contra la libertad, se habría introducido un nuevo tipo penal de acoso, destinado a ofrecer respuesta a conductas de indudable gravedad que, en muchas ocasiones, no podían ser calificadas como coacciones o amenazas. Se recoge que se trata de todos aquellos supuestos en los que, sin llegar a producirse necesariamente el anuncio explícito o no de la intención de causar algún mal (amenazas) o el empleo directo de violencia para coartar la libertad de la víctima (coacciones), se realizan conductas reiteradas por medio de las cuales se menoscaba gravemente la libertad y sentimiento de seguridad de la víctima, a la que se somete a per-

---

26 Cfr. MUÑOZ CONDE, F.. 2015. *Derecho penal, Parte especial,* Valencia, p. 161 afirma que en relación al art. 173.1 CP se deberá de tener en cuenta la situación personal del sujeto pasivo, su personalidad, edad, etc., para calificar una conducta vejatoria como atentado grave a la integridad moral. De no considerarse grave, la conducta constituiría una vejación injusta de carácter leve que sería atípica excepto en el caso de lo previsto en el art. 173.4 CP. Sobre el delito leve previsto en el art. 173.4 CP, cfr. asimismo, GÓMEZ RIVERO, C. (Directora), *Nociones Fundamentales de Derecho Penal, Parte especial,* Madrid, 2015, pp. 224 s.

27 Cfr. sobre la interpretación de esta fórmula coloquial, GUISASOLA LERMA, "Menores, intimidad y riesgo de la sociedad tecnológica", en FAYÓS GARDÓ, (Coordinador), Los derechos a la intimidad y a la privacidad en el siglo XXI, Madrid, 2014, p. 127.

28 MUÑOZ CONDE, F. 2015. *Derecho penal, Parte especial,* Valencia, pp. 238 s.

secuciones o vigilancias constantes, llamadas reiteradas, u otros actos continuos de hostigamiento[29].

En este sentido, se introduce un nuevo artículo 172 ter, que sanciona con la pena de prisión de tres meses a dos años o multa de seis a veinticuatro meses el que acose a una persona llevando a cabo de forma insistente y reiterada, y sin estar legítimamente autorizado, alguna de las conductas siguientes y, de este modo, altere gravemente el desarrollo de su vida cotidiana: la vigile, la persiga o busque su cercanía física, establezca o intente establecer contacto con ella a través de cualquier medio de comunicación, o por medio de terceras personas mediante el uso indebido de sus datos personales, adquiera productos o mercancías, o contrate servicios, o haga que terceras personas se pongan en contacto con ella; atente contra su libertad o contra su patrimonio, o contra la libertad o patrimonio de otra persona próxima a ella.

Si se trata de una persona especialmente vulnerable por razón de su edad, enfermedad o situación, se impondrá la pena de prisión de seis meses a dos años. Asimismo, cuando el ofendido fuere alguna de las personas a las que se refiere el apartado 2 del artículo 173, se impondrá una pena de prisión de uno a dos años, o trabajos en beneficio de la comunidad de sesenta a ciento veinte días. En este caso no será necesaria la denuncia.

En cualquier caso, se indica que se impondrán sin perjuicio de las que pudieran corresponder a los delitos en que se hubieran concretado los actos de acoso.

En esta materia, el *Informe del Consejo General del Poder Judicial al Anteproyecto de Reforma del Código penal de 2012* consideraba que se sancionaría conductas acosadoras, caracterizadas por la intromisión en la vida de otro, que atentan contra la libertad de la persona, afectando gravemente a su desarrollo. Se estima, que no podía encauzarse la sanción de estas conductas a través de la punición de los concretos actos en los que consistía el acecho (amenazas, coacciones, quebrantamiento de prohibición de acercamiento, maltrato psicológico), pues en muchas ocasiones la pluralidad de actos en los que se traduce el acecho no colmaban la acción típica de las amenazas o de las coacciones, por no existir, respectivamente, un anuncio explícito de la intención de causar un daño o el empleo de violencia para coartar la voluntad de la víctima.

En este sentido, se recoge que ***la Sentencia del Tribunal Supremo 214/2011 de 23 de febrero*** consideraba que era difícil apreciar violencia moral típica cuando *el sujeto activo advierte que se causará a sí mismo la muerte, suicidándose, ya*

---

29 Cfr. *Exposición de Motivos del Proyecto de Ley orgánica de Reforma del Código penal de 4 de octubre de 2013*. Cfr. MENDOZA CALDERÓN, S. "El delito de *stalking*: análisis del art. 172 ter del Proyecto de Reforma del Código penal de 2013", en MUÑOZ CONDE (Director), *Análisis de las Reformas Penales. Presente y Futuro,* Valencia, 2015, pp. 103 ss.

que al referirse a un mal propio, es decir sobre el mismo sujeto que lo anuncia, no sería adecuada para causar miedo o temor al mal anunciado, sino sólo sentimientos de compasión, pena o lástima por el mal ajeno, influyendo a través de ellos sobre las decisiones libres. Por ello, "*ejercer influencia mayor o menor en la decisión del tercero no supone limitar propiamente su libertad de decidir, en el sentido que el tipo de la coacción exigiría*".

Por ello, el Consejo General del Poder Judicial habría considerado que a pesar de no resultar individualmente punibles cada uno de los actos en los que consiste el acoso, por su reiteración y carga de hostilidad, incluso en ausencia de una amenaza manifiesta de causar daño a la víctima, se presentan como particularmente inquietantes y constituyen una agresión psicológica, que produce un nivel de temor y ansiedad, que puede acabar traduciéndose hasta en resultados lesivos para la salud[30].

Por otra parte, en lo que respecta a suplantaciones de identidad, el *Auto de la Audiencia Provincial de Segovia (Sección 1ª) núm. 46/2010 de 25 marzo,* se refiere a un supuesto de uso falso de la personalidad de la denunciante en la red social "Tuenti" para ridiculizarla[31].

En el art. 401 CP se sanciona al que usurpare el estado civil de otro con la pena de prisión de seis meses a tres años. FARALDO CABANA expone que el delito de usurpación de estado civil constituiría una falsedad personal. En él se protegería el bien jurídico colectivo fe pública, que se puede concretar en la confianza de la comunidad en la correcta identificación de las personas, a su vez instrumento esencial en la vida social y en el tráfico jurídico-económico[32].

QUINTERO OLIVARES considera que la usurpación del estado civil no puede confundirse con la invención de un estado civil que no se tiene, creando un nombre supuesto y una filiación también fruto de la fantasía atribuida a personas inexistentes. Estas conductas, que anteriormente podían ser consideradas como delitos de uso público de nombre supuesto, serían actualmente atípicas[33].

---

30 Cfr. Igualmente, Comisión de Violencia de Género de JpD, "Incidencia de las reformas del Anteproyecto de Código penal en materia de violencia de género", *Jueces para la Democracia*, Núm. 3, 2013, p. 24.

31 Se estima por el órgano judicial que las expresiones que aparecen colgadas en tuenti y que fueron subidas presuntamente por la denunciada revisten caracteres vejatorios, no sólo por lo que en ellas se menciona o se refleja de forma gráfica con las fotos y dibujos adjuntos, sino también y ello es más grave por el aparente intento del autor de desmerecer a la denunciante en la opinión de sus compañeras, poniendo en su boca (en su teclado más bien) críticas hacia aquéllas que se suponía darían lugar a su descrédito y contestación.

32 FARALDO CABANA, en GÓMEZ TOMILLO (Director), *Comentarios al Código penal,* Valladolid, 2010, p. 1528.

33 QUINTERO OLIVARES, en QUINTERO OLIVARES (Director), MORALES PRATS (Coordinador), *Comentarios a la Parte especial del Derecho penal,* Navarra, 2011, pp. 1669.

La conducta típica sería la utilización o manifestada en su uso público del estado civil que pertenece a otra persona viva o fallecida. Sería condición imprescindible que dicha usurpación sea creíble o verosímil. La usurpación del estado civil quedaría contraída al nombre y filiación que tiene otra persona. Partiendo de cuál es el objeto de la acción ésta incide sobre los nombres que por filiación pertenecen a otra persona y consiste lógicamente en usarlos como propios, de manera tal que las restantes personas puedan creer que son los nombres y apellidos pertenecientes realmente al usurpador. Este delito no podría cometerse por la utilización de nombre supuesto, sino que habría de ser necesariamente utilizado el nombre cierto de otra persona[34].

FARALDO CABANA detalla que "usurpar" en el contexto del art. 401 CP sería equivalente a usar como propios el nombre o la filiación de otra persona, ejerciendo como propios sus derechos o acciones. Recoge que en la jurisprudencia se exige que la usurpación suponga la total suplantación de la identidad de otra persona, absolviéndose normalmente cuando únicamente se acredite un uso concreto y determinado para un fin. No sería necesario que se cause un perjuicio patrimonial o de otra clase[35].

Según *la Sentencia de 1 de junio de 2009 del Tribunal Supremo* el sujeto activo, de esta infracción, podría ser cualquiera con tal de que sea imputable, aunque en muchos casos, será necesario que el agente posea cualidades y se halle en circunstancias personales propicias para poder suplantar la personalidad de otro; también se habría agregado que, sujeto pasivo lo puede ser cualquiera, incluso los menores e incapacitados, lo cual, en determinados supuestos sería dificultoso, puesto que difícilmente un adulto podría subrogarse en el "status" de un niño de pocos años.

En lo relativo al tipo subjetivo FARALDO CABANA considera que solo sería admisible el dolo directo. Añade que en la jurisprudencia incluso se alude a un elemento subjetivo del injusto que no aparecía en el tipo penal, consistente en el propósito de ejercitar derechos y acciones de la persona suplantada[36].

En el *Auto de la Audiencia Provincial de Segovia (Sección 1ª) núm. 46/2010 de 25 marzo*[37] se expone por parte del órgano jurisdiccional que respecto a la

34 QUINTERO OLIVARES, en QUINTERO OLIVARES (Director), MORALES PRATS (Coordinador), *Comentarios a la Parte especial del Derecho penal,* Navarra, 2011, pp. 1669 s.

35 FARALDO CABANA, en GÓMEZ TOMILLO (Director), *Comentarios al Código penal,* Valladolid, 2010, p. 1529.

36 FARALDO CABANA, en GÓMEZ TOMILLO (Director), *Comentarios al Código penal,* Valladolid, 2010, p. 1530. Se recoge que cuando se suplanta la identidad de varias personas habría tantos delitos como personas suplantadas.

37 Se estima por el órgano judicial que las expresiones que aparecen colgadas en tuenti y que fueron subidas presuntamente por la denunciada revisten caracteres vejatorios, no sólo por lo que en ellas se menciona o se refleja de forma gráfica con las fotos y dibujos adjuntos, sino

existencia de un delito de usurpación de estado civil previsto en el art. 401 CP (por el hecho que las imputadas creasen en Tuenti un perfil falso de la víctima en cuanto que introduciendo sus datos personales suplantaban su personalidad virtual, actividad que se desarrolló durante varios meses), no se captarían datos propios de la denunciante o se interceptarían sus correos sino que se colgarían en la red mensajes y documentos inventados.

Considera el órgano judicial que la única duda a este respecto podría darse en los datos personales de la denunciante, pero se observa que los que aparecen en la red serían de conocimiento general, sin que para su obtención se haya precisado el acceso a ningún archivo reservado.

Asimismo, se recoge que doctrinalmente se habrían dado muchas definiciones de la figura delictiva; la más antigua de ellas entiende que "usurpar el estado civil de una persona es fingirse ella misma para usar de sus derechos, es suplantar su filiación, su paternidad, sus derechos conyugales, es la falsedad aplicada a la persona y con el ánimo de sustituirse por otra real y verdadera", pero abundarían otras concepciones, tales como las siguientes: ficción del agente de ser una persona distinta, con ánimo de usar de sus derechos; sustitución de otro, asumiendo la personalidad de éste y ejercitando los derechos y acciones que le competen.

Se añade que sin embargo, no sería suficiente para la existencia del delito, con arrogarse una personalidad ajena, asumiendo el nombre de otro para un acto concreto; sino que sería condición precisa que, la suplantación, se llevara a cabo para usar de los derechos y acciones de la persona sustituida; no cometería el delito quien se limita a una ficción esporádica, como quien, en un momento determinado, se hace pasar por otro, la acción consistiría en simular una identidad o filiación distinta de la que corresponde al sujeto, pero, la persona sustituida, habría de ser real, siendo indiferente que haya o no fallecido; usurpar equivaldría a arrogarse la dignidad, empleo u oficio de otro y usar de ellos como si fueran propios; sería indispensable la intención de usar de los derechos y acciones de la persona suplantada.

En este aspecto, se ha destacado que la persona sustituida habría de ser real y existente, nunca imaginaria, y además viva, pues no sería apta para la usurpación pasiva la persona fallecida; agregando, en lo que respecta a la consumación, que basta, para que se produzca, con la posesión momentánea del estado civil ajeno, o con el disfrute, aunque sea temporal y transitorio, por parte del delincuente, de los derechos correspondientes a la persona cuyo lugar, falsamente, ha logrado ocupar; insistiendo en que aquel que usurpa un solo derecho inherente al estado civil de una persona, aunque la usurpación fuere breve, consumaría el tipo delictivo.

---

también y ello es más grave por el aparente intento del autor de desmerecer a la denunciante en la opinión de sus compañeras, poniendo en su boca críticas hacia aquéllas que se suponía darían lugar a su descrédito y contestación.

En resumen, se recalca que no bastaría una suplantación momentánea y *parcial,* sino que sería preciso continuidad y persistencia, *y asunción de la total personalidad ajena con ejercicio de sus derechos y acciones dentro de su "status" familiar y social".* Por estos motivos, se estima que no puede considerarse la conducta denunciada como constitutiva del delito imputado, pues aún admitiendo que el uso del perfil propio en una red social sea un derecho exclusivo de la persona que vaya más allá del derecho al usos del propio nombre, se trataría de una actividad aislada dentro de la actividad usurpadora, de forma que con esa creación de un perfil suplantador no se realizó ninguna otra conducta atributiva de la personalidad ajena, ni tuvo otra trascendencia que la limitada al foro de contactos en que se actuaba, por lo que no existió la completa asunción de la personalidad de la víctima, aunque esa asunción pudiera ser total en el marco limitado del "Tuenti". De la misma forma, tampoco cabría atribuir una persistencia de dicha conducta pues como se apreciaría de los mensajes subidos a la red, éstos se desarrollaron básicamente en el transcurso de un mes, sin que cupiese equiparar que el perfil continuase abierto con que la denunciada hiciesen uso de él, que sería lo que constituye el elemento esencial de la usurpación.

3. LA DISTINCIÓN DEL *CIBERBULLYING* DE OTRAS FORMAS DE ACOSO A MENORES[38]

En primer lugar, dentro de las múltiples conductas que pueden cometerse a través de la red en un contexto intimidatorio o vejatorio contra menores, debe diferenciarse los fenómenos de ciberacoso constitutivos en sentido estricto de *ciberbullying* de aquellas conductas propias de *grooming,* delitos contra la integridad moral, delitos de amenazas, corrupción de menores e inducción a la prostitución.

3.1. *Supuestos de acoso a menores con finalidad sexual: delitos de* grooming, *atentados contra la integridad moral, la libertad, prostitución y corrupción de menores*

Junto al ciberacoso[39] surgiría otra situación de riesgo para los menores como es el *grooming*; un acoso *ejercido por un adulto* y que se refiere a las acciones

[38] Cfr. ampliamente, MENDOZA CALDERÓN, S. 2013. *El Derecho penal frente a las nuevas formas de acoso a menores: ciberbullying, grooming y sexting,* Valencia, pp. 89 ss.

[39] GRANDINETTI, *ul. op. cit.*, pp. 1 ss. Indica que los ciberagresores son personas con alto nivel de conocimiento y manejo de la tecnología, posiblemente posee blogs o espacios personales en la red y se siente atraído por todo lo relacionado con las nuevas tecnologías. En estos casos

realizadas deliberadamente para establecer una relación y un control emocional sobre el menor con el fin de preparar el terreno para el abuso sexual del mismo. Se trataría de situaciones de acoso con un contenido sexual explícito o implícito y en estos casos, no existiría un acoso entre iguales, ya que en el *grooming* el acosador sería un adulto y existiría una intención sexual[40].

En el *grooming* se distinguirían varias fases del acoso marcadas por una última finalidad: fase de amistad, en la que el adulto toma contacto con el menor para conocer sus gustos y crear una relación de amistad con el objeto de alcanzar la confianza del posible afectado; fase de relación, que incluiría confesiones personales e íntimas entre al menor y el acosador; y finalmente, un componente sexual, ya que se produciría la descripción de términos específicamente sexuales y la petición a los menores de su participación en actos de naturaleza sexual, grabación de imágenes o toma de fotografías[41].

Se ha destacado que en ambos casos, *(ciberbullying o grooming) no se trataría de nuevos delitos sino de formas adaptadas al nuevo entorno tecnológico para cometer tipos delictivos preexistentes.* De este modo, se ha reconocido que

---

habitualmente se trata de un niño que se cree autosuficiente; tiende a subestimar sus acciones refiriéndose a ellas como "una broma pesada"; mantiene relaciones dominio-sumisión y tiene problemas de disciplina en el ámbito escolar.

40 INTECO, OBSERVATORIO DE LA SEGURIDAD DE LA INFORMACIÓN, "Guía legal sobre el *ciberbullying* y *grooming*", en www.inteco.es, consultada en fecha 5 de febrero de 2010, pp. 3 s.

41 INTECO, OBSERVATORIO DE LA SEGURIDAD DE LA INFORMACIÓN, "Guía legal sobre el *ciberbullying* y *grooming*", en www.inteco.es, consultada en fecha 5 de febrero de 2010, pp. 5 ss. Cfr. ABC, en su edición de 19 de enero de 2009, informando de la denuncia por parte de una madre de una menor de 14 años, de que su hija estaba siendo víctima de amenazas y abuso sexual por parte de uno o varios individuos que, tras contactar con ella a través de internet y ganarse su confianza, la convencieron para que enviase imágenes de ella desnuda. Una vez obtenidas las fotografías comprometidas de la menor, ésta comenzó a sufrir amenazas para que continuase enviando más y se mostrase a través de la webcam. Cfr. igualmente ABC en su edición de 14 de junio de 2009 y *El País*, en su edición de 15 de junio de 2009, donde se destaca la detención de un joven de 24 años experto en informática que había cometido delitos sobre al menos doscientas cincuenta personas, la mayoría de ellas menores de edad y de sexo femenino. El joven conocía a sus víctimas en "chat" o en redes sociales, en las que sus participantes solían exhibir fotografías personales. Una vez establecido el primer contacto, se hacía pasar por niña o adolescente con el fin de ganarse su confianza. De este modo, obtenía fotografías o vídeos, e incluso sesiones de cámara web que grababa subrepticiamente. Si no accedían las amenazaba e insultaba, y mediante varias técnicas —principalmente programas informáticos como simuladores de caída de conexión, ingeniería social, etc.— trataba de tomar el control de su ordenador y de las cuentas de correo electrónico. Tras hacerse con sus cuentas de correo, intentaba obtener de las menores una imagen o vídeo no demasiado explícito, para que no se negaran radicalmente, pero sí lo suficientemente comprometido para posteriormente amenazarlas con difundirlos a sus contactos si no accedían a nuevos requerimientos. Si no accedían las amenazaba con usar su correo para distribuir fotografías a terceros y humillarlas ante sus conocidos.

a pesar de que las conductas se inician en la Red, suelen tener trascendencia en el mundo físico llegando incluso a tratarse de casos que se convertirían en otros tipos delictivos como tráfico de pornografía infantil o abusos sexuales a menores, con encuentros presenciales entre el adulto acosador y la víctima[42].

En el art. 183 ter CP, tras la reforma operada por la Ley orgánica 1/2015, se sanciona la conducta del que a través de internet, del teléfono o de cualquier otra tecnología de la información y la comunicación contacte con un menor de dieciséis años y proponga concertar un encuentro con el mismo a fin de cometer cualquiera de los delitos descritos en los artículos 183 y 189, siempre que tal propuesta se acompañe de actos materiales encaminados al acercamiento, siendo castigado con la pena de uno a tres años de prisión o multa de doce a veinticuatro meses, sin perjuicio de las penas correspondientes a los delitos en su caso cometidos. Las penas se impondrán en su mitad superior cuando el acercamiento se obtenga mediante coacción, intimidación o engaño.

Asimismo, también se contempla la conducta del que a través de internet, del teléfono o de cualquier otra tecnología de la información y la comunicación contacte con un menor de dieciséis años y realice actos dirigidos a embaucarle para que le facilite material pornográfico o le muestre imágenes pornográficas en las que se represente o aparezca un menor, siendo castigado con una pena de prisión de seis meses a dos años[43].

---

42 INTECO, OBSERVATORIO DE LA SEGURIDAD DE LA INFORMACIÓN, "Guía legal sobre el *ciberbullying* y *grooming*", en www.inteco.es, consultada en fecha 5 de febrero de 2010, pp. 3 s y 8. se ha insistido en que el principal elemento que debe tenerse en cuenta es la sensación de anonimato que otorga Internet a sus usuarios, si bien, existen medios tecnológicos suficientes para determinar el lugar exacto y el equipo informático desde el que se llevó a cabo el presunto delito. Siempre que se navega en Internet se hace a través de una dirección IP que el proveedor de Internet facilita. Esta dirección funcionaria como una especie de "matrícula" en la Red que permite la identificación de los equipos de los usuarios y conocer a quien pertenece la conexión de Internet. Este dato solamente puede ser conocido y utilizado previa solicitud judicial. Sobre el fenómeno del *"sexting"* entre adolescentes (envío de imágenes de contenido sexual a través del móvil), cfr. *El País,* en su edición de 22 de febrero de 2010, sobre un de 11 años que se suicidó después de que su acosador distribuyera entre todos sus amigos las fotografías en que aparecía semidesnudo.

43 CUERDA ARNAU, M. L, 2014, "Menores y redes sociales: protección penal de los menores en el entorno digital", CPC, numero 112, Época II, mayo, pp. 43, señala que en la interpretación de este precepto hay que valorar que el ámbito del tipo se extiende extraordinariamente como consecuencia del amplio concepto de pornografía infantil que ofrece el art. Art 189 CP y que no parece que se haya reparado en el hecho de que este fenómeno afecta a los adolescentes de mayor edad, con lo que puede quedar fuera esta serie de conductas del adulto sobre el menor en esa franja de edad frente a otras por las que se pudiera iniciar procedimiento como el intercambio de fotos procaces entre adolescentes menores de 16 años.

Según el Observatorio de la Seguridad de la Información, el "*sexting*" consiste en la difusión o publicación de contenidos (principalmente fotografías o vídeos) de tipo sexual, producidos por el propio remitente, utilizando para ello el teléfono móvil u otro dispositivo tecnológico. El contenido de carácter sexual, generado de manera voluntaria por su autor, pasa a manos de otra u otras personas, pudiendo entrar en un proceso de reenvío masivo multiplicándose su difusión[44].

De igual forma, se ha señalado que en la determinación del *sexting* tienen que darse una serie de factores: primero, debe existir una voluntariedad inicial, en el sentido de que generalmente es el propio protagonista el productor de los contenidos y el responsable del primer paso en su difusión; segundo, tienen que utilizarse dispositivos tecnológicos, siendo esencial la telefonía móvil o el ordenador; y en tercer lugar, el fenómeno se refiere a imágenes de contenido erótico o sexual, excluyéndose fotografías sin contenido sexual explícito[45]. Se recalca que lo más destacable de estas situaciones, originadas en forma voluntaria, sería que en ocasiones dichas imágenes pueden escapar del ámbito privado, porque el receptor del contenido del contenido siga, a su vez, reenviando las imágenes a sus contactos o que se produzca el robo o pérdida del teléfono móvil o acceso por terceros sin consentimiento al dispositivo (*craking*). En estos últimos supuestos, existirían programas de recuperación de datos que permitirían incluso recuperar archivos eliminados del ordenador, si no se hubiera realizado un borrado seguro[46].

Los riesgos que se derivan del *sexting,* señalados por este organismo, serían que estas fotografías podrían entrar en el circuito de la pornografía infantil; que sus protagonistas podrían ser víctimas de otra serie de riesgos derivados del uso de las nuevas tecnologías como el *ciberbullying* o el *grooming*; y que asimismo, se pueden dar casos de "*sextorsion*", es decir, el chantaje en el que un sujeto (menor o mayor de edad) utiliza estos contenidos para obtener algo de la víctima, amenazando con su publicación[47]. No obstante, en este fenómeno también surgirían riesgos para el poseedor de las imágenes, ya que podrían producirse delitos relacionados con la posesión o distribución de pornografía infantil[48].

---

44 INTECO, *Guía sobre adolescencia y sexting: qué es y cómo prevenirlo,* febrero, 2011, pp. 4 ss.

45 INTECO, *Guía sobre adolescencia y sexting: qué es y cómo prevenirlo,* febrero, 2011, pp. 6 ss.

46 INTECO, *Guía sobre adolescencia y sexting: qué es y cómo prevenirlo*, febrero, 2011, pp. 4 ss. En relación a la instalación de virus "troyanos" cfr. *Audiencia Provincial de Madrid (Sección 29ª), Sentencia núm. 329/2009, de 26 noviembre.*

47 INTECO, *ul. op. cit.*, pp. 11 ss. Cfr. Igualmente http://www.*sexting*.es/casos-de-*sexting*.html, consultada en febrero 2011.

48 INTECO, *ul. op. cit.*, pp. 13 ss.

En relación a la comisión de conductas de *grooming*, la ***Sentencia del Juzgado de Menores de Orense de 13 de mayo de 2013***, afirma que el art. 183 bis CP[49] sería un tipo mixto acumulativo que protege la indemnidad sexual de los menores.

Sin embargo en otra serie de conductas acosadoras, con clara finalidad sexual, en la ***Sentencia del Tribunal Supremo 342/2013, de 13 de abril***[50], se sostiene un concurso de delitos entre el art. 173 CP y el delito de amenazas del art. 169 CP, bajo el argumento de que el concurso de normas implica, por definición, una unidad valorativa frente al hecho cometido, de suerte que la aplicación de uno solo de los tipos que convergen en la definición del concurso, sería suficiente para agotar todo el desvalor jurídico-penal que puede predicarse de la infracción.

En este caso se considera que el art. 169 CP no agotaría el desvalor de la conducta porque el acusado le exigía a la menor a diario videos de carácter sexual, obligándola a estar frente al ordenador hasta altas horas de la madrugada, y enviándole la victima numerosos videos ante el temor de ser humillada públicamente, llegando a cambiar de domicilio por miedo a ser localizada por su acosador.

Se mantiene que la integridad moral se identifica con las nociones de dignidad e inviolabilidad de la persona y que, exigiendo el tipo que el autor inflija a otro un trato degradante, por éste habrá de entenderse, *aquel que pueda crear en las víctimas sentimientos de terror, de angustia y de inferioridad susceptibles de humillarles, de envilecerles y de quebrantar, en su caso su resistencia física o moral*, aplicándose en el supuesto un concurso real de delitos.

Asimismo, se valora la realización de un delito de utilización de menores para la elaboración de material pornográfico previsto en el art. 189 CP. Se estima que el tipo exigiría que el sujeto activo capte con el dolo los elementos que integran el tipo objetivo, entre los que se incluiría la minoría de edad de quien es utilizado para la elaboración del material pornográfico.

Se especifica que en los casos de menores de edad, el dolo exigido al sujeto activo puede acomodarse al dolo eventual y, dentro de este concepto, al llamado ***dolo de indiferencia*** al considerar que cuando el autor desconoce en detalle uno de los elementos del tipo, puede tener razones para dudar y además tiene a su alcance la opción entre desvelar su existencia o prescindir de la acción. La pasividad en este aspecto seguida de la ejecución de la acción no puede ser valorada como un error de tipo, sino como dolo eventual. Con su actuación pone de relieve

---

49 Se refiere a un supuesto en el que un joven de 19 años contacta con una menor de doce años y le insiste en que le envíe material fotográfico de contenido sexual de forma reiterada.

50 En este supuesto, el acusado contactaba con chicas menores de edad a través de páginas de internet para obtener de ellas imágenes de contenido sexual, realizando mensajes intimidatorios para lograr el envío por una adolescente de fotos y videos de contenido sexual.

que le es indiferente la concurrencia del elemento respecto del que ha dudado, en función de la ejecución de una acción que desea llevar a cabo.

En relación a un delito contra la integridad moral, la ***Sentencia de la Audiencia Provincial de Madrid, de 23 de octubre de 2013***[51], habría considerado que el diseño consciente, el entramado de acciones, de progresiva intensidad, desarrolladas por aquel para instrumentalizar o someter a la víctima a su voluntad (sea cual sea el modo de conseguirlo) y cuya culminación se produce, después de 4 años, en los mensajes de Facebook, mientras duró la relación, habría conformado no sólo la situación de prevalimiento que vició el consentimiento de la misma y la hizo incapaz de rechazar *sus* deseos sino que todo el proceso tiene unos componentes de humillación y de violencia psíquica añadida apta para ser subsumida en el art. 173.1 CP, sobre todo considerando la edad de la menor, (doce años) que incluso llegó a padecer un trastorno alimentario por el que perdió veinte kilos de peso.

En lo relativo a la prostitución de menores, la ***Sentencia de la Audiencia Provincial de Viscaya de 19 de abril de 2011***[52], afirma que habría que valorar en todo caso, el Acuerdo no Jurisdiccional de la Sala Segunda del Tribunal Supremo, de 12 de febrero de 1999, que establece que debe examinarse en cada caso concreto atendiendo a la reiteración de actos y a la edad más o menos temprana del menor, si la actuación de los clientes induce o favorece el mantenimiento del menor en la situación de prostitución. En este sentido, en los casos de prostitución infantil, jóvenes de 13, 14, 15 años, ha de considerarse ordinariamente la relación sexual mediante precio como punible, con independencia de que el menor ya hubiese practicado la prostitución con anterioridad, pues a esa edad tan temprana, el ofrecimiento de dinero por un adulto puede considerarse suficientemente influyente para determinar al menor el acto de prostitución solicitado.

Sin embargo, se establece que habría que examinar si los actos de solicitud sexual mediante precio a menores a sabiendas de que lo son, utilizando para ello redes sociales vía Internet, serían reconducibles a la prostitución de menores.

En este sentido, se habría considerado que de la reforma de la Ley orgánica 5/2010, sí sería típica la acción de solicitar relaciones sexuales a menores mediante precio. Se trata de un estadio previo a la inducción, a la promoción, al favorecimiento o a la facilitación; y es previo también a aceptar u obtener una relación sexual mediante precio. Sería el equivalente a la tentativa, castigada, como hemos

---

[51] Se refiere a la conducta del acusado que mantuvo relaciones sexuales con menores a quienes engaña en chats de internet, haciéndose pasar por un joven atractivo de 17 años de edad, consiguiendo mantener relaciones físicas a oscuras, ocultando su verdadera fisonomía, tras amenazarlas con difundir los videos de contenido sexual que había grabado sin su consentimiento en sus charlas en internet.

[52] El acusado empleó redes sociales vía Internet para realizar actos de solicitud sexual mediante precio a menores conociendo su edad.

señalado, con la misma pena que la consumación. No obstante, se estima que la solicitud ***virtual*** debería al menos ser confirmada ***cara a cara*** para entrar en el ámbito típico, por ello, cuando las conductas son virtuales, no presenciales, están aún en un estadio previo, atípico, no configurando aún ni siquiera la tentativa, teniendo en cuenta que para ello se habría introducido expresamente el delito de *childgrooming*[53].

En cambio, en un supuesto en el que el acusado, menor de edad, amenaza a su novia, también menor, con abandonarla si no le mandaba por internet una fotografía de carácter sexual, amedrentándola con difundir su foto por la red y pegarla en las paredes del instituto donde estudiaba ella, si no accedía a sus pretensiones sexuales (tras obtenerla, la foto se cuelga en la red y como consecuencia de la difusión de la fotografía en la red la víctima sufrió una situación de burla, humillación, rechazo por sus compañeros y aislamiento social), la ***Sentencia de la Audiencia Provincial de Cantabria de 16 de abril de 2014***[54], frente a un delito de producción de pornografía infantil o contra la integridad moral, considera que la pornografía comportaría un añadido a las imágenes de obscenidad o situaciones impúdicas; afirmando que se vienen considerando pornográficas aquellas obras que pretenden la excitación libidinosa y en la que estén ausentes cualquier valor literario o artístico; tratándose "de material capaz de perturbar, en los aspectos sexuales, el normal curso de la personalidad en formación de los menores o adolescentes y en los casos de un desnudo, sin ningún tipo de connotación sexual, sin actividad sexual explícita, el objetivo era el de dañar la fama y la estima de la menor, pudiendo constituir los hechos injurias graves con publicidad.

En relación a la comisión de una conducta de ciberacoso en conexión exclusivamente con *ciberbullying*, la ***Sentencia de la Audiencia Provincial de Cantabria de 25 de mayo de 2012***[55], sostiene que los hechos no han de ser percibidos

---

53 **En relación a otras conductas relativas a la prostitución de menores, la Sentencia de la Audiencia Provincial de Guadalajara de 29 de noviembre de 2011,** se refiere a un supuesto en el que el acusado contactaba a través de internet con menores conocidas por su entorno familiar utilizando un nombre ficticio, y haciéndose pasar por representante de clubs de fans les ofrece pases para conciertos o series televisivas a cambio del envío de sus fotografías desnudas a través la webcam. Una vez recibidas estas fotografías les amenazaba con difundirlas si no mantenían relaciones sexuales, consiguiéndolo con engaño con dos de las menores. analiza la aplicación del delito de utilización a menores de edad o incapaces con fines o en espectáculos exhibicionistas o pornográficos, tanto públicos como privados, o para elaborar cualquier clase de material pornográfico, cualquiera que sea su soporte, o financiare cualquiera de estas actividades. Se estima que convencer a una joven de tan corta edad para que se exhiba con finalidad sexual delante de la webcam de su ordenador, constituye, una conducta exhibicionista de una menor.

54 Padeciendo un cuadro de estrés agudo, con importantes secuelas de carácter psiquiátrico.

55 En relación a un la responsabilidad civil en una conducta de **ciberacoso**, cfr. *la Sentencia de la Audiencia Provincial de Asturias, de 22 de julio de 2013.*

aisladamente, sino en conjunto, puesto que todos ellos, con sus distintas protagonistas, se han ido realizando y ejecutando en el tiempo, por distintas personas pero respondiendo a un parámetro o patrón de conducta común, organizado y sistemático, con una finalidad concreta que era acosar, hostigar, burlar y agredir tanto física como sobre todo psíquicamente a la menor.

Las acciones de hostigamiento y acoso habrían comenzado cuando todas —agresoras y agredida— estudiaban en el mismo colegio y continuaron cuando, como consecuencia precisamente de ese constante acoso y hostigamiento, los padres de la víctima la cambiaron de centro educativo, logrando las acosadoras conocer tal cambio y continuando, mediante terceras personas conocidas de aquéllas, y bajo la instigación directa de éstas, con el acoso y las agresiones físicas y psíquicas a la menor.

El acoso, las agresiones, las amenazas y el hostigamiento continuo han sido constantes, extendidos en el tiempo y de tanta entidad y gravedad que han creado en la menor un estado de elevada ansiedad y stress.

Asimismo, la fotografía de la menor acosada es subida a Internet con alusiones directas en redes sociales como Tuenti, con amenazas, con insultos, e incluso con alusiones al Juzgado y a la denuncia.

Se estima que los hechos podrían constituir un delito contra la integridad moral del art. 173.1 CP, valorando que el "ciberacoso" sería un fenómeno frecuente en nuestros días y que en ocasiones pasaría desapercibido, consistiendo en una acción reiterada a través de diferentes formas de acoso u hostigamiento hacia un alumno llevado a cabo por un compañero o, más frecuentemente, por un grupo de compañeros, en el que la víctima se encuentra en una situación de inferioridad respecto al agresor o agresores, manifestándose no solo a través de peleas o agresiones físicas, sino que con frecuencia se nutre de un conjunto de intimidaciones de diferente índole que dejan al agredido sin respuesta, tales como intimidaciones verbales (insultos, motes, siembra de rumores), intimidaciones psicológicas (amenazas para provocar miedo o simplemente para obligar a la víctima a hacer cosas que no quiere ni debe hacer), agresiones físicas, tanto directas (peleas, palizas o simplemente "collejas") como indirectas (destrozo de materiales personales, pequeños hurtos, etc.) y aislamiento social, bien impidiendo participar, bien ignorando su presencia y no contando con él en las actividades normales entre amigos o compañeros de clase.

El delito contra la integridad moral del artículo 173 permitiría el castigo, tanto de aquellas conductas aisladas que por su naturaleza tienen entidad suficiente para producir un menoscabo grave de la integridad moral de la víctima, cuanto de aquellas otras que, si bien aisladamente consideradas no rebasarían el umbral exigido por este delito, sin embargo en tanto reiteradas o sistemáticas, realizadas habitualmente y consideradas en su conjunto, terminan produciendo dicho menoscabo grave a la integridad moral. Son conductas, éstas últimas, de trato degradante, entendiendo por "trato degradante" *aquel que pueda crear en las víctimas sentimientos de terror, de angustia y de inferioridad susceptibles de humillarles, de envilecerles y de quebrantar, en su caso su resistencia física o moral*, o, en síntesis, cualquier atentado a la dignidad de la persona, que en su individual consideración pueden no ser calificables de graves, pero que al ser reiteradas terminan menoscabando gravemente por erosión dicha integridad moral.

3.2. La distinción entre las conductas de bullying y ciberbullying como delito contra la integridad moral

Desde nuestro punto de vista, muchas de las conductas que constituyen *bullying o ciberbullying* pueden llegar a convertirse en la realización de un delito contra la integridad moral contenido en el art. 173.1 CP. Partiendo de que nos estamos refiriendo a conductas reiteradas, constantes, no hechos aislados, debe tratarse de comportamientos susceptibles de producir en las víctimas sentimientos de terror, de angustia y de inferioridad, susceptibles de humillarles y de envilecerles. En este sentido, puede que actos de escasa gravedad, que en su consideración individualizada habrían dado lugar a la actualmente derogada falta de vejación injusta del antiguo art. 620 CP, cuando se cometan en forma reiterada como expresión de un clima de acoso, podrían ser encuadrados en el delito del art. 173.1 CP, siempre que se hubiera producido como resultado un grave menoscabo en la integridad moral.

Conforme sostiene el Tribunal Supremo[56] el atentado a la integridad moral se conformaría por un acto de claro e inequívoco contenido vejatorio para el sujeto pasivo; la concurrencia de un padecimiento físico o psíquico; y que el comportamiento sea degradante o humillante con especial incidencia en el concepto de dignidad de la persona-víctima. Según se ha reconocido por parte dicha jurisprudencia, la gravedad exigida en el tipo podría derivarse bien de una sola acción particularmente intensa, o bien, de una conducta mantenida en el tiempo; sin que se requiera que este quebranto grave se integre en el concepto de lesión psíquica, que ya estaría penalizada en sede de delito de lesiones.

Sin embargo, a nuestro juicio, entendemos que deben diferenciarse adecuadamente los fenómenos del acoso escolar en sentido estricto *(bullying)* y el acoso cibernético *(ciberbullying)*. Como se ha puesto de relieve, ambas modalidades coinciden en que se trata generalmente de un abuso entre iguales, pero en el *ciberbullying* la víctima no tiene por qué ser un compañero de clase, sino que puede ser

---

56 *Cfr. STS 294/2003, de 16 de abril y 213/2005, de 22 de febrero.*

cualquier persona a la se llegue por medio de Internet, el móvil o los videojuegos. Asimismo, en el acoso cibernético, el abuso se produce como un juego en el que el acosador puede no ser consciente del daño que ocasiona, ya que en ocasiones atribuye las consecuencias de su acción a un personaje o rol que es interpretado en la Red[57].

No obstante, en los casos de *ciberbullying* no hay por qué prejuzgar que el hecho de que el contacto sea sólo a través del medio virtual y no del medio físico, implique una minimización de los daños que la conducta acosadora puede causar en los menores. Los menores, no sólo usan la Red Internet, sino que como han destacado los especialistas "viven" su vida normal en Internet. Es frecuente que a determinadas edades usen redes sociales en este medio y que accedan a ellas no sólo a través del ordenador sino a través de los numerosos medios que brinda la telefonía móvil (smartphone, iphone, ipad, etc:,) siendo una parte normal de su desarrollo el poder compartir experiencias, imágenes e incluso "un idioma particular" con sus múltiples contactos en la Red.

Por estos motivos, sostenemos que también el ataque a la integridad moral puede alcanzar la gravedad suficiente para ser estimado delito, cuando la conducta acosadora genere los requisitos especificados con anterioridad para constituir el tipo delictivo previsto en el art. 173.1 CP (acto de claro e inequívoco contenido vejatorio para el sujeto pasivo, la concurrencia de un padecimiento físico o psíquico, comportamiento degradante o humillante con especial incidencia en el concepto de dignidad de la persona-víctima, pudiendo derivarse este comportamiento de una conducta mantenida en el tiempo, y sin que este quebranto grave integre el concepto de lesión psíquica).

Por otra parte, en relación a las conductas de ciberacoso, como reconoce ROMEO CASABONA, hay que distinguir los conceptos de *delito informático y de ciberdelito.* Los primeros estarían caracterizados por ser perpetrados en torno a sistemas informáticos, en los que la Red de ser utilizada, tendría una eficacia limitada o secundaria para la conducta delictiva. Los segundos girarían en torno a redes telemáticas, siendo los sistemas informáticos más instrumentales o secundarios para la comisión del delito. Por *cibercrimen* podemos entender el conjunto de conductas relativas al acceso, apropiación, intercambio y puesta a disposición de información en redes telemáticas, las cuales constituyen su entorno comisivo, perpetradas sin el consentimiento o autorización exigibles o utilizando información de contenido ilícito, pudiendo afectar a bienes jurídicos diversos de naturaleza individual o supraindividual. Así podrían incluirse, entre otros, dentro de los delitos característicos de esta ulterior generación delictiva vinculada al

---

57 ARARTEKO, (Defensoría del Pueblo), *Ciberbullying*. Guía rápida para la prevención del acoso por medio de las nuevas tecnologías, Pantallas Amigas, 2008, pp. 2 ss.

cibercrimen y frente a los delitos informáticos, el acceso, alteración u obstrucción de sistemas y bases de datos ajenos cualquiera que sea su estructura o contenido y los delitos convencionales en los que la red constituye el factor más relevante para facilitar la comisión y la *reiteración instantánea o sucesiva del hecho*[58].

En este punto queremos insistir en que no se puede minimizar el impacto que la conducta acosadora producto de *ciberbullying* puede producir en la víctima, en atención al menoscabo en su integridad moral, porque hay que atender a hechos como la cantidad de personas que pueden acceder al contenido dañoso vertido en Internet en algunos casos, prácticamente en cuestión de minutos. Un concreto episodio amenazante o humillante, que forme parte de una conducta acosadora en la escuela propia del *bullying*, puede ser observado por tal vez, decenas de compañeros; en cambio, la "visualización" o percepción del acto humillante en la Red integrante de una conducta de *ciberbullying* puede ser contemplada por miles de personas, y a veces, en múltiples ocasiones.

4. CONCLUSIONES

Como ha podido comprobarse, el ciberacoso sería una forma de acoso entre iguales en el entorno TIC e incluye actuaciones de chantaje, vejaciones e insultos de niños a otros niños. En una forma más concreta, el *ciberbullying* supondría el uso y difusión de información lesiva o difamatoria en formato electrónico a través de medios de comunicación como el correo electrónico, la mensajería de texto a través de teléfonos o dispositivos móviles o la publicación de videos y fotografías en plataformas electrónicas de difusión de contenido. La clave, en algunos casos, sería una situación en que acosador y victima serian niños, compañeros de colegio o instituto o personas con las que la víctima se relacionaría en la vida física[59].

Para distinguir las conductas de ciberacoso, la agresión debe ser repetida y no un hecho puntual, pudiendo evidenciarse cierta jerarquía de ***poder*** (incluida una mayor competencia tecnológica) o prestigio social del acosador o acosadores

---

58 ROMEO CASABONA, SOLA RECHE, HERNÁNDEZ PLASENCIA, FLORES MENDOZA, GUANARTEME SÁNCHEZ-LÁZARO, URRUELA MORA, ROMEO MALANDA, NAVARRO FRÍAS, GARCÍA SANZ, ARMAZA ARMAZA, "Informe sobre los intentos de adaptación del Derecho penal al desarrollo social y tecnológico: líneas de investigación y conclusiones", en ROMEO CASABONA, GUANARTEME SÁNCHEZ-LÁZARO (EDITORES), ARMAZA ARMAZA (COORDINADOR), *La adaptación del Derecho penal al desarrollo social y tecnológico*, Granada, 2010, pp. 549 s.

59 INTECO, OBSERVATORIO DE LA SEGURIDAD DE LA INFORMACIÓN, "Guía legal sobre el *ciberbullying* y *grooming*", en www.inteco.es, consultada en fecha 5 de febrero de 2010, p. 3.

respecto de su víctima, si bien esta característica no tendría por qué darse en todos los casos[60].

Tras la reforma operada por ***la Ley orgánica 1/2015, de 30 de marzo,*** en primer lugar, el hecho de que se hayan suprimido las faltas, (como la de injuria leve o vejación injusta, excepto el delito previsto en el actual art. 173.4 CP siempre que las víctimas sea alguna de las personas a las que se refiere el art. 173.2 CP[61]), hace que deba valorarse si cualquier acto de acoso cibernético entre menores tendría *per se* la entidad suficiente para constituir un delito previsto en el actual art. 173.1 CP como delito contra la integridad moral[62].

Como ha destacado la jurisprudencia, en ocasiones el fenómeno del ciberacoso habría pasado desapercibido, entendiendo que el delito contra la integridad moral del artículo 173 permitiría el castigo, tanto de aquellas conductas aisladas que por su naturaleza tienen entidad suficiente para producir un menoscabo grave de la integridad moral de la víctima, cuanto de aquellas otras que, si bien aisladamente consideradas no rebasarían el umbral exigido por este delito, sin embargo en tanto reiteradas o sistemáticas, realizadas habitualmente y consideradas en su conjunto, terminan produciendo dicho menoscabo grave a la integridad moral. Son conductas, éstas últimas, de trato degradante, entendiendo por "trato degradante" ***aquel que pueda crear en las víctimas sentimientos de terror, de angustia y de inferioridad susceptibles de humillarles, de envilecerles y de quebrantar, en su caso su resistencia física o moral***, o, en síntesis, cualquier atentado a la dignidad de la persona, que en su individual consideración pueden no ser calificables de graves, pero que al ser reiteradas terminan menoscabando gravemente por erosión dicha integridad moral.

---

60 Cfr. *CIBERBULLYING*. GUÍA DE RECURSOS PARA CENTROS EDUCATIVOS. La intervención en los centros educativos: Materiales para Equipos Directivos y acción tutorial, Defensor del Menor en la Comunidad de Madrid, Madrid, 2011, p. 15.

61 *Quien cause injuria o vejación injusta de carácter leve, cuando el ofendido fuera una de las personas a las que se refiere el apartado 2 del artículo 173, será castigado con la pena de localización permanente de cinco a treinta días, siempre en domicilio diferente y alejado del de la víctima, o trabajos en beneficio de la comunidad de cinco a treinta días, o multa de uno a cuatro meses, esta última únicamente en los supuestos en los que concurran las circunstancias expresadas en el apartado 2 del artículo 84.*
Las injurias solamente serán perseguibles mediante denuncia de la persona agraviada o de su representante legal.

62 Cfr. MUÑOZ CONDE, F. 2015, *Derecho penal, Parte especial,* Valencia, p. 161 afirma que en relación al art. 173.1 CP se deberá de tener en cuenta la situación personal del sujeto pasivo, su personalidad, edad, etc, para calificar una conducta vejatoria como atentado grave a la integridad moral. De no considerarse grave, la conducta constituiría una vejación injusta de carácter leve que sería atípica excepto en el caso de lo previsto en el art. 173.4 CP. Sobre el delito leve previsto en el art. 173.4 CP, cfr. asimismo, GÓMEZ RIVERO, C. (Directora), 2015, *Nociones Fundamentales de Derecho Penal, Parte especial,* Madrid, pp. 224 s.

Como hemos indicado anteriormente, deben distinguirse adecuadamente los fenómenos del acoso escolar en sentido estricto *(bullying)* y el acoso cibernético *(ciberbullying)*. Ambas modalidades coinciden en que se trata generalmente de un abuso entre iguales, pero en el *ciberbullying* la víctima no tiene por qué ser un compañero de clase, sino que puede ser cualquier persona a la se llegue por medio de Internet, el móvil o los videojuegos. Asimismo, en el acoso cibernético, el abuso se produce como un juego en el que el acosador puede no ser consciente del daño que ocasiona, ya que en ocasiones atribuye las consecuencias de su acción a un personaje o rol que es interpretado en la Red[63].

No obstante, insistimos en que en los casos de *ciberbullying* no hay por qué prejuzgar que el hecho de que el contacto sea sólo a través del medio virtual y no del medio físico, ello automáticamente implique una minimización de los perjuicios que la conducta acosadora puede causar en los menores, sobre todo en la era de los denominados "nativos digitales".

Desde nuestra perspectiva, el ataque a la integridad moral puede alcanzar la gravedad suficiente para ser estimado delito, cuando la conducta acosadora genere los requisitos especificados con anterioridad para constituir el tipo delictivo previsto en el art. 173.1 CP (acto de claro e inequívoco contenido vejatorio para el sujeto pasivo, la concurrencia de un padecimiento físico o psíquico, comportamiento degradante o humillante con especial incidencia en el concepto de dignidad de la persona-víctima, pudiendo derivarse este comportamiento de una conducta mantenida en el tiempo, y sin que este quebranto grave integre el concepto de lesión psíquica).

Por otra parte, entendemos que tampoco puede minimizarse el impacto que la conducta acosadora producto de *ciberbullying* puede producir en la víctima, en atención al menoscabo en su integridad moral, porque hay que atender a hechos como la cantidad de personas que pueden acceder al contenido dañoso vertido en Internet en algunos casos, prácticamente en cuestión de minutos y visualizarlo, en múltiples ocasiones.

Sin embargo, desde nuestro punto de vista, deben realizarse una serie de precisiones en torno al contexto del acoso a menores.

Nuestro legislador en sucesivas reformas penales, ha intentado penalizar cualquier fenómeno que haya sido clasificado como acoso (*grooming, sexting, stalking)*, sin valorar con anterioridad, si el Código penal tenía previamente instrumentos adecuados para combatir tales fenómenos y si éstos, estaban siendo correctamente aplicados. El desmedido afán por legislar, sin aprehender con exactitud la realidad social que se pretende regular, sobre todo en la vertiente penal,

---

63 ARARTEKO, (Defensoría del Pueblo), *Ciberbullying*. Guía rápida para la prevención del acoso por medio de las nuevas tecnologías, Pantallas Amigas, 2008, pp. 2 ss.

puede generar complicadas relaciones concursales que deben ser adecuadamente sopesadas si quiere lograrse en última instancia, las reclamadas medidas eficaces, proporcionadas y disuasorias a través de la vía penal (a la que no olvidemos debe recurrirse en última instancia, conforme al principio de *ultima ratio* que guía su intervención) del fenómeno del acoso a menores.

Esta penalización, sin la debida reflexión y análisis, incluso puede desembocar bien en un Derecho penal meramente simbólico o bien, en la creación de nuevos tipos penales cuyas relaciones concursales con otros preceptos del Código penal conlleven absurdos privilegios punitivos, frustrándose así la intención del legislador de sancionar en forma eficaz estos graves comportamientos delictivos como reclama la sociedad actual.

Desde nuestra perspectiva, no puede estimarse que cualquier conducta acosadora implique exclusivamente un ataque a la integridad moral, ya que puede que durante el tiempo en el que se produce dicho comportamiento hayan sido gravemente afectados otra serie de bienes jurídicos como la libertad, la libertad sexual, la salud, el honor o la intimidad.

De la misma forma, tampoco compartimos que cualquier conducta acosadora se conciba únicamente como un comportamiento, que en última instancia se reduzca a la realización de un delito de conducta reiterada, que afecte a la integridad moral.

En este sentido, aunque ciertamente algunas conductas acosadoras pueden reconducirse a la producción de delitos contra la integridad moral, en otras, pueden resultar afectados, principalmente otra serie de bienes jurídicos como la libertad, entendida ésta partiendo de la tradicional delimitación de las distintas esferas relevantes de la libertad (psicológica, político-social y jurídica) como la tutela del aspecto psicológico, considerado como el derecho esencial a la libre formación de la voluntad.

El fenómeno del acoso a menores en la Red Internet puede ser tan complejo, pudiendo darse tal variedad de supuestos, que existirá un concurso de leyes, cuando el desvalor que representa el concreto supuesto de hecho fuese abarcado en su totalidad, por uno de los preceptos, implicando la exclusión de los demás en el debido respeto al principio *ne bis in idem*. En estos casos, se plantearía un problema de adecuada interpretación para determinar qué precepto penal sería aplicable.

Por otra parte, hay que admitir que la víctima, el menor, padece una serie de comportamientos reiterados que constituyen un contexto, que sería lo que viene a denominarse "sufrir acoso", y este acoso implica un marco en el que pueden resultar afectados por la conducta reiterada del acosador múltiples bienes jurídicos en mayor o menor grado, y por ello, tampoco puede reconducirse un fenómeno tan amplio como el acoso ***a priori***, únicamente a un único tipo delictivo, debiendo valorarse adecuadamente las relaciones concursales, distinguiendo aquellos casos en los que el desvalor del supuesto de hecho sea abarcado exclusivamente por un precepto, de otra serie de situaciones, en las que la conducta del acosador implique la afectación de distintos bienes jurídicos, y ello, pueda conllevar la aplicación de un concurso de delitos.

5. BIBLIOGRAFÍA

ARARTEKO, (Defensoría del Pueblo) (2008), *Ciberbullying. Guía rápida para la prevención del acoso por medio de las nuevas tecnologías*, Pantallas Amigas, 2008.

AVILÉS MARTÍNEZ (2006), *Bullying, maltrato entre iguales. Agresores, víctimas y testigos en la escuela,* Salamanca.

CUERDA ARNAU, M. L. (2014), "Menores y redes sociales: protección penal de los menores en el entorno digital", CPC, número 112, Época II, Mayo.

GÓMEZ RIVERO, C. (Dir.) (2015), *Nociones fundamentales de Derecho penal, Parte especial,* Madrid.

GUISASOLA LERMA, C. (2014), "Menores, intimidad y riesgo de la sociedad tecnológica", en FAYÓS GARDÓ, (Coordinador), Los derechos a la intimidad y a la privacidad en el siglo XXI, Madrid.

GRANDINETTI, "*Ciberbullying* o acoso cibernético. Una nueva práctica de hostigamiento", 19-ago.-2009, en http://violenciaaulas.suite101.net/article.cfm/*ciberbullying*#ixzz0a2dNyzPM, consultada en fecha 8 de febrero de 2010.

FARALDO CABANA, en GÓMEZ TOMILLO (Dir.) (2010), *Comentarios al Código penal,* Valladolid, .

FLORES FERNÁNEZ, "*Ciberbullying*, nueva forma de acoso", 16/09/2008, consultada en fecha 5 de febrero de 2010.

INTECO, OBSERVATORIO DE LA SEGURIDAD DE LA INFORMACIÓN, "Guía legal sobre el *ciberbullying* y *grooming*", en www.inteco.es, consultada en fecha 5 de febrero de 2010.

MAIALEN GARMENDIA y otros (2011), *Riesgos y seguridad en Internet: los menores españoles en el contexto europeo, Resultados de la encuesta de EU Kids Online a menores entre 9 y 16 años y a sus padres y madres, marzo 2011*, Servicio Editorial de la Universidad del País Vasco = Euskal Herriko Unibertsitateko Argitalpen Zerbitzua.

MENDOZA CALDERÓN, S., (2013), *El Derecho penal frente a las nuevas formas de acoso a menores: ciberbullying, grooming y sexting,* Valencia.

– "El delito de *stalking:* análisis del art. 172 ter del Proyecto de Reforma del Código penal de 2013", en MUÑOZ CONDE (Director), *Análisis de las Reformas Penales. Presente y Futuro,* Valencia, 2015.

MIRÓ LLINARES, F., "Derecho penal, *cyberbullying* y otras formas de acoso (no sexual) en el ciberespacio", en *Revista D'Internet, Dret i Politica*, núm. 16, junio, 2013.

– "La oportunidad criminal en el ciberespacio. Aplicación y desarrollo de la teoría de las actividades cotidianas para la prevención del cibercrimen". *Revista Electrónica de Ciencia Penal y Criminología*, nº 13-07, 2011.

MUÑOZ CONDE, F. (2015), *Derecho penal, Parte especial,* Valencia.

QUINTERO OLIVARES, en QUINTERO OLIVARES (Dir.), MORALES PRATS (coord.) (2011), *Comentarios a la Parte especial del Derecho penal,* Navarra.

TERUEL ROMERO (2007), *Estrategias para prevenir el bullying en las aulas.*

ROMEO CASABONA, SOLA RECHE, HERNÁNDEZ PLASENCIA, FLORES MENDOZA, GUANARTEME SÁNCHEZ-LÁZARO, URRUELA MORA, ROMEO MALANDA, NAVARRO FRÍAS, GARCÍA SANZ, ARMAZA ARMAZA (2010), "Informe sobre los intentos de adaptación del Derecho penal al desarrollo social y tecnológico: líneas de investigación y conclusiones", en ROMEO CASABONA, GUANARTEME SÁNCHEZ-LÁZARO (Ed.), ARMAZA ARMAZA (coord.), *La adaptación del Derecho penal al desarrollo social y tecnológico,* Granada.

RUEDA MARTÍN (2010), "Los ataques contra los sistemas informáticos: conductas de Hacking", en ROMEO CASABONA, GUANARTEME SÁNCHEZ-LÁZARO (Editores), ARMAZA ARMAZA (Coordinador), *La adaptación del Derecho penal al desarrollo social y tecnológico,* Granada.

SUCKLING, TEMPLE (2006), *Herramientas contra el acoso escolar. Un enfoque integral,* Madrid.

VVAA, *Ciberbullying.* GUÍA DE RECURSOS PARA CENTROS EDUCATIVOS (2011), *La intervención en los centros educativos: Materiales para Equipos Directivos y acción tutorial,* Defensor del Menor en la Comunidad de Madrid, Madrid.

La incriminación del acoso (predatorio) en la reforma penal de 2015

Carolina Villacampa Estiarte
Profesora Titular (acretitada a Catedrática) de Derecho Penal
Universitat de Lleida
Alejandra Pujols Pérez
Universitat de Lleida

SUMARIO: 1. Introducción. 2. Fenomenología. 3. El tipo básico. 3.1. Conducta típica. 3.2. Modalidades comisivas. 3.3. El resultado típico. 4. Los tipos cualificados. 5. La cláusula concursal. 6. Perseguibilidad del delito. 7. Conclusión. 8. Bibliografía.

RESUMEN: En el presente trabajo se aborda esencialmente el análisis de los elementos del tipo del nuevo delito de acoso (*stalking*) introducido en el Código Penal español mediante la reforma de 2015. No obstante, se ofrecen también unas pinceladas desde un prisma fenomenológico que han de contribuir, junto al análisis jurídico, al mayor entendimiento de estas conductas penalmente relevantes

PALABRAS CLAVE: *stalking*, acoso, reforma penal

ABSTRACT: Essentially, this paper aims to analysis the elements of the new offense of *stalking* introduced in the Spanish Penal Code by the reform of 2015. However, this paper also offers a brief comment on the phenomenological perspective which should contribute, together with the legal analysis, to the greater understanding of these behaviors.

KEYWORDS: *stalking*, harassment, criminal code reform

1. INTRODUCCIÓN

Pese a las tempranas reticencias despertadas en la doctrina[1], el delito de *stalking* —cuya traducción al español se ha resuelto en la Exposición de Motivos de

[1] En contra de la específica criminalización del *stalking*, cfr. MATALLÍN EVANGELIO, A., "Acoso-*stalking*: Art 172 ter" en ÁLVAREZ GARCÍA, F. J. (Dir.) y DOPICO GÓMEZ-ALLER, J. (Coord.), *Estudio Crítico sobre el Anteproyecto de Reforma Penal de 2012*, Tirant lo Blanch, Valencia, 2013, p. 573; de esta opinión también cfr. QUERALT JIMÉNEZ, J. J., *Derecho penal español. Parte especial, 7ª Edición revisada y actualizada con las Leyes Orgánicas 1/2015 y 2/2015, de 30 de marzo (1ª Edición en la Editorial Tirant lo Blanch)*, Tirant lo Blanch, Valencia, 2015, p. 176, quien considera que su punición se encontraba ya regulada bajo otros nomina iu-

la LO mediante el empleo del término genérico "acoso"— se ha incorporado de forma específica a nuestro ordenamiento jurídico-penal fruto de la modificación efectuada por la LO 1/2015, de 30 de marzo, que lo ubica entre los delitos contra la libertad de obrar (art. 172 ter CP). Las razones aducidas por parte del poder ejecutivo para justificar su inclusión, no son otras que las referidas tanto a su estrecha vinculación con la violencia de género —la cual resulta estar ampliamente demostrada mediante investigaciones empíricas[2]—, como a la deficitaria aptitud de los delitos de amenazas y coacciones para dar una cobertura penal eficiente a este tipo de conductas. No obstante, pueden apuntarse otros argumentos que, de forma análoga, contribuyen a estimar oportuna la incorporación de este delito a nuestro texto punitivo. Entre ellos, principalmente, el influjo ejercido por la progresiva criminalización del fenómeno en Europa y la acogida, por parte del Estado español, de responsabilidades supranacionales materializadas *de iure* en la ratificación del Convenio de Estambul de 2011, que obliga a los estados firmantes a tomar medidas civiles o penales al respecto.

De hecho, de la tipificación de algunas conductas de acoso —en cierto modo similares al *stalking* cuánto menos respecto a su reiteración— emprendida por el legislador español en la reforma de 2010 cabía deducir una tendencia que hacía predecir la futura inclusión del acoso predatorio como conducta punible. La regulación jurídico-penal del acoso iniciada en 2010 se concibe, sin embargo, de forma fragmentaria y asistemática en función del ámbito relacional en el que se produce el fenómeno, cosa que exhibe la falta de meditación respecto a la tipificación de estos comportamientos. Es por ello que una parte de la doctrina, ahondando en la problemática dispersión de estas figuras delictivas, ha propuesto

---

ris y CARPIO BRIZ, D. "Coacciones", en CORCOY BIDASOLO, M. (Dir.); VERA SÁNCHEZ, J. S. (Coord.), *Manual de derecho penal. Parte especial (Actualizado con las LLOO 1/2015 y 2/2015). Doctrina y jurisprudencia con casos solucionados. Tomo 1*, Tirant lo Blanch, Valencia, 2015, p. 141, quien considera innecesaria su previsión expresa dada la reconducción obrada hasta el momento hacia delitos de corte tradicional.

2 Fue ya en los primeros estudios empíricos llevados a cabo en EEUU donde se detectó una mayor prevalencia de estas conductas entre la población femenina (revelándose un 8,1% de victimización entre las mujeres comparado con un 2,2% entre los hombres). De hecho, un 94% de las víctimas mujeres aseguró en la *NVAW survey* que la persona que les había acosado era un hombre. No obstante, la aseveración de que el *stalking* se halla conexo a la violencia de género, puede afirmarse todavía con más rotundidad dada la relación que une a víctima y victimario, siendo que entre la población femenina el *stalker* es esposo o exesposo de la víctima en un 38% de los casos, en cambio entre la población masculina es más prevalente que el victimario sea un extraño (36%) o un conocido (34%), siendo que sólo en un 13% de los casos se trata de una esposa o exesposa. *Vid.* TJADEN, P./ THOENNES, N. "*Stalking* in America: Findings from the National Violence Against Women Survey" en *Research in Brief, U.S. Department of Justice, National Institute of Justice*, 1998, pp. 3-6 accesible en: https://www.ncjrs.gov/pdffiles/169592.pdf.

abordar la sistematización del acoso, ya sea a través de su tratamiento unitario[3] o bien a través de su ubicación en distintos títulos del Código Penal[4].

Con la finalidad de reforzar la conclusiva afirmación de que la inclusión de dicho precepto ha resultado adecuada, cabe enunciar brevemente las carencias que presentan algunos de los tipos penales clásicos en cuyo seno, a priori, podrían tener cabida estas conductas[5]. De este modo, examinando con carácter preferencial los delitos que castigan el atentado contra la libertad de obrar del sujeto, es preciso hablar sobre la disonante interrelación entre el *stalking* y el delito de amenazas que, conformado por la jurisprudencia como delito de expresión, se ve incapaz de encauzar las meras conductas de opresión ejercidas sobre la víctima en tanto éstas no lleven aparejado el anuncio explícito de un mal. Por otro lado, en relación al delito de coacciones, utilizado hasta el momento como modelo arquetípico de reconducción de estas conductas, se plantea la problemática tanto respecto a la necesidad que se impida o se compela a víctima a realizar una determinada acción, como a la necesaria concurrencia de la violencia como medio comisivo. No obstante, la extensiva interpretación de la violencia engendrada por la jurisprudencia, en contra del principio de legalidad, ha trasladado su concepción desde la simple *vis fisica* hasta la incorporación de la *vis compulsiva* y la *vis in rebus*, cosa que sin duda ha fomentado la incriminación de la mayor parte de supuestos de *stalking* a través de este delito[6]. En segundo lugar, pasando a analizar los delitos contra la integridad moral, debe enunciarse que la posibilidad de que éstos ofrezcan con carácter general la tutela penal necesaria es del todo cuestionable, sobretodo porque la violación del bien jurídico protegido requiere, en este caso, que la conducta llevada a cabo tenga la capacidad objetiva de producir sentimientos de humillación o envilecimiento en la víctima, cosa que implica que estos delitos —entre los que se comprenden el delito de trato degradante, el *mob-*

---

3 *Vid.* GÓMEZ RIVERO, M. C. "El derecho penal ante las conductas de acoso persecutorio" en MARTÍNEZ GONZÁLEZ, M. I. (Dir.), *El acoso: tratamiento penal y procesal*, Tirant lo Blanch, Valencia, 2011, pp. 27-50.

4 Cfr. VILLACAMPA ESTIARTE, C. "El delito de *stalking*", en QUINTERO OLIVARES, G. (Dir.), *Comentario a la reforma penal de 2015*, Aranzadi, Cizur Menor, 2015, pp. 381-382.

5 Sobre las deficiencias de los tipos penales clásicos para dar respuesta a las conductas de *stalking vid.*, ampliamente, VILLACAMPA ESTIARTE, C., *Stalking y derecho penal. Relevancia jurídico-penal de una nueva forma de acoso*, Iustel, Madrid, 2009, pp. 217 y ss.

6 A pesar de ello, es la misma jurisprudencia la que ha alzado la voz contra la reconducción automática de estos supuestos de *stalking* al delito de coacciones, apelando a que "una cosa es que el delito de coacciones actúe, en términos de la dogmática alemana, como "tipo de arrastre" en el marco de los delitos contra la libertad, y otra bien distinta que su aplicación a supuestos cada vez más lejanos de su configuración típica y de su objeto de protección lo convierta en un mero "cajón de sastre" que acabe por arrastrar el principio de legalidad". *Vid.* SAP de Sevilla (Sección 4ª) nº 328/2009 de 8 de junio (JUR\2009\377646).

bing laboral e inmobiliario y el delito de maltrato familiar habitual— no puedan constituir el tipo de referencia para reconducir los supuestos de *stalking*, al ser la motivación de estas conductas no el desprecio hacia la víctima sino, en el mayor número de casos, el ablandamiento de la voluntad de ésta con la finalidad de conseguir o recuperar una relación. Esto además porque, en el caso del *mobbing* por una parte, y del delito de maltrato familiar habitual por otra, se requiere que el acoso se dé en un cierto ámbito relacional o bien entre sujetos entre los cuales medie un cierto tipo de relación. Además, la culminación de los requisitos típicos en el caso del delito de maltrato familiar habitual, se vería igualmente comprometida por ser necesaria la existencia de violencia psíquica valorativamente equiparable a la violencia física. En tercer lugar, existe todavía una mayor dificultad para subsumir las conductas de *stalking* en el delito de acoso sexual, pues no siendo suficiente con que se exija la demanda explícita de favores sexuales —poniendo de manifiesto la imposibilidad de incluir el mero acoso ambiental— y la existencia de un ánimo lúbrico o libidinoso, éste se configura como un delito especial, que sólo puede darse en el ámbito de una relación laboral, docente o de prestación de servicios. De igual suerte resulta el delito de propuesta sexual telemática a menores —*online child grooming*—, contenido el artículo 183 ter CP, que requiere como su propio nombre sugiere que el sujeto pasivo sea un menor de 16 años y restringe la tipicidad del delito a que éste sea perpetrado con la finalidad ulterior de cometer un delito contra la libertad sexual. Por último, en lo que respecta a los delitos contra la intimidad, cabe concluir que ninguno de ellos presenta igualmente un nivel de aplicabilidad suficiente para satisfacer la reconducción generalizada de estos comportamientos persecutorios.

2. FENOMENOLOGÍA

Como en cualquier otro estudio sobre tipos delictuales que se precie, antes de proceder a profundizar sobre cuestiones jurídicas relativas al nuevo delito de *stalking* conviene realizar un breve acercamiento a la fenomenología de las conductas que finalmente han dado lugar a la aparición reactiva de la norma penal, siendo que el derecho resulta incomprensible si se desliga de la realidad.

Transcurridos más de veinticinco años desde que empezara a aludirse a este fenómeno con el vocablo *stalking*, la mayor parte de la labor investigadora en lo que a ciencia empírica se refiere, sigue proviniendo de países anglófonos. Describir el estado de la cuestión desde un punto de vista criminológico supone necesariamente referirse a los estudios estadounidenses gestados a mediados de los años 90 y desarrollados hasta la actualidad. Brevemente, merece nuestra atención la *National Violence Against Women (NVAW) Survey* que llevada a cabo por el *National Institute of Justice* entre los años 1995 y 1996, arrojó los primeros datos empíricos sobre el fenómeno, contando con una muestra representativa a nivel nacional integrada por 8.000 hombres y 8.000 mujeres que reveló una prevalencia vital de victimización del 8% en las mujeres y del 2% en los hombres, en ambos casos mayores de 18 años[7]. Siguiendo con los estudios llevados a cabo en el territorio angloamericano, la *Supplemental Victimization Survey (SVS)*, suplemento de la *National Crime Victimization Survey (NCVS)* centrado especialmente en el fenómeno de *stalking* y administrado a un total de 65.270 personas[8], señalaba que, ya entrado el siglo XXI, la victimización anual se situaba aproximadamente en el 1,5% de la población adulta[9]. No menos importante es la implementación de la *National Intimate Partner and Sexual Violence Survey (NISVS)*, que emprendida en 2010 constituye la principal fuente de información sobre victimización por *stalking* en la actualidad. Los datos disponibles, pertenecientes a las ediciones de 2010 y 2011, anuncian que un 15-16% de las mujeres y un 5-6% de los hombres han sido víctimas de *stalking* en algún momento de su vida[10]. A modo de conclusión, evidenciamos que las divergencias entre resultados obedecen principalmente a una triple motivación: por un lado, la multiplicidad de metodologías empleadas, por otro, el tipo y la amplitud de la muestra tomada al efecto y finalmente, la distinta rigidez entre las definiciones de *stalking*.

Dejando de lado las aportaciones realizadas por otros países donde también se produjo un pronto florecimiento de la investigación criminológica sobre el tema, como fueran Canadá y Australia, en las líneas que siguen pretendemos

---

7 *Vid.* TJADEN, P.; THOENNES, N. "*Stalking* in America: Findings from the National Violence Against Women Survey", en *Research in Brief, U. S. Department of Justice, National Insitute of Justice*, 1998, p. 3 accesible en: https://www.ncjrs.gov/pdffiles/169592.pdf.

8 *Vid.* BAUM, K.; CATALANO, S.; RAND, M.; ROSE, K. "*Stalking* victimization in the United States", en *Bureau of Justice Statistics Special Report, US Department of Justice*, 2009, p. 10 accesible en: https://www.victimsofcrime.org/docs/src/baum-k-catalano-s-rand-m-rose-k-2009.pdf?sfvrsn=0.

9 *Vid.* CATALANO, S. "*Stalking* victims in the United States-Revised" en *Bureau of Justice Statistics Special Report, U. S. Department of Justice*, 2012, p. 3 accesible en: http://www.bjs.gov/content/pub/pdf/svus_rev.pdf.

10 *Vid.* BLACK, M. C.; BASILE, K. C.; BREIDING, M. J.; SMITH, S. G.; WALTERS, M. L.; MERRICK, M. T.; CHEN, J.; STEVENS, M. R. "The National Intimate Partner and Sexual Violence Survey (NISVS): 2010 Summary Report", *Atlanta, GA: National Center for Injury Prevention and Control, Centers for Disease Control and Prevention*, 2011, p. 9 accesible en: http://www.cdc.gov/violenceprevention/pdf/nisvs_report2010-a.pdf; y BRENDING, M. J; SMITH, S. G.; BASILE, K. C.; WALTERS, M. L.; CHEN, J.; MERRICK, M. T. "Prevalence and Characteristics of Sexual Violence, *Stalking*, and Intimate Partner Violence Victimization - National Intimate Partner and Sexual Violence Survey, United States, 2011" en *MMWR Surveillance Summaries, U.S. Department of Health and Human Services, Centers for Disease Control and Prevention*, vol. 63, nº 8, 2014, p. 3 accesible en: http://www.cdc.gov/mmwr/pdf/ss/ss6308.pdf.

centrarnos en la tarea empírica europea. Destaca como país pionero Reino Unido, que a través de la *British Crime Survey (BCS)* de 1998, administrada entre 9.988 personas con una edad comprendida entre los 16 y los 59 años para caracterizar las experiencias de victimización entre los residentes en los territorios de Inglaterra y Gales, fijó una ratio de prevalencia vital del 11,8% —16,1% en las mujeres y 6,8% en los hombres—[11]. Los datos de ulteriores ediciones de la BCS, administrada ahora bianualmente y renombrada *Crime Survey for England and Wales (CSEW)* en 2012, muestran desde la BCS 2004/05 —donde un 23% de las mujeres y un 15% de los hombres afirmaban haber sido víctimas de *stalking* alguna vez en su vida— un patrón descendiente en lo que se refiere a la prevalencia vital que, no obstante, parece despuntar nuevamente, pasando de un 12,8% (17,4% en las mujeres y 8,3% en los hombres) en la CSEW 2012/13 a un 15,7% (21,5% de las mujeres y 9,8% de los hombres) en la encuesta 2013/14[12]. Por otra parte, su homónima en el territorio escocés —la *Scottish Crime and Justice Survey (SCJS)*—, determina en su última edición 2012/13 una prevalencia anual del 6% tanto en hombres como en mujeres[13].

En la Europa continental, el país aventajado en esta pesquisa fue sin duda Alemania, que a través de una encuesta dirigida a 1.000 hombres y 1.000 mujeres, cumplimentada finalmente por un total de 679 personas, representativa de la ciudad de Mannheim, determinó una incidencia de victimización del 11,6% —del que un 87% de las víctimas eran mujeres—[14]. Asimismo, una posterior encuesta llevada a cabo en 2011, reveló nuevos datos sobre la población alemana. Una muestra representativa a nivel estatal de 5.779 personas entre 16 y 40 años, reveló una prevalencia vital del 15,3% (19,4% en las mujeres y 11,4% en los hombres)[15].

11 *Vid.* BUDD, T.; MATTINSON, J. "*Stalking*: Findings from the 1998 British Cirme Survey" en *Research Findings*, nº 129, *Home Office Reseach Development and Statistics Directorate*, 2000, p. 2 accesible en: http://webarchive.nationalarchives.gov.uk/20110314171826/http://rds.homeoffice.gov.uk/rds/pdfs/r129.pdf.

12 *Vid.* OFFICE FOR NATIONAL STATISTICS, "Chapter 4: Violent Crime and Sexual Offenses - Intimate Personal Violence and Serious Sexual Assault", en *Crime Statistics, Focus on violent Crime and Sexual Offenses, 2013/14*, 2015, p. 4 accesible en: http://www.ons.gov.uk/ ons/dcp171776_394500.pdf.

13 *Vid.* SCOTTISH GOVERNMENT SOCIAL RESEARCH, *Scottish Crime and Justice Survey 2012/13: Sexual Victimisation and Stalking*, 2014, p. 14 accesible en: http://www.gov.scot/Resource/0045/ 00454149.pdf.

14 *Vid.* DRESSING H.; KUEHNER, C.; GASS, P. "Lifetime prevalence and impact of *stalking* in a European population: Epidemiological data from a middle-sized German city", en *British Journal of Psychiatry*, nº 187, 2005, p. 169.

15 *Vid.* HELLMANN, F.; KLIEM, S., "The prevalence of *stalking*: Current data from a German victim survey", en *European Journal of Criminololgy*, vol. 12, nº 6, 2015, pp. 705-709.

Sin incidir en el interés mostrado en los países nórdicos[16], cabe destacar la labor acometida por algunos países del sur de Europa como Italia y Portugal que han hecho efectiva la investigación de estas conductas a nivel nacional. Italia en una segunda edición de la encuesta promovida por el *Instituto Nazionale di Statistica (Istat)* en 2014 con una ambiciosa muestra de 25.000 mujeres de entre 16 y 70 años, sitúa la victimización femenina en un 16,1%[17], mientras que los estudios portugueses, tomando una muestra de 1.210 personas mayores de 16 años, revelan una incidencia vital del 19,5% —25% en las mujeres y 13,3% en los hombres—[18]. Es de lamentar, sin embargo, la inexistencia de estudios empíricos en población general de semejante envergadura y completitud en España[19], en que la prevalencia del *stalking* ni siquiera se determina en la *Macroencuesta de violencia contra la mujer*[20].

En contraste con lo anteriormente indicado en relación con Europa, el mayor estudio realizado sobre *stalking* hasta la fecha se ha llevado a cabo justamente en este continente. En 2014, la *European Union Agency for Fundamental Rights (FRA)* presenta por primera vez datos acerca de violencia contra las mujeres con una extensión nunca vista hasta el momento a través de la *Violence Against Women: an EU-wide survey*, que incluye información de los 28 estados miembros de la UE. Esta encuesta, cuya muestra estuvo formada por un total de 42.000 mujeres, reveló una victimización a lo largo de la vida del 18% —un 5% en los últimos 12 meses—. Los resultados proporcionados sobre el Estado Español, no obstante,

16 *Vid.*, por todos, DOLVELIUS, A. M.; ÖBERG, J.; HOLMBERG, S., *Stalking in Sweden - Prevalence and prevention*, Edita Norstedts, 2006, accesible en: https://www.bra.se/download/18.cba82f7130f475a2f1800024961/1371914734163/2006_*stalking*_in_sweden.pdf.

17 *Vid.* INSTITUTO NAZIONALE DI STATISTICA, *La violenza contro le donne dentro e fuori la famiglia. Anno 2014*, 2015, p. 16 accesible en: http://www.istat.it/it/archivio/161716.

18 *Vid.* MATOS M. (Coord.); GRANGEIA, H; FERREIRA, C.; AZEVEDO, V., *Inquérito de Vitimação por Stalking. Relatório de Investigaçao, Grupo de Investigaçao sobre Stalking em Portugal*, Escola de Psicologia, Universidade do Minho, 2011, pp. 76-77.

19 Únicamente han llegado a nuestro conocimiento resultados parciales derivados de encuestas de ámbito autonómico que arrojan poca luz sobre las características del fenómeno. Concretamente, en Cataluña se pregunta a una submuestra de 2.409 mujeres que se han separado o divorciado alguna vez, cuántas veces han padecido acoso —incluyendo en este concepto los seguimientos, llamadas y escritos— por parte de exparejas a lo largo de 2009. Los resultados revelan que estas mujeres habían sufrido dichas conductas en una media de 3,7 ocasiones. *Vid.* DEPARTAMENT D'INTERIOR, RELACIONS INSTITUCIONALS I PARTICIPACIÓ, *Enquesta de violència masclista a Catalunya. Resultats destacats*, 2010, p. 25 accesible en: http://interior.gencat.cat/web/.content/home/ms__programa_de_seguretat_contra_la_violencia_masclista/elements_home/banners/documents/presentacio_resultats_evmc.pdf.

20 Cfr. DELEGACIÓN DEL GOBIERNO PARA LA VIOLENCIA DE GÉNERO, *Macroencuesta de violencia contra la mujer 2015. Avance de resultados*, Centro de publicaciones del Ministerio de Sanidad, Servicios Sociales e Igualdad, 2015, accesible en: http://www.msssi.gob.es/gabinetePrensa/notaPrensa/pdf/ 30.03300315160154508.pdf.

se sitúan por debajo de la media, indicándose un 11% de prevalencia vital y un 3% de prevalencia anual[21]. Ahondando en los resultados, indicamos que según la FRA, las conductas más frecuentes son sin duda las llamadas telefónicas (11%), seguidas de las persecuciones (6%) y de los merodeos o vigilancias (6%). En un porcentaje similar se sitúan los envíos de correos electrónicos, mensajes de texto y mensajes instantáneos (5%). En cambio, entre las conductas menos frecuentes se encuentran los daños a la propiedad (3%), el envío de cartas o postales (1%), la publicación de comentarios en Internet (1%) y la compartición de fotos o videos (0%). Acerca del incidente más grave padecido por la víctima, en él había estado implicado un solo acosador en el 76% de los casos. Su duración se situaba entre los pocos días y un mes en el 29% de los casos, siendo alarmante que en un 11% de los supuestos el incidente durara un mínimo de 5 años. Respecto al género del *stalker*, éste era de sexo masculino en el 63% de los casos y de sexo femenino en el 8%, asimismo, la conducta era perpetrada por *stalkers* de ambos sexos en un 7% de los supuestos. Además, respecto a la relación entre *stalkee* y *stalker*, se trataba de exparejas en un 9% de los casos, de desconocidos o extraños en un 8%, y de conocidos en un 7%, siendo que sólo el 1% de los *stalkers* eran parejas actuales de las personas acosadas. En lo que se refiere a las víctimas, la mayor parte de ellas tenía una edad comprendida entre los 18 y los 29 años de edad (7%) o bien entre los 30 y los 44 años (5%), siendo más prevalentes estas conductas entre la población adulta joven. Los sentimientos más comunes provocados en las víctimas como consecuencia del *stalking* fueron enfado (57%), molestia (50%) y miedo (45%). En cuanto a consecuencias psicológicas de larga duración, éstas fueron inexistentes en un 41% de los casos, sin embargo, de producirse finalmente se demostró una mayor incidencia de transtornos tales como ansiedad (30%) y vulnerabilidad (24%), siendo que en un menor porcentaje también estuvieron presentes las dificultades para conciliar el sueño (19%), la pérdida de autoconfianza (13%) y la depresión (11%), entre otras. En lo que a estrategias de afrontamiento se refiere, las más frecuentes fueron hablar de los incidentes con amigos o parientes (77%), confrontar al *stalker* (43%), amenazar al victimario con denunciarlo a la policía o emprender acciones legales contra él (32%) o cambiar de número de teléfono o de dirección de correo electrónico (23%). Menos frecuentes se mostraron pedir ayuda en algún otro lugar (17%), mudarse (14%), cerrar la cuenta de la red social (7%) o contactar con una organización de ayuda a las víctimas (4%). Finalmente, cabe indicar que las mujeres acosadas

---

21 *Vid.* FRA - EUROPEAN UNION AGENCY FOR FUNDAMENTAL RIGHTS, *Violence against women: an Eu-wide survey. Main Results*, Publications Office of the European Union, 2014, pp. 15-17 accesible en: http://fra.europa.eu/sites/default/files/fra-2014-vaw-survey-main-results-apr14_en.pdf.

denunciaron estos sucesos únicamente en un 21% de los casos. Las que no lo hicieron indicaron como motivo, principalmente, haberse ocupado ellas mismas del problema o bien haberlo resuelto con la ayuda de sus amigos o familiares (45%). No obstante, también se adujo como motivo frecuente la insuficiente seriedad de las conductas para ser denunciadas (35%). En este sentido cabe referenciar que, según la encuesta, un 74% de los supuestos de *stalking* nunca llegaron a conocimiento de la policía[22].

3. EL TIPO BÁSICO

Habiéndonos hecho cargo de la imprescindible tarea de proporcionar al lector unas nociones acerca del estado de la cuestión en lo que a investigación empírica cuantitativa se refiere, resulta ahora adecuado acometer un balance crítico, desde un punto de vista jurídico, de la introducción de este delito a nuestro sistema jurídico-penal. De ello, esencialmente, nos ocupamos en las líneas que siguen.

3.1. Conducta típica

De los dos modelos legislativos existentes en lo referente a la tipificación del *stalking* provenientes del derecho comparado, el legislador español rechaza acudir al modelo de prohibición general, asumido en un primer momento por la *Protection from Harassment Act 1997* de Reino Unido[23], y opta por la adopción del modelo conformado por una lista detallada de comportamientos —a imagen del delito de *Nachstellung* alemán recogido en el §238 StGB—, que de ser llevados a cabo provocarían la perpetración del delito. Cabe destacar en este sentido, que la principal crítica vertida sobre este modelo puede resumirse en que la regulación concreta y definida de las conductas incluidas en el tipo provoca una falta de flexibilidad para lidiar con la aparición bien de nuevas formas de acoso, bien de manifestaciones del mismo olvidadas por el legislador. No obstante, en líneas generales podemos indicar que este modelo presenta la ventaja de proporcionar una mayor seguridad jurídica al indicar qué concretas conductas son castigadas por el tipo[24].

---

22 *Vid*. FRA - EUROPEAN UNION AGENCY FOR FUNDAMENTAL RIGHTS, o.u.c., pp. 85-93.

23 La primera criminalización de este fenómeno en Reino Unido, a través de la *Protection from Harassment Act 1997*, incluía la regulación de la conducta mediante la prohibición general. No obstante, la posterior *Protection of Freedoms Act 2012* recogió, a modo ejemplificativo, una lista de conductas asociadas con el fenómeno.

24 Cfr. LAMPLUGH, D.; INFIELD, P. “Harmonising Anti-*Stalking* Laws”, en *The George Washington International Law Review*, Vol. 34, 2003, pp. 861-867.

Prosiguiendo con la caracterización general del delito, cabe indicar que, con la finalidad de adoptar una regulación que resulte eficaz a los objetivos propuestos, la configuración de la figura delictiva debería partir de las conceptuaciones prejurídicas del *stalking*, que lo definen como un patrón de conducta insidioso y disruptivo que, realizado pese a la ausencia de consentimiento por parte de la víctima, es susceptible de provocar en ésta algún tipo de repercusión, generalmente miedo o como mínimo un cierto desasosiego. Es por ello que, una primera crítica a esta regulación pudiera ser la inexistencia del segundo de los elementos configuradores del fenómeno —la ejecución en contra de la voluntad de la víctima—, que no queda patente de forma expresa en la descripción del tipo, y que si bien puede desprenderse de su conjunto, principalmente a raíz de las connotaciones negativas que desprende el verbo típico "acosar", sería deseable su específica inclusión con una finalidad clarificadora, más aún cuando en líneas posteriores defenderemos la supresión de dicho verbo.

Centrándonos ya en la concreta regulación ofrecida por el art. 172 ter CP, podemos adelantar que éste se configura como un tipo mixto alternativo en que la conducta de acoso, tomando alguna de las formas descritas en el *numerus clausus* enumerado en el tipo, debe conllevar la consecución del resultado típico, que en este caso consiste en alterar gravemente el desarrollo de la vida cotidiana de la víctima.

Respecto a la descripción de la conducta típica, ésta viene predominantemente marcada por el uso del verbo típico "acosar". Cabría interpretar que la utilización de dicho vocablo, de alto contenido negativo, se utiliza para suplir la dificultad de precisión en la definición del fenómeno, queriendo aludir en realidad a la ausencia de mantenimiento de la justa distancia que posibilita la relación entre individuos que cohabitan en un determinado hábitat social[25]. No obstante, el empleo de este término resulta inadecuado en tanto, por un lado, encierra una situación paradójica como consecuencia de la creación de una definición circular —esto es, uno debe tener un conocimiento previo respecto a qué se entiende exactamente por "acosar" para poder entender el alcance del tipo, ya que la palabra no aporta información adicional respecto a la conducta típica, al ser la raíz misma de aquello que pretende explicarse— y ello nos lleva, por otro lado, a percatarnos de la incertidumbre que existe alrededor de este término, y es que tal como puede desprenderse del silencio en la definición operativa del acoso sexual y del acoso por razón de género, ni siquiera existe conformidad acerca de si es preciso

---

25 Cfr. VALLADOLID BUENO, T. "Ecología victimológica: las bases del actuar democrático", en HERRERA MORENO, M. (Coord.), *Hostigamiento y hábitat social, una perspectiva victimológica*, Comares, Granada, 2008, p. 18.

que estas conductas se produzcan reiteradamente[26]. Más adecuado resultaría el empleo de la voz "perseguir"[27], que utilizada ya en el *Strafgesetzbuch* así como en la concreción de la primera modalidad comisiva de este delito en nuestro Código Penal, mantiene acepciones en línea con el hostigamiento reiterado, evitando caer en la intrincada interpretación del verbo "acosar".

No siendo suficiente con que una persona acose a otra para la consecución del delito, debe llevarse a cabo de forma insistente y reiterada alguna de las conductas propuestas en el tipo. Es en estos adjetivos —insistente y reiterada— donde encontramos precisamente la primera manifestación de uno de los elementos integrantes de las definiciones nacidas de la comunidad científica. Con la finalidad de evitar la criminalización de conductas aisladas, el tipo se afana en evidenciar que la conducta debe obedecer a un patrón conductual. Sin embargo, el vocablo "reiterado" indica que una conducta vuelve a producirse y, por tanto, sería suficiente con que ésta se produjera en dos ocasiones[28], en contra de lo indicado de forma generalizada por la doctrina, que aboga por la ausencia de especificación respecto al número mínimo de ocasiones en que debe producirse la conducta. Lo más coherente, en consecuencia, fuera que este término se substituyera por otros más apropiados como "persistente" o "tenaz", que hacen referencia a mantenerse constante en una conducta, sin determinar exactamente su frecuencia o duración[29]. Otra de las incongruencias detectadas en el tipo, quizás debida a una errata o descuido en la redacción del precepto, es que la insistencia y reiteración se predican de cada una de las particulares modalidades comisivas que integran el tipo, pero no del acoso propiamente dicho[30]. Esta redacción en la práctica presenta incoherencias, pues provocaría la estimación como conducta delictiva de aquella situación en que el sujeto utiliza con perseverancia una misma modalidad comisiva con el fin último de acosar y, en cambio predicaría como atípica

---

26 *Vid.* art. 7 de la Ley Orgánica 3/2007, de 22 de marzo, para la igualdad efectiva entre hombres y mujeres.

27 *Vid.* VILLACAMPA ESTIARTE, C. "El delito de *stalking*", en QUINTERO OLIVARES, G. (Dir.), *Comentario a la reforma penal de 2015*, Aranzadi, Cizur Menor, 2015, p. 384.

28 En contra de esta concepción, cfr. MUÑOZ CONDE, F., *Derecho Penal. Parte Especial*, 20ª Edición, Tirant lo Blanch, Valencia, 2015, p. 147, quien considera que, dada la redacción actual del precepto, fuera necesaria la ejecución de tres hechos en un corto espacio de tiempo para ver colmado este requisito típico.

29 *Vid.* VILLACAMPA ESTIARTE, C., "El delito de *stalking*", en QUINTERO OLIVARES, G. (Dir.), *Comentario a la reforma penal de 2015*, Aranzadi, Cizur Menor, 2015, pp. 384-385.

30 En contra, *vid.* CARPIO BRIZ, D. "Coacciones", en CORCOY BIDASOLO, M. (Dir.); VERA SÁNCHEZ, J. S. (Coord.), *Manual de derecho penal. Parte especial (Actualizado con las LLOO 1/2015 y 2/2015) Doctrina y jurisprudencia con casos solucionados. Tomo 1*, Tirant lo Blanch, Valencia, 2015, p. 142, quien es de la opinión que según la redacción actual basta con que se produzca un mismo acto o alguno de ellos de forma combinada para la consecución del delito.

la conducta de quien utiliza diversas modalidades comisivas para el alcance del mismo fin. Consecuentemente, convendría modificar el redactado de forma que la persistencia se predicara del acoso en sí mismo, y no de cada una de las modalidades comisivas que pudieran integrarlo.

Otro de los aspectos mejorables radica en la exigencia de que el autor no esté legítimamente autorizado para llevar a cabo la conducta. La introducción de esta locución en el precepto, a imagen de la incluida en el delito de coacciones y cuya finalidad responde probablemente a la necesidad de creación de un tipo que aun criminalizando las conductas de acoso no prohíba actividades que deberían resultar permisibles, no es, sin embargo, justificable. Principalmente, porque a pesar de que su cometido no es otro que el de excusar la responsabilidad criminal de aquél que obra en cumplimiento de un deber o del ejercicio legítimo de un derecho, oficio o cargo, existe una imposibilidad de que esta circunstancia llegue a materializarse[31]. Ello es así tanto por la inexistencia de régimen de autorización de tipo administrativo o judicial alguno que habilite para poder llevar a cabo esta conducta, como por la impermeabilidad del verbo "acosar" respecto a alguna posible licitud, al estar éste cargado de negatividad[32]. Refuerza esta concepción, por tanto, lo dicho anteriormente sobre la necesidad de emplear un verbo como el de "perseguir" en la descripción de la conducta típica, cuya neutralidad permita evocar situaciones en que la acción sí pueda estar revestida de licitud, adquiriendo sentido, entonces, la permanencia de esta cláusula con el fin de limitar la aplicabilidad del precepto en dichos casos.

3.2. Modalidades comisivas

Cabe empezar indicando que las fuertes críticas recibidas desde la doctrina hicieron desaparecer de la redacción final del precepto una quinta circunstancia que, prevista en el Proyecto de 2013, ampliaba la extensión de las modalidades comisivas ahora existentes a cualquier otra de análoga caracterización. Aunque inicialmente pudiese considerarse positiva la desaparición de esta indeterminada modalidad comisiva, es de lamentar que el legislador desechara, asimismo, algunas proposiciones de redacción alternativas que, garantizando el respeto al principio de legalidad, hubieran concedido una mayor completud incidiendo so-

---

31 No obstante, parte de la doctrina considera que algunos supuestos como los de los "cobradores del frac" o las campañas reiteradas para que no se compre en un determinado establecimiento, pudieran tener cabida en el ámbito de este precepto, cfr. MUÑOZ CONDE, F., *Derecho Penal. Parte Especial*, 20ª Edición, Tirant lo Blanch, Valencia, 2015, p. 147.

32 *Vid.* VILLACAMPA ESTIARTE, C., "El delito de *stalking*", en QUINTERO OLIVARES, G. (Dir.), *Comentario a la reforma penal de 2015*, Aranzadi, Cizur Menor, 2015, pp. 385-386.

bre otras conductas de vigilancia, persecución, monitorización, abuso de datos personales, amenazas o interferencia en la propiedad de semejante calado[33]. La supresión de la circunstancia tuvo como consecuencia la conversión de la enumeración de posibles conductas ejemplificativas en una lista taxativa conformada por cuatro modalidades comisivas, tres de las cuales guardan una gran semejanza con las previstas en el delito de *stalking* alemán.

Frente a la proximidad espacial prevista en el *Strafgesetzbuch*, nace en nuestro delito de acoso la análoga circunstancia de vigilar, perseguir o buscar la cercanía física de la víctima, recogida en el art. 172 ter.1 CP. No obstante, la principal implicación que provoca el cambio de redacción respecto a la regulación foránea es la efectiva ampliación de las conductas que tienen cabida en la tipicidad del delito, pues contrariamente a la concordancia hallada en el país germánico entre esta circunstancia y el hecho de permanecer físicamente junto a la víctima —esto es, mediando una proximidad física en la que si bien no son preceptivos ni el contacto entre víctima y victimario ni la existencia de una actitud amenazante contra ésta, sí lo es la captación ocular de la presencia del agresor por parte de la persona acosada—, la regulación jurídico-penal española no contempla tal requerimiento, bastando con la mera observación distante o secreta para entender colmada la acción típica, tal como se deduce de la semántica del vocablo "vigilar". Cabe recordar, sin embargo, que nos encontramos ante un delito contra la libertad de obrar y es por este motivo que el comportamiento no quedará dotado de un verdadero contenido de injusto en tanto no comporte una restricción a la libertad de la víctima de decidir o ejecutar lo decidido.

La segunda de las modalidades de conducta, que debe ser materializada en establecer o intentar establecer contacto con la víctima a través de cualquier medio de comunicación o por medio de terceras personas, se concibe como un tipo de emprendimiento, dada la innecesaridad del efectivo contacto final con la víctima, bastando con la simple tentativa para encontrarnos dentro de la circunscripción conductual que ahora caracterizamos. De hecho, cabe poner de manifiesto que la equiparación penal entre la tentativa y la efectiva puesta en contacto con la víctima, podría tacharse de desproporcionada de no ser por las dificultad de cumplimiento de los requisitos típicos, ya que la tentativa debe además formar parte de un acoso, insistente y reiterado, que debe producir una alteración grave en el desarrollo de la vida cotidiana de la víctima para adquirir relevancia penal, cosa que debería garantizar el mínimo contenido de injusto de la conducta[34].

---

33 *Vid.* VILLACAMPA ESTIARTE, C. "El proyectado delito de acecho: incriminación del *stalking* en Derecho Penal español", en *Cuadernos de Política Criminal*, nº 109, 2013, pp. 5-44.

34 Cfr. VILLACAMPA ESTIARTE, C. "El delito de *stalking*", en QUINTERO OLIVARES, G. (Dir.), *Comentario a la reforma penal de 2015*, Aranzadi, Cizur Menor, 2015, p. 387.

En tercer lugar, se propugna la modalidad comisiva que, prevista en un modo ciertamente similar al delito de *Nachstellung*, queda integrada por la adquisición de productos o mercancías o la contratación de servicios o bien por el hecho de originar que terceras personas se pongan en contacto con la víctima, todo ello mediante el uso indebido de los datos personales de ésta. Esta regulación parece dar respuesta a conductas tales como, por ejemplo, el envío, en el marco de la ruptura de una relación de pareja, de flores u otros regalos a la víctima mediante el uso injusto —que no ilícito— de su nombre y dirección, de los cuales pudiera tener conocimiento el autor en virtud de la relación de noviazgo que existió entre ellos.

Por último, prevé el tipo una cuarta modalidad comisiva que, distando esta vez del modelo germánico, eleva al grado de típica la conducta de aquél que atente contra la libertad o patrimonio bien de la víctima, bien de otra persona próxima a ella. Nada que objetar respecto al atentado contra el patrimonio, que no constituyendo un bien jurídico de carácter personalísimo, requiere de una conducta de mayor lesividad intrínseca para producir una efectiva limitación a la libertad de obrar del sujeto pasivo, por lo que propugnamos, tal como ya prevé la regulación vigente, que se mantenga únicamente el castigo al atentado, sin otorgar relevancia penal a la mera amenaza al patrimonio. El problema radica, no obstante, de la falta de protección de otros bienes jurídicos no previstos, como pudieran ser la vida, la integridad física o la salud —*vid.* críticas al respecto en los informes CGPJ y Consejo de Estado al Anteproyecto de 2012—, que unidos al atentado a la libertad —sí recogido en el precepto—, deberían ser custodiados no únicamente en lo relativo a la tentativa sino incluso a la amenaza implícita o explícita y estar recogidos de forma específica en el tipo delictivo. Podemos aducir a tres principales razones que argumentan nuestro razonamiento. En primer lugar, los estudios empíricos cualitativos existentes revelan que en ocasiones se produce un progresivo aumento de la violencia[35], cosa que fuera pertinente reflejar en la redacción del tipo. Por otro lado, porque de existir una posible pugna entre los tipos clásicos y el delito de *stalking* ésta fuera fácilmente resoluble a favor de los delitos tradicionales si se tomara en consideración a este último como delito residual. Y, por último, la justificación a dicho argumento nace de la atipicidad que se demostraría de no preverse ni el hostigamiento implícitamente amenazante, que quedaría huérfano de protección penal al no poder reconducirse tampoco al

---

[35] Respecto a la agravación del *stalking* en cuanto a gravedad y frecuencia *Vid.*, por todos, LOGAN, T. K.; COLE, J.; SHANNON, L.; WALKER, R., *Partner Stalking. How Women Respond, Cope, and Survive*, Springer Publishing Company, New York, 2006, pp. 39-43, donde ponderando los testimonios de 62 mujeres, se llega a la conclusión que las conductas de *stalking* empeoraron en severidad y/o frecuencia en un 71% de los casos.

delito de amenazas, ni el empleo de la violencia psicológica con la finalidad de atentar contra la libertad de obrar de la víctima, que no podría ser acogido por el delito de coacciones atendiendo a la ausencia de violencia física[36].

3.3. *El resultado típico*

Ciertamente, en un delito de resultado, como es el previsto en el art. 172 ter CP, la determinación correcta de éste debe ocupar un lugar preeminente en la configuración del delito, más en este caso pues el *stalking* no es únicamente la suma de sus partes, es decir, no es suficiente con que una persona sea, por ejemplo, perseguida para que la conducta gane relevancia penal *per se*, sino que el verdadero gravamen del delito recae sobre los efectos causados en la víctima. Es por ello que debe preguntarse si la alteración grave de la vida cotidiana de víctima constituye una expresión suficiente del desvalor que deben conllevar estas conductas para merecer una respuesta por parte del sistema de justicia penal. Pues, aun cuando el concepto introducido en delito de *Nachstellung* alemán —esto es, el perjuicio grave al desarrollo vital de la víctima—, puede tener un alcance más amplio que el contenido en el Código Penal español, no resulta más indeterminado que la expresión para describir el resultado empleada por el legislador español. Con ser cierto, por tanto, que la finalidad del tipo es la criminalización de conductas que, vistas individualmente, pueden no tener la suficiente robustez para doblegar la voluntad de la víctima pero que en su consideración conjunta provocan una cortapisa a la actuación de dicha voluntad, sería adecuado que el tipo exigiese que dichas conductas causaren una relevante limitación a algunos aspectos integrantes de la libertad de obrar, bien de la capacidad de decidir, bien de la capacidad de actuar conforme a lo decidido previamente[37].

Tratándose de un delito de resultado, sería posible la aparición de formas imperfectas de ejecución del delito, pues se posibilitaría la aparición de la tentativa siempre que se ejecutaran actos encaminados a la consecución del resultado típico y este no llegara a producirse efectivamente. Sin embargo, fuera necesario que, en pos del respeto al principio de mínima intervención, estos actos fueran idóneos para poner en peligro la libertad de obrar del sujeto, manteniendo extramuros de la tipicidad penal las conductas que puedieran consistir en meras molestias incapaces de lograr una real afectación a dicho bien jurídico.

---

36 *Vid.* VILLACAMPA ESTIARTE, C., "El delito de *stalking*", en QUINTERO OLIVARES, G. (Dir.), *Comentario a la reforma penal de 2015*, Aranzadi, Cizur Menor, 2015, p. 389.

37 *Vid.* VILLACAMPA ESTIARTE, C., o.u.c., pp. 390-391.

4. LOS TIPOS CUALIFICADOS

La gran trasformación sufrida en los tipos cualificados del delito, que respecto a la primera de las versiones del Anteproyecto de 2012 implica un acrecentamiento de éstos en cuanto a su número —propagada desde la única agravación perteneciente a los ofendidos comprendidos en el art. 173.2 CP hasta la cualificación que tiene en cuenta a las personas especialmente vulnerables por razón de su edad, enfermedad o situación—, ha derivado en el desmembramiento de los tipos cualificados, que se albergan ahora en un doble nivel agravatorio, en tanto que las consecuencias jurídicas derivadas del delito varían según el supuesto pueda englobarse en una u otra agravación.

De este modo, podemos encontrar una agravación de primer nivel, ubicada en el art. 172 ter.1 *in fine* CP, dispuesta con la finalidad de elevar la penalidad del delito —que queda fijada en la prisión de seis meses a dos años— en el caso que éste se cometa contra personas especialmente vulnerables por razón de su edad, enfermedad o situación. Nos ocupamos, no obstante, con más detalle de la agravación de segundo nivel. Si contrastamos ésta con la motivación mencionada por el Gobierno que justifica la introducción del precepto, la inserción de la agravante relativa a que el ofendido sea una de las personas recogidas en el art. 173.2 CP —cuya pena se sitúa en la prisión de uno a dos años o la realización de trabajos en beneficio de la comunidad de sesenta a ciento veinte días— pretendía probablemente responder a la introducción de un elemento de lucha contra la violencia de género. No obstante, cabe recordar que el art. 173.2 CP hace referencia a la violencia familiar de forma genérica, sin reparar en cuál es el género de víctima y victimario, al no haber sido modificada por la LO 1/2004. Por lo que, a pesar de no abogar por la conversión del delito de *stalking* en una exteriorización más del derecho penal sexuado, creemos conveniente arrojar luz sobre la idea de que, pese a las conclusiones que pudieran colegirse de lo dicho por el ejecutivo, esta agravación sugiere una mayor protección no a la violencia de género, sino a la violencia familiar en sentido amplio, por lo que la motivación del Gobierno acaba resultando en este caso espuria.

La principal crítica que podemos verter sobre el doble nivel de tipificación cualificada, sin embargo, es la relativa a la distinta sanción penal aplicable, puesto que a pesar de que pudiera pensarse que se castigan con mayor intensidad los supuestos de violencia familiar derivados del art. 173.2 CP, dado el aumento del límite mínimo de la pena de prisión con respecto a la agravación de primer nivel, lo cierto es que la situación se conmuta en caso que la pena escogida por el sentenciador sea la de trabajos en beneficio de la comunidad. Es por este motivo que resulta ininteligible que el tipo cualificado quede estructurado en una estratificación bipartita, y en consecuencia respaldamos la reversión a un único nivel de agravación que permita contemplar ambos supuestos. Por último, cabe poner de relieve que el régimen de perseguibilidad será también distinto según nos encontremos en uno u otro nivel agravatorio, cosa que podría llevar a conflicto los supuestos en que la víctima sea persona especialmente vulnerable y que además se encuentre entre las personas mencionadas en el art. 173.2 CP, pues de la inclusión de esta persona en una u otra circunstancia, dependería no sólo la pena aplicable al victimario sino el régimen de perseguibilidad.

5. LA CLÁUSULA CONCURSAL

Merece nuestra atención la cláusula concursal referida en el art. 172 ter.3 CP, la cual indica que las penas previstas para el delito de *stalking* se impondrán sin perjuicio de las que pudieran corresponder por las conductas en las que se concretara el acoso. Ni que decir tiene que esta cláusula puede llevar a una vasta vulneración del principio *non bis in ídem* que conviene necesariamente evitar. Es por este motivo que la opción más idónea sería la de inclinarse por la añadidura de una salvedad a dicha cláusula que prevea su inaplicación en casos en que el delito con el que tuviera que entrar en concurso comportara bien el empleo de violencia psicológica, bien el atentado contra la libertad de obrar del sujeto pasivo[38]. No obstante, otra de las modificaciones que debiera operarse en pro de la correcta articulación del mecanismo jurídico-penal fuera la disposición de una cláusula de subsidiariedad, concretada en la expresión "salvo que los hechos constituyeren un delito más grave", en vista de la posibilidad que se acabara privilegiando indebidamente al *stalker* tanto en relación con los tipos a los que hasta la existencia de esta especificidad típica venían reconduciéndose las conductas —básicamente haciendo referencia al delito de maltrato familiar habitual y al delito de coacciones—, como en lo que a los otros delitos de acoso —laboral e inmobiliario— recientemente incorporados se refiere[39]. Por tanto, se defiende la incorporación de la cláusula de subsidiariedad porque, a pesar de que su incorporación provocaría el descenso del tipo hasta una aplicabilidad residual, pudiera así vadearse el riesgo de premiar los comportamientos acosadores que, en aplicación del concurso de normas, debieran ser dirimidos en favor de la aplicación del nuevo delito de acoso.

---

38 *Vid.* VILLACAMPA ESTIARTE, C., o.u.c., p. 396.

39 *Vid.* VILLACAMPA ESTIARTE, C., o.u.c., pp. 395-396.

6. PERSEGUIBILIDAD DEL DELITO

La LO 1/2015 instaura un doble régimen de perseguibilidad contenido en los apartados 2 y 4 del art. 172 ter CP. Por un lado, en el apartado cuarto, se recoge la exigencia de denuncia por parte de la persona agraviada o de su representante legal para que el delito resulte judicialmente perseguible, sin embargo de otro, se recoge una excepción a este patrón que conlleva la innecesaridad de presentación de dicha denuncia en caso de que el ofendido fuera alguna de las personas contenidas en el apartado segundo del artículo 173 CP.

No únicamente la reiteración de una falta de destreza en lo que a técnica legislativa se refiere —al colocar la excepción a la regla en un apartado distinto al que la regula con carácter general— es lo que se infiere de la redacción de los requisitos de procesamiento del delito, sino que este régimen, que se pretende ordinario —esto es, con la excepción de que el sujeto pasivo fuera una de las personas previstas en el art. 173.2 CP, dada la habitual procedibilidad de oficio de la violencia familiar y de género—, se aleja del común criterio establecido en nuestro Código, donde la perseguibilidad viene dada de oficio, cosa que sólo fuera justificable de entenderse la ulterior introducción de la protección de las víctimas también desde la vertiente civil del derecho, tal como prevé el Convenio de Estambul. De ser así, que la conducta criminosa fuera perseguible sólo a instancia de parte, cobraría sentido en punto a la posibilidad a elegir de la víctima entre erigirse contra el acosador reclamando la adopción de medidas civiles de protección o mediante la efectiva iniciación de un proceso penal tradicional[40]. Por tanto, cabe defender la subsistencia de la actual regulación de perseguibilidad tan solo albergando la esperanza de que el legislador emprenda finalmente la lucha integral contra la violencia doméstica y de género sobre la base también de instrumentos normativos de tipo civil. Todavía cabría señalar que en el caso que la persona fuera especialmente vulnerable debería igualmente eximirse de denuncia por parte del agraviado o de su representante legal, debiendo bastar con la denuncia por parte del Ministerio Fiscal para que pudieran iniciarse las actuaciones.

7. CONCLUSIÓN

En definitiva, hemos de incidir en que, por las razones indicadas supra, cabe sostener la adecuación de la introducción de la tipificación específica de este fenómeno. Con todo, no podemos obviar que la incriminación del *stalking* mantiene un tinte irreflexivo ya observado en la fraccionada modernización que se predica

40 *Vid.* VILLACAMPA ESTIARTE, C., o.u.c., pp. 382-383.

como consecuencia de la incorporación de distintos delitos de hostigamiento, desarrollada conforme al contexto relacional al que pertenecen en vez de conforme a la ponderación del interés jurídico que con su persecución se pretende proteger. Junto a ello, con el fin de franquear los óbices que el injusto privilegio del victimario pudiera provocar, resultaría necesario emplazar el delito *stalking* en la aplicabilidad residual mediante la introducción de una salvedad a la cláusula concursal que acabara por rechazar la aplicación del tipo a favor de la aplicación de otros con una penalidad más severa. Del mismo modo, convendría desplazar la posibilidad de que este delito entrara en concurso con otros tipos delictuales en cuya comisión se utilizara la violencia psicológica o que fueran igualmente atentatorios contra la libertad de obrar, en aras de acatar el principio *non bis in ídem*. Algunos son pues los esfuerzos que deberían invertirsee en mejorar un precepto imperfecto tanto en la redacción del tipo básico como de los tipos cualificados. Trayendo a colación lo expuesto en nuestro último apartado sobre el régimen de perseguibilidad, permítasenos puntualizar que la introducción de una vía extrapenal de protección de las víctimas de violencia familiar y de género se justificaría no sólo gracias a su indicación en el Convenio de Estambul, que exime a los estados ratificantes de tomar medidas penales respecto al *stalking* siempre que emprendan medidas civiles para sancionar estas conductas, sino también por el respeto al principio de mínima intervención y última ratio. La articulación de dichas medidas se abastecería tanto de la existencia de medidas tuitivas como de la presencia de medidas sancionadoras, ambas de carácter civil. Únicamente en el plano utópico en que tanto el *stalking* como otras manifestaciones de la violencia sobre la mujer pudieran ser combatidas desde esta doble vertiente cabe admitir la existencia de unos requisitos de procedibilidad tales como el requerimiento de denuncia por parte de la víctima o de su representante legal, que permitieran a éstos decidir sobre el abordaje de la situación mediante la tutela civil o, subsidiariamente, penal. Sin duda, concluimos que el legislador español debería discurrir sobre la posibilidad de implementar un plan holístico de lucha contra la violencia de género a semejanza de algunos de sus homólogos europeos.

8. BIBLIOGRAFÍA

ÁLVAREZ GARCÍA, F. J. (Dir.) y DOPICO GÓMEZ-ALLER, J. (Coord.) (2013), *Estudio Crítico sobre el Anteproyecto de Reforma Penal de 2012*. Tirant lo Blanch, Valencia.

BAUM, K., CATALANO, S., RAND, M. y ROSE, K. (2009), "*Stalking* victimization in the United States". En *Bureau of Justice Statistics Special Report,* US Department of Justice.

BLACK, M. C., BASILE, K. C. , BREIDING, M. J. , SMITH, S. G., WALTERS, M. L. , MERRICK, M. T. , CHEN, J. y STEVENS, M. R. (2011), "The National Intimate

Partner and Sexual Violence Survey (NISVS): 2010 Summary Report." *Atlanta, GA: National Center for Injury Prevention and Control, Centers for Disease Control and Prevention.*

BRENDING, M. J., SMITH, S. G. , BASILE, K. C. , WALTERS, M. L. , CHEN, J. y MERRICK, M. T. (2014), "Prevalence and Characteristics of Sexual Violence, *Stalking*, and Intimate Partner Violence Victimization - National Intimate Partner and Sexual Violence Survey", United States, 2011. En *MMWR Surveillance Summaries,* vol. 63, nº 8, U.S. Department of Health and Human Services, Centers for Disease Control and Prevention.

BUDD, T. y MATTINSON, J. (2000), "*Stalking*: Findings from the 1998 British Cirme Survey". En *Research Findings*, nº 129, Home Office Research Development and Statistics Directorate.

CARPIO BRIZ, D., "Coacciones". En Corcoy Bidasolo, M. (Dir.) y J. S. Vera Sánchez (Coord.) (2015), *Manual de derecho penal. Parte especial (Actualizado con las LLOO 1/2015 y 2/2015) Doctrina y jurisprudencia con casos solucionados. Tomo 1.* Tirant lo Blanch, Valencia, pp. 130-146.

CATALANO, S. (2012), "*Stalking* victims in the United States - Revised". En *Bureau of Justice Statistics Special Report,* U. S. Department of Justice.

DELEGACIÓN DEL GOBIERNO PARA LA VIOLENCIA DE GÉNERO (2015), *Macroencuesta de violencia contra la mujer 2015. Avance de resultados.* Centro de publicaciones del Ministerio de Sanidad, Servicios Sociales e Igualdad.

DEPARTAMENT D'INTERIOR, RELACIONS INSTITUCIONALS I PARTICIPACIÓ (2010), *Enquesta de violència masclista a Catalunya. Resultats destacats.* Generalitat de Catalunya.

DOLVELIUS, A. M., ÖBERG, J. y HOLMBERG, S. (2006), *Stalking in Sweden - Prevalence and prevention*, Edita Norstedts.

DRESSING, H., KUEHNER, C. y GASS, P. (2005), "Lifetime prevalence and impact of *stalking* in a European population: Epidemiological data from a middle-sized German city". En *British Journal of Psychiatry*, nº 187, pp. 168-172.

FRA - European Union Agency For Fundamental Rights (2014), *Violence against women: an Eu-wide survey. Main Results.* Publications Office of the European Union.

GÓMEZ RIVERO, M. C., "El derecho penal ante las conductas de acoso persecutorio". En Martínez González, M. I. (Dir.) (2011), *El acoso: tratamiento penal y procesal*, Tirant lo Blanch, Valencia, pp. 27-50.

HELLMANN, F. y KLIEM, S. (2015), "The prevalence of *stalking*: Current data from a German victim survey". En *European Journal of Criminololgy*, vol. 12, nº 6, pp. 700-718.

INSTITUTO NAZIONALE DI STATISTICA (2015), *La violenza contro le donne dentro e fuori la famiglia. Anno 2014.*

LAMPLUGH, D., INFIELD, P. (2003), "Harmonising Anti-*Stalking* Laws". En *The George Washington International Law Review*, Vol. 34, pp. 853-870.

LOGAN, T. K., COLE, SHANNON, J. , L. y WALKER, R. (2006), *Partner Stalking. How Women Respond, Cope, and Survive*, Springer Publishing Company, New York.

MATOS, M. (Coord.) GRANGEIA, H. , FERREIRA, C. y AZEVEDO, V. (2011), *Inquérito de Vitimação por Stalking. Relatório de Investigaçao, Grupo de Investigaçao sobre Stalking em Portugal*, Escola de Psicologia, Universidade do Minho.

MUÑOZ CONDE, F. (2015), *Derecho Penal. Parte Especial.* 20ª Edición, Tirant lo Blanch, Valencia.

OFFICE FOR NATIONAL STATISTICS (2015), "Chapter 4: Violent Crime and Sexual Offenses - Intimate Personal Violence and Serious Sexual Assault". En *Crime Statistics, Focus on violent Crime and Sexual Offenses, 2013/14*

QUERALT JIMÉNEZ, J. J. (2015), *Derecho penal español. Parte especial, 7ª Edición revisada y actualizada con las Leyes Orgánicas 1/2015 y 2/2015, de 30 de marzo (1ª Edición en la Editorial Tirant lo Blanch).* Tirant lo Blanch, Valencia.

SCOTTISH GOVERNMENT SOCIAL RESEARCh (2014), *Scottish Crime and Justice Survey 2012/13: Sexual Victimisation and Stalking.*

TJADEN, P. y THOENNES, N. (1998), "*Stalking* in America: Findings from the National Violence Against Women Survey". En *Research in Brief.* U.S. Department of Justice, National Institute of Justice.

VALLADOLID BUENO, T. (2008), "Ecología victimológica: las bases del actuar democrático" En Herrera Moreno, M. (Coord.), *Hostigamiento y hábitat social, una perspectiva victimológica*, Comares, Granada, pp. 3-23.

VILLACAMPA ESTIARTE, C. (2009), *Stalking y derecho penal. Relevancia jurídico-penal de una nueva forma de acoso.* Iustel, Madrid.

VILLACAMPA ESTIARTE, C. (2013), "El proyectado delito de acecho: incriminación del *stalking* en Derecho Penal español". En *Cuadernos de Política Criminal*, nº 109, pp. 5-44.

VILLACAMPA ESTIARTE, C. "El delito de *stalking*". En Quintero Olivares, G. (Dir.) (2015), *Comentario a la reforma penal de 2015.* Aranzadi, Cizur Menor, pp. 379-398.

TERCERA PARTE

RADICALIZACIÓN TERRORISTA DE MENORES Y JÓVENES

Riesgos a la seguridad nacional y uso de las redes sociales en la adolescencia: análisis de los mecanismos y procesos de captación y radicalización de adolescentes en redes sociales

Fernando Cocho Pérez

SUMARIO: 1. Introducción. 2. ¿Qué son las redes sociales personales y porqué afectan a la seguridad nacional? 2.1. Características. 2.2. ¿Cómo su uso es un riesgo? 2.3. ¿Para qué sirven? 2.3.1. Ventajas. 2.3.2. Desventajas. 3. Errores que se comenten y que afectan a la seguridad por falta de formación. 3.1. Dificultades para la seguridad nacional en la creación de redes de comunicación. 3.1.1. La influencia de las políticas legales, que fragmentan y atomizan las sociedades. 3.1.2. Las relaciones viciadas con las administraciones públicas. 3.1.3. Los reinos de Taifas en educación. 4. Las Inercias Organizativas. 4.1. Un estilo de comunicar con excesivas dependencias del texto escrito, del lenguaje racional, de la cultura impresa. 5. Algunas claves de las tecnologías de la información y de la comunicación. 5.1. Descubrir que la lógica de trabajo en red precede al instrumento de la red internet. 5.2. Pensar la comunicación. 5.3. Incorporación los lenguajes audiovisuales. 6. Clasificación de riesgos. 7. El uso de las Tecnologías de Información y Comunicación como elemento de captación. 8. Procesos de reclutamiento en la radicalización. 9. Las redes sociales como mecanismo de captación directa y riesgo a la seguridad nacional. 10. Estrategias de manipulación mediática en redes sociales Si Sylvain Timsit tiene razón en sus diez reglas de manipulación mediática y comunicativa, las redes sociales debería ser también un factor de manipulación. Veamos cómo se puede aplicar, veremos cómo adaptarlas a nuestros requerimientos y veremos que se cumplen. 11. Procesos Psicológicos de manipulación aplicados a las redes sociales. 12. Modelo cognitivo de los adolescentes en redes sociales: La ruptura tecnológica. 13. Bibliografía.

RESUMEN: Analizar los riesgos a la seguridad nacional que plantean el uso de las redes sociales en la juventud y como se analizan estos riesgos, planteando una clasificación de amenazas ante la inacción educativa o social. Y ver los procesos de radicalización y manipulación ideológica por medio de las redes sociales. Determinar las estrategias para este fenómeno nuevo que amenaza la seguridad nacional.

PALABRAS CLAVE: redes sociales, adolescencia, riesgos, seguridad nacional, leyes educativas, clasificación de riesgos, radicalización, estrategias de manipulación, recluta, captación.

ABSTRACT: To analyze the risks to the homeland security that they raise the use of the social networks in the youth and since these risks are analyzed, raising a classification of threats before the educational or social inaction. And the other hand analyze the processes of radicalization and ideological manipulation by means of the social networks. To determine the strategies for this new phenomenon that threatens the homeland security.

KEYWORDS: social networks, teenagers, homeland security, educational laws, classificacion of threats, radicalization, strategies of manipulation, recruit, capture.

1. INTRODUCCIÓN

De unos años a esta parte se ha convertido en un lugar común de reflexión en el seno de los movimientos sociales y de la ciudadanía activa la cuestión de la seguridad en las redes sociales y como está afecta a los adolescentes y jóvenes de nuestro entorno (de 14 a 25 años parece ser la edad más vulnerable), no solo en temas de seguridad informática o robos de identidad, si no en aquellas áreas que afectan de forma más dramática (si cabe) a la seguridad nacional. Hablamos de la radicalización ideológica o política, ya sea de índole religiosa o no.

Estos riesgos hacen plantearse el funcionamiento de esa herramienta informática que son las redes sociales, su capacidad de diseminación de información y de formación, así como los problemas de su no control, y la necesidad de construir redes de comunicación y de socialización más democrática que eviten esas radicalizaciones o captaciones ideológicas. Libros, espacios de internet, cursos de formación, invitan a que la sociedad y las fuerzas y cuerpos de seguridad del estado (incluyendo, por que no, los docentes que forman a esos adolescentes) detecten o analicen en esos riesgos. Se destaca la importancia de saber tejer una estructura de análisis desde la que organizar la defensa de los valores democráticos y las propuestas para su transformación para adaptarse a los nuevos tiempos; se habla de globalizar la información como alternativa a la globalización de esas amenazas; se anima por un lado a construir redes locales/nacionales en las que confluyan las múltiples intereses sociales de un determinado grupo y sus libertades, con la conjura de los riesgos de aquellos que utilizan las propias estructuras democráticas para su subversión o cambio desde dentro; se insiste en la importancia de incorporar las nuevas tecnologías de información en nuestras prácticas organizativas y comunicativas, integrar la 2.0 o la 3.0 en toda nuestra vida sin saber qué indicadores confluyen en la misma red o como afectan a la parte más influenciable de nuestro futuro que son la juventud. etc.

Pero, junto a la necesidad y al deseo de organizarse en red surgen una serie de dificultades o amenazas a la seguridad nacional ante las que frecuente e insistentemente se choca. Y no se trata sólo de las dificultades inherentes a todo intento de preservar valores democráticos o de garantías legales. Además del espesor y lentitud de cambio legislativo, unido a la velocidad de cambio o mutación de las redes sociales por su propia identidad constitutiva, la dificultad de comprender a una nueva realidad divergente como es la web 2.0 y que se distancia de las antiguas concepciones de lo real y de sus resistencias al cambio, en el tema que nos ocupa aparecen otras dificultades y amenazas que bloquean la comprensión de cómo funciona la red y como es un riesgo (de no ser analizado pertinentemente) para la seguridad nacional y el aprovechamiento de las posibilidades que ofrecen estos medios de comunicación para la radicalización y penetración no democrática.

Esta va a ser la idea central de este trabajo: identificar algunas de estas dificultades y frenos con los que reiteradamente se encuentran a la hora de aprovechar el potencial positivo de trabajo en red y que posibilitan el nuevo modelo de radicalización o desafección democrática, y cómo el desconocimiento de las nuevas tecnologías de la información y de la comunicación por parte de los medios sociales o educativos genera que ellos mismos permitan los riesgos como también la lógica de la red que las precede y acompaña.

2. ¿QUÉ SON LAS REDES SOCIALES PERSONALES Y POR QUÉ AFECTAN A LA SEGURIDAD NACIONAL?

Son sitios Web o plataformas que permiten a los individuos crear un perfil público dentro de una plataforma en línea, y articular sus relaciones con otros usuarios de la misma, de forma que cualquiera que lo desee puede acceder a su perfil y contactar con él. Así como, por su dinamismo, cambiar su apariencia o su situación o sus reglas de interacción en virtud de intereses compartidos, consignas de clase social, comportamientos identitarios o lenguajes o discursos previamente aceptados. Dificultando en grado máximo el rastreo o el reconocimiento de sus pautas con suficiente velocidad.

Son espacios identitarios donde grupos de personas, con intereses comunes se comunican a través de Internet y comparten información, (sobre todo personal). Esa información puede ir acompañada en tiempo real de consignas o sistemas de formación de alta efectividad por efectos Halo o de rechazo por seguidismo o por desafección. La moda es el requisito básico para generar éxito. Ante las directivas de seguridad, normalmente de corte heterónomo y legal las redes sociales siempre triunfan por su estructura formalista.

Se basan en la Teoría de los Seis Grados de Separación, aunque existen herramientas de control de este proceso, la capacidad de monitorización es demasiado lenta, para el volumen de información a clasificar, así como el número de redes o sistemas de comunicación en web que se abandonan o se crean en cuestión de minutos.

2.1. *Características*

Son aplicaciones surgidas con la Web 2.0. y por tanto se necesita ser nativo en ese modelo mental para poder entender su sistema.

Son redes generalistas con aplicaciones abundantes. Lo cual crea un riesgo alto por imposibilidad legal y en ocasiones técnica de análisis.

Tienen normas, lenguaje y valores compartidos. Que mutan, se crean o se abandonan de forma rápida.

Son las mismas infraestructuras telemáticas basadas en servicios de Internet. Y por tanto siempre susceptibles de ser amparadas en diversas legislaciones o lugares de dudosos usos democráticos.

Comunican en diversos sentidos. La multidireccionalidad o la estructura formal/informal siempre en tiempo real puede ser el punto más delicado en los riesgos de seguridad nacional.

Tienen un sistema abierto y en construcción permanente.

Proporcionan sociabilidad, apoyo, información e identidad a aquellos que lo necesitan o lo buscan.

La redes sociales en seguridad se ve afectada por que nos permiten:

- Compartir y comentar fotos/planos, etiquetarlas, crear metadatos de rastreo, enviar información encriptada por "estenografía"
- Enviar mensajes de cualquier tipo y en cualquier código público o privado.
- Realizar test de riesgos y pruebas a las fuerzas del estado o a aquellos que intenten monitorizarles,
- Buscar en catálogos o fuentes abiertas información que asista a analizar posibles huecos o información delicada de la seguridad nacional o sus componentes.
- Posible interactuación con desconocidos. Nunca se sabe quién está detrás o sus verdaderas intenciones.

2.2. *¿Cómo su uso es un riesgo?*

El usuario voluntariamente o para ser integrado crea su perfil y va articulando y creando sus relaciones con otros usuarios de forma dirigida, instrumentalizada o de forma consciente, que a su vez pueden acceder a él y duplicarlo en otras redes:

1) Con las relaciones originadas, el usuario crea una red de contactos que él conoce y cuya integración está basada en extimidad y modelos sociales previos. Su rastreo es difícil sin conocer el modelo previo.
2) Su eficacia se potencia con herramientas informáticas que operan en 3 ámbitos:
   a) Comunicación: Pone en común conocimientos previamente pactados y que por tanto requieren perfiles o clasificaciones previas (no se puede monitorizar lo que no está clasificado).

b) Comunidad: Encuentra e integra comunidades, cuando no las crea de forma constante y con criterios identitarios de cambio constante.
c) Cooperación: Ayuda a hacer cosas juntos. Previa inducción o convencimiento.

3) Un número inicial de individuos envía comunicados a miembros de su propia comunidad para invitarlos a unirse al sitio. Y su rastreo no es legal.
4) Los nuevos participantes repiten el proceso, creciendo el número total de miembros y los enlaces de la red de forma geométrica.
5) No todas las redes sociales son iguales. Ni sirven para lo mismo. Cada red tiene un objetivo específico. Usar la red correcta para la tarea correcta, y además hacerlo correctamente, es todo un arte, una nueva clase de especialidad y una forma de vida nativa del siglo xxi: Twitter, Facebook, Flickr, Linkedin, YouTube...

2.3. ¿Para qué sirven?

Su utilidad para las organizaciones sociales puede ser la de gestionar a los propios miembros o contactar con personas que puedan estar interesadas en apoyar sus actividades

2.3.1. Ventajas

Este recurso de la Web 2.0 posee grandes ventajas para los usuarios de Internet, siendo la principal el permitir que las personas de todo el mundo puedan comunicarse de manera sincrónica (chat) y asincrónica (mensajes o foros), además de compartir imágenes, videos, eventos, opiniones, etc. De esta manera, sencilla y rápida, pueden conocer nuevas personas, encontrar algunas que conocían en el pasado, comunicarse con sus familiares o amistades actuales, compartir conocimientos, intereses, etc., lo que supone una gran comodidad para establecer relaciones sociales.

2.3.2. Desventajas

Además, hay que tener en cuenta que las redes sociales presentan una serie de desventajas, ya que los usuarios utilizan este medio para conocer a otras personas o comunicarse con sus familiares, amigos o conocidos, por lo que se desvincula la necesidad de estar físicamente en el mismo sitio para que se establezca una comunicación con su feedback correspondiente. De esta manera, existe un “enfriamiento” de la relación, dado que no se interacciona directamente, perdiéndose así unas serie de beneficios para la seguridad o para aquellos que quieran asistir a la creación de patrones de seguridad, como por ejemplo el aprender a conocer patrones mediante el lenguaje verbal y no verbal tradicional, dificultándose el conocimiento o la penetración de la Inteligencia en esta red 2.0 (ahora empieza a analizarse más los símbolos o huella digital).

3. ERRORES QUE SE COMENTEN Y QUE AFECTAN A LA SEGURIDAD POR FALTA DE FORMACIÓN

Veremos en el siguiente cuadro aquellos puntos débiles que en la formación social o de los formadores de adolescentes encontramos y que por no ser normalmente nativos digitales desconocen durante bastante tiempo o como mucho se forman lentamente. Siempre quedan desclasificados e inoperativos para reconocer los patrones de riesgo.

OBJETIVO	OBJETIVOS DE SEGURIDAD	CONTENIDO NECESARIO
1	Conocer Conceptos Básicos Sobre comunidades virtuales y Redes Sociales	Comunidades virtuales Y redes sociales/ El perfil de Gestor o Moderador de Comunidades/ colectivos/ Grupos Online/ Datos locales/ Revisión de aplicaciones y aspectos básicos de creación de ciclos de comunidades/ Grupos/ Colectivos virtuales y de la Gestión De Contenidos y Comunicación en Redes Sociales como Facebook, Twitter, Google +, Youtube Datos de Usuari@S de Redes Sociales/
2	Manejar los elementos que componen una estrategia comunicacional en las redes Sociales.	Planificación de una Campaña-Estrategia de comunicación en una Comunidad Virtual/ Redes Sociales: Noticias, Actividades, grupos y Temas de Interés/ Hashtags (Ideas Fuerza, Casos). aplicaciones De Gestión De Redes Sociales Tweetdeck Y Hootsuite. Novedades Facebook/Twitter Y Google +
3	Aplicar Conceptos de comunicación estratégica en el uso de Redes Sociales virtuales.	Gestión de una Campaña- Estrategia de Información y comunicación en Comunidad Virtual/ Redes Sociales (Ideas Fuerzas, Casos) Aplicaciones Complementarias: Foursquare (Geolocalización), Linkedin (Institucional), Pinterest.
4	Aplicar funcionalidades de las Redes Sociales Virtuales en la Gestión y Monitorización de una campaña de comunicación estratégica.	Gestión de Acompañamiento y Monitorización con Herramientas Básicas/ Redes Sociales aplicaciones de Tracking (Sistematización) y monitorización para potenciar las acciones de nuestra comunicación Web.
5	Conocer y aplicar funcionalidades de aplicaciones multimedia visuales en la gestión de campañas de Comunicación estratégica. Conocer aspectos Éticos Y Legales del uso de Redes Sociales.	Curación de Contenidos y Redes Sociales: Story Telling con la Comunidad - Red Aplicaciones Multimedia Visuales: Youtube, Flickr". Aplicaciones de Redes Sociales y Web Social para Móviles. Actualización y Gestión Continua de la Campaña - Estrategica. Aspectos Éticos y Legales de Gestión de Información y comunicación en Redes Sociales.

3.1. Dificultades para la seguridad nacional en la creación de redes de comunicación

A un nivel más enunciativo que exhaustivo, me propongo enumerar las cinco dificultades con las que se encuentran las organizaciones de seguridad que quieren hacer realidad sus deseos de analizar los riesgos en red. Unas dificultades que, debido a la frecuencia con la que aparecen en el camino, deben ser analizadas en profundidad y con seriedad para evitar perder el aprovechamiento de la lógica de la red que ha traído la nueva sociedad informacional y global.

Después de las tres primeras dificultades, de tipo general, presento otras dos que tienen que ver directamente con la comunicación y la organización en red.

3.1.1. La influencia de las políticas legales, que fragmentan y atomizan las sociedades

El proyecto de las redes es el de una sociedad no fragmentada. Para la correcta reproducción del sistema que la seguridad nacional no pueda controlar interesa que los grupos sociales permanezcan aislados, entre sí, sin capacidad de que se pueda encontrar objetivos y estrategias comunes. No podía ser otro el objetivo de un programa centrado en el individuo con capacidad de acción hasta que la identidad colectiva pueda florecer.

Esta primera dificultad apuntada, de carácter contextual, aborta de raíz cualquier intento de la creación de redes que puedan ser controladas, porque choca con sus principios y con sus lógicas de funcionamiento. En este ambiente sociopolítico enredarnos —tal y como se plantea aquí— supone ir a contracorriente.

3.1.2. Las relaciones viciadas con las administraciones públicas

Un segundo elemento que dificulta la construcción de redes seguras es la dependencia respecto a las leyes educativas obsoletas y no fundamentadas con rigor en un sistema tecnológico (que es algo diferente a poner ordenadores, pantallas digitales o formar de forma superficial al profesorado), y las relaciones viciadas con las administraciones públicas por parte de un número significativo de organizaciones sociales en las que la inercia de sus intereses o una mala concepción de solidaridad o democracia evita la verdadera democratización de la red. Este punto favorece la penetración de la radicalización. El trabajo en red, democrático y solidario, suena bonito, pero cuando este compartir con los otros puede hacer peligrar nuestras libertades democráticas, la cosa cambia.

Conocedoras de estas dependencias, las propias redes "administran" en su provecho esta situación de poder con el fin de tener controlado al sujeto o colectivo que es susceptible de ser usado contra la seguridad nacional; en la mayoría de las ocasiones los "buenistas" se resisten a articular mecanismos transparentes de gestión de las redes y sus usos. La máxima por parte de sus inductores de "divide y vencerás" es sistemáticamente aplicada.

3.1.3. Los reinos de Taifas en educación

Cuando un colectivo social lleva varios años trabajando en un mismo territorio con unos sectores de población claramente delimitados, se corre el peligro de demarcar "nuestro" reino de Taifas: "nuestro" barrio, "nuestros" jóvenes, "nuestros" pobres.

Esta actitud de posesión hacia las personas y hacia los territorios hace que se vea con recelo cualquier intento de aproximación por parte de otros grupos y personas, e incluso se les dificulta la opción de un análisis riguroso de riesgos, bajo la premisa de evitar control político o económico. El trabajo para la seguridad nacional en red encuentra una barrera cuando la amenaza de deconstruir reinos de Taifas se ha hecho realidad, cuando atraviesa las prácticas y la visión de la realidad de una organización. Es el primer problema a superar.

4. LAS INERCIAS ORGANIZATIVAS

Un número importante de colectivos sociales/educativos o políticos se rigen por modelos organizativos que dificultan el conocimiento de la Inteligencia para saber la participación de sus miembros y la creación de redes con otros grupos. ¿Cómo nos organizamos para responder a nuestra idea-misión, a nuestros objetivos y fines, a aquel impulso original que nos llevó un día a ponernos en marcha? Esta pregunta, para muchas organizaciones de seguridad, está por estrenarse. Se ha funcionado hasta ahora por inercia, dejándose llevar por otros esquemas importados del mundo de la seguridad tradicional, con la hipótesis de que en el trabajo en redes sociales o en el mundo educativo esos esquemas son también válidos.

No es este el lugar para extenderse en el análisis de cada uno de los modelos de organizaciones sociales, pero sí es importante caer en la cuenta de la influencia que pueden tener estas mentalidades tradicionales organizativas en el conjunto de las actividades de una sociedad moderna; no se quedan exclusivamente en la esfera económica, sino que la transcienden y alcanzan otros sistemas: el sistema educativo, la organización familiar, los movimientos sociales.

Si tuviéramos que destacar algún rasgo distintivo del modelo tradicional, éste es su estructura jerarquizada. Las sociedades inspiradas en este modelo dibujan sus organigramas en forma de pirámide. ¿Cómo se pueden visualizar los rasgos de este modelo en una determinada organización social como es la estructura de las redes y su lógica? Podemos detenernos, en primer lugar, en analizar las relaciones entre sus miembros, y veremos cómo están fuertemente condicionadas por el cargo que se ocupa en dicha organización. Las diversas funciones pueden marcar decisivamente lo que se dice, lo que se hace y lo que se aparenta, hasta llegar a condicionar en exceso el "mapa de relaciones" del grupo. Por tanto es imposible comprender o defenderse en caso de riesgo. Ni entienden la lógica de la comunicación, ni la lógica de las acciones o sus respuestas.

El funcionamiento interno, desde este modelo, está fuertemente jerarquizado y compartimentado. De este modo, las actividades y los proyectos son diseñados por los expertos, que no consideran relevantes las opiniones de quienes están al pie del cañón. Si lo centramos en el mundo educativo nos encontramos con que ni hablamos su lenguaje, ni entendemos sus identidades.

La consecuencia de funcionar desde este modelo termina siendo la incapacidad de involucrar a los miembros de una organización en la gestión de su vida en redes, así como las limitaciones para incorporar a más personas y grupos, para crear red.

Este paradigma favorece brechas evidentes en seguridad nacional.

4.1. *Un estilo de comunicar con excesivas dependencias del texto escrito, del lenguaje racional, de la cultura impresa*

En términos generales, los movimientos sociales orientados a la educación, consiguieron adaptarse mejor al lenguaje de medios de comunicación como la prensa, que a medios audiovisuales como la televisión, y por ende a las redes sociales y a su modelo de pensamiento. En el caso español, es de destacar como en el último tercio del siglo XX el avance en materia educativa es muy fuerte, pero los cambios constantes políticos y sin un criterio de estado han creado una vulnerabilidad mayor que en otros lugares desde el punto de vista social.

Desde los primeros años del siglo XXI comienza a adquirir protagonismo un nuevo modelo de comunicación: la red. Las consecuencias que este giro tiene para los movimientos educativos/sociales son de gran calado; acostumbrados a articular unos discursos en torno a la palabra, el texto escrito y el discurso racional, emerge un nuevo contexto cultural y mediático en el que el lenguaje audiovisual impone unas nuevas reglas y una nueva lógica.

Una carencia con la frecuentemente nos topamos es con esta falta de dominio del lenguaje audiovisual por parte de los movimientos educativos. Dominio no tanto del medio red, sino del lenguaje inherente a él. No es el aparato, sino el lenguaje. Por eso nos encontramos a veces con materiales audiovisuales producidos por los propios adolescentes o sus entornos en los que está ausente el conocimiento de lo específico del lenguaje audiovisual por parte de gran parte de la sociedad:

- Se huye del texto escrito y de la palabra en detrimento de la imagen:
- Se concibe la imagen como un relleno de la palabra. Sin embargo, el lenguaje de las redes sociales es un lenguaje integrado, en el que la palabra, la imagen y el sonido forman un todo unificado y coherente, fruto de un proceso de creación en el que, desde la fase de diseño, ya se piensa en imágenes. Esa lógica de desconocerla es un riesgo muy fuerte para analizar los patrones de seguridad.

5. ALGUNAS CLAVES DE LAS TECNOLOGÍAS DE LA INFORMACIÓN Y DE LA COMUNICACIÓN

Las redes constituyen la nueva morfología social de nuestras sociedades y la difusión de su lógica de enlace modifica de forma sustancial la operación y los resultados de los procesos de producción educativa, la experiencia, el poder y la cultura. Aunque la forma en red de la organización social ha existido en otros tiempos y espacios, el nuevo paradigma de la tecnología de la información proporciona la base material para que su expansión cale toda la estructura social.

El modelo de organización en red, a partir del cual se estructuran las principales actividades de la sociedad informacional —las transacciones financieras y las comunicaciones mediáticas— también es un modelo referencial para los movimientos y redes sociales que luchan por resistir y transformar el proceso de globalización de las personas y sus identidades. En este camino de articulación, es donde podemos fijarnos para recoger algunas claves comunicativas y organizativas que nos sirvan para incorporar procesos de seguridad e inteligencia a las tecnologías de la información y la comunicación. A modo indicativo, destacaría las siguientes:

5.1. *Descubrir que la lógica de trabajo en red precede al instrumento de la red internet*

Esta idea me parece central. Aquellas organizaciones que ya funcionaban desde la lógica de la red han visto como la nueva herramienta de comunicación —internet— que se populariza a finales de los noventa sirve para redimensionar los procesos de cambio en los que se estaba implicado; dicho de otra manera, no basta con introducir una tecnología como internet para trabajar o conocer a la gente en red. Las organizaciones que tienden a concentrar y acaparar la información y la toma de decisiones no tienen sólo que introducir nuevas herramientas comunicativas, sino que es necesario modificar los modelos organizativos que conciben la información como un bien a acaparar en lugar de entenderla como algo que hay que repartir y hacer circular.

Las organizaciones sociales que se habían dotado de organizaciones flexibles, horizontales, interconectadas con otras, son las que mejor están aprovechando los nuevos medios. En aquellos que apuestan aparentemente o dicen apoyar una estructura descentralizada y horizontal basada en la libertad del ser social en los que descubren la interconexión que todo tiene con todo y en quienes la cercanía, intuición y globalidad son elementos constitutivos de las redes de solidaridad podemos encontrar verdaderos "filones" en los que los activistas o creadores de radicalización encuentran sus mejores prácticas.

5.2. *Pensar la comunicación*

Hay que plantearse la comunicación en una doble perspectiva. Por un lado, como desenmascaramiento del papel de las comunicaciones de masas tradicionales en las sociedades avanzadas. Junto a esta tarea básica de analizar los medios de comunicación desde una perspectiva ideológica, política y económica, es necesario que comprendamos como los movimientos sociales en la red social se formen como gestores en comunicación; y que trabajen en el seno de sus organizaciones en el diseño de planes de comunicación, para pensar estratégicamente en los modos en los que se dirigen a sus públicos, en los lenguajes utilizados, en la manera en que se apropian de las tecnologías de la información y la comunicación.

5.3. *Incorporación de los lenguajes audiovisuales*

Basta ya de centrar todo el peso de nuestras comunicaciones en el lenguaje escrito. Hay que partir de las imágenes 2.0 para llegar a las ideas. Pensar en imágenes web y en su lógica, concebir la comunicación como una integración armónica de los diferentes lenguajes: escrito, sonoro, visual, gestual". Descubrir que los colores, los tipos de letras, la ubicación de un elemento en la página web, también están comunicando, y mucho. Integrar a diseñadores y expertos en comunicación en la organización, o abrir procesos de formación en este campo, es el único camino.

6. CLASIFICACIÓN DE RIESGOS

Para poder medir los riesgos hay que hacer una clasificación, aunque sea genérica de las formas y áreas en las que los riesgos deben ser monitorizados, así como definir unos indicadores que nos permitan saber qué mirar y hacia dónde mirar.

Recordemos que aunque sea un comportamiento en red o de la 2.0 debe tener unos patrones iniciales de análisis o de dónde comienza la búsqueda.

Proponemos una lista basada en indicadores iniciales de gestión del conocimiento que deberán ser convertidos en indicadores de seguridad e inteligencia según las necesidades de cada momento o cada grupo/riesgo a analizar. Usaré modificándolos en parte los indicadores del proyecto Intellectus de Gestión del Conocimiento[1] para hacerlos más accesibles, proyecto en el que tuve el honor de poder participar entre otros, en aquella época. El desarrollo de este tipo de metodología de Inteligencia aplicada la podríamos encontrar también en el Modelo Arconte © que está en fase de desarrollo y que esperamos sea público en breve.

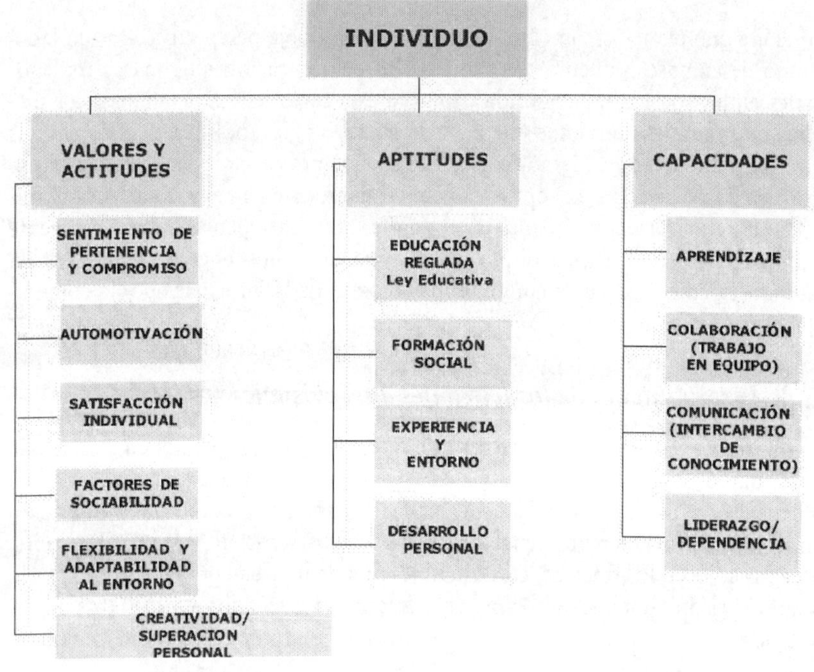

1 Documentos Intellectus número 5, Modelo Intellectus: medición y gestión del capital intelectual (2003), Madrid, CIC-IADE.

1.1.- Valores y actitudes

1.1.1.- Sentimiento de pertenencia y compromiso: identificarse y sentirse miembro de un colectivo en el que logra apoyo y reconocimiento explicito no sujeto a critica externa.

1.1.2.- Automotivación: Impulsos, deseos, aspiraciones, y fuerzas que hacen que la persona desempeñe mejor su cometido o su implicación (toda motivación intrínseca proviene de un previa acción extrínseca durante un cierto tiempo).

1.1.3.- Satisfacción: Grado de vinculación y participación en las tareas, basado en un buen equilibrio entre la valoración de lo que aporta y compensaciones personales o de reconocimiento.

1.1.4.- Sociabilidad: trato y relación con las personas dentro del circulo o del equipo.

1.1.5.- Flexibilidad y adaptabilidad: Actitud positiva/proactiva ante el cambio derivado de las necesidades del entorno (cambio de criterio principios rectores).

1.1.6.- Creatividad: Proceso por el que se facilita la aparición de nuevas ideas y consecuentemente se piensa por el grupo y para el grupo.

1.2.- Aptitudes

1.2.1.- Educación reglada: conocimientos explícitos derivados de un proceso reglado que posee el individuo con independencia de su actividad en el grupo; conocer los requisitos legales o de oportunidad del sistema permite su mejor penetración.

1.2.2.- Formación social: Adecuación al entorno, reconocimiento de grupo.

1.2.3.- Experiencia: Tiempo dedicado a la tarea y que el grupo reconoce.

1.2.4.- Desarrollo personal: Sentimiento propio gracias a los procesos informales de relación con el entorno. La aparente informalidad o falta de estructura rígida oculta una jerarquía basada en reconocimiento ideológico o liderazgo.

1.3.- Capacidades

1.3.1.- Aprendizaje: Capacidad para responder a las dinámicas de cambio y desarrollo del grupo mediante la adquisición de nuevas competencias y conocimientos.

1.3.2.- Colaboración (*Trabajo en equipo*): desempeñar u organizar y motivar a las personas para que desarrollen las tareas y colaboren en las decisiones en grupo.

1.3.3.- Comunicación (*Intercambio de conocimiento*): emitir y recibir información, consignas, así como de compartir lo que sabe con otras personas dentro de un circulo.

1.3.4.- Liderazgo/dependencia: influenciar en personas para que se empeñen voluntariamente y apliquen su iniciativa en el mejor logro de los objetivos del grupo o de la organización.

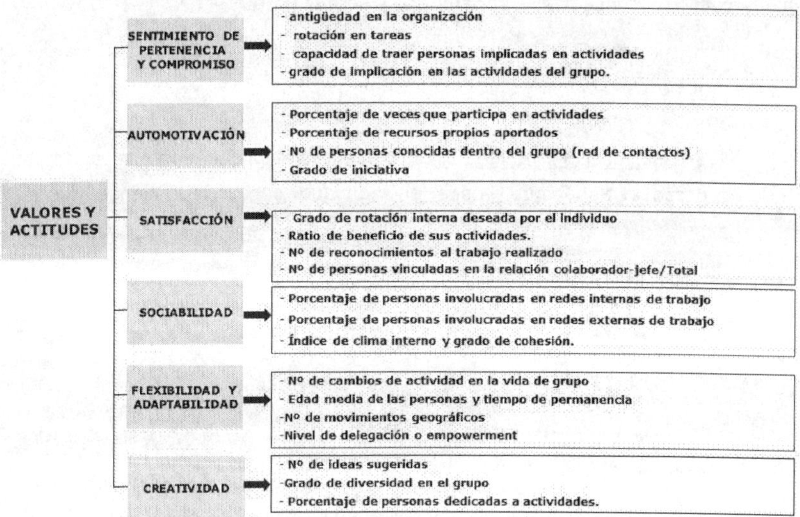

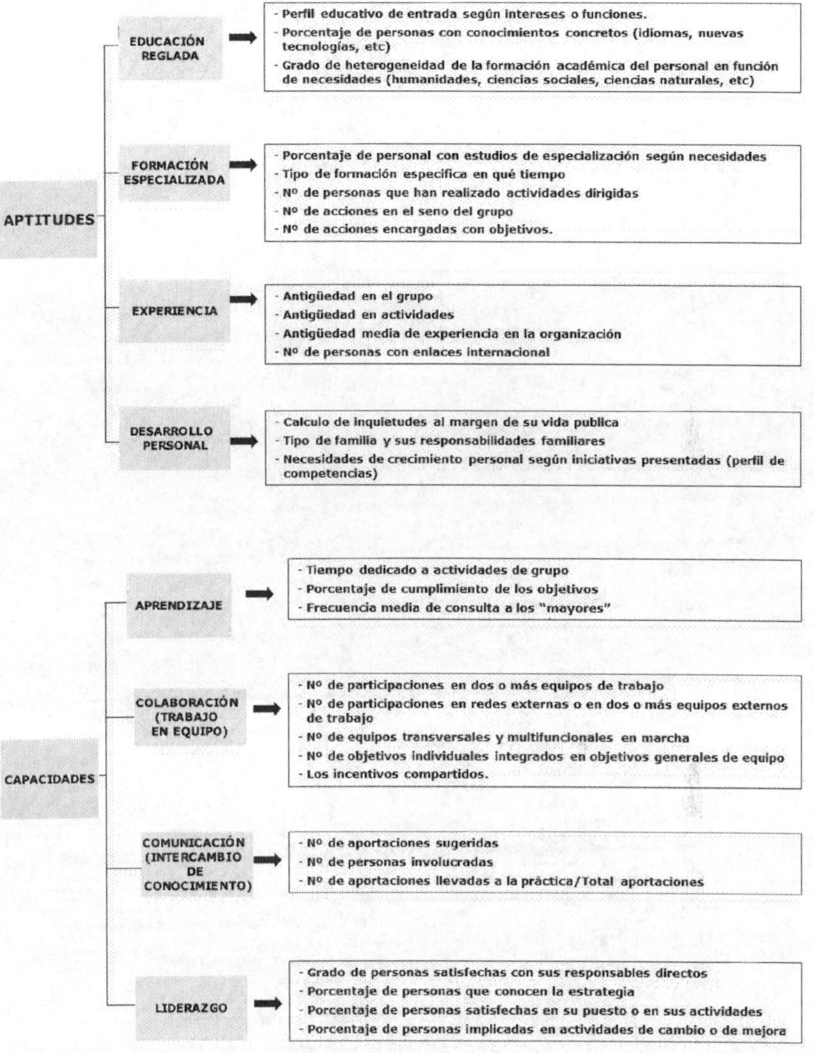
APTITUDES
EDUCACIÓN REGLADA
- Perfil educativo de entrada según intereses o funciones.
- Porcentaje de personas con conocimientos concretos (idiomas, nuevas tecnologías, etc)
- Grado de heterogeneidad de la formación académica del personal en función de necesidades (humanidades, ciencias sociales, ciencias naturales, etc)
FORMACIÓN ESPECIALIZADA
- Porcentaje de personal con estudios de especialización según necesidades
- Tipo de formación especifica en qué tiempo
- Nº de personas que han realizado actividades dirigidas
- Nº de acciones en el seno del grupo
- Nº de acciones encargadas con objetivos.
EXPERIENCIA
- Antigüedad en el grupo
- Antigüedad en actividades
- Antigüedad media de experiencia en la organización
- Nº de personas con enlaces internacional
DESARROLLO PERSONAL
- Calculo de inquietudes al margen de su vida publica
- Tipo de familia y sus responsabilidades familiares
- Necesidades de crecimiento personal según iniciativas presentadas (perfil de competencias)
CAPACIDADES
APRENDIZAJE
- Tiempo dedicado a actividades de grupo
- Porcentaje de cumplimiento de los objetivos
- Frecuencia media de consulta a los "mayores"
COLABORACIÓN (TRABAJO EN EQUIPO)
- Nº de participaciones en dos o más equipos de trabajo
- Nº de participaciones en redes externas o en dos o más equipos externos de trabajo
- Nº de equipos transversales y multifuncionales en marcha
- Nº de objetivos individuales integrados en objetivos generales de equipo
- Los incentivos compartidos.
COMUNICACIÓN (INTERCAMBIO DE CONOCIMIENTO)
- Nº de aportaciones sugeridas
- Nº de personas involucradas
- Nº de aportaciones llevadas a la práctica/Total aportaciones
LIDERAZGO
- Grado de personas satisfechas con sus responsables directos
- Porcentaje de personas que conocen la estrategia
- Porcentaje de personas satisfechas en su puesto o en sus actividades
- Porcentaje de personas implicadas en actividades de cambio o de mejora

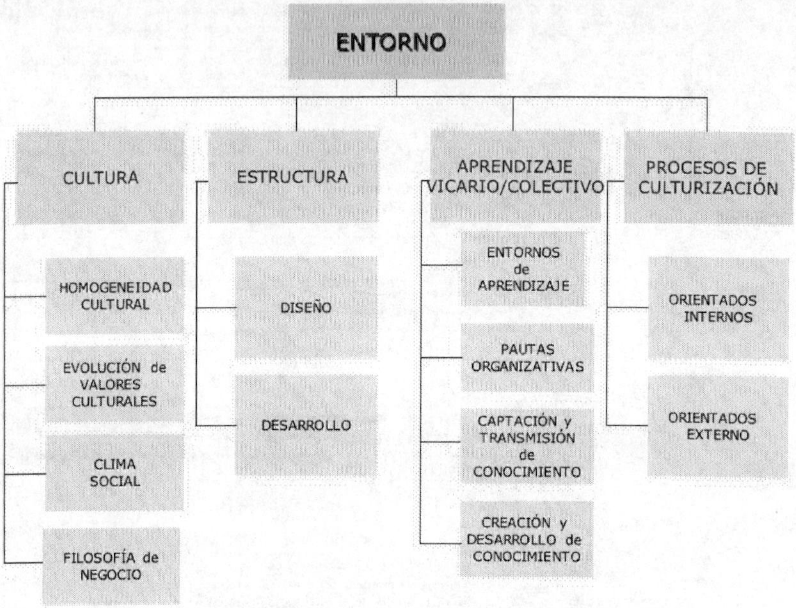

ENTORNO
CULTURA
ESTRUCTURA
APRENDIZAJE VICARIO/COLECTIVO
PROCESOS DE CULTURIZACIÓN
HOMOGENEIDAD CULTURAL
EVOLUCIÓN de VALORES CULTURALES
CLIMA SOCIAL
FILOSOFÍA de NEGOCIO
DISEÑO
DESARROLLO
ENTORNOS de APRENDIZAJE
PAUTAS ORGANIZATIVAS
CAPTACIÓN y TRANSMISIÓN de CONOCIMIENTO
CREACIÓN y DESARROLLO de CONOCIMIENTO
ORIENTADOS INTERNOS
ORIENTADOS EXTERNO

CULTURA
HOMOGENEIDAD CULTURAL
- Porcentaje de personas que comparten la cultura de la organización
- Nº de culturas identificadas
- Porcentaje tiempo dedicado a cultura organizativa
EVOLUCIÓN de VALORES CULTURALES
- Nº de valores culturales explicitados
- Nº de acciones de difusión de la cultura organizativa
- Tiempo dedicado a difusión de la cultura organizativa
CLIMA SOCIAL
- Nº de horas dedicadas a la integración de nuevos miembros
- Nº de comunidades informales creadas
- Horas trabajadas
- Índice de clima social e implicación
- Renuncias/ Rotación no deseada (abandono o desafección)
FILOSOFÍA
- Nº de definiciones de la visión de la organización
- Nº de comunicaciones institucionales que recogen la filosofía
- Inversión realizada en planes de implantación
- Índice de alineamiento con la filosofía según perfiles de competencias.

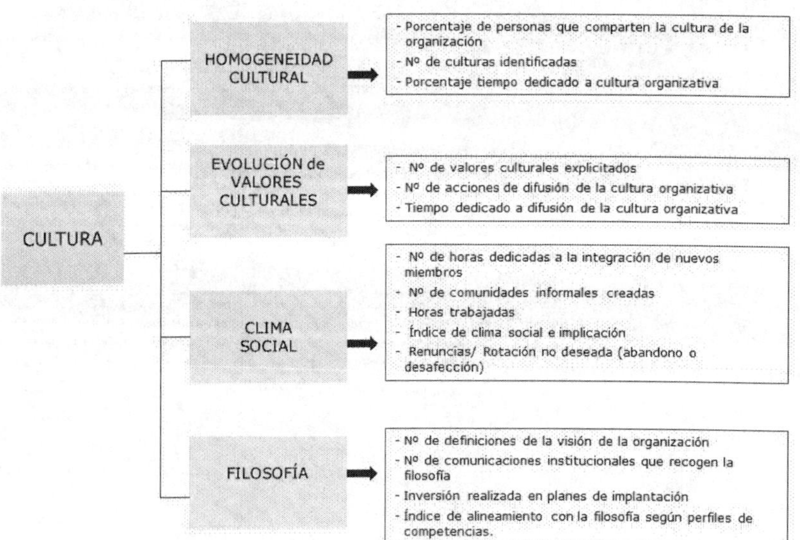

ESTRUCTURA
DISEÑO
- Nº de niveles jerárquicos existentes en la organización
- Gastos en alineamiento y Gastos generales
- % de personas con funciones específicas
- Nº de grupos participantes o red de contactos (estructura piramidal)
DESARROLLO
- Nº de personas que han cambiado de función cada cierto tiempo.
- Nº de grupos y actividades que se han creado o modificado en un tiempo.
- incentivos económicos
- incentivos en especie
- Procesos de reingeniería organizativa culminados con éxito
- Prácticas operativas documentadas y comunicadas
APRENDIZAJE VICARIO / COLECTIVO
ENTORNOS de APRENDIZAJE
- Nº de sugerencias
- Nº de comunidades de aprendizaje
- Nº de foros on line
PAUTAS ORGANIZATIVAS
- Nº de procedimientos organizativos documentados
- Nº de procedimientos consuetudinarios
- Nº de rutinas automatizadas
CREACIÓN Y DESARROLLO de CONOCIMIENTOS
- Nº de sugerencias implantadas/ Nº de sugerencias aportadas
- Nº de grupos de mejora
- Nº de equipos de colaboración
- Nº de utilizaciones sucesivas del conocimiento explicitado
CAPTACIÓN Y TRANSMISIÓN de CONOCIMIENTOS
- Nº de procesos de captación y transmisión de conocimientos
- % de tiempo dedicado a consultas
- Nº de mejoras aportadas y su valoración
- Nº acciones o procesos de nueva creación

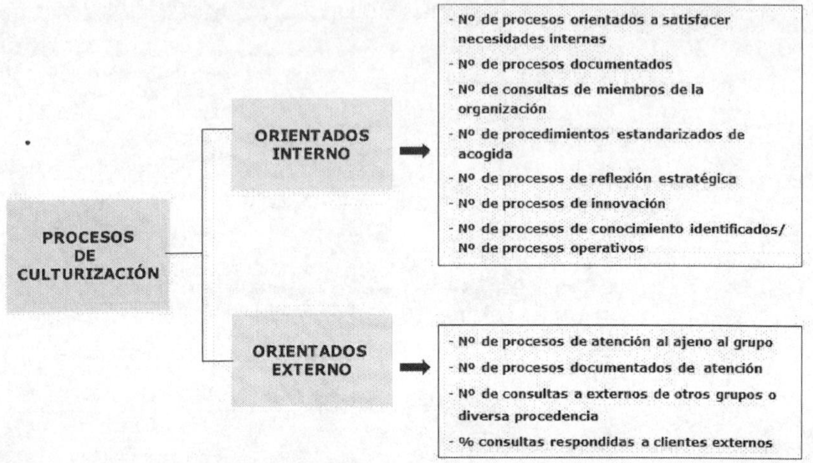

7. EL USO DE LAS TECNOLOGÍAS DE INFORMACIÓN Y COMUNICACIÓN COMO ELEMENTO DE CAPTACIÓN

Las Tecnologías de Información y Comunicación se han convertido a nivel mundial en la vía directa de interacción entre las personas, siendo cada vez más común la utilización de ellas por niños, niñas y adolescentes. El perfeccionamiento de los sistemas y programas han permitido que la mayoría de usuarios nativos tecnológicos aprendan a utilizar con facilidad las diferentes aplicaciones, chats, redes sociales, etc., ya sea en sus ordenadores o en sus teléfonos móviles inteligentes, siendo estos últimos los que se proyectan con mayor crecimiento entre los adolescentes y su versatilidad crea una difícil forma de rastrear o de intervenir en sus procesos de radicalización. La movilidad de las redes y la potencia de los dispositivos crean grandes problemas a la hora de controlar la información o a sus usuarios.

Hoy por hoy desvincular un dispositivo de un contrato o de una identificación personal es cada vez más fácil y barato.

Los peligros que habitan en la red en contra de niños, niñas o adolescentes han creado nuevas figuras y problemas, estas figuras son conocidas como *grooming*, *sexting* y *ciberbullying*, además de los delitos relacionados a la explotación sexual en general y la pornografía infantil.

Pero cada vez más las redes sociales se muestran como la vía más oculta de radicalización social e ideológica. Los procesos de uso de las redes no son diferentes según los problemas. La diferencia estriba en los mecanismos de captación y en los objetivos reales.

Si bien es cierto que las redes sociales mutan cada vez más rápidamente y que su facilidad para el anonimato genera dificultades para luchar contra los males usos de la misma, no es menos cierto que la falta de información sistematizada, bases de datos, conocimiento del tema, información dispersa en diferentes instituciones, falta de liderazgo gubernamental, entre otros, son los factores que se pueden observar a lo largo de cualquier investigación relacionada la utilización de las TICs en la radicalización. Es importante tomar en cuenta el alcance que ha tenido el uso de las TICs en los niños, niñas y adolescentes, en relación a las amenazas ocurridas por el mal uso de la tecnología, así como las medidas legales y buenas prácticas realizada por los diferentes países para prevenir, educar y sancionar cualquier crimen ocurrido por el abuso de las TICs.

La radicalización es un problema que ha sido estudiado y analizado desde hace décadas, e incluso la radicalización en redes sociales, pero no se ha estudiado desde la perspectiva del adolescente que se radicaliza, por eso la evolución de las formar de captación han ido evolucionando paralelamente con las tecnología de información y comunicación, siendo la principal el uso de perfiles falsos por medio de las redes sociales, específicamente facebook, en donde utilizando el engaño, los victimarios ganan la confianza de los menores de edad y de esta manera los introducen en las redes radicales, y es frecuente evidenciar, cuando se realizan estudios individuales de casos en diferentes países, como el primer contacto con la víctima o sujeto a manipular, en la actualidad es por medio de contactos en internet, correos electrónicos, etc.

Dentro del sistema educativo español no estamos preparados para ser conscientes de las formas de entrada a los adolescentes por parte de los "manipuladores". La red social es un medio, pero el proceso de inferencia o recluta es tradicional: persona a persona, en entorno no digital, por medios no siempre tecnológicos al inicio. La tecnología facilita el anonimato y la difusión pero la manipulación o recluta es siempre de otra forma como veremos más adelante en las estrategias de manipulación mediática.

El peligro fundamental para los adolescentes es la revelación de información personal o confidencial, de sus procesos de duda identitaria, de sus conflictos personales, de su búsqueda de apoyo o desahogo intelectual, de su aparente conflicto e incomprensión en el entorno; en los encuentros por medio de la red, permite a los victimarios manipular y amenazar a las víctimas para realizar acciones y conductas que ponen en peligro su integridad personal.

Es importante resaltar que los Estados no se encuentran realizando, en su mayoría, acciones concretas para prevenir la captación de menores de edad para evitar su radicalización por medio de las redes sociales, es de suma importancia resaltar el esfuerzo realizado por modificar y regular en las normativas de acoso o de pedofilia y criminalizar fuertemente la conducta, algo loable y excepcionalmente importante y que debe ser reforzado de forma constante, sin embargo no hay que olvidar que otros usos como la radicalización ideológica puede ser prevenida igualmente.

Recomendaciones a tomar en consideración de forma genérica para analizar la radicalización:

- Crear políticas de prevención y educación a los profesores y a la función docente de enseñanza primaria y media, para enseñar, educar y demostrar el correcto uso de las tecnologías de información y comunicación, así como sus riesgos. La necesidad de incluirlo transversalmente en las programaciones necesita un sistema integrado dentro del sistema educativo para lo que la ley y los docentes no están preparados, ni la administración pública o privada preparada.
- Campañas de capacitación para el personal del sector implicado (educativo, tecnológico, empresarial...), en donde se enseñe las diferentes modalidades de captación por medio de las TICs para crear un plan integral ante la desafección, así como las nuevas figuras emergentes y su comportamiento (para su detección) que pueden ser el inicio de captación de un menor de edad para su reclutamiento como víctima dentro de una red de ideologización.
- Realizar convenios de cooperación interinstitucionales entre el sector de telecomunicaciones públicas y privadas, que permitan crear acuerdos de atención, prevención e investigación en casos en los que se encuentren involucradas las TICs.
- Realizar acuerdos interinstitucionales entre los actores del Estado que intervienen en los procesos de investigación, para evitar la duplicidad de esfuerzos, re-victimización de las victimas e información dispersa[2].
- Crear mecanismos de registro y análisis de información que permitan establecer los indicadores de los diferentes delitos para orientar las campañas de prevención.

8. PROCESOS DE RECLUTAMIENTO EN LA RADICALIZACIÓN

Los reclutadores suelen ser personas de edad muy cercana a los reclutados y suelen ser dependientes de la reputación que tiene en los entornos o en sus localidades. Es muy manido, pero no por ello menos cierto que los objetivos más fáciles son jóvenes desorientados y de conducta antisocial, pero no es menos cierto que

2 http://www.fundacion.telefonica.com/es/arte_cultura/publicaciones/detalle/258#).

cada vez son más el número de jóvenes de clases medias-altas perfectamente integrados en apariencia y con un futuro no necesariamente deprimido.

Todo proceso de radicalización tiene diferentes fases, y como toda evolución sufre diversos procesos de influencia a lo largo del tiempo. No se puede afirmar que todos los que se aproximan a un entorno radical acaban siendo extremistas o violentos. La afinidad ideológica se va consolidando a través de un conjunto de situaciones, acciones o justificación de comportamiento a lo largo de un tiempo; en este caso las redes sociales por su inmediatez y velocidad acortan ese periodo pero no lo eliminan en sus fases. Precisamente por eso es de vital importancia analizar que la futura radicalización será más proclive a buscar frutos en edades más tempranas de las que actualmente vemos.

Asumir que la inmigración o la vinculación con delincuencia común previa a la radicalización es un factor causal riguroso es una falacia que hay que desmontar; no por qué no haya una vinculación sino porque es un factor más que facilita la misma pero no la exclusiviza.

Las fases clásicas de la radicalización son: desencanto, radicalización, extremismo, extremismo violento y acción terrorista, están igualmente en la recluta/acción en las redes sociales. Repetimos por enésima vez que las redes sociales son una herramienta, no el proceso mismo. La inmediatez de las redes sociales, su cercanía emocional, favorece que aquellas personas que buscan contacto y consuelo anónimo en las mismas puedan bajo el efecto halo caer en una autoritas tecnológica que es hoy por hoy el icono de la sociedad moderna. Las redes sociales permiten la oportunidad de conseguir fama, redención o reconocimiento, así como llenar de sentido una vida en crisis de forma rápida y cooperativa. Al ser realizadas en grupo, las acciones sociales en red y la dependencia que los adolescentes tienen de la extimidad social, hace que dependan psicológica y emocionalmente del reconocimiento que la red y/o los que están detrás les den.

En el caso de la radicalización ideológica, política o religiosa, los reclutadores no suelen ocultar su carisma, su ascendiente moral o intelectual de forma muy directa, incentivando la imagen de rebeldía que el adolescente necesita como anclaje emocional. Es falso que haya indicadores claros de apariencia o imagen que determinen cuando un sujeto comienza su radicalización, ni siquiera en la manera de actuar. Cuando la imagen cambia es que tanto el comportamiento como la mentalidad ya está radicalizada.

En mi opinión es más fácil criticar al que externamente cambia su imagen, pero el verdaderamente radical como la historia nos está demostrando es aquel que hasta el último momento oculta su radicalización con comportamiento y apariencias plenamente integrados.

El individuo en este proceso mantiene un uso selectivo de las redes sociales que usa para acceder de manera rápida y anónima a los foros, consignas o informaciones que retroalimenten sus necesidades en cada momento. El reclutador lo sabe y por tanto le facilita la información de forma mistérica para conseguir su dependencia y al mismo tiempo protegerse a sí mismo. Una de las características del proceso más importante de la radicalización en redes, son las críticas ante el estado de cosas del momento, la política o el victimismo psicológico del tipo “el mundo no te comprende o no te entienden en tu entorno”.

El lenguaje en las redes sociales facilita que el reclutador al menos inicialmente use el humor o el lenguaje mordaz para empatizar con el adolescente. Progresivamente usará lenguaje más culto o más técnico para demostrarle su madurez al reclutado.

Los cambios evolutivos que de forma universal todo adolescente pasa según las teorías psicológicas: frustración soledad, apatía, aburrimiento, crisis de identidad, necesidad de autoafirmación, etc, hacen que sean particularmente vulnerables e influenciables a temas como la identidad nacional, cultural, e incluso pensamientos revolucionarios de un mundo mejor. Recurrir a edades aureas o utópicas es un clásico de la manipulación.

El uso de Internet y las redes sociales han demostrado ser una poderosa herramienta de reclutamiento por su lenguaje iconográfico y adaptado a nativos digitales. El enorme poder de difusión, su reducido coste, las dificultades para su control o restricción debido a la lentitud jurídica versus la rapidez de innovación tecnológica, hacen que sea un instrumento verdaderamente idóneo para los fines de la radicalización.

La combinación entre imágenes, vídeos, consignas y códigos que cambian continuamente hacen que siempre vayamos un paso por detrás en la búsqueda de patrones para luchar contra la radicalización.

9. LAS REDES SOCIALES COMO MECANISMO DE CAPTACIÓN DIRECTA Y RIESGO A LA SEGURIDAD NACIONAL

Las redes sociales siempre, ahora han adoptado un significado virtual gracias a Internet. Podemos definir una red social como un lugar digital o no que permite al individuo inscribirse y crear una identidad llamada comúnmente “perfil”. Y es social en tanto que permite intercambiar mensajes públicos o privados con otros miembros inscritos, así como archivos y cualquier documento o información que se quiera de forma rápida, ilimitada y privativa. El componente esencial es la posibilidad de añadir personas o grupos afines y generar así una lista de contactos. Pero más allá de su uso social, agentes estatales y no estatales, como grupos de presión, de análisis de mercado o de radicalización ideológica han encontrado en las redes sociales una poderosa herramienta de comunicación e información.

El surgimiento de grandes redes comerciales como Facebook o Twitter desde mediados de la pasada década ha contribuido igualmente al cambio en los hábitos de uso de Internet. Ciertas plataformas se han convertido así en verdaderos ecosistemas que reúnen a los usuarios que gravitan alrededor de las redes sociales. Pero fueron los interfaces de programación, los conocidos como API (Application Programming Interface) y generalmente gratuitos, los que permitieron la interconexión de los programas, de los sistemas de información y de las plataformas. La ya conocida como web 2.0 compite ya con la 3.0 o móvil. El próximo paso parece ser la web 4.0, con la sincronización de todos los servicios web y de las tecnologías relacionadas (Internet de las cosas).

Hoy existen multitud de redes para una gran variedad de usos, ya sean privados o profesionales. Pero en la nebulosa de estas redes puede establecerse cierta tipología: para compartir (principalmente vídeos, fotos y música), publicación (en grupo o en solitario), localización, juegos, compras y de relaciones (profesionales o personales). Los cambios que se derivan del establecimiento espontáneo de toda esa variedad de redes relacionales son muy variados y complejos, pero pueden sintetizarse en lo siguiente:

- El tiempo se comprime, al transmitirse la información de forma instantánea. Lo que repercute negativamente en el análisis y verificación de la misma.
- El espacio pierde importancia. Sólo importa la cobertura de Internet o el uso de las redes de moda en el lugar en el que estamos.
- Se establece una comunicación horizontal o en redes de colaboración, al comunicarse los usuarios directamente y como iguales (en apariencia).
- La organización se descentraliza. Salvo el promotor, nadie tiene poder de veto
- Tecnología relacional. La difusión de la información está orientada por las relaciones de la red.
- La lógica de la simple mensajería se enfoca hacia una lógica de producción de mensajes en red.
- Trazabilidad alta para difusión de ideas. Los mensajes, los perfiles y las preferencias pueden buscarse, ser reproducidos, comentados o compartidos.
- Penetración de las redes y su lenguaje entre los medios de comunicación tradicionales y los medios sociales, que actúan como mutuas cajas de resonancia.
- Cultura de la transparencia. El control institucional del flujo de información, aunque técnicamente posible, no puede ser total.

La divulgación de información personal con indicaciones del entorno operativo (como la localización de la unidad, fotos de equipos y personas, etc.) puede favorecer la penetración y difusión de la información bajo el amparo de los derechos personales o la seguridad privada. El data mining o exploración de datos permite analizar el comportamiento de los internautas mediante la observación de sus prácticas, pero también permite que la información esté accesible a todos por igual.

Los riesgos técnicos son evidentes, pero no deben menospreciarse otros de tipo más social. Para empezar, es obvio que en este contexto la esfera pública y la privada pueden confundirse. También puede desbordarse el flujo institucional de información por la acción de familiares y amigos, por acciones de reivindicación o movilización o por tragedias, pero también favorecer la penetración en redes públicas y acceder a desorientar a la policía o intoxicar con propaganda y bulos en la red.

En época de crisis, la inmediatez de la información, unida a la reactividad de las redes, puede adelantarse a los canales convencionales de información institucional y contribuir a la pérdida de legitimidad de ésta.

Expuesto lo anterior, existen los medios técnicos para limitar estos riesgos: parámetros de confidencialidad, desactivación de cuentas, supresión de la localización geográfica, restricción del acceso a información sensible, cierre de páginas o de enlaces... pero la velocidad jurídica o legal dista mucho de ser la necesaria para contraponerse al mundo tecnológico. La autorregulación ética formal dista mucho de haber comenzado.

Además de comunicación, la otra área obvia para la aplicación de las redes sociales de inteligencia. Es fundamental conocer bien cuáles son las fortalezas y debilidades de su uso como fuente de información enmarcada en la inteligencia de fuentes abiertas (OSINT). Haremos una somera valoración utilizando un análisis superficial:

Una de las principales debilidades es ignorar la información que fluye a través de las redes sociales. Generalmente no se da el valor suficiente a las redes como fuentes de información por no saber cómo se utilizan, cómo es la comunicación o para qué sirven. Por lo tanto, el primer paso requiere de la construcción de una visión global. El problema es que para conseguirlo se atraviesan momentos de incertidumbre que pueden llevar al abandono prematuro. Una de las claves para evitarlo es el tiempo, generalmente escaso.

Dos de las principales amenazas del uso de la información de las redes sociales como fuente de investigación son la información falsa y la infoxicación.

Por Internet fluye todo tipo de información sin filtrar, salvo en países determinados en donde se aplica censura. Puesto que cualquiera que tenga un perfil en una red social puede empezar a difundir lo que quiera sin control, se debe tener especial cuidado en la valoración del contenido y de la fuente, pues hoy por hoy también se ejercen acciones de desinformación. Por otro lado, si no realizamos una buena valoración podríamos ser víctimas de la ignorancia y el desconocimiento de otras personas.

En cuanto a la infoxicación, debemos tener en cuenta que las redes sociales están plagadas de ruido, información inútil que dificulta la obtención de la información realmente relevante y que necesitamos. Para contrarrestar la infoxicación, existen una serie de herramientas como por ejemplo la sindicación de contenidos. Desde un punto de vista más operativo, las redes sociales pueden llegar a movilizar rápidamente a grandes cantidades de personas, con los problemas de seguridad que ello puede generar, asociados a toda concentración masiva.

Por último, otra de las principales amenazas es la imposibilidad de controlar la herramienta. Estas herramientas están en manos de grandes corporaciones que definen sus propios objetivos y necesidades. Obtener respuesta de estas corporaciones es muy complicado y en absoluto inmediato. Por lo tanto sólo se puede observar y en el mejor de los casos interactuar "como uno más" para tratar de influir, por ejemplo, educando contra ciertos riesgos.

Las redes sociales tienen fortalezas también que pueden ser usadas por las fuerzas de seguridad (como lo hacen los radicalistas) y las herramientas gratuitas asociadas a ellas no requieren de amplios conocimientos tecnológicos. Más bien se requiere un poco de tiempo y creatividad para sacarles el máximo partido. Por otro lado, no se requiere de un equipo informático complejo. Lo verdaderamente importante y básico es disponer de conexión a Internet, pues todo el trabajo OSINT en las redes sociales se realiza online.

Finalmente, aunque en las redes sociales no se encuentra toda la información que se necesita, sí es cierto que puede ser una fuente muy interesante para completar conocimiento o incluso corroborar que se siguen las pistas adecuadas para la consecución de los objetivos.

Hoy por hoy incluso algunos grupos radicales tienen presencia en las redes sociales con la intención de difundir su ideología, realizar captación de nuevos miembros, explicar su agenda o ejercer influencia.

Por otro lado, la base de una red social son las relaciones humanas, lo que hace de este medio un campo fértil para todo lo relacionado con la inteligencia de fuentes humanas (HUMINT). Ya no sólo facilitando el acceso a través de perfiles adaptados a los grupos de los que se desea obtener información, sino que también redes como LinkedIn pueden ayudar al investigador a conocer la existencia de expertos en determinadas materias.

La detección de perfiles de influencia, por ejemplo en Twitter, es fundamental para conocer quién o quiénes son los promotores de determinada iniciativa, como pudiera ser el caso de incitaciones a cometer actos de violencia.

10. ESTRATEGIAS DE MANIPULACIÓN MEDIÁTICA EN REDES SOCIALES. Si Sylvain Timsit[3] tiene razón en sus diez reglas de manipulación mediática y comunicativa, las redes sociales deberían ser también un factor de manipulación. Veamos cómo se puede aplicar, veremos cómo adaptarlas a nuestros requerimientos y veremos que se cumplen

- La estrategia de la distracción. El elemento primordial del control social es la estrategia de la distracción que consiste en desviar la atención del usuario de los problemas importantes o trascendentes y de los cambios decididos por las elites políticas y económicas, mediante la técnica del diluvio o inundación de continuas informaciones contradictorias para que la identidad del sujeto quede sometida al devenir del grupo en el que esté.
- Crear problemas y después ofrecer soluciones. Este método también es llamado "problema-reacción-solución". Se crea o se manifiesta un problema, una "situación" prevista para causar cierta reacción en el adolescente, a fin de que éste sea el mandante de las medidas que se desea hacer aceptar. Así se le `puede ofrecer soluciones áureas o míticas que le hacen ser proclive a su benefactor.
- La estrategia de la gradualidad. Para hacer que se acepte una medida inaceptable, basta aplicarla gradualmente, a cuentagotas, por procesos consecutivos aceptados por el grupo o el líder o el entorno o sus necesidades de autoafirmación.
- La estrategia de diferir. Otra manera de hacer aceptar una decisión impopular es la de presentarla como "dolorosa y necesaria para mejorar", obteniendo la aceptación del sujeto, en el momento, para una aplicación futura. Es más fácil aceptar un sacrificio futuro que un sacrificio inmediato. Primero, porque el esfuerzo no es empleado inmediatamente. Luego, psicológicamente siempre se posterga el problema (propio de la psicología evolutiva de superación del hombre del sufrimiento inmediato), y tiene siempre la tendencia a esperar ingenuamente que "todo irá mejorar mañana" y que el sacrificio exigido podrá ser evitado. Esto da más tiempo al influenciador para adaptar o incorporar la idea del cambio y de aceptarla con resignación cuando llegue el momento por parte del sujeto como la única salida viable o causalmente necesaria.
- Dirigirse al público como criaturas de poca edad pero que están creciendo cada día y reconocérselo.. ¿Por qué? "Si uno se dirige a una persona

---

3 http://www.syti.net/Manipulations.html.

como si ella tuviese la edad de 12 años o menos, entonces, en razón de la sugestionabilidad, ella tenderá, con cierta probabilidad, a una respuesta o reacción también desprovista de un sentido crítico como la de una persona de 12 años o menos de edad.

- Utilizar el aspecto emocional mucho más que la reflexión. Hacer uso del aspecto emocional es una técnica clásica para causar un corto circuito en el análisis racional, y finalmente al sentido crítico de los individuos. Por otra parte, la utilización del registro emocional permite abrir la puerta de acceso al inconsciente para implantar o injertar ideas, deseos, miedos y temores, compulsiones, o inducir comportamientos... y en la adolescencia es el mejor momento para conocer esos miedos.
- Mantener al público en la ignorancia y la mediocridad. Hacer que el público sea incapaz de comprender las tecnologías y los métodos utilizados para su control y su esclavitud. En este caso la necesidad de estar al día y conectado, informado, a la moda... hace que el sujeto no se pare a ver qué información, cómo y con qué interés global se le da.
- Estimular al público a ser complaciente con la mediocridad. Promover al público a creer que es moda el hecho de ser de una forma diferente para crear superioridad psicológica, como pertenecer a un grupo o saber lo que otros no saben...
- Reforzar la autoculpabilidad. Hacer creer al individuo que es solamente él el culpable por su propia desgracia, por causa de la insuficiencia de su inteligencia, de sus capacidades, o de sus esfuerzos. Y, sin acción, ¡no hay revolución!, la acción depende de otros que le enseñan a ser diferentes.
- Conocer a los individuos mejor de lo que ellos mismos se conocen. Ya que un adolescente no suele conocer por falta de tiempo sus propias necedades, al estar en proceso madurativo. Sólo le importa la inmediatez y la referencia grupal. Gracias a la biología, la neurobiología y la psicología aplicada, el "influenciadores de redes" ha disfrutado de un conocimiento avanzado del adolescente, tanto de forma física como psicológicamente. El sistema de información de las redes sociales hace que la información ofertada vea al reclutador como que ha conseguido conocer mejor al individuo común de lo que él se conoce a sí mismo. Esto significa que, en la mayoría de los casos, el sistema ejerce un control mayor y un gran poder sobre los individuos, mayor que el de los individuos sobre sí mismos.

11. PROCESOS PSICOLÓGICOS DE MANIPULACIÓN APLICADOS A LAS REDES SOCIALES

Los intentos de alterar las actitudes de las personas con distintas metas son tan antiguos como la propia historia de la humanidad. Muchos de estos intentos, a menudo exitosos, se han hecho por medio de la violencia; sin embargo, el arma más poderosa de sometimiento ha sido sin duda la palabra, cuya capacidad de persuasión, es capaz de actuar más profundamente.

En efecto, es posible que personas sensibles hagan suyos criterios rechazables y odiosos si se implantan en su pensamiento a una edad muy temprana, o si se crea en ellas un estado de colapso emocional a base de ansiedad, culpa real o imaginaria y conflicto moral. Y el anonimato inicial de las redes sociales en la radicalización hace que esto sea posible.

Imaginemos que nos acabamos de comprar un móvil excesivamente caro. La acción está hecha, pero la conciencia no se ha quedado tranquila: nos hemos pasado de presupuesto. Este desajuste, llamado disonancia cognitiva, debe ser neutralizado. Para ello existen dos posibles soluciones: por una parte, podemos modificar la conducta —por ejemplo, si devolvemos el móvil—, y, por otra, podemos modificar el pensamiento, lo que es algo más complicado. ¿Cómo se hace lo segundo? Pues, tal vez, hablando con gente que tenga móviles como el mío, o aún más caros. Así nos justificamos y nos convencemos a nosotros mismos de que nuestra decisión era totalmente acertada. Este mecanismo psicológico se denomina reducción de la disonancia y juega un papel definitivo en la estrategia de lavado de cerebro. Es la práctica habitual de los influenciadores en las redes: la minimización de los actos en la masa.

Durante el tiempo que dura el proceso de captación de un adolescente, éste debe realizar actividades contrarias a sus principios y eso le causa disonancia. A veces modifica su conducta y rompe con sus embaucadores antes de que el proceso de captación se culmine, pero en la mayoría de ocasiones las etapas van sucediéndose con éxito mientras que el sujeto, paso a paso, va modificando su pensamiento. Su programación comienza con la obligación de realizar tareas pequeñas, como hablar con un compañero de los defectos de la propia familia; después hay que aumentar la intensidad, esto es, hacerlo más agresivamente y ante un público. A continuación, el individuo tiene que pasar a la acción —por ejemplo, entregando dinero o su tiempo— y así sucesivamente. Cuanto más repulsiva resulte la acción, mayor es la disonancia y más enérgicos han de ser los argumentos que uno se dice a sí mismo para poder vencerla. Al cabo de un cierto tiempo, la persona se ha creído absolutamente el discurso justificatorio y considera que su conducta es apropiada.

La segunda fase es la de implantación de la culpa. Dicen los psicoanalistas que todos los humanos guardamos desde nuestra infancia una caja llena de vagas culpas o inseguridades que basta con destapar. Quizá sea cierto, pero el caso es que el sujeto se contagia de la atmósfera de culpabilidad que se le atribuye, y cualquier palabra que diga, incluso sus propios pensamientos, tendrán para él reminiscencias de traición hacia otros y hacia sí mismo.

Con su personalidad ya muy debilitada, el individuo experimentará la tercera fase, el conflicto total, en la que sentirá pánico a su aniquilación absoluta como persona. Cuando el ser humano es consciente de que la propia historia ha descarrilado, su caos psicológico es tal que necesita agarrarse a un clavo ardiendo. Es entonces cuando sus verdugos le tratarán amablemente, se le tenderá una mano a la que él se aferrará desesperadamente, una mano que, precisamente, será la que se adueñe de su pensamiento.

A partir de ahora el individuo se vuelve contra sí mismo. Las dos siguientes fases persiguen que el sujeto critique no sólo lo que ha hecho en su vida, sino lo que ha sido: un imperialista, un comunista, un descreído, un ateo,..., para llegar así a la fase de progreso y armonía, que conduce a la definitiva confesión final de aceptación absoluta o de renuncia personal.

Los pasos que siguen las organizaciones coercitivas son parecidos a éstos, aunque el inicio es más suave. Para la captación inicial no se utiliza la violencia sino la seducción, después se procede a la conversión del sujeto y a su adoctrinamiento, antes de que sea una pieza más en el engranaje de la organización y pase a la acción.

Conseguir doblegar el pensamiento humano requiere unas técnicas muy bien sistematizadas. Algunas son de sentido común. Por ejemplo, alguien es más manipulable si su yo está debilitado. Esto se consigue en Otras medidas se dirigen a humillar la dignidad personal en grupo. Otras persiguen la confusión espacio-temporal y para ello emplean la necesidad de permanencia en una comunicación esperando la información o el contenido anhelado...

12. MODELO COGNITIVO DE LOS ADOLESCENTES EN REDES SOCIALES: LA RUPTURA TECNOLÓGICA

Si nos preguntamos acerca de lo nuevo en la relación entre generaciones, podemos afirmar que la tecnología juega un papel predominante, estamos frente a una cultura "prefigurativa", en la que son los jóvenes quienes enseñan a sus padres. Todas estas transformaciones que venimos mencionando, acaecidas centralmente en las dos últimas décadas, están fuertemente atravesadas por la introducción de la tecnología y de programación en la vida doméstica, ya no en los viajes espaciales que mirábamos desde nuestros sillones, entre sorprendidos y emocionados, pero que no promovían cambios en nuestra vida diaria, sino que sólo eran un tema más de conversación.

Sin embargo, como señaláramos antes, las posibilidades de acceso al consumo son diferentes socialmente y los jóvenes, cuando consumen, lo hacen desde esta diferencia, insumo clave, pero no único, para el despliegue de las identidades y la dimensión del reconocimiento.

En este punto, hay que reconocer que los usos sociales posibles de los aparatos que constituyen la parafernalia tecnológica son diversos a la par que segmentados. Es decir, su consumo y apropiación. De este modo, para algunos jóvenes se trata del consumo masivo de televisión y los videojuegos, mientras, para otros, de los juegos en red, el play station, la navegación por internet y el ciberespacio, el lenguaje de programación, etc. Como se ve, la dotación de recursos es claramente asimétrica. Sin embargo, el mundo de la tecnología los atraviesa a unos y otros, las pantallas los capturan a todos, en casas, comercios, bares, estaciones de trenes o subterráneos, contando siempre con la video presencia de ciertos personajes, en fin, con una cierta omnipresencia.

La tecnología no está distante de los jóvenes de los sectores populares, todo lo contrario, está muy presente en su vida como tecnología invasiva aunque pobre en sus posibilidades, con un componente de interactividad reducido. Si la diferencia en el acceso y consumo de tecnología es evidente entre los jóvenes de distintos sectores sociales, esta circunstancia, no impugna el hecho de que, en unos y otros casos, los jóvenes se distancian de los adultos a través de su vínculo con ella y su capacidad para procesarla y usarla. Tanto como en el efecto de captura que las mismas generan. Sin embargo, en un tiempo en que la computadora se ha convertido en un electrodoméstico más, es lógico que los comercios de juegos en red estén repletos de jóvenes que van a interactuar allí con sus amigos a través de la red. Aunque los tengan justo enfrente de sí[4].

Además, la tecnología computacional les ofrece un terreno propicio para el desarrollo de sus capacidades de abstracción, técnicas y creativas. La utilización de procesos lógicos y no mágicos se hace más presente, al igual que la actividad multitarea (multitasking) y la perspectiva hipertextual de secuencias lógicas no lineales.

En cuanto a los usos de internet, un rasgo atractivo para los adolescentes es que no vislumbran que la red este controlada por los adultos, ya sea en tanto gobierno u otras instituciones. Para ellos, el ciberespacio es la nueva frontera que representa algo muy parecido a la libertad que imaginan en su cultura. Así como se sienten libres en su mente, se sienten libres en el ciberespacio.

---

4 http://campus.usal.es/~teoriaeducacion/rev_numero_10_01/n10_01_esnaola_horacek.pdf.

Otros aspectos de relevancia para la socialización es que la información se encuentra —y circula— libremente en internet, lo que incluye información relevante para el desarrollo, como ayudas de orientación vocacional y para la formación profesional, la protección frente a las relaciones sexuales, el aborto, etc., pero también, pornografía, drogas, métodos de infligir violencia. Frente a este panorama, surge una nueva tarea, la de preparar a los jóvenes para filtrar, seleccionar y procesar la información, a diferencia de ayer, cuando se trataba de salir a buscarla ya que, frecuentemente, era escasa. Ahora la información desborda y los adolescentes participan del flujo activamente.

El ciberespacio le ofrece la oportunidad a los adolescentes de encontrarse con pares —e impares— de diversos lugares del mundo[5]. Las oportunidades para advertir las diferencias culturales son habituales, permitiendo establecer comparaciones entre los sistemas, las características de la vida familiar y los hechos culturales, por ejemplo. Al mismo tiempo, este hecho les abre la puerta a un mundo de elecciones que avanza hacia la construcción de un individualismo con noción de radicalidad y relatividad que los influenciadores aprovechan para manipular a los adolescentes.

El declive de la palabra y su racionalidad como función negociadora, frente a una lógica de la acción, más espacial, tiene fuerte incidencia de lo gestual, lo paraverbal y lo corporal, produciendo nuevas formas de relacionamiento y formas de saber.

13. BIBLIOGRAFÍA

ALBA, V. (1992), "Historia Social de la Vejez". Ed. Laertes. Barcelona. 1992.

ALLERBECK Y ROSENMAYR (1978), "Introducción a la Sociología de la Juventud". Editorial Kapelusz; Colección Estudios e Investigaciones. Buenos Aires, 1979.

AUGÉ, M. (1993),"*Una Antropología De La Sobremodernidad", Gedisa, Barcelona.*

BALARDINI, S. (2000), "La participación social y política en el horizonte del nuevo siglo". CLACSO.

BARNARD-WILLS, D. (2012), "E-safety education: Young people, surveillance and responsibility" *Criminology and Criminal Justice*, vol. 12, nº 3, 239-255. doi:10.1177/1748895811432957.

BARNETT PEARCE, W. (1994), "Nuevos modelos y metáforas comunicacionales: el pasaje de la teoría a la praxis, del objetivismo al construccionismo social y de la representación a la reflexividad" en "*Nuevos Paradigmas, Cultura y Subjetividad*". D. Schnitman (comp). Paidós, Buenos Aires.

---

5 http://www.virtualeduca.info/ponencias2009/418/VIDEOJUEGOS%2520Y%2520APRENDIZAJE.doc.

BARZA, L. (2000, Spring), "Growing up digital". *Educationa Studies*

BAUMAN, Z. (2003), "*Modernidad Líquida*" Fondo de cultura económica, México.

BEKEBREDE, G., WARMELINK, H. J. G., MAYER, I. S. (2011), "Reviewing the need for gaming in education to accommodate the net generation", *Computers & Education*, 57(2),1521-1529, doi:10.1016/j.compedu.2011.02.010.

BELL, D. (1976), "Las contradicciones culturales del capitalismo". Alianza 1992. España.

BERGER, P. y LUCKMANN (1985), "*La construcción social de la realidad*" Amorrortu, Buenos Aires.

BRINGUÉ, Xavier y SÁDABA, Charo (Coords.) (2008), *La generación interactiva en Iberoamérica: niños y adolescentes ante las pantalla*, Barcelona: Colección Fundación, Telefónica, Editorial Ariel.

BROWN, B. B. (2001), "Primary attachment to parents and peers during adolescence: Differences by attachment style", *Journal of Youth and Adolescence*, vol. 30, nº 6.

BUCKINGHAM, David (2010), "The Future of Media Literacy in the Digital Age: Same Challenges for Policy and Practice", *Media Education Journal*, nº 47.

BURGESS, R. G. (1984), *In the Field: An Introduction to Field Research*, London: Allen & Unwin.

BYRNE, Sahara, KATZ, Serry Jean, LEE, Theodore, LINZ, Daniel, y MCILRATH, Mary (2014), "Peers, Predators, and Porn: Predicting Parental Underestimation of Children's Risky Online Experiences", *Journal of Computer-Mediated Communication*, vol. 19, nº 2, 15-231. doi:10.1111/jcc4.12040.

BYRNE, Sahara, y LEE, Theodore (2011), "Toward Predicting Youth Resistance to Internet Risk Prevention Strategies", *Journal of Broadcasting & Electronic Media*, vol. 55, nº 1, doi:10.1080/08838151.2011.546255.

BOURDIEU, P. (198?), "Sociología y Cultura". Grijalbo. 1990.

BRITO LEMUS, R. (1985), "La polisemia de la noción de juventud y sus razones: una aplicación históricas", en: Revista de Estudios sobre la Juventud. In Telpochtli, in Ichpuchtli. Nº 5 (Nueva Época), CREA, México, enero-marzo 1985.

CASTELLS, M. (1997), *La era de la información. Economía, sociedad y cultura. Volumen I: la sociedad red.* Madrid. Alianza Editorial

CASTELLS, M. (1999) *"La Era de la Información. Tomo I. La sociedad en red"*. Siglo XXI, México.

CLARK, Lynn Schofield (2011), "Parental mediation theory for the digital age. Communication Theory", vol. 21, nº 4, doi:10.1111/j.1468-2885.2011.01391.x.

CHEN, S. (2009), *The Social Network Game Boom.* From *Gamasutra* (April 29) Recuperado de http://www.gamasutra.com/view/feature/4009/the_social_network_game_boom.php.

CUENCA LÓPEZ, J. M. (2010), *Los videojuegos en la enseñanza de la historia.* Recuperado de http://www.educahistoria.com/cms/index.php?option=com_content&view=article&id=132:los-videojuegos-en-la-ensenanza-de-la-historia&catid=44:articulos&Itemid=197.

COLEMAN, John C., HENDRY, Leo B. (2003), *Psicología de la adolescencia.* Morata, Madrid.

DABAS, E. (Comp.) (2006), "*Viviendo Redes. Experiencias y estrategias para fortalecer la trama social*" Ciccus, Buenos Aires.

DABAS, E. y NAJMANOVICH, D. (Comp.) (1995) *"Redes. El lenguaje de los vínculos. Hacia el fortalecimiento de la sociedad civil"*. Buenos Aires, Paidós.

DABAS, E. (1998), *"Redes sociales, familias y escuela"* Paidós, Buenos Aires.

- (1993), "Red de redes. Las prácticas d ela intervención en redes sociales" Paidós, Buenos Aires.

DELEUZE, G. (1999), "Post-scriptum sobre las sociedades de control", en *"Conversaciones"*, Pre-textos, Valencia.

DOCUMENTOS INTELLECTUS NÚMERO 5, Modelo Intellectus: medición y gestión del capital intelectual (2003), Madrid, CIC-IADE.

DOWDELL, Elizabeth. B. (2012), "Use of the Internet by parents of middle school students: Internet rules, risky behaviours and online concerns", *Journal of Psychiatric and Mental Health Nursing*, vol. 20, nº 1. doi:10.1111/j.1365-2850.2011.01815.x.

ESNAOLA, G. (2006), *Claves culturales en la organización del conocimiento: qué nos enseñan los videojuegos?* (1o ed.). Ciudad Autónoma de Buenos Aires: Alfagrama Ediciones.

ESNAOLA HORACEK, G. A. (2009a), "Videojuegos en redes sociales: aprender desde experiencias óptimas". *Comunicación. Revista Internacional de Comunicación Audiovisual, Publicidad y Estudios Culturales*, 7(1),

ESNAOLA HORACEK (2009b), Videojuegos *"Teaching Tech": Pedagogos de la convergencia global. La docilizacion del pensamiento a través del macrodiscurso cultural y la convergencia tecnológica.* Rev. Teoría de la Educación, 10(1) Universidad de Salamanca. Recuperado de http://campus.usal.es/~teoriaeducacion/rev_numero_10_01/n10_01_esnaola_horacek.pdf.

ESNAOLA HORACEK, G. A., y REVUELTA DOMÍNGUEZ, F. I. (2010), Videojuegos y aprendizaje: formación profesorado en entornos inmersivos. Herramientas colaborativas y desarrollo de contenidos. *Actas del X Encuentro Internacional VirtualEduca Argentina 2009*. Recuperado a partir de http://www.virtualeduca.info/ponencias2009/418/VIDEOJUEGOS%2520Y%2520APRENDIZAJE.doc.

FEATHERSTONE, M. (1991), Cultura de consumo y posmodernismo. Amorrortu. 2000.

FIEDLER, R. (1998), "*Mediamorfosis. Comprender los nuevos medios.*" Granica. Buenos Aires.

FRUTOS TORRES, B. DE y VÁZQUEZ BARRIO, T. (2012), "Adolescentes y jóvenes en el entorno digital: Análisis de su discurso sobre usos, percepción de riesgo y mecanismos de protección", *Doxa Comunicación*, nº 15.

FUNDACIÓN TELEFÓNICA (2014), *La sociedad de la Información en España 2013*, (consultado en http://www.fundacion.telefonica.com/es/arte_cultura/publicaciones/detalle/258#).

GARCÍA JIMÉNEZ, Antonio (ed.) (2012), *Comunicación, infancia y juventud. Situación e investigación en España*, UOC, Barcelona.

GARCÍA CANCLINI, N. (1990), *Culturas Híbridas. Estrategias para entrar y salir de la modernidad*. Ed. Grijalbo. 1990.

GARCÍA CANCLINI, N. (1995), *Consumidores y Ciudadanos. Conflictos multiculturales de la globalización*. Ed. Grijalbo. 1995.

GARMENDIA, Maialen, GARITAONANDIA, Carmelo, MARTÍNEZ, Gemma, y Casado, Miguel Ángel (2012), "The effectiveness of parental mediation", en Livingstone, Sonia, Haddon,

GENTILE, Douglas. A., NATHANSON, Amy I., RASMUSSEN, Eric E., REIMER, Rachel A., y GIBERTI, E. (1994), "La familia y los modelos empíricos"; en: Vivir en familia. Wainerman, Catalina. UNCEF-LOSADA. Buenos Aires. 1994.

GUILLÉN RAMÍREZ, L. M. (1985), "Idea, concepto y significado de juventud", en: Revista de Estudios sobre la Juventud. In Telpochtli, in Ichpuchtli. N° 5 (Nueva Epoca), CREA, México, enero-marzo 1985.

GOODY, J. (1996), "*La lógica de la escritura y la organización de la sociedad*", Alianza, Madrid, 1990. "*Cultura escrita en sociedades tradicionales*", Gedisa, Barcelona, .

GRIFFITHS, M. y LIGHT, B. (2008), "Social networking and digital gaming media convergence: Classification and its consequences for appropriation", *Information Systems Frontiers*, 10(4), 447-459, doi: 10.1007/s10796-008-9105-4.

HADDON, Leslie (2008), "Risky Experiences for Children Online: Charting European Research on Children and the Internet", *Children & Society*, vol. 22, n° 4, doi:10.1111/j.1099-0860.2008.00157.x.

HABERMAS, J. (1989), *El Discurso Filosófico de la Modernidad.* Ed. Taurus. Madrid. 1989.

HAMMERSLEY, M. y ATKINSON, P. (1983), *Ethnography: Principles in Practice*, London: Tavistock.

HASEBRINK, Uwe, LIVINGSTONE, Sonia, HADDON, Leslie y OLAFSSON, Kjartan (2009), *Comparing children's online opportunities and risks across Europe*, London School of Economics, London.

HOBSBAWN, E. (1995), *Historia del siglo XX*. Crítica, Grijalbo, Mondadori. Barcelona, España. 1997.

HUIZINGA, J. (1972), *Homo ludens*. Madrid: Alianza

JAMESON, F. (1991), *Ensayos sobre el Posmodernismo.* Ediciones Imago Mundi. Colección El Cielo por Asalto. Buenos Aires. 1991.

JOHNSON, S. (2002), "*Sistemas Emergentes*". Fondo de Cultura Económica, México.

KALMUS, Veronika, RUNNEL, Pille, y SIIBAK, Andra (2009), "Opportunities and benefits online", en Livingstone, Sonia y Haddon, Leslie, *Kids Online. Opportunities and risks for children*, The Policy Press, Bristol.

KALMUS, Veronika, VON Feilitzen, Cecilia y SIIBAK, Andra (2012), "Effectiveness of teachers' and peer's mediation in supporting opportunities and reducing risks online.

KLINKE, Andreas, y Renn, Ortwin (2002), "A New Approach to Risk Evaluation and Management", *Risk Analysis*, Vol. 22, No. 6.

LÉVY, P. (1998), "Collective intelligence" Plenum Trade, New York, 1997. "*Becoming virtual*", Plenum Trade, New York, (ed. Castellano Paidós).

LEVI, G. y SCHMITT, J. C. (1995), *Historia de los jóvenes.* Tomo I. Taurus. España. 1996.

LIPOVETSKY, G. (1983), La era del vacío. Ensayos sobre el individualismo contemporáneo. Anagrama. España. 1986.

LIVINGSTONE, Sonia y HELSPER, Ellen. J. (2008), "Parental mediation of children's internet use", *Journal of Broadcasting & Electronic Media*, vol. 52, n° 4.

LIVINGSTONE, Sonia, HADDON, Leslie, GÖRZIG (2011), Anke, *Risks and safety on the internet: The perspective of European children. Full findings* 2011, London School of Economics, London.

LIZCANO, E. (2006), "*Metáforas que nos piensan. Sobre ciencia, democracia y otras poderosas ficciones*". Barcelona: Ediciones Bajo Cero.

LÓPEZ YÁÑEZ, J. y MARCELO GARCÍA, C. (2003), El aprendizaje informal y su impacto sobre el desarrollo organizativo. En Gairín, J. y Armengol, C. (Eds.) *Estrategias de formación para el cambio organizacional.* Barcelona: Praxis. (Disponible en: http://prometeo.us.es/idea/publicaciones/julian/30.pdf).

LWIN, May O., STANALAND, Andrea J. S., y MIYAZAKI, Anthony D. (2008), "Protecting children's privacy online: How parental mediation strategies affect website safeguard effectiveness" *Journal of Retailing*, vol. 84, nº 2, doi:10.1016/j.jretai.2008.04.004.

MAFFESOLI, M. (1988), El tiempo de las tribus. Ed. Icaria. España. 1990.

MARCIALES VIVAS, G. P. y CABRA TORRES, F. (2011), "Internet and moral panic: A review of research about interaction of children and teenagers with new mass media", *Universitas Psychologica*, vol. 10, nº 3,

MARI SÁEZ, V. M. (coord.) (2004), *La Red es de todos. Cuando los movimientos sociales se apropian de la red.* Madrid. Editorial Popular

MARGULIS, M. (1994), La cultura de la noche. Espasa Calpe. Buenos Aires. 1994.

MARQUÉS GRAELLS, P. (2010), En Roig Vila, Rosabel y FioruccI, Massimiliano (Eds.) *Claves para la investigación en innovación y calidad educativas. La integración de las TIC y la interculturalidad en las aulas.* Alcoy: Editorial Marfil.

MARTÍNEZ PASTOR, Esther, GARCÍA JIMÉNEZ, Antonio, Sendín Gutiérrez y José Carlos (2013), "Percepció dels riscos a la xarxa per els adolescents a Espanya: usos problemàtics i formes de control", Anàlisi Monogràfic,

MASCHERONI, Giovanna y ÓLAFSSON, Kjartan (2013), *Mobile internet access and use among European children. Initial findings of the Net Children Go Mobile project*, (consultado en http://www.netchildrengomobile.eu/reports/).

MATURANA, H. (1990), "Emociones y lenguaje en educación y política", Hachette, Santiago de Chile.

MEAD, M. (1970), *Cultura y compromiso*. Gedisa. España. 1997.

MØRCH (1990), "Youth theory: a prerequisite of youth policy. The role of the danish school and youth work". Ponencia presentada en el Congreso Mundial de Sociología (CI 34). Madrid, 1990.

NIKKEN, P., y DE GRAAF, H. (2013), "Reciprocal relationships between friends' and parental mediation of adolescents' media use and their sexual attitudes and behavior", *Journal of Youth and Adolescence*, vol. 42, nº 11, doi: 10.1007/s10964-012-9873-5.

OBLINGER, D., y OBLINGER, J. (2005), *Educating the net gereations.* Washington DC: EDUCAUSE.

OLSON, D. (1998), "*El mundo sobre papel*". Gedisa. Barcelona.

ONG, W. (1996), "*Oralidad y escritura. Tecnologías de la palabra*", Fondo de Cultura Económica, México.

OTTIE, A. (2003), Encouragin Alternative Forms of Seslf Expression in the Generation Y Student: A strategy for Effective Learning in the Classroom. *Association of Black Nursing faculty Journal.*

PASQUIER, Dominique, SIMOES, Jose Alberto y KREDENS, Elodie (2012), "Agents of mediation and sources of safety awareness: a comparative overview", en Livingstone, Sonia, Haddon, Prensky, M. (2001), Digital natives, digital immigrants. *On the Horizon*,

PASQUIER, Dominique (2008), "From parental control to peer pressure: cultural transmission and conformism", en Livingstone, Sonia, Drotner, Kirsten (eds.), *International handbook of children, media and culture*, Sage Publications, London,

PERKINS, D. (1995), *La escuela inteligente*. Gedisa.

REVUELTA DOMÍNGUEZ, F., y FERNÁNDEZ SÁNCHEZ, M. R. (2010), Videojuegos en redes sociales: posibilidades de enseñanza y aprendizaje. En J. Maquillón Sánchez (Ed.), *Innovación educativa en la enseñanza formal*. Murcia: Edit.um. Ediciones de la Universidad de Murcia.

PISCITELLI, A. "*Ciberculturas*", Paidós, Buenos Aires, 1995." Post-televisión. Ecología de los medios en la era de internet" Paidós, Buenos Aires, 1998.

REGUILLO, R. (1993), "Las tribus juveniles en tiempos de la modernidad". En: Estudios sobre las culturas contemporáneas. Vol. V, Número 15; marzo de 1993. Universidad de Colima. México.

REVUELTA DOMÍNGUEZ, F. (2009), *Interactividad en los entornos de formación online*. Barcelona: UOC.

REVUELTA DOMÍNGUEZ, F., SÁNCHEZ GÓMEZ, M. C., y ESNAOLA HORACEK, G. A. (2006), Investigando videojuegos: Recursos online para el inicio de una investigación cualitativa sobre la narrativa de/sobre los videojuegos. *Comunicación y pedagogía: Nuevas tecnologías y recursos didácticos, 216*,

REVUELTA DOMÍNGUEZ, F. (2004), Los juegos-web y el ocio electrónico, un nuevo reto para la pedagogía del ocio. *Primeras Noticias. Comunicación y Pedagogía, 199*,.

SAGRERA, M. (1992), *El edadismo contra "jóvenes" y "viejos". La discriminación universal*. Editorial Fundamentos. Madrid, España. 1992.

SÁNCHEZ-NAVARRO, Jordi, ARANDA, Daniel (2011), "Internet como fuente de información para la vida cotidiana de los jóvenes españoles", *El profesional de la información*, vol. 20, nº 1,.

SARTORI, G. (1997), Homo Videns. La sociedad teledirigida. Taurus. España. Segunda edición 2001.

SENNET, R. (1977), *Narcisismo y cultura moderna*. Kairós. España. 1980.

SENNET, R. (1998), *La corrosión del carácter*. Editorial Anagrama. España. 2000.

SKIBA, D., y BARTON, A. (2006), "Adapting your teaching to accomodate the net generation of learners". *Opnlina Journal of Issues in Nursing*

SOOK-JUNG, Lee y YOUNG-GIL, Chae (2012), "Balancing participation and risks in children's internet use: The role of internet literacy and parental mediation". *Cyberpsychology Behavior and Social Networking*, vol. 15, nº 5, doi:10.1089/cyber.2011.0552.

SYLVAIN, T., http://www.syti.net/Manipulations.html.

VALENZUELA Arce, J. M. (1996), "Culturas juveniles: identidades transitorias", en: Revista de Estudios sobre Juventud N° 3 (Cuarta Epoca), Centro de Investigaciones y Estudios sobre Juventud. Causa Joven. México, 1996.

VALVERDE BERROCOSO, J., REVUELTA DOMÍNGUEZ, F. I., y FERNÁNDEZ SÁNCHEZ, M. R. (2010), Centro básico de producción y experimentación en contenidos digitales en la Universidad de Extremadura: formación a través de los "serious games". En J. Peirats Chacón (Ed.), *Actas de las XVII jornadas universitarias de tecnología educativa*. Valencia: Universidad de Valencia.

VALCKE, Martin; BONTE, Sarah; DE WEVER, Bran y ROTS, Isabel (2010), "Internet parenting styles and the impact on internet use of primary school children", *Computers & Education*, vol. 55, nº 2, pp. 454-464. doi:10.1016/j.compedu.2010.02.009.

VATTIMO, G. (1987), El Fin de la Modernidad. Ed. Gedisa. Barcelona. 1997.

WALSH, D. A. (2012), "Do you see what I see? Parent and child reports of parental monitoring of media", *Family Relations*, vol. 61, nº 3, 2012, doi:10.1111/j.1741-3729.2012.00709.x.

WATTS, D. (2006), *"Seis grados de separación. La ciencia de las redes es la era del acceso"*. Paidós.

La radicalización terrorista de menores y jóvenes vulnerables (Una aproximación de urgencia)

María Luisa Cuerda Arnau
Catedrática de Derecho penal
Universitat Jaume I de Castellón

A Manuel Mollar Villanueva, profesor titular del Departamento de sistemas y lenguajes informáticos de la Universitat Jaume I, por su constante, generoso e incondicional apoyo al grupo de investigación.

SUMARIO: 1. Introducción: el incremento de un problema que tiene en los menores y jóvenes su objetivo prioritario. 2. Estrategias nacionales y europeas de lucha contra la radicalización. 2.1. Plan Estratégico Nacional de Lucha contra la Radicalización Violenta (2015). 2.2. Normativa, directrices y organismos comunitarios específicos. 2.2.1. Los documentos marco: la Estrategia de la Unión Europea de lucha contra el terrorismo (2005), la Estrategia de Seguridad Interior de la Unión Europea (2010) y la Agenda Europea de Seguridad (2014-2019). 2.2.2. Resolución del Parlamento Europeo, de 25 de noviembre de 2015, sobre la prevención de la radicalización y el reclutamiento de ciudadanos europeos por organizaciones terroristas (2015/2063(INI). 2.2.3. Organismos europeos de lucha contra la radicalización: la Red para la Sensibilización frente a la Radicalización y la Unidad de Notificación de Contenidos de Internet. 3. La perspectiva jurídico-penal (sustantiva y procesal). Bases para un ulterior estudio. 3.1. Límites constitucionales al castigo de la radicalización: la reforma del Código penal a examen Especial referencia a la propaganda, las apologías débiles y otros delitos "de expresión" (remisión). 4.2. Singularidades procesales. Especial referencia a la reforma de la Ley de Enjuiciamiento Criminal: límites constitucionales de la tecnovigilancia. 3.3. Prisión y radicalización (Breve apunte). 4. Conclusiones.

RESUMEN: El artículo analiza el denominado fenómeno de la radicalización terrorista y las iniciativas nacionales y europeas de lucha contra la misma, con el principal objetivo de sentar las bases de un estudio futuro dirigido a enjuiciar los límites constitucionales que necesariamente deberán ser respetados en su tipificación y enjuiciamiento.

PALABRAS CLAVE: Radicalización, terrorismo, adoctrinamiento, TIC's, libertad ideológica, libertad de expresión y derecho a la información, derecho al secreto de las comunicaciones, derecho a la intimidad y a la autodeterminación informativa

ABSTRACT: The article analyzes the so-called phenomenon of terrorist radicalization and national and European efforts to combat it. However, this is just a preparatory work for the future and further study focused on analyzing the constitutional limits that must be respected in their prosecution.

KEYWORDS: radicalization, terrorism, indoctrination, ICT, ideological freedom, freedom of expression and right to information, right to secrecy of communications, the right to privacy and informational self-determination

1. INTRODUCCIÓN: EL INCREMENTO DE UN PROBLEMA QUE TIENE EN LOS MENORES Y JÓVENES SU OBJETIVO PRIORITARIO[1]

Con preocupante asiduidad se repiten noticias relativas a la captación de jóvenes, hombres y mujeres, adoctrinados para incorporarse a las filas del autodenominado Estado Islámico (ISIS; en adelante Daesh[2]), que pretenden viajar o llegan a hacerlo a zonas controladas por la organización terrorista donde ellos se integran como combatientes y ellas, en ocasiones, como reclutadoras de otras mujeres o, las más de las veces, como abnegadas servidoras de quienes tristemente idolatran[3]. Sobre este particular, la última Memoria de la Fiscalía General del

---

1 NOTA ACLARATORIA: Poco antes de tener lugar los atentados de París del 13 de noviembre de 2015 se cerró el plazo de entrega a la editorial de la obra colectiva en que se enmarca este trabajo. Originalmente, en la referida obra no se abordaba esta concreta manifestación delictiva pese a que, de un lado, Internet es su natural espacio criminológico y, de otro, es muy elevado el número de menores y jóvenes implicados en conductas de esta naturaleza. Con todo, el objetivo primigenio era dejar para una monografía posterior su tratamiento y, de hecho, no es este un propósito olvidado. Sin embargo, tras los acontecimientos en Francia y la aprobación pocos días después de la Resolución del Parlamento Europeo sobre la materia, entendimos que era obligado decir algo. Siquiera sólo fuera para formular dudas, dejar abiertas cuestiones o hilvanar propuestas que nos sirvan o puedan servir a otros para lanzarse al estudio de un tema cuya importancia en la actual política criminal está tan fuera de dudas como plagado de sombras.

2 Como es sabido, el acrónimo ISIS se corresponde con las iniciales inglesas Islamic State of Iraq and Syria, denominación que los gobiernos europeos y la propia Unión Europea (UE) piden que se destierre en favor de DAESH. En realidad, se trata del acrónimo árabe con idéntico significado pero que, por razones diversas, rechazan los terroristas. Siquiera sólo sea por eso, nos sumamos a esta batalla lingüística.

3 *Vid*. a título de ejemplo algunas de las noticias aparecidas durante el año 2015 referidas exclusivamente a detenciones practicadas en España http://politica.elpais.com/politica/2015/03/14/actualidad/1426356497_055960.html (Samira Yerou, dedicada a reclutar mujeres jóvenes para la causa, detenida en marzo de 2015 en el aeropuerto de Barcelona a raíz de una orden internacional de busca y captura decretada por el Juzgado Central de Instrucción número 4 de la Audiencia Nacional). *Vid*. Auto de prisión 43/2015, de 10 de marzo (*Tol 4774163*). http://www.elperiodico.com/es/noticias/internacional/yihadista-catalan-ahora-soy-hombre-libre-3711963 (joven musulmán catalán combatiente en Siria que a través de Facebook explicaba las razones por las cuales se había integrado en la organización terrorista e instaba a otros a hacerlo); http://politica.elpais.com/politica/2014/08/04/actualidad/1407140214_347545.

Estado (2015)[4] pone de manifiesto que en el año 2014 la Fiscalía de la Audiencia Nacional ha duplicado las investigaciones por terrorismo yihadista respecto al año anterior, siendo una parte muy considerable de las actividades investigadas la captación, adoctrinamiento reclutamiento y adiestramiento, modalidades que MIRÓ LLINARES califica dentro de la categoría del "ciberterrorismo"[5]. Para referirse como un todo a este conjunto de actuaciones, los medios de comunicación y también la normativa y directrices comunitarias o las propias agendas nacionales de seguridad se sirven del vocablo "radicalización". En realidad, se trata de un término que ni el diccionario de la Real Academia Española reconoce expresamente, ni resulta útil a efectos penales porque su indeterminación es incompatible con las exigencias derivadas del principio de legalidad. Como bien señala en esta misma obra FERNÁNDEZ HERNÁNDEZ es un vocablo que está necesitado de ulteriores precisiones por cuanto bajo ese paraguas lingüístico se cobijan conductas de naturaleza muy diversa, cuyo tratamiento jurídico no puede ser uniforme. No obstante, de momento, baste apuntar que con tal denominación quiere darse a entender que alguien se ha radicalizado —verbo que nuestra Academia sí reconoce—, esto es, que ha pasado por un proceso que le ha llevado a adoptar una actitud o una postura de mayor intransigencia o fanatismo, que, en el caso que nos ocupa, suele ir conectado a las ideas de yihadismo, fundamentalismo o integrismo islámico.

---

html (jóvenes detenidas en el paso de Beni Enzar, cuando se disponían a cruzar desde Melilla a Marruecos para unirse a otras correligionarias y desde allí volar a las zonas de combate); http://www.europapress.es/nacional/noticia-detenidos-melilla-ceuta-barcelona-castillejos-marruecos-miembros-red-enviaba-mujeres-daesh-20141216084156.html (detención de un hombre y cuatro mujeres, entre ellas una menor de edad, acusadas de integrar una red que enviaba mujeres jóvenes al grupo terrorista islámico); http://politica.elpais.com/politica/2015/12/12/actualidad/1449901524_895839.html (individuo detenido acusado de captar a menores para que se incorporasen a las filas del grupo terrorista); http://www.europapress.es/nacional/noticia-detenida-figueras-girona-mujer-acusada-adoctrinar-reclutar-terroristas-daesh-20150907101436.html (joven de 19 años detenida por ayudar a otros jóvenes a buscar rutas seguras hacia los lugares que controla el grupo terrorista en Siria e Irak y asesorarles sobre las medidas a adoptar para evitar ser detectados por la Policía); http://politica.elpais.com/politica/2015/07/09/actualidad/1436439920_124796.html (detenida por dedicarse supuestamente a captar a niñas y adolescentes a través de Facebook con el ánimo de enviarlas a zonas controladas por Daesh).

4 En https://www.fiscal.es/memorias/memoria2015/Inicio.html.

5 *El cibercrimen. Fenomenología y criminología de la delincuencia en el ciberespacio*, Marcial Pons, Madrid 2012, p. 129.

El fenómeno —generalizado en toda la Unión Europea (UE), como acreditan los últimos informes de EUROPOL[6] y EUROJUST[7]— presenta dos singularidades que exigen que le prestemos singular atención en el marco del proyecto de I+D en que se insertan estas reflexiones, ya que, de un lado, se extiende, precisamente, gracias a las facilidades comisivas que Internet ofrece y, de otro, tiene en los más jóvenes un filón que los extremistas no desaprovechan.

En cuanto a lo primero, es obvio que ese es un aspecto decisivo a la hora de abordar el problema desde cualquier óptica, jurídica, política, sociológica o estratégica. Para empezar, a efectos de que tal aproximación sea lo más adecuada posible, es imprescindible distinguir escenarios que, aunque presenten similitudes, son muy distintos y exigen respuestas diversas. En tal sentido, parece una obviedad que los mayores riesgos ya no se derivan prioritariamente del uso de lo que llamaremos la Internet clásica, pues, si bien es cierto, que las redes sociales pueden servir como vehículo del adoctrinamiento y la radicalización, también lo es que hoy cualquiera es consciente de que el anonimato en este ámbito no pasa de ser una entelequia y, por ende, se buscan vías de difusión distintas. Por otra parte, incluso cuando no lo hacen y se sirven de las redes sociales clásicas (Facebook, Twitter, You Tube, etc), éstas, por lo que al radicalismo se refiere, son

6 Según datos contenidos en el informe publicado en el año 2015, 395, esto es, el 51.03% de los arrestados por delitos de terrorismo lo eran por el que aparece catalogado como "religiously inspired" (sc."evoke religion to justify theis actions"), advirtiéndose un sustancial incremento de detenciones con respecto a las practicadas en 2012 (159) y 2013 (216) precisamente por el aumento de conductas como las que nos ocupan (https://www.europol.europa.eu/content/european-union-terrorism-situation-and-trend-report-2015). *Vid* asimismo.
https://www.europol.europa.eu/content/te-sat-2014-european-union-terrorism-situation-and-trend-report-2014 y https://www.europol.europa.eu/content/te-sat-2013-eu-terrorism-situation-and-trend-report.
A efectos de sacar conclusiones certeras acerca de las tendencias que marcan estos documentos, conviene recordar que ETA no anuncio el cese de la violencia hasta octubre de 2011, lo que es obligado tomar en consideración para interpretar correctamente los datos. Así, aunque en los años 2013 y 2014 todavía el porcentaje mayor de condenas corresponde al terrorismo separatista, no hay que olvidar que es España el país que mayor número aporta (2013: 151 de un total de 195; 2014: 191 de un total de 207), lo que, por la razón apuntada, no es de esperar que ocurra en años venideros. Por otra parte, como ya apuntábamos, debe destacarse que en los dos años a que se refieren los últimos informes, el número de arrestados incluidos bajo la fórmula "religiously inspired terrorism" (que, en realidad, no podemos asegurar albergue solo al terrorismo "yihadista) supera con mucho a los detenidos por otro tipo de terrorismo.

7 En el informe anual de 2014 se da cuenta de la preocupación cada vez mayor que suscita este fenómeno y, de hecho, el 5 de junio se dedicó una sesión completa a esta materia con el fin de actualizar la información y analizar la respuesta que en el marco de la UE está dando la justicia penal. Fruto de ello es un informe clasificado como restringido, cuyas conclusiones, por consiguiente, desconocemos (p. 35 y 36, en http://www.eurojust.europa.eu/doclibrary/corporate/eurojust%20Annual%20Reports/Annual%20Report%202014/Annual-Report-2014-ES.pdf).

tanto un peligro, cuanto un excelente instrumento al servicio de la prevención, la detección y la sanción penal[8]. Además de ser también un cauce para difundir de manera proactiva discursos alternativos que contrarresten la propaganda, no hay que desatender un dato relevante: lo que mejor las singulariza es el hecho de almacenar y gestionar datos que sus propios usuarios les suministran y actualizan con pasmoso entusiasmo y en cuyo almacenamiento, tratamiento y cesión (onerosa, claro está) tienen esas mismas redes su modelo de negocio, lo que explica que, a diferencia de lo que sucede con los proveedores de servicio de acceso a internet (ISP) y con los proveedores de servicios de almacenamiento, la normativa comunitaria y nacional tienda a reducir el periodo en que legítimamente pueden retener tales datos. Desde ese punto de vista, las redes pueden ser excelentes aliados en la lucha contra la radicalización, sin perjuicio de los límites que necesariamente cabe imponer a su actuación a fin de salvaguardar derechos de terceros, asunto, por otra parte, que ni está resuelto ni es fácil de resolver. Sin embargo, como puso de manifiesto el profesor MOLLAR VILLANUEVA en las II Jornadas sobre menores y redes: ciberdelincuencia y radicalismo[9] la verdadera amenaza de propagación hay que verla en la Internet profunda, la deep web[10] o, más aún, en la dark web o, por mejor decir, en la dark net[11], a cuyas

---

8 *Vid* la muy interesante aportación de NIETO MARTÍN, A./ MAROTO CALATAYUD, M, "Las redes sociales en Internet como instrumento de control penal: tendencias y límites", en RALLO LOMBARTE, A/ MARTÍNEZ MARTÍNEZ, R., *Derecho y redes sociales*, Madrid, Civitas, 2ª ed., 2013, pp. 427 y ss.
De ello son bien conscientes los responsables de la lucha antiterrorista, cual lo demuestra el proyecto "Stop radicalismos" puesto en marcha recientemente en el Centro de coordinación de información sobre radicalización, una suerte de *call center* dentro del Centro de inteligencia contra el terrorismo y el crimen organizado. Los dos grandes objetivos son, de un lado, recoger avisos que alerten de personas o grupos que se estén radicalizando, la mayoría de los cuales, por cierto, utilizan preferentemente de la propia web para trasladar las sospechas. De otro, el proyecto busca servirse de internet y las redes sociales para hacer frente a la propaganda del Estado Islámico, desvelando las verdaderas intenciones del grupo terrorista. Vid., entre otros sitios de interés, http://www.blog.rielcano.org/stop-radicalismos/.

9 Celebradas en la Universidad Jaume I de Castellón 14 de diciembre de 2015 con la participación del fiscal especialista en delincuencia organizada y responsables de las brigadas tecnológicas de las Fuerzas y Cuerpos de Seguridad a los que el Dr. MOLLAR mostró que la habilidad de un buen informático pone verdaderamente en jaque a todo el sistema.

10 Suele hablarse de deep web para referirse a aquella parte de Internet que no está indexada por los buscadores, de modo que, sin ninguna técnica especial, permite operar discretamente en Internet. Basta con incorporar elementos que impidan la indexación, de modo que accedan a esa página sólo aquellas personas que desees que lo hagan (por ejemplo, suministrándoles la ULR).

11 Aunque a menudo se utilizan indistintamente los términos deep web, dark web y dark net, lo correcto es, a juicio de MOLLAR VILLANUEVA, distinguirlo porque se refieren a realidades distintas. En puridad de términos, la dark net, es un paso más porque son redes muy sofisti-

posibilidades de difusión y captación se suma la garantía de un anonimato real y, en general, la dificultad de descubrir el entramado que hay tras la estrategia de adoctrinamiento y captación. Basta bucear un poco en ellas y en dos de las principales revistas del "ramo" (Inspire y Azan) se encontrará material de todo tipo, desde el discurso extremo no constitutivo de delito, hasta artículos que, sin ningún género de dudas, pueden dar paso, entre otros, a los delitos contenidos en los artículos 575, 577 y 578 CP.

Ante estos otros cauces de comunicación se quedan cortas las estrategias clásicas de rastreo, suspensión de cuentas, cierre de sitios web, etc. porque el objetivo de la *dark net* es justamente preservar el anonimato de los participantes en la comunicación, tanto de los servidores que alojan datos y servicios, como de los clientes de dichos servidores. El principal objetivo es proteger la IP, de modo que la investigación clásica basada en IP es impracticable. Pero también se dota a los navegadores de herramientas específicas para evitar otro tipo de rastreo circunstancial, por ejemplo encauzando incluso las consultas DNS (Domain Name System) por la *dark net*. La ocultación de la IP suele basarse en el uso, en serie, de varios proxies que reciben los datos cifrados. Tal es el caso de TOR[12], una red —

---

cadas construidas sobre Internet, pero accesibles sólo a través de herramientas específicas que buscan preservar a toda costa el anonimato de los participantes.

12 The Onion Router, así llamado porque el anonimato se preserva mediante un software que utiliza la técnica llamada Onion (cebolla) Routing, un sistema que recuerda a las capas de una cebolla. Como es sabido, el método tradicional que usamos para conectarnos a servidores en Internet es directo, de modo que para acceder al BOE el ordenador se conecta de forma directa a los servidores del BOE, es decir, de tu ordenador va a tu router, de ahí a los enrutadores de tu proveedor de Internet (ISP) y después directos a los servidores del BOE. Por tanto, si alguien intercepta los paquetes de datos en un punto intermedio sabrá perfectamente de dónde vienen y a dónde van. En TOR el sistema es muy distinto. Explicado a grandes rasgos: cuando el ordenador A quiere enviar el mensaje a B, calcula una ruta más o menos aleatoria al destino pasando por varios nodos intermedios. Después, consigue las claves públicas de todos ellos usando un directorio de nodos. Usando cifrado asimétrico, el ordenador A cifra el mensaje como una cebolla: por capas. Primero cifrará el mensaje con la clave pública del último nodo de la ruta, para que sólo él lo pueda descifrar. El proceso se repite hasta que acabamos con todos los nodos de la ruta. Con esto ya se tiene el paquete de datos listo y puede enviarse con seguridad. El ordenador A conecta con el primer nodo de la ruta, y le envía el paquete. Este nodo lo descifra, y sigue las instrucciones que ha descifrado para enviar el resto del paquete al nodo siguiente. Éste descifrará de nuevo y volverá a enviar al siguiente, y así sucesivamente. Los datos llegarán finalmente al nodo de salida, que enviará el mensaje a su destino. Ninguno de los nodos, salvo el primero y el último, saben de dónde viene o a dónde va el mensaje. Ni siquiera saben qué posición ocupan en la ruta, y mucho menos conocen el contenido del mensaje. De esta forma, aunque se intercepten las comunicaciones entre dos nodos, es imposible saber qué datos transmite, a dónde van o de dónde vienen. Incluso aunque hubiese un nodo "infiltrado", pensemos en un agente encubierto, poco tendría que hacer con los mensajes que recibe. Por otra parte, el modelo sobre el que TOR se construye impide de facto suspender las comunicaciones

que, por cierto, no sólo sirve al delito[13]— a la que cualquiera puede acceder con sólo descargarse el programa y seguir sus pasos o los consejos que se facilitan en los innumerables tutoriales que encontrará en Internet. Las mismas técnicas se emplean en las comunicaciones P2P, a veces incluso más sofisticadas, como en Freenet, donde, a diferencia de lo que sucede cuando usamos TOR, incluso los archivos compartidos no necesariamente están completos en ningún ordenador, lo que, por razones obvias, complica más aún la investigación y la prueba.

El segundo aspecto que se quería resaltar va referido al hecho de que este tipo de conductas tengan en menores y jóvenes vulnerables su caldo de cultivo ideal. De ello da cuenta, por ejemplo, el informe de EUROPOL/2015, correspondiente al año 2014, que cifra en el 44% los arrestados por delitos de terrorismo inspirados en motivos religiosos de edad inferior a 25 años[14], así como del considerable aumento que en ese año se produjo en el número de mujeres jóvenes y menores europeas que se han instalado en Irak y Siria[15]. Qué duda cabe de que este extremo debe condicionar cualquier programa de acción frente a este tipo de conductas, lo que incluye, obviamente, considerar seriamente si la respuesta que debe darse desde el sistema de justicia penal puede ignorar que la mayoría de los captados —formalmente responsables de un delito de terrorismo— no dejan de ser, además de potenciales verdugos, víctimas de las organizaciones.

2. ESTRATEGIAS NACIONALES Y EUROPEAS DE LUCHA CONTRA LA RADICALIZACIÓN

En lo que sigue, trataré de ofrecer una visión general de los principales documentos y actuaciones impulsadas en el marco de la UE en relación con la radicalización, así como de las que, siguiendo tales directrices, se han elaborado en España.

---

ya que al estar los nodos distribuidos, habría que tumbar todos y cada uno de ellos para poder cancelarlas

13 Téngase en cuenta que TOR, que nació en el seno de la Defensa americana, es la red utilizada por activistas, periodistas y ciudadanos perseguidos en sus países, o, sencillamente, usuarios que quieren acceder a servidores bloqueados por sus gobiernos. De hecho, el TOR Project, organización sin ánimo de lucro, fue galardonada en 2011 por la Free Software Foundation por favorecer la libertad de expresión y el derecho a la información

14 https://www.europol.europa.eu/content/european-union-terrorism-situation-and-trend-report-2015 Anexo, p. 41.

15 Ibídem, p. 23.

2.1. *Plan Estratégico Nacional de Lucha contra la Radicalización Violenta (2015)*

El 30 de enero de 2015, el Consejo de Ministros aprobó el Plan Estratégico Nacional de Lucha contra la Radicalización Violenta[16], con la convicción, como ya decía la Estrategia de Seguridad Nacional (2013), de que los extremismos violentos son uno de los principales factores potenciadores del terrorismo, al tiempo que se reconoce que aunque está orientado hacia todo tipo de radicalización violenta, su mayor preocupación es la radicalización de corte yihadista. Este documento viene a sumarse a la Estrategia (nacional) integral contra el terrorismo internacional y la radicalización aprobada en 2010[17].

En síntesis, el Plan distingue tres ámbitos de actuación: el interno (España), el externo (fuera de España) y el ciberespacio, establece quienes son los responsables de llevar a cabo las acciones correspondientes a cada uno de estos ámbitos y, por último, coloca en la cúspide de la estructura al Grupo Nacional de Lucha contra la Radicalización Violenta, dependiente del Ministerio del Interior[18]. En cuanto a su contenido material, sus acciones en el ámbito interno y en el ciberespacio se concentran en detectar posibles focos, individuales o colectivos, de radicalización y actuar tanto antes de que eclosionen, como durante el desarrollo de los mismos y después de culminado el proceso. En el exterior, por tratarse de un ámbito donde el Estado no puede entrometerse en la soberanía de otro Estado, sólo se prevé la participación en el desarrollo de una política concertada y coordinada con otros países en materia de lucha contra la radicalización violenta, ya sea mediante la acción común en el seno de la UE o en otros foros internacionales, así como la cooperación en el tratamiento del extremismo violento en su origen. Sobre ese esquema básico, el Plan distingue tres momentos de actuación: a) Área de "prevenir" (actuando en el "antes"): Destinada a generar confianza y legitimación social y a impedir la propagación de las ideologías radicales violentas, contrarias a los principios y valores democráticos. b) Área de "vigilar" (actuando en el "durante"): Diseñada para ejercer funciones de observación, vigilancia y tratamiento, desde el ámbito territorial local, sobre los procesos de radicalización violenta incipientes o en los primeros estadios de su evolución y obstaculizar o

16 http://www.lamoncloa.gob.es/consejodeministros/referencias/documents/2015/refc20150130e_1.pdf.

17 Hasta donde se alcanza, el contenido de este documento no se ha hecho público.

18 La previsión es que se integre con representantes de doce Ministerios, el Centro Nacional de Inteligencia (CNI), la Federación Española de Municipios y Provincias (FEMP), la Fundación Pluralismo y Convivencia del Ministerio de Justicia, y, finalmente, otras entidades públicas o privadas que eventualmente dicho Grupo considere necesarias como son las universidades, instituciones y organismos, asociaciones y ONGs.

anular dicha evolución. c) Área de "actuar" (actuando en el "después"): Enfocada al seguimiento e investigación de los colectivos y/o individuos que legitimen la violencia e, incluso, generen actividades violentas, justifiquen y/o colaboren en ellas, fundamentalmente las de carácter terrorista, con el fin de neutralizar y/o minimizar sus efectos. En el documento hecho público[19], no se detallan las concretas medidas a adoptar sino sólo el sistema de gestión. Concretamente, en el ámbito interno, el núcleo de la actuación se hace radicar en el municipio, donde se prevé la creación de Grupos Locales de Lucha contra la radicalización Violenta[20] y en Comunidades Autónomas con Policía propia se amplía a la posibilidad de crear grupos autonómicos que incluirán al cuerpo policial autonómico, encargados de gestionar los casos cuya complejidad exceda del tratamiento local o provincial. En el ámbito de actuación externo, se encomienda la coordinación de las medidas al Ministerio de Asuntos Exteriores y de Cooperación y se destaca sin mayores precisiones el papel del Ministerio de Defensa y de las Fuerzas Armadas en el exterior. Por último, la actuación en el ciberespacio, en tanto que se dirige a analizar los contenidos relacionados con la radicalización que circulan por la red en fuentes abiertas, se encomienda a una futura Unidad de Tratamiento de la Red, ubicada en el Centro de Inteligencia contra el Terrorismo y el Crimen Organizado (CITCO[21]), que, a su vez, depende de la Secretaría de Estado de Seguridad. Dicha Unidad sería la encargada de obtener la información y suministrarla al Grupo Nacional como responsable de coordinar su tratamiento. La última parte del Plan va referida al modelo de funcionamiento, distinguiendo tres hipótesis, a saber: A) Cuando afecta a una localidad: El incidente en un municipio será trasladado a través de los ayuntamientos a la Federación Española de Municipios y Provincias (FEMP), y recibirá asesoramiento de la Administración General del Estado a través del Grupo Nacional de Lucha Contra la Radicalización Violenta, con los representantes en él designados B) Cuando el foco afecta a un colectivo vulnerable, el incidente será trasladado por el colectivo afectado a través de la Fundación Pluralismo y Convivencia (FPyC[22]) y recibirá asesoramiento por parte

---

19 Que, como sucede en este tipo de documentos, no coincide íntegramente con el aprobado

20 Formado por representantes de la Policía Local, Policía Autonómica en su caso, Ayuntamiento, Juzgados, Centros Escolares, Asuntos Sociales, Entidades Sociales y Colectivos de Riesgo.

21 Creado por RD 873/2014 fusionando el anterior Centro de Nacional de Coordinación Antiterrorista y el Centro de Inteligencia contra el Crimen Organizado.

22 La Fundación Pluralismo y Convivencia es una entidad pública estatal, creada por acuerdo de Consejo de Ministros de 15 de octubre de 2004, a propuesta del Ministerio de Justicia. Los fines de la Fundación son promover la libertad religiosa a través de la cooperación con las confesiones minoritarias, especialmente aquellas con reconocimiento de notorio arraigo en el Estado español, así como servir de espacio de investigación, debate y puesta en marcha de las políticas públicas en materia de libertad religiosa y de conciencia. Lo componen miembros del Ministerio de Justicia, Ministerio de Asuntos Exteriores y de Cooperación, Ministerio de Hacienda y

de la Administración General del Estado y del Grupo Nacional C) Cuando el foco es detectado por un miembro de los Grupos Locales de Lucha contra la Radicalización Violenta, el Plan establece como primera opción que el foco sea tratado y solucionado en el seno del Grupo Local. Sin embargo, deja abierta la opción de tratamiento a nivel provincial y/o autonómico si no es solucionado en el ámbito local de detección, así como la valoración de dicho foco por el Grupo Nacional si la problemática excede del ámbito territorial local de detección, sin que se precise a quien corresponde decidir acerca del alcance del problema.

Si se observa, tras una aparente simplicidad, el procedimiento es algo confuso. Para ser exactos, lo único claro es que el Grupo Nacional es el último responsable en la coordinación y adopción de medidas para la resolución del incidente. Quién comunica, a quién y cuándo ya no es tan claro, máxime teniendo en cuenta que el organigrama que diseña el Plan se superpone a otra estructura en la que se encajan otros muchos órganos con competencias en materia de seguridad, cual es el caso de la Comisión de Seguridad y Convivencia Ciudadana de la Federación Española de Municipios y Provincias o de las Juntas Locales de Seguridad, que son cabalmente los órganos colegiados que deben facilitar la cooperación y la coordinación, en el ámbito territorial del municipio, de las Administraciones Públicas en materia de seguridad, asegurando de forma específica la cooperación y la coordinación operativa de las Fuerzas y Cuerpos de Seguridad que intervienen en el término municipal (art. 2 RD 1087/2010, de 3 de septiembre, por el que se aprueba el Reglamento que regula las Juntas Locales de Seguridad). En cualquier caso, el Plan, con sus virtudes y sus defectos, tiene desde luego el mérito de poner de manifiesto que atajar el extremismo y la radicalización exige la implicación de los propios colectivos en riesgo o vulnerables y la sociedad civil, así como emprender acciones destinadas a atajar las causas que motivan el desarraigo o la exclusión social. Siendo así, resulta doblemente criticable que, hasta donde se alcanza, el Plan no pase a fecha de hoy de ser un documento cuyas previsiones están en su mayoría pendientes de ejecución. Eso se explica en gran parte teniendo en cuenta que en el apartado 5[23] del documento no publicado se lea que "las medidas y actuaciones previstas en el Plan se llevarán a cabo con los medios personales de los que actualmente disponen las Administraciones competentes, sin aumento ni de dotaciones, ni de retribuciones, ni de otros gastos de personal". Con esos

---

Administraciones Públicas, Ministerio del Interior, Ministerio de Educación, Cultura y Deporte, Ministerio de Sanidad, Servicios Sociales e Igualdad, Ministerio de Hacienda y Administraciones Públicas, Ministerio de Empleo y Seguridad Social, Ministerio de la Presidencia, Ministerio de Defensa, Federación Española de Municipios y Provincias y la Consejería de Educación, Cultura y Mujer del Gobierno de Ceuta.

23 Puesta en marcha, coste, seguimiento y evaluación.

mimbres, es difícil poner en marcha un verdadero plan de prevención. Eso sí, la reforma del Código penal sobre la materia —también apuntada en el documento reservado— es ya un hecho.

2.2. *Normativa, directrices y organismos comunitarios específicos*

2.2.1. Los documentos marco: la Estrategia de la Unión Europea de lucha contra el terrorismo (2005), la Estrategia de Seguridad Interior de la Unión Europea (2010) y la Agenda Europea de Seguridad (2014-2019)

La Estrategia de la Unión Europea de lucha contra el terrorismo[24] aprobada el 30 de noviembre de 2005 persigue luchar contra el terrorismo de forma global mediante actuaciones dirigidas a prevenir, proteger, perseguir y responder. Pues bien, la lucha contra la radicalización y la captación en grupos terroristas es la prioridad clave para prevenir[25]. Para alcanzar ese objetivo, la Estrategia propone acciones de naturaleza diversa: identificar y abordar comportamientos problemáticos (en particular en Internet), promover el buen gobierno, la democracia, la educación, el diálogo intercultural... y "abordar la incitación y la captación, en especial en entornos clave, como las prisiones o los lugares de formación religiosa o de culto, en particular aplicando una legislación que tipifique tales conductas como delitos"[26]. A lo anterior, se suma cuanto se dice en ese mismo documento en el apartado correspondiente a las iniciativas destinadas a perseguir el terrorismo, de las cuales interesa destacar ahora las tendentes a "obstaculizar sus redes y las actividades de aquellos que se dediquen a captar terroristas"(...) "mediante medidas como la retención de datos de telecomunicaciones. Deberían también eliminarse, hasta donde sea posible, las oportunidades que ofrece Internet para comunicarse y diseminar la experiencia técnica relacionada con el terrorismo"[27].

En la misma línea se orientaba la Estrategia de Seguridad Interior de la Unión Europea adoptada por el Consejo de Justicia y Asuntos de Interior en su sesión de los días 25 y 26 de febrero de 2010 y aprobada por el Consejo Europeo de los días 25 y 26 de marzo de 2010[28]. Como consecuencia de su aprobación, se establecieron diferentes objetivos y, dentro de cada uno de ellos, acciones clave,

---

24 http://register.consilium.europa.eu/doc/srv?f=ST+14469+2005+REV+4&l=es.

25 *Vid.* p. 7 a 9, n. 6 a 13.

26 Ibidem, n. 13, p. 9.

27 Ibidem, n. 22, p. 12 y n. 28, p. 13, respectivamente.

28 http://eur-lex.europa.eu/legal-content/ES/TXT/HTML/?uri=URISERV:jl0050&from=ES.

sobre las que la Comisión emitió un informe final en 2014[29]. Según puede leerse en dicho informe, para conseguir el objetivo de "Prevenir el terrorismo y abordar la radicalización y captación", una de tales acciones clave ha sido la de "reforzar las comunidades para prevenir la radicalización y la captación". A tal efecto, la Comisión estableció en septiembre de 2011 la Red para la Sensibilización frente a la Radicalización, que, como veremos, capacita a los actores locales para abordar el problema de la radicalización y la captación. Asimismo, en el marco de esa misma Estrategia, el 15 de enero de 2014, la Comisión adoptó la Comunicación "Prevenir la radicalización hacia el terrorismo y el extremismo violento"[30]. Las acciones propuestas incluyen, fundamentalmente, medidas de prevención de diferente naturaleza[31] y programas para ayudar a las personas radicalizadas a desvincularse y desradicalizarse, mereciendo destacarse la singular preocupación que el documento muestra hacia la radicalización de los más jóvenes, así como el reconocimiento de que "las técnicas tradicionales de aplicación de la ley resultan insuficientes para atajar las nuevas tendencias de radicalización, lo que exige ampliar el enfoque aplicado a la prevención (...)" o que "la lucha contra la propaganda extremista va más allá de la mera prohibición o supresión de contenidos ilegales"[32].

Con esos precedentes y con la misión de renovar la Estrategia de Seguridad Interior UE, la nueva Agenda Europea de Seguridad[33] considera "el terrorismo y el extremismo violento" —que indistintamente denomina en otros lugares "radicalización"— como una de las tres amenazas más graves (junto a la delincuencia organizada y la ciberdelincuencia) a la seguridad interior de la UE. Como ninguna de esas tres prioridades representa novedad de ningún tipo, las líneas maestras de actuación del documento reproducen sustancialmente las de sus precedentes en la materia, si bien se acentúa la necesidad de cooperación internacional, tanto mediante programas destinados a neutralizar la radicalización en zonas "sensibles", como mediante la intensificación de la cooperación entre el sistema de justicia (en sentido amplio) del conjunto de los Estados.

---

29 http://www.europarl.europa.eu/meetdocs/2014_2019/documents/com/com_com(2014)0365_/com_com(2014)0365_es.pdf.

30 http://eur-lex.europa.eu/LexUriServ/LexUriServ.do?uri=COM:2013:0941:FIN:ES:PDF.

31 Trabajar con las comunidades e individuos "en peligro de radicalización" (y ahí ya tenemos la primera dificultad: identificarlos) con participación de organizaciones no gubernamentales, educadores, asistentes sociales, servicios de seguridad, implicar a la sociedad civil y al sector privado para hacer frente a las amenazas en línea; cursos de formación para aumentar la sensibilización y los conocimientos de los trabajadores de primera línea en contacto con personas o grupos de riesgo; elaboración de contramensajes positivos, cooperación con terceros Estados, entre otras.

32 Pp. 3 y 9 del documento, respectivamente.

33 http://eur-lex.europa.eu/legal-content/ES/TXT/?uri=CELEX%3A52015DC0185.

En relación con dicha Agenda, el Parlamento Europeo aprobó el 9 de julio de 2015 una resolución[34], algunas de cuyas conclusiones deben ser subrayadas. Entre estas, a) Condena las medidas que entrañan recopilación general, sistemática y extensa de datos personales de personas inocentes, particularmente en vista de los efectos potencialmente serios en relación con los derechos a un juicio justo, no discriminación, privacidad y protección de datos, libertad de prensa, pensamiento y expresión y libertad de reunión y asociación, y que albergan un gran potencial de uso abusivo de información recopilada contra adversarios políticos, al tiempo que expresa serias dudas sobre la utilidad de las citadas medidas (n. 7)[35]; b) Destaca la necesidad de mejorar la supervisión democrática y judicial de los servicios de inteligencia de los Estados miembros (n. 11); c) deplora que, pese a numerosas peticiones del Parlamento, siga por hacer una evaluación de la eficacia de los instrumentos actuales de la UE (...), pues es obvio que tal ejercicio es necesario para garantizar que la política de seguridad europea es eficiente, necesaria, proporcionada, coherente y exhaustiva (n. 13): d) pone de manifiesto la falta de una estrategia genuina —omisión que también achaca a la Agenda de Seguridad recién aprobada— en relación con los combatientes extranjeros y en particular con los que retornan de zonas en conflicto y desean dejar las organizaciones terroristas, considerando que debe dedicarse una atención especial a la situación de los jóvenes (n. 36).

2.2.2. Resolución del Parlamento Europeo, de 25 de noviembre de 2015, sobre la prevención de la radicalización y el reclutamiento de ciudadanos europeos por organizaciones terroristas (2015/2063(INI)

La Resolución que nos ocupa[36] persigue como objetivo declarado que los Estados miembros asuman que frente a este problema las medidas de represión ya no bastan y que la UE debe adoptar una nueva estrategia más fundada en la prevención[37] y en la instauración de una actitud proactiva en materia de pre-

---

34 http://www.europarl.europa.eu/sides/getDoc.do?pubRef=-//EP//TEXT+TA+P8-TA-2015-0269+0+DOC+XML+V0//ES.

35 Porque al ser de alcance excesivamente amplio, arrojan un número excesivo de falsos positivos y falsos negativos.

36 http://www.europarl.europa.eu/sides/getDoc.do?pubRef=-//EP//TEXT+TA+P8-TA-2015-0410+0+DOC+XML+V0//ES.

37 No obstante, bajo la denominación de medidas "preventivas" se proponen actuaciones que son, como se verá, claramente "represivas". Claro está que, como con toda medida represiva, el fin perseguido es la prevención pero conviene distinguir la verdadera naturaleza de cada una a efectos de valorar su justificación.

vención de la radicalización y del reclutamiento de los ciudadanos europeos por organizaciones terroristas, mostrando una especial inquietud por la difusión fenómeno entre los jóvenes. A tal efecto, el documento destaca las siguientes áreas de actuación:

a) *La prevención del extremismo violento y la radicalización terrorista en las cárceles*, entendiendo por tales los centros penitenciarios de adultos pero añadiendo que las instituciones públicas de protección de los jóvenes o los centros de detención o reinserción también pueden convertirse en lugares de radicalización de los menores, por lo que, en consecuencia, constituyen un objetivo especialmente vulnerable. En este ámbito, propone la adopción de medidas nada polémicas (la formación del personal penitenciario y colaboradores sociales o religiosos o el establecimiento de programas pedagógicos) junto a otras, como la dispersión de los presos que ya se hayan adherido al extremismo violento o hayan sido captados por organizaciones terroristas, lo que, como veremos, ya es una realidad en España.

b) *La prevención de la radicalización terrorista en internet*. Este apartado ocupa un papel central en el documento, por cuanto se es consciente del potencial que dicho medio tiene tanto para alimentar la radicalización como para difundir un contradiscurso eficaz frente a la propaganda terrorista. Para ello, se apela a la responsabilidad de dos grupos de actores: 1) los Estados, a quienes se exige "un control más estricto de los sitios web que incitan al odio (n. 17)"[38], así como a crear una unidad especial competente para advertir de los contenidos ilegales presentes en internet y facilitar la detección y la supresión de este tipo de contenidos; y 2) las redes sociales y los proveedores de servicios, con respecto a los cuales la Resolución se muestra muy tajante al examinar sus responsabilidades. De un lado, no deja dudas sobre su obligación de cooperar con las autoridades suprimiendo cualquier contenido ilegal que difunda el extremismo violento, hasta el punto de concluir de manera muy discutible "que la negativa a cooperar o la falta deliberada de cooperación por parte de las plataformas de internet que permiten la circulación de este tipo de contenidos ilegales debería considerarse un acto de complicidad..." (n. 16). De otro, considera obligado que el sector de Internet y los proveedores de servicios contribuyan con acciones destinadas a facilitar la denuncia por parte de los propios usuarios, así como con otras cuya imposición es discutible, cual es el caso del supuesto deber de priorizar los mensajes de

38 Fórmula cuya amplitud exige ser resaltada.

prevención de la radicalización (el denominado "contradiscurso") frente a los mensajes que hacen apología del terrorismo.

c) *La prevención de la radicalización mediante la educación y la inclusión social*. En este apartado, la Resolución insta, entre las principales propuestas, a poner en marcha programas pedagógicos sobre el buen uso de internet en todas las escuelas (de primaria a secundaria); a capacitar a los profesores para que se posicionen activamente contra toda forma de discriminación y racismo, detecten los posibles focos y contribuyan a fomentar entre los jóvenes un fuerte sentido de pertenencia a la comunidad. Así mismo, el documento subraya el papel fundamental que desempeñan todas las comunidades religiosas en la lucha contra el fundamentalismo, la incitación al odio y la propaganda del terrorismo y, por ende, propone también la formación de los responsables religiosos. Por último, destaca el papel crucial que toda la sociedad civil y los actores locales deben desempeñar, tanto en la detección de estas conductas como en la puesta en marcha de medidas destinadas a acabar con la marginación y la exclusión social, lo que enlaza con lo previsto en nuestro Plan Nacional en relación con los Grupos Locales de Lucha Contra la Radicalización, cuya puesta en marcha está, sin embargo, todavía pendiente.

d) *Refuerzo del intercambio de información sobre la radicalización terrorista en Europa*. En este apartado, la Resolución reitera la clásica apelación a la cooperación policial, judicial y de inteligencia en la lucha contra un problema que es global. De igual modo, destaca la importancia de la formación específica sobre esta cuestión tanto en lo que se refiere a los profesionales del sector judicial, como a la policía a través de la Escuela Europea de Policía (European Police Collegue, CEPOL).

e) *Refuerzo de la disuasión frente a la radicalización terrorista*. Pese a que la Resolución enarbola la bandera de la prevención como alternativa a la represión, lo cierto es que contiene medidas de naturaleza claramente represiva, entre las que destacan las medidas de naturaleza penal que insta a todos los Estados miembros a adoptar. Al Parlamento europeo le preocupa especialmente que se posibilite el enjuiciamiento de actos terroristas cometidos por ciudadanos europeos o residentes en la UE en países terceros, lo cual por lo que a nuestro país se refiere es ya una competencia que el artículo 23.2 y 4 LOPJ otorga a la jurisdicción penal española. Bajo la propuesta late la desconfianza acerca de la disposición o la capacidad de esos terceros Estados para perseguir estas conductas y, más aún, el objetivo explícito de legitimar la recogida de pruebas[39] en esos terceros países. Esta última cuestión es, probablemente, el fin prioritario de la propuesta, que, sin embargo, parece ignorar deliberadamente los múltiples problemas competenciales y de control que suscita, al tiempo que trae nuevamente a la palestra la polémica acerca de la validez probatoria de las pruebas de inteligencia.

f) *Prevención de la salida y anticipación del retorno de ciudadanos europeos radicalizados reclutados por organizaciones terroristas.* En este apartado se proponen fundamentalmente medidas que tienden al control de las fronteras con el fin de evitar la incorporación de ciudadanos de la UE en organizaciones terroristas. Entre ellas, algunas tan discutibles como la que denomina detención "administativa" a su retorno a Europa, hasta el momento en que tenga lugar su procesamiento (n. 60)

g) *Refuerzo de los vínculos entre seguridad interior y seguridad exterior de la Unión Europea.* Como no podía ser de otra manera, se reconoce que la radicalización y el reclutamiento por redes terroristas son un fenómeno de alcance mundial y, por ende, la respuesta debe ser internacional, y no únicamente local o europea. En consecuencia, se proponen, de un lado, acciones de cooperación con terceros países, especialmente países de tránsito y de destino, tanto para controlar el flujo de personas, capitales o armas como para desarrollar proyectos que favorezcan la estabilidad política de las regiones más conflictivas[40] y para luchar contra la radicalización, lo que exige apoyo financiero que la Resolución demanda de los Estados miembros. De otro lado, el documento reitera el tantas veces reclamado intercambio de información entre los servicios nacionales de inteligencia.

h) *Fomento del intercambio de buenas prácticas en materia de desradicalización.* Bajo esta rúbrica se contiene un conjunto de medidas proactivas de desradicalización e inserción que van desde programas de apoyo a la reinserción social de excombatientes, a campañas de comunicación construidas a partir de casos de excombatientes extranjeros europeos que hayan concluido con éxito la desradicalización, subrayando la importancia

---

39 Esta era una de las cuestiones en las que insistió ya el informe de Eurojust sobre la materia (Foreing Fighters: Eurojust's Views on the Phenomenon and the Criminal Justice Response), y de ella se hizo eco el Coordinador de la UE de lucha contra el terrorismo en el documento de reflexión sobre el tema de 2 de diciembre de 2014, identificando ya entonces esta materia como uno dfe los retos inmediatos a afrontar. http://data.consilium.europa.eu/doc/document/ST-15715-2014-REV-2/es/pdf.

40 De interés sobre este particular, el documento aprobado el 16 de enero de 2015 sobre "Líneas generales de la estrategia antiterrorista para Siria e Irak, con particular atención a los combatientes extranjeros", http://data.consilium.europa.eu/doc/document/ST-5369-2015-INIT/es/pdf.

de que este tipo de campañas se utilicen como instrumento de asistencia en los procesos de desradicalización en las cárceles, las escuelas y todas las estructuras de prevención y rehabilitación.

i) Desmantelamiento de redes terroristas. Las medidas propuestas a tal fin van destinadas, por una parte, a cortar las fuentes de financiación del terrorismo, lo que, entre otras cosas, exige una mejor cooperación entre las unidades de información financiera de los Estados miembros y la rápida transposición y aplicación del paquete de lucha contra el blanqueo de capitales. Por otra parte, exige un enfoque armonizado para la tipificación penal de la incitación al odio,

Este breve repaso del contenido de la Resolución no puede finalizar sin dejar constancia de algunos aspectos preocupantes. En primer lugar, la constante equiparación, explícita o implícita, entre terroristas, combatientes extranjeros e incitadores al odio, lo que vendría a propiciar una unidad de tratamiento jurídico injustificable. En segundo lugar, tampoco puede ignorarse que bajo la denominación de medidas "preventivas" se han propuesto actuaciones que son, como hemos visto, claramente "represivas". Claro está que, como con toda medida represiva, el fin perseguido es la prevención pero conviene distinguir la verdadera naturaleza de cada una a efectos de enjuiciar su legitimidad. Finalmente, resulta verdaderamente inquietante que la última petición del Parlamento al Consejo sea, en expresión literal, que elabore una lista negra de yihadistas europeos y de sospechosos de terrorismo yihadista (n. 82), lo que, al margen de otras connotaciones, establece una inadmisible equiparación entre convictos y sospechosos que, por lo demás, está presente a lo largo de toda la Resolución y en la propia elaboración de las listas ya existentes[41]

---

41 Con regularidad, el Consejo actualiza dichas listas y en ellas se incluye, a partir de las propuestas presentadas por Estados miembros o terceros Estados, a personas, grupos y entidades condenadas por delitos de terrorismo pero también a las que están siendo enjuiciadas o, sencillamente, siendo objeto de una investigación. El Grupo para la ejecución de la Posición Común 2001/931/PESC es el Grupo "Aplicación de medidas específicas de lucha contra el terrorismo", que estudia y evalúa la información con vistas a la inclusión o la retirada de la lista. A continuación, hace recomendaciones al Consejo, que es quien aprueba los cambios en la lista. Los cambios son notificados, caso de ser posible, a los incluidos a efectos de recurso y, en todo caso, la lista actualizada es publicada en el Diario Oficial de la UE. La última actualización se contiene en el Anexo de la Decisión (PESC) 2015/2430 del Consejo, de 21 de diciembre de 2015, por la que se actualiza la lista de personas, grupos y entidades a los que se aplican los artículos 2, 3 y 4 de la Posición común 2001/931/PESC sobre la aplicación de medidas específicas de lucha contra el terrorismo, y se deroga la Decisión (PESC) 2015/1334. (DOUE núm. 334, de 22 de diciembre de 2015, pp. 18 a 21).

2.2.3. Organismos europeos de lucha contra la radicalización: la Red para la Sensibilización frente a la Radicalización y la Unidad de Notificación de Contenidos de Internet

En el marco de la UE se han creado múltiples organismos cuyo común objetivo es contribuir desde perspectivas distintas a luchar contra la radicalización. Sus iniciativas son fuente de conocimiento que en un futuro y más profundo estudio de esta materia deben ser tenidas en cuenta. Siquiera sólo sea por eso, estimamos útil dejar constancia de los que tienen un papel central y cuál es su verdadero grado de implantación.

La Red para la Sensibilización frente a la Radicalización (Radicalisation Awareness Network, RAN[42]) es, como se reconoce en la ya citada Agenda Europea de Seguridad, un instrumento clave en la lucha contra la radicalización. Su creación aparecía contemplada en la "Estrategia de Seguridad Interior de la UE en acción" y fue presentada el 9 de septiembre de 2011 por la Comisaria de Asuntos de Interior EU, Cecilia Malmström, en un comunicado de prensa[43] en el que se decía que "La iniciativa apoyará los esfuerzos de los Estados miembros para evitar la radicalización violenta y el reclutamiento de individuos para que cometan actos terroristas. La red conectará a partes clave que intervienen en la lucha contra la radicalización en toda la UE, como son los trabajadores sociales, los líderes religiosos, los líderes juveniles, los policías, los investigadores y otras personas que trabajan sobre el terreno en las comunidades vulnerables". Como se expone en el documento que recoge sus principios de actuación[44], para alcanzar sus objetivos se configura como una "red de redes", que incluye profesionales que ocupan la primera línea (maestros, asistentes sociales, etc), así como académicos, grupos de víctimas, autoridades policiales, responsables políticos y agrupaciones, asociaciones o plataformas que participan de manera concreta y práctica en la prevención de la radicalización de cualquier signo (yihadismo, racismo, islamofobia, nazismo, etc).

Con esa estructura plural, se articulan grupos de trabajo en función de la temática específica que se reúnen en plenario al menos una vez al año con el fin de intercambiar experiencias y buenas prácticas. Actualmente existen nueve grupos cuya temática, resumidamente expuesta, se desarrolla en las áreas siguientes: a) Comunicación (RAN C&N), cuya principal tarea es contrarrestar

---

42 http://ec.europa.eu/dgs/home-affairs/what-we-do/networks/radicalisation_awareness_network/index_en.htm.

43 http://europa.eu/rapid/press-release_IP-11-1011_es.htm.

44 http://ec.europa.eu/dgs/home-affairs/what-we-o/networks/radicalisation_awareness_network/docs/ran_charter_en.pdf.

el discurso extremista en todos los foros (redes sociales, blogs, aulas, encuentros de jóvenes, etc); b) Educación (RAN EDU), cuyo objetivo es posibilitar que los educadores sean capaces de luchar contra el fenómeno a través de la educación en valores, el rechazo al discurso del odio y el apoyo a los jóvenes en su proceso de formación de la identidad; c) Desradicalización[45] (RAN EXIT), cuyo objetivo es apoyar e impulsar procesos de abandono del extremismo; d) Juventud, familias y comunidades (RAN YF&C), dirigido a trabajar con estas comunidades para prevenir y detectar la radicalización, siendo uno de sus principales ejes el trabajo con las familias ante la conversión de uno de sus miembros en combatiente extranjero; e) Local (RAN LOCAL) encargado de servir de enlace entre la sociedad civil, las ONG's, la escuela, la policía y los responsables gubernamentales; f) Prisión y libertad bajo condición (RAN P&P), cuyas actividades se dirigen a tratar estos procesos en los centros penitenciarios, los centros de inserción social y, en general, en todos los ámbitos de la reinserción dando soporte a los profesionales de esos sectores; g) Policía (RAN POL), centrado en facilitar y mejorar la tarea de la policía en la lucha contra la radicalización; h) Víctimas (RAN VCT), destinado a incorporar a las víctimas del terrorismo como elemento del proyecto, tanto como acto de reconocimiento, cuanto por su capacidad de contribuir positivamente especialmente en la fase de desradicalización; i) Sanidad y servicios sociales (RAN H&SC), cuyas actuaciones van dirigidas a dar soporte a los profesionales de ese sector para detectar y afrontar adecuadamente los focos de radicalización. A su vez, en la línea de reforzar el peso de esta Red, el 1 de octubre de 2015, según informaciones extraídas de la página oficial de RAN, se puso en marcha dentro de la Red el Centro de Excelencia (RAN CoE) encargado de profundizar y mejorar las estrategias para afrontar el problema.

Las actividades desarrolladas por la RAN son de distinto signo: divulgativas, formativas, intercambio de ideas, elaboración de manifiestos programáticos, investigación, etc y, por tanto, su relevancia varía en función de la perspectiva de análisis. De entre los materiales de interés, estimamos imprescindible destacar por su más directa relación con el objeto del proyecto de investigación el *Manifesto for Education - Empowering Educators and Schools*, un conjunto de propuestas dirigidas a los educadores, a las familias y a los gobiernos acerca del modo de prevenir y detectar el radicalismo en la escuela[46], así como el documento de

---

45 La traducción literal debiera ser Grupo de Salida (Exit Group) però se ha preferido esta otra por ser más clara

46 http://ec.europa.eu/dgs/home-affairs/what-we-do/networks/radicalisation_awareness_network/docs/manifesto-for-education-empowering-educators-and-schools_en.pdf.

trabajo *"Dealing with radicalisation in a prison and probation context"*[47], fruto de la reunión celebrada en Barcelona los días 2 y 3 de septiembre de 2015 con representantes de todos los sectores implicados.

El recién creado Centro Europeo Contra el Terrorismo (ECTC) en el seno de EUROPOL aparecía también entre las previsiones de la nueva Agenda Europea de Seguridad, que lo concibe prioritariamente "como organismo seguro de intercambio de información entre las autoridades nacionales con funciones coercitivas". De igual modo, también en la presentación pública[48], el director de EUROPOL, Rob Wainright insistió en mostrarlo como un centro de información centralizada y reforzada mediante el cual los Estados miembros pueden aumentar el intercambio de información y mejorar la coordinación operativa, combinando de modo colectivo los esfuerzos de todos los Estados miembros para combatir el terrorismo de manera más eficaz, tanto con carácter previo como ante la eventualidad de tener que desplegar un Equipo de Respuesta Inmediata en caso de atentado terrorista. Con esa finalidad, en su seno se integran, además del Punto Focal Viajeros (combatientes terroristas extranjeros que viajan a zonas de conflicto o que retornan de las mismas) o el Programa de seguimiento de la financiación del terrorismo (TFTP), la Unidad de Notificación de Contenidos de Internet (Internet Referal Unit, IRU). Esta última, que ya fue puesta en marcha el 1 de julio de 2015, pretende actuar como centro de conocimientos técnicos de la UE, ayudando a los Estados miembros a identificar y eliminar los contenidos extremistas violentos en línea, en cooperación con las empresas del sector de las TIC's, cooperación que, como precisaba la ya citada Resolución del Parlamento Europeo de prevención de la radicalización debe hacerse extensiva al Coordinador antiterrorista de la UE y a las organizaciones de la sociedad civil activas en este ámbito (n. 24).

3. LA PERSPECTIVA JURÍDICO-PENAL (SUSTANTIVA Y PROCESAL). BASES PARA UN ULTERIOR ESTUDIO

Como ya se indica en el título del epígrafe, la única pretensión en esta primera aproximación de urgencia es apuntar algunas de las principales cuestiones

---

47 http://ec.europa.eu/dgs/home-affairs/what-we-do/networks/radicalisation_awareness_network/about-ran/ran-p-and-p/docs/201510_ran_p-and-p_practitioners_working_paper_en.pdf.

48 Su presentación pública tuvo lugar el 25 de enero de 2016 con motivo de la reunión celebrada en Ámsterdam por los ministros de Interior comunitarios. Al mando está un español, el coronel de la Guardia Civil, Manuel Navarrete.

jurídicas que deberán ser objeto de análisis en cualquier estudio que pretenda, no ya un mero acercamiento, sino abordar en profundidad el conjunto de problemas que rodean el tratamiento jurídico-penal de la radicalización. Se trata, pues, de elaborar un elenco meramente descriptivo de las materias básicas y sugerir diversas perspectivas de análisis.

3.1. *Límites constitucionales al castigo de la radicalización: la reforma del Código penal a examen. Especial referencia a la propaganda, las apologías débiles y otros delitos "de expresión" (remisión)*

La LO 2/2015 ofrece una nueva regulación de los delitos de terrorismo pese a que éstos ya fueron modificados por la LO 5/2010[49], que, según la Exposición de Motivos, abordó una profunda reordenación del tratamiento penal de las conductas terroristas para dar cumplimiento a las obligaciones legislativas derivadas de la Decisión Marco 2008/919/JAI y afrontar "la gravedad intrínseca de la actividad terrorista, considerada como la mayor amenaza para el Estado de Derecho, así como la peculiar forma de operar de determinados grupos o células terroristas de relativamente reciente desarrollo en el plano internacional, cuyo grado de autonomía constituye precisamente un factor añadido de dificultad para su identificación y desarticulación (...)". Esa misma defensa del Estado de Derecho como justificación formal es la que también ha presidido la reforma operada por LO 2/2015, de 30 de marzo, fruto del Pacto alcanzado por las dos fuerzas políticas mayoritarias, que el 18 de febrero de 2015 sacaron adelante la proposición de ley en el Congreso sin sumar ningún apoyo, ni aceptar ninguna enmienda de los demás grupos. La iniciativa, que, como viene siendo habitual, comienza por escudarse en la normativa internacional —esta vez en la Resolución del Consejo

---

49 Recuérdese que la Ley Orgánica 5/2010, de 22 de junio ya introdujo tipos directamente relacionados con nuestro objeto de estudio. Concretamente, incluyó en el delito de colaboración (entonces en el art. 576) un número 3 del siguiente tenor: "Las mismas penas previstas en el número 1 de este artículo se impondrán a quienes lleven a cabo cualquier actividad de captación, adoctrinamiento, adiestramiento o formación, dirigida a la incorporación de otros a una organización o grupo terrorista o a la perpetración de cualquiera de los delitos previstos en este Capítulo". Asimismo, incluyó en el número primero del artículo 579 un segundo apartado, según el cual "Cuando no quede comprendida en el párrafo anterior (sc. provocación, la conspiración y la proposición) o en otro precepto de este Código que establezca mayor pena, la distribución o difusión pública por cualquier medio de mensajes o consignas dirigidos a provocar, alentar o favorecer la perpetración de cualquiera de los delitos previstos en este capítulo, generando o incrementando el riesgo de su efectiva comisión, será castigada con la pena de seis meses a dos años de prisión".

de Seguridad de Naciones Unidas 2178, aprobada el 24 de septiembre de 2014— pretende afrontar el terrorismo yihadista para lo que estima inapropiada nuestra actual legislación penal, incapaz de abordar esas "nuevas formas de agresión, consistentes en nuevos instrumentos de captación, adiestramiento o adoctrinamiento en el odio, para emplearlos de manera cruel contra todos aquellos que, en su ideario extremista y violento, sean calificados como enemigos (...). Este terrorismo —continúa— se caracteriza por su vocación de expansión internacional, a través de líderes carismáticos que difunden sus mensajes y consignas por medio de internet y, especialmente, mediante el uso de redes sociales, haciendo público un mensaje de extrema crueldad que pretende provocar terror en la población o en parte de ella y realizando un llamamiento a sus adeptos de todo el mundo para que cometan atentados. Los destinatarios de estos mensajes pueden ser individuos que, tras su radicalización y adoctrinamiento, intenten perpetrar ataques contra los objetivos señalados, incluyendo atentados suicidas. No menos importante —sigue diciendo el Preámbulo— es el fenómeno de los combatientes terroristas desplazados que deciden unirse a las filas de las organizaciones terroristas internacionales o de sus filiales en alguno de los escenarios de conflicto bélico en que los yihadistas están participando, singularmente, Siria e Irak. Este fenómeno de los combatientes terroristas desplazados es, en este momento, una de las mayores amenazas a la seguridad de toda la comunidad internacional y de la Unión Europea en particular, toda vez que éstos se desplazan para adiestrarse en el manejo de armas y explosivos, adquirir la capacitación necesaria y ponerse a las órdenes de los grupos terroristas".

Sin duda, lo transcrito es exacto en lo que se refiere al diferente perfil criminológico del terrorismo yihadista, Sin embargo, no lo es menos que el legislador se ha limitado a hacerse eco acríticamente de las reiteradas llamadas que, como hemos visto, se dirigen desde los organismos europeos a los Estados Miembros para actuar en el sentido que lo hace la LO 2/2015, sin reflexionar acerca de la real insuficiencia de la legislación material hasta entonces vigente, que es, sin embargo, la que ha permitido condenar no sólo a los autores del 11-M[50] y a

---

50 En el que ya se puso de manifiesto que, para empezar, el elemento estructural hoy suprimido no era obstáculo para castigar como terrorismo la actividad de las células yihadistas (STS 17 julio 2008, *(Tol 1371325)* y SAN 26 de septiembre 2005, *Tol 702626*). En el mismo sentido, entre las más recientes STS 789/2014, de 2 de diciembre, *(Tol 4587909)*: "lo que en algún terrorismo se manifiesta como una organización jerarquizada en su totalidad, en esta otra clase de terrorismo la experiencia habida hasta el momento, especialmente en relación con Al Qaeda, demuestra que puede aparecer en formas distintas, en ocasiones como una fuente de inspiración ideológica de contenido o raíz fuertemente religiosa orientada a servir de fundamento y justificación a las acciones terroristas, acompañada de la constitución de grupos, organizaciones o bandas de menor tamaño, vinculadas con aquella y orientadas a hacer efectiva la difusión de ideas, a la

otros muchos responsables de integración en organización terrorista de corte yihadista. Con olvido manifiesto de algo tan obvio, se emprende una reforma que yo llamaría de "defensa preventiva"[51], que hace del peligro abstracto y el endurecimiento de las consecuencias jurídicas su bandera y, en lo que ahora interesa, incorpora tipos que invaden espacios constitucionalmente protegidos y, por ende, carecen de la legitimación material que justifica el ejercicio del *ius puniendi*.

En esta misma obra, el Dr. FERNÁNDEZ HERNÁNDEZ analiza los tipos directamente vinculados a lo que viene denominándose "radicalización" y yo misma le he dedicado al tema alguna atención en otros lugares, donde he analizado no sólo los nuevos preceptos, sino también otros que, como los relativos a la sanción del "discurso del odio", participan de análoga problemática. Por ello y porque la pretensión de este estudio es sólo sentar las bases de otro futuro, me limitaré a dejar apuntados cuáles son los principales puntos de conflicto. El primero atañe a su escasa o, en algunos casos, nula compatibilidad con las exigencias derivadas del principio de intervención mínima. Téngase en cuenta que todas las conductas previstas en el artículo 575 no dejan de ser sino

---

captación de nuevos miembros, al adoctrinamiento, auxilio y distribución de los ya captados, a la obtención de medios materiales, a la financiación propiamente dicha, a la ejecución directa de actos terroristas o a la ayuda a quienes los han perpetrado o se preparan para hacerlo, o bien a otras posibles actividades relacionadas con sus finalidades globales. Tales grupos, bandas u organizaciones, reciben generalmente su inspiración y orientación de la fuente central, aunque incluso en este aspecto pueden presentar variaciones ordinariamente no sustanciales. Pero, además de estas manifestaciones, es posible apreciar la existencia de otros grupos, bandas u organizaciones en los que, aunque inspirados en el mismo sustento ideológico, tanto su estructura como su actuación son independientes de aquella fuente, de forma que disponen de sus propios dirigentes, obtienen sus propios medios y eligen sus objetivos inmediatos. Todo ello, siempre en atención a las peculiaridades de cada caso, permite considerar que cada una de ellas, incluyendo la fuente ideológica, constituye un grupo, organización o banda terrorista, de forma que sería posible que una sola persona se integrara en varias" (FJ 3º).

Vid. asimismo, entre las más recientes SSAN 3/2010, de 11 de enero, sección 1ª, *(Tol 2056786)*; 47/2013, de 2 de julio, sección 1º, *(Tol 3858763)* o la reciente condena por integración en organización conforme al anterior art. 571 CP de los integrantes de la célula ceutí encargada de reclutar combatientes y enviarlos a Siria ("Operación Cesto"). SAN 23/2015, de 30 de septiembre, *(Tol 5500281)*.

51 Pese al matiz, es lo que otros han llamado reforma preventiva, así CANO PAÑOS, M. A., en MORILLAS CUEVA, L., *Estudios sobre el Código penal reformado* (Leyes orgánicas 1/2015 y 2/2015), Dykinson, Madrid, 2015, p. 908). Por su parte, FERNÁNDEZ HERNÁNDEZ habla de "cambio de paradigma: de la sanción a la prevención" para referirse al adelantamiento de la barrera de intervención ("La reforma penal de 2015 en materia de terrorismo: el ocaso de los principios limitadores del ius puniendi", en CUERDA ARNAU, M. L./ GARCÍA AMADO, J. A. (dir.), *Protección jurídica del orden público, la paz pública y la seguridad ciudadana*, Tirant lo Blanch, Valencia, 2016; p. 125.

conductas preparatorias de la realización de un delito, que, en los números 2 y 3 va referido expresamente al hecho mismo de incorporarse o colaborar con un grupo u organización. Prioritariamente[52], lo sancionado son actos dirigidos a incorporarse a tales grupos, es decir, se castiga el peligro del peligro abstracto, injusto propio de los delitos de organización terrorista. Por tanto, cabe reproducir aquí —y aún intensificar— la crítica[53] que ya se venía haciendo a la modalidad de colaboración consistente en asistir a prácticas de entrenamiento auspiciadas por organizaciones o grupos terroristas, en la medida en que si bien cabe admitir —como dijera CANCIO— "que implica fortalecer las expectativas de crecimiento futuro de la organización", hay que aceptar también que estamos ante un adelantamiento de la intervención penal extraordinario y, por tanto, necesitado de una justificación reforzada que, sin embargo, se ve obstaculizada por otros problemas inherentes a esta clase de preceptos. Me refiero, claro está, su posible colisión con derechos fundamentales, pues, como mayoritariamente ha señalado la doctrina[54], es difícil engarzarlos, en unos casos, con los límites constitucionales que al castigo del discurso extremo imponen las libertades ideológicas y de expresión y el derecho a la información y, en otros, con los derivados del reconocimiento del derecho a la libre circulación y, en general en todos, con los inmanentes a la propia presunción de inocencia, en la medida en que los tipos relacionados con la radicalización encierran el peligro

52 Aunque no exclusivamente, pues en el número 1 caben conductas sin conexión alguna con grupos u organizaciones (v.g., quien recibe adiestramiento para actuar como terrorista suicida, sin que el acto terrorista para el que se prepara esté vinculado con ningún grupo terrorista y sin que tampoco tenga relación alguna con dicho grupo el sujeto que le instruye). No obstante, la hipótesis parece poco apegada a la realidad criminológica.

53 Vg. CANCIO MELIÁ, M. *Los delitos...*, *op. cit.*, p. 237 o LLOBET ANGLÍ, M, si bien esta autora acaba decantándose por admitir la legitimidad del castigo de la participación en campos de entrenamiento militar que estén a cargo de una organización terrorista con argumentos no enteramente coherentes con su posición de partida. Lo que en ningún caso admite es la legitimidad de la sanción del autoadiestramiento (*Derecho penal del terrorismo...*, *op. cit.*, pp. 397 a 399).

54 Además de los ya citados, *vid.* las críticas que antes se le hicieron a la reforma de 2010: CANCIO MELIÁ, M., "Delitos de terrorismo", en ÁLVAREZ GARCÍA, J/ GONZÁLEZ CUSSAC, J. L., *Comentarios a la reforma penal de 2010*, Tirant lo Blanch, Valencia, 2010, pp. 521 y ss.; de este mismo autor, en relación con la introducción del enaltecimiento (art. 578) por LO 7/2000, *Los delitos de terrorismo: estructura típica e injusto*, Reus, Madrid 2010, pp. 271 y ss.; LLOBET ANGLÍ, M, *Derecho penal del terrorismo. Límites de su punición en el Estado democrático*. La Ley, Madrid, 2010, especialmente, pp. 464 y ss. Asimismo, RAMOS VÁZQUEZ, J. A., "Presente y futuro del delito de enaltecimiento y justificación del terrorismo", *Anuario da Facultade de Dereito da Universidade da Coruña,* nº 12, 2008, pp. 771 y ss.; SÁNCHEZ-OSTIZ GUTIÉRREZ, P., "La tipificación de conductas de apología del delito y el derecho penal del enemigo", en CANCIO MELIÁ, M/GÓMEZ-JARA DÍEZ, C., Derecho penal del enemigo. El discurso penal de la exclusión, V. 2, Edisofer, Madrid 2006, pp. 893 y ss.

de ser interpretados y aplicados con arreglo a esquemas propios de un derecho penal de autor, siempre atento a la forma de vida del investigado. Esto último es especialmente patente en el delito consistente en desplazarse al extranjero para cometer delitos de terrorismo (art. 575. 3) La infracción representa un singular adelantamiento de la barrera punitiva, toda vez que el peligro no deriva de la conducta en sí, sino de la supuesta finalidad que la acompaña, elemento subjetivo del injusto con respecto al cual es muy acusada la tentación de apoyar su probanza en ideologías o formas de vida. Habremos, pues, de estar al tanto y ver cómo articulan las acusaciones una prueba indiciaria acorde con los requisitos exigidos por la presunción de inocencia.

Con ser muy criticables muchos de los extremos de la reforma, probablemente pocos tipos plantean tantos problemas de colisión con derechos fundamentales como los que aquí se engloban bajo la —discutible pero gráfica— fórmula genérica de "propaganda, apologías débiles y delitos de expresión", razón por la cual se ha optado por dedicarles una especial atención. En dicha fórmula englobo las conductas previstas en los artículos 575, 577.2, 578 apartado 1 y 579 del Código penal, a cuyo somero repaso se dedican las líneas siguientes

El delito de adoctrinamiento previsto en el artículo 575 pretende hacer frente al hecho constatado de que el terrorismo yihadista promueve un sistema de captación y capacitación completamente distinto del que venía siendo utilizado por los fenómenos terroristas clásicos, en los que ambas conductas eran dirigidas y controladas desde la organización. Por el contrario, el nuevo terrorismo cuenta con un marco —las TIC's— que permite el que se fomente la radicalización y el adiestramiento individual, lo que explica el surgimiento de un nuevo fenómeno criminológico al que algunos se refieren como "lobo solitario" sobre el que habría que hacer muchas matizaciones pero que, en cualquier caso, sirve para explicar que hoy es un hecho que cualquiera con acceso a internet —y cierta aptitud— puede entrar en contacto con el aparato ideológico de grupos terroristas y aprender técnicas de ataque. Bien es verdad, como señala Javier JORDÁN, que el reclutamiento directo a través de internet es una anomalía, pues lo habitual es que el primer contacto se produzca en otros entornos (familia, círculos de amigos, centros culturales o religiosos, etc). Pero, como reconoce ese mismo autor y ponen de manifiesto las recientes investigaciones[55], internet cumple una función

[55] Además de en los foros creados con la finalidad de captar adeptos, los extremistas se sirven de las salas Paltalk, un programa informático de mensajería instantánea que se puede descargar cualquiera y permite crear chats de cientos de usuarios que pueden enviar mensajes —públicos o privados— entre sí. De igual modo, el repositorio de acceso público archive.org aloja miles de documentos (libros, videos, audios, imágenes, etc) de contenido yihadista. Este sitio web

de apoyo al adoctrinamiento, proporcionando un cuerpo teórico, facilitando la difusión de argumentos político-religiosos de legitimación al tiempo que permite que el sujeto no se perciba a sí mismo como un individuo aislado, sirviendo, por último, como útil instrumento de formación a distancia[56]. Ante ese estado de cosas, el artículo 575 tipifica lo que denomina "adoctrinamiento y adiestramiento militar o de combate o en técnicas de desarrollo de armas", castigando tanto el hecho de recibir tal adoctrinamiento/adiestramiento (número 1) como el hecho de procurárselo por sí mismo (número 2). De los diversos problemas que el precepto suscita[57], interesa ahora el referido al alcance del tipo y, más concretamente, a la necesidad de discernir si lo castigado es sólo la capacitación técnica para cometer actos de terrorismo o si, por el contrario, junto al adiestramiento en sentido estricto se sanciona también el adoctrinamiento ideológico. A esta última conclusión parece conducir lo que se dispone en los párrafos segundo y tercero del número 2 del artículo 575, que incluyen una referencia a servicios de comunicaciones y materiales que estén dirigidos o, por su contenido, resulten idóneos para incitar a la incorporación a una organización o grupo terrorista

---

que se autodefine como "una biblioteca sin fines de lucro de millones de libros gratis, películas, software, música, y mucho más", permite alojar gratuitamente documentos sin que importe la cantidad y tamaño de los archivos, y, lo más importante, ofrece anonimato. Sus usuarios sólo tienen que crear una cuenta utilizando una dirección de correo electrónico y una contraseña para iniciar el proceso de subida de archivos desde su ordenador y, a partir de ese momento ya pueden ser descargados por cualquier usuario a través del enlace de descarga que genera el sistema y sólo pueden ser editados y borrados por el usuario que los ha subido, que goza, por añadidura, de la ventaja adicional de no tener que almacenar en sus ordenadores el material en cuestión. *Vid.* STS 789/2014, de 2 de diciembre, *(Tol 4587909)* y SAN 21/2014, de 29 de mayo, sección 4ª, *(Tol 4362542)* (condena al "bibliotecario de Al-Qaeda)

56 "Terrorismo yihadista y Estado de Derecho", en *Teoría & Derecho*, junio 3/2008, pp. 29 y 30.

57 Los múltiples problemas concursales derivados de las dos reformas de 2015 también se dejan sentir en este precepto. Téngase en cuenta que el artículo 577 (colaboración) castiga la "asistencia a prácticas de entrenamiento" —lo que no deja de ser "adiestramiento"— con la pena superior en grado a la prevista en el art. 575. En otro lugar sostuve que podía entenderse que, puesto que se castiga junto a otras conductas de colaboración, esta "asistencia" no va referida al instruido, sino a la de instructores que asisten a las prácticas sin ser organizadores, de ahí la distinción que el art. 577 hace entre la organización y la asistencia a las referidas prácticas. No obstante, también podría sostenerse que, puesto que la conducta de quienes procuran el adiestramiento aparece contemplada en el art. 577.2, la asistencia del párrafo 1 se dirige a castigar a los instruidos y no a los instructores. Por tanto, el adiestramiento castigado con pena de prisión de 2 a 5 años (art. 575) sería el que se produce, digámoslo así, en el mundo virtual, mientras que el que tiene lugar en la vida real se castigaría conforme al art. 577.1 con penas de prisión que van desde los 5 a los 10 años. La solución interpretativa no es, sin embargo, nada satisfactoria, máxime si se tiene en cuenta que lo lógico es que quien activamente asiste a este tipo de prácticas ya sea miembro del grupo, de modo que esta actividad es la propia del integrante de un grupo terrorista y, por ende, estaría consumida en el delito de pertenencia. Una muestra más de la pésima factura técnica de la reforma

o a colaborar con cualquiera de ellos o en sus fines. Esta conducta, por otra parte, tiene su correlativa en la sancionada como colaboración en el artículo 577.2, por cuya virtud se castiga con penas de prisión que pueden llegar a los 10 años a quienes lleven a cabo —además de otras conductas cuya punición es inatacable— cualquier actividad de "adoctrinamiento", acepción a la que se dota de autonomía frente a la de "captación", lo que sugiere que el legislador quiere castigar, de un lado, la conducta que persigue el ingreso del sujeto en el grupo (captación) y, de otro, la dirigida a inculcar a alguien determinadas ideas o creencias, que eso es, según el diccionario de la RAE lo que significa adoctrinar. Siendo así, resultan obvios los conflictos que a cuenta de ambos tipos se pueden suscitar con los derechos fundamentales a las libertades ideológica y de expresión y al derecho a la información. Esto último resulta especialmente patente en la conducta de autoadoctrinamiento (art. 575.2), cuyos difusos perfiles constituyen una auténtica amenaza contra los referidos derechos fundamentales y contra la presunción de inocencia. Así es en tanto que el referido precepto establece una suerte de presunción *iuris tantum*, por cuya virtud, en primer lugar, se entenderá que comete este delito quien, con tal finalidad, acceda de manera habitual a uno o varios servicios de comunicación accesibles al público en línea o contenidos accesibles a través de internet o de un servicio de comunicaciones electrónicas cuyos contenidos estén dirigidos o resulten idóneos para incitar a la incorporación a una organización o grupo terrorista, o a colaborar con cualquiera de ellos o en sus fines (art. 575.2, p 2). En segundo lugar, lo mismo rige para quien, con la misma finalidad, adquiera o tenga en su poder documentos que estén dirigidos o, por su contenido, resulten idóneos para incitar a la incorporación a una organización o grupo terrorista o a colaborar con cualquiera de ellos o en sus fines (art. 575.2, p 3). El legislador de 2015 ha olvidado con ello que preceptos de este tipo encierran el peligro de que lo que no dejan de ser meros indicios se interpreten conforme a los recusables patrones del derecho penal de autor y acaben constituyendo auténticas presunciones de culpabilidad, destruyendo, así, la garantía que constituye la piedra angular del Estado de Derecho. No se trata, pues, de menospreciar el valor que a ese tipo de conductas puede otorgarse para iniciar las investigaciones —y, en su caso, adoptar medidas limitativas de derechos con la oportuna autorización judicial—, sino de poner de manifiesto que convertirlas en delito, representa un salto cualitativo cuyas consecuencias en términos de libertades pueden ser devastadoras.

Tampoco es desdeñable el rimero de problemas asociados a un extenso repertorio de tipos que podríamos agrupar bajo la genérica indicación de conductas de incitación indirecta, lo que ya da idea de que nos encontramos ante comportamientos muy alejados de la lesión del bien jurídico, que, además, representan una seria amenaza para la libertad de expresión, siendo, en expresión de VIVES ANTÓN, un fantasma que recorre el Derecho penal de la democracia. En efecto, frente a la acertada opción del legislador de 1995, que sólo castigaba la apología en tanto que representase una forma de provocación (art. 18.1, apartado 2), sucesivas modificaciones —desde la LO 7/2000— han ido infiltrando en el texto punitivo tipos "específicos" de apología en los que se produce una desconexión del componente incitador y, por tanto, del elemento que permitiría estimar el castigo racionalmente justificado[58]. En esa tesitura se encuentran los delitos previstos en los artículos 578, apartado 1[59] y 579.

El artículo 578 castiga en su apartado 1 con la pena de prisión de uno a tres años y multa de doce a dieciocho meses el enaltecimiento o la justificación públicos de los delitos comprendidos en los artículos 572 a 577 o de quienes hayan participado en su ejecución.

El tipo alberga dos tipos de conductas. La primera, el enaltecimiento o justificación consiste en ensalzar a los autores de los delitos de terrorismo o en legitimar la propia actuación criminal. No basta, lo impide el art. 20 CE, la simple adhesión ideológica pero tampoco se exige la potencialidad incitadora de ninguno de ambos comportamientos. No se infiere del tenor literal del precepto y, de hecho, la Exposición de Motivos de la LO 7/2000 —que introdujo por vez primera el precepto— ya se cuidaba de desvincularlo del artículo 18 e insistía en que lo pretendido era castigar el "refuerzo" o "apoyo" que tales conductas representan. Ciertamente, la STC 235/2007 declaró que la conformidad a la Constitución de este tipo de conductas dependía de que supusieran una incitación indirecta. Pero no olvidemos que entendió por tales no sólo las que se ejecutan de tal manera que pueden implicar una incitación a la violencia, sino también las que son capaces

---

58 *Vid.*, críticamente, además de los trabajos ya citados en nota 51, ALONSO RIMO, A., "Apología, enaltecimiento del terrorismo y principios penales", *Revista de Derecho penal y Criminología*, nº 4, 2010, pp. 13 y ss.; CUERDA ARNAU, M. L. "El nuevo delito político: apología, enaltecimiento y opinión, en La generalización del Derecho penal de excepción, *Estudios de Derecho judicial*, 128, Madrid, 2007, pp. 91 y ss.; LAMARCA PÉREZ, C., "Apología: un residuo de la incriminación de la disidencia", *La Ley penal,* nº 28, 2006, pp. 41 y ss.; REBOLLO VARGAS, R., *La provocación y la apología en el nuevo Código penal: la exteriorización de la voluntad delictiva,* Tirant lo Blanch, Valencia, 1997; RUÍZ LANDÁBURU, M. J., *Provocacion y Apologia: Delitos de Terrorismo*, Colex Madrid, 2002, especialmente, pp. 75 y ss.; VIVES ANTÓN, T. S., "Apología del delito, principio de ofensividad y libertad de expresión", en *Estudios de Derecho Constitucional. Homenaje al Profesor Dr. D. Joaquín García Morillo*, Valencia, 2001, ed. Tirant lo Blanch; también disponible en la base de datos Tirant on line (*Tol 63315*)

59 El apartado segundo, la realización de actos que impliquen la humillación de las víctimas, es constitucionalmente intachable porque "carece de cobertura constitucional la apología de los verdugos, glorificando su imagen y justificando sus hechos cuando ello suponga una humillación de sus víctimas (STC 176/1995, de 11 de diciembre, FJ 5). Pero no deja de ser un delito de injurias especialmente tipificado por razones puramente demagógicas.

de generar un clima de odio u hostilidad, razón por la cual es una resolución muy controvertida[60]. Habida cuenta de lo que hoy se dispone en el artículo 579. 1 y 2, ese último es el único espacio que le queda al enaltecimiento, que acaba convertido en un criticable delito "de clima". Por si lo anterior no bastara, obsérvese que, tras la reforma de 2015, ya no se exige que se haga "por cualquier medio de expresión pública o de difusión". Basta con que sean públicos, lo que da entrada a los casos en que se hace ante una concurrencia de personas, lo cual supone un paso cualitativo en el adelanto de la intervención penal. Es más, si los hechos se hubieran llevado a cabo mediante la difusión de servicios o contenidos accesibles al público a través de medios de comunicación, internet, o por medio de servicios de comunicaciones electrónicas o mediante el uso de tecnologías de la información, se impone la aplicación del tipo agravado previsto en el apartado segundo del mismo precepto. Para ambas modalidades se prevé una agravación en el apartado tercero del precepto si los hechos, a la vista de sus circunstancias, resultan idóneos para alterar gravemente la paz pública o crear un grave sentimiento de inseguridad o temor a la sociedad o parte de ella, fórmula extremadamente vaga que permitirá su aplicación "selectiva". Efecto que normalmente acompaña a este tipo de normas consideradas, sin embargo, por muchos "simbólicas" pese a que los datos indican que sí se aplican. Por último, el legislador ha incorporado como consecuencia jurídica específica la destrucción, borrado o inutilización de los libros, archivos, documentos, artículos o cualquier otro soporte por medio del que se hubiera cometido el delito o bien la retirada de los contenidos cuando el delito se hubiera cometido a través de tecnologías de la información y la comunicación. Claro está, sin embargo, que para adoptar cualquiera de ambas medidas —cuya sola lectura evoca épocas muy oscuras— el juez deberá valorar la necesidad y proporcionalidad de la medida. De igual modo, deberá constatar la concurrencia de los requisitos que, conforme a las letras a y b de la norma examinada, auto-

---

60 Cfr. los comentarios críticos de LASCURAÍN SÁNCHEZ, J. A., "La libertad de expresión tenía un precio. (Sobre la STC 235/2007, de inconstitucionalidad del delito de negación del genocidio)", *Revista Aranzadi Doctrinal* 6, 2010, pp. 1 y ss.; RAMOS VÁZQUEZ, J. A., "La declaración de inconstitucionalidad del delito de "negacionismo" (artículo 607.2 del Código Penal Español)", *Revista Penal* 23/2009, pp. 120 y ss.; RODRÍGUEZ MONTAÑÉS, T., *Libertad de expresión, discurso extremo y delito. Una aproximación desde la constitución a las fronteras del derecho penal*. Tirant lo Blanch, Valencia 2012, pp. 304 y ss.; SUÁREZ ESPINO, M. L. "Comentario a la STC 235/2007, de 7 de noviembre, por la que se declara la inconstitucionalidad del delito de negación de genocidio". *InDret*, 2/2008; TAJADURA TEJADA, J. "Libertad de expresión y negación del genocidio: Comentario crítico a la STC de 7 de noviembre de 2007", *Revista Vasca de Administración Pública* 80, 2009, pp. 233 y ss.; TURIEZO FERNÁNDEZ, A. "El delito de negación del holocausto" *InDret*, 1/2015.

rizan a ordenar la retirada de contenidos, lo cual, por cierto, sólo será factible cuando residan en un servidor convencional[61].

Por lo que respecta al artículo 579.1, el precepto castiga al que, por cualquier medio, difunda públicamente mensajes o consignas que tengan como finalidad o que, por su contenido, sean idóneos para incitar a otros a la comisión de alguno de los delitos de terrorismo. En tal caso, se impondrá al responsable la pena inferior en uno o dos grados a la prevista para el delito de que se trate. En la nueva redacción han desaparecido del elenco de figuras antes recogidas en el párrafo segundo del viejo artículo 579[62] las consistentes en "alentar o favorecer", conductas de propaganda[63] que recibieron la justa crítica de la doctrina y cuya desaparición sería una buena noticia si no fuera porque es de temer que prosperen interpretaciones que las residencien en la flexible modalidad de adoctrinamiento, lo que supondría poder sancionarlas con penas que quintuplican las que hasta ahora podían imponerse a tenor del precepto del que han desaparecido. Una mera interpretación sistemática debiera, pues, conducir, a entender que el adoctrinamiento tipificado como conducta de colaboración debe ir más allá del simple alentar o favorecer y debe constituir, cuando menos, una incitación directa a la incorporación del adoctrinado a las filas del grupo terrorista realizada, por otra parte, por quien no es miembro de la organización ya que, tratándose de un integrante, no sería admisible el castigo autónomo de la labor de propaganda, que no es sino una función inherente al miembro activo y, por ende, un peligro

---

61 Si, por el contrario, estamos ante documentos que circulan por TOR las cosas se complican (*vid.* supra nota 11). Es cierto que impedir el uso podría intentarse con un margen razonable de éxito para el usuario *general* ya que las conexiones a Internet en un territorio, léase España, pasan por muchos "routers" pero van a parar, para salir de España, a unos routers centrales de las principales operadoras. Si en esos routers se impide el acceso a los nodos TOR, esta red deja de funcionar para una amplia mayoría de usuarios. Pero, aún así, un porcentaje de usuarios conecta por otros operadores, y sobre todo siempre puede usarse otro servicio intermedio como servicios VPN de pago (https://www.expressvpn.com/), o, incluso gratis (http://www.vpngate.net/en/). Por otra parte, el usuario de TOR puede optar por hacer automáticamente el papel de "nodo auxiliar" con lo que se dificulta bastante parar la difusión del mensaje.

62 La versión incorporada por LO 5/2010 del párrafo en cuestión era la siguiente:
1. La provocación, la conspiración y la proposición para cometer delitos previstos en los artículos 571 a 578 se castigarán con la pena inferior en uno o dos grados a la que corresponda, respectivamente, a los hechos previstos en los artículos anteriores.
Cuando no quede comprendida en el párrafo anterior o en otro precepto de este Código que establezca mayor pena, la distribución o difusión pública por cualquier medio de mensajes o consignas dirigidos a provocar, alentar o favorecer la perpetración de cualquiera de los delitos previstos en este capítulo, generando o incrementando el riesgo de su efectiva comisión, será castigada con la pena de seis meses a dos años de prisión".

63 En acertada denominación de CANCIO MELIÁ, "Delitos de terrorismo", *op. cit.*, p. 530.

consumido en el peligro abstracto en que se fundamenta el castigo de la pertenencia al grupo (arts. 571 y 572 CP)[64].

En el precepto en estudio quedan ahora conductas de las que también se exige expresamente el componente incitador, si bien no es claro que se requiera una incitación directa, que es la apología constitucionalmente intachable por ajustarse al conocido estándar del inminente y claro peligro. Aquí, de un lado, no se menciona el carácter directo (cfr. Art. 18.1) y, de otro, una interpretación sistemática conduce a derivar las incitaciones inequívocas e inmediatas a la comisión de un delito concreto contra persona determinada a la provocación[65], prevista en el apartado tercero de este mismo precepto. En consecuencia, es discutible que lo aquí sancionado sea una conducta apta e idónea para determinar a otros a la perpetración de un delito concreto y determinado. Todo apunta a que la pretensión ha sido sancionar llamadas genéricas a delinquir. De hecho, en el Preámbulo de la LO 2/2015 se alude de manera indeterminada a la vocación de expansión internacional del terrorismo yihadista que "a través de líderes carismáticos que difunden sus mensajes y consignas por medio de internet y, especialmente, mediante el uso de redes sociales, haciendo público un mensaje de extrema crueldad que pretende provocar terror en la población o en parte de ella y realizando un llamamiento a sus adeptos de todo el mundo para que cometan atentados". Ciertamente, el peligro que entrañan algunas de esas conductas es claro. El problema reside en que el tipo que estudiamos corre el riesgo de que se acaben criminalizando conductas de simple adhesión ideológica. El mero hecho de que el legislador haya equiparado penológicamente esta clase de incitación con la provocación para delinquir es ya prueba suficiente de los peligros que acechan a la libertad. Por

---

64 *Vid* STS 789/2014, de 2 de diciembre: "en el caso presente el acusado, siguiendo la estrategia marcada por Al Qaeda, procedió a desarrollar a través de la Red Ansar Al Mujahideen, como miembro destacado de dicha Red, participando en foros, salas de Paltalk y utilizando es repositorio público www. Archive. Org. a desarrollar un proyecto de difusión de la ideología radical y fundamentalista del extremismo islámico y captar a adeptos en todo el mundo. Son datos que permiten apreciar su pertenencia a organización terrorista Red Ansar Al Mujahideen como miembro relevante de la misma que excede con mucho la conducta descrita en el art. 578 CP, sin olvidar que la justificación y exaltación de sus acciones y finalidades delictivas no deja de ser algo connatural a todo integrante de un grupo terrorista estructurado, dado su finalidad colectiva de cometer acciones delictivas para desestabilizar el orden oficial y político", FJ. 5º, *(Tol 4587909)*.

Este es, no obstante, otro de los muchos problemas por resolver. ¿Cuándo el adoctrinamiento es delito de colaboración y cuándo actividad desplegada como miembro integrado en una organización terrorista? El título de condena —pese a su homogeneidad a efectos procesales— comporta consecuencias penológicas bien distintas. Sin embargo, como reconoce la SAN 47/2013, de 2 de julio, sección 1ª (*Tol 3858763*), en el "diseño organizativo" propio de las células terroristas no es fácil determinar "quién está dentro y quién fuera" (FJ 2º).

65 En tal sentido STS 114/2014, de 20 de febrero (*Tol 4112008*).

último, tampoco son menores las dudas interpretativas —y constitucionales— que suscita el apartado segundo de este mismo precepto, a cuyo tenor "la misma pena se impondrá al que, públicamente o ante una concurrencia de personas, incite a otros a la comisión de alguno de los delitos de este Capítulo, así como a quien solicite a otra persona que los cometa". Por lo que respecta a la modalidad consistente en incitar a otros resulta extremadamente difícil encontrarle un ámbito propio distinto del que corresponde, de un lado, al primer apartado o, en otro caso, a la provocación. No menos torturado es el tipo consistente en "solicitar" la comisión de un delito, cortés modalidad incitadora a caballo entre la inducción y los actos preparatorios. También en este caso la equiparación penológica de estas conductas con la provocación suscita todo tipo de reparos desde la perspectiva del principio de proporcionalidad.

Estos son sólo algunos de los problemas que suscitan los nuevos preceptos, muchos de los cuales se solapan entre sí —y aún con la colaboración clásica del artículo 577.1— generando problemas concursales nada compatibles con las exigencias de previsibilidad inherentes al principio de legalidad. Como se ha visto, nuestro legislador ha dado un paso más en la dirección de cerrar el paso a todo discurso que potencialmente pueda poner en peligro el modelo democrático. No podemos, pese a lo que un sector ha sostenido, reprocharle que se trata de una reacción ante conductas inocuas, pues parece insensato negar a ciertos discursos su idoneidad para poner en peligro las mismas bases del sistema. El problema es que esa extraordinaria ampliación de los márgenes de lo que, con paradójica expresión, se denomina "discurso del odio" sólo se explica en un modelo de democracia militante[66] que, por mucho que dijera en su momento el Tribunal Constitucional, hay que entender definitivamente instalado en nuestro ordenamiento penal. Ese es, a mi modo de ver, el principal problema. Paulatinamente, vamos integrando en la normalidad de nuestro sistema sancionador medidas absolutamente excepcionales cuya consolidación indica que estamos ante democracias enfermas. Urge, pues, repasar detenidamente el conjunto de preceptos subsumibles en las fórmulas —probablemente no asimilables— de "discurso extremo" y "discurso del odio" con tres objetivos inmediatos: 1) poner de manifiesto si de entre tales preceptos hay alguno/s que deban ser expulsados del sistema por invadir el

---

66 *Vid.* LOEWENSTEIN, K. "Militant Democracy and Fundamental Rights, II", *The American Political Science Review* 31-4 (1937), 658 y ss. Del mismo, "Militant Democracy and Fundamental Rights, I", *The American Political Science Review* 31-3 (1937), 417 y ss. En una Constitución, como la alemana, sería legítimo excluir el discurso de los enemigos de la democracia. En lo que a la nuestra se refiere, es verdad que el TC la excluyó en la STC 48/2003). Pero también lo es que lo dicho en posteriores resoluciones (y, muy singularmente en la STC 235/2007) abría el camino a interpretaciones distintas.

contenido esencial de un derecho fundamental y no ser susceptibles de una interpretación conforme con la CE; 2) indicar cuáles son aquellos otros que, sin incurrir en tan burda inconstitucionalidad, exigen ser interpretados restrictivamente para evitar que supongan suponen una reacción desproporcionada e impropia de un Estado de Derecho; y 3) clarificar, a la luz de lo anterior, el elenco de conductas punibles. Entre las aportaciones que se han hecho al tema en nuestro país, hay algunas magníficas y habrán de ser referencia indispensable[67].

---

[67] Aún a riesgo de omitir de manera involuntaria trabajos que merecerían ser mencionados, es obligado consignar, además del ya citado excelente trabajo de Teresa RODRÍGUEZ MONTAÑÉS, los siguientes: ALASTUEY DOBÓN, C. "La reforma de los delitos de provocación al odio y justificación del genocidio en el Proyecto de Ley 2013: consideraciones críticas" *Diario La Ley* 8245, 2014, pp. 1 y ss.; ALCACER GUIRAÓ, R. "Discurso del odio y discurso político. En defensa de la libertad de los intolerantes". *Revista Electrónica de Ciencia Penal y Criminología*, nº 14, 2012, del mismo, "Libertad de expresión, negación del Holocausto y defensa de la democracia. Incongruencias valorativas en la jurisprudencia del TEDH", *Revista española de derecho constitucional*, Año nº 33, nº 97, 2013, pp. 309 y ss.; del mismo, "Víctimas y disidentes. El "discurso del odio" en EEUU y Europa" *Revista española de derecho constitucional*, nº 103, 2015, pp. 45 y ss.;., BORJA JIMÉNEZ, E., Violencia y crimi*nalidad racista en Europa occidental: la respuesta del derecho penal*, ed. Comares, Granada, 1999, CATALÁ i BAS, A. H., "¿Tolerancia frente a la intolerancia? El respeto a los valores y principios democráticos como límite a la libertad de expresión", *Cuadernos de derecho público*, nº 14, septiembre-diciembre 2001, 131 y ss.; GÓMEZ MARTÍN, V. "Discurso del odio y principio del hecho", en MIR PUIG, S./ CORCOY BIDASOLO, M (dir.)., *Protección penal de la libertad de expresión e información. Una interpretación constitucional*, Tirant lo Blanch, Valencia:, 2012, pp. 89 y ss.; LANDA GOROSTIZA, J. M., *La política criminal contra la xenofobia y las tendencias expansionistas del derecho penal*, ed. Comares, Granada, 1999, *passim*, del mismo, *La intervención penal frente a la xenofobia. Problemàtica general con especial referencia al delito de provocación del artículo 510 del Código penal*, Universidad del País Vasco, 2000; del mismo, "Incitación al odio: evolución jurisprudencial (1995-2011) del art. 510 CP y propuesta de lege lata. (A la vez un comentario a la STS 259/2011 —librería Kalki— y a la STC 235/2007)». *Revista de Derecho Penal y Criminología* 3/2012, pp. 297 y ss.; LAURENZO COPELLO, P., "Marco jurídicopenal del derecho a no ser discriminado. Racismo y xenofobia, en *Libertad ideológica y derecho a no ser discriminado*, Cuadernos del CGPJ, Madrid, 1996, pp. 219 y ss. PÉREZ DE LA FUENTE, "Libertad de expresión y el caso del lenguaje del odio. Una aproximación desde la perspectiva norteamericana y la perspectiva alemana" *Cuadernos Electrónicos de Filosofía del Derecho* nº 21/2010, pp. 67 y ss.; ROIG TORRES, M. "El "discurso del odio" en el sistema norteamericano y europeo. Tratamiento del racismo y la xenofobia en el proyecto de reforma del código penal" *Teoría & Derecho*, nº 15/2014, pp. 172 y ss.; VIVES ANTÓN, T. S., *"Sobre la apología del terrorismo como "discurso" del odio", en REVENGA SÁNCHEZ, M. (dir.),* Libertad de expresión y discursos del odio, Universidad de Alcalá, Servicio de Publicaciones, 2015. De los trabajos propios sobre el particular, me permito seleccionar "Terrorismo y libertades políticas", en *Teoría & Derecho*, junio 3/2008, pp. 61 y ss

3.2. Singularidades procesales. Especial referencia a la reforma de la Ley de Enjuiciamiento Criminal: límites constitucionales de la tecnovigilancia

La complejidad técnica que rodea a las investigaciones relativas al asunto que nos concierne es indiscutible, como lo es que parte de esa complejidad trae causa del recurso a Internet como instrumento al servicio de los fines de la organización criminal. Concretamente, en referencia al terrorismo yihadista, la ya citada Memoria de la Fiscalia de la Audiencia Nacional de 2015, es tajante al afirmar que "Se trata de investigaciones técnicamente complejas y de una enorme dificultad jurídica, por la propia naturaleza de las actividades investigadas (captación, adoctrinamiento, reclutamiento y adiestramiento de personas con propósitos terroristas, y prestación de cobertura, apoyo y financiación con esos fines), por los medios que se emplean para su ejecución (internet y las redes sociales) y porque no solamente se ciñen a la adopción de medidas de observación de comunicaciones, sino que requieren profundizar en la obtención de indicios a través de diferentes medios de prueba de naturaleza personal (testigos protegidos, confidentes, coimputados, agentes encubiertos virtuales, etc.), del acceso a las nuevas tecnologías de la información y de la comunicación en sus diferentes ámbitos, y de la incorporación al proceso como material probatorio de las informaciones procedentes de los servicios de inteligencia". En estas pocas líneas están condensados los principales aspectos que están necesitados de estudio y que se remiten a ámbitos: a) legitimidad en la obtención de la prueba y respeto a los derechos fundamentales; b) tutela y/o conservación de los medios probatorios, y c) incorporación de la prueba al proceso y aptitud de la misma para desvirtuar la presunción de inocencia, lo que exige dar un tratamiento específico a la llamada "prueba" de inteligencia[68]. A estos aspectos habría que

---

[68] Nos referimos con ello a las informaciones obtenidas por los servicios de inteligencia. No a la denominada prueba policial de inteligencia, que, al margen de la polémica acerca de su naturaleza (pericial o testifical), no plantea el problema de si puede o no incorporarse al bagaje probatorio idóneo para destruir la presunción de inocencia (cfr. GUERRERO PALOMARES, S., "La denominada «prueba de inteligencia policial» o «pericial de inteligencia»", Derecho y Proceso Penal, núm. 25, 2011, p. 85). Sobre el uso procesal del material obtenido por los servicios de inteligencia, *vid.* GONZÁLEZ CUSSAC, J. L., "Intromisión en la intimidad y servicios de inteligencia", en la obra colectiva Un derecho penal comprometido. Libro Homenaje al Profesor Dr. Gerardo Landrove Díaz, Tirant lo Blanch, Valencia 2011; GONZÁLEZ CUSSAC, J. L./ LARRIBA HINOJAR, B./ FERNÁNDEZ HERNÁNDEZ, A., "Servicios de inteligencia y Estado de derecho", en GONZÁLEZ CUSSAC, J. L. (coord.) Inteligencia, Tirant lo Blanch, Valencia 2012, pp. 281 y ss.; VERVAELE, J. A. E., "Terrorismo e intercambio de información entre los servicios de inteligencia y las autoridades de investigación judicial en los Estados Unidos y en los Países Bajos: ¿derecho penal de emergencia?, en GÓMEZ COLOMER, J. L.,

sumar un cuarto ámbito: el relativo a la necesidad de revisar el modelo de cooperación judicial internacional más allá del espacio de la UE. En las cuatro esferas señaladas hay muchas cuestiones pendientes pero, siquiera sólo sea por su novedad, nos limitaremos a ofrecer una rápida valoración de la reforma operada en la Ley de Enjuiciamiento Criminal (LECRim) por LO 13/2015, como respuesta a una de las materias que hemos estimado decisivas para abordar con éxito el problema.

La LO 13/2015, de 5 de octubre, de modificación de la Ley de Enjuiciamiento Criminal para el fortalecimiento de las garantías procesales y la regulación de las medidas de investigación tecnológica, viene a hacer frente a una situación insostenible en relación con lo que llamaremos "tecnovigilancia". Con este término queremos abarcar el conjunto de medidas de investigación que suponen la intervención y registro de comunicaciones de cualquier clase, ya se realicen a través del teléfono o de cualquier otro medio o sistema de comunicación, así como aquellas investigaciones que se sirven de dispositivos técnicos para el seguimiento y/o la geolocalización, para la captación, en espacios abiertos o cerrados, de la imagen y/o el sonido o, por último, persiguen acceder al contenido de dispositivos de almacenamiento masivo o al registro remoto de un ordenador[69]. La reforma

---

(coord.), Prueba y proceso penal (Análisis especial de la prueba prohibida en el sistema español y en el derecho comparado), Tirant lo Blanch, Valencia, 2008, pp. 421 y ss. De interés, Sentencia Audiencia Provincial de Madrid de 11 de febrero de 2010 (*Tol 1781122*), confirmada por el Tribunal Supremo [STS 1094/2010, de 10 de diciembre (*Tol 2012440*)].

69 *Vid.* sobre el particular, entre otros, los trabajos de DELGADO MARTÍN, J., "La prueba electrónica en el proceso penal", *Diario La Ley*,, núm. 8167, Sección Doctrina, 10 de octubre de 2013; FRIGOLS i BRINES, E., "La protección constitucional de los datos de las comunicaciones: delimitación de los ámbitos de protección del secreto de las comunicaciones y del derecho a la intimidad a la luz del uso de las nuevas tecnologías", en la obra colectiva, *La protección jurídica de la intimidad* (BOIX, dir./ JAREÑO, coord..), Iustel, Madrid, 2010, pp. 37 y ss.; GARCÍA SAN MARTÍN, J., "Consideraciones en torno al Anteproyecto de Ley Orgánica de modificación de la Ley de Enjuiciamiento Criminal para la agilización de la justicia penal, el fortalecimiento de las garantías procesales y la regulación de las medidas de investigación tecnológicas", *Diario La Ley*,, nº 8468, 28 de enero de 2015; GONZÁLEZ-CUÉLLAR SERRANO, N. "Garantías constitucionales de la persecución penal en el entorno digital", en GÓMEZ COLOMER, J. L. (coordinador), *Prueba y proceso penal. Análisis especial de la prueba prohibida en el sistema español y en el derecho comparado*, Valencia, 2008; GONZÁLEZ MONTES SÁNCHEZ, J. L., "Reflexiones sobre el proyecto de Ley Orgánica de modificación de la LECrim para el fortalecimiento de las garantías procesales y la regulación de las medidas de investigación tecnológicas", *Revista electrónica de ciencia penal y criminología*, nº. 17, 2015; GUISASOLA LERMA, C., "Tutela penal del secreto de comunicaciones", en *Constitución, derechos fundamentales y sistema penal*, (LH a Vives Antón), dir. CARBONELL/ GONZÁLEZ CUSSAC/ ORTS, Tirant lo Blanch, Valencia 2009, T. I, pp. 945 y ss.; LÓPEZ BARAJAS PEREA, I., *La intervención de las comunicaciones electrónicas*, La Ley, Madrid 2011; LÓPEZ ORTEGA, J. J. "La utilización de medios técnicos de observación y vigilància en el proceso penal", en *La protección jurídica*

contempla todos estos ámbitos, que, en su mayor parte, carecían de cobertura legal, lo que, como reconoce el Preámbulo de la citada ley, representaba un déficit en la calidad democrática de nuestro sistema procesal. Innecesario es recordar las condenas[70] de que España ha sido objeto en el Tribunal Europeo de Derechos Humanos (TEDH) en materia de intervención de las comunicaciones, así como las reiteradas resoluciones en las que el Tribunal Constitucional (TC) volvía a recordar que no era posible seguir cubriendo el hueco jurisprudencialmente, porque, como con toda crudeza dijo la STC 49/1999, de 5 de abril, FJ 4, "...*estamos en presencia de una vulneración del art. 18.3 CE autónoma e independiente de cualquier otra: la insuficiencia de la ley, que sólo el legislador puede remediar y que constituye, por sí sola, una vulneración del derecho fundamental (FJ 4°)"*. Y esta situación no ha hecho más que empeorar a medida que aumentaba la brecha entre la ley y los avances tecnológicos, dando lugar a vaivenes jurisprudenciales y a resoluciones, tanto de la jurisprudencia ordinaria como constitucional, inspiradas en la idea de que la regla general en materia de limitación de derechos fundamentales es la posibilidad de restringirlos hasta donde la Constitución permite, al margen de la existencia de ley habilitadora o de la calidad de la ley. Esa cultura jurídica dominante explica, entre otros ejemplos, el tratamiento que el propio TC deparó al registro de un ordenador[71], el primigenio tratamiento que la jurisprudència ordinaria confirió al acceso a los listados telefónicos[72] o el que

---

de la intimidad (BOIX, dir./ JAREÑO, coord..), cit. pp. 261 y ss.; RODRÍGUEZ LAÍNZ, J. L, *Estudios sobre el secreto de las comunicaciones. Perspectiva doctrinal y jurisprudencial*, La Ley, Madrid, 2011; VELASCO NÚÑEZ, E., *Delitos cometidos a través de internet: cuestiones procesales* La Ley, Madrid 2010; del mismo, "Investigación procesal penal de redes, terminales, dispositivos informáticos, imágenes, GPS, balizas, etc.: la prueba tecnològica", *Diario La Ley*, núm. 8183, Sección Doctrina, 4 Nov. 2013; del mismo, *Los Nuevos medios de investigación en el proceso penal: especial referencia a la tecnovigilancia*, Consejo General del Poder Judicial. Centro de Documentación Judicial, Madrid, 2007; como coordinador de VVAA, *Delitos contra y a través de las nuevas tecnologías: ¿cómo reducir su impunidad?*, Consejo General del Poder Judicial. Centro de Documentación Judicial, Madrid, 2006

70 Valenzuela Contreras c. España de 30 de julio de 1998, *Tol 216240* o Prado Bugallo c. España, de 18 de febrero de 2003, *Tol 238431*. Cfr. no obstante la resolución de inadmisión dictada por la Sección Quinta del Tribunal Europeo de Derechos Humanos el día 25 de septiembre de 2006 en el caso Abdulkadir Coban c. España de la que parecía deducirse que los sucesivos complementos jurisprudenciales habían cubierto adecuadamente las lagunas.

71 STC 173/2011, de 7 de noviembre, que admitió la constitucionalidad de un registro policial sin autorización judicial (*vid.* el atinado voto particular de la magistrada Elisa PÉREZ VERA). Cfr. ALCACER GUIRAÓ, R. "Derecho a la intimidad, investigación policial y acceso a un ordenador personal: Comentario a la STC 173/2011, de 7 de novembre", *La ley penal: revista de derecho penal, procesal y penitenciario*, nº. 92, 2012, p. 5.

72 El TS venía entendiendo que "la simple petición de listados de llamadas telefónicas efectuadas desde un determinado número de teléfono, no afecta al contenido propio del derecho fundamental reconocido en el art. 18-3° de la Constitución. Es una diligencia típicamente de inves-

venía otorgando a la instalación de micrófonos en calabozos. Este último ha sido, probablemente, el caso en el que el TC se ha mostrado más taxativo al denunciar que ya no estamos ante una mera insuficiencia, ante un problema de calidad de la ley, sino ante una ausencia total y completa de ésta[73] que no puede suplirse con la autorización judicial[74], ni colmarse jurisprudencialmente (STC 145/2014, de 22 de septiembre). Ante ese estado de cosas, la aprobación de la LO 13/2015 es una buena noticia, aunque, a nuestro juicio, merezca algunas críticas más de las que, por el momento, se le han dirigido[75].

La ley, sin duda, tiene el mérito de afrontar de una vez el reto de cumplir con la exigencia constitucional de reserva de ley y, por ende, dar cobertura legal a diligencias de investigación que estaban ayunas de ella. También merece una valoración positiva el hecho de que reconozca que en materia de intervención de las comunicaciones hay que distinguir entre las puramente telefónicas y las telemáticas, de modo que no baste, como hasta ahora, con una autorización relativa a las primeras y a cuyo amparo los investigadores tenían acceso a todo un arsenal de comunicaciones (correo electrónico, whatsaap, sms, etc) y datos electrónicos de

---

tigación policial y por tanto propia de la fase de instrucción que queda extramuros del secreto de las comunicaciones telefónicas...". [STS núm. 2384/2001 de 7 diciembre (*Tol 129980*)]. El TC, sin embargo, obligó a modificar tal criterio al dejar sentado que "la entrega de los listados por las compañías telefónicas a la policía sin consentimiento del titular del teléfono requiere resolución judicial, pues la forma de obtención de los datos que figuran en los citados listados supone una interferencia en el proceso de comunicación que está comprendida en el derecho al secreto de las comunicaciones telefónicas del art. 18.3 CE" (STC 123/2002, de 20 de mayo, FJ 6°. *Vid* asimismo STC 230/2007).

73 Como señalaba el TC, es obvio que tal actuación no podía estimarse comprendida ni en el art. 579.2 LECrim, referido de manera incontrovertible a intervenciones telefónicas, ni tampoco en la normativa penitenciaria (arts. 51 LOGP y 46 y 47 Rgto penitenciario), referida a dicho ámbito, en el cual el interno està en situación de sujeción especial y es previsible que pueda producirse la limitación del derecho.

74 Recuérdese que en este caso el micrófono oculto que grabó las conversaciones de los detenidos en el calabozo fue instalado con autorización judicial y en presencia de la secretaria judicial, que levantó acta de los términos en que se activó el sistema de grabación. A partir de ahí, el razonamiento era, en puridad, que el que puede lo más (el juez interceptar las comunicaciones telefónicas o el mero director del centro penitenciario las conversaciones entre reclusos en los términos y supuestos legalmente previstos), puede lo menos. Se posterga, pues, en ese discurso la reserva de ley exigida por la Constitución, que acaba pareciendo un mero formalismo de importancia secundaria.

75 Al tiempo de escribir estas pàginas, solo me consta la publicación del trabajo de Manuel MARCHENA GÓMEZ en MARCHENA GÓMEZ, M./ GONZÁLEZ-CUÉLLAR SERRANO, N., *La reforma de la Ley de Enjuiciamiento Criminal en 2015*, ed. Castillo de Luna, 2015, especialmente, pp. 172 y ss. No obstante, son bastantes los juristas —empezando por el ministro CATALÁ— que en foros muy distintos se deshacen en elogios —muchos inmerecidos— a la ley.

tráfico o asociados[76], a cuya necesidad de sacrificio y proporcionalidad de la limitación raramente se refería el auto autorizante pero cuya cesión automática venía amparándose en lo dispuesto en la derogada Ley 32/2003, de 3 de noviembre, General de Telecomunicaciones[77] A partir de ahora, es, pues, claro que el acceso a esas otras comunicaciones o a los datos asociados no es una suerte de consecuencia necesaria del auto de intervención de las comunicaciones telefónicas, sino que en la resolución deberá consignarse, "La extensión de la medida de injerencia, especificando su alcance así como la motivación relativa al cumplimiento de los principios rectores establecidos en el artículo 588 bis a" (art. 588 bis c.2, letra c). En este punto la Ley representa un avance indiscutible. Por último, al margen de los problemas prácticos ante los que con seguridad va a tropezarse[78], la previsión de un agente encubierto (artículo 282 bis, apartados 6 y 7)[79] adaptado a las especiales circunstancias que supone la investigación en la red era una vieja reclamación de las brigadas tecnológicas y es incuestionable su oportunidad en ciertos casos y con ciertas condiciones, que, sin embargo, se echan de menos en la reforma. Por lo demás, la LO ha venido a disipar algunas dudas sobre cuestiones polémicas (v.g. convalida la falta de delimitación subjetiva cuando ésta no es posible 588 bis 2.1 y bis c 3.b) y sienta criterio en materias sobre las que todavía existían vacilaciones jurisprudenciales (v.g. acerca de la necesidad —hoy indiscu-

---

76 La LO 13/2015 ofrece ahora un concepto normativo de "dato asociado" en el art. 588 ter b, n. 2, párrafo 3, a cuyo tenor: "a los efectos previstos en este artículo, se entenderá por datos electrónicos de tráfico o asociados todos aquellos que se generan como consecuencia de la conducción de la comunicación a través de una red de comunicaciones electrónicas, de su puesta a disposición del usuario, así como de la prestación de un servicio de la sociedad de la información o comunicación telemática de naturaleza anàloga".

77 La hoy vigente Ley 9/2014, de 9 de mayo, consagra, por el contrario, que "Los sujetos obligados deberán facilitar al agente facultado, de entre los datos previstos en los apartados 5, 6 y 7 de este artículo, *sólo aquéllos que estén incluidos en la orden de interceptación legal*" (art. 39.8).

78 En el caso de investigaciones vinculadas al radicalismo yihadista, baste pensar en los obstáculos derivados de la lengua y en el número de funcionarios de la Policía Judicial —únicos autorizados— con esa formación lingüística y con un bagaje cultural análogo a la de los investigados.

79 "6. El juez de instrucción podrá autorizar a funcionarios de la Policía Judicial para actuar bajo identidad supuesta en comunicaciones mantenidas en canales cerrados de comunicación con el fin de esclarecer alguno de los delitos a los que se refiere el apartado 4 de este artículo o cualquier delito de los previstos en el artículo 588 ter a. El agente encubierto informático, con autorización específica para ello, podrá intercambiar o enviar por sí mismo archivos ilícitos por razón de su contenido y analizar los resultados de los algoritmos aplicados para la identificación de dichos archivos ilícitos.

7. En el curso de una investigación llevada a cabo mediante agente encubierto, el juez competente podrá autorizar la obtención de imágenes y la grabación de las conversaciones que puedan mantenerse en los encuentros previstos entre el agente y el investigado, aun cuando se desarrollen en el interior de un domicilio".

tible (art. 588 bis c 1.)— de que el Fiscal informase antes de la adopción de una medida limitativa del derecho al secreto de las comunicaciones).

Ahora bien, al margen de estos y otros aciertos, no estamos ante una buena ley. Para empezar porque entre sus líneas maestras no está la convicción sincera de que al Estado le competen auténticos deberes de garantía en relación con los derechos fundamentales[80]. En otro caso, no se hubiera establecido un ámbito material prácticamente ilimitado para autorizar un nivel de injerencia no comparable con el resto de diligencias de investigación. El límite general establecido para autorizar las medidas más invasivas[81], ya es en sí mismo discutible por su considerable amplitud[82] y se torna en decididamente criticable con la incorporación a la lista de delitos habilitantes de las injerencias más graves (interceptación de las comunicaciones y registro remoto de equipos informáticos) de los cometidos por medio de instrumentos informáticos o de cualquier otra tecnología de la infor-

---

80 Al margen de que así se deriva de nuestra propia Constitución, interesa dejar constancia de lo dicho recientemente por el TJUE en relación con el deber estatal de proporcionar a sus ciudadanos *un nivel de protección adecuado de los datos personales* [Caso Maximillian Schrems contra Data Protection Commissioner. Sentencia de 6 octubre 2015. Documento (*Tol 5497716*): Declara inválida la Decisión 2000/520, de 26 de julio, conocida coloquialmente como Decisión de puerto seguro, que, en esencia, establecía un sistema de reconocimiento de seguridad (Puerto Seguro o Safe Harbour] para aquellas empresas que aplicaran las buenas prácticas descritas por el organismo regulador. Sin embargo, con ello no se garantizaba el acceso a esos datos por parte de las agencias estadounidenses, cuya actuación quedaba fuera del control de los órganos regulatorios de protección de datos en el ámbito europeo. Así pues, el TJUE anula la Decisión 2000/520 en tanto que restringía inadmisiblemente las facultades de las autoridades nacionales de control y garantía de los derechos de los ciudadanos comunitarios, y dispone que Irlanda está obligada a examinar la reclamación del Sr. Schrems con toda la diligencia exigible y, al término de su investigación, deberá decidir si, en virtud de la Directiva, debe suspenderse la transferencia de los datos de los usuarios europeos de Facebook —cuya filial europea está en Irlanda— a Estados Unidos porque ese país no ofrece un nivel de protección adecuado de los datos personales.)

81 Detención y apertura de la correspondencia escrita y telegráfica (art. 579.1); interceptación de las comunicaciones (art. 588 ter a) y registro remoto de equipos informáticos (art. 588 septies a. 1, letra e).

82 Se establecen como presupuestos no acumulativos los siguientes: en primer lugar, los delitos dolosos castigados con pena con límite máximo de, al menos, tres años de prisión. El legislador parece haber tomado como referencia el límite de dos años que establece el art. 503 para decretar la prisión provisional. Sucede, sin embargo, que ambos son muy discutibles atendido el hecho de que los dos van referidos al máximo previsto para la infracción en cuestión y, además, lo son en abstracto. El segundo presupuesto va referido a los delitos cometidos en el seno de un grupo u organización criminal, una remisión in totum que resulta especialmente discutible en lo referido al grupo habida cuenta del raquítico concepto de tal que nuestro Código maneja. Por último, se autorizan en todos los delitos de terrorismo, con lo que se extiende al insólito delito de colaboración imprudente (art. 577.3) y a los actos preparatorios, pues los restantes ya quedaban incluidos en el primero de los presupuestos habilitantes.

mación o la comunicación (arts. 588 ter y 588 septies a. 1, letra e). Ciertamente, el medio empleado para cometer la infracción es un dato relevante para decidir acerca de las diligencias de investigación que cabe adoptar pero con esta suerte de habilitación genérica se da a entender que es indiferente la gravedad del ilícito concreto cuando lo razonable hubiera sido partir de esto último y dejar que el medio empleado conformase el juicio de proporcionalidad. A la postre, el juego combinado de todas las variables y una previsible interpretación amplia de esta última fórmula puede conducir a que la adopción de este tipo de medidas sea la regla general en lugar de la excepción, lo que especialmente en el caso del registro remoto de un ordenador es, sencillamente, aberrante si pensamos que, como bien dice la STS 786/2015, reiterando lo señalado por la STS 342/2013, "el sacrificio de los derechos de los que es titular el usuario del ordenador, ha de hacerse sin perder de vista la multifuncionalidad de los datos que se almacenan en aquel dispositivo. Incluso su tratamiento jurídico puede llegar a ser más adecuado si los mensajes, las imágenes, los documentos y, en general, todos los datos reveladores del perfil personal, reservado o íntimo de cualquier encausado, se contemplan de forma unitaria. Y es que, más allá del tratamiento constitucional fragmentado de todos y cada uno de los derechos que convergen en el momento del sacrificio, existe un derecho al propio entorno virtual. En él se integraría, sin perder su genuina sustantividad como manifestación de derechos constitucionales de *nomen iuris* propio, toda la información en formato electrónico que, a través del uso de las nuevas tecnologías, ya sea de forma consciente o inconsciente, con voluntariedad o sin ella, va generando el usuario, hasta el punto de dejar un rastro susceptible de seguimiento por los poderes públicos. Surge entonces la necesidad de dispensar una protección jurisdiccional frente a la necesidad del Estado de invadir, en las tareas de investigación y castigo de los delitos, ese entorno digital". (FJ 1.B)[83].

A ello hay que sumar el hecho de que este tipo de diligencias afectan por su propia naturaleza a todas aquellas personas que mantienen comunicación con el imputado, afectación general (art. 588 bis h), a la que vienen a añadirse —además de la insólita posibilidad de intervenir las comunicaciones de la víctima[84]— las previstas expresamente en el artículo 588 ter c)[85] y la que se deriva de la facultad

83 STS 786/2015, de 4 de diciembre (*Tol 5595901*).

84 Art. 588 ter b).2, párrafo segundo: También podrán intervenirse los terminales o medios de comunicación de la víctima cuando sea previsible un grave riesgo para su vida o integridad. La previsión puede resultar comprensible cuando se trata de víctimas menores o especialmente vulnerables (vg. menores captadas por redes yihadistas); pero, fuera de ahí, resulta muy discutible.

85 El precepto permite acordar la intervención judicial de las comunicaciones emitidas desde terminales o medios de comunicación telemática pertenecientes a una tercera persona siempre

de intervenir un terminal o medio de comunicación que *ocasionalmente* utilice un investigado (art. 588 ter b), lo que, en principio, permitiría, por ejemplo, interceptar cualquier terminal —o todos— los del locutorio/s a que aquél acudiese, sin que fuera previsible, además, que quienes hubieran visto afectada su intimidad llegaran a tener conocimiento de ello[86]. Con ser lógico que la medida no se vincule a la titularidad sino a la utilización del terminal, este dato aconsejaba una restricción de los presupuestos generales habilitantes. No ha sido así pero lo que sí es inapelable es que este extremo deberá ser tomado en singular consideración a la hora de evaluar la proporcionalidad de la medida, acrecentando las exigencias materiales de motivación.

Al buen (o mal) criterio del juez instructor deja asimismo la ley la fijación del periodo durante el cual un ciudadano puede ser sometido a la captación y grabación de sus comunicaciones orales directas, incluidas las que mantenga en su domicilio, ya que la ley lo autoriza sin sujeción a plazo alguno [arts. 588 quater a) y ss.], y, por cierto, sin regular expresamente, pese a lo dicho por el TC (STC 145/2014) las grabaciones de las conversaciones entre personas privadas de libertad. La eventualidad de mantener la vigilancia por tiempo indeterminado se extiende asimismo a la captación de imágenes personales en espacios abiertos, la cual, aún pudiendo ser sistemática y afectar a "personas diferentes del investigado" (ex art. 588 quinquis a) no requiere de autorización judicial. A la vista de lo anterior, conviene recordar la prohibición de intervenciones prospectivas (STC 253/2006, de 11 de septiembre)[87]

También en el capítulo de materias que demuestran la escasa finura jurídica de la ley está la acrítica admisión de los registros remotos de un equipo informático, lo que equivale a someter de manera *continua* a un ciudadano a la com-

---

que: 1° exista constancia de que el sujeto investigado se sirve de aquella para transmitir o recibir información, o 2° el titular colabore con la persona investigada en sus fines ilícitos o se beneficie de su actividad. También podrá autorizarse dicha intervención cuando el dispositivo objeto de investigación sea utilizado maliciosamente por terceros por vía telemática, sin conocimiento de su titular.

86 Téngase en cuenta que la obligación de notificación a terceros que no sean parte no es imperativa y puede obviarse en caso de "que sea imposible, exija un esfuerzo desproporcionado o puedan perjudicar futuras investigaciones" (art. 588 ter i. 3)

87 *Vid.* sobre el particular, entre otros, CUERDA ARNAU, M. L. "Intervenciones prospectivas y secreto de las comunicaciones" y GORRIZ ROYO, E., "Investigaciones prospectivas y secreto de las comunicaciones: respuestas jurídicas", ambas en GONZÁLEZ CUSSAC, J. L./ CUERDA ARNAU, M. L. (dir.), *Nuevas amenazas a la Seguridad Nacional. Terrorismo, criminalidad organitzada y tecnologies de la información y la comunicación*, Tirant lo Blanch, Valencia, 2013, pp. 103 y ss. y 243 y ss., respectivamente. De interès en esa misma obra, GUISASOLA LERMA, C., "Reflexiones en torno a la doctrina jurisprudencial sobre la legitimidad del acceso policial a información generada en el trafico en internet, con motivo de investigacions criminales", pp. 285 y ss.

pleta desnudez virtual, así como la extraordinaria amplitud con que se admite la figura del agente encubierto informático, pese a los problemas de diversa índole inherentes a esta institución. En ambos casos se prevén con carácter general para la investigación de cualquier delito cometido a través de instrumentos informáticos o de cualquier otra tecnología de la información o la comunicación o servicio de comunicación (art. 282 bis 6, aptdo 1) por lo que nuevamente todo queda confiado al juicio de proporcionalidad del juez investigador, a quien cabe exigir que se sirva de un rigor inversamente proporcional a la levedad del delito investigado. La cuestión es especialmente delicada en lo que afecta al agente encubierto, una diligencia de investigación que, como ya señaló la célebre STEDH de 9 de junio de 1998[88], se justifica "por la naturaleza de la infracción" (n. 35) y "debe estar circunscrita y rodeada de garantías incluso en el caso del tráfico de estupefacientes. En efecto, si la expansión de la delincuencia organizada lleva a no dudar de la adopción de medidas apropiadas, no queda más que, en una sociedad democrática, el derecho a una buena administración de la justicia ocupe un lugar tan eminente (Sentencia Delcourt contra Bélgica de 17 de enero 1970, serie A, núm. 11, p. 15, ap. 25) que no podamos sacrificarla por conveniencia. Las exigencias generales de equidad consagradas en el artículo 6 se aplican a los procedimientos relativos a todos los tipos de infracción criminal, de la más simple a la más compleja (...). (n. 36). A esas cautelas respondía la originaria introducción de esta figura en nuestra LECrim. mediante LO 5/1999, que circunscribía su uso a investigaciones "que afecten a actividades propias de la delincuencia organizada"[89] y "teniendo en cuenta su necesidad a los fines de la investigación" (art. 282 bis 1 LECrim.). Las principales razones para la cautela son, en primer lugar, el hecho de que es consustancial a la figura del agente encubierto no limitarse a tener un papel pasivo en el ámbito delincuencial en que se infiltra, sino que va de suyo que para mimetizarse deberá participar de sus actividades, incluidas las que pudieran revestir caracteres de delito, de cuya responsabilidad le exonera el art. 282 bis.5 "siempre que guarden la debida proporcionalidad con la finalidad de la misma y no constituyan una provocación al delito". Esta última es, justamente, la segunda de las razones que obligan a la prudencia: la institución no ampara la instigación a delinquir, prohibición taxativa que, sin embargo, no impide el que las líneas rojas sean, a menudo, muy tenues, lo que explica la confusión conceptual en que se encuentran las nociones de "agente encubierto o infiltrado" "agente provocador" y "delito provocado"[90], una problemática que

---

88 Caso Teixeira de Castro contra Portugal, RA TEDH 1998\26.

89 Con la restricción que, a su vez, impone el número 4 del mismo precepto.

90 Sobre estas cuestiones, *vid.*, entre otros, CARDOSO PEREIRA, F. *El agente infiltrado desde el punto de vista del garantismo procesal penal*, Juruá, Lisboa, 2015; ZAFRA ESPINOSA DE

aquí no podemos detenernos a analizar pero que bastaba para que el legislador reconsiderase si es lógico extender la habilitación a todo un rimero amplísimo de delitos, incluidos delitos menos graves (ex art. 33.3 a) y al margen de cualquier idea de organización. Téngase en cuenta que en tales casos y, tras la debida autorización —hay que entender del juez, aunque la ley no lo diga— permite al agente encubierto "intercambiar o enviar por sí mismo archivos ilícitos por razón de su contenido" (288 bis 6, p. 2). La finalidad es manifiesta y la tentación también. Ante ello, sólo queda confiar en el buen hacer de los funcionarios de la Policía judicial —únicos habilitados por la ley— y en la atenta vigilancia del juez y del fiscal[91] para evitar que asistamos al renacer del delito provocado, que, entre otras consecuencias, comporta la impunidad de su autor. Por lo demás, hay que recordar que el recurso al agente infiltrado sólo puede acordarse en el marco de un proceso penal abierto o bien de unas diligencias de investigación en manos de la Fiscalía, sin que quepa solicitarlo y/o concederlo al socaire de diligencias indeterminadas de investigación.

En otro orden de cosas, no se entiende que hayan dejado de precisarse los efectos de una eventual falta de confirmación del examen directo por la policía de los datos contenidos en un sistema masivo de almacenamiento de datos. Con ser lógico que se autorice para casos de urgencia (dado que cabe el borrado remoto de los datos) debió dejarse constancia expresa de la imposibilidad en caso de revocación de usar tales datos en el proceso. De no hacerse así, estaremos poniendo la primera piedra para que la excepción se convierta en la regla general, para lo que bastaría con echar mano del devaluado concepto de urgencia del que se sirvió la STC 173/2011 para dar por bueno el registro de un ordenador sin autorización judicial[92].

Para concluir, diremos que tampoco es de recibo la confusión que se introduce en la trascendental cuestión relativa a los tipos de datos que son susceptibles de cesión a los agentes sin necesidad de autorización judicial, máxime cuando estamos en un terreno cuyos cimientos se han visto afectados por la sentencia del Tribunal de Justicia de la Unión Europea (TJUE) de 8 de abril de 2014,

LOS MONTEROS, R. *El policía infiltrado*, Tirant lo Blanch, Valencia 2010; GASCÓN INCHAUSTI, Fernando, *Infiltración policial y agente encubierto*, Comares Granada, 2001. Sobre el agente provocador sigue siendo un clásico no superado la obra de RUIZ ANTÓN, L. F., *El agente provocador en Derecho penal*, Madrid, Edersa, 1982.

91 Quien, sin embargo, no es competente para autorizar en tales casos el recurso al agente encubierto, a diferencia de lo previsto para delincuencia organizada

92 Art. 588 sexies c), 4, donde nada se precisa frente a lo que sí se hace en otros casos [vg. art. 588 quinquies b) 4].

que declara la nulidad la Directiva 2006/24/CE[93]. Hasta ahora era claro que los agentes de la autoridad podían solicitar la cesión de los datos que figuran en los archivos automatizados de los prestadores de servicio, si bien siempre sujeta a previa autorización judicial (art. 6 Ley 25/2007, de 28 de octubre[94]). Ahora, sin embargo, resulta tortuosa la relación entre la regla general del art.

---

93 (*Tol 4629782*) lLos principales argumentos manejados por la Gran Sala para decretar la nulidad fueron los siguientes:

1) La injerencia que supone la Directiva 2006/24 en los derechos fundamentales reconocidos en los artículos 7 y 8 de la Carta (derecho al respeto de la vida privada y a la protección de los datos de carácter personal, respectivamente) resulta de gran magnitud y debe considerarse especialmente grave. Además, la circunstancia de que la conservación de los datos y su posterior utilización se efectúen sin que el abonado o el usuario registrado hayan sido informados de ello puede generar en las personas afectadas el sentimiento de que su vida privada es objeto de una vigilancia constante (n. 37).

2) Debe reconocerse que la conservación de datos para su eventual acceso por parte de las autoridades nacionales competentes que impone la Directiva 2006/24 responde efectivamente a un objetivo de interés general (n. 44).

3) Sin embargo, la Directiva no exige ninguna relación entre los datos cuya conservación se establece y una amenaza para la seguridad pública y, en particular, la conservación no se limita a datos referentes a un período temporal o zona geográfica determinados o a un círculo de personas concretas que puedan estar implicadas de una manera u otra en un delito grave, ni a personas que por otros motivos podrían contribuir, mediante la conservación de sus datos, a la prevención, detección o enjuiciamiento de delitos graves (n. 59). Tampoco fija ningún criterio objetivo que permita delimitar el acceso de las autoridades nacionales competentes a los datos y su utilización posterior con fines de prevención, detección o enjuiciamiento de delitos que, debido a la magnitud y la gravedad de la injerencia en los derechos fundamentales reconocidos en los artículos 7 y 8 de la Carta, puedan considerarse suficientemente graves para justificar tal injerencia. Por el contrario, la Directiva 2006/24 se limita a remitir de manera general, en su artículo 1, apartado 1, a los delitos graves tal como se definen en la legislación nacional de cada Estado miembro (n. 60). Asimismo, no establece reglas claras y precisas que regulen el alcance de la injerencia en los derechos fundamentales reconocidos en los artículos 7 y 8 de la Carta (n. 65). De igual modo, en lo que respecta a las reglas relativas a la seguridad y a la protección de los datos conservados por los proveedores de servicios de comunicaciones electrónicas de acceso público o de redes públicas de comunicaciones, no contiene garantías suficientes, como las que exige el artículo 8 de la Carta, que permitan asegurar una protección eficaz de los datos conservados contra los riesgos de abuso y contra cualquier acceso y utilización ilícitos respecto de tales datos, ni, por último, el cumplimiento de los requisitos de protección y seguridad está plenamente garantizado por una autoridad independiente (n 66, 67, 68).

4) Por tanto, ha de considerarse que, al adoptar la Directiva 2006/24, el legislador de la Unión sobrepasó los límites que exige el respeto del principio de proporcionalidad en relación con los artículos 7, 8 y 52, apartado 1, de la Carta.

94 De conservación de datos relativos a las comunicaciones electrónicas y a las redes públicas de comunicaciones. Dicha Ley transponía la ahora anulada Directiva 2006/24/CE, lo que ha motivado un debate acerca del efecto que sobre ella proyecta la STJUE 8 de abril de 2014. Sin entrar en este debate, hay que reprobar que la vigente Ley General de Telecomunicaciones (Ley 9/2014, de 9 de mayo) se remita sin más precisiones a la Ley 25/2007, sin hacer esfuerzo alguno por redefinir el marco jurídico de conservación y cesión de datos por las operadoras de conformidad a lo señalado en dicha resolución por el TJUE.

588 ter j y lo dispuesto en el art. 588 ter m en lo relativo a la exigencia en un caso de autorización judicial y a la dispensa de la misma en el otro pese a que la referencia lo es en ambos casos a datos objeto de conservación con arreglo al artículo 3 Ley 25/2007. Pudiera ser, en efecto, que la clave esté en el hecho de que se encuentren o no vinculados a procesos de comunicación, fórmula empleada por el 588 ter j), lo que recuerda a lo dicho por la STS 7/2014, de 22 de enero[95]. A juicio de MARCHENA GÓMEZ, ponente de la sentencia acabada de citar[96], habría, pues, que distinguir dos tipos de datos: a) datos obtenidos al margen de un proceso de comunicación y cuyo conocimiento no exija intervenir las comunicaciones, en cuyo caso quedarían amparados por el derecho a la intimidad (art. 18.4) y, por ende, serían susceptibles de sacrificio sin autorización judicial; y b) datos dinámicos generados e interferidos durante el desarrollo de una comunicación bidireccional amparados en el derecho a la inviolabilidad de las comunicaciones (art. 18.3), que, por consiguiente, sólo podrían ser cedidos con autorización judicial. Ahora bien, en cualquier caso, la cesión directa por los prestadores de servicios al fiscal o la policía sólo será aplicable a los datos a que se refiere el art. 588 ter m (Identificación de titulares o terminales o dispositivos de conectividad) pero no a otros que también pueden ser obtenidos al margen de cualquier interceptación de las comunicaciones (vg datos de geolocalización que ofrecen los móviles al conectarse a las estaciones base o BTS) pero no contemplados por el precepto en cuestión. A la vista de lo expuesto, y sin perjuicio de que pueda compartirse que es inapropiado conceder un tratamiento jurídico uniforme a todos los datos conservados por las operadoras, el legislador merece un rapapolvo porque lo que no cabe es abrir y cerrar en falso un debate. Si se decide prescindir de la garantía que representa la autorización judicial no debe quedar ninguna duda acerca del alcance de la habilitación. Lo que se ha hecho deja demasiadas preguntas sin respuesta y en determinadas materias rara vez la incertidumbre se resuelve en beneficio de los derechos.

En suma, la reforma era indiscutiblemente necesaria pero pudo y debió hacerse mejor. Por otra parte, no vino bien acompañada. La reforma operada en

---

95 (*Tol 4102634*). Sustancialmente, la doctrina expuesta se condensa en lo siguiente: los listados de llamadas generados durante la conversación intervenida tienen un significado distinto de aquel que puede predicarse de esos mismos listados cuando aparecen como dato previo a la investigación, en ausencia de toda medida de interceptación ya acordada. Quedan amaparados en el art. 18. 3 CE los listados generados automáticamente como consecuencia de las características técnicas del sistema empleado por las fuerzas de seguridad del Estado para la práctica de las escuchas que, al basarse en un formato digitalizado, ofrece no sólo los números de los dos teléfonos en comunicación —entrante y saliente— sino el tiempo de duración de las llamadas.

96 MARCHENA GÓMEZ/GONZÁLEZ-CUÉLLAR SERRANO, *La reforma..*, *op. cit.*, pp. 286 a 289 y 327

la LECrim. por la Ley 41/2015 introduce para la finalización de la instrucción lo que en su Preámbulo denomina "plazos máximos realistas cuyo transcurso sí provoca consecuencias procesales" en sustitución del "exiguo e inoperante plazo de un mes del artículo 324 de la Ley de Enjuiciamiento Criminal". Dichos plazos son de seis y dieciocho meses, "según se trate de un asunto sencillo o complejo", lo que, en el mejor de los casos, limita extraordinariamente el periodo que precisa la investigación de delitos que, como los previstos en los arts. 575 CP o 577 CP, son infracciones que, por la propia formulación típica, no se agotan en un acto concreto a partir del cual se ponga en marcha el aparato estatal. La nueva redacción del artículo atribuye, además, al Ministerio Fiscal el impulso procesal para la solicitud de la prórroga de los anteriores plazos cuando en los mismos no pueda completarse la instrucción. La previsión no puede ser, a nuestro juicio, más desafortunada e incomprensible habida cuenta de cuál es el actual modelo procesal: el juez investigador es quien ha de controlar la realización en plazo de sus propias diligencias procesales y, al tiempo, es el Ministerio Fiscal quien en régimen de monopolio tiene la facultad de pedir prórrogas a quien está dirigiendo y controlando la investigación, que, de este modo, queda a merced de que la acusación decida si aquella debe o no ser prolongada. Como es obvio, la limitación temporal tiene sentido en aquellos sistemas en que la investigación queda en manos del Ministerio Fiscal, pues un ciudadano no puede ser investigado indefinidamente y, por consiguiente, es el investigador quien debe justificar por qué y para qué necesita la prórroga, correspondiendo al juez de garantías decidir sobre la concesión o no del aplazamiento. Ahora bien, en un modelo como el nuestro carece de sentido que sea el Ministerio Fiscal quien decida sobre el momento en que el director de la investigación debe poner fin a la misma. Todo ello, al margen del problema que en la práctica representa, como ya advirtió el Consejo Fiscal, obligar a los fiscales a revisar todas las causas penales en curso a efectos de solicitar o no la prórroga.

3.3. Prisión y radicalización (Breve apunte)

La prisión es un entorno que en materia de radicalización puede ser visto desde ópticas muy distintas: como factor de riesgo o como ámbito que permite poner en marcha programas de desradicalización.

En líneas generales, la primera perspectiva es la que prima en España, como lo acreditan dos Instrucciones dictadas por la Secretaría General de Instituciones Penitenciarias, tanto la específica (Instrucción 8/2014, de 11 de julio), como la más general sobre los internos incluidos en el Fichero de Especial Seguimiento (FIES). Esta última Instrucción 12/2011, de 29 de julio, actualiza la polémica Instrucción

6/2006 de 22 de febrero[97] y somete al régimen FIES[98] no sólo a los procesados o condenados por terrorismo islamista (FIES 3), sino también a cualesquiera otros "que destaquen por su fanatismo radical, por su afinidad al ideario terrorista, y por liderar o integrar grupos de presión o captación en el centro penitenciario", que pasan a engrosar el grupo FIES 5 (Colectivos Especiales). En consecuencia, todos ellos son objeto de la permanente observación y vigilancia que supone ser incorporado a esos ficheros, incluida la posibilidad de que el Director ordene la intervención de las comunicaciones[99], cuidándose la Instrucción de advertir que para evitar que los internos burlen la medida, deben ser desposeidos de cualquier documento antes de acceder a las cabinas con el fin de que no puedan mostrarlos por el cristal a los comunicantes.

---

97 Como se recordará, el origen está en varias Circulares de la Dirección General de Instituciones Penitenciarias dictadas en 1991, el 6 de marzo (sobre creación del FIES), 28 de mayo (sobre medidas de vigilancia y seguridad especiales para internos FIES) y 2 de agosto (sobre normas comunes tipo para internos FIES donde, entre otras, se preveía la limitación a una hora de patio al día, cacheo antes y despues de salir de la celda, limitación en las frecuencia de comunicaciones y visitas, etc) y 13 septiembre (sobre normas de aplicación a internos FIES para traslados) de 1991, si bien ya antes una Circular de 13 noviembre de 1989 obligaba a remitir datos de internos de bandas armadas al Servicio de Régimen de la Subdirección de Gestión penitenciaria. Tras la entrada en vigor del Reglamento penitenciario en 1996 y en virtud de la disposición transitoria 4ª se procedió a la armonización, refundición y adecuación de Circulares, Instrucciones y Ordenes de servicio que existían hasta la fecha y se dictó la Instrucción 21/1996, instrumento donde se reconoce sin ambages que el objetivo no es otro que "disponer de una amplia información de determinados grupos de internos por el delito cometido, su trayectoria penitenciaria, su integración en formas de criminalidad organizada, que permita conocer sus vinculaciones y una adecuada gestión regimental, ejerciendo un control adecuado frente a las fórmulas delictivas altamente complejas y potencialmente desestabilizadoras del sistema penitenciario...".

98 Como es sabido, esta clasificación comienza en el instante mismo de su ingreso, momento en el que pasan a engrosar la categoría de lo que la administración penitenciaria denomina Internos de Especial Seguimiento, institución cuya única cobertura legal son las Instrucciones en cuestión —y antes las Circulares referidas en la nota anterior— y, por cuya virtud, los internos adscritos a dicha categoría son sometidos a un sistema de control intensivo que se traduce en un régimen de ejecución mucho más estricto, que incluye cacheos diarios, control visual casi constante, control de familiares, abogados y un sistema de comunicaciones y visitas más restrictivo que el aplicable a los clasificados en primer grado.

99 En cuanto a esto, recuérdese que el Reglamento penitenciario faculta al Director del centro para: 1) intervenir las comunicaciones orales (art. 43); 2) intervenir las comunicaciones escritas (art. 46. 5ª y 7ª, relativa esta última previsión a la correspondencia entre los internos de distintos centros penitenciarios) y 3) itervenir las comunicaciones telefónicas entre internos de distintos establecimientos (art. 47. 6º). Basta para ello con que así lo aconsejen "razones de seguridad, del buen orden del establecimiento o del interés del tratamiento", en cuyo caso se notificará al interno, dando cuenta *a posteriori* al Juez de Vigilancia en el caso de penados o a la autoridad judicial de la que dependa si se trata de detenidos o presos.

Similar orientación es la que preside la Instrucción 8/2014, de 11 de julio, relativa al Programa para la prevención de la radicalización en los establecimientos penitenciarios, (Medidas para la detección y prevención de procesos de radicalización de internos musulmanes)[100]. Una rápida lectura del documento en cuestión evidencia que el acento se pone en evitar que el medio penitenciario pueda ser utilizado para el reclutamiento y captación. A tal fin, sin perjuicio de las facultades del Director, se encomienda a los Subdirectores de Seguridad la coordinación de un programa destinado a recoger, analizar y sistematizar datos que se estiman relevantes para detectar procesos de radicalización incipientes o consolidados, considerando como tales "las eventuales relaciones de algunos de los terroristas ingresados en prisión con personas con detenciones anteriores, con independencia de que hayan sido condenados por terrorismo u otros delitos. Por tanto —continúa— hay que observar las comunicaciones y visitas con esas personas, las relaciones establecidas entre ellos o con terceros y las relaciones con otras formas de delincuencia organizada o terrorista. Además, hay que estudiar las actitudes y comportamientos indiciarios de prácticas constitutivas de riesgo que no pueden ni deben pasar desapercibidos para la Administración Penitenciaria". Con esos parámetros, cuya generalidad los convierte en prácticamente inútiles, se procederá a incluir a los internos en grupos "de riesgo": Grupos A y B a los que se aplica el régimen FIES y un grupo C cuyos integrantes no integran el fichero FIES pero son sometidos a un tratamiento de observación e información "de la intensidad necesaria para cumplir los objetivos del programa". Con respecto a todos ellos —dice la Instrucción— "constatado con un razonable nivel de certeza que estamos en presencia de un recluso con una peligrosidad elevada, no resultará prudente su ubicación en módulos o departamentos de respeto, ni la autorización para el acceso a talleres y actividades fuera del departamento. La concesión de permisos ordinarios de salida, las propuestas de progresión a tercer grado, concesión de la libertad condicional u otras decisiones análogas deberán contener una específica motivación y justificación, que tenga en cuenta las especiales características del interno" Asimismo, se recuerda la posibilidad de intervenir sus comunicaciones, así como cualesquiera documentos (textos, grabaciones, archivos, etc) que puedan favorecer el reclutamiento o la radicalización, al tiempo que se exige adoptar especial cuidado en el control y evolución de los procedimientos judiciales y administrativos de expulsión de internos incluidos en el programa "de forma que no se frustre su finalidad por decisiones de la Administración Penitenciaria".

---

100 Disponible en la página oficial de la Secretaría General de Instituciones penitenciarias, http://www.institucionpenitenciaria.es/web/export/sites/default/datos/descargables/instruccionesCirculares/Circular_I-8-2014.pdf.

Lo transcrito resulta por sí mismo suficientemente expresivo del modelo inocuizador por el que la Administración penitenciaria española ha optado. Un modelo, además, que va dirigido, según reza el descriptor de la Instrucción, a internos musulmanes, lo que añade un elemento más de iniquidad a un "programa" del que se desconoce casi todo[101] pero a cuyo amparo es previsible que fructifiquen decisiones limitativas de derechos fundadas en conclusiones intuitivas a las que, en el mejor de los casos, hayan llegado de buena fe unos funcionarios carentes de la preparación necesaria para abordar seriamente los procesos cuya detección se pone en sus manos.

Una perspectiva bien distinta es la que, por el contrario, se adoptó en la última reunión sobre el particular impulsada por la ya citada Red para la Sensibilización frente a la Radicalización. Dicha reunión, celebrada precisamente en Barcelona los días 2 y 3 de septiembre de 2015, culminó con un el documento de trabajo ("Dealing with radicalisation in a prison and probation context"[102]), que, para empezar, valora positivamente la oportunidad que para la desradicalización representa tanto la privación de libertad como el periodo de libertad condicional, a quienes literalmente considera poderosos aliados en el proceso de desradicalización, desconexión, rehabilitación y reinserción social. Este aspecto, como también allí se dice, es singularmente importante en el caso de personas jóvenes, toda vez que la falta de madurez y la vulnerabilidad que ha posibilitado la radicalización son las mismas que favorecen el proceso contrario.

Partiendo de esa premisa, se subraya, en primer lugar, la dificultad que entraña hacer una correcta evaluación de riesgo. Tal y como en esta misma obra pone de manifiesto el Dr. GARCÍA MAGARIÑO, no se trata de un diagnóstico fácil en la medida en que los factores que motivan el proceso son diversos y no generalizables. Ello exige invertir esfuerzos en la formación de todos los intervinientes, comenzando por la que debe darse a los funcionarios de prisiones a fin de que tengan un conocimiento básico de las creencias religiosas y culturales de las

101 No me consta información oficial que vaya más allá de lo aquí recogido, salvo algunas referencias hechas por el ministro del Interior en el discurso de la fiesta de La Merced, donde afirmó que el número de internos sujetos a este "especial seguimiento se cifra en 186" http://www.institucionpenitenciaria.es/web/portal/Noticias/Noticias/noticia_0356.html.
Por otra parte, de momento tampoco está disponible en la página oficial de la Dirección General el texto con las conclusiones alcanzadas en la reunión de directores de las Administraciones penitenciarias en el marco del Consejo de Europa celebrada en Bucarest, los días 9 y 10 de junio 2015 bajo el título "Radicalización y otras estrategias de cambio".

102 http://ec.europa.eu/dgs/home-affairs/what-we-do/networks/radicalisation_awareness_network/about-ran/ran-p-and-p/docs/201510_ran_p-and-p_practitioners_working_paper_en.pdf.

personas con las que trabajan, lo cual —como se señala en el documento de referencia— es esencial para entender la diferencia entre las expresiones culturales y de base religiosa que podríamos denominar algo toscamente como "normales" y las que pueden ser un signo de un proceso de radicalización.

Sentado lo anterior, el documento se centra en ofrecer las líneas maestras de los programas de intervención[103], de los que se propugna que sean individualizados[104] y desarrollados en conexión con el entorno social y con el debido soporte espiritual, por cuanto se estima que la falta del mismo en prisión incrementa la receptividad de quienes ya han sucumbido al extremismo, mientras que una adecuada orientación religiosa puede hacer dar marcha atrás a quienes albergan todavía ciertas dudas. La complejidad que entraña impulsar con éxito un cambio cognitivo ya da cuenta de las dificultades inherentes a este tipo de programas, que no sería realista pensar que pueden implantarse en todos los centros penitenciarios, un extremo que habrá que tomar en consideración antes de decidirse apresuradamente a favor de la dispersión de internos radicalizados. Por último, es obvio que la puesta en marcha de tales programas debe hacerse extensiva a los Centros de reforma de menores y a los Centros de Inserción social, lo que, hasta donde conozco, es en nuestro país pura entelequia.

4. CONCLUSIONES

El fenómeno de la radicalización- que tiene en menores y jóvenes vulnerables su ideal caldo de cultivo y se extiende gracias a las facilidades comisivas que Internet ofrece- obliga a los Estados a poner en marcha programas de acción basados, como subraya la nueva Agenda Europea de Seguridad, en la idea de que las medidas de represión ya no bastan y que debe adoptarse una nueva estrategia fundada en la prevención y en la instauración de una actitud proactiva para evitar la radicalización y el reclutamiento de los ciudadanos europeos por organizaciones terroristas, mostrando una especial inquietud por la difusión del fenómeno entre los jóvenes.

Con todo, resulta también preciso dar una respuesta al problema desde el propio sistema de justicia penal. Ahora bien, tal cosa debe hacerse respetando los derechos y principios constitucionales, lo que, de un lado, obliga a renunciar al concepto mismo de radicalización en los textos normativos. Un concepto que

---

103 El documento alude, aunque sin más precisiones, a programas puestos en marcha en países de la UE en los que se tutoriza el proceso, en ocasiones por personas que previamente han pasado por la experiencia y salido de ella.

104 Entre otros factores, se estima indispensable distinguir en función del sexo y de la edad

aúna conductas tan diversas no reúne las exigencias de taxatividad inherentes al principio de legalidad.

De otro lado, garantizar la prioridad de la libertad obliga no sólo a dejar fuera de la tipicidad penal conductas insertas en el contenido esencial de los derechos a la libertad ideológica y de expresión o al derecho a la información, sino también evitar reaccionar desproporcionadamente frente a conductas limítrofes. Desde esta perspectiva, resultan especialmente criticables los tipos que aquí se engloban bajo la –discutible pero gráfica- fórmula genérica de "propaganda, apologías débiles y delitos de expresión" (arts. 575, 577.2, 578 apartado 1 y 579 CP).

Asimismo, un legislador responsable no puede orillar, pese a la complejidad inherente a estas investigaciones, que la obtención de la prueba y su incorporación al proceso deben tener lugar con escrupuloso respeto a un proceso con todas las garantías y a la presunción de inocencia. La reciente aprobación de la LO 13/2015 tiene, entre otros, el mérito de afrontar de una vez el reto de cumplir con la exigencia constitucional de reserva de ley y, por ende, dar cobertura legal a diligencias de investigación que estaban ayunas de ella. Ahora bien, al margen de estos y otros aciertos, la reforma en cuestión merece ser criticada en todo aquello en que el Estado ha hecho dejación de sus deberes de garantía en relación con los derechos fundamentales al socaire de que las TIC's representan ciertamente una ventaja comisiva.

Por último, la respuesta desde el sistema de justicia penal tampoco puede ignorar que la mayoría de los captados son menores o jóvenes inmaduros que, pese a ser formalmente responsables de un delito de terrorismo, no dejan de ser, además de potenciales verdugos, víctimas de las organizaciones. Ante esto, no basta con prever tipos agravados para el caso de que los captados sean menores. Urge adoptar iniciativas que favorezcan la desradicalización de estos jóvenes. Siendo esto así, es urgente, de un lado, favorecer un comportamiento postdelictivo positivo a efectos de mitigar sus condenas[105] y, de otro, replantearse si nuestra

---

105 Este es un extremo que no se ha podido abordar aquí pero cuya importancia es crucial ya que es previsible que muchos de los jóvenes captados desfallezcan por la misma vulnerabilidad que facilitó su captación. Así ha sucedido en algún caso pero la Audiencia Nacional se mantiene en su tradicional criterio de no aplicar los beneficios específicos previstos para los casos de colaboración en delitos de terrorismo en el artículo 579 bis 3 (vid, vg. SAN 47/2013, de 2 de julio, TOL 3858763) y opta por aplicar una mera atenuante de colaboración que, normalmente, aplica como atenuante simple y no cualificada. Este es un proceder que critiqué ya en mi tesis doctoral y en trabajos posteriores y que nuevamente censuraré con argumentos adicionales en un próximo trabajo, donde, por otra parte, no se postergará analizar los riesgos inherentes a este tipo de estrategias premiales (sobre el particular, entre otros, CUERDA ARNAU, Mª.L., *Atenuación y remisión de la pena en los delitos de terrorismo,* Ministerio de Justicia e Interior, Madrid, 1995, *passim*)

política penitenciaria- en las prisiones y en los centros de reforma- está a la altura de los tiempos.

Concepto de radicalización. Consecuencias de su uso en el ámbito jurídico penal

Antonio Fernández Hernández
Contratado Doctor de Derecho Penal
Universitat Jaume I de Castellón

SUMARIO: 1. El punto de partida: terrorismo, radicalización y TICs. 2. Algunas consideraciones en torno al concepto de radicalización. 3. Estado de la cuestión: las últimas reformas penales en materia de terrorismo. 4. Conclusión. 5. Bibliografía.

RESUMEN: El uso de Internet y las redes sociales por las organizaciones terroristas ha provocado que las medidas de prevención de la comisión de delitos terroristas se centren en la evitación de la radicalización. Sin embargo, tal concepto no resulta útil en Derecho Penal, dada su evanescencia.

PALABRAS CLAVE: terrorismo yihadista, Internet, radicalización, derechos fundamentales

ABSTRACT: The use of the Internet and the social network by the terrorist organizations has caused that the prevention measures of the terrorist crimes have been focused on the radicalization. Nevertheless, the concept of radicalization is not useful in criminal law because of its evanescence.

KEYWORDS: jihadist terrorism, Internet, radicalization, fundamental rights

1. EL PUNTO DE PARTIDA: TERRORISMO, RADICALIZACIÓN Y TICS

De un tiempo a esta parte[1] las labores de prevención de la comisión de actos de terrorismo yihadista se han ampliado a la radicalización violenta, que tiene en los usos de Internet su mejor aliado.

---

1 El 8 de septiembre de 2006 fue aprobada —a través de su Resolución 60/288 y del Plan de Acción Anexo a la misma— la Estrategia global de las Naciones Unidas contra el Terrorismo, en la que, sin perder de vista la represión de los actos de terrorismo —como no podía ser de otro modo— se otorga una mayor relevancia —de la que se le venía dando hasta el momento— a su prevención. Así, las medidas a adoptar según el referido Plan de Acción Anexo se agrupan en cuatro grandes bloques: Medidas para hacer frente a las condiciones que propician la propagación del terrorismo; Medidas para prevenir y combatir el terrorismo; Medidas destinadas a

En efecto, que la actual oleada terrorista religiosa[2] difiere de las anteriores oleadas anarquista, de finales del siglo XIX, con su propaganda por el hecho, de la anticolonial, de principios a mediados del siglo XX, y de la de la nueva izquierda, de finales del mismo, constituye una realidad que no se le escapa a nadie.

Como pone de manifiesto LAQUEUR, tales cambios abarcan no sólo los métodos empleados, sino también los objetivos perseguidos y el carácter de las personas que lo llevan a cabo[3].

Así, por ejemplo, y sin ánimo exhaustivo, puede hacerse referencia a la transición habida en la elección de los objetivos sobre los que los terroristas actúan: desde el asesinato político de figuras públicas destacadas[4], pasando por la elección de personas integradas en los aparatos *represivos* estatales, hasta llegar a la, desde hace ya varias décadas, actual tendencia a escoger blancos cada vez más *débiles*, menos representativos y sin responsabilidades *individuales* en aquello contra lo que los terroristas luchan[5].

Igualmente, la necesidad de atraer el interés de la opinión pública hacia la *propia causa*, para lograr así influir en la misma mediante la creación del terror, obliga, ante la sistematización y generalización —casi podría decirse que cotidianeidad— de los actos terroristas, a que éstos deban ser cada vez más graves, aumentando en la mayor medida posible, no tanto los daños materiales causados, como el número de víctimas mortales producidas. En otras palabras, actualmente el interés informativo de los actos terroristas se mide por el número de muertos, dando lugar al "hiperterrorismo"[6].

Puede observarse también un proceso circular en el que se ha ido del uso dirigido de la bomba a la indiscriminación de la "bomba humana"[7]. Así, los anarquistas de la primera oleada, de los que resultan paradigmáticos los miembros

---

aumentar la capacidad de los Estados para prevenir el terrorismo; y finalmente, Medidas para asegurar el respeto de los derechos humanos.

2 DAVID C. RAPOPORT, "Las cuatro oleadas del terror insurgente y el 11 de septiembre", en REINARES, F., y ELORZA, A., *El nuevo terrorismo islamista. Del 11-S al 11-M*, Temas de Hoy, Madrid, 2004, p. 49.

3 WALTER LAQUEUR, *Una historia del terrorismo*, Paidós, Barcelona, 2003, p. 39.

4 DAVID C. RAPOPORT, *La moral del terrorismo*, Ariel, Barcelona, 1985, p. 36.

5 En el mismo sentido WALTER LAQUEUR, *La guerra sin fin. El terrorismo en el siglo XXI*, Destino, 2003, pp. 10 y 11.

6 FRANÇOIS HEISBOURG y la Fundación para la Investigación Estratégica, *Hiperterrorismo. La nueva Guerra,* Espasa, Madrid, 2002, p. 14, califican como hiperterrorismo a la conjunción de la destrucción en masa, posible gracias a las tecnologías contemporáneas, y a la naturaleza apocalíptica de los organizadores de los atentados.

7 ANDRÉ GLUCKSMANN, *El discurso del odio*, traducción de Mónica Rubio, Taurus, Santafé de Bogotá, 2004, pp. 13 y ss.

del Narodnaya Volya[8], en su ánimo de acabar con los máximos responsables de la situación solían emplear explosivos que normalmente conllevaban la muerte del propio terrorista, como mecanismo de mostrar la "maldad del asesinato", del no tener elección, del llevar a cabo lo que el sistema contra el que luchaban "les imponía"[9]. Durante todo el siglo XX el terrorista no sólo no busca su propia muerte, sino que emplea mecanismos que aseguran su integridad física, o cuanto menos disminuyen —o eso pretenden— los riesgos a los que el mismo debe enfrentarse. Sin embargo, el terrorismo que protagoniza la cuarta oleada ha vuelto a hacer uso de la propia inmolación. La diferencia esencial con los terroristas del siglo XIX es que en estos casos, el terrorista busca ocasionar el mayor daño posible, esto es, el mayor número de víctimas de que sea capaz. No en vano ésta es una técnica que incrementa la potencialidad ejecutiva y la propaganda de los grupos terroristas.

Pero con independencia de que las enumeradas no sean las únicas diferencias que pueden encontrarse entre las distintas modalidades de terrorismo existentes en la actualidad o habidas hasta el momento, y de que ni siquiera tales diferencias sean predicables de todos y cada uno de los grupos que pueden integrarse en cada una de las oleadas reseñadas, hay otra diferencia radical que distingue al terrorismo de última generación del resto: el uso de la nuevas tecnologías, y más concretamente, de Internet y las redes sociales. El empleo de las innovaciones tecnológicas por las organizaciones terroristas ha sido una constante en la historia de este tipo de conflicto asimétrico[10], pues sin duda, ello contribuye a incrementar la capacidad operativa de grupos, por definición, de entidad inferior a aquellos contra quienes dirigen sus actuaciones. Tal cuestión, por tanto, no constituye novedad alguna. Sí lo es, por el contrario, el uso de Internet y de las redes sociales, principalmente por su modernidad. De ello y del tratamiento jurídico que ha de darse a tales comportamientos trataremos aquí.

Pese a que las aludidas diferencias han permitido clasificar diferentes especies de un mismo género, queremos destacar un elemento de entre los que resultan comunes a todas ellas: la necesidad de individuos dispuestos a llevar a cabo actos

---

8 "*La voluntad del pueblo*. Grupo terrorista ruso que surgió de la desmembración en 1879 del movimiento de los *Narodniki*, populistas rusos (narod, "pueblo") que luchaban por la emancipación del campesinado. El grupo se desintegró tras ejecutar el asesinato del zar Alejandro II en 1881, pero su ideología inspiró a su descendiente ideológico en el siglo XX, el *Partido Socialista Revolucionario*". BORDES SOLANAS, M., *El terrorismo. Una lectura analítica*, Bellaterra, Barcelona, 2000, p. 146.

9 DAVID C. RAPOPORT, *La moral del terrorismo*, p. 8.

10 BALLESTEROS, M. A., "¿Qué es el conflicto asimétrico? Soluciones globales para amenazas globales", en NAVARRO BONILLA, D., y ESTEBAN NAVARRO, M. A., *Terrorismo global, gestión de información y servicios de inteligencia*, Madrid, 2006, pp. 68 y ss.

terroristas como instrumentos a través de los cuales lograr el propósito ulteriormente pretendido. Y es que, como cualquier otra realidad generada por el ser humano, se requiere de alguien que la materialice. Consecuentemente, determinar cómo se consiguen dichos recursos humanos constituye el paso siguiente en nuestro análisis.

Los denominados usos pasivos de Internet[11] por las organizaciones terroristas de carácter yihadista son diversos. Así, estudios realizados hasta la fecha sobre la presencia de las organizaciones terroristas[12] en Internet, ponen de manifiesto que dicho instrumento es empleado para llevar a cabo hasta diez conductas distintas. Situación que no es de extrañar si se tienen en cuenta las ventajas de las que disfruta esta herramienta, imposibles de encontrar reunidas en ningún otro elemento operativo que pueda imaginarse. Puede hacerse referencia *v.g.* a: su facilidad de acceso; su imposible censura[13], así como su difícil control por parte de los poderes públicos, junto con una todavía escasa regulación; su potencialidad mediática, dada su velocidad y alcance; el anonimato que permite; el flujo de intercambio de información, junto con las ventajas que, a efectos comunicativos, otorga el formato multimedia, en el que pueden simultanearse imagen, sonido y texto; así como su ínfimo coste económico[14]. Circunstancias todas ellas que otorgan a pequeños grupos un potencial que resultaba impensable hace sólo un par de décadas.

Si algo puede obtenerse en Internet es información genérica y datos concretos. Desde fotos vía satélite, disponibles en Google Earth, mapas, callejeros, horarios, planos,... Información relativa a sus posibles objetivos, toda ella básica para la posterior ejecución de actos terroristas. Su acceso es en muchos casos completamente libre y además, sin necesidad de identificarse, lo que, junto con unas sencillas medidas de seguridad, como el acceder a Internet desde cibercafés facilita enormemente su uso. Información que requiere únicamente ser contrastada y no obtenida mediante la presencia física en el lugar donde se va a operar, lo cual reduce enormemente la capacidad de prevención de los poderes públicos.

---

11 No entraremos ahora en si los mismos pueden ser considerados o no delitos de ciberterrorismo. Al respecto *vid.* MIRÓ LLINARES, F., *El Cibercrimen. Fenomenología y criminología de la ciberdelincuencia en el espacio*, Marcial Pons, Madrid, 2012, pp. 127 a 132.

12 Ya en 2004 GABRIEL WEIMANN reseñaba que todos los grupos terroristas activos habían establecido su presencia en Internet. GABRIEL WEIMANN, "www.terror.net: How Modern Terrorism Uses the Internet", United States Institute of Peace, 2004, p. 1. Disponible en http://www.usip.org/sites/default/files/sr116.pdf.

13 Buena muestra de ello dio el caso del secuestro de un número de la revista *El jueves*, por injurias a la Corona, cuya portada podía encontrarse en un elevado número de páginas web al día siguiente de haberse ordenado el referido secuestro.

14 GABRIEL WEIMANN, "www.terror.net".

Además de los concretos datos necesarios para una determinada operación, existen también páginas web que contienen información detallada sobre cómo crear virus, y como llevar a cabo ataques informáticos. Y ni que decir tiene que las instrucciones colgadas en Internet no se refieren únicamente a actuaciones en el ciberespacio.

Otra de las importantes labores que puede llevarse a cabo a través de Internet es la de comunicación, propaganda y difusión. O lo que es lo mismo: la comunicación pública y la comunicación privada.

En lo que a la propaganda o comunicación pública se refiere, Internet puede ser empleada para una gran variedad de funciones. Para comenzar, ofrece un vehículo de comunicación con la opinión pública sin intermediarios. Ello supone que pueden hacer público el mensaje que se desee sin tener que supeditarse a los medios de comunicación convencionales, los cuales filtran la información que ofrecen. Si a la libertad de contenido se añade un estudiado formato, el resultado no es sólo la captación de adeptos, sino también el refuerzo del adoctrinamiento realizado a sus propios miembros. En efecto, los grupos islamistas están utilizando Internet como una ventana que permite conectar guerras del pasado, con realidades contemporáneas y misiones futuras[15], creando con ello una e-comunidad, una comunidad digital que establece lazos de unión entre grupos de una misma ideología pero con objetivos particulares que se encontraban hasta hace poco librando sus propias batallas, sin nexos de unión con grupos de otras zonas geográficas. Los sentimientos de solidaridad, de hermanamiento y de compartir idéntica suerte están generando una identidad supranacional inexistente hasta la actualidad[16].

Como es sobradamente conocido, esta circunstancia ha resultado esencial en la transformación de la estructura orgánica de las organizaciones terroristas[17], que han pasado de ser organizaciones piramidales fuertemente jerarquizadas, a ser organizaciones en red, en las que revisten mayor importancia las comunicaciones horizontales que las verticales. Como se sabe, el paradigma de este tipo de organización era Al Qaeda[18].

---

15 MAGNUS RANSTORP, "The virtual Sanctuary of Al-Qaeda and Terrorism in an Age of Globalization", en JOHAN ERIKSSON, y GIAMPIERO GIACOMELLO, *International Relations and Security in the Digital Age*, Routledge, Londres, 2007.

16 Lo cual, sin duda, ha venido generado por el reemplazo de la realidad por la realidad virtual que el ciberespacio en general, e Internet en particular, están produciendo. TORRES SORIANO, M. R., *Terrorismo y propaganda en Al Qaeda. Un estudio de caso*, Universidad de Granada, Granada, 2004, p. 25.

17 Al menos de las islamistas.

18 La cual, según BOIX ALONSO, L., "Al Qaeda: la nueva amenaza en la agenda de la seguridad nacional", en *Cuadernos constitucionales de la Cátedra Fadrique Furió Ceriol*, núm. 48, Uni-

Estrechamente vinculado a lo anterior se encuentra, por tanto, el que Internet sea empleada como arma de guerra psicológica. Así, la posibilidad de hacer llegar a la totalidad del planeta los actos terroristas cometidos, junto con un discurso radicalizado permite, no sólo el adoctrinamiento de los miembros y su refuerzo psicológico, con independencia de dónde se encuentren, sino la generación de terror en la opinión pública, al poder emitir una imagen de sí mismos exagerada. De esta manera, su elevada actividad en la red pretende ser un reflejo de su constante presencia y amenaza entre nosotros, extendiendo así una campaña mundial de terror[19]. Los objetivos a lograr pues, como reseña TORRES SORIANO[20], son dos: buscar la erosión del apoyo de las sociedades occidentales a sus gobiernos y conseguir el mayor apoyo posible en el mundo musulmán.

Además, Internet permite observar en tiempo real el impacto mediático de sus actuaciones, pudiendo obrar en consecuencia. Lo que unido a su capacidad de publicar la información que consideren oportuna en sus páginas web, les permite actuar en plano de igualdad con los medios de comunicación "del enemigo".

También permite el mantenimiento del contacto entre los miembros de los grupos terroristas, sirviendo como elemento no sólo de comunicación, sino de dirección y coordinación táctica y técnica. Es lo que se ha venido en llamar ciberplanificación[21]. Así, mediante técnicas como la esteganografía[22], los distintos integrantes de las organizaciones y grupos, pueden comunicarse sin temor a ser interceptados[23].

Finalmente, hay una última utilidad para la que se emplea Internet: el entrenamiento y adiestramiento de los miembros de las organizaciones terroristas que,

---

versitat de València, 2004, p. 7, era, en aquellos momentos, "una organización descentralizada del terror, con presencia en más de medio centenar de países y con un sistema muy riguroso de adoctrinamiento y preparación de sus recursos humanos".

19 GABRIEL WEIMANN, "Terrorists and their tools. Part. II", YaleGlobal Online, MacMillan Center, 2004. Disponible en http://yaleglobal.yale.edu/content/terrorists-and-their-tools-%E2%80%93-part-ii.

20 TORRES SORIANO, M. R., "Violencia y acción comunicativa en el terrorismo de Al Qaeda", en *Política y Estrategia*, núm. 96, 2004, p. 84.

21 TIMOTHY L. THOMAS, "Al Qaeda and the Internet: The danger of *Cyberplanning*", en *Parametres*, 2003, pp. 112 a 123, define la ciberplanificación como "la coordinación digital de un plan de actuación completo que se extiende más allá de las fronteras geográficas, y que puede tener o no como resultado, derramamientos de sangre, pudiendo incluir o no, como parte de ese plan, el ciberterrorismo".

22 La esteganografía, según el INTECO, es "la ocultación de información en un canal encubierto con el propósito de prevenir la detección del mensaje oculto". INTECO, *Esteganografía, el arte de ocultar información*. Disponible en https://www.incibe.es/file/cMACs_tFRyI_Q1i88xyWtA.

23 No obstante, eso no es tan nuevo. Quién no ha visto alguna película en la que los miembros de un grupo emitían y recibían órdenes mediante la publicación de determinados anuncios, previamente concertados, en los periódicos.

en última instancia puede dar lugar al surgimiento de los terroristas autodidactas. Como pone de manifiesto ROGAN[24], en la década de los 90 el entrenamiento de los terroristas tenía lugar principalmente en campos de entrenamiento ubicados en algún punto de Afganistán, entre otros países. Campos que la actuación militar de EEUU en 2001 obligó a trasladar. Pero, lo que es más importante, ha propiciado que parte de dicho adiestramiento sea realizado también a través de Internet, evitando con ello traslados a dichos campos, al poder adquirir en su lugar de residencia tales conocimientos.

En conclusión, y reiteramos una vez más, a nadie se le escapa que, a través toda esta diversidad de conductas se pretenden dos objetivos: en primer lugar, ampliar el número de partidarios y, en segundo, que tanto éstos como los que lo eran con anterioridad, acepten el uso de cuántas estrategias resulten necesarias para materializar el objetivo que les justifica[25]. Pretensión esta última que, como se verá más adelante, es a la que se refiere cuando se alude a la radicalización.

Ni que decir tiene que las estrategias que se diseñen para contrarrestar los peligros derivados del estado de la situación acabado de describir deben abarcar todo el ámbito de actuación posible, debiendo desarrollarse políticas públicas en materia educativa y de integración social[26], así como idearse mecanismos de cooperación internacional, tanto en el ámbito judicial, policial o de inteligencia, como, en última instancia, adoptarse medidas en el ámbito sancionador. Estas últimas, por su propia esencia, suscitan relevantes problemas de colisión con derechos fundamentales y principios constitucionales limitadores del *ius puniendi*, de entre los que cabe destacar el principio de legalidad, en cuanto garante de la seguridad jurídica, y las exigencias derivadas del mismo, que resultan seriamente comprometidas cuando en los textos normativos se recurre a conceptos que, como el de radicalización, están lejos de ser una noción clara, tal y como se reflexionará en el epígrafe siguiente.

---

24 HANNA ROGAN, "Jihadism online - A study of how al-Qaeda and radical islamist groups use the Internet for terrorist purposes", FFI Rapport, 2006, p. 26. Disponible en http://www.ffi.no/no/Rapporter/06-00915.pdf.

25 A estos efectos conviene no olvidar que el terrorismo es una estrategia de actuación.

26 Paradigmáticas en este ámbito son las medidas a adoptar en relación a las diásporas, tal y como acertadamente señala WALDMANN. WALDMANN, P. K., "Radicalización en la diáspora: por qué musulmanes en Occidente atentan contra sus países de acogida", en Real Instituto Elcano, Documento de Trabajo 9/2010, 26 de abril de 2010. Disponible en http://www.realinstitutoelcano.org/wps/portal/web/rielcano_es/contenido?WCM_GLOBAL_CONTEXT=/elcano/elcano_es/zonas_es/dt9-2010.

2. ALGUNAS CONSIDERACIONES EN TORNO AL CONCEPTO DE RADICALIZACIÓN

Una de las perspectivas adoptadas en la prevención del terrorismo se fundamenta sobre la premisa de que la evitación de la adopción de posturas radicales y fundamentalistas disminuye el ánimo de intentar defenderlas mediante el uso de la violencia sistemática e indiscriminada. La gran cuestión es, si admitiendo la lógica de este enfoque, los mecanismos a través de los cuales ha tratado de plasmarse hasta el momento resultan, o no, los más adecuados.

En un reciente trabajo ANTÓN MELLÓN y PARRA han puesto de manifiesto que los términos radicalización, extremismo, extremismo violento y terrorismo, aunque son empleados con frecuencia como sinónimos, "refieren realidades que deben ser plenamente diferenciadas"[27], por cuanto de ello dependerá la eficacia de las políticas de prevención diseñadas al efecto[28].

Así, ya en 2005, la Comisión de las Comunidades Europeas definía, con una clara voluntad integradora[29], la radicalización violenta como "el fenómeno en virtud del cual las personas se adhieren a opiniones, puntos de vista e ideas que

---

27 Estos autores definen la radicalización como "aquel proceso por el cual un individuo o grupo tiende a asumir puntos de vista políticos intransigentes y doctrinarios. En la medida en que dichos puntos de vista pueden vincularse con ideologías extremistas o creencias fundamentalistas y determinadas prácticas y dinámicas de grupo, los individuos pueden fanatizarse y llegar a liderar, apoyar o ejecutar acciones antidemocráticas y terroristas"; en tanto que conceptualizan el extremismo como "la aceptación por medio del proselitismo y el adoctrinamiento de un cuerpo doctrinal o ideología no moderada (esto es, intransigente o inflexible), que se caracteriza por una determinada visión del mundo, una correcta priorización de valores, la definición de unos objetivos, el establecimiento de una división entre "nosotros" y "ellos" (configurados como oponentes o enemigos políticos), y la construcción de la sociedad"; siendo el extremismo activista "el proceso mediante el cual se concreta el paso de simpatizante a activista, caracterizado por la admisión de la legitimidad en el apoyo o la ejecución de actos ilegales con finalidades políticas"; el extremismo activista violento, "el proceso por el cual se admite la legitimidad en el apoyo o ejecución de actos ilegales que incluyen medios violentos con finalidades políticas" y el terrorismo "una filosofía/doctrina política que admite la legitimidad de planificar, apoyar o ejecutar actos ilegales violentos de forma sistemática, racionalizada y planificada, incluyendo asesinatos individuales o masivos para de (sic) subvertir la seguridad ciudadana con el objetivo de obtención de finalidades políticas". ANTÓN MELLÓN, J. y PARRA, I., "Concepto de radicalización", en ANTÓN MELLÓN, J., (Edtor.), *Islamismo yihadista: radicalización y contrarradicalización*, Tirant lo Blanch, Valencia, 2015, pp. 29 a 34.

28 ANTÓN MELLÓN, J., y PARRA, I., *op. cit.*, p. 19.

29 Al considerar aplicable "a todas las formas de radicalización violenta, ya sean de carácter nacionalista, anarquista, separatista, de extrema derecha o de extrema izquierda", "muchas de las motivaciones de la radicalización violenta y de los remedios tratados en la presente Comunicación". Comisión de las Comunidades Europeas, *Comunicación de la Comisión al Parlamento Europeo y al Consejo sobre la captación de terroristas: afrontar los factores que contribuyen a la radicalización violenta*, Bruselas 21.09.2005, COM (2005) 313 final, p. 1.

pueden conducirles a cometer actos terroristas"[30]. Y, aunque hay otras definiciones de radicalización[31] —con las inevitables divergencias entre ellas—, lo que todas tienen en común es su consideración como un proceso y no como un resultado, aunque, como pone de manifiesto DE LA CORTE, ni siquiera hay consenso en las etapas que lo integran[32]. De ahí las dificultades que se derivan del uso de dicho término, bajo cuyo manto puede aludirse a cuántas conductas se estimen oportunas, según el momento pues, si no hay consenso sobre las etapas que lo componen, los concretos comportamientos que podrán considerarse como constitutivos de un proceso de radicalización dependerán de la amplitud que se le otorque al término. Término, por cierto, que hasta el momento no reviste naturaleza jurídico penal[33], sino más bien de otras ramas del saber. Cuestión ésta relevante por cuanto el propósito de conceptualizar la radicalización es, en lo que a nosotros interesa, el erigirse en criterio orientador a la hora de que el legislador atribuya relevancia penal a concretas formas de actuar relacionadas principalmente —aunque no sólo— con el terrorismo yihadista.

Así, por ejemplo, la Unión Europea, a través de su Decisión Marco 2008/919/JAI, sobre la lucha contra el terrorismo[34], incluía como delitos ligados a actividades terroristas: la provocación a la comisión de un delito de terrorismo[35], la captación de terroristas[36] y el adiestramiento de terroristas[37], como mecanismos de prevención de la potencial futura comisión de actos terroristas. Como puede

---

30 *Ibidem*.

31 Pueden verse varias de ellas en JORDÁN, J., "Políticas de prevención de la radicalización violenta en Europa: Elemento de interés para España", en *Revista Electrónica de Ciencia Penal y Criminología*, 11-05 (2009), p. 3.

32 DE LA CORTE, L., "¿Qué sabemos y qué ignoramos sobre la radicalización yihadista?, en ANTÓN MELLÓN, J., (Edtor.), *Islamismo yihadista: radicalización y contrarradicalización*, Tirant lo Blanch, Valencia, 2015, p. 46. No obstante, puede encontrarse una descripción de las fases del proceso de radicalización en CANO PAÑOS, M. A., "Internet y terrorismo islamista. Aspectos criminológicos y legales", en *Eguzkilore*, núm. 22, San Sebastián, diciembre 2008, pp. 77 a 84.

33 En tanto en cuanto el mismo todavía no ha sido introducido en nuestro texto punitivo, habiéndose limitado su uso al preámbulo de la Ley Orgánica 2/2015, de 30 de marzo, que lo modifica.

34 Diario Oficial núm. L 330 de 09/12/2008, pp. 0021-0023.

35 Por el mismo se entiende, según el apartado a) de su artículo 1, "la distribución o difusión pública, por cualquier medio, de mensajes destinados a inducir a la comisión de cualesquiera de los delitos enumerados en el artículo 1, apartado 1, letras a) a h), cuando dicha conducta, independientemente de que promueva o no directamente la comisión de delitos de terrorismo, conlleve riesgo de comisión de uno o algunos de dichos delitos".

36 Esto es, "la petición a otra persona de que cometa cualesquiera de los delitos enumerados en el artículo 1, apartado 1, letras a) a h), o en el artículo 2, apartado 2" (artículo 1. b.).

37 Por lo cual se entiende el "impartir instrucciones sobre la fabricación o el uso de explosivos, armas de fuego u otras armas o sustancias nocivas o peligrosas, o sobre otros métodos o técnicas específicos, con el fin de cometer cualesquiera de los delitos enumerados en el artículo 1,

verse, conductas todas ellas tendentes a intentar lograr que otras personas lleven a cabo actos terroristas. El Consejo de Naciones Unidas, por su parte, exhortaba a los Estados Miembros, a través de su Resolución núm. 2178 (2014), a que intensificaran sus esfuerzos por luchar contra "el extremismo violento, que puede conducir al terrorismo, en particular la prevención de la radicalización, el reclutamiento y la movilización de personas hacia grupos terroristas y su conversión en combatientes terroristas extranjeros"[38]. A estos efectos, se proponía la práctica de determinadas actuaciones en el ámbito punitivo[39] y fuera de él[40], como instrumentos para actuar en relación a los combatientes terroristas extranjeros y los actos de terrorismo individual.

Con todo, el problema con el que nos encontramos no difiere del que surge a la hora de definir el delito de terrorismo. En su momento[41] ya poníamos de

---

apartado 1, letras a) a h), a sabiendas de que las enseñanzas impartidas se utilizarán para dichos fines" (art. 1.c).

38 Punto 15 de la Resolución 2178 (2014). Aprobada por el Consejo de Seguridad en su 7272ª sesión, celebrada el 24 de septiembre de 2014. Disponible en http://www.un.org/en/sc/ctc/docs/2015/N1454802_ES.pdf.

39 En el punto 6 de la misma decide que todos los Estados Miembros se cercioren de que sus leyes tipifiquen como delitos graves:
"a) A sus nacionales que viajen o intenten viajar a un Estado distinto de sus Estados de residencia o nacionalidad, y demás personas que viajen o intenten viajar desde sus territorios a un Estado distinto de sus Estados de residencia o nacionalidad, con el propósito de cometer, planificar o preparar actos terroristas o participar en ellos, o proporcionar o recibir adiestramiento con fines de terrorismo;
b) La provisión o recaudación intencionales de fondos, por cualquier medio, directa o indirectamente, por sus nacionales o en sus territorios con intención de que dichos fondos se utilicen, o con conocimiento de que dichos fondos se utilizarán, para financiar los viajes de personas a un Estado distinto de sus Estados de residencia o nacionalidad con el propósito de cometer, planificar o preparar actos terroristas o participar en ellos, o proporcionar o recibir adiestramiento con fines de terrorismo; y,
c) La organización u otro tipo de facilitación deliberadas, incluidos actos de reclutamiento, por sus nacionales o en sus territorios, de los viajes de personas a un Estado distinto de sus Estados de residencia o nacionalidad con el propósito de cometer, planificar o preparar actos terroristas o participar en ellos, o proporcionar o recibir adiestramiento con fines de terrorismo". Conductas todas ellas que han sido incluidas en nuestro texto punitivo mediante la reforma operada por la Ley Orgánica 2/2015, de 30 de marzo.

40 Así, en el punto 16 se les alentaba a "lograr la cooperación de las comunidades locales y los agentes no gubernamentales pertinentes en la formulación de estrategias para contrarrestar la retórica del extremismo violento que pueda incitar a la comisión de actos terroristas, abordar las condiciones que propicien la propagación del extremismo violento, que puede conducir al terrorismo, [...] y adoptar enfoques específicos para combatir el reclutamiento de personas para este tipo de extremismo violento y promover la inclusión y la cohesión sociales".

41 GONZÁLEZ CUSSAC, J. L., y FERNÁNDEZ HERNÁNDEZ, A., "Sobre el concepto jurídico-penal de terrorismo", en *Teoría y Derecho. Revista de Pensamiento Jurídico*, núm. 3, 2008, p. 36.

manifiesto que una cosa es conceptualizar un concreto fenómeno, para lo cual se requiere su análisis, a fin de poder determinar las características que lo individualizan y, mediante su ordenación sistematizada, identificarlo, y otra es atribuir relevancia penal a dicho fenómeno, esto es, definir las conductas que, en cumplimiento del principio de legalidad, van a incorporarse a un texto punitivo a fin de fijar las consecuencias jurídicas predicables respecto de quienes lo ejecuten. Así, no es lo mismo describir el terrorismo, como fenómeno criminológico, que determinar a qué concretas conductas va a atribuirse naturaleza terrorista a efectos penales, con todo lo que ello implica. Pues bien, eso precisamente ocurre también con el concepto de radicalización. Porque una cosa es definir qué se entiende por tal, lo cual, como hemos visto, constituye una cuestión discutida, y otra muy distinta, determinar qué concretas conductas son las que pueden ser respondidas —respetando los límites constitucionalmente fijados al *ius puniendi*— en el orden jurisdiccional penal.

Si partimos de la idea de que radicalización implica el proceso a través del cual una persona o un grupo termina asumiendo puntos de vista políticos intransigentes y doctrinarios[42], podemos realizar una primera distinción entre la conducta llevada a cabo por quien radicaliza a terceros y la de quien es radicalizado. A su vez, la primera reviste una innegable relación con los delitos relativos al discurso del odio y a la apología o la incitación a la comisión delictiva. Todas ellas, en cualquier caso, relacionadas con los delitos de expresión y sus consabidos problemas con las libertades de expresión[43] y, ahora además, las de información y pensamiento[44]. Y no sólo, sino que a mayor abundamiento, pueden concretarse todavía más los comportamientos llevados a cabo, por cuanto tales discursos pueden tener finalidades distintas, tales como la captación de adeptos, su adoctrinamiento al odio, el adiestramiento para la futura comisión de actos terroristas, la justificación y enaltecimiento de los actos terroristas llevados a cabo por otros o la incitación a la ejecución de nuevos actos. Como es sobradamente conocido, cada una de ellas tiene prevista una respuesta diferente en nuestro texto punitivo y como hemos visto, pese a la diferencia existente entre ellas, todas pueden considerarse englobadas por el concepto de radicalización que se viene manejando a nivel internacional. La conclusión resulta evidente: el uso del concepto de radicalización en el ámbito jurídico en general, y en el punitivo en especial, no sólo

---

42 ANTÓN MELLÓN, J., y PARRA, I., *op. cit.*, p. 29.

43 Al respecto *vid* el detallado análisis realizado por CUERDA ARNAU, Mª. L., "Terrorismo y libertades políticas", en *Teoría y Derecho. Revista de Pensamiento Jurídico*, núm. 3, 2008, especialmente pp. 75 a 94.

44 Por cuanto la LO 2/2015 tipifica en el artículo 575 del Código Penal el autoadiestramiento y el autoadoctrinamiento.

no resulta útil, sino que es contraproducente, por cuanto el mismo carece de la precisión que el principio de taxatividad exige, al permitir englobar en sí mismo todo un universo de conductas que, por su diversidad, requieren de un tratamiento —punitivo o no— autónomo y diverso.

3. ESTADO DE LA CUESTIÓN: LAS ÚLTIMAS REFORMAS PENALES EN MATERIA DE TERRORISMO

A los solos efectos de dejar constancia de cómo la tendencia general al castigo de la "radicalización" también ha penetrado en nuestra legislación, se dejará constancia, siquiera sea someramente, de las reformas operadas en materia de terrorismo, por la LO 5/2010, de 22 de junio en su momento y, más recientemente, por la LO 2/2015, de 30 de marzo.

Nuestro legislador ha pretendido dar respuesta a los cambios producidos en la forma de actuar de las organizaciones terroristas mediante las reformas operadas por las leyes acabadas de mencionar, a través de la continua ampliación del número de conductas a las que se atribuye relevancia penal. Así, el legislador de 2010 introdujo un relevante cambio en la regulación de los delitos de terrorismo, con la finalidad de dar respuesta a las especifidades propias del terrorismo yihadista[45]. A tal fin se introdujeron, en palabras del propio Preámbulo, "las conductas de distribución o difusión pública, por cualquier medio, de mensajes o consignas que, sin llegar necesariamente a constituir resoluciones manifestadas de delito (esto es provocación, conspiración o proposición para la realización de una concreta acción criminal) se han acreditado como medios innegablemente aptos para ir generando el caldo de cultivo en el que [...] tales conductas deberán generar o incrementar un cierto riesgo de comisión de un delito de terrorismo". Es decir, se incorporaron los delitos de clima en materia de terrorismo, con las consabidas tensiones que los mismos comportan con la libertad de expresión, pues, como se afirma en el texto acabado de citar, pasan a punirse conductas que no entran dentro de lo que puede considerarse un acto preparatorio punible[46].

---

45 De ahí que, como señala el propio legislador en el Preámbulo, se equipare el tratamiento punitivo otorgado a los grupos terroristas al de las organizaciones de la misma naturaleza.

46 De esta manera, se incorporaba al artículo 576, en el que se tipificaba el delito de colaboración con organización o grupo terrorista, un apartado tercero, castigando con pena de prisión de cinco a diez años y multa de dieciocho a veinticuatro meses a "quienes lleven a cabo cualquier actividad de captación, adoctrinamiento, adiestramiento o formación, dirigida a la incorporación de otros a una organización o grupo terrorista o a la perpetración de cualquiera de los delitos previstos en este Capítulo". Además de ello, el párrafo segundo del artículo 579.1 pasó a punir, con pena de seis meses a dos años de prisión, cuando no quedara comprendida en la

El legislador de 2015, por su parte, justifica la reforma introducida en materia de terrorismo en la honda preocupación mostrada por el Consejo de Naciones Unidas "por la intensificación del llamamiento a cometer atentados en todas las regiones del mundo"[47]. De ahí que el objeto confesado de la reforma sea, entre otros, no sólo el combatir "los nuevos instrumentos de captación, adiestramiento o adoctrinamiento en el odio" empleados por el terrorismo internacional de carácter yihadista[48], sino el adaptar nuestro Código Penal a este nuevo fenómeno que difiere del terrorismo interno habido en nuestro país hasta no hace mucho.

Con dicho objeto se introduce una nueva definición del delito de terrorismo en el artículo 573. Además de ello, en lo que ahora interesa, la reforma recientemente operada por la aludida LO 2/2015 ha ido más allá, y en el artículo 575 se castigan el adiestramiento y el adoctrinamiento, incluido el pasivo, para los cuales prevé una pena de prisión de dos a cinco años a quien, "con la finalidad de capacitarse para llevar a cabo cualquiera de los delitos tipificados en este Capítulo, reciba adoctrinamiento o adiestramiento militar o de combate, o en técnicas de desarrollo de armas químicas o biológicas, de elaboración o preparación de sustancias o aparatos explosivos, inflamables, incendiarios o asfixiantes, o específicamente destinados a facilitar la comisión de alguna de tales infracciones", así como a quien "con la misma finalidad de capacitarse para cometer alguno de los delitos tipificados en este Capítulo, lleva a cabo por sí mismo cualquiera de las actividades" acabadas de citar. Además, se establece una presunción *iuris tantum* de comisión de tal delito respecto de quien "con tal finalidad, acceda de manera habitual a uno o varios servicios de comunicación accesible al público en línea o contenidos accesibles a través de Internet o de un servicio de comunicaciones electrónicas cuyos contenidos estén dirigidos o resulten idóneos para incitar a la

---

provocación, conspiración y provocación para la comisión de los delitos comprendidos en los artículos 571 a 578 —esto es, los delitos de terrorismo—, o en otro precepto del Código Penal que estableciera mayor pena, "la distribución o difusión pública por cualquier medio de mensajes o consignas dirigidas a provocar, alentar o a favorecer la perpetración de cualquiera de los delitos previstos en este capítulo, generando o incrementando el riesgo de su efectiva comisión".

47 Preámbulo de la LO 2/2015, de 30 de marzo.

48 Es por esto que se trata de evitar la difusión de mensajes que puedan mover a otros a la comisión de actos terroristas Según el propio Preámbulo "este terrorismo se caracteriza por su vocación de expansión internacional, a través de líderes carismáticos que difunden sus mensajes y consignas por medio de Internet y, especialmente, mediante el uso de redes sociales, haciendo público un mensaje de extrema crueldad, que pretende provocar terror en la población o en parte de ella y realizando un llamamiento a sus adeptos de todo el mundo para que puedan cometer atentados.

Los destinatarios de estos mensajes pueden ser individuos que, tras su radicalización y adoctrinamiento, intenten perpetrar ataques contra los objetivos señalados, incluyendo atentados suicidas".

incorporación a una organización o grupo terrorista, o a colaborar con cualquiera de ellos o en sus fines". Conductas todas ellas añadidas a las ya tradicionales en nuestro texto punitivo de apología (art. 18.2 CP), enaltecimiento y justificación públicos (art. 578.1 CP), así como de provocación, conspiración y proposición de los delitos de terrorismo (art. 579 CP).

No contento con esto, nuestro legislador amplía, además, los contornos del delito de colaboración tipificando en el apartado tercero del artículo 576 la colaboración imprudente.

El artículo 575, de nuevo cuño, tipifica el adoctrinamiento y el adiestramiento pasivos, castigando por vez primera, no a quién adiestra o adoctrina, sino al sujeto pasivo de la conducta —sin perjuicio de que con anterioridad a la reforma tal conducta pudiera recibir una calificación jurídica distinta—[49]. En su momento ya fueron puestos de manifiesto los problemas provocados por la reforma de 2010 que surgían a la hora de distinguir el "adoctrinamiento" de la "libre expresión de ideas"[50], así como la inconstitucionalidad —por consistir en el castigo de la adhesión ideológica— del artículo 579.1[51] en el que se penaba "la distribución o difusión pública por cualquier medio de mensajes o consignas dirigidos a provocar, alentar o favorecer la perpetración de cualquiera de los delitos" de terrorismo "generando o incrementando el riesgo de su efectiva comisión".

Pues bien, si con la reforma de 2010 podía afirmarse que nuestro texto punitivo castigaba como delitos terroristas la "mera manifestación de opinión"[52], con la de 2015 se ha castigado la "autocaptación"[53] que, habida cuenta de la exigua capacidad lesiva de la conducta, permite poner en duda si no se está castigando con ésto la libertad de pensamiento y la libertad de información. No en vano, como se ha visto, se castiga en el art. 575.2 la mera adquisición o tenencia de documentos que "resulten idóneos para incitar a la incorporación a una organización o grupo terrorista o a colaborar con cualquiera de ellos o en sus fines" —párrafo tercero—, o el acceder de manera habitual a sitios de Internet o redes sociales cuyos contenidos igualmente resulten idóneos para el mismo propósito,

---

49 En ese sentido CAMPO MORENO, J. C., *Comentarios a la reforma del Código Penal en materia de terrorismo: La LO 2/2015*, Tirant lo Blanch, Valencia, 2015, p. 59. Así, como señala CANCIÓ MELIÁ, la "organización de prácticas de entrenamiento o la asistencia a ellas" constituían una de las modalidades de colaboración expresamente mencionada en el artículo 576.2 CP antes de la reforma de 2010. CANCIO MELIÁ, M., "Delitos de terrorismo", en ÁLVAREZ GARCÍA, F. J., y GONZÁLEZ CUSSAC, J. L., (Dtores), *Comentarios a la reforma penal de 2010*, Tirant lo Blanch, 2010, p. 528.

50 CANCIO MELIÁ, M., *op. cit.*, p. 528.

51 CANCIO MELIÁ, M., *op. cit.*, p. 530.

52 *Ibidem.*

53 CAMPO MORENO, J. C., *op. cit.*, p. 61.

siempre que tales comportamientos tengan por objeto el capacitarse para cometer cualquiera de los delitos de terrorismo. Es decir, se castiga la tenencia de material, o el acceso a lugares donde se encuentre información, que puedan considerarse aptos para que quien los tenga en su poder pueda ser convencido para colaborar o integrarse en agrupaciones de naturaleza terrorista. ¿Y si resulta que alguien tiene tales documentos o visita tales sitios porque quiere analizarlos críticamente y tras haberlo hecho decide que no le convencen? ¿Tal conducta constituye libertad de pensamiento o es por el contrario constitutiva de un delito de terrorismo? Y no sólo. Dado que la mera tenencia o la visita habitual de espacios se consideran indicios de la concurrencia de la referida finalidad de la posterior comisión de delitos de terrorismo ¿no conlleva una inversión de la carga de la prueba, contraria al derecho a la presunción de inocencia? Y por terminar de apuntar algunos de los problemas que el tipo puede generar ¿qué se considera acceso habitual? ¿A partir de qué momento la habitualidad se materializará? ¿Qué material se considerará idóneo? Con otras palabras ¿dónde queda la seguridad jurídica que debe garantizar el principio de legalidad?

Por su parte, el artículo 579 supone una ampliación de las conductas sancionables a supuestos de difusión pública de mensajes o consignas con el fin de incitar —incitación que no puede ser directa, por cuanto de serlo serían constitutivas de provocación—, o que sean idóneos, lo que todavía amplia más el ámbito por cuanto podría considerarse que a través de esta fórmula en la que el punto de atención se centra en la aptitud del mensaje para producir un determinado efecto —aunque no sea esa la finalidad perseguida por quien lo difunde— se castiga una conducta que se fundamenta en el hecho de que el sujeto debió haber previsto la posibilidad de que con su actuación alguien pudiera llegar a cometer cualquier delito de terrorismo, incluidos, por cierto, los propios actos preparatorios de los delitos de terrorismo, que ahora, por disponerlo así expresamente el artículo 573.3 CP[54], son también considerados como tales. Lo que resulta innegable es que el riesgo que se criminaliza en el precepto en cuestión es tan abstracto que puede ponerse en duda la constitucionalidad del mismo, en lo que respecta a la libertad ideológica, religiosa y de culto, promulgada en el art. 16.1 CE. No puede olvidarse que, aunque el tipo penal no establece ninguna limitación en cuanto a la naturaleza del mensaje o consigna difundidos, en lo que al terrorismo yihadista se refiere, tales mensajes y consignas serán usualmente difundidos en el ejercicio de tales libertades, y el referido artículo 16.1 CE fija como único límite al ejercicio

---

54 Según dicho precepto "asimismo, tendrán la consideración de delitos de terrorismo el resto de los delitos tipificados en este Capítulo", el cual abarca los preceptos 573 a 580.

de las mismas el orden público protegido por la ley[55]. Orden público cuya afectación, en conductas tan alejadas de cualquier comportamiento material, puede ser, cuanto menos, puesta en tela de juicio.

A la vista está pues, que los nuevos preceptos suscitarán problemas constitucionales, derivados unos de la falta de previsibilidad consustancial a algunas de las figuras esquemáticamente expuestas, y otros de su difícil articulación con el derecho a la libertad ideológica y de expresión o el derecho a la información, cuestiones que, sin embargo, revisten la enjundia suficiente como para quedar reservadas para un ulterior estudio.

4. CONCLUSIÓN

Si, como hemos visto, puede admitirse que las concretas conductas incorporadas en nuestro texto punitivo generan tensiones —está por ver si hasta el punto de quebrarlos— con el principio de legalidad y con derechos y libertades fundamentales como, por ejemplo, la libertad de expresión o la libertad ideológica, religiosa y de culto, mayor riesgo de hacer efectivo dicho quebranto se derivaría de incorporar en nuestro texto punitivo el concepto de radicalización, cuyo contenido todavía no ha quedado delimitado. Precisamente por este motivo el

---

55 En relación a esto tiene dicho el TC, en el FJ de su Sentencia núm. 46/2001, de 15 de febrero: "...cuando el art. 16.1 CE garantiza las libertades ideológica, religiosa y de culto "sin más limitación, en su manifestaciones, que el orden público protegido por la ley", está significando con su sola redacción, no sólo la trascendencia de aquellos derechos de libertad como pieza fundamental de todo orden de convivencia democrática (art. 1.1 CE), sino también el carácter excepcional del orden público como único límite al ejercicio de los mismos, lo que, jurídicamente, se traduce en la imposibilidad de ser aplicado por los poderes públicos como una cláusula abierta que pueda servir de asiento a meras sospechas sobre posibles comportamientos de futuro y sus hipotéticas consecuencias.
El ejercicio de la libertad religiosa y de culto, como declara el art. 3.1 de la Ley Orgánica 7/1980, en absoluta sintonía con el art. 9 del Convenio Europeo de Derechos Humanos, "tiene como único límite la protección del derecho de los demás al ejercicio de sus libertades públicas y derechos fundamentales, así como la salvaguarda de la seguridad, de la salud y de la moralidad pública, elementos constitutivos del orden público protegido por la Ley en el ámbito de una sociedad democrática". Ahora bien, en cuanto "único límite" al ejercicio del derecho, el orden público no puede ser interpretado en el sentido de una cláusula preventiva frente a eventuales riesgos, porque en tal caso ella misma se convierte en el mayor peligro cierto para el ejercicio de ese derecho de libertad. Un entendimiento de la cláusula de orden público coherente con el principio general de libertad que informa el reconocimiento constitucional de los derechos fundamentales obliga a considerar que, como regla general, sólo cuando se ha acreditado en sede judicial la existencia de un peligro cierto para la "seguridad, la salud y la moralidad pública", tal como han de ser entendidos en una sociedad democrática es pertinente invocar el orden público como límite al ejercicio del derecho a la libertad religiosa y de culto".

concepto de radicalización no resulta útil en Derecho Penal, por cuanto el mismo requiere, a fin de no afectar el contenido de los derechos fundamentales, una clara definición de las conductas punibles con una fijación expresa de sus contornos, requisito básico de la seguridad jurídica exigible en todo estado democrático de derecho.

5. BIBLIOGRAFÍA

ANDRÉ GLUCKSMANN, *El discurso del odio*, traducción de Mónica Rubio, Taurus, Santafé de Bogotá, 2004.

ANTÓN MELLÓN, J. y PARRA, I., "Concepto de radicalización", en Antón Mellón, J., (Edtor.), *Islamismo yihadista: radicalización y contrarradicalización*, Tirant lo Blanch, Valencia, 2015.

BALLESTEROS, M. A., "¿Qué es el conflicto asimétrico? Soluciones globales para amenazas globales", en Navarro Bonilla, D., y Esteban Navarro, M. A., *Terrorismo global, gestión de información y servicios de inteligencia*, Madrid, 2006.

BOIX ALONSO, L., "Al Qaeda: la nueva amenaza en la agenda de la seguridad nacional", en *Cuadernos constitucionales de la Cátedra Fadrique Furió Ceriol*, núm. 48, Universitat de València, 2004.

BORDES SOLANAS, M., *El terrorismo. Una lectura analítica*, Bellaterra, Barcelona, 2000.

CAMPO MORENO, J. C., *Comentarios a la reforma del Código Penal en materia de terrorismo: La LO 2/2015*, Tirant lo Blanch, Valencia, 2015.

CANCIO MELIÁ, M., "Delitos de terrorismo", en Álvarez García, F. J., y González Cussac, J. L., (Dtores), *Comentarios a la reforma penal de 2010*, Tirant lo Blanch, 2010.

CANO PAÑOS, M. A., "Internet y terrorismo islamista. Aspectos criminológicos y legales", en *Eguzkilore*, núm. 22, San Sebastián, diciembre 2008.

CUERDA ARNAU, Mª. L., "Terrorismo y libertades políticas", en *Teoría y Derecho. Revista de Pensamiento Jurídico*, núm. 3, 2008.

DAVID C. RAPOPORT, "Las cuatro oleadas del terror insurgente y el 11 de septiembre", en Reinares, F., y Elorza, A., *El nuevo terrorismo islamista. Del 11-S al 11-M*, Temas de Hoy, Madrid, 2004.

DAVID C. RAPOPORT, *La moral del terrorismo*, Ariel, Barcelona, 1985.

DE LA CORTE, L., "¿Qué sabemos y qué ignoramos sobre la radicalización yihadista?, en Antón Mellón, J., (Edtor.), *Islamismo yihadista: radicalización y contrarradicalización*, Tirant lo Blanch, Valencia, 2015.

FRANÇOIS HEISBOURG Y LA FUNDACIÓN PARA LA INVESTIGACIÓN ESTRATÉGICA, *Hiperterrorismo. La nueva Guerra,* Espasa, Madrid, 2002.

GABRIEL WEIMANN, "Terrorists and their tools. Part. II", YaleGlobal Online, MacMillan Center, 2004.

GABRIEL WEIMANN, "www.terror.net: How Modern Terrorism Uses the Internet", United States Institute of Peace, 2004.

GONZÁLEZ CUSSAC, J. L., y FERNÁNDEZ HERNÁNDEZ, A., "Sobre el concepto jurídico-penal de terrorismo", en *Teoría y Derecho. Revista de Pensamiento Jurídico*, núm. 3, 2008.

HANNA ROGAN, "Jihadism online - A study of how al-Qaeda and radical islamist groups use the Internet for terrorist purposes", FFI Rapport, 2006.

INTECO, *Esteganografía, el arte de ocultar información.*

JORDÁN, J., "Políticas de prevención de la radicalización violenta en Europa: Elemento de interés para España", en *Revista Electrónica de Ciencia Penal y Criminología*, 11-05 (2009).

MAGNUS RANSTORP, "The virtual Sanctuary of Al-Qaeda and Terrorism in an Age of Globalization", en Johan Eriksson, y Giampiero Giacomello, *International Relations and Security in the Digital Age*, Routledge, Londres, 2007.

MIRÓ LLINARES, F., *El Cibercrimen. Fenomenología y criminología de la ciberdelincuencia en el espacio*, Marcial Pons, Madrid, 2012.

PETER K. WALDMANN, "Radicalización en la diáspora: por qué musulmanes en Occidente atentan contra sus países de acogida", en Real Instituto Elcano, Documento de Trabajo 9/2010, 26 de abril de 2010.

TIMOTHY L. THOMAS, "Al Qaeda and the Internet: The danger of *Cyberplanning*", en *Parametres*, 2003.

TORRES SORIANO, M. R., "Violencia y acción comunicativa en el terrorismo de Al Qaeda", en *Política y Estrategia*, núm. 96, 2004.

TORRES SORIANO, M. R., *Terrorismo y propaganda en Al Qaeda. Un estudio de caso*, Universidad de Granada, Granada, 2004.

WALTER LAQUER, *La guerra sin fin. El terrorismo en el siglo XXI*, Destino, 2003.

WALTER LAQUER, *Una historia del terrorismo*, Paidós, Barcelona, 2003.

Una aproximación sociológica al proceso de radicalización extremista en el islamismo: la necesidad de indicadores

Sergio García Magariño
Instituto de Gobernanza Democrática (www.globernance.org)
Universidad Camilo José Cela

SUMARIO. 1. Introducción, metodología y precisiones terminológicas. 2. Indicadores del proceso de radicalización individual. 2.1. El perfil. 2.2. Las motivaciones. 3. Indicadores *mesosociológicos*: el contexto cercano. 3.1. El proceso de socialización. 3.2. Condiciones estructurales y grupales. 4. Otros indicadores *macrosociológicos*. 5. Conclusión.

RESUMEN: En este artículo se exploran los factores relacionados con el proceso de radicalización islamista atendiendo a tres tipos de indicadores, psicológicos, contextuales y macrosociológicos, con el propósito de resaltar la necesidad de elaborar mecanismos de prevención e identificación temprana de este fenómeno que probablemente se teme más de lo que se comprende. Una premisa de la que se parte es que los mecanismos de identificación temprana y de prevención deben ser el eje de las políticas de combate del terrorismo dentro del territorio español. Las estrategias policiales, con todo lo fundamentales que son, cuando se implementan sin una buena comprensión de este fenómeno en cuestión, pueden generar a largo plazo mayores amenazas y azuzar los procesos de radicalización[1]. Debido a que los terroristas yihadistas forman una red global —aunque reticular, sin núcleos ni conexiones tan claras—, la mirada sociológica que ilumina todo el estudio, a pesar de que está anclada en España, traerá perspectivas extraídas de las experiencias en otros países.

PALABRAS CLAVE: Terrorismo islámico, yihad, proceso de radicalización, indicadores, seguridad, delincuencia, medidas preventivas

ABSTRACT: This paper examines the factors connected with the Islamic radicalization process looking at three categories of indicators, psychological, meso-sociological and macro-sociological ones, in order to underline the need for designing early prevention and

---

1 Intento demostrar esta tesis —que también sostiene Cass Sunstein en *Riesgo y Razón*— con mayor profundidad, aunque en otros contextos geográficos, en otras obras. Véase: *Desafíos del sistema de seguridad colectiva de la ONU: un análisis sociológico de su efectividad ante las amenazas globales,* Centro de Investigaciones Sociológicas, 2016; "Análisis de las resoluciones del Consejo de Seguridad ante los mayores casos de violencia política del siglo XX" en *Dilemata. International journal of applied ethics*, september 2013, nº 13, pp. 93-119.

identification mechanisms. The proposal that this mechanisms should be at the heart of the public policies to combat Islamic terrorism within the Spanish territory is one of the underlying assumptions from which this study have been undertaken. Defense policies are crucial, yet, when implemented without a profound understanding of the phenomenon being faced, might generate greater threats in the long terms. Provided that jihadist terrorists constitute a global reticular network, the sociological sight which illumines the whole paper, despite being underpinned in Spain, will draw on insights produced abroad.

KEYWORDS: Islamic terrorism, jihad, radicalization process, indicators, security, preventive mechanisms, crime.

1. INTRODUCCIÓN, METODOLOGÍA Y PRECISIONES TERMINOLÓGICAS

El terrorismo de corte islámico, más conocido por terrorismo yihadista, ha pasado a convertirse en la amenaza a la seguridad internacional más temida desde los atentados del 11 de septiembre de 2001, ocupando los primeros puestos de la agenda global. Sin embargo, en Europa se tardó algo más en tomar conciencia de esta amenaza, primero como amenaza exterior y finalmente como amenaza interna.

El terrorismo no era algo desconocido en Europa, sin embargo, esta variante singular del mismo no había penetrado en el imaginario colectivo hasta su virulenta irrupción en Madrid (2004) y Londres (2005). Hoy día —probablemente debido a los atentados de París, a la exacerbada sensación de vulnerabilidad, a la espectacularidad del Daesh y al bombardeo mediático—, tal como muestra la encuesta del CIS de diciembre de 2015[2], el terrorismo internacional de corte islámico se ha convertido en una de las preocupaciones principales de los españoles, quienes lo consideran uno de los principales problemas en España.

El Ministerio del Interior y toda la maquinaria policial y de inteligencia no son ajenos a esta amenaza que, como ya se ha mencionado, se considera interna, a pesar de estar muy conectada con los conflictos de Siria, Iraq y Afganistán. El pacto antiterrorista firmado por el Partido Popular (PP) y el Partido Socialista Obrero Español (PSOE) a principios de 2015, cuyo propósito expreso era afinar todos los mecanismos, incluyendo los legales, para combatir el terrorismo de corte islámico, es un buen indicador del nivel de alarma que ha suscitado este fenómeno.

No obstante, parece que la naturaleza del terrorismo de corte islámico en general y el proceso de radicalización y de captación de potenciales terroristas, en particular, son escasamente comprendidos por una serie de razones que expongo

---

2 http://www.cis.es/opencms/-Archivos/Indicadores/documentos_html/TresProblemas.html.

a continuación. Primero, los dirigentes europeos habían aceptado acríticamente las interpretaciones más exageradas de la brillante teoría de la secularización, pensando que, progresivamente, a medida que las sociedades se modernizaran, la religión desaparecería de la esfera pública, e incluso de la conciencia individual[3]. Esta actitud desinteresada frente a la religión ha contribuido a tener un bajo nivel de lo que los angloparlantes denominan "religious literacy". El hecho de que la formación y cultura general en historia de las religiones en Europa y España sean bajas, ha dificultado por tanto la comprensión de este tipo de terrorismo vinculado con ciertas interpretaciones fundamentalistas del Islam. Segundo, la primera aproximación al terrorismo de corte islámico fue mirar al exterior y pensar que eran problemas ajenos. Tercero, el Islam en Europa se ha visto como una religión de inmigrantes y no como un elemento históricamente presente y paulatinamente más implantado en la cultura siempre en evolución de Europa. Cuarto, al abordar esta problemática se ha intentado desligar toda conexión del terrorismo con el Islam, de ahí su denominación generalizada "yihadista" —a pesar de seguir conectado con este concepto coránico—, lo que ha supuesto dos consecuencias, una positiva y otra negativa. La positiva es que pretende evitar la condena generalizada a los musulmanes por culpa de los actos que cometen unos pocos en su nombre. La negativa es que al intentar eliminar la conexión con el Islam, se ha pasado por alto el papel que juega el factor ideológico en el proceso de radicalización, tal como veremos más adelante[4]. Quinto, los medios de comunicación, en España, al menos, han priorizado ganar audiencias con este tema, abusando de los componentes violentos y morbosos, y eludiendo su responsabilidad ética de educar a la opinión pública. Por último, el enfoque principal —casi único— para abordar el terrorismo de corte islámico ha sido una combinación de medidas legales, policiales y de inteligencia. Estas medidas suelen valorar su éxito en función del número de detenciones, condenas o células desactivadas sin reparar en los efectos que esas mismas medidas puedan estar teniendo a largo plazo sobre las poblaciones al borde de la radicalización.

A continuación, por tanto, se abordará la cuestión del proceso de radicalización buscando indicadores relacionados con tres tipos de factores: los relacionados con el individuo, con su perfil y con su itinerario hacia la decisión final de promover la violencia activamente; los *mesosociológicos*, referentes al grupo social, a las redes —físicas y virtuales— y al contexto cercano; y los *macrosociológicos*, concernientes a otros factores sociales que trascienden el contexto

---

3 Para un mayor entendimiento de los problemas de la teoría de la secularización ver: RAFAEL DÍAZ-SALAZAR, *Formas modernas de religión,* Alianza Editorial, Madrid, 2006.

4 La profesora Eva Borreguero elabora sobre esta idea en su artículo en el País "Modernizar el Islam": http://elpais.com/elpais/2015/11/30/opinion/1448915295_206637.html.

inmediato. Antes de proseguir, sin embargo, es menester hacer dos aclaraciones, la primera con respecto la denominación de este tipo de terrorismo y la segunda sobre el desarrollo de indicadores.

La mayor parte de contenidos, ya sean escritos o audiovisuales, científicos, mediáticos o de divulgación, denominan a este tipo de terrorismo que busca legitimarse a través de la referencia al Islam “terrorismo yihadista”. En este artículo, por razones de espacio, no entramos en aclaraciones conceptuales sobre el Islam, el islamismo, el islamismo radical, el terrorismo, la yihad o el yihadismo. No obstante, se ha escogido la denominación “terrorismo de corte islámico” para subrayar dos de las particularidades esenciales de este fenómeno: el uso del terror, de la violencia, y la referencia al Islam como marco de legitimación de las acciones violentas. La Dra. Dolors Bramon explica algunas de las razones por las que la utilización del apelativo “yihadista” confunde más que aclaran a la hora de hablar del terrorismo de corte islámico[5]. En este trabajo se comparten algunas de sus premisas[6].

Por último, aclarar que aunque en este estudio se utiliza el término “indicador”, con ello no nos referimos a índices cuantitativos para entender y evaluar procesos, sino a referentes analíticos que indican cómo es el proceso de radicalización islamista. El desarrollo de indicadores cuantitativos que permitan objetivar las condiciones individuales, *mesosociológicas* y *macrosociológicas* propicias para el terrorismo de corte islámico es una tarea tan pendiente como compleja. Se espera poder dar pasos en esa dirección en estudios posteriores[7].

2. INDICADORES DEL PROCESO DE RADICALIZACIÓN INDIVIDUAL

2.1. *El perfil*

Las explicaciones del proceso de radicalización suelen partir de la identificación de los perfiles de los terroristas. En el caso del terrorismo de corte islámico,

---

5 DOLORS BRAMON, “Los fundamentos del poder en el Islam”, en *Awrag: Estudios sobre el mundo árabe e islámico contemporáneo*, nº 9, 2014, pp. 5-18.

6 La denominación de este tipo de terrorismo ha sido y es objeto de debate tanto académico como mediático, sin existir grandes consensos al respecto. Para ver un ejemplo de sus filtración en los medios: http://elpais.com/diario/2004/03/28/opinion/1080428407_850215.html.

7 Se está elaborando una propuesta de proyecto de investigación para Horizonte 2020 cuyo propósito es precisamente desarrollar un sistema de alarma temprana a través de indicadores cuantitativos micro, meso y macro, que permitan “diagnosticar” el potencial de riesgo de terrorismo de corte islámico dentro de un territorio específico.

la mayor parte de los estudios toman los datos de los individuos que han sido arrestados por pertenencia a banda armada o que se han inmolado. Estos perfiles en Europa, y en particular en España[8], a pesar de tener características en común con otras personas radicalizadas hacia el terrorismo organizado —ya sea de ETA, del IRA o de las FARC—, tienen unos rasgos muy singulares que se abordarán debajo y para los que las teorías acerca del proceso de radicalización no ofrecen explicación[9] completa. Además, este perfil ha evolucionado en los últimos años, por lo que es necesario realizar constantemente estudios empíricos por tratarse, en cierto modo, de un perfil algo fluido.

El perfil de los terroristas detenidos o muertos en España hasta el 2012 era el siguiente[10]: extranjeros, de Argelia (38%), Pakistán (30%), Marruecos (16%) y Siria (9%); siete de cada diez se habían radicalizado total o parcialmente en España y este proceso había comenzado siendo muy jóvenes (el 21% entre 16 y 20 años, el 30% entre 21 y 25 y el 33% entre 26 y 30); musulmanes varones y menores de 30 años; residentes en áreas metropolitanas de la Comunidad de Madrid (46%), Cataluña (17%) y la Comunidad Valenciana (12%).

Un patrón que se observa en este período y que se acentuará desde 2013 hasta la actualidad es la juventud de las personas radicalizadas. Como se analizará más adelante, los jóvenes en adolescencia tardía, debido a su búsqueda de identidad, son la población más apetecible para los agentes de radicalización y para la propaganda del Daesh y Al-Qaeda, tanto por su vulnerabilidad como por su búsqueda de causas por las que luchar.

Sin embargo, desde el 2013, en consonancia con la movilización terrorista internacional sin precedentes, especialmente a Siria e Iraq, se ha producido una extraordinaria transformación del perfil de los terroristas en Europa y, muy en particular, en España. De los 120 detenidos en España desde 2013 hasta finales de 2015, emerge un perfil distinto. Ha sido especialmente alarmante el componente endógeno de estas personas, ya que, mientras que en el período anterior no había ningún nacional, ahora el 45% tiene nacionalidad española y el 40% ha nacido en España. De los nacidos en España, más del 75% lo hicieron en Ceuta o Melilla. La siguiente ciudad por importancia en relación a la ciudad de nacimiento

---

8 ROBIN SIMCOX, HANNAH STUART, HOURIYA AHMED, *Islamist terrorism: British connections*, Center for Social Cohesion, London, 2010.

9 CAROLA GARCÍA-CALVO y FERNANDO REINARES, "Procesos de radicalización violenta y terrorismo yihadista en España: ¿cuándo? ¿dónde? ¿cómo?", Madrid: Real Instituto Elcano, Documento de Trabajo 16/2013.

10 Se toman los 84 detenidos o muertos desde 1996 hasta 2012: *Memoria de la fiscalía general del Estado* elaborada por Consuelo Madrigal Martínez-Pereda, sección sobre la Audiencia Nacional, apartado "terrorismo internacional de origen yihadista", Centro de Estudios Jurídicos del Ministerio de Justicia, pp. 210-222, 2015.

de los terroristas fue Barcelona (5%). La siguiente nacionalidad dominante entre los detenidos y condenados en este período es, con gran diferencia, marroquí. El resto de nacionalidades, tales como la tunecina (5.2%) y la argelina (3.5%) son muy inferiores.

Otra característica distintiva de este período es la irrupción de mujeres, la reducción de la edad, la constatación del elevado número de casados (especialmente entre los hombres) y el mayor número de conversos entre los detenidos y condenados. En el período anterior no hubo mujeres y sólo una persona era conversa al Islam. Sin embargo, en estos últimos años, casi el 15% son conversos y más del 15% son mujeres, superándose así el porcentaje de mujeres de todos los países europeos. Además, a pesar de la juventud de todos, las mujeres son incluso más jóvenes que los hombres, siendo la media de edad 22 años (la de los hombres 28.8), habiendo algunas menores incluso de 15 años (5.9%) y estando el 41.2% en el rango entre 15 y 19 años[11].

2.2. *Las motivaciones*

Más allá de los perfiles, existe un debate en cuanto a las motivaciones que conducen a que las personas actúen políticamente, especialmente con violencia. En los medios de comunicación se suele aludir a la sensación de agravio y de exclusión, a la indignación[12], a la falta de motivación, a la propensión psicológica previa, al factor ideológico, etc. Sin embargo, este tema, el de la acción social (la acción por fines sociales o políticos) también es uno de los objetos permanentes de reflexión tanto de la sociología como de la psicología social[13]. A pesar de que hay diferentes clasificaciones, voy a centrarme en la que identifica cuatro factores motivacionales principales[14]: racionales, emocionales, normativos e identitarios, con el fin de intentar explicar otras facetas individuales del proceso de radicalización mediante el cual una persona decide unirse al terrorismo de corte islámico.

---

11 Datos extraídos del documento de trabajo del 16/11/2015 del Real Instituto Elcano sobre los procesos de radicalización islámica titulado *Terroristas, redes y organizaciones: facetas de la actual movilización yihadista en España*. Los datos son ofrecidos por la Policía Nacional, la Guardia Civil y los Mosos de Escuadra. También tuvieron entrevistas con la mayor parte de los presos detenidos o condenados durante ese período.

12 Manuel Castells en su *Redes de indignación y esperanza* (Alianza Editorial, 2015, tercera edición) se adhiere a los que consideran la indignación como fuerza motivacional.

13 HANS JOAS and WOLFGANG KNÖBL, *Social theory: twenty introductory lectures*, Cambridge University Press, 2009.

14 JAVIER JORDÁN, "Procesos de radicalización yihadista en España: un análisis en tres niveles" en *Revista de Psicología Social,* 24 (2), 2009, 197-216

En cuanto a los factores racionales e instrumentales, estos contribuyen al proceso de radicalización fundamentando las razones estratégicas por las que la lucha armada terrorista debería ser el camino. Algunos argumentos, compartidos por Javier Jordán son los siguientes. Cuando se combate con Estados y grupos mucho más poderosos militarmente, la lucha de guerrillas y la acción terrorista es el mecanismo más efectivo. Bin Laden utilizaba este argumento para justificar este tipo de acciones. La llamada a la Resistencia Islámica Global[15] teoriza este tipo de planteamiento, intentando darle peso intelectual. Además, el terrorismo, debido a su espectacularidad y a su capacidad de atraer a los medios de comunicación, hace que la causa por la que se lucha se introduzca rápidamente en la agenda pública. Debido a la radicalidad de sus metas (establecer la Umma internacional y gobiernos islámicos regidos por la Sharia), algunos consideran que mediante la participación política y la movilización social exclusivamente no se pueden lograr sus metas. Esta es precisamente la razón por la que ciertos sectores islamistas critican a los Hermanos Musulmanes por su estrategia política. Algunos terroristas también utilizan hechos históricos para mostrar cómo la lucha armada de esta índole logra objetivos a corto plazo, tales como la liberación de prisioneros o la retirada de tropas españolas de Iraq y Afganistán tras el 11M. Cuando se analizan las declaraciones públicas de Bin Laden, por ejemplo, se observa una continuidad estratégica y un cálculo instrumental pormenorizado, con una lógica basada en un sistema de valores muy distinto al occidental pero que refleja una estrategia deliberada a largo plazo. De hecho, se observa incluso cómo se lamenta ante los errores estratégicos de determinadas acciones[16]. Todo esto demuestra que considerar el terrorismo de corte islámico como algo puramente irracional y nihilista seguramente sea un error. Sin embargo, no todos los que se vinculan a esta clase de terrorismo siguen este tipo de motivaciones. Las élites y líderes del movimiento terrorista global se anclan más en este tipo de motivación, pero hay que indagar en otros factores para seguir dando luz sobre los acicates para dar el salto y unirse a la lucha armada. Si sólo hubiera causas racionales, a través del discurso y la racionalización se podría desmantelar el proceso de radicalización, pero esto no ocurre.

Los elementos emocionales son otro factor clave a la hora de entender el proceso de radicalización. Las entrevistas e historias de vida realizadas a este tipo de terroristas muestran estados de ánimo negativos muy fuertes, tales como frus-

---

15 M. ZACKIE, "An Analysis of Abu Mus' ab al-Suri's' Call to Global Islamic Resistance" en *Journal of Strategic Security* 6.1, 2013.

16 SERGIO GARCÍA, *El sistema de seguridad colectiva de la ONU: un análisis sociológico de su efectividad ante las amenazas globales,* Centro de Investigaciones Sociológicas, Madrid, 2016, pp. 355-368 (pendiente de impresión).

tración, privación, rabia ante la injusticia, deseos de venganza, humillación... Sin embargo, también existen otros estados de ánimo que entrarían en otra categoría diferente, tales como deseo de aventura, atracción por la violencia, fascinación por lo clandestino, anhelo de reconocimiento, afán de notoriedad, deseo de ser respetado o temido[17]. En los detenidos y condenados en España se encuentran ambos tipos de sentimientos. Sorprende observar cómo algunas chicas lo que buscaban era la aventura. Este fenómeno también ocurrió con las guerrillas latinoamericanas que recibieron algunos europeos movilizados por estos sentimientos. Al-Qaeda, desde sus inicios, se valió de este factor emocional para lograr adeptos[18]. Sus alusiones a la élite de jóvenes valientes que darían su vida por Alá y formarían parte de la Red, de la Organización, de Al-Qaeda, una vez se estableciera la Umma, son un buen ejemplo de la instrumentalización de las emociones. También lo era su frecuente recurso al agravio del conflicto palestino-israelí y a la humillación sufrida por los musulmanes cuando EEUU entró en Arabia Saudí, con el consentimiento de los Saud, para liderar la misión contra Sadam Husayn. El Daesh sigue recurriendo a este factor emocional, tanto en sus llamamientos a la acción como en su propaganda mediática. Cuida tanto este tema, que en sus vídeos, cuando aparece un combatiente degollando a un prisionero, justo en ese momento se difumina la imagen para evitar herir las susceptibilidades de quienes pueden militar con sus fines. No obstante, no todas las personas que tienen estas sensaciones las canalizan hacia la lucha armada, por lo que hay que seguir buscando fuerzas motivacionales.

Los factores normativos, el sentido del deber, la visión del mundo, los valores, son otro tipo de factor determinante. Si no se comprenden estos factores, la lucha antiterrorista puede contribuir incluso a la radicalización de aquellos que están al borde de la misma pero que no darían el paso de asumir la lucha armada[19]. La adopción de una interpretación religiosa fundamentalista por parte de personas poco instruidas así como la pertenencia a corrientes ideológicas salafistas dentro del Islam parecen ser las dos mayores canteras para la radicalización relacionadas con este tipo de factores. En cuanto a la adopción de interpretaciones religiosas extremistas, esto ocurre, por un lado, con musulmanes que no tienen mucho conocimiento del Islam ni educación formal, por lo que son fácilmente manipulables por los discursos de un líder carismático que justi-

---

17 JAVIER ROLDÁN, *op. cit.*, p. 203.

18 GILLES KEPEL and JEAN-PIERRE MILELLY, *Al Qaeda in its own Words*, The Belknap Press of Harvard University Press, London, 2008.

19 SERGIO GARCÍA, "Las lógicas de la religión y el fundamentalismo": http://globernance.org/sergio-garcia-el-riesgo-de-no-entender-las-logicas-de-la-religion-y-del-fundamentalismo/.

fica interesadamente la violencia con extractos descontextualizados del Corán; y, por el otro, con personas que puede que no fueran musulmanas pero en las que confluyen algunos de los otros factores señalados. Por otro lado, la corrientes islamistas salafistas que en principio no abogan por la violencia, suelen ser los marcos ideológicos idóneos en los que reclutar combatientes. En este último caso, la educación formal y religiosa no actúa de filtro, sino que fundamenta la decisión eliminando toda posible disonancia cognitiva. Un estudio realizado en la India y que próximamente será publicado recoge múltiples historias de vida de personas que decidieron unirse a la lucha armada en diferentes movimientos —no necesariamente islamistas en todos los casos— y, tal como nos ha adelantado una de sus investigadoras principales, Eva Borreguero, el capital intelectual jugaba un importante elemento disuasorio, pero la ideología, junto con otros factores como la presencia de familiares en algún grupo armado, también podía ser legitimadora de la violencia y contribuir a dar el paso definitivo hacia la lucha armada.

Finalmente, y terminando ya el apartado de factores individuales, están los elementos identitarios. Los seres humanos tenemos un deseo de pertenecer a un grupo, de estar vinculados e identificados con otros. Esta necesidad fundamental se manifiesta de muy diversas formas. El parentesco, la amistad, la comunidad, el grupo, todos ellos en distintas medidas incitan a las personas a emprender determinadas acciones para lograr objetivos comunes. En la mayoría de los casos, tal como muestran diferentes estudios[20], los detenidos y condenados por pertenencia a grupo armado de corte islámico tenían amigos (70%) o familiares (20%) en algún grupo terrorista previamente. En cierta forma, estas entidades que proporcionan identidad al individuo se pueden volver fines en sí mismos. En otras palabras, el deseo de pertenecer a ese grupo, de ser respetado dentro de la familia, de mantener la amistad, de continuar con un romance, pueden mover a los individuos a emprender todo tipo de acciones, incluyendo las terroristas. En última instancia, los seres humanos somos seres sociales, por lo que además de la ideología, de las emociones y de los elementos ideológicos que conducen a las personas a actuar, la necesidad vitad de pertenencia a una "comunidad", de la índole que esta sea, es un factor clave a la hora de entender el proceso de radicalización.

Los factores identitarios son especialmente relevantes para aquellas personas que han sufrido cierto desarraigo: inmigrantes sin familia, personas no integradas, encarcelados, individuos procedentes de familias desestructuradas... Las células terroristas normalmente adoptan la forma de grupos pequeños, muy

---

20 MARC SAGEMAN, *Understanding terror networks*, University of Pennsylvania Press, 2004.

íntimos, cercanos a la persona —como se verá en el siguiente apartado— que satisfacen esa necesidad de pertenencia y generan vínculos de lealtad particularmente fuertes. Además, los grupos islamistas radicales ofrecen otro sentido de pertenencia más amplio, ya que existe una identidad trasnacional de supuestos muyahidines que luchan juntos por establecer la Umma, la gran mancomunidad islámica. Estas fuerzas son bastante peligrosas porque, cuando se exacerban, deshumanizan fácilmente a los "otros" que no son parte del grupo, facilitando el recurso a la violencia.

Otro fenómeno relacionado con este tipo de factores que hace que los individuos se vuelvan vulnerables al proceso de radicalización es la crisis de identidad. En cierto modo, todas las personas experimentamos a lo largo de la vida algunas crisis de identidad que nos permiten evolucionar. Ciertas edades —como la adolescencia o la entrada a la universidad—, ciertas poblaciones —los hijos de inmigrantes que batallan entre la cultura de sus padres y la del país que les acoge—, ciertos acontecimientos —la muerte de familiares, un problema grave, una migración—, agudizan estas crisis de identidad abriendo nuevas posibilidades de pertenencia. Los agentes de radicalización islamista —y con esto terminamos este apartado porque nos adentra directamente en la segunda categoría de factores, los meso sociológicos— aprovechan este fenómeno para enfocarse en ciertas poblaciones que buscan un sentido de pertenencia y de misión. Los jóvenes suelen ser uno de sus principales blancos.

3. INDICADORES *MESOSOCIOLÓGICOS*: EL CONTEXTO CERCANO

En el apartado anterior se abordaron algunos de los factores individuales que impulsan a una persona a apoyar el terrorismo de corte islámico. Sin embargo, atender al contexto inmediato de las personas como una entidad con vida propia arroja luz sobre otro tipo de fuerzas relacionadas con el proceso de radicalización. Sin estas fuerzas, los factores individuales no ofrecen una explicación completa. A continuación se revisarán, de un lado, el proceso de socialización y, del otro, algunas de las condiciones estructurales y grupales favorables para la radicalización.

3.1. El proceso de socialización

La socialización es el proceso mediante el cual los miembros de una colectividad aprenden los modelos culturales de su sociedad (socialización primaria) o de un grupo, aunque sea minoritario (socialización secundaria)[21]. Según las conclusiones del informe del Real Instituto Elcano de 2013 al que hemos hecho referencia anteriormente[22], la radicalización se lleva a cabo típicamente en compañía de otros, normalmente bajo el influjo de agentes de radicalización, tales como activistas carismáticos o figuras religiosas. Los domicilios privados y los lugares de culto islámico son los ámbitos más propicios para la radicalización islamista, adquiriendo creciente importancia las prisiones, aunque el entorno social de un individuo es decisivo. En la mayoría de los casos, la modalidad del proceso es de arriba abajo (*top-down*), lineal y progresivo. Durante el mismo se combinan el uso de materiales impresos, soportes audiovisuales e Internet. Hay grandes variaciones de unos casos a otros, pero entre el inicio del proceso de radicalización islamista y la implicación efectiva de un individuo en actividades relacionadas con el terrorismo, transcurren como media entre cuatro y cinco años.

Hay tres preguntas clave relacionadas con este proceso de socialización: cuándo se produce, dónde y cómo.

En cuanto al momento, tal como se expuso al analizar los perfiles individuales, el proceso de radicalización islamista se inicia en la juventud temprana[23]. El 51% de los detenidos en España acusados de terrorismo de inspiración islámica, experimentaron el proceso de radicalización entre los 16 y los 25 años y el 84.8% si ampliamos el tramo de los 16 a los 30[24]. La tendencia, además, es que la edad de radicalización se está adelantando.

En relación al lugar de radicalización, los detenidos en España, en su mayoría, se han radicalizado en el país (71.6%) total o parcialmente. El resto se radicalizó esencialmente en Argelia, Pakistán, Marruecos y Siria. Con la irrupción del Daesh, el número de radicalizados en Siria parece que debería ascender, pero, sin tener datos muy fiables, lo más probable es que los entre 70 y 139 combatientes españoles en Siria[25] se hubieran radicalizado en España. En otras palabras, no es

---

21 Thomas LUCKMAN, "La religión invisible", *Papers: revista de sociología,* 4, 1975, pp. 257-260.

22 CAROLA GARCÍA-CALVO y FERNANDO REINARES, "Procesos de radicalización...", *op. cit.*

23 Ministerio del Interior: http://www.interior.gob.es/prensa/noticias//asset_publisher/GHU8Ap6ztgsg/content/id/2997426.

24 CAROLA GARCÍA, *op. cit.*

25 No son datos muy fidedignos. Se han tomado de la prensa y las referencias varían: http://politica.elpais.com/politica/2015/01/02/actualidad/1420229675_116334.html; http://www.lavanguardia.com/internacional/20151120/30285166332/terrorismo-yihad-estado-islamico-daesh-combatientes-extranjeros-jorge-fernandez-diaz.html; http://notihoy.com/interpool-solo-el-22-de-los-yihadistas-que-hay-en-el-mundo-estan-identificados/.

que se radicalicen en Siria y vengan a España radicalizados, sino lo contrario: se radicalizan en España y viajan a Siria a luchar con el Daesh.

Yendo más al detalle geográfico, según el mismo informe del Real Instituto Elcano, desde 1996 hasta 2012, las comunidades autónomas donde se producía el proceso de radicalización eran, sobre todo, la Comunidad de Madrid (46.4%) y, en menor pero importante medida, Cataluña (17,8%) y la Comunidad Valenciana (13.4%). Sin embargo, el patrón ha cambiado considerablemente en los últimos tres años, convirtiéndose las ciudades de Ceuta, Melilla, principalmente, y Barcelona y Madrid, en los cuatro focos más importantes para la radicalización[26].

Con respecto a los ámbitos de radicalización, los domicilios particulares han sido espacio de radicalización por excelencia para el 73,0% de los individuos entrevistados por García y Reinares[27][28], del mismo modo que los lugares de culto lo fueron también para el 46,1% de los mismos, constituyendo estos dos tipos de lugares los ámbitos más frecuentes donde se han iniciado y desarrollado los procesos de radicalización islamistas activos en nuestro país desde la década de los 90 hasta 2013. Con la misma finalidad han sido utilizados además locales comerciales, en no menos de un 34,6% de los casos. Se recurrió también a espacios al aire libre en otro 32,7% y a lugares de trabajo en un 19,2%. Los centros penitenciarios fueron ámbito de radicalización para al menos un 17,3% del conjunto de individuos que aquí estamos considerando. Importa subrayar que estos distintos ámbitos de radicalización son compatibles, por lo común complementarios y en modo alguno excluyentes entre sí. Se trata de ámbitos que genéricamente coinciden con los utilizados, asimismo en España, en procesos de radicalización orientada hacia la práctica del terrorismo pero justificado, en este caso, en los contenidos de otro tipo de ideologías de la violencia como los individuos reclutados desde la década de los setenta por ETA. De todo modos, a lo largo de su radicalización islámica, lo normal es que un determinado individuo se haya encontrado en dos o más de los ámbitos listados, que se combinan de modo variable dependiendo, entre otros factores, de las características del entorno social, la vigilancia por parte de las autoridades, la disponibilidad de espacios y las directrices de quienes favorecen el proceso.

Si comparamos los porcentajes correspondientes a los distintos ámbitos de radicalización para los dos periodos de tiempo, 1995-2003 y 2004-2012, durante los que fueron detenidos o se inmolaron los terroristas islamistas españoles, se

---

26 *Terroristas, redes y organizaciones..., op. cit.*

27 CAROLA GARCÍA, *op. cit.*

28 Para un análisis más completo del proceso de captación, ver: ROGELIO ALONSO PASCUAL, "Procesos de radicalización y reclutamiento en las redes de terrorismo yihadista" en *Cuadernos de estrategia,* nº 141, 2009, pp. 21-68.

constatan algunas variaciones interesantes. Pese a que los domicilios privados han sido el ámbito más frecuente para el inicio y desarrollo de procesos de radicalización, su incidencia decae considerablemente en el segundo período respecto al primero, lo mismo que sucede, aunque en medida relativamente menor, con los espacios al aire libre y los lugares de trabajo. Por el contrario, se mantiene, incluso al alza, la importancia de los locales comerciales como ámbitos en los cuales iniciar y desarrollar actividades relacionadas con procesos de radicalización. De igual modo que se mantiene también, pero en este supuesto a la baja, la utilización de los lugares de culto islámico. Entre tanto, las prisiones adquieren especial notoriedad como ámbitos propicios para la radicalización islámica dentro de nuestro país[29].

Atendiendo ahora al modo de la radicalización, contrario a lo que se señala en muchos medios, si tomamos los datos de los detenidos hasta 2013[30], se observa que nadie se radicalizó a sí mismo. Aunque internet es un instrumento muy efectivo para la radicalización que, además, ha adquirido mayor relevancia en ese proceso de radicalización, no juega un papel esencial. No obstante, en todos los casos, la radicalización se da en grupo, en compañía de otros y con el concurso de un "agente de radicalización", alguien que entra en relación con las personas y que logra "convertirles" a la lucha violenta. Los principales tipos de agentes de radicalización son: los activistas carismáticos, nombrados por alguna organización terrorista para esa labor o dirigentes de una célula; líderes religiosos salafistas de ciertas comunidades islámicas; y amigos, familiares o compañeros de trabajo previamente radicalizados. Porcentualmente, el activista carismático sobresale como agente de radicalización, ya que el 60% de los casos estudiados se radicalizó por este medio. Los líderes religiosos supuso el principal agente para el 17.2% de los casos, pero su influencia aumenta a medida que se toman los datos más recientes. Un amigo ha sido el agente primordial para un 11.4% de los casos, un familiar para el 5.7% y un compañero de trabajo para un 5.7% también. Hay que destacar, que un 55.2% de los detenidos ya tenía alguien conocido, ya fuera familiar (25%) o amigo, vecino o compañero de trabajo (25%), detenido por terrorismo de corte islámico antes de que ellos fueran expuestos a una versión salafista y belicosa del Islam.

La modalidad de reclutamiento puede ser de "arriba abajo", siendo el agente de radicalización el protagonista que busca a posibles "reclutas"; de "abajo arriba", siendo el individuo el que busca la célula o al grupo terrorista; u hori-

---

29 Informe de la Asociación de los Cuerpos de la Administración de Instituciones Penitenciarios (ACAIP). Las noticias del Cuerpo de Ayudantes de Instituciones Penitenciarias también alertan de este riesgo de radicalización en prisiones.

30 CAROLA GARCÍA, *op. cit.*

zontal, una mezcla de las dos modalidades anteriores donde adquieren mayor importancia las redes sociales en las que se mueven las personas[31]. En el 70.4% de los casos de España, el reclutamiento fue de "arriba abajo", siendo el agente de radicalización quien tomó la iniciativa. La modalidad de "abajo arriba" operó en un 11.4% de los mismos y la "horizontal" un 18.2%. El patrón, no obstante, es que la modalidad de "arriba abajo", a pesar de seguir siendo dominante, empieza a reducirse y las otras dos a incrementarse. Los instrumentos utilizados en el proceso han sido, en orden de importancia, los materiales impresos (más del 80% de los detenidos había recibido alguno); las grabaciones de audio y vídeo (77.5% habían usado alguna); internet (presente en un 57.8% de los casos); y las cartas, en particular la correspondencia con presos (8.9% de los casos)[32]. Internet, como era de esperar, comienza a cobrar más fuerza en los últimos años, pero no llega a ser el instrumento principal. Esto es un indicador de que, aunque se controlara el mundo virtual para perseguir a los posibles reclutas por parte de la policía, el proceso de radicalización no se detendría.

Para concluir con el proceso de socialización, mencionar que, a pesar de que el viaje a Siria no haya sido hasta la fecha sustancial para el proceso de radicalización de los detenidos en España, no se puede minusvalorar el potencial de peligro que esto tiene. La experiencia de Arabia Saudí durante la primera guerra de Afganistán, cuando miles de ciudadanos saudíes —entre ellos, Bin Laden— combatieron en una supuesta Yihad contra los soviéticos, puede servirnos de ejemplo. Estos combatientes, al regresar a su país (Arabia Saudí), se convirtieron en una amenaza interna[33], ya que se habían convertido en héroes de guerra socializados en una estrategia de combate de milicias para lograr objetivos políticos e incluso religiosos. España debe poner en marcha todos los mecanismos posibles, como parece que ya está haciendo, para identificar y detener a los combatientes españoles que han viajado a Siria.

3.2. *Condiciones estructurales y grupales*

La sociología del crimen busca encontrar regularidades contextuales alrededor de los sujetos que delinquen. Por ejemplo, tomando el fenómeno del suicidio, el enfoque sociológico trasciende las realidades individuales para observar en qué

---

31 LAILA BOKHARI, THOMAS HEGGHAMMER, BRYNJAR LIA, PETTER NESSER y TRULS H. TØNNESSEN, "Paths to Global Yihad: Radicalisation and Recruitment to Terror Networks. Proceedings from a FFI Seminar, Oslo, 15 March 2006", FFI/RAPPORT, 2006, p. 26.

32 CAROLA GARCÍA, *op. cit.*

33 Para profundizar en esto ver: SERGIO GARCÍA, *Desafíos del Sistema de Seguridad", op. cit.*, pp. 355-368.

países hay mayores tasas de suicidios, entre qué clases sociales es más frecuente, qué genero incide más, que raza tiene mayor propensión a ello. Después se intenta explicar por qué ocurre, pero primero se intentan establecer patrones empíricamente constatables.

El terrorismo islamista en España, siguiendo la misma línea argumentativa, también se puede ver desde esta óptica y, de hecho, así se ha hecho hasta ahora en este artículo. Resumiendo, los terroristas detenidos en España, sin ánimo de ser exhaustivos, son principalmente hombres aunque en los últimos años hay un porcentaje pequeño de mujeres; musulmanes salafistas, habiendo un pequeño porcentaje de conversos; jóvenes, entre 16 y 30 años; nacidos en España; muchos hijos de inmigrantes; radicalizados en la juventud temprana; amigos o familiares de otros terroristas detenidos; que dicen haber experimentado algún agravio dentro de la sociedad española; que residen sobre todo en Ceuta, Melilla, Cataluña, Madrid y Valencia.

Los colectivos más vulnerables parecen ser los hijos de inmigrantes musulmanes, conocidos como inmigrantes de segunda generación; los jóvenes, universitarios o no, que ven frustradas sus expectativas de integración, ya sea social o económica; los que ya tienen una ideología salafista; los integrantes de familias desestructuradas; y quienes carecen de recursos intelectuales, tanto científicos como religiosos. Muchas veces estos colectivos se solapan, incrementándose así el potencial de riesgo.

Los hijos de inmigrantes musulmanes experimentan una sensación fuerte de desarraigo: ni se identifican con la cultura de sus padres ni logran integrarse bien en la sociedad española. Al principio suelen aspirar a ser reconocidos como españoles, pero a medida que no se sienten reconocidos como tales, pueden volverse a una versión radical del Islam, gracias a un agente de radicalización, que los dota de un fuerte sentimiento de pertenencia y de identidad.

Los jóvenes que ven frustradas sus expectativas de integración económica y social, especialmente si son musulmanes, son más susceptibles de encontrar justificaciones relacionadas con el islamismo radical. Afirmaciones tales como *"ellos no nos quieren porque somos musulmanes, el Islam tiene un modelo de desarrollo económico más potente pero no nos lo dejan experimentar, Occidente quiere acabar con el Islam, etc."* reverberan entre muchos colectivos generando un caldo de cultivo para el radicalismo. En España no se ha dado el caso, pero hay militantes del Daesh —así como de las guerrillas latinoamericanas— que buscaban simplemente un futuro económico, o un reconocimiento social, tal como se estudió en la sección dedicada a las motivaciones individuales.

Los musulmanes que no conocen mucho del Islam suelen ser más fácilmente manipulables que los que tienen un conocimiento sólido del mismo, ya que se dejan deslumbrar por la retórica de los agentes de radicalización. Sin embargo, la ideología más cercana a la del Daesh y Al-Qaeda es el salafismo. Esta interpretación fundamentalista del Islam era minoritaria hasta que los pozos de petróleo de Arabia Saudí permitieron la financiación de múltiples centros educativos, culturales y mezquitas para propagarla. Del salafismo saudí a la justificación de la violencia y del terror hay solo un paso, por lo que los centros donde se promueve el salafismo son especialmente sensibles.

Los individuos, en particular los jóvenes, procedentes de familias desestructuradas también son presa fácil de los agentes de radicalización. Chicas carentes de cariño que buscan afecto; hijos que pasan mucho tiempo solos; maltratados; vacíos de esperanzas y de sentido de misión; son diferentes variantes del mismo fenómeno. El grupo primario que supone la célula terrorista satisface esta carencia.

Las personas con niveles educativos bajos, tal como se demuestra en otros estudios —como el dirigido por Eva Borreguero que señalamos al inicio—, tienen menos recursos para eludir la manipulación y el adoctrinamiento.

Para concluir esta sección, se plantean dos reflexiones relacionadas con la comunidad de pertenencia. Por un lado, tan sólo uno de cada 10 de los terroristas de corte islámico o supuestos terroristas detenidos en España desde 2013 hasta hoy estaba implicado en solitario. Los restantes nueve de cada 10 se encontraban envueltos en actividades terroristas en compañía, junto a otros individuos de sus mismas ideas y en redes, tanto de nueva formación como de naturaleza reconstituida. Entre las principales funciones de estas redes terroristas estaban las de radicalización y reclutamiento —que a menudo también llevaban a cabo tareas de proselitismo y financiación— y, en menor medida, funciones operativas y de adiestramiento. Esas distintas funciones se desarrollaban sobre todo con referencia al Daesh y, en menor grado, al Frente al-Nusra —la rama de al-Qaeda en Siria— y a otras organizaciones terroristas activas en Oriente Medio y África del Norte, con las que, en la gran mayoría de los casos, las redes a que estaban vinculados los detenidos tenían algún tipo de conexión organizativa. La existencia de estas células en España es una condición sin la cual no se podría dar el proceso de radicalización tan fácilmente. Por otro lado, se deduce de esto, que la pertenencia a una comunidad religiosa musulmana moderada podría ser una fortaleza y una medida preventiva efectiva contra la radicalización, porque evita la sensación de agravio, favorece la integración, genera una sensación de pertenencia y, en definitiva, desactiva algunos de los factores estructurales identificados.

4. OTROS INDICADORES *MACROSOCIOLÓGICOS*

Existen una serie de procesos y acontecimientos macro sociológicos, relativos a lo que ocurre, por un lado, en el orden internacional, por otro, dentro del mundo islámico y, finalmente, en España, que nutren, no siempre de forma directa, los procesos de radicalización islamista en general, y en este país en particular. Aquí nos referiremos, aunque con brevedad, a los siguientes elementos, muchos de los cuales están interrelacionados: el contexto de la globalización, la irrupción de las nuevas tecnologías de la información, la ideología salafista, la existencia de una Yihad global y de unas organizaciones identificables, ciertos acontecimientos, la doble moral del sistema de seguridad colectiva de la ONU, la sensación de agravio al Islam, la pobreza y la exclusión social, el bombardeo mediático, los prejuicios y las políticas de defensa exclusivamente policiales.

La globalización ha sido un proceso que, primero gracias a los sistemas de transporte y de comunicación y ahora a las nuevas tecnologías de la información, ha compactado el mundo. La Yihad es global, los flujos migratorios son globales, la sensación de agravio o el sentido de misión se mundializa, las amenazas son transfronterizas, la identidad trasnacional se puede fortalecer, las guerras —como la de Afganistán, Iraq o Siria— son percibidas como globales, los procesos de radicalización se pueden dar en cualquier país y después canalizar hacia la acción violenta en cualquier otro. Sin embargo, la política no está igualmente globalizada[34], generando cierto déficit de gobernanza global que es aprovechado por las trasnacionales así como por las organizaciones terroristas.

Las nuevas tecnologías de la información, además de haber contribuido al fenómeno de la globalización, juegan un papel por sí solo como vehículo por el que canalizar propaganda terrorista, como plataforma de conexión y de generación de redes[35], como instrumento de coordinación de acciones. Normalmente se sobrevalora el rol que juegan las tecnologías de la comunicación digital en los procesos de movilización política y social, pero nadie puede dejar de reconocer que tanto Al-Qaeda como el Daesh, así como su maquinaria de captación y adoctrinamiento, son consustanciales, en cierto modo a la eclosión de la comunicación digital.

La ideología salafista, como se mencionó antes, había sido un credo minoritario hasta la financiación por parte de Arabia Saudí de centros por todo el mundo para la propagación de la misma. Esta ideología religiosa, a pesar de que no legitima el uso de la violencia, al tener planteamientos tan radicales, se ha convertido en un caldo de cultivo para la aparición de Al-Qaeda y del Daesh. Tanto Bin Laden, como los talibanes y el Daesh, se han identificado con esta ideología. De nuevo, la globalización y las nuevas tecnologías de la información, junto con los

---

34 MARTÍN ALBROW, *The Global Age: State and society beyond modernity*, Polity Press, Cambridge, 1996.

35 MANUEL CASTELLS, *Redes de indignación y esperanza: los movimientos sociales en la era de internet*, Alianza Editorial, Madrid, 3ª Edición, 2015.

petrodólares saudíes, han sido condiciones sin las cuales el salafismo no se podría haber extendido de forma tan impresionante.

Muy vinculado a lo anterior, la aparición de dos organizaciones terroristas atractivas, Al-Qaeda y el Daesh, con una visión a largo plazo, con estrategias específicas, con sistemas de captación y de propaganda refinados, ha posibilitado sobremanera la materialización de los deseos de unirse a la lucha armada por parte de personas adoctrinadas y radicalizadas. Estas organizaciones han hecho visible el movimiento de resistencia islámica global y se han apropiado del discurso transformador del Islam.

El Daesh y Al-Qaeda hacen uso de ciertos acontecimientos como la guerra de Siria, la invasión de Iraq, la guerra de Afganistán, el conflicto palestino israelí, la prohibición del velo en Francia o la introducción de tropas americanas en Arabia Saudí, para justificar la necesidad de movilización islámica. Estos hechos son extremadamente populistas y estas organizaciones saben muy bien cómo manipular para lograr adeptos.

La doble moral de algunos países occidentales del sistema de seguridad colectiva de la ONU es otro elemento que no pasa desapercibido para estas organizaciones y que explotan para justificar el uso de la violencia. Se critica a los derechos humanos y a la democracia como máscaras detrás de las que se esconden algunas potencias occidentales para liderar intervenciones militares con otros propósitos. En este sentido, el no dar justificaciones de este modo estaría dentro de las estrategias preventivas más importantes, ya que desarmaría muchos de los argumentos que condensó Bin Laden y sobre los que siguen elaborando Al-Qaeda y el Daesh[36].

El agravio al Islam es otra emoción que ha logrado exacerbar para facilitar la radicalización de individuos. Esta sensación es bastante generalizada dentro del mundo islámico, tanto en los países mayoritariamente musulmanes, como en los musulmanes europeos. Este agravio, no obstante tiene diferentes dimensiones. Las versiones más extremas son aquellas que plantean que Occidente representa el materialismo y el ateísmo y que quiere acabar con el Islam, la religión de Dios para este día. Bajo esta óptica, se interpreta el mundo y el comportamiento tanto de los países occidentales en sus relaciones internacionales como de las organizaciones internacionales, que se creen controladas por esos mismos países. Otras versiones más moderadas pero igualmente preocupantes son aquellas que se basan en la creciente islamofobia[37] en Europa, así como en las medidas que se toman en algunos países y que parecen ensañarse con los musulmanes, tales como

---

36 ERIC FRATTINI, *Osama Bin Laden: la espada de Alá,* La Esfera de los Libros, Madrid, 2002.

37 Para una revisión de este fenómeno, ver: http://explotacion.mtin.gob.es/oberaxe/documentacion_inicioListadoDocumentacion.

la prohibición de velos, los escáneres corporales en los aeropuertos, la imposibilidad de construir mezquitas, etc.

Las condiciones sociales y económicas indignas dentro de ciertos países islámicos y de ciertos colectivos musulmanes dentro de Europa, la generación de guetos que desarrollan identidades de confrontación y el prejuicio hacia lo islámico en Europa, son todas condiciones estructurales muy peligrosas para el terrorismo. Pobreza, exclusión social y opresión son fuerzas muy poderosas que han azuzado otros tipos de terrorismos que pueden ser desactivadas desde las políticas públicas, siempre y cuando se les preste la atención debida.

En particular, en España existen dos condiciones estructurales peligrosas. La primera tiene que ver con los medios de comunicación y la segunda con las medidas policiales. Ambos procesos, además, se refuerzan[38]. El entorno mediático español tiende a resaltar lo negativo, lo sensacionalista, lo conflictual, lo lúgubre. La forma en que se presenta al Islam, a los terroristas y la conexión innecesaria de ciertos delitos con el perfil religioso —cuando es musulmán— encona la sensación de agravio a la que se ha hecho referencia anteriormente. Las políticas públicas de defensa, por otro lado, se enfocan principalmente en identificar, detener y condenar a terroristas y posibles terroristas. En los últimos meses ha habido una ola de detenciones que se publican en los medios y se interpretan como grandes éxitos de la lucha contra el terrorismo. De nuevo, la publicidad exagerada de estas medidas inflama a ciertos sectores islámicos, sirve de coartada para los agentes de radicalización y exaspera el sentimiento de agravio, haciendo que aquellos que están al borde de la radicalización den el paso. Por último, los sectores más conservadores de la ultra derecha en Europa y, progresivamente, en España, se están apropiando del discurso público sobre el Islam en Europa. Esto supone un gran problema, tal como exponía la profesora Borreguero[39], porque cuanto más islamófobo se vuelva el discurso público sobre el Islam, más fácil será para los agentes de radicalización justificar su lucha. Esto es algo que choca contra la libertad de expresión, pero al igual que se toman medidas que afectan a algunas libertades individuales —como penar la navegación por sitios webs de organizaciones terroristas—, quizá se le deba prestar atención a los problemas con algunos usos irresponsables de la libertad de expresión, especialmente cuando se hace a través de los medios de comunicación de masas o cuando proceden de políticos ya sean locales, autonómicos o nacionales.

---

38 Para un análisis más extenso de estos dos problemas en España ver: http://globernance.org/sergio-garcia-el-riesgo-de-no-entender-las-logicas-de-la-religion-y-del-fundamentalismo/.

39 EVA BORREGUERO, *op. cit.*

5. CONCLUSIÓN

Diseñar y ejecutar mecanismos para combatir efectivamente el terrorismo de corte islámico, cuya presencia ha crecido significativamente en España, en Europa y en el mundo en los últimos años, exige comprender con mayor profundidad la naturaleza del proceso de radicalización. Los factores de tipo motivacional —incluyendo una comprensión empírica del perfil—, los de clase *mesosociológica* y los *macrosociológicos* constituyen un todo integrado que hacen más o menos vulnerables a individuos y colectividades ante los agentes de radicalización.

En cuanto a los factores individuales, el perfil hasta el 2013 en España era: jóvenes, principalmente, varones, musulmanes, radicalizados en España, de origen argelino, pakistaní, marroquí y sirio, residentes en Madrid, Cataluña y Valencia. Sin embargo, desde el 2013 el perfil ha variado: hay un número importante de mujeres, de conversos y españoles, son más jóvenes y muchos proceden de Ceuta y Melilla. Las motivaciones combinan factores racionales, emocionales, ideológicos e identitarios.

Con respecto a los factores *mesosociológicos*, los agentes de radicalización, así como los lazos previos con amigos y familiares radicalizados, juegan un papel muy relevante en el proceso de captación —que en España es de "arriba abajo"—. Los domicilios privados y los lugares de culto son los ámbitos de radicalización por excelencia, aunque crece el uso de comercios, y los instrumentos más utilizados son los materiales impresos, grabaciones y, crecientemente, internet. Los colectivos más vulnerables, que además se solapan en muchas ocasiones, parecen ser los hijos de inmigrantes musulmanes, los jóvenes que ven frustradas sus expectativas de integración, los que ya tienen una ideología salafista, los integrantes de familias desestructuradas y quienes carecen de recursos intelectuales.

Finalmente, ciertos procesos macro sociológicos son condiciones necesarias para la radicalización islamista, tales como el contexto de la globalización, la irrupción de las nuevas tecnologías de la comunicación, la expansión del salafismo, la existencia de un movimiento de resistencia islámica global y de unas organizaciones específicas que lo abanderan, ciertos hechos internacionales que se utilizan como justificación, la doble moral de algunas agencias y estados de la ONU, la sensación de agravio al Islam, la pobreza y la exclusión social, la propaganda mediática, la islamofobia y las medidas de defensa excesivamente policiales.